...*the earth serves me to walk upon,*
the sun to light me... Montaigne

HAMMOND®

STANDARD
WORLD ATLAS

Latest and most Authentic
Geographical and Statistical Information

HAMMOND INCORPORATED
MAPLEWOOD, NEW JERSEY / New York   Chicago   Boston   Atlanta   Los Angeles

CONTENTS

GAZETTEER-INDEX OF THE WORLD   III
GLOSSARY OF ABBREVIATIONS   VIII
UNIVERSE, EARTH AND MAN   XIII

MAN IN RELATION TO THE UNIVERSE
The Universe: Time and Space   XIV
The Starry Skies   XVI
Our Family of Planets   XVIII
The Moon: Earth's Natural Satellite   XX
Earth's Hostile Environment   XXII

MAN IN RELATION TO THE EARTH
Structure of the Earth   XXIV
Earth Dynamics: Mountain Building   XXVI
Earth Dynamics: Erosion   XXVIII
The Watery Realm   XXX

MAN IN RELATION TO HIS ENVIRONMENT
The Geologic Record   XXXIV
Climate: Patterns of Heat and Moisture   XXXVI
Vegetation: Tundra to Rain Forest   XXXVIII
People: Distribution and Growth   XL
Raw Materials: The Resource Base   XLII

WORLD and POLAR REGIONS
World   1
Arctic Ocean   4
Antarctica   5

EUROPE
Europe   6
United Kingdom and Ireland   10
Norway, Sweden, Finland, Denmark and Iceland   18
Germany   22
Netherlands, Belgium and Luxembourg   25
France   28
Spain and Portugal   31
Italy   34
Switzerland and Liechtenstein   37
Austria, Czechoslovakia and Hungary   40
Balkan States   43
Poland   46
Union of Soviet Socialist Republics   48

ASIA
Asia   54
Near and Middle East   58
Turkey, Syria, Lebanon and Cyprus   61
Israel and Jordan   64
Iran and Iraq   66
Indian Subcontinent and Afghanistan   68
Burma, Thailand, Indochina and Malaya   72
China and Mongolia   75
Japan and Korea   79
Philippines   82
Southeast Asia   84

PACIFIC OCEAN and AUSTRALIA
Pacific Ocean   86
Australia   88
Western Australia   92
Northern Territory   93
South Australia   94
Queensland   95
New South Wales and Victoria   96
Tasmania   99
New Zealand   100

AFRICA
Africa   102
Western Africa   106
Northeastern Africa   110
Central Africa   113
Southern Africa   117

SOUTH AMERICA
South America   120
Venezuela   124
Colombia   126
Peru and Ecuador   128
Guianas   131
Brazil   132
Bolivia   136
Chile   138
Argentina   141
Paraguay and Uruguay   144

NORTH AMERICA
North America   146
Mexico   150
Central America   153
West Indies   156

CANADA
Canada   162
Newfoundland   166
Nova Scotia and Prince Edward Island   168
New Brunswick   170
Quebec   172
Ontario   175
Manitoba   178
Saskatchewan   180
Alberta   182
British Columbia   184
Yukon and Northwest Territories   186

UNITED STATES
United States   188

ENTIRE CONTENTS © COPYRIGHT 1969 BY HAMMOND INCORPORATED
ALL RIGHTS RESERVED
PRINTED IN THE UNITED STATES OF AMERICA
LIBRARY OF CONGRESS CATALOG CARD NUMBER MAP 66-34

GAZETTEER-INDEX OF THE WORLD

This alphabetical list of continents, countries, states, colonial possessions and other major geographical areas provides a quick reference to their area, population, capital or chief town, map page number and index key thereon. The last named indicates the square on the respective page in which the name may be found. An indication of the population sources used is also included, and refers both to the total figures given in this Gazetteer-Index and to the populations appearing in greater detail with the maps throughout the atlas. The population figures used in each case are the latest reliable figures obtainable. A glance at the sources will show that the dates vary considerably throughout the world. In certain areas where no census has ever been taken, we must rely on official estimates. In other areas where censuses have been taken at infrequent intervals, we again rely on estimates. A notable example is that of Argentina, where the latest detailed figures available are from the 1947 census, obviously now outdated. The key to the abbreviations used in the Gazetteer-Index follows:

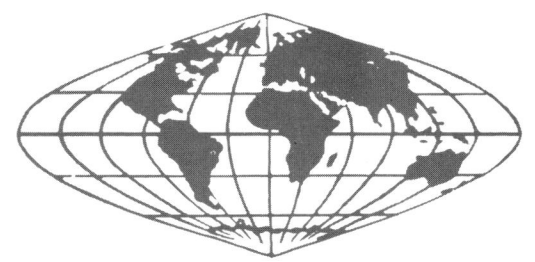

cap = capital	isl, isls = island, islands
CE = census (local or undetermined)	OE = official estimate
cit = cities	oth = other populations
dept = departments	PC = preliminary census
dist = districts	pref = prefectures
est = estimate	prov = provinces
FC = final census	prov dist = provincial districts
int div = internal divisions	reg = regions

SSR = Soviet Socialist Republic
terr = territories
TP = total population
UK = United Kingdom
UN = United Nations
USA = United States of America
ws = with suburbs

Country	Area (Square Miles)	Population	Capital or Chief Town	Page and Index Ref.	Sources of Population Data
Afars & Issas, Terr. of the	8,492	80,000	Djibouti	111/H 5	TP—64 OE; cap—63 OE; oth—61 OE
★Afghanistan	250,000	15,227,000	Kabul	68/A 2	TP—64 OE; cap (& ws) & Kandahar (& ws)—64 OE; Herat, Jalalabad & Mazar-i-Sharif—62 OE; oth—59 OE
Africa	11,850,000	304,000,000		102/......	64 UN est
Alabama, U.S.A.	51,609	3,462,000	Montgomery	188/J 4	TP—65 OE; oth—60 FC & OE
Alaska, U.S.A.	586,400	253,000	Juneau	188/C 5	TP—65 OE; oth—60 FC & OE
★Albania	11,096	1,867,000	Tiranë	45/E 5	TP—65 OE; oth—63 OE
Alberta, Canada	255,285	1,456,000	Edmonton	182/......	TP—66 OE; cap (ws) & Calgary (ws)—66 OE; oth—61 FC
★Algeria	919,353	12,300,000	Algiers	106/D 3	TP—64 UN est; Saharan dept, cit—63 OE; oth—60 FC
American Samoa	76	26,000	Pago Pago	87/J 7	TP—65 OE; oth—60 FC
Andaman & Nicobar Is., India	3,215	63,548	Port Blair	68/G 6	61 FC
Andorra	175	11,000	Andorra la Vella	33/G 1	TP—62 OE; cap—63 UN est
Angola	481,351	5,119,000	Luanda	115/C 6	TP—65 OE; oth—60 FC
Antarctica	5,500,000	....		5/......	
Antigua & Dependencies	171	62,000	St. Johns	156/G 3; 161/E11	TP—64 OE; oth—60 FC
★Argentina	1,078,266	22,352,000	Buenos Aires	143/......	TP—65 OE; cap (& ws), prov, cit (part)—60 PC; oth—47 FC
Arizona, U.S.A.	113,909	1,608,000	Phoenix	188/D 4	TP—65 OE; oth—60 FC & OE
Arkansas, U.S.A.	53,104	1,960,000	Little Rock	188/H 3	TP—65 OE; oth—60 FC & OE
Armenian S.S.R., U.S.S.R.	11,500	1,958,000	Erivan	52/F 6	TP—62 OE; cit over 100,000—63 OE; oth—59 FC
Ascension Island, St. Helena	34	478	Georgetown	102/A 5	TP—64 OE
Ashmore & Cartier Islands, Australia	....	....		88/C 2	....
Asia	16,500,000	1,852,946,000		54/......	63 UN est
★Australia	2,974,581	11,002,811	Canberra	88/......	TP & states—64 OE; cap (& A.C.T.)—65 OE; oth—61 FC
Australian Antarctic Territory	2,472,000	....		5/C 5	
Australian Capital Territory	939	85,676	Canberra	97/E 4	TP—65 OE; oth—61 FC
★Austria	32,369	7,193,000	Vienna	41/......	TP—64 OE; cap—62 UN est; oth—61 FC
Azerbaidzhan S.S.R., U.S.S.R.	33,100	4,117,000	Baku	52/G 6	TP—62 OE; cit over 100,000—63 OE; oth—59 FC
Azores Islands, Portugal	890	327,480	Ponta Delgada, Angra do Heroísmo, Horta	32/......	60 FC
Bahama Islands	4,404	133,000	Nassau	156/C 1	TP, cap—64 OE; oth—63 FC
Bahrein	231	182,203	Manama	59/F 4	TP—65 OE; oth—59 FC
Balearic Islands, Spain	1,936	443,327	Palma	33/H 3	60 FC
★Barbados	166	244,000	Bridgetown	161/B 8	TP—65 OE; oth—60 FC
★Belgium	11,775	9,328,000	Brussels	27/......	TP—64 OE; oth—61 FC
Bermuda	21	49,000	Hamilton	156/H 3	TP—65 OE; oth—60 FC
Bismarck Archipelago, Terr. of New Guinea	19,660	163,634	Rabaul	87/E 6	TP—64 OE; oth—64 OE, 61 CE
★Bolivia	412,777	3,702,000	La Paz, Sucre	136/......	TP—65 OE; dept, caps, cit (part)—62 OE; oth—60 FC
Bonin & Volcano Islands	105	205	Yankee Town	87/E 3	64 FC
★Botswana	222,000	559,000	Gaberones	118/C 4	TP—65 OE; oth—64 PC
★Brazil	3,286,170	82,222,000	Brasília	132/......	TP, states—65 OE; cap—61 OE; oth—60 PC
British Columbia, Canada	366,255	1,838,000	Victoria	184/......	TP—66 OE; Vancouver (ws)—66 OE; oth—61 FC
British Honduras	8,867	106,000	Belize City	154/C 2	TP—65 OE; cap (ws)—62 OE; oth—60 FC
British Indian Ocean Terr.	58	2,000	Victoria (Seychelles)	54/L10	TP—66 OE; oth—60/62 FC
British Solomon Islands Prot.	14,600	139,730	Honiara	87/F 6	TP—64 OE; isls—63 OE; cap—59 OE
Brunei	2,226	97,000	Brunei	85/E 4	TP—65 OE; oth—60 FC
★Bulgaria	42,796	8,211,000	Sofia	45/F 4	TP—65 OE; cap (ws) & cit (part)—63 OE; oth—56 PC
★Burma	261,610	24,229,000	Rangoon	72/B 2	TP—64 OE; cap, Mandalay, Moulmein—58 OE; oth—53 CE
★Burundi	10,747	2,780,000	Bujumbura	115/E 4	TP—64 UN est; cap—60 UN est; oth—59 OE
★Byelorussian S.S.R. (White Russian S.S.R.), U.S.S.R.	80,100	8,316,000	Minsk	52/C 4	TP—64 OE; cit over 100,000—63 OE; oth—59 FC
California, U.S.A.	158,693	18,602,000	Sacramento	188/B 3	TP—65 OE; oth—60 FC & OE
★Cambodia	69,884	6,200,000	Phnom Penh	72/B 4	TP—64 UN est; oth—62 PC
★Cameroon	178,368	5,150,000	Yaoundé	115/B 2	TP—65 OE; cap—62 CE; cit—64, 62, 61, 57 OE
★Canada	3,851,809	19,785,000	Ottawa	162/......	TP—66 OE; cit (ws) (part)—66 OE; oth—61 FC
Canal Zone	362	53,900	Balboa Heights	154/G 6	TP—64 OE; oth—60 FC
Canary Islands, Spain	2,894	944,448	Las Palmas, Santa Cruz	33/B 4	60 FC
Cape of Good Hope, South Africa	262,875	3,936,306	Cape Town	118/C 6	60 FC
Cape Verde Islands	1,557	220,000	Praia	106/B 8	TP—64 UN est; oth—60 PC
Caroline Islands, Terr. Pacific Is.	525	49,107		87/E 5	TP—64 OE; oth—63 OE
Cayman Islands	104	9,000	Georgetown	156/B 3	TP—64 OE; oth—60 FC

★Member of the United Nations.

Gazetteer-Index of the World

Country	Area (Square Miles)	Population	Capital or Chief Town	Page and Index Ref.	Sources of Population Data
Celebes, Indonesia	72,986	6,288,043	Makassar	85/G 6	TP—61 PC; cit—54–57 OE
★Central African Republic	239,382	1,320,000	Bangui	115/C 2	TP—64 OE; cap—64 CE; oth—61, 58, 57 OE
Central America	217,813	13,571,000		154/......	64 UN est
Ceylon	25,332	10,965,000	Colombo	68/E 7	TP—64 OE; oth—63 FC
★Chad	455,598	2,830,000	Fort–Lamy	111/C 4	TP—64 UN est; cap (ws)—63 OE; cap, cit (part)—61 OE; oth—63, 57 OE
Channel Islands	75	112,000	Saint Helier, Saint Peter Port	13/E 7	TP—64 UN est; oth—61 FC & PC
Chatham Islands, N.Z.	372	510	Waitangi	100/D 7	64 OE
★Chile	286,396	8,567,000	Santiago	138/......	TP—65 OE; cap (ws) & cit over 100,000—63 OE; oth—60 FC
China (mainland)	3,745,296	700,000,000	Peking	77/......	TP—62 UN est; prov, cap, cit (part)—58 OE; oth—57 OE, 53 FC
★China (Taiwan)	13,885	12,429,000	Taipei	77/K 7	TP—65 OE; cap & cit (part)—63 OE; oth—59 OE
Christmas Island, Australia	64	3,382	Edinburgh	54/O11	64 OE
Cocos (Keeling Is.), Australia	5	663	Home I.	54/N11	64 OE
★Colombia	439,828	17,787,000	Bogotá	126/......	TP—65 UN est; cap (& ws)—64 PC; int div & cap—64 OE; oth—51 FC
Colorado, U.S.A.	104,247	1,969,000	Denver	188/E 3	TP—65 OE; oth—60 FC & OE
Comoro Islands	849	212,000	Moroni	118/G 2	TP—65 OE; cap, isls—61 OE; oth—58 FC
★Congo, Democratic Rep. of the	902,274	15,627,000	Kinshasa	115/D 4	TP—65 OE; cap, cit (part)—59 OE; oth—58 OE
★Congo, Republic of	175,676	1,012,800	Brazzaville	115/B 4	TP—62 CE; cap (ws)—61 CE; cap, cit (part)—61 OE; oth—63 OE, 62 CE, 57 OE
Connecticut, U.S.A.	5,009	2,832,000	Hartford	118/M 2	TP—65 OE; oth—60 FC & OE
Cook Islands	99	20,000	Avarua	87/K 7	TP—64 OE; isls—63 OE; cap—51 FC
Corsica, France	3,367	275,465	Ajaccio	28/B 6	62 FC
★Costa Rica	19,238	1,467,000	San José	154/E 5	TP—65 OE; oth—63 FC
Crete, Greece	3,232	483,075	Iráklion (Candia)	45/G 8	61 FC
★Cuba	42,857	7,631,000	Havana	158/......	TP—65 OE; cap (& ws)—62 OE; oth—61 OE, 53 FC
Curaçao, Neth. Antilles	173	129,676	Willemstad	161/G 8	TP—62 OE; cap—60 FC
★Cyprus	3,572	591,000	Nicosia	63/E 5	TP—65 OE; cap (& ws)—63 OE; oth—60 FC
★Czechoslovakia	49,356	14,058,000	Prague	41/......	TP—64 OE; oth—62 OE
★Dahomey	42,471	2,300,000	Porto–Novo	106/E 7	TP, cap, Cotonou—64 OE; oth—63, 61 OE
Daito Islands, Ryukyu Is.	18	4,396		87/D 3	TP—60 FC
Delaware, U.S.A.	2,057	505,000	Dover	188/L 3	TP—65 OE; oth—60 FC & OE
★Denmark	16,556	4,684,000	Copenhagen	21/......	TP—63 OE; oth—60 FC
District of Columbia, U.S.A.	61	801,000	Washington	188/L 3	TP—65 OE; oth—60 FC
Dominica	305	65,000	Roseau	161/E 7	TP—64 OE; oth—60 FC
★Dominican Republic	19,129	3,573,000	Santo Domingo	158/......	TP—65 OE; oth—60 PC
East Germany (German Democratic Rep.)	41,535	17,135,867	Berlin (East)	22/......	TP, cap, dist, cit over 10,000—63 OE; oth—57 FC
★Ecuador	115,000	5,084,000	Quito	128/......	TP—65 OE; cit over 100,000—63 OE; oth—62 FC
★Egypt (United Arab Republic)	386,000	28,900,000	Cairo	111/E 2	TP—64 OE; cap & cit (part)—62 OE; oth—60 FC
★El Salvador	8,060	2,859,000	San Salvador	154/C 4	TP—65 OE; cap—63 OE; oth—61 FC
England, U.K.	50,327	44,724,910	London	13/......	TP, co, cit (part)—64 OE; oth—61 FC
Equatorial Guinea, Spain	10,836	267,000	Santa Isabel	115/A 3	TP, terr—65 OE; oth—60 FC
Estonian S.S.R., U.S.S.R.	17,400	1,235,000	Tallinn	52/C 3; 53/......	TP—62 OE; cit over 100,000—63 OE; oth—59 FC
★Ethiopia	457,148	22,200,000	Addis Ababa	111/G 5	TP, cap, Asmara—64 OE; prov—62 OE; cit—62, 58, 56 OE
Europe	4,129,908	610,818,000		7/......	63 UN est
Faerøe Islands, Denmark	540	34,596	Tórshavn	21/B 2	60 FC
Falkland Islands	4,618	2,132	Stanley	120/E 8	TP—64 OE; oth—62 FC
Fernando Po, Equatorial Guinea	785	72,000	Santa Isabel	115/A 3	TP—65 OE; oth—60 FC
Fiji Islands	7,036	464,000	Suva	87/H 8	TP—65 OE; cap & Rotuma—63 OE; oth—56 FC
★Finland	130,500	4,586,000	Helsinki	18/......	TP—64 OE; cap (ws)—62 UN est; oth—63 OE
Florida, U.S.A.	58,560	5,805,000	Tallahassee	188/K 5	TP—65 OE; oth—60 FC & OE
★France	212,736	46,520,271	Paris	28/......	62 FC
French Guiana	35,135	36,000	Cayenne	131/E 3	TP—64 OE; oth—61 FC
French Polynesia	1,544	86,000	Papeete	87/L 8	TP—64 UN est; cap—65 OE; oth—62 FC
★Gabon	90,733	462,000	Libreville	115/B 4	TP—65 OE; cap—64 OE; oth—61 FC, 61, 57 OE
★Gambia	4,033	330,000	Bathurst	106/A 6	TP—65 OE; cap—64 OE; oth—63 FC
Georgia, U.S.A.	58,876	4,357,000	Atlanta	188/K 4	TP—65 OE; oth—60 FC & OE
Georgian S.S.R., U.S.S.R.	29,400	4,271,000	Tbilisi	52/F 6	TP—62 OE; cit over 100,000—63 OE; oth—59 FC
Germany, East (German Democratic Rep.)	41,535	17,135,867	Berlin (East)	22/......	TP, cap, dist, cit over 10,000—63 OE; oth—57 FC
Germany, West (Federal Republic)	95,914	57,974,000	Bonn	22/......	TP—64 OE; cap, states, cit over 20,000—63 OE; oth—61 FC
★Ghana	91,844	7,600,000	Accra	106/D 7	TP—64 UN est; oth—60 FC
Gibraltar	2	24,502	Gibraltar	33/D 4	61 FC
Gilbert & Ellice Islands	196	49,879	Bairiki	87/J 6	63 PC
★Great Britain & Northern Ireland (United Kingdom)	94,214	54,065,700	London	10/......	TP—64 OE; (see England, Wales, Scotland & Northern Ireland)
★Greece	51,182	8,550,000	Athens	45/F 6	TP—64 OE; oth—61 FC
Greenland	839,999	37,000	Godthaab	4/B12	TP—64 OE
Grenada	133	93,000	Saint George's	156/G 4; 161/D 9	TP—64 UN est; oth—60 FC
Guadeloupe & Dependencies	688	306,000	Basse–Terre	156/F 4; 161/A 5	TP—64 OE; oth—61 FC
Guam	209	72,000	Agaña	87/E 4	TP—64 OE; oth—60 FC
★Guatemala	45,452	4,343,000	Guatemala	154/B 3	TP—65 UN est; oth—64 PC
Guiana, French	35,135	36,000	Cayenne	131/E 3	TP—64 OE; oth—61 FC
Guiana, Netherlands (Surinam)	54,300	362,000	Paramaribo	131/C 3	TP—64 PC; cap—62 OE; dist—59 OE; cit—50 FC
★Guinea	96,525	3,420,000	Conakry	106/B 6	TP, cap (ws), Kankan, Kindia—64 OE; cap—60 CE; oth—63, 61, 58, 55 OE
Guinea, Portuguese	13,948	525,000	Bissau	106/A 6	TP—64 OE; oth—60 PC
★Guyana	89,480	628,000	Georgetown	131/B 3	TP, cap (& ws), New Amsterdam—64 OE; oth—60 FC
★Haiti	10,714	4,660,000	Port-au-Prince	158/......	TP—65 OE; cap, cit (part)—61 OE; oth—58 OE, 50 FC
Hawaii, U.S.A.	6,424	711,000	Honolulu	188/F 5	TP—65 OE; oth—60 FC & OE
Heard & McDonald Islands, Australia	....	....	....	2/H 6	
★Holland (Netherlands)	12,883	12,041,970	The Hague, Amsterdam	27/......	TP, prov—64 OE; oth—60 FC
★Honduras	45,000	2,315,000	Tegucigalpa	154/D 3	TP—65 UN est; oth—61 FC
Honduras, British	8,867	106,000	Belize City	154/C 2	TP—65 OE; cap (ws)—62 OE; oth—60 FC
Hong Kong	391	3,982,100	Victoria	77/H 7	TP—66 OE; oth—61 FC
★Hungary	35,875	10,123,000	Budapest	41/......	TP—64 OE; cit over 10,000—62 OE; oth—60 FC

Gazetteer-Index of the World

Country	Area (Square Miles)	Population	Capital or Chief Town	Page and Index Ref.	Sources of Population Data
★Iceland	39,709	187,000	Reykjavík	21/B 1	TP—63 OE; cap (ws)—62 UN est; oth—61 OE
Idaho, U.S.A.	83,557	692,000	Boise	188/D 2	TP—65 OE; oth—60 FC & OE
Ifni, Spain	676	61,000	Sidi Ifni	106/B 3	TP—64 UN est; cap—60 FC
Illinois, U.S.A.	56,400	10,644,000	Springfield	188/J 3	TP—65 OE; oth—60 FC & OE
★India	1,196,995	476,278,000	New Delhi	68/......	TP, cit over 100,000—64 OE; oth—61 FC
Indiana, U.S.A.	36,291	4,885,000	Indianapolis	188/J 3	TP—65 OE; oth—60 FC & OE
★Indonesia	735,268	102,200,000	Djakarta	85/......	TP—64 UN est; cap (& ws), isls (part), cit (part)—61 PC; oth—54—57 OE
Iowa, U.S.A.	56,290	2,760,000	Des Moines	188/H 2	TP—65 OE; oth—60 FC & OE
★Iran	628,000	22,860,000	Tehran	66/......	TP—64 OE; cap, cit (part)—63 OE; oth—56 FC
★Iraq	116,000	7,004,000	Baghdad	66/......	TP—64 OE; cap (ws)—57 FC; prov—62 OE; cit over 100,000—63 OE; oth—57 FC
★Ireland (Eire)	26,601	2,849,000	Dublin	17/......	TP—64 OE; oth—61 FC
Ireland, Northern, U.K.	5,459	1,458,000	Belfast	17/......	TP, co, cap—64 OE; oth—61 FC
Isle of Man	227	48,000	Douglas	13/C3	TP—64 UN est; oth—61 FC
★Israel	7,978	2,565,000	Jerusalem	65/......	TP—65 OE; cap, Haifa, Tel Aviv—63 OE; oth—61 FC
★Italy	116,286	50,849,000	Rome	34/......	TP—64 OE; oth—61 FC & PC
★Ivory Coast	183,397	3,750,000	Abidjan	106/C 7	TP, cap (ws)—64 OE; oth—63, 61, 59, 54 OE
★Jamaica	4,411	1,745,000	Kingston	158/......	TP—65 OE; oth—60 FC
★Japan	142,743	98,399,074	Tokyo	81/......	TP, cap—65 PC; pref—64 OE; cap (ws), cit over 120,000—63 OE, oth—60 FC
Java, Indonesia	48,842	60,909,381	Djakarta	85/J 2	TP—61 PC; oth—61 PC, 54–57 OE
★Jordan	34,750	1,900,000	Amman	65/......	TP—64 UN est; oth—61 FC
Kansas, U.S.A.	82,264	2,234,000	Topeka	188/G 3	TP—65 OE; oth—60 FC & OE
Kazakh S.S.R., U.S.S.R.	1,061,600	10,934,000	Alma-Ata	48/G 5	TP—62 OE; cit over 100,000—63 OE; oth—59 FC
Kentucky, U.S.A.	40,395	3,179,000	Frankfort	188/J 3	TP—65 OE; oth—60 FC & OE
★Kenya	219,730	9,376,000	Nairobi	115/G 3	TP—64 OE; oth—62 FC
Kirghiz S.S.R., U.S.S.R.	76,100	2,318,000	Frunze	48/H 5	TP—62 OE; cit over 100,000—63 OE; oth—59 FC
Korea, North	49,096	10,930,000	P'yongyang	81/......	TP—64 UN est; cap, Kaesong—60 OE
Korea, South	36,152	28,155,000	Seoul	81/......	TP—65 OE; oth—62 OE
★Kuwait	8,000	468,042	Al Kuwait	59/E 4	TP—65 PC; cap (ws)—61 FC; oth—65 PC
★Laos	89,343	1,960,000	Vientiane	72/D 3	TP—64 UN est; cap—59 OE; cap (ws)—62 OE; oth—59 OE
Latvian S.S.R., U.S.S.R.	24,600	2,170,000	Riga	52/B 3; 53/......	TP—62 OE; cit over 100,000—63 OE; oth—59 FC
★Lebanon	3,475	2,500,000	Beirut	63/F 6	TP—64 UN est; cap (ws)—62 OE; oth—61 OE
★Lesotho	11,716	745,000	Maseru	118/D 5	TP, cap—65 OE; oth—56 FC
★Liberia	43,000	1,066,000	Monrovia	106/C 7	TP—64 OE; cap—62 PC; oth—58 CE
★Libya	679,358	1,559,399	Tripoli, Benghazi	111/......	64 PC
Liechtenstein	65	18,000	Vaduz	39/J 2	TP—63 OE; oth—60 FC
Lithuanian S.S.R., U.S.S.R.	25,200	2,852,000	Vilna	52/B 3; 53/......	TP—62 OE; cit over 100,000—63 OE; oth—59 FC
Louisiana, U.S.A.	48,523	3,534,000	Baton Rouge	188/H 4	TP—65 OE; oth—60 FC & OE
★Luxembourg	999	327,000	Luxembourg	27/J 9	TP—63 OE; cap—62 OE; oth—60 FC
Macao	6	174,000	Macao	77/H 7	TP—64 UN est; oth—60 FC
Madeira Islands, Portugal	308	268,937	Funchal	33/A 2	60 FC
Maine, U.S.A.	33,215	993,000	Augusta	188/N 1	TP—65 OE; 60 FC & OE
★Malagasy Republic	241,094	6,180,000	Tananarive	118/H 3	TP—64 OE; oth—62 OE
★Malawi	36,829	3,900,000	Zomba	115/F 6	TP—64 UN est; cap (ws)—62 UN est; oth—61 OE, 56 CE
Malaya, Malaysia	50,690	7,810,000	Kuala Lumpur	72/D 6	TP—64 OE; oth—57 FC
★Malaysia, Federation of	127,461	9,148,000	Kuala Lumpur	72/D 6; 85/E 4	TP—64 OE; states—65 OE; oth—60 FC (Sabah, Sarawak); 57 FC (Malaya)
★Maldive Islands	115	94,527	Malé	54/L 9	63 FC
★Mali	584,942	4,430,000	Bamako	106/C 6	TP—64 UN est; cap (ws)—60 OE; oth—63, 61 OE
★Malta	122	329,326	Valletta	34/E 7	63 OE
Man, Isle of	227	48,000	Douglas	13/C 3	TP—64 UN est; oth—61 FC
Manitoba, Canada	251,000	959,000	Winnipeg	179/......	TP—66 OE; cap (ws)—66 OE; oth—61 FC
Mariana Islands, Terr. Pacific Is.	142	10,275	Garapan	87/E 4	TP—64 OE; oth—63 OE
Marquesas Islands, French Polynesia	480	4,837	Atuona	87/N 6	62 FC
Marshall Islands, Terr. Pacific Is.	61	18,205	Majuro	87/G 4	TP—64 OE; oth—63 OE
Martinique	425	310,000	Fort-de-France	161/D 5	TP—64 OE; oth—61 FC
Maryland, U.S.A.	10,577	3,519,000	Annapolis	188/L 3	TP—65 OE; oth—60 FC & OE
Massachusetts, U.S.A.	8,257	5,348,000	Boston	188/M 2	TP—65 OE; oth—60 FC & OE
★Mauritania	328,185	1,000,000	Nouakchott	106/B 5	TP, cap—64 OE; Idjil—61 OE; oth—63 OE
★Mauritius	720	734,000	Port Louis	118/G 5	TP—65 OE; cap—64 OE; oth—62 FC
★Mexico	760,373	40,913,000	Mexico City	150/......	TP—65 OE; cap, cit (part)—63 OE; oth—60 FC
Michigan, U.S.A.	58,216	8,218,000	Lansing	188/J 1	TP—65 OE; oth—60 FC & OE
Midway Islands	2	2,355	....	87/J 3	65 OE
Minnesota, U.S.A.	84,068	3,554,000	St. Paul	188/H 1	TP—65 OE; oth—60 FC & OE
Mississippi, U.S.A.	47,716	2,321,000	Jackson	188/J 4	TP—65 OE; oth—60 FC & OE
Missouri, U.S.A.	69,686	4,497,000	Jefferson City	188/H 3	TP—65 OE; oth—60 FC & OE
Moldavian S.S.R., U.S.S.R.	13,100	3,106,000	Kishinev	52/C 5	TP—62 OE; cit over 100,000—63 OE; oth—59 FC
Monaco	370 acres	22,297	Monaco	28/G 6	61 FC
★Mongolia	625,946	1,044,000	Ulan Bator	77/......	TP—64 OE; prov—62 OE; oth—65 OE
Montana, U.S.A.	147,138	706,000	Helena	188/D 1	TP—65 OE; oth—60 FC & OE
Montserrat	32	13,000	Plymouth	156/F 3	TP—63 OE; cap—60 FC
★Morocco	171,583	12,959,000	Rabat	106/C 2	TP—64 OE; oth—60 FC
Mozambique	297,731	6,914,000	Lourenço Marques	118/E 4	TP—65 OE; cap (& ws)—60 FC; oth—60 PC
Muscat and Oman	82,000	565,000	Muscat	59/G 5	TP—64 UN est; oth—60 OE
Natal, South Africa	33,578	2,979,920	Pietermaritzburg	118/E 5	60 FC
Nauru	8	5,000	Makwa	87/G 6	64 OE
Nebraska, U.S.A.	77,227	1,477,000	Lincoln	188/F 2	TP—65 OE; oth—60 FC & OE
★Nepal	54,000	9,900,000	Katmandu	68/E 3	TP—64 OE; oth—61 PC
★Netherlands	12,883	12,041,970	The Hague, Amsterdam	27/......	TP, prov—64 OE; oth—60 FC
Netherlands Antilles	383	207,000	Willemstad	156/E 4	TP—65 OE; isls—62 OE; oth—60 FC
Nevada, U.S.A.	110,540	440,000	Carson City	188/C 3	TP—65 OE; oth—60 FC & OE
New Britain, Terr. of New Guinea	14,600	116,588	Rabaul	87/F 6	TP—64 OE; oth—64 OE, 61 CE
New Brunswick, Canada	28,354	626,000	Fredericton	170/......	TP—66 OE; oth—61 FC
New Caledonia	7,201	73,886	Nouméa	87/G 8	TP—64 OE; Bourail—63 OE; oth—63 FC
Newfoundland, Canada	156,185	501,000	St. John's	166/......	TP—66 OE; oth—61 FC
New Guinea, Territory of	93,000	1,575,966	Port Moresby	85/B 6; 87/F 6	TP—65 OE; oth—64 OE, 61 CE
New Guinea, West (West Irian)	161,514	800,000	Sukarnapura (Hollandia)	85/J 6	TP—64 UN est; cap—62 OE; oth—60 OE

Gazetteer-Index of the World

Country	Area (Square Miles)	Population	Capital or Chief Town	Page and Index Ref.	Sources of Population Data
New Hampshire, U.S.A.	9,304	669,000	Concord	188/M 2	TP—65 OE; oth—60 FC & OE
New Hebrides	5,700	66,000	Vila	87/G 7	TP, cit, Efate I.—64 OE; oth—61 OE
New Jersey, U.S.A.	7,836	6,774,000	Trenton	188/M 3	TP—65 OE; oth—60 FC & OE
New Mexico, U.S.A.	121,666	1,029,000	Santa Fe	188/E 4	TP—65 OE; oth—60 FC & OE
New South Wales, Australia	309,433	4,086,293	Sydney	97/......	TP—64 OE; oth—61 FC
New York, U.S.A.	49,576	18,073,000	Albany	188/L 2	TP—65 OE; oth—60 FC & OE
★New Zealand	103,934	2,640,117	Wellington	100/......	TP, prov dist, cap, cit (& ws) (part)—64 OE; oth—61 FC
★Nicaragua	57,143	1,754,000	Managua	154/D 4	TP—65 UN est; oth—63 FC
★Niger	501,930	3,193,000	Niamey	106/F 5	TP, cap—64 OE; oth—63 OE
★Nigeria	356,093	56,400,000	Lagos	106/F 6	TP—64 OE; reg, cap, cit (part)—63 FC; oth—53 FC
Niue	100	5,044	Alofi	87/K 7	64 OE
Norfolk Island, Australia	13.5	853	Kingston	88/L 5	63 OE
North America	9,124,000	286,000,000	....	146/......	64 UN est
North Borneo (Sabah), Malaysia	29,387	518,000	Jesselton	85/F 4	TP—65 OE; oth—60 FC
North Carolina, U.S.A.	52,712	4,914,000	Raleigh	188/K 3	TP—65 OE; oth—60 FC & OE
North Dakota, U.S.A.	70,665	652,000	Bismarck	188/F 1	TP—65 OE; oth—60 FC & OE
Northern Ireland, U.K.	5,459	1,458,000	Belfast	17/......	TP, co, cap, Londonderry—64 OE; oth—61 FC
Northern Territory, Australia	523,620	28,822	Darwin	93/......	TP—64 OE; oth—61 FC
North Korea	49,096	10,930,000	P'yongyang	81/......	TP—64 UN est; cap, Kaesong—60 OE
North Vietnam	63,370	17,900,000	Hanoi	72/E 3	TP—64 UN est; oth—60 CE
Northwest Territories, Canada	1,304,903	26,000	Fort Smith	187/......	TP—66 OE; oth—61 FC
★Norway	124,560	3,681,000	Oslo	18/......	TP—64 OE; oth—60 FC
Nova Scotia, Canada	21,425	759,000	Halifax	168/......	TP—66 OE; oth—61 FC
Oceania	....	17,821,000	....	87/......	64 OE
Ohio, U.S.A.	41,222	10,245,000	Columbus	188/K 2	TP—65 OE; oth—60 FC & OE
Oklahoma, U.S.A.	69,919	2,482,000	Oklahoma City	188/G 3	TP—65 OE; oth—60 FC & OE
Oman, Muscat and	82,000	565,000	Muscat	59/G 5	TP—64 UN est; oth—60 OE
Ontario, Canada	412,582	6,832,000	Toronto	175, 177/......	TP, cit (ws) (part)—66 OE; oth—61 FC
Orange Free State, South Africa	49,866	1,386,547	Bloemfontein	118/D 4	60 FC
Oregon, U.S.A.	96,981	1,899,000	Salem	188/B 2	TP—65 OE; oth—60 FC & OE
Orkney Islands, Scotland	376	18,424	Kirkwall	15/J 1	TP—64 OE; oth—64 OE & 61 FC
Pacific Islands, Territory of the	680	88,215	Garapan	87/F 5	TP, isl groups—64 OE; oth—63 OE
★Pakistan	364,218	100,762,000	Islamabad, Ayubnagar	68/......	TP—64 OE; oth—61 FC
Palau Islands, Terr. Pacific Is.	189	10,628	Koror	87/D 5	TP—64 OE; oth—63 OE
★Panama	28,575	1,244,000	Panamá	154/G 6	TP—65 OE; cap & Colón—64 OE; oth—60 FC
Papua, Australia	90,600	573,411	Port Moresby	85/C 7	TP—65 OE; oth—64 OE, 61 CE
★Paraguay	150,518	1,996,000	Asunción	144/......	TP, cap, cit (part)—65 OE; oth—62 PC
Pennsylvania, U.S.A.	45,333	11,520,000	Harrisburg	188/L 2	TP—65 OE; oth—60 FC & OE
★Persia (Iran)	628,000	22,860,000	Tehran	66/......	TP—64 OE; cap, cit (part)—63 FC; oth—56 FC
★Peru	513,000	11,649,600	Lima	128/......	TP, dept—65 OE; oth—61 FC
★Philippines, Republic of the	115,600	32,345,000	Quezon City	82/......	TP—65 OE; oth—60 FC
Phoenix Islands	16	1,018	Canton I.	87/H 6	63 OE
Pitcairn Islands	2	91	Adamstown	87/O 8	65 OE
★Poland	119,734	31,161,000	Warsaw	47/......	64 OE
★Portugal	35,413	9,123,000	Lisbon	33/......	TP—64 OE; oth—60 FC
Portuguese Guinea	13,948	525,000	Bissau	106/A 6	TP—64 OE; oth—60 PC
Portuguese Timor	7,332	543,000	Dili	85/H 7	TP—64 OE; oth—60 FC
Prince Edward Island, Canada	2,184	108,000	Charlottetown	168/E 2	TP—66 OE; oth—61 FC
Puerto Rico	3,421	2,650,000	San Juan	161/......	TP—65 OE; oth—60 FC
Qatar	5,000	60,000	Doha	59/F 4	TP—64 OE; cap—63 OE; oth—57 OE
Québec, Canada	594,860	5,712,000	Québec	172, 174/......	TP, Montréal (ws)—66 OE; oth—61 FC
Queensland, Australia	667,000	1,571,982	Brisbane	95/......	TP—64 OE; oth—61 FC
Réunion	970	387,000	Saint-Denis	118/F 5	TP—65 OE; oth—61 FC
Rhode Island, U.S.A.	1,214	920,000	Providence	188/M 2	TP—65 OE; oth—60 FC & OE
Rhodesia	150,333	4,260,000	Salisbury	118/D 3	TP, cit (part)—65 OE; oth—62 FC
Río Muni, Equatorial Guinea	10,045	195,000	Santa Isabel	115/B 3	TP—65 OE; oth—60 FC
★Rumania	91,671	19,092,000	Bucharest	45/F 3	TP—65 OE; reg, cit (& ws) over 20,000—63 OE; oth—56 FC
Russian S.F.S.R., U.S.S.R.	6,501,500	122,084,000	Moscow	48/D 4	TP—62 OE; cit over 100,000—63 OE; oth—59 FC
★Rwanda	10,169	3,018,000	Kigali	115/E 4	TP—64 OE; oth—59 OE
Ryukyu Islands	921	935,000	Naha	81/L 7	TP—64 OE; cap—63 OE; oth—60 FC
Sabah, Malaysia	29,387	518,000	Jesselton	85/F 4	TP—65 OE; oth—60 FC
Saint Christopher–Nevis–Anguilla	138	62,000	Basseterre	156/F 3; 161/D11	TP—64 UN est; oth—60 FC
Saint Helena	47	4,613	Jamestown	102/B 6	64 OE
Saint Lucia	233	94,000	Castries	161/G 6	TP—63 OE; oth—60 FC
Saint Pierre & Miquelon	93	4,990	Saint-Pierre	166/C 4	62 FC
Saint Vincent	150	86,000	Kingstown	161/A 8	TP, cap (ws)—64 OE; oth—60 FC
Sakhalin, U.S.S.R.	35,400	630,000	Yuzhno–Sakhalinsk	48/P 4	TP—61 OE; oth—59 FC
★Salvador, El	8,060	2,859,000	San Salvador	154/C 4	TP—65 OE; cap—63 OE; oth—61 FC
San Marino	38	17,000	San Marino	34/D 3	TP, cap (ws)—64 OE
São Tomé e Príncipe	372	64,406	São Tomé	106/F 8	TP—60 FC; oth—60 PC
Sarawak, Malaysia	47,071	820,000	Kuching	85/E 5	TP—65 OE; oth—60 FC
Sardinia, Italy	9,301	1,419,362	Cagliari	34/B 4	TP—61 FC; oth—61 FC & PC
Saskatchewan, Canada	251,700	953,000	Regina	181/......	TP, Regina & Saskatoon (ws)—66 OE; oth—61 FC
★Saudi Arabia	850,000	7,000,000	Riyadh, Mecca	59/D 4	TP—65 OE; caps—62 CE; cit (part)—62 CE; oth—59, 56 OE
Scotland, U.K.	30,411	5,206,400	Edinburgh	15/......	TP, co, cit (part)—64 OE; oth—61 FC
★Senegal	77,401	3,400,000	Dakar	106/A 5	TP—64 OE; oth—63 OE
Seychelles	157	46,000	Victoria	118/H 5	TP—64 OE; oth—60 FC
Shetland Islands, Scotland	550	17,719	Lerwick	15/M 3	TP—64 OE; oth—64 OE, 61 FC
★Siam (Thailand)	200,148	30,591,000	Bangkok	72/D 3	TP—65 OE; cap & Thonburi (ws)—63 OE; oth—60 FC
Sicily, Italy	9,926	4,721,001	Palermo	34/E 6	TP—61 FC; oth—61 FC & PC
★Sierra Leone	27,925	2,200,000	Freetown	106/B 7	TP—64 OE; oth—63 OE
★Singapore	224	1,844,000	Singapore	72/F 6	TP—65 OE; cap (ws)—64 OE; cap—63 OE; oth—57 FC
Society Islands, French Polynesia	650	68,245	Papeete	87/L 7	TP—62 FC, cap—65 OE; oth—62 FC
Solomon Islands, Terr. of New Guinea	4,070	57,550	Sohano	87/F 6	TP—64 OE; oth—64 OE, 61 CE
Solomon Islands Prot., British	14,600	139,730	Honiara	87/F 6	TP, cap—65 CE; oth—63 OE, 59 CE
★Somali Republic	262,000	2,350,000	Mogadishu	115/H 5	TP—64 OE; prov—53 CE; cap—63 OE; oth—57 OE
Somaliland, French	8,492	80,000	Djibouti	111/H 5	TP—64 OE; cap—63 OE; oth—61 OE
★South Africa	472,733	17,487,000	Cape Town, Pretoria	118/C 5	TP—64 OE; oth—60 FC
South America	6,894,000	162,000,000	....	120/......	64 UN est

Gazetteer-Index of the World

Country	Area (Square Miles)	Population	Capital or Chief Town	Page and Index Ref.	Sources of Population Data
South Australia, Australia	380,070	1,020,174	Adelaide	94/......	TP—64 OE; oth—61 FC
South Carolina, U.S.A.	31,055	2,542,000	Columbia	188/K 4	TP—65 OE; oth—60 FC & OE
South Dakota, U.S.A.	77,047	703,000	Pierre	188/F 2	TP—65 OE; oth—60 FC & OE
South Korea	36,152	28,155,000	Seoul	81/......	TP—65 OE; oth—62 OE
South Vietnam	65,726	15,715,000	Saigon	72/F 4	TP—64 OE; cap—62 CE; oth—60 OE
South-West Africa	317,725	551,000	Windhoek	118/B 3	TP—64 OE; oth—60 FC
★South Yemen	110,000	1,613,000	Medina as-Shaab	59/E 7	TP—65 OE; cap—55 FC; oth—60 OE, 55 FC
★Spain	195,258	31,339,000	Madrid	33/......	TP—64 OE; cap (ws)—63 OE; oth—60 FC
Spanish Sahara, Spain	103,243	42,000	El Aaiúm	106/B 4	TP—64 OE; cap—62 OE; oth—60 FC
★Sudan	967,500	13,540,000	Khartoum	111/E 4	TP—65 OE; cap, Omdurman—64 OE; oth—56 FC
Sumatra, Indonesia	164,148	14,982,910	Medan	85/B 5	TP—61 PC; oth—61 PC, 54–57 FC
Surinam (Netherlands Guiana)	54,300	362,000	Paramaribo	131/C 3	TP—64 PC; cap—62 OE; dist—59 OE; cit—50 FC
Svalbard, Norway	24,294	3,431	Longyearbyen	18/D 2	60 FC
★Swaziland	6,704	292,000	Mbabane	118/E 5	TP—64 OE; oth—62 CE
★Sweden	173,394	7,626,978	Stockholm	18/......	TP—64 OE; cap (ws)—62 UN est; oth—64 OE
Switzerland	15,944	6,030,000	Bern	39/......	TP—64 OE; cantons & cit over 10,000—62 OE; oth—60 FC
★Syria	72,587	5,399,000	Damascus	63/G 5	TP—64 OE; cap, cit (part)—63 OE; oth—62 OE
Tadzhik S.S.R., U.S.S.R.	54,900	2,188,000	Dushanbe	48/H 6	TP—62 OE; cit over 100,000—63 OE; oth—59 FC
Tahiti, French Polynesia	600	45,430	Papeete	87/L 7	TP—62 FC; cap—65 OE
★Tanzania	343,726	10,514,000	Dar es Salaam	115/F 5	TP—65 OE; Zanz. prov entries—58 FC; Tang. entries—57 FC
Tasmania, Australia	26,215	373,640	Hobart	99/......	TP—64 OE; oth—61 FC
Tennessee, U.S.A.	42,244	3,845,000	Nashville	188/J 3	TP—65 OE; oth—60 FC & OE
Texas, U.S.A.	267,339	10,551,000	Austin	188/G 4	TP—65 OE; oth—60 FC & OE
★Thailand	200,148	30,591,000	Bangkok	72/D 3	TP—65 OE; cap & Thonburi (ws)—63 OE; oth—60 FC
Tibet, China	469,413	1,270,000	Lhasa	77/C 5	TP, cit (part)—58 OE; oth—57 OE, 53 FC
Timor, Indonesia	24,450	702,638	Kupang	85/H 7	TP—61 PC; oth—61 PC, 54–57 FC
Timor, Portuguese	7,332	543,000	Dili	85/H 7	TP—64 OE; oth—60 FC
★Togo	20,733	1,642,000	Lomé	106/E 7	TP—65 OE; cap (ws)—62 OE; oth—63 OE
Tokelau Islands	4	2,000	Fakaofo	87/J 6	TP—64 OE; oth—63 OE
Tonga	269	78,000	Nuku'alofa	87/J 8	TP—65 OE; oth—56 FC
Transkei, South Africa	15,590	1,439,195	Umtata	118/D 6	60 FC
Transvaal, South Africa	110,450	6,273,477	Pretoria	118/D 4	60 FC
★Trinidad and Tobago	1,864	950,000	Port-of-Spain	156/G 5; 161/A10	TP—64 UN est; oth—60 FC
Tristan da Cunha, St. Helena	38	250	Edinburgh	2/G10	65 OE
Trucial Oman	12,000	111,000	Dubai	59/F 5	TP—64 OE; cap (ws)—62 OE; oth—57 OE
Tuamotu Archipelago, French Polynesia	332	7,097	Apataki	87/M 7	62 FC
★Tunisia	48,300	4,565,000	Tunis	106/F 2	TP—64 OE; cap (ws)—61 OE; oth—61 OE, 56 FC
★Turkey	296,185	31,118,000	Ankara	63/......	TP—64 OE; oth—60 FC
Turkmen S.S.R., U.S.S.R.	187,200	1,683,000	Ashkhabad	48/F 6	TP—62 OE; cit over 100,000—63 OE; oth—59 FC
Turks and Caicos Islands	202	6,308	Grand Turk	156/D 2	TP, cit—63 OE; oth—60 FC
★Uganda	80,301	7,551,000	Kampala	115/F 3	TP—65 OE; oth—59 FC
★Ukrainian S.S.R., U.S.S.R.	220,600	43,091,000	Kiev	52/D 5	TP—64 OE; cit over 100,000—63 OE; oth—59 FC
★Union of Soviet Socialist Republics	8,570,600	226,253,000	Moscow	48/......	TP—64 OE; SSR—62 & 64 OE; int div—61 OE; cap, cit over 100,000—63 OE; oth—59 FC
★United Arab Republic (Egypt)	386,000	28,900,000	Cairo	111/E 2	TP—64 OE; cap & cit (part)—62 OE; oth—60 FC
★United Kingdom	94,214	54,065,700	London	10/......	TP—64 OE; (see England, Wales, Scotland & Northern Ireland)
★United States of America	3,615,211	196,164,000	Washington	188/......	TP—66 OE; states—65 OE; oth—60 FC & OE
★Upper Volta	105,841	4,763,000	Ouagadougou	106/D 6	TP—65 OE; Batié—61 OE; oth—63 OE
★Uruguay	72,172	2,682,000	Montevideo	145/......	TP—64 OE; cap—62 OE; cap (ws)—63 PC; oth—59, 52 OE
Utah, U.S.A.	84,916	990,000	Salt Lake City	188/D 3	TP—65 OE; oth—60 FC & OE
Uzbek S.S.R., U.S.S.R.	157,400	8,986,000	Tashkent	48/G 5	TP—62 OE; cit over 100,000—63 OE; oth—59 FC
Vatican City	109 acres	904	....	34/B 6	64 OE
★Venezuela	352,143	8,722,000	Caracas	124/......	TP—65 OE; cap (ws), cit over 100,000—64 OE; oth—61 FC & PC
Vermont, U.S.A.	9,609	397,000	Montpelier	188/M 2	TP—65 OE; oth—60 FC & OE
Victoria, Australia	87,884	3,080,215	Melbourne	97/......	TP—64 OE; oth—61 FC
Vietnam, North	63,370	17,900,000	Hanoi	72/E 3	TP—64 UN est; oth—60 CE
Vietnam, South	65,726	15,715,000	Saigon	72/F 4	TP—64 OE; cap—62 CE; oth—60 OE
Virginia, U.S.A.	40,815	4,457,000	Richmond	188/L 3	TP—65 OE; oth—60 FC & OE
Virgin Islands (British)	58	8,000	Road Town	156/H 1	TP—64 OE; oth—60 FC
Virgin Islands (U.S.A.)	132	40,600	Charlotte Amalie	161/A-G4	TP—64 OE; oth—60 FC
Wake Island	3	1,097	....	87/G 4	60 FC
Wales, U.K.	8,017	2,676,390	Cardiff	13/......	TP, co, cit (part)—64 OE; oth—61 FC
Wallis and Futuna Islands	106	8,611	Matautu	87/J 7	65 OE
Walvis Bay, Cape of Good Hope, South Africa	374	12,648	Walvis Bay	118/A 4	61 FC
Washington, U.S.A.	68,192	2,990,000	Olympia	188/B 1	TP—65 OE; oth—60 FC & OE
Western Australia, Australia	975,920	784,107	Perth	92/......	TP—64 OE; oth—61 FC
Western Samoa	1,133	122,000	Apia	87/J 7	TP—64 OE; oth—61 FC
West Germany (Federal Republic)	95,914	57,974,000	Bonn	22/......	TP—64 OE; cap, states, cit over 20,000—63 OE; oth—61 FC
West Irian	161,514	800,000	Sukarnapura (Hollandia)	85/J 6	TP—64 UN est; cap—62 OE; oth—60 OE
West Virginia, U.S.A.	24,181	1,812,000	Charleston	188/K 3	TP—65 OE; oth—60 FC & OE
★White Russian S.S.R. (Byelorussian S.S.R.), U.S.S.R.	80,100	8,316,000	Minsk	52/C 4	TP—64 OE; cit over 100,000—63 OE; oth—59 FC
Wisconsin, U.S.A.	56,154	4,144,000	Madison	188/H 2	TP—65 OE; oth—60 FC & OE
World	57,510,000	3,218,000,000	....	1,2/......	63 UN est
Wyoming, U.S.A.	97,914	340,000	Cheyenne	188/E 2	TP—65 OE; oth—60 FC & OE
Yap, Terr. Pacific Is.	87	3,508	Yap (Yankee Town)	87/D 5	TP—64 OE; oth—63 OE
★Yemen	75,000	5,000,000	San'a, Ta'izz	59/D 7	TP—64 UN est; oth—59 OE
★Yugoslavia	99,079	19,503,000	Belgrade	45/C 3	TP—65 OE; cap, cit over 10,000—63 OE; oth—61 FC
Yukon Territory, Canada	207,076	15,000	Whitehorse	187/E 3	TP—66 OE; oth—61 FC
★Zambia	290,320	3,710,000	Lusaka	115/E 7	TP—65 OE; cap (ws)—65 OE; cap—63 PC; oth—63 FC & PC, 61 OE

GLOSSARY OF ABBREVIATIONS

A

A. A. F. — Army Air Field
Acad. — Academy
A. C. T. — Australian Capital Territory
adm. — administration
adm. city-co. — administrative city-county
A. F. B. — Air Force Base
Afgh., Afghan. — Afghanistan
Afr. — Africa
Ala. — Alabama
Alb. — Albania
Alg. — Algeria
Alta. — Alberta
Amer. — American
Amer. Samoa — American Samoa
And. — Andorra
Ant. — Antarctica
Ar. — Arabia
arch. — archipelago
Arg. — Argentina
Ariz. — Arizona
Ark. — Arkansas
A. S. S. R. — Autonomous Soviet Socialist Republic
Austr., Austral. — Australian, Australia
aut. — autonomous
Aut. Obl. — Autonomous Oblast
aut. prov. — autonomous province

B

B. — Bay
Bah. Is. — Bahama Islands
Barb. — Barbados
Battlef. — Battlefield
Bch. — Beach
Bech. — Bechuanaland
Belg. — Belgium
Berm. — Bermuda
Bol. — Bolivia
Br. — Branch
Br. — British
Braz. — Brazil
Br. Col. — British Columbia
Br. Gui. — British Guiana
Br. Hond. — British Honduras
Br. Sol. Is. — Solomon Islands Protectorate, British
Bulg. — Bulgaria

C

c. — cape
Calif. — California
can. — canal
cap. — capital
Centr. Afr. Rep. — Central African Republic
Cent. Amer. — Central America
C. G. Sta. — Coast Guard Station
C. H. — Court House
chan. — channel
Chan. Is. — Channel Islands
Chem. Ctr. — Chemical Center
co. — county
C. of G. H. — Cape of Good Hope
Col. — Colombia
Colo. — Colorado
comm. — commissary
Conn. — Connecticut
cont. — continent
cord. — cordillera (mountain range)
C. Rica — Costa Rica
C. S. — County Seat
C. Verde Is. — Cape Verde Islands
Cy. — City
C. Z. — Canal Zone
Czech. — Czechoslovakia

D

D. C. — District of Columbia
Del. — Delaware
Dem. — Democratic
Dem. Rep. of the Congo — Democratic Republic of the Congo (Léopoldville)
Den. — Denmark
depr. — depression
dept. — department
des. — desert
dist., dist's — district, districts
div. — division
Dom. Rep. — Dominican Republic
dry riv. — dry river

E

E. — East
Ec., Ecua. — Ecuador
E. Ger. — East Germany
elec. div. — electoral division
El Salv. — El Salvador
Eng. — England
Eq. Guin. — Equatorial Guinea
escarp. — escarpment
est. — estuary
Eth. — Ethiopia

F

Falk. Is. — Falkland Islands
Fern. Po — Fernando Po
Fin. — Finland
Fk., Fks. — Fork, Forks
Fla. — Florida
for. — forest
Fr. — France, French
Fr. Gui. — French Guiana
Fr. Poly. — French Polynesia
Fr. Som. — French Somaliland
Ft. — Fort

G

G. — Gulf
Ga. — Georgia
Game Res. — Game Reserve
Ger. — Germany
geys. — geyser
Gibr. — Gibraltar
Gilb. & Ell. Is. — Gilbert and Ellice Islands
glac. — glacier
gov. — governorate
Gr. — Group
Greenl. — Greenland
Gt. Brit. — Great Britain
Guad. — Guadeloupe
Guat. — Guatemala
Gui. — Guiana

H

har., harb., hbr. — harbor
hd. — head
highl. — highland, highlands
hist. — historic, historical
Hond. — Honduras
Hts. — Heights
Hung. — Hungary

I

i., isl., — island, isle
Ice., Icel. — Iceland
Ida. — Idaho
Ill. — Illinois
Ind. — Indiana
ind. city — independent city
Indon. — Indonesia
Ind. Res. — Indian Reservation
int. div. — internal division
inten. — intendency
interm. str. — intermittent stream
Int'l — International
Ire. — Ireland
is., isls. — islands
Isr. — Israel
isth. — isthmus

J

Jam. — Jamaica
Jct. — Junction
jud. div. — judicial division

K

Kans. — Kansas
Ky. — Kentucky

L

L. — Lake, Loch, Lough
La. — Louisiana
Lab. — Laboratory
lag. — lagoon
Ld. — Land
Leb. — Lebanon
Liecht. — Liechtenstein
Lux. — Luxembourg

M

Malag. Rep. — Malagasy Republic
Malaysia — Malaysia, Federation of
Man. — Manitoba
Mart. — Martinique
Mass. — Massachusetts
Maur. — Mauritius
Md. — Maryland
met. area — metropolitan area
Mex. — Mexico
Mich. — Michigan
Minn. — Minnesota
Miss. — Mississippi
Mo. — Missouri
Mon. — Monument
Mong. — Mongolia
Mont. — Montana
Mor. — Morocco
Moz., Mozamb. — Mozambique
mt. — mountain, mount
mts. — mountains

N

N., No. — North, Northern
N. Amer. — North America
N. A. S. — Naval Air Station
Nat'l — National
Nat'l Cem. — National Cemetery
Nat'l Mem. Park — National Memorial Park
Nat'l Mil. Park — National Military Park
Nat'l Pkwy. — National Parkway
Nav. Base — Naval Base
Nav. Sta. — Naval Station
N. B., N. Br. — New Brunswick
N. C. — North Carolina
N. Dak. — North Dakota
Nebr. — Nebraska
Neth. — Netherlands
Neth. Ant. — Netherlands Antilles
Nev. — Nevada
New Cal. — New Caledonia
Newf. — Newfoundland
New Hebr. — New Hebrides
N. H. — New Hampshire
Nic. — Nicaragua
N. Ire. — Northern Ireland
N. J. — New Jersey
N. Mex. — New Mexico
Nor. — Norway, Norwegian
No. Terr. — Northern Territory (Australia)
N. S. — Nova Scotia
N. S. W. — New South Wales
N. W. T. — Northwest Territories (Canada)
N. Y. — New York
N. Z. — New Zealand

O

Obl. — Oblast
O. F. S. — Orange Free State
Okla. — Oklahoma
Okr. — Okrug
Ont. — Ontario
Ord. Depot — Ordnance Depot
Oreg. — Oregon

P

Pa. — Pennsylvania
Pac. — Pacific
Pac. Is. — Pacific Islands, Territory of the
Pak. — Pakistan
Pan. — Panama
Par. — Paraguay
par. — parish
passg. — passage
P. E. I. — Prince Edward Island
pen. — peninsula
Phil. Is. — Philippines, Republic of the
pk. — peak
plat. — plateau
Port. — Portugal, Portuguese
P. Rico — Puerto Rico
pref. — prefecture
prom. — promontory
prot. — protectorate
prov. — province, provincial
prov. dist. — provincial district
pt. — point

Q

Que. — Quebec
Queens. — Queensland

R

R. — River
ra. — range
Rec., Recr. — Recreation, Recreational
Ref. — Refuge
reg. — region
Rep. — Republic
Rep. of Congo — Congo, Republic of (Brazzaville)
res. — reservoir
Res. — Reservation, Reserve
Rhod. — Rhodesia
R. I. — Rhode Island
riv. — river
Rum. — Rumania

S

S. — South
Sa. — Sierra
S. Afr., S. Africa — South Africa
salt dep. — salt deposit
salt des. — salt desert
S. Amer. — South America
São T. & Pr. — São Tomé and Príncipe
Sask. — Saskatchewan
Saudi Ar. — Saudi Arabia
S. Aust., S. Austral. — South Australia
S. C. — South Carolina
Scot. — Scotland
Sd. — Sound
S. Dak. — South Dakota
Sen. — Senegal
sen. dist. — senatorial district
Seych. — Seychelles
S. F. S. R. — Soviet Federated Socialist Republic
Sing. — Singapore
S. Leone — Sierra Leone
S. Marino — San Marino
So. Arabia — South Arabia
Sol. Is. Prot. — Solomon Islands Protectorate, British
Sp. — Spanish
Spr., Sprs. — Spring, Springs
S. S. R. — Soviet Socialist Republic
St., Ste. — Saint, Sainte
Sta. — Station
St. Chr.-N.-A. — Saint Christopher-Nevis-Anguilla
St. P. & M. — Saint Pierre and Miquelon
str., strs. — strait, straits
Sur. — Surinam
S. W. Afr. — South-West Africa
Swaz. — Swaziland
Switz. — Switzerland

T

Tanz. — Tanzania
Tas. — Tasmania
Tenn. — Tennessee
terr., terrs. — territory, territories
Terr. N. G. — New Guinea, Territory of
Tex. — Texas
Thai. — Thailand
Trin. & Tob. — Trinidad and Tobago
Tr. Oman — Trucial Oman
Tun. — Tunisia
twp. — township

U

U. A. R. — United Arab Republic (Egypt)
U. K. — United Kingdom
Upp. Volta — Upper Volta
urb. area — urban area
Urug. — Uruguay
U. S. — United States
U. S. S. R. — Union of Soviet Socialist Republics
Ut. — Utah

V

Va. — Virginia
Vall. — Valley
Ven., Venez. — Venezuela
V. I. (Br.) — Virgin Islands (British)
V. I. (U. S.) — Virgin Islands (U. S.)
Vic. — Victoria
Vill. — Village
vol. — volcano
Vt. — Vermont

W

W. — West, Western
Wash. — Washington
W. Aust., W. Austral. — Western Australia
W. Ger. — West Germany
Wis. — Wisconsin
W. Samoa — Western Samoa
W. Va. — West Virginia
Wyo. — Wyoming

Y

Yugo. — Yugoslavia
Yukon — Yukon Territory

GEOGRAPHICAL TERMS

A. = Arabic Camb. = Cambodian Ch. = Chinese Czech. = Czechoslovakian Dan. = Danish Du. = Dutch Finn. = Finnish Fr. = French Ger. = German Ice. = Icelandic
It. = Italian Jap. = Japanese Mong. = Mongol Nor. = Norwegian Per. = Persian Port. = Portuguese Russ. = Russian Sp. = Spanish Sw. = Swedish Turk. = Turkish

A	Nor., Sw.	Stream
Aas	Dan., Nor.	Hills
Abajo	Sp.	Lower
Ada, Adasi	Turk.	Island
Altipiano	It.	Plateau
Altiplano	Sp.	Plateau
Alv, Alf, Elf	Sw.	River
Arrecife	Sp.	Reef
Asa	Nor., Sw.	Hill
Asaga	Turk.	Lower
Austral	Sp.	Southern
Baai	Du.	Bay
Bab	Arabic	Gate or Strait
Bahia	Sp.	Bay
Bahr	Arabic	Marsh, Lake, Sea, River
Baia	Port.	Bay
Baie	Fr.	Bay, Gulf
Baizo	Port.	Low
Bakke	Dan.	Hill
Bana	Jap.	Cape
Bañados	Sp.	Marshes
Band	Per.	Mt. Range
Barra	Sp.	Reef
Bel	Turk.	Pass
Belt	Ger.	Strait
Ben	Gaelic	Mountain
Bera	Du.	Mountain
Berg	Ger., Du.	Mountain
Bir	Arabic	Well
Birket	Arabic	Pond
Boca	Sp.	Gulf, Inlet
Boğhaz	Turk.	Strait
Bolshoi, Bolshaya	Russ.	Big
Bolson	Sp.	Depression
Bong	Korean	Mountain
Boreal	Sp.	Northern
Breen	Nor.	Glacier
Bro	Dan., Nor., Sw.	Bridge
Bucht	Ger.	Bay
Bugt	Dan.	Bay
Bukhta	Russ.	Bay
Bukit	Malay	Hill, Mountain
Bukt	Nor., Sw.	Bay, Gulf
Burnu, Burun	Turk.	Cape, Point
By	Dan., Nor., Sw.	Town
Cabo	Port., Sp.	Cape
Campos	Port.	Plains
Canal	Port., Sp.	Channel
Cap, Capo	Fr., It.	Cape
Cataratas	Sp.	Falls
Catena	It.	Mt. Range
Catingas	Port.	Open Woodlands
Central, Centrale	Fr., It.	Middle
Cerrito, Cerro	Sp.	Hill
Cerros	Sp.	Hills, Mountains
Chai	Turk.	River
Chow	Ch.	Town of the second rank
Ciénaga	Sp.	Swamp
Ciudad	Sp.	City
Col	Fr.	Pass
Cordillera	Sp.	Mt. Range, Mts.
Côte	Fr.	Coast
Csatoria	Magyar	Canal
Cuchilla	Sp.	Mt. Range
Curiche	Sp.	Swamp
Dag, Dagh	Turk.	Mountain
Dağlari	Turk.	Mt. Range
Dal	Nor., Sw.	Valley
Dar	Arabic	Land
Darya	Per.	Salt Lake
Dasht	Per.	Desert, Plain
Deniz, Denizi	Turk.	Sea, Lake
Desierto	Sp.	Desert
Détroit	Fr.	Strait
Djeziret	Arabic, Turk.	Island
Do	Korean	Island
Doi	Thai	Mountain
Eiland	Du.	Island
Elv	Dan., Nor.	River
Embalse	Sp.	Reservoir
Emi	Berber	Mountain
Erg	Arabic	Dune, Desert
Eski	Turk.	Old
Est, Este	Fr., Port., Sp.	East
Estero	Sp.	Estuary, Creek
Estrecho, Estreito	Sp., Port.	Strait
Etang	Fr.	Pond, Lagoon, Lake
Fedja, Feij	Arabic	Pass
Fiume	It.	River
Fjäll	Sw.	Mountain
Fjeld, Fjell	Nor.	Hills, Mountain
Fjord	Dan., Nor., Sw.	Fiord
Fleuve	Fr.	River
Fljót	Icelandic	Stream
Fluss	Ger.	River
Fokani, Fukani	Arabic	Upper
Fors	Sw.	Waterfall
Fos, Foss	Dan., Nor.	Waterfall
Fu	Ch.	Town of importance
Gamla	Nor.	Old
Gamle	Dan.	Old
Gata	Jap.	Lake
Gawa	Jap.	River
Gebel	Arabic	Mountain
Gebergte	Du.	Mt. Range
Gebirge	Ger.	Mt. Range
Ghubbet	Arabic	Bay
Gobi	Mongol	Desert
Goe	Jap.	Pass
Gol	Mongol, Turk.	Lake, Stream
Golf	Ger., Du.	Gulf
Golfe	Fr.	Gulf
Golfo	Sp., It., Port.	Gulf
Gölü	Turk.	Lake
Gora	Russ.	Mountain
Grand, Grande	Fr., Sp.	Big
Groot	Du.	Big
Gross	Ger.	Big
Grosso	It., Port.	Big
Guba	Russ.	Bay, Gulf
Gunto	Jap.	Archipelago
Gunung	Malay	Mountain
Hai	Ch.	Sea
Halbinsel	Ger.	Peninsula
Hamáda, Hammada	Arabic	Rocky Plateau
Hamn	Sw.	Harbor
Hamún	Per.	Marsh
Hanto	Jap.	Peninsula
Has, Hassi	Arabic	Well
Hav	Dan., Nor., Sw.	Sea, Ocean
Havet	Nor.	Bay
Havn	Dan., Nor.	Harbor
Havre	Fr.	Harbor
Higashi, Higasi	Jap.	East
Ho	Ch.	River
Hochebene	Ger.	Plateau
Hoek	Du.	Cape
Hoku	Jap.	North
Holm	Dan., Nor., Sw.	Island
Hory	Czech.	Mountains
Hoved	Dan., Nor.	Cape, Promontory
Hsien	Ch.	Town of the third class
Hu	Ch.	Lake
Huk	Dan., Nor., Sw.	Point
Hus, Huus	Dan., Nor., Sw.	House
Hwang	Ch.	Yellow
Ile	Fr.	Island
Ilet	Fr.	Islet
Ilot	Fr.	Islet
Indre	Dan., Nor.	Inner
Inferieur, Inferiore	Fr., It.	Lower
Inner, Inre	Sw.	Inner
Insel	Ger.	Island
Irmak	Turk.	River
Isla	Sp.	Island
Isola	It.	Island
Jabal, Jebel	Arabic	Mountains
Järvi	Finn.	Lake
Jaure	Sw.	Lake
Jezira	Arabic	Island
Jima	Jap.	Island
Joki	Finn.	River
Kaap	Du.	Cape
Kabir, Kebir	Arabic	Big
Kai	Jap.	Sea
Kaikyo	Jap.	Strait
Kami	Turk.	Upper
Kanaal	Du.	Canal
Kanal	Russ., Ger.	Canal, Channel
Kao	Thai	Mountain
Kap, Kapp	Nor., Sw., Ice.	Cape
Kaupunki	Finn.	Town
Kawa	Jap.	River
Khao	Thai	Mountain
Khrebet	Russ.	Mt. Range
Kiang	Ch.	River
Kiao	Ch.	Point
Kita	Jap.	North
Klein	Du., Ger.	Small
Klint	Dan.	Promontory
Kô	Jap.	Lake
Ko	Thai	Island
Koh	Camb., Khmer	Island
Kong	Ch.	River
Kop	Du.	Peak, Head
Köping	Sw.	Market, Borough
Körfez, Körfezi	Turk.	Gulf
Kosa	Russ.	Spit
Kosui	Jap.	Lake
Kraal	Du.	Native Village
Kuchuk	Turk.	Small
Kuh	Per.	Mountain
Kul	Sinkiang Turki	Lake
Kum	Turk.	Desert
Kuro	Jap.	Black
Laag	Du.	Low
Lac	Fr.	Lake
Lago	Port., Sp., It.	Lake
Lagoa	Port.	Lagoon
Laguna	Sp.	Lagoon
Lagune	Fr.	Lagoon
Lahti	Finn.	Bay, Bight
Län	Sw.	County
Lilla	Sw.	Small
Lille	Dan., Nor.	Small
Ling	Ch.	Mountain
Llanos	Sp.	Plains
Mae Nam	Thai	River
Mali, Malaya	Russ.	Small
Man	Korean	Bay
Mar	Sp., Port.	Sea
Mare	It.	Sea
Medio	Sp.	Middle
Meer	Du.	Lake
Meer	Ger.	Sea
Mer	Fr.	Sea
Meridionale	It.	Southern
Meseta	Sp.	Plateau
Middelst, Midden	Du.	Middle
Minami	Jap.	Southern
Mir	Per.	Mountain
Mis	Russ.	Cape
Misaki	Jap.	Cape
Mittel	Ger.	Middle
Mont	Fr.	Mountain
Montagne	Fr.	Mountain
Montaña	Sp.	Mountains
Monte	Sp., It., Port.	Mountain
More	Russ.	Sea
Morro	Port., Sp.	Mountain, Promontory
Morue	Fr.	Hill
Moyen	Fr.	Middle
Muong	Siamese	Town
Mys	Russ.	Cape
Nada	Jap.	Sea
Naka	Jap.	Middle
Nam	Burm., Lao	River
Nan	Ch., Jap.	South
Nes	Nor.	Cape, Point
Nevado	Sp.	Snow covered peak
Nieder	Ger.	Lower
Nishi, Nisi	Jap.	West
Nizhni, Nizhnyaya	Russ.	Lower
Njarga	Finn.	Peninsula, Promontory
Nong	Thai	Lake
Noord	Du.	North
Nor	Mong.	Lake
Nord	Fr., Ger.	North
Norte	Sp., It., Port.	North
Nos	Russ.	Cape
Novi, Novaya	Russ.	New
Nusa	Malay	Island
Ny, Nya	Nor., Sw.	New
O	Jap.	Big
Ö	Nor., Sw.	Island
Ober	Ger.	Upper
Occidental, Occidentale	Sp., It.	Western
Odde	Dan.	Point
Oeste	Port.	West
Ola	Mong.	Mountains
Ooster	Du.	Eastern
Opper, Over	Du.	Upper
Oriental	Sp., Fr.	Eastern
Orientale	It.	Eastern
Orta	Turk.	Middle
Ost	Ger.	East
Ostrov	Russ.	Island
Ouest	Fr.	West
Öy	Nor.	Island
Ozero	Russ.	Lake
Pampa	Sp.	Plain
Pas	Fr.	Channel, Strait
Paso	Sp.	Pass
Passo	It., Port.	Pass
Peh, Pei	Ch.	North
Peña	Sp.	Rock, Mountain
Penisola	It.	Peninsula
Pequeño	Sp.	Small
Pereval	Russ.	Pass
Peski	Russ.	Desert
Petit	Fr.	Small
Phu	Lao, Annamese	Mtn.
Pic	Fr.	Mountain
Piccolo	It.	Small
Pico	Port., Sp.	Mountain, Peak
Pik	Russ.	Mountain, Peak
Piton	Fr.	Mountain, Peak
Planalto	Port.	Plateau
Plato	Russ.	Plateau
Pointe	Fr.	Point
Poluostrov	Russ.	Peninsula
Ponta	Port.	Point
Presa	Sp.	Reservoir
Presqu'ile	Fr.	Peninsula
Proliv	Russ.	Strait
Pulou, Pulo	Malay	Island
Punt	Du.	Point
Punta	Sp., It., Port.	Point
Qum	Turk.	Desert
Rada	Sp.	Inlet
Rade	Fr.	Bay, Inlet
Ras	Arabic	Cape
Reka	Russ.	River
Retto	Jap.	Archipelago
Ria	Sp.	Estuary
Río	Sp.	River
Rivier, Rivière	Du., Fr.	River
Rud	Per.	River
Saghir	Arabic	Small
Sai	Jap.	West
Saki	Jap.	Cape
Salar, Salina	Sp.	Salt Deposit
Salto	Sp., Port.	Falls
San	Ch., Jap., Korean	Hill
Sanmaek	Korean	Mt. Range
Schiereiland	Du.	Peninsula
Se	Camb., Khmer	River
See	Ger.	Sea, Lake
Selvas	Sp., Port.	Woods, Forest
Seno	Sp.	Bay, Gulf
Serra	Port.	Mts.
Serranía	Sp.	Mts.
Seto	Jap.	Strait
Settentrionale	It.	Northern
Severni, Severnaya	Russ.	North
Shan	Ch., Jap.	Hill, Mts.
Shang	Ch.	Upper
Shatt	Arabic	River
Shima	Jap.	Island
Shimo	Jap.	Lower
Shin	Jap.	Land
Shiro	Jap.	White
Shoto	Jap.	Islands
Si	Ch.	West
Siao	Ch.	Small
Sierra	Sp.	Mt. Range, Mts.
Sjö	Nor., Sw.	Lake, Sea
Sok, Suk, Souk	Arabic, Ar. Fr.	Market
Song	Annamese	River
Sopka	Russ.	Volcano
Spitze	Ger.	Mt. Peak
Sredni, Srednyaya	Russ.	Middle
Stad	Dan., Nor., Sw.	City
Stari, Staraya	Russ.	Old
Step	Russ.	Treeless Plain
Straat	Du.	Strait
Strasse	Ger.	Strait
Stretto	It.	Strait
Ström	Dan., Nor., Sw.	Sound
Stung	Camb., Khmer	River
Su	Turk.	River
Sud, Süd	Sp., Fr., Ger.	South
Suido	Jap.	Strait, Channel
Sul	Port.	South
Sund	Dan., Nor., Sw.	Sound
Sungei	Malay	River
Supérieur	Fr.	Upper
Superior, Superiore	Sp., It.	Upper
Sur	Sp.	South
Suyu	Turk.	River
Ta	Ch.	Big
Tafelland	Du.	Plateau
Tagh	Turk.	Mt. Range
Take	Jap.	Peak, Ridge
Takht	Arabic	Lower
Tal	Ger.	Valley
Tandjong, Tanjung	Malay	Cape, Point
Tao	Ch.	Island
Tell	Arabic	Hill
Thale	Thai	Sea, Lake
Tind	Nor.	Peak
Tö	Jap.	East
To	Jap.	Island
Toge	Jap.	Pass
Trask	Finn.	Lake
Tso	Tibetan	Lake
Tugh	Somali	Dry River
Tung	Ch.	Eastern
Udjung	Malay	Point
Umi	Jap.	Bay
Unter	Ger.	Lower
Ura	Jap.	Inlet
Val	Fr.	Valley
Vatn	Nor.	Lake
Vecchio	It.	Old
Veld	Du.	Plain, Field
Velho	Port.	Old
Verkhni	Russ.	Upper
Vesi	Finn.	Lake
Vieho	Sp.	Old
Vik	Nor., Sw.	Bay
Vishni, Vishnyaya	Russ.	High
Vodokhranilishche	Russ.	Reservoir
Volcán	Sp.	Volcano
Vostochni, Vostochnaya	Russ.	East, Eastern
Wadi	Arabic	Dry River
Wald	Ger.	Forest
Wan	Jap.	Bay
Westersch	Du.	Western
Wüste	Ger.	Desert
Yama	Jap.	Mountain
Yarim Ada	Turk.	Peninsula
Yokara	Turk.	Upper
Yug, Yuzhni, Yuzhnaya	Russ.	South, Southern
Zaki	Jap.	Cape
Zaliv	Russ.	Bay, Gulf
Zapadni, Zapadnaya	Russ.	Western
Zee	Du.	Sea
Zemlya	Russ.	Land
Zuid	Du.	South

MAP PROJECTIONS
by Erwin Raisz

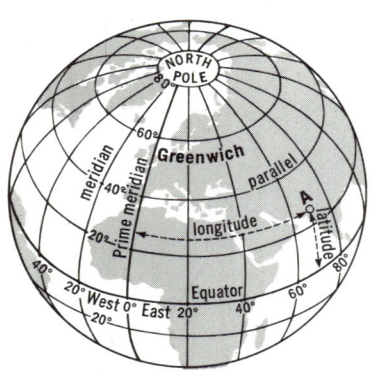

Rectangular Projection

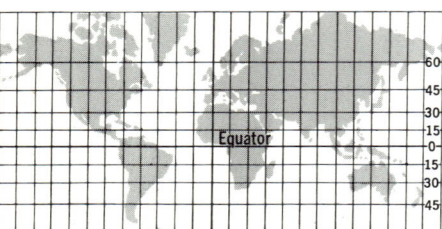

Mercator Projection

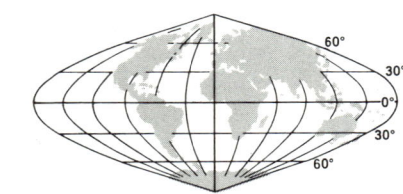

Sinusoidal Projection

Our earth is rotating around its *axis* once a day. The two end points of its axis are the *poles*; the line circling the earth midway between the poles is the *equator*. The arc from either of the poles to the equator is divided into 90 *degrees*. The distance, expressed in degrees, from the equator to any point is its *latitude* and circles of equal latitude are the *parallels*. On maps it is customary to show parallels of evenly-spaced degrees such as every fifth or every tenth.

The equator is divided into 360 degrees. Lines circling from pole to pole through the degree points on the equator are called *meridians*. They are all equal in length but by international agreement the meridian passing through the Greenwich Observatory in London has been chosen as *prime meridian*. The distance, expressed in degrees, from the prime meridian to any point is its *longitude*. While meridians are all equal in length, parallels become shorter and shorter as they approach the poles. Whereas one degree of latitude represents everywhere approximately 69 miles, one degree of longitude varies from 69 miles at the equator to nothing at the poles.

Each degree is divided into 60 minutes and each minute into 60 seconds. One minute of latitude equals a nautical mile.

The map is flat but the earth is nearly spherical. Neither a rubber ball nor any part of a rubber ball may be flattened without stretching or tearing unless the part is very small. To present the curved surface of the earth on a flat map is not difficult as long as the areas under consideration are small, but the mapping of countries, continents, or the whole earth requires some kind of *projection*. Any regular set of parallels and meridians upon which a map can be drawn makes a map projection. Many systems are used.

In any projection only the parallels or the meridians or some other set of lines can be *true* (the same length as on the globe of corresponding scale); all other lines are too long or too short. Only on a globe is it possible to have both the parallels and the meridians true. The scale given on a flat map cannot be true everywhere. The construction of the various projections begins usually with laying out the parallels or meridians which have true lengths.

RECTANGULAR PROJECTION — This is a set of evenly-placed meridians and horizontal parallels. The central or *standard parallel* and all meridians are true. All other parallels are either too long or too short. The projection is used for simple maps of small areas, as city plans, etc.

MERCATOR PROJECTION — In this projection the meridians are evenly-spaced vertical lines. The parallels are horizontal, spaced so that their length has the same relation to the meridians as on a globe. As the meridians converge at higher latitudes on the globe, while on the map they do not, the parallels have to be drawn also farther and farther apart to maintain the correct relationship. When every very small area has the same shape as on a globe we call the projection *conformal*. The most interesting quality of this projection is that all *compass directions* appear as straight lines. For this reason it is generally used for marine charts. It is also frequently used for world maps in spite of the fact that the high latitudes are very much exaggerated in size. Only the equator is true to scale; all other parallels and meridians are too long. The Mercator projection did *not* derive from projecting a globe upon a cylinder.

SINUSOIDAL PROJECTION — The parallels are truly-spaced horizontal lines. They are divided truly and the connecting curves make the meridians. It does not make a good world map because the outer regions are distorted, but the central portion is good and this part is often used for maps of Africa and South America. Every part of the map has the same area as the corresponding area on the globe. It is an *equal-area* projection.

MOLLWEIDE PROJECTION — The meridians are equally-spaced ellipses; the parallels are horizontal lines spaced so that every belt of latitude should have the same area as on a globe. This projection is popular for world maps, especially in European atlases.

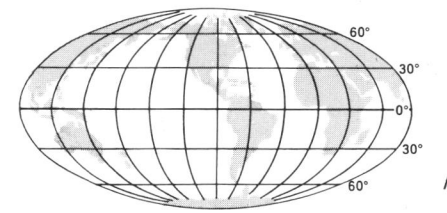
Mollweide Projection

GOODE'S INTERRUPTED PROJECTIONS — Only the good central part of the Mollweide or sinusoidal (or both) projection is used and the oceans are cut. This makes an equal-area map with little distortion of shape. It is commonly used for world maps.

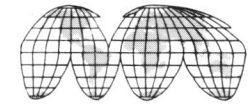
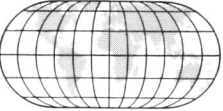

Goode's Interrupted Projection   *Eckert Projection*

ECKERT PROJECTIONS — These are similar to the sinusoidal or the Mollweide projections, but the poles are shown as lines half the length of the equator. There are several variants; the meridians are either sine curves or ellipses; the parallels are horizontal and spaced either evenly or so as to make the projection equal area. Their use for world maps is increasing. The figure shows the elliptical equal-area variant.

CONIC PROJECTION — The original idea of the conic projection is that of capping the globe by a cone upon which both the parallels and meridians are projected from the center of the globe. The cone is then cut open and laid flat. A cone can be made tangent to any chosen *standard parallel*.

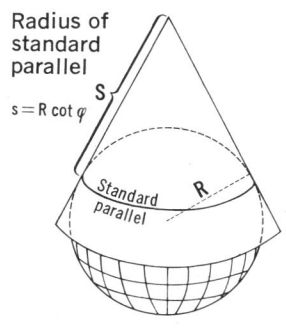
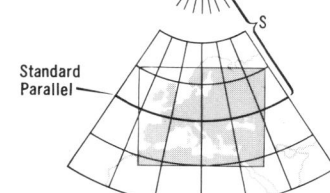

Conic Projection

The actually-used conic projection is a modification of this idea. The radius of the standard parallel is obtained as above. The meridians are straight radiating lines spaced truly on the standard parallel. The parallels are concentric circles spaced at true distances. All parallels except the standard are too long. The projection is used for maps of countries in middle latitudes, as it presents good shapes with small scale error.

There are several variants: The use of *two standard parallels*, one near the top, the other near the bottom of the map, reduces the scale error. In the *Albers projection* the parallels are spaced unevenly, to make the projection equal-area. This is a good projection for the United States. In the *Lambert conformal conic projection* the parallels are spaced so that any small quadrangle of the grid should have the same shape as on the globe. This is the best projection for air-navigation charts as it has relatively straight azimuths.

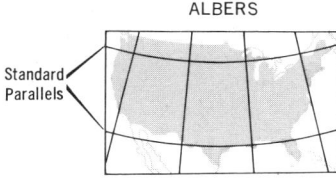
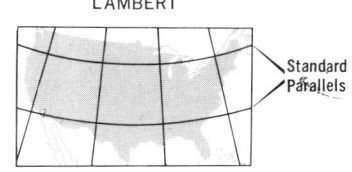

Albers Projection   *Lambert Conformal Conic Projection*

An *azimuth* is a great-circle direction reckoned clockwise from north. A *great-circle direction* points to a place along the shortest line on the earth's surface. This is not the same as compass direction. The center of a great circle is the center of the globe.

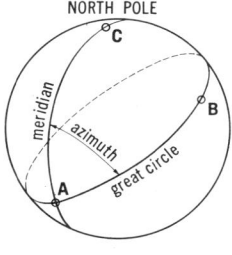
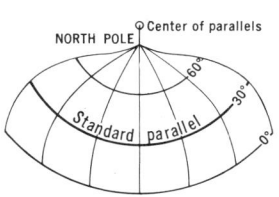

Bonne Projection

BONNE PROJECTION — The parallels are laid out exactly as in the conic projection. All parallels are divided truly and the connecting curves make the meridians. It is an equal-area projection. It is used for maps of the northern continents, as Asia, Europe, and North America.

POLYCONIC PROJECTION — The central meridian is divided truly. The parallels are non-concentric circles, the radii of which are obtained by drawing tangents to the globe as though the globe were covered by several cones rather than by only one. Each parallel is divided truly and the connecting curves make the meridians. All meridians except the central one are too long. This projection is used for large-scale topographic sheets — less often for countries or continents.

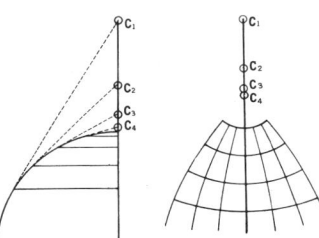
Polyconic Projection

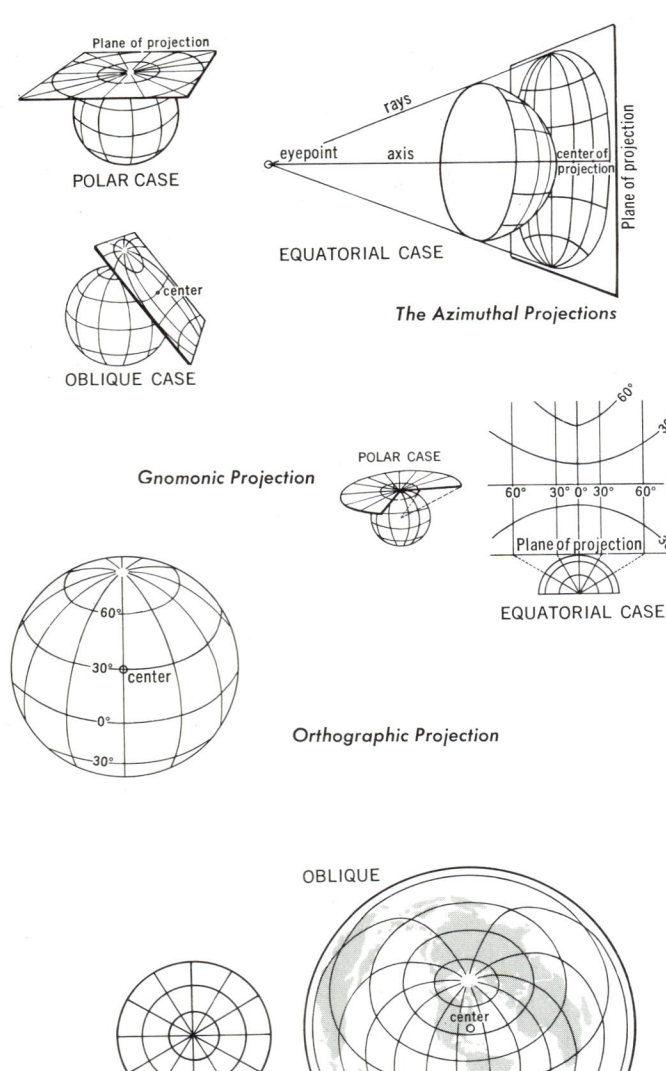

The Azimuthal Projections

Gnomonic Projection

Orthographic Projection

Azimuthal Equidistant Projection

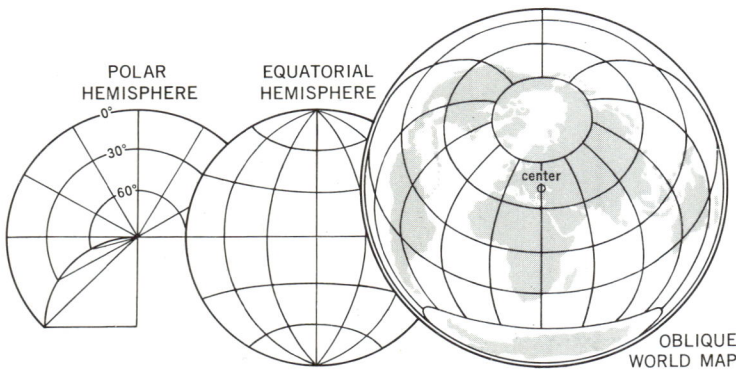

Lambert Azimuthal Equal-Area Projection

THE AZIMUTHAL PROJECTIONS — In this group a part of the globe is projected from an eyepoint onto a plane. The eyepoint can be at different distances, making different projections. The plane of projection can be tangent at the equator, at a pole, or at any other point on which we want to focus attention. The most important quality of all azimuthal projections is that they show every point at its true direction (azimuth) from the center point, and all points equally distant from the center point will be equally distant on the map also.

GNOMONIC PROJECTION — This projection has the eyepoint at the center of the globe. Only the central part is good; the outer regions are badly distorted. Yet the projection has one important quality, all great circles being shown as straight lines. For this reason it is used for laying out the routes for long range flying or trans-oceanic navigation.

ORTHOGRAPHIC PROJECTION — This projection has the eyepoint at infinite distance and the projecting rays are parallel. The polar or equatorial varieties are rare but the oblique case became very popular on account of its visual quality. It looks like a picture of a globe. Although the distortion on the peripheries is extreme, we see it correctly because the eye perceives it not as a map but as a picture of a three-dimensional globe. Obviously only a hemisphere (half globe) can be shown.

Some azimuthal projections do not derive from the actual process of projecting from an eyepoint, but are arrived at by other means:

AZIMUTHAL EQUIDISTANT PROJECTION — This is the only projection in which every point is shown both at true great-circle direction and at true distance from the center point, but all other directions and distances are distorted. The principle of the projection can best be understood from the polar case. Most polar maps are in this projection. The oblique case is used for radio direction finding, for earthquake research, and in long-distance flying. A separate map has to be constructed for each central point selected.

LAMBERT AZIMUTHAL EQUAL-AREA PROJECTION — The construction of this projection can best be understood from the polar case. All three cases are widely used. It makes a good polar map and it is often extended to include the southern continents. It is the most common projection used for maps of the Eastern and Western Hemispheres, and it is a good projection for continents as it shows correct areas with relatively little distortion of shape. Most of the continent maps in this atlas are in this projection.

IN THIS ATLAS, on almost all maps, parallels and meridians have been marked because they are useful for the following:

(a) They show the north-south and east-west directions which appear on many maps at oblique angles especially near the margins.

(b) With the help of parallels and meridians every place can be exactly located; for instance, New York City is at 41° N and 74° W on any map.

(c) They help to measure distances even in the distorted parts of the map. The scale given on each map is true only along certain lines which are specified in the foregoing discussion for each projection. One degree of latitude equals nearly 69 statute miles or 60 nautical miles. The length of one degree of longitude varies (1° long. = 1° lat. × cos lat.).

The UNIVERSE EARTH and MAN

TABLE OF CONTENTS

MAN IN RELATION TO THE UNIVERSE

XIV-XV	THE UNIVERSE: Time and Space
XVI-XVII	THE STARRY SKIES
XVIII-XIX	OUR FAMILY OF PLANETS
XX-XXI	THE MOON: Earth's Natural Satellite
XXII-XXIII	EARTH'S HOSTILE ENVIRONMENT

MAN IN RELATION TO THE EARTH

XXIV-XXV	STRUCTURE OF THE EARTH
XXVI-XXVII	EARTH DYNAMICS: Mountain Building
XXVIII-XXIX	EARTH DYNAMICS: Erosion
XXX-XXXIII	THE WATERY REALM

MAN IN RELATION TO HIS ENVIRONMENT

XXXIV-XXXV	THE GEOLOGIC RECORD
XXXVI-XXXVII	CLIMATE: Patterns of Heat and Moisture
XXXVIII-XXXIX	VEGETATION: Tundra to Rain Forest
XL-XLI	PEOPLE: Distribution and Growth
XLII-XLIV	RAW MATERIALS: The Resource Base

XIV

OUTER SPACE: CORRIDOR OF TIME

HALE TELESCOPE
The largest reflecting telescope in the world has a mirror 200" in diameter and can photograph objects nearly two billion light-years in space. It has enormously increased man's knowledge of his universe.

JODRELL BANK RADIO TELESCOPE
Cosmic bodies emit characteristic radio waves. By receiving them, this instrument permits identification, mapping and analysis of invisible bodies too distant, dark or obscure to be seen.

THE UNIVERSE:

THE ANDROMEDA GALAXY

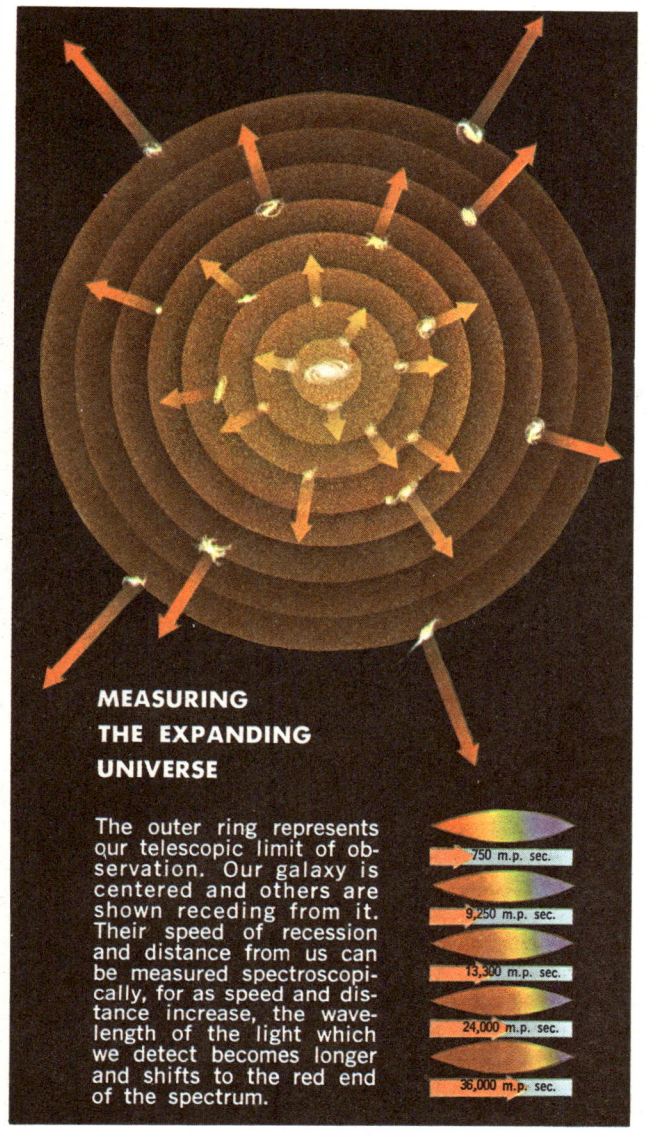

MEASURING THE EXPANDING UNIVERSE

The outer ring represents our telescopic limit of observation. Our galaxy is centered and others are shown receding from it. Their speed of recession and distance from us can be measured spectroscopically, for as speed and distance increase, the wavelength of the light which we detect becomes longer and shifts to the red end of the spectrum.

750 m.p. sec.
9,250 m.p. sec.
13,500 m.p. sec.
24,000 m.p. sec.
36,000 m.p. sec.

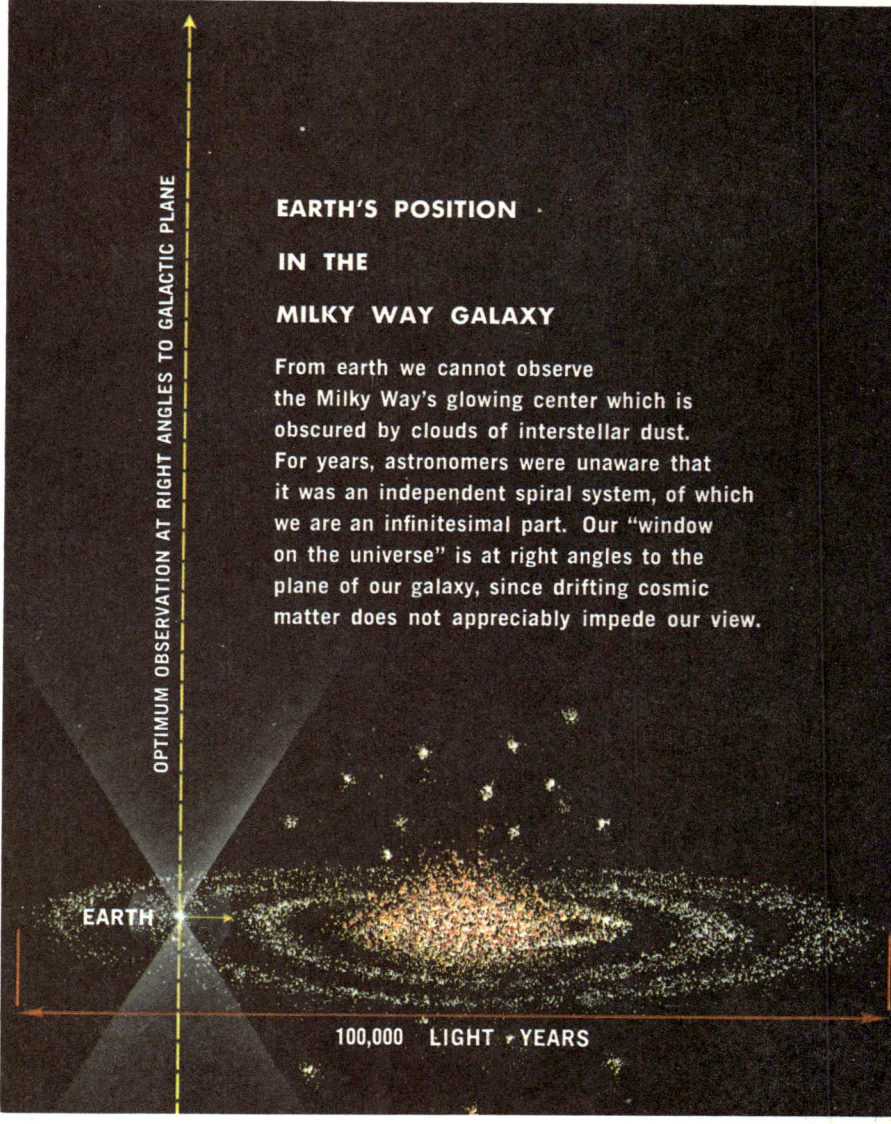

EARTH'S POSITION IN THE MILKY WAY GALAXY

From earth we cannot observe the Milky Way's glowing center which is obscured by clouds of interstellar dust. For years, astronomers were unaware that it was an independent spiral system, of which we are an infinitesimal part. Our "window on the universe" is at right angles to the plane of our galaxy, since drifting cosmic matter does not appreciably impede our view.

OPTIMUM OBSERVATION AT RIGHT ANGLES TO GALACTIC PLANE

EARTH

100,000 LIGHT-YEARS

Time and Space

A man looking up at the sky on a clear night sees as much of the universe as a protozoan might see of the ocean in which it drifts. The moon, the planets, and the few thousand stars which are visible to him are as a single drop of water in the boundless sea of the universe.

While emotionally man cannot begin to grasp the magnitude of space, intellectually he has done so. His computations and the use of magnificent instruments which have enabled him to probe deeper and deeper into the cosmos, have indicated that we live in a universe with a diameter of 8,000,000,000 to 10,000,000,000 . . . not miles, but light-years, the distance light travels, at 186,000 miles a second, in one year.

The dimensions of the universe are not static, however, for observations of the heavens indicate that different units are hurtling away from each other at ever increasing speeds towards the outer reaches of the universe.

In this sea of space are star atolls . . . the galaxies, billions of them, each containing billions of stars, clouds of hydrogen and dust. While the average size of these stars is that of the sun, a star in which a million earths could fit, there are stars in which a million suns could fit.

And where in the vastness of all this is our earth? In an aggregation of twenty galaxies known as "The Local Group" is one called "The Milky Way," an elliptical pinwheel of 100 billion stars. At a position 30,000 light-years from its center and 20,000 light-years from its edge, among the countless stars in just one of the spiral arms is our sun. Spinning upon its axis and rotating around this star which, in turn, is circling the far distant center of the Milky Way once every 200,000,000 years as the great galaxy rushes through space . . . is the planet earth.

This is man's home, upon which he wheels through the universe.

THE STARRY SKIES

Great glowing spheres of gas, as many as there are grains of sand on every beach of every ocean on earth. These are the stars.

In ancient Babylon, China, Persia, Egypt and Greece man first gazed on the stars and related them to his needs and his desires. He has found his way across the seas and

deserts by the stars, told time by them, drawn boundaries, predicted the change of seasons and believed, naïvely and egocentrically, that in the stars he could read his future. In the eighty-eight constellations of the northern and southern hemispheres he has seen the patterns of familiar objects, animals, men and gods, and invested these vast star groups with such identities as the water carrier and the archer, the bull and the lion.

Twelve of these constellations form a belt across the sky through which the sun, the moon and the planets appear to move. They are the Zodiac and throughout the history of man, even today as we are able to peer through telescopes and study the universe two billion miles into space, some believe that these twelve constellations of the Zodiac influence man's daily affairs. And because they act in accordance with this belief, it is not entirely untrue.

As their light shines from incomprehensible distances and twinkles through the turbulences and temperature changes of the earth's atmosphere from out of their various pasts, the stars are perhaps even more awesome to us, because of our greater knowledge of them, than they were to the stargazers of old. After five thousand years of watching them, man may well ask as he looks to the stars, "How I wonder what you are."

SOLAR FLARE PHOTOSPHERE CHROMOSPHERE

SUNSPOTS

SOLAR STORM

THE SUN The intense light of the sun is the fire produced by the nuclear conversion of hydrogen into helium. The surface temperature is about 11,000 degrees F., but the interior temperature is millions of degrees higher. Periodically, storms erupt from the surface and tongues of flame are hurled millions of miles into space, bombarding the earth's atmosphere with streamers of high energy radiation.

PLUTO

URANUS

SATURN

OUR FAMILY

Among the billions of stars in the universe, we believe that there are millions of solar systems similar to our own. To date, however, man has not been able to observe another such group of cold heavenly bodies shining by the reflected light of a mother sun. Ours is not a close family, but extends three and a half billion miles in space. If the sun were a pumpkin, the earth would be a pea over two hundred feet away and the furthest planet, Pluto, another pea two miles beyond.

Just beyond the four inner "dwarf" planets, Mercury, Venus, Earth and Mars, is a girdle of much tinier ones, the asteroids. Beyond these are the four giants, Jupiter, Saturn, Uranus and Neptune, and finally Pluto, another dwarf, which once may have been a moon of Neptune. A total of thirty-one moons and satellites circle the various planets while throughout the solar system fly comets, fiery interplanetary wanderers scattering their embers, the meteors we call shooting stars.

It is a forbidding family. The cold, barren giants are surrounded by deadly gases. The face of Mercury always nearest the sun is an eternally scorched desolation. The extremely high temperatures on the surface of Venus preclude any possibility of life as we know it. The space probe to Mars revealed an inhospitable, cratered landscape that is probably incapable of sustaining any advanced form of life.

OF PLANETS

© Copyright C. S. Hammond & Co., Maplewood, N. J.

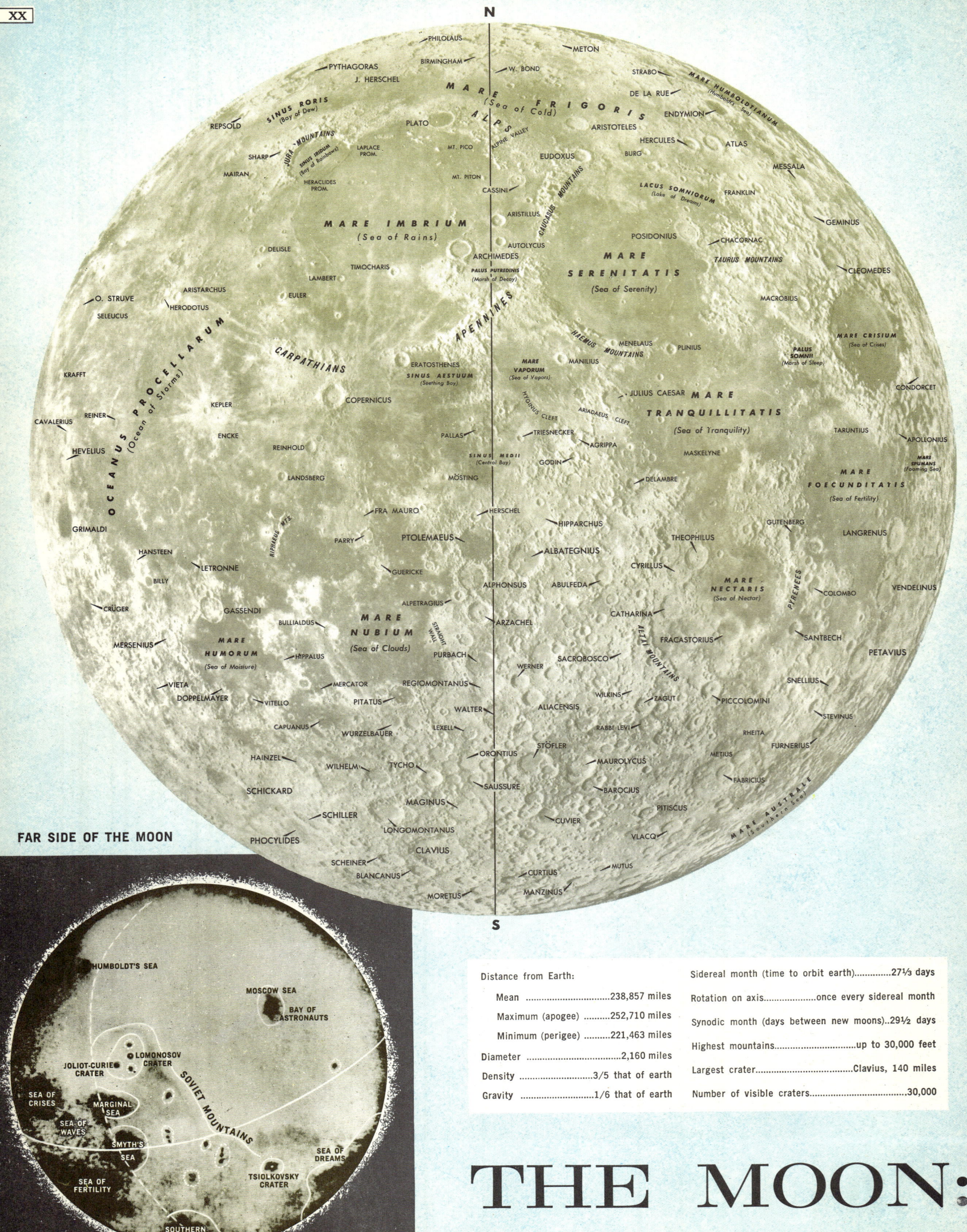

FAR SIDE OF THE MOON

Distance from Earth:		Sidereal month (time to orbit earth).............27⅓ days
Mean ....238,857 miles		Rotation on axis....................once every sidereal month
Maximum (apogee) ....252,710 miles		Synodic month (days between new moons)..29½ days
Minimum (perigee) ....221,463 miles		Highest mountains...............................up to 30,000 feet
Diameter ....2,160 miles		Largest crater......................Clavius, 140 miles
Density ....3/5 that of earth		Number of visible craters.......................30,000
Gravity ....1/6 that of earth		

THE MOON:

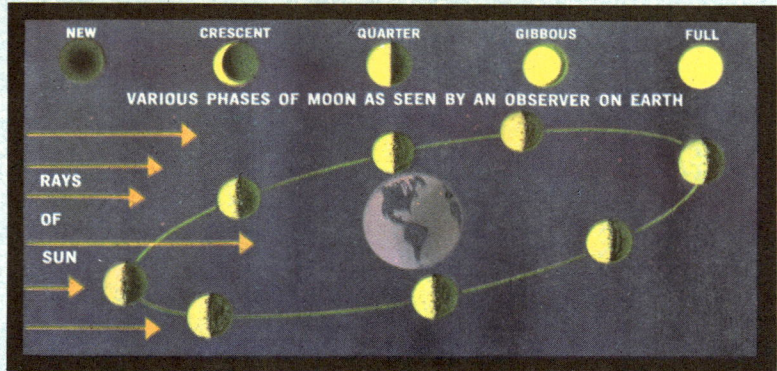
PHASES OF THE MOON

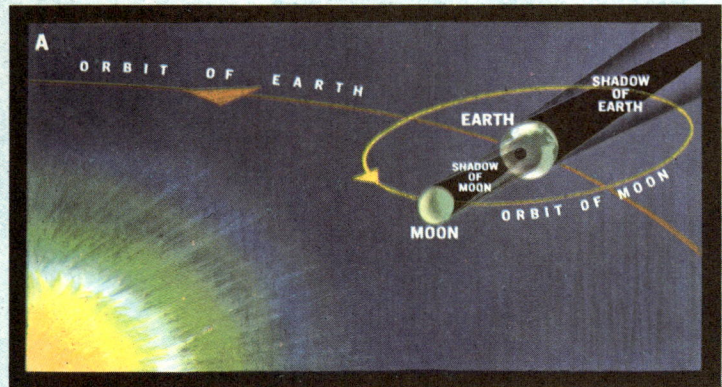
SOLAR ECLIPSE

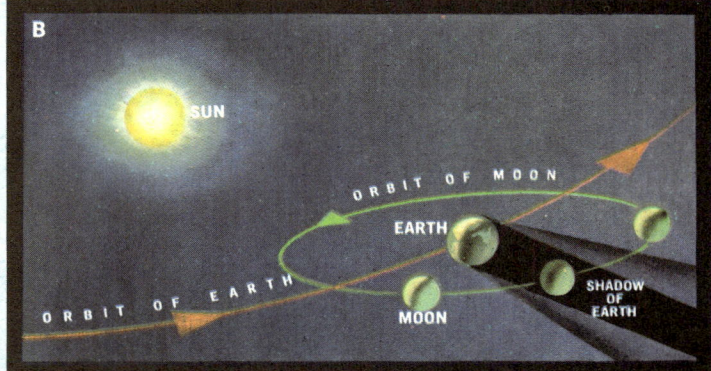
LUNAR ECLIPSE

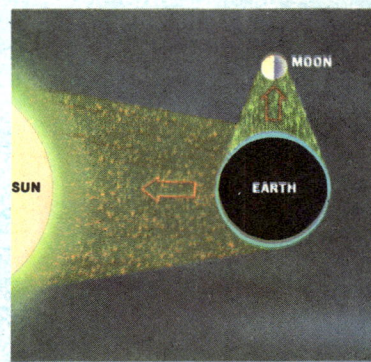
NEAP TIDE is the low monthly tide produced when the sun, earth, and moon form a right angle, and the gravitational pull of the sun partially offsets that of the moon.

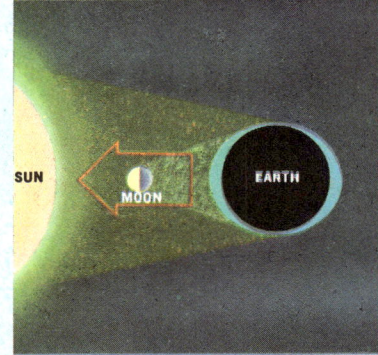
SPRING TIDE is the high monthly tide which results when both sun and moon are in line and their gravitational pull is combined.

The moon, one day to be man's first stepping stone into the silent seas of space, actually is a gigantic stone in the sky . . . an airless, waterless sphere of towering mountain ranges, broad craters, great plains and powdery, gray-brown dust. It rotates around the earth keeping its far side always hidden from our sight. One-quarter the diameter of the earth and having one-sixth its gravity, this uninviting neighbor only 238,000 miles away was formed, we speculate, when a swirling cloud of cosmic gas and particles separated into eddies which contracted to become the sun, the planets and their satellites. Unshielded by protective air, temperatures on its surface range from over 200° F. by day to —200° F. after dark. Yet some day we shall launch space vehicles from there, virtually without gravitational drag and, because it has no atmosphere, clearly observe the furthest heavens on ever-cloudless nights.

In its eccentric but predictable orbit, the moon on occasion crosses directly between the earth and the sun, casting its shadow on the earth's surface. (A) This is the solar eclipse which permits astronomers to acquire certain invaluable data about the area in the sun's vicinity. When the earth passes between sun and moon, hiding it from the sun's light, the eclipse is lunar. (B)

Ancient priests versed in enough primitive astronomy to predict eclipses sometimes used this knowledge to terrorize the people with their power. From the priests of ancient days to today's composers of popular songs, the moon has had an influence on the affairs of man, sometimes profound and far-reaching. The Temple of Diana, Goddess of the Moon, stood for 500 years, one of the Seven Wonders of the World, and there are legends from almost all peoples that deal with the man in the moon. From the belief that the moon affects the mind have come the commonly-rooted words lunar and lunatic. And because its gravitational force pulls the waters of the earth toward it, a major cause of tides, the moon has meant much to the sailors and fishermen of the world.

In days past, a goddess; in days to come, a platform in space — so changes the unchanging face of the moon in the minds of men.

Earth's Natural Satellite

© Copyright C. S. Hammond & Co., Maplewood, N. J.

EARTH'S HOSTILE ENVIRONMENT

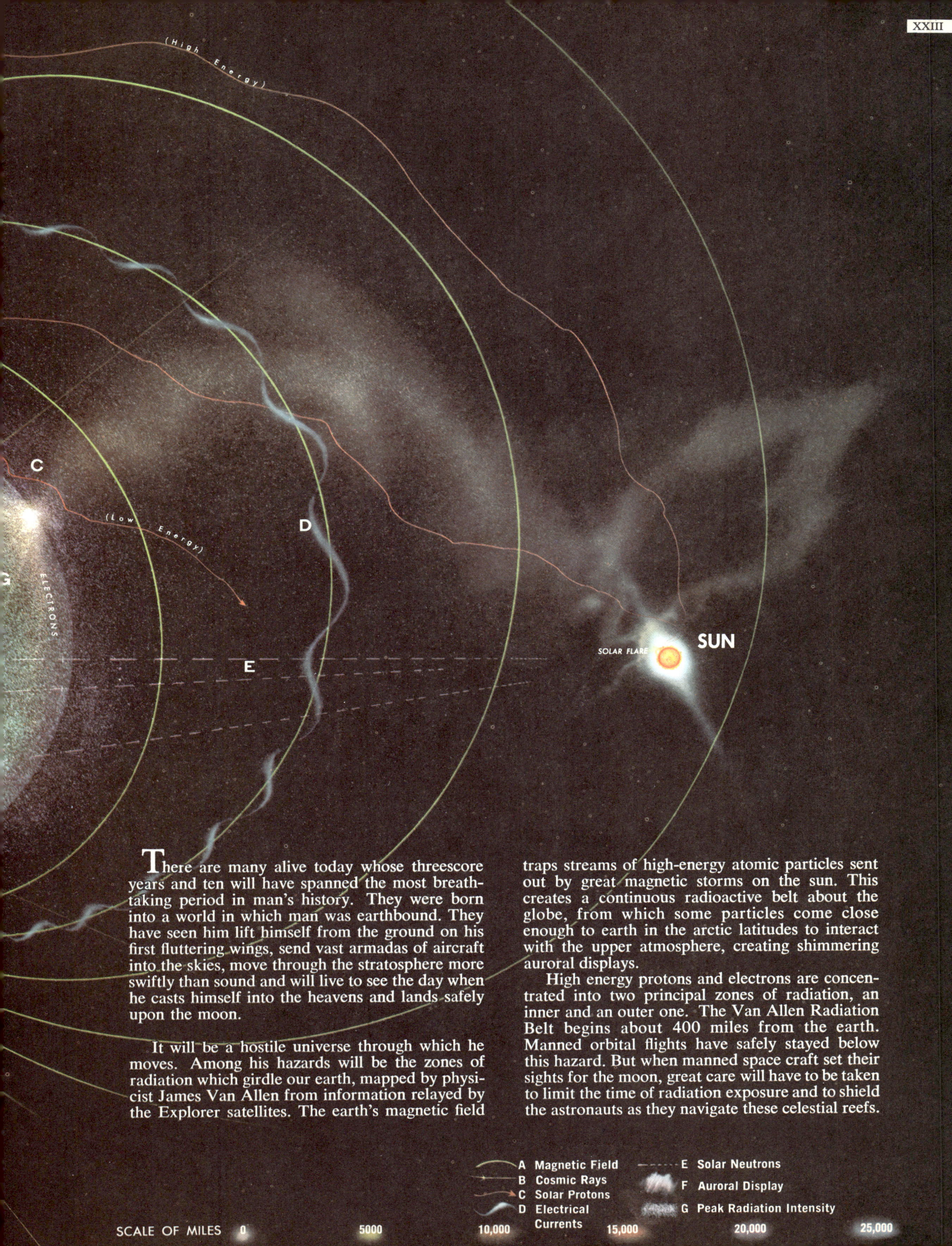

There are many alive today whose threescore years and ten will have spanned the most breathtaking period in man's history. They were born into a world in which man was earthbound. They have seen him lift himself from the ground on his first fluttering wings, send vast armadas of aircraft into the skies, move through the stratosphere more swiftly than sound and will live to see the day when he casts himself into the heavens and lands safely upon the moon.

It will be a hostile universe through which he moves. Among his hazards will be the zones of radiation which girdle our earth, mapped by physicist James Van Allen from information relayed by the Explorer satellites. The earth's magnetic field traps streams of high-energy atomic particles sent out by great magnetic storms on the sun. This creates a continuous radioactive belt about the globe, from which some particles come close enough to earth in the arctic latitudes to interact with the upper atmosphere, creating shimmering auroral displays.

High energy protons and electrons are concentrated into two principal zones of radiation, an inner and an outer one. The Van Allen Radiation Belt begins about 400 miles from the earth. Manned orbital flights have safely stayed below this hazard. But when manned space craft set their sights for the moon, great care will have to be taken to limit the time of radiation exposure and to shield the astronauts as they navigate these celestial reefs.

A Magnetic Field
B Cosmic Rays
C Solar Protons
D Electrical Currents
E Solar Neutrons
F Auroral Display
G Peak Radiation Intensity

SCALE OF MILES   0   5000   10,000   15,000   20,000   25,000

STRUCTURE OF THE

Between the loftiest mountain peaks on earth and the lowest ocean deeps, the vertical distance is perhaps twelve miles. Comfortably between these extremes, we pursue our daily affairs . . . on the outermost crust of a dense sphere, nearly four thousand miles above its center, an area as mysterious to us as the distant stars.

We believe this core to be of a nickel-iron substance which has continued to cool and contract since the earth was born. Around it is the mantle, a layer of still-molten rock that under tremendous pressure twists, bends and flows in a viscous tide. The upper layer, the crust, is constantly shifting, moving and reshaping itself, sometimes imperceptibly, sometimes with the violence and catastrophic suddenness of an earthquake or volcano. The Pyramid of Cheops now stands over two miles from the place where it was built, and in the rocks of the Matterhorn are remains of molluscs, thousands of feet higher than the sea in which they once lived. It is even believed by many scientists that the continents once were part of a single land mass which broke apart, the pieces being carried upon the tides of the mantle to where they lie today.

Much of what we do know of the earth's interior has been determined by studying the speed and direction of earthquake shock waves which radiate from seismic disturbances. In this manner, Andrija Mohorovicic in 1909 "discovered" the Moho, the boundary between crust and mantle. An expedition presently is engaged in drilling through the bottom of the Pacific, in an area where the crust is thin, to the Moho. Project Mohole is man's first serious attempt to reach earth's middle layer, the dark unknown which at that point is only a scant six miles below us.

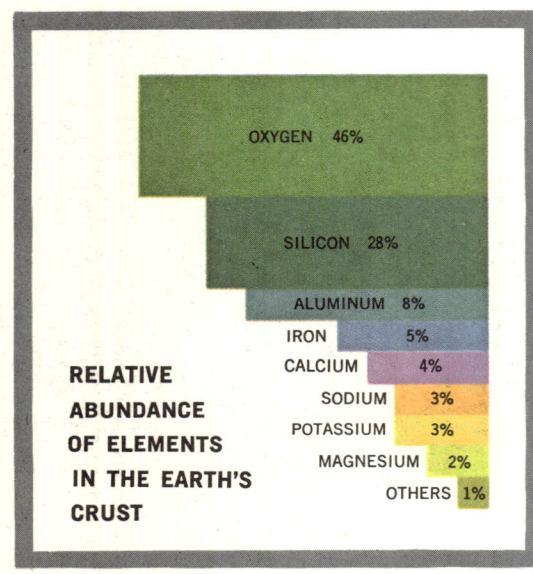

RELATIVE ABUNDANCE OF ELEMENTS IN THE EARTH'S CRUST

OXYGEN 46%
SILICON 28%
ALUMINUM 8%
IRON 5%
CALCIUM 4%
SODIUM 3%
POTASSIUM 3%
MAGNESIUM 2%
OTHERS 1%

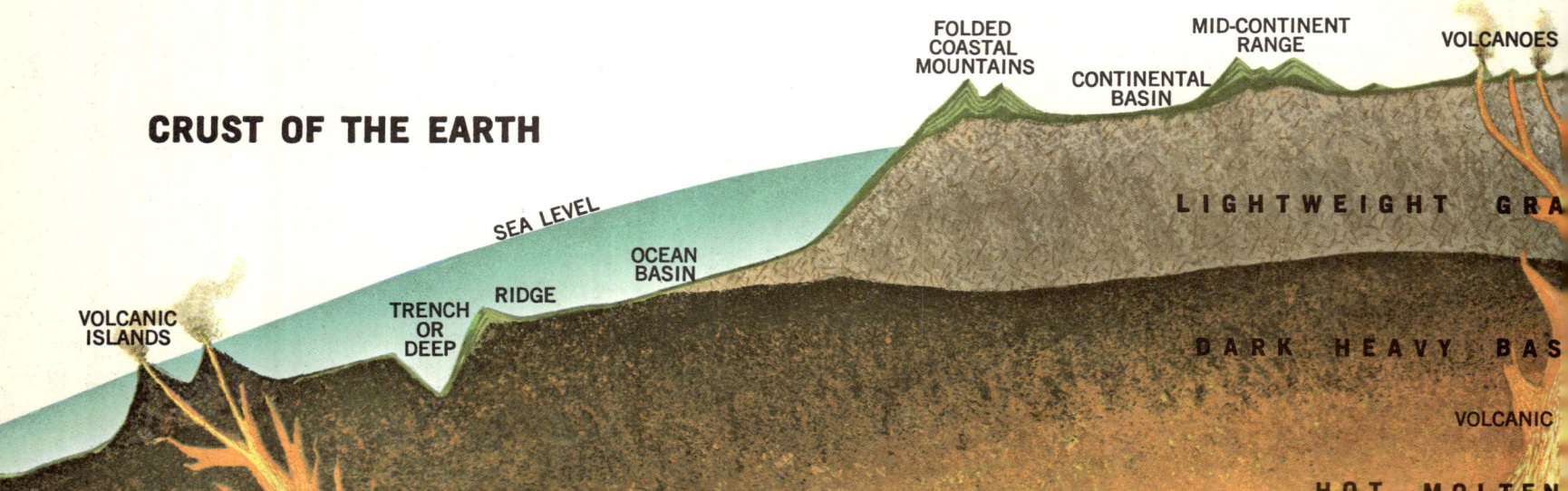

CRUST OF THE EARTH

© Copyright C. S. Hammond & Co., Maplewood, N.J.

EARTH

PRIOR

THEORY OF CONTINENTAL DRIFT
At an early point in geologic time evidence suggests that all land areas were part of one great land mass.

PRESENT

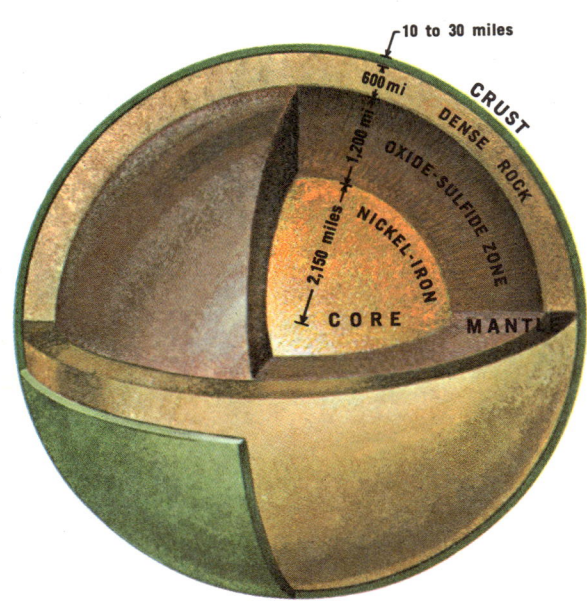

INTERIOR OF THE EARTH
Shown in section are the principal structural layers of the earth. Crustal thickness exaggerated for purposes of clarity.

Labels: 10 to 30 miles — CRUST; 600 mi — DENSE ROCK; 1,200 mi — OXIDE-SULFIDE ZONE; 2,150 miles — NICKEL-IRON CORE; MANTLE

PROJECT MOHOLE

Labels: DRILLING RIG; RADAR TO CONTROL SHIP POSITION; MANEUVERING MOTORS (4); GUIDE SHOE; SONAR TO CONTROL SHIP POSITION; RADAR REFLECTORS; DRILL PIPE; BUOYED RISER PIPE TO PERMIT RE-ENTRY OF WITHDRAWN DRILL PIPE; UNDERWATER SONAR TARGETS; OCEAN CURRENTS MAY CAUSE FLEXING OF DRILL PIPE; 12,000 feet; ANCHORS; SEA FLOOR; DRILL BASE; CONCRETE; SOFT SEDIMENTS; HARD LAYERS

LAND MASS

Labels: INTERIOR LOWLANDS; FOLDED MOUNTAINS; COASTAL PLAIN; CONTINENTAL SHELF; CONTINENTAL SLOPE; TROUGH; BANK; SUBMARINE MOUNTAINS; MID-OCEAN RISE; [GRA]NITE-TYPE ROCKS; [BAS]ALT-TYPE ROCKS; FISSURE; INTERIOR

"Business as usual despite alterations" is, geologically speaking, the story of our earth, for around us nature's carpenters, masons, bricklayers . . . and wrecking crews continuously are building anew and simultaneously tearing down the old world. No point on the earth's surface remains unaffected by these forces which seem to maintain a balance between the high and low areas of the earth's crust. Over a period of centuries, as a coastline slips beneath the sea, somewhere else a mountain range is slowly rising.

Under interior compressive stresses, perhaps resulting from the cooling of the earth's core, perhaps from movement within the mantle, perhaps from the accumulation of vast silt deposits on the ocean floor . . . we don't know . . . flat lands fold into gently rolling hills and valleys. Sometimes the pressure continues to increase. The mountains become higher and the valleys deeper. Finally the rock yields, fractures, buckles. Great rock masses shear along a break, or fault. Deeply buried layers of age-old sedimentary strata are forced higher and higher along the fault, reach the top and fold back until at last, when the pressure ceases, the lowest layers, with their fossil contents, have become the mountain peaks.

The building of a mountain range can take ten million years, but the same compressive forces that create it can level great cities within seconds. By fracturing rock deep beneath the surface of the earth, they cause everything that stands above it to slip, slide, tumble and shift in a cataclysmic moment of horror. This is the earthquake, one of the historic scourges of mankind.

Another scourge, another mountain builder, is the volcano. In the mantle, magma, molten rock with its content of compressed gases, probes for weak spots in the earth's crust and bursts forth through the ground in an eruption of fiery lava, gas and steam that does not stop until a mountain is made.

The major forces at work in rebuilding the face of the earth are violent ones. The erosive forces engaged in destroying it are far gentler.

EARTH DYNAMICS:

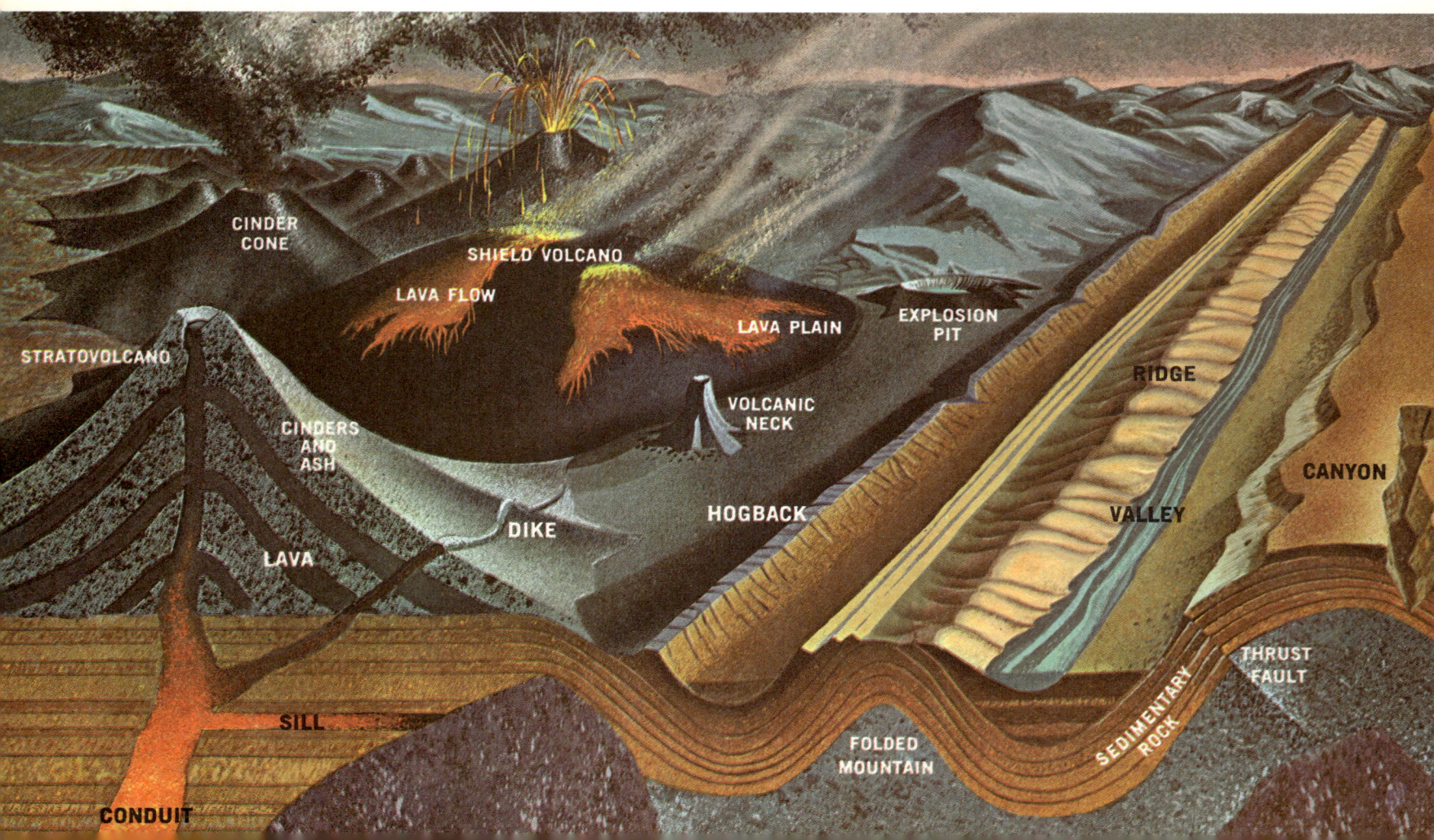

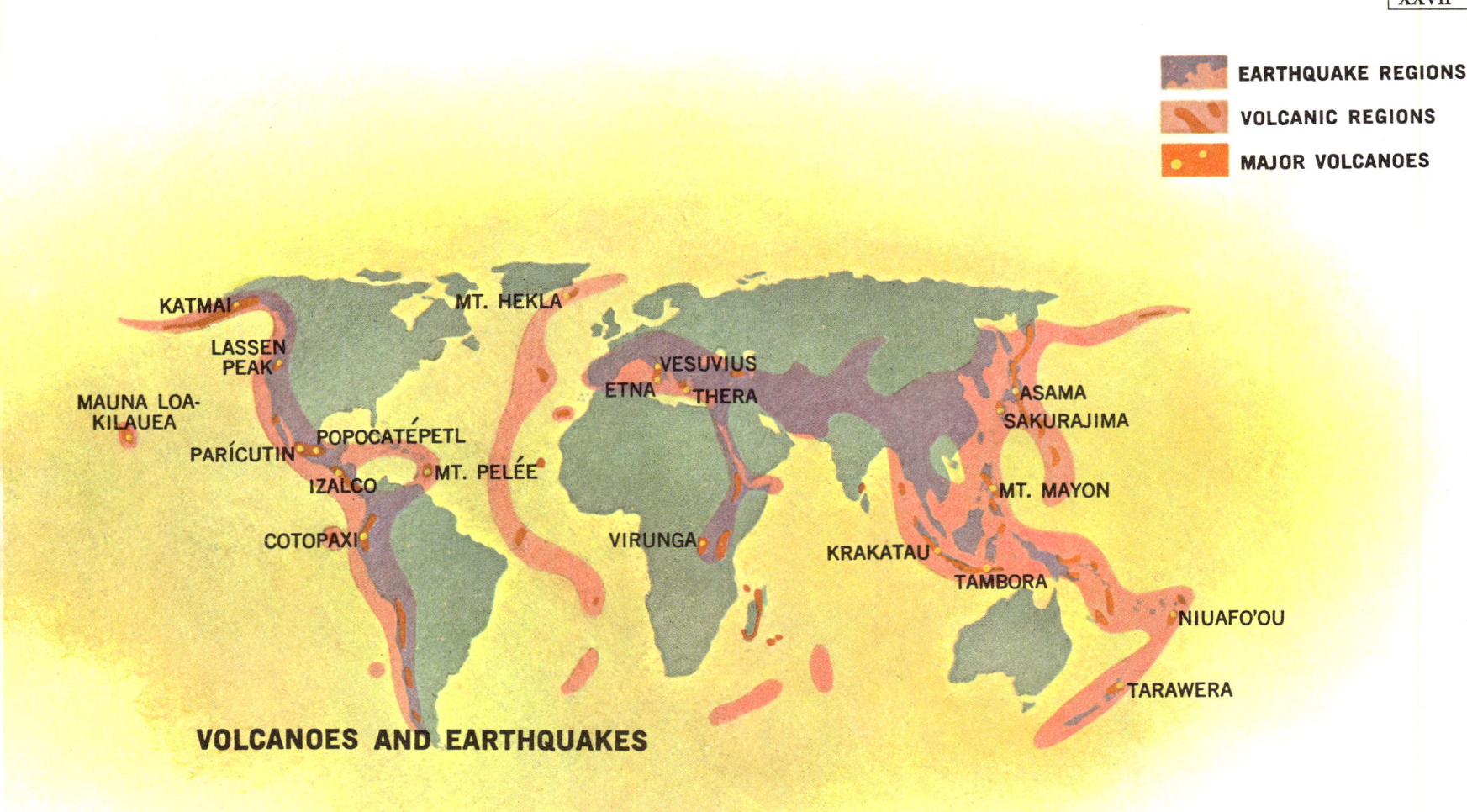

Mountain Building

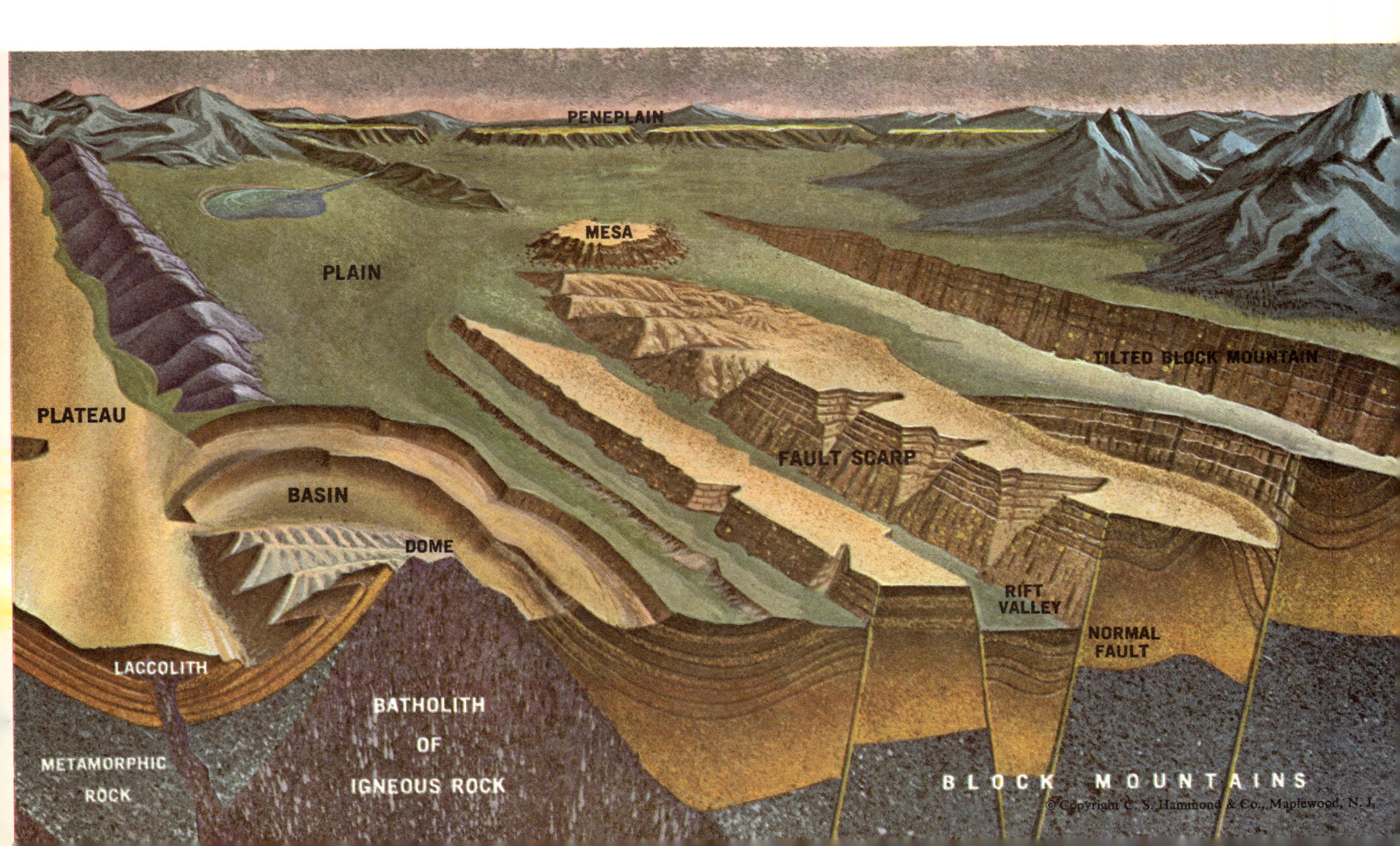

SAND DUNE FORMATION
Desert sand, fine rock granules, formed by erosive processes, is shaped by the wind into constantly changing formations.

WIND ERODED ROCK
A rocky formation from which the softer rock has been ground away by wind-blown sand, dust and moisture.

EARTH DYNAMICS: Erosion

What levels the face of the land as the ages pass? The air we breathe. The wind. The rain. Snow and ice. The streams, the rivers and the seas.

Water seeps into the rocky crevices of a mountain, freezes, expands and splits the rock. The chemical combination of its own elements with the gases in the air crumbles the rock into soil. Rain falls and washes the soil downhill. The rushing water and the abrasive soil it carries carve out gullies in the sides of the mountain. Further down the slope the rain-filled gullies widen and deepen into streams which become the rivers that ultimately bear the sediment to the sea.

In arid regions, the wind sweeps up loose dust and sand, stripping bedrock bare and sandblasting all that stands in its path.

In frozen mountain regions, never-melting snow compresses into great sheets of ice. These are the glaciers which begin to move under their own enormous weight. They progress slowly . . . ice rivers that plow the earth before them, peel away the rocks that cling to their frozen flanks and grind smooth the floors and walls of the valleys through which they creep.

The icecaps of the polar regions are glaciers, remnants of the last ice age. Once, long before the day of recorded history, they covered one-fourth of all the land, inexorably shaping it as they inched toward the equator. In North America they hollowed out the basins of the Great Lakes and, when they melted, the lakes were filled. Sands deposited by retreating glaciers formed Long Island and Cape Cod.

The sea, too, plays its part in leveling the land. The hammer-blows of the surf have pounded to sand many of the coastal areas of the world which the currents have, in turn, dragged down to the ocean floor.

Slowly and unceasingly, nature's wrecking crew tears at the face of the earth that man calls terra firma but which is not.

EXTENT OF GLACIATION IN NORTH AMERICA

© Copyright C. S. Hammond & Co., Maplewood, N. J.

An unfamiliar place which somehow he feels is strangely familiar . . . this is the sea to man. Its vast depths are to him the most mysterious regions of the earth, yet the sea is where all life began. In its water and in his blood the same elements are present in almost identical proportions; yet this place to which he can trace his earliest beginnings is an alien world that he is just beginning to explore. While the ocean has been his main highway, his principal route of trade and exploration, a source of food, and a scene of battles as well as a protective moat, man has seen little more than its surface.

The sea, which covers nearly three-fourths of all the globe with water averaging two miles deep is ever-moving, ever-changing. Within it there are great rivers, the warm and cold currents driven by the winds and the rotation of the earth, that help to regulate its temperatures. The forces of the moon and sun tug at its waters and produce the tides. From its black, silent depths cold water wells up as warm lighter surface waters roll away.

This is the home of teeming life, from microscopic floating plants to the largest, by far, of all mammals, the whales, some of which weigh over one hundred tons. Among its dwellers are more than 40,000 species of molluscs and over 20,000 kinds of fish, almost without exception restricted to certain levels by invisible barriers, the amounts of salinity, pressure, heat and sunlight which each of them must have in order to survive.

THE WATERY REALM

THE WATERY REALM (cont.)

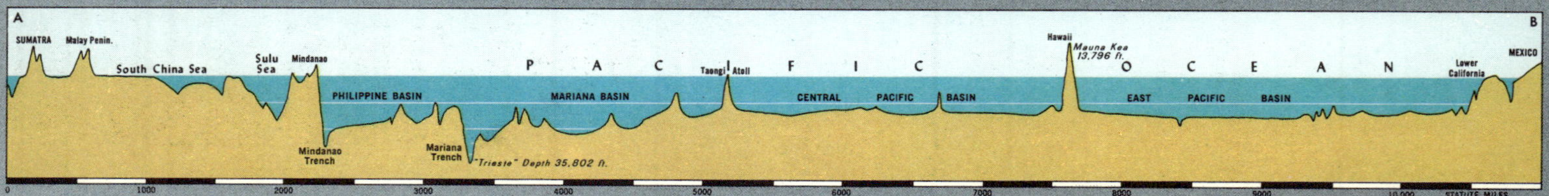

XXXIII

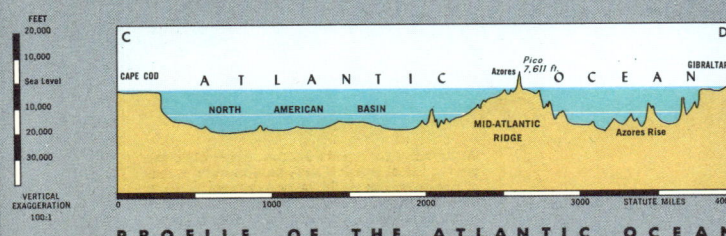

PROFILE OF THE ATLANTIC OCEAN

The bottom of the sea is yet another world . . . a world of mountains, plains, deep trenches and submerged volcanoes. Man has descended to the lowest depths, some seven miles below the surface, but he has just begun to accurately map the ocean floor. At present, man takes from the sea, besides fish, large amounts of salt, iodine, bromine, magnesium and potassium. To the future remains the task of harnessing the tides, devising methods of collecting in bulk the rich deposits covering the sea floor and farming the still untouched store of fish and plant resources.

Of the nature of our earth's origin we are uncertain, but radioactive elements found in some rocks have fixed its origin in time. These elements decay into others at unchanging rates as the centuries go by . . . uranium into lead, potassium into argon, rubidium into strontium. By weighing the amount of each element which is present today, the age of the rock can be approximated as well as that of any fossilized animal or plant within it. Thus, the radioactive content of rock has been our clock to measure geologic time, and the earth's age . . . three to five billion years.

These billions of years have been divided by geologists into a chronology of events, organized according to cycles of earth upheaval and quiescence, during each of which specific types of rock structures were formed and certain types of organisms flourished. Many of these organisms could not adapt to their changing world and became extinct. Others continually evolved into new forms better suited to survival. And so it was that in the shallow water of a primordial sea a microscopic bit of matter began to live as a single-celled organism which, by a series of delicate and intricate mutations virtually infinite in number and complexity, became, at last, homo sapiens . . . modern man.

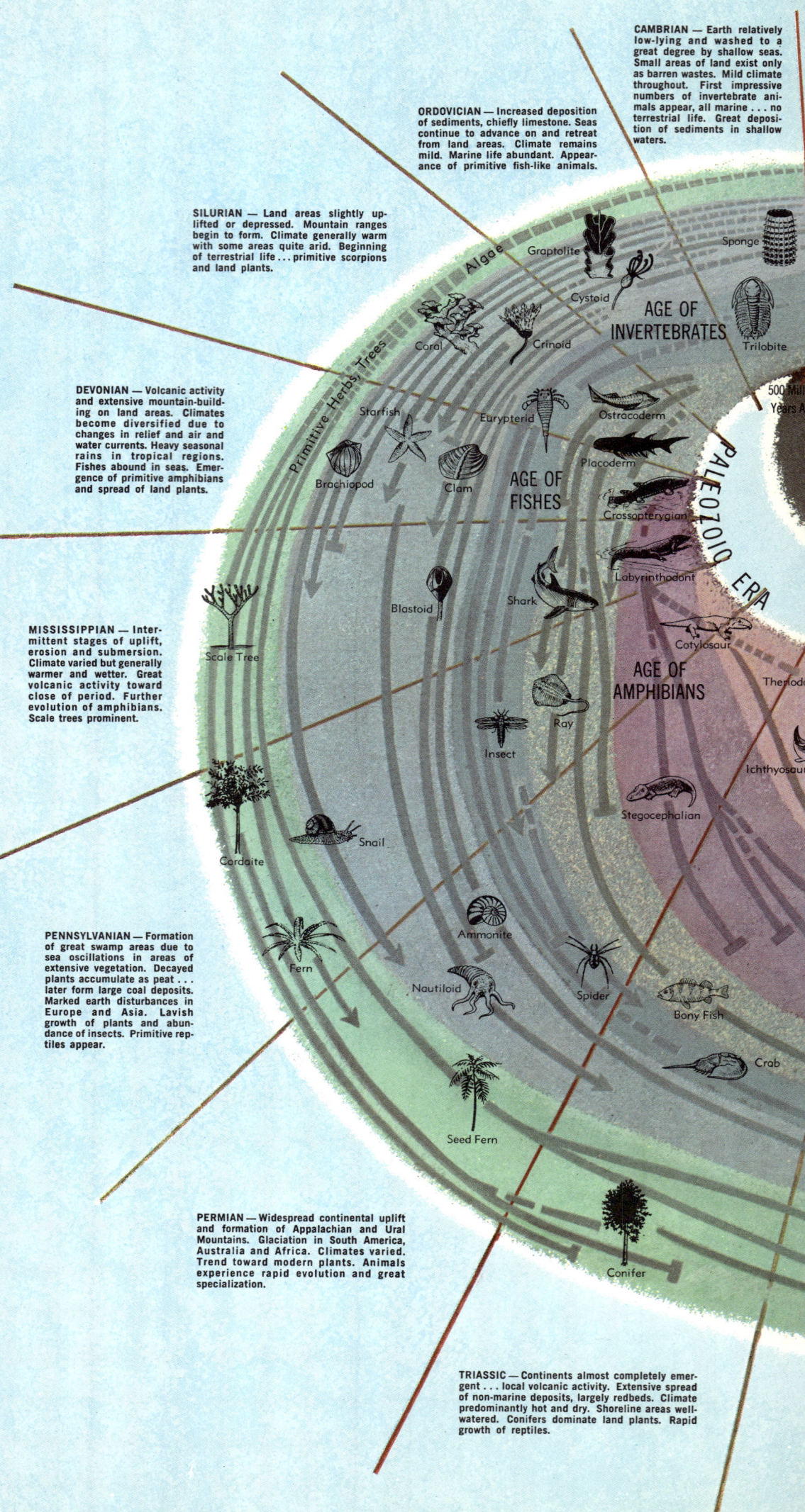

Continuing Evolution

Point of Extinction

CAMBRIAN — Earth relatively low-lying and washed to a great degree by shallow seas. Small areas of land exist only as barren wastes. Mild climate throughout. First impressive numbers of invertebrate animals appear, all marine . . . no terrestrial life. Great deposition of sediments in shallow waters.

ORDOVICIAN — Increased deposition of sediments, chiefly limestone. Seas continue to advance on and retreat from land areas. Climate remains mild. Marine life abundant. Appearance of primitive fish-like animals.

SILURIAN — Land areas slightly uplifted or depressed. Mountain ranges begin to form. Climate generally warm with some areas quite arid. Beginning of terrestrial life . . . primitive scorpions and land plants.

DEVONIAN — Volcanic activity and extensive mountain-building on land areas. Climates become diversified due to changes in relief and air and water currents. Heavy seasonal rains in tropical regions. Fishes abound in seas. Emergence of primitive amphibians and spread of land plants.

MISSISSIPPIAN — Intermittent stages of uplift, erosion and submersion. Climate varied but generally warmer and wetter. Great volcanic activity toward close of period. Further evolution of amphibians. Scale trees prominent.

PENNSYLVANIAN — Formation of great swamp areas due to sea oscillations in areas of extensive vegetation. Decayed plants accumulate as peat . . . later form large coal deposits. Marked earth disturbances in Europe and Asia. Lavish growth of plants and abundance of insects. Primitive reptiles appear.

PERMIAN — Widespread continental uplift and formation of Appalachian and Ural Mountains. Glaciation in South America, Australia and Africa. Climates varied. Trend toward modern plants. Animals experience rapid evolution and great specialization.

TRIASSIC — Continents almost completely emergent . . . local volcanic activity. Extensive spread of non-marine deposits, largely redbeds. Climate predominantly hot and dry. Shoreline areas well-watered. Conifers dominate land plants. Rapid growth of reptiles.

© Copyright C. S. Hammond & Co., Maplewood, N.J.

THE GEOLOGIC RECORD

PRE-CAMBRIAN — Formation of oldest accessible rocks which have been greatly altered by metamorphism. Intermittent volcanic activity followed by periods of erosion and deposition. Possible existence of rudimentary life.

JURASSIC — Parts of Eurasia undergo submergence and deposition. Western United States altered by subsurface heat and pressure. Widespread erosion in Eastern United States. Climate humid. Coal beds accumulate in lowlands. Cycad-like plants dominant. Dinosaurs chief land animals. First bird appears. Mammals established but primitive.

CRETACEOUS — Initially, continental submergence and thick sediment deposition. Later, major uplift and folding to form Rocky Mountains and Andes. Widespread chalk formations. Climate variable. Appearance and spread of modern covered-seed plants. Reptiles still dominant but mammals increasing. Most reptiles, including dinosaurs, die out at end of period.

TERTIARY — Distinctive continental outlines begin to form. Moderate submergences in Europe. North America flooding restricted to present lowland areas. Further elevation of existing North American mountains and formation of Alps and other European ranges. Formation of Himalayas. Climate varied. Mammals become dominant.

QUATERNARY — Successive glacial and interglacial stages affect Eurasia and North America. Glaciation also occurs in most high mountain regions of the world. Present features of the earth are developed. Mammals spread over the continents. Evolution of man.

CLIMATE: PATTERNS OF HEAT AND MOISTURE

Climate is the history that weather has written over a period of time and this history of weather has, in large measure, shaped the lives of men. Some groups have spent their entire existence perspiring in the jungle tropics while others have huddled together through the centuries against the bone-chilling gales of the icy north.

Climate acts as the controlling mechanism that determines the patterns of both vegetation and soil throughout the world. The three are so closely interrelated that they function as a single entity which is, perhaps, the most dominant force in creating man's environment. In the narrowest sense, and only in certain geographical areas, he has conquered adverse climate by such means as irrigation systems, refrigeration and heating equipment. But in the broadest sense, he has continually had to adapt his ways and habits to it.

Climate . . . the interaction of sun, rain and wind, has been influential in providing man's necessities. It has predetermined the kind of animals which can live in a region as well as the prevailing types of vegetation and the nature and yield of his crops. The materials available to man for shelter and clothing, the rivers along which his commerce flows, the lines along which his cultures developed, have resulted, in part, from climate. It has had much to do with the state of his health. In hot humid climates, bacteria thrive and disease flourishes. In dry and cooler areas, sickness is not as prevalent and epidemic infections are more rare.

In the complex story of man, the influence of climate can be read between every line.

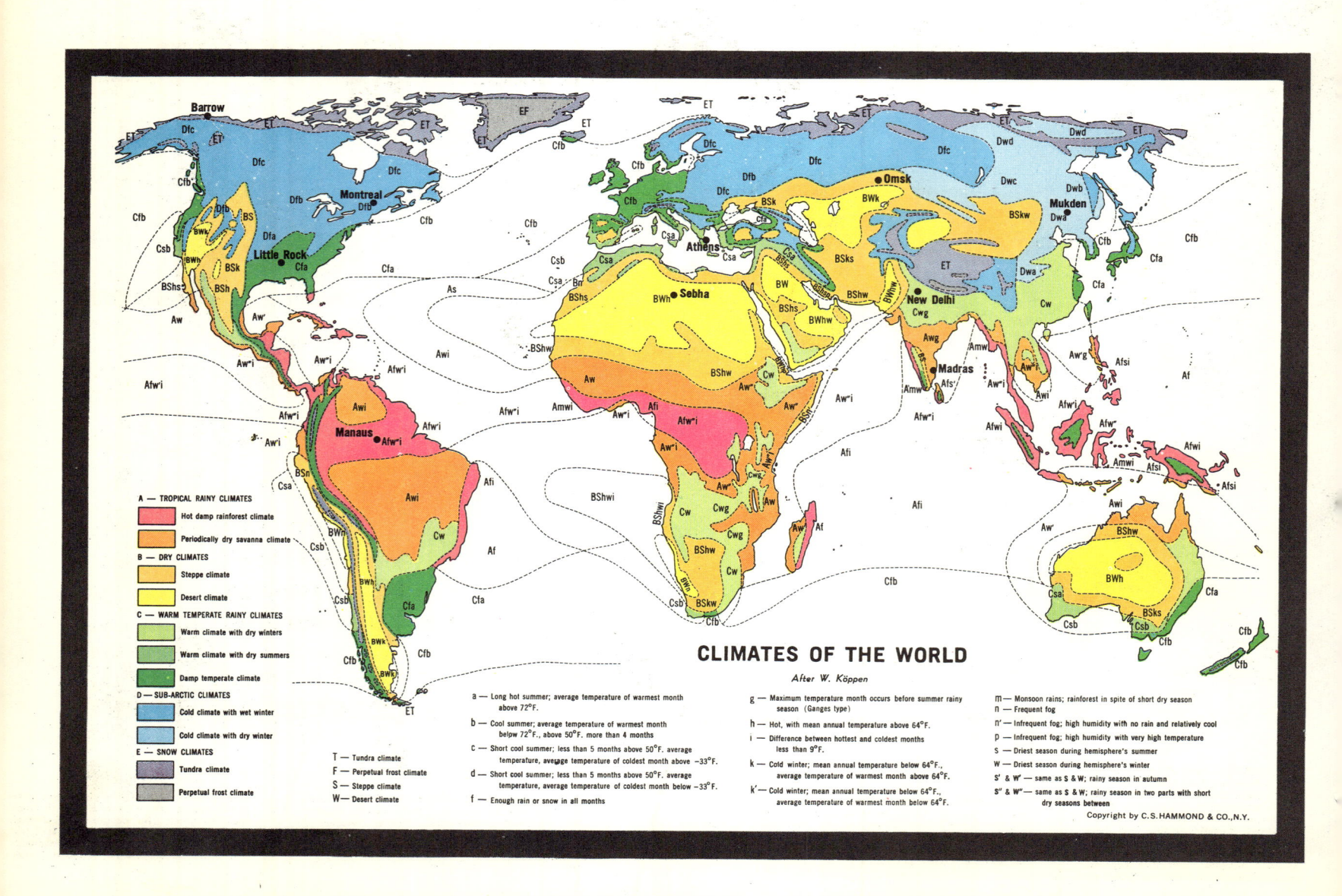

CLIMATES OF THE WORLD
After W. Köppen

A — TROPICAL RAINY CLIMATES
- Hot damp rainforest climate
- Periodically dry savanna climate

B — DRY CLIMATES
- Steppe climate
- Desert climate

C — WARM TEMPERATE RAINY CLIMATES
- Warm climate with dry winters
- Warm climate with dry summers
- Damp temperate climate

D — SUB-ARCTIC CLIMATES
- Cold climate with wet winter
- Cold climate with dry winter

E — SNOW CLIMATES
- Tundra climate
- Perpetual frost climate

T — Tundra climate
F — Perpetual frost climate
S — Steppe climate
W — Desert climate

a — Long hot summer; average temperature of warmest month above 72°F.
b — Cool summer; average temperature of warmest month below 72°F., above 50°F. more than 4 months
c — Short cool summer; less than 5 months above 50°F. average temperature, average temperature of coldest month above −33°F.
d — Short cool summer; less than 5 months above 50°F. average temperature, average temperature of coldest month below −33°F.
f — Enough rain or snow in all months
g — Maximum temperature month occurs before summer rainy season (Ganges type)
h — Hot, with mean annual temperature above 64°F.
i — Difference between hottest and coldest months less than 9°F.
k — Cold winter; mean annual temperature below 64°F., average temperature of warmest month above 64°F.
k′ — Cold winter; mean annual temperature below 64°F., average temperature of warmest month below 64°F.
m — Monsoon rains; rainforest in spite of short dry season
n — Frequent fog
n′ — Infrequent fog; high humidity with no rain and relatively cool
p — Infrequent fog; high humidity with very high temperature
S — Driest season during hemisphere's summer
W — Driest season during hemisphere's winter
S′ & W′ — same as S & W; rainy season in autumn
S″ & W″ — same as S & W; rainy season in two parts with short dry seasons between

Copyright by C.S. HAMMOND & CO., N.Y.

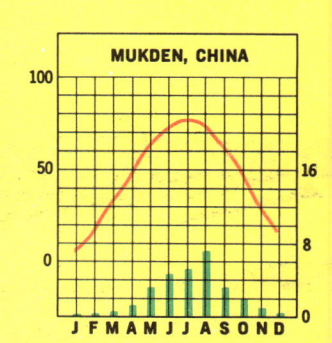

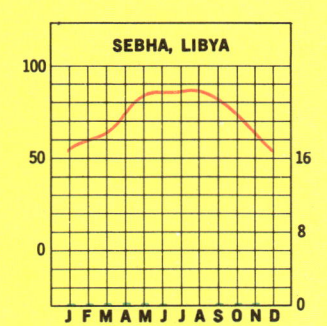

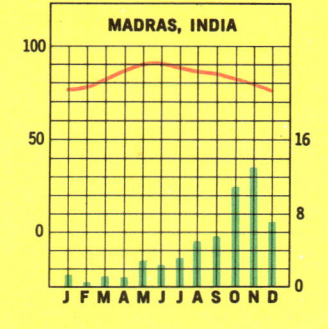

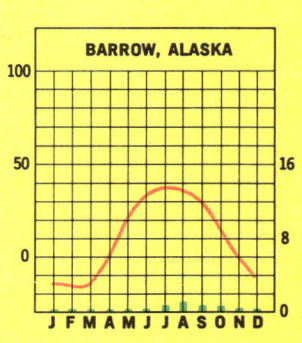

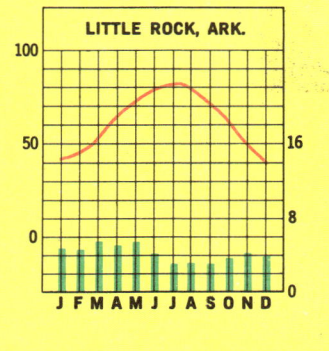

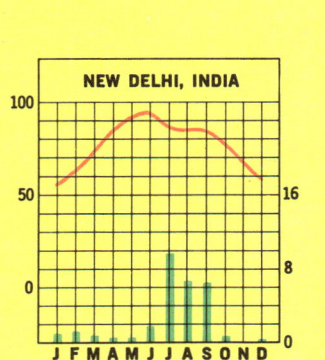

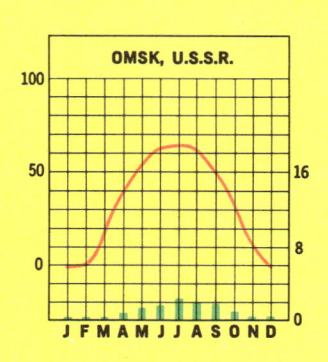

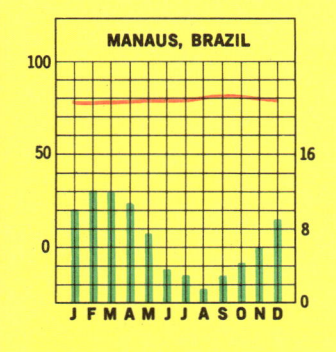

TEMPERATURE and RAINFALL

- 🟩 RAINFALL in Inches
- 🟥 TEMPERATURE in Degrees Fahr.

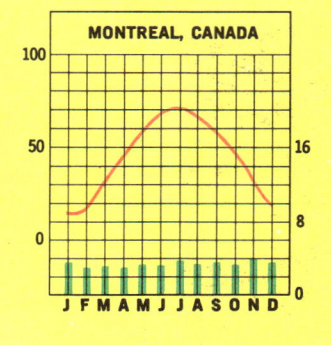

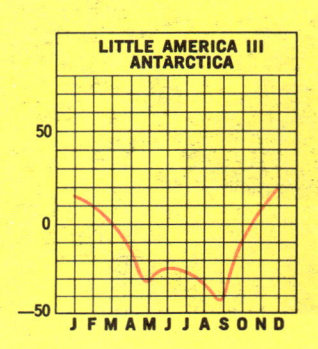

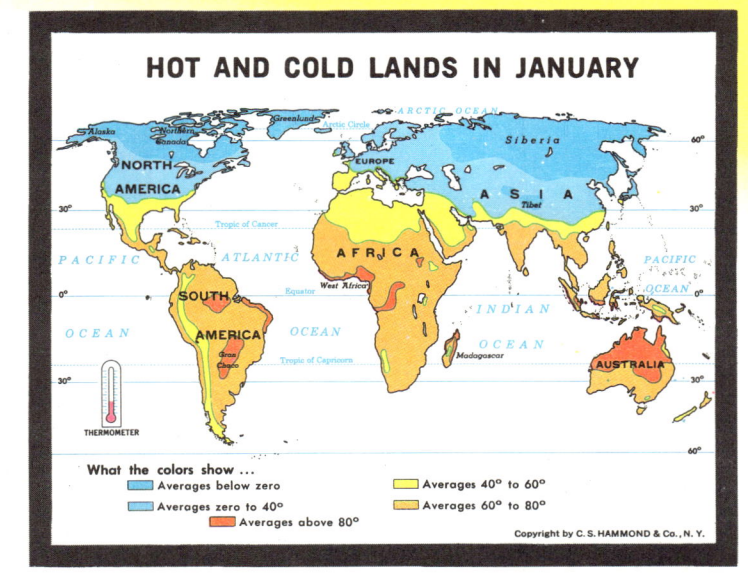

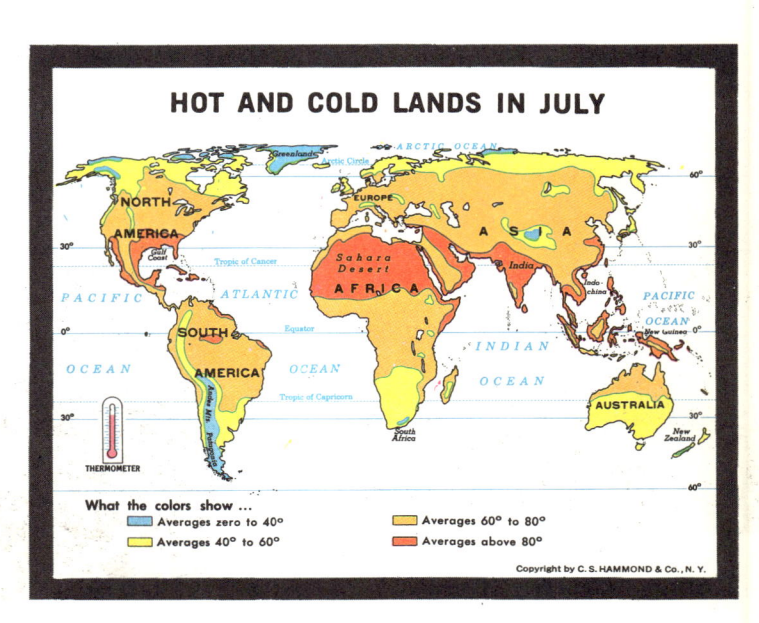

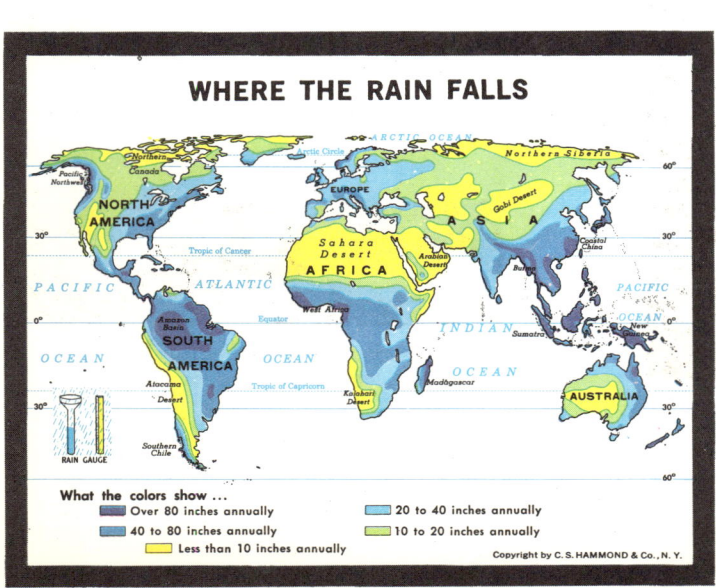

Climate graphs: MADRAS, INDIA; MANAUS, BRAZIL; OMSK, U.S.S.R.; SEBHA, LIBYA; NEW DELHI, INDIA; ATHENS, GREECE; LITTLE ROCK, ARK.; MONTREAL, CANADA; MUKDEN, CHINA; BARROW, ALASKA; LITTLE AMERICA III ANTARCTICA.

HOT AND COLD LANDS IN JANUARY

What the colors show...
- Averages below zero
- Averages zero to 40°
- Averages 40° to 60°
- Averages 60° to 80°
- Averages above 80°

Copyright by C. S. HAMMOND & Co., N.Y.

WHERE THE RAIN FALLS

What the colors show...
- Over 80 inches annually
- 40 to 80 inches annually
- 20 to 40 inches annually
- 10 to 20 inches annually
- Less than 10 inches annually

Copyright by C. S. HAMMOND & Co., N.Y.

HOT AND COLD LANDS IN JULY

What the colors show...
- Averages zero to 40°
- Averages 40° to 60°
- Averages 60° to 80°
- Averages above 80°

Copyright by C. S. HAMMOND & Co., N.Y.

© Copyright C. S. Hammond & Co., Maplewood, N.J.

As much as the character of the Eskimo seal hunter differs from that of the Bantu tribesman, so does the character of vegetation differ according to the land and climate which support it.

In its various forms, vegetation is nature's wild harvest . . . a gift to man. From the forests of the world, the tropical rain forests of the equator, the broadleaf forests of the middle latitudes and the coniferous forests of pine and evergreen found nearly as far north as the Arctic Circle, comes the wood he has used in a hundred thousand ways through every civilization.

His herds and flocks have grazed upon the tropical savannas where the grass grows luxuriously to heights of eight to fifteen feet, and on the prairies and the steppes of the temperate regions.

From nature's harvest has come much of his food . . . coconuts, coffee, bananas, oranges, olives, nuts, peaches, pears, lemons and dates. She has given man rubber, cork, hemp, resin and many of his medicines.

A number of these and other wild crops he has "domesticated" and improved through cultivation, fertilization and crossbreeding. They have been his for so long that man scarcely thinks of wheat, rice, corn and cotton as anything but his own, or remembers that all of them once grew wild.

His domestication of flora does not end here. With an increased awareness that no natural abundance is unending, today man "farms" the forests, replacing the trees that he cuts down and replenishing the woodlands which he has decimated throughout his history.

Nature's gifts to man have been many but none is richer than the bounty of the earth.

VEGETATION:

1. SNOW AND ICE: Polar and mountainous regions of perpetual ice and snow cover one-tenth of the earth's land areas. Windswept, always below freezing, it can support life only peripherally, if at all.

2. TUNDRA: The tundra of the far north is a place of mosses, lichens and stunted flowering plants and trees. About 6% of all land area is tundra, some rocky and barren and the rest covered with seasonally boggy earth over perpetually frozen subsoil, an area so marginal that only specially adapted life forms, such as reindeer, can live here.

3. CONIFEROUS FOREST: The coniferous forests of Europe, Asia and North America cover about 9% of the earth's land. The soil is poor for farming and the people live primarily on forestry, mining and the manufacture of wood products.

4. TEMPERATE FOREST: Over half of the world's population lives and works in the regions of temperate broadleaf forests which comprise only 7% of the world's land, including parts of the United States, Europe, China and Japan. The climate here is invigorating, characterized by changeable weather, warm summers and frosty winters.

5. PRAIRIE AND STEPPE: On the grassy prairies and steppes are found many of the sheep and cattle ranches of the earth, and where the land has been successfully cultivated, the great grain fields.

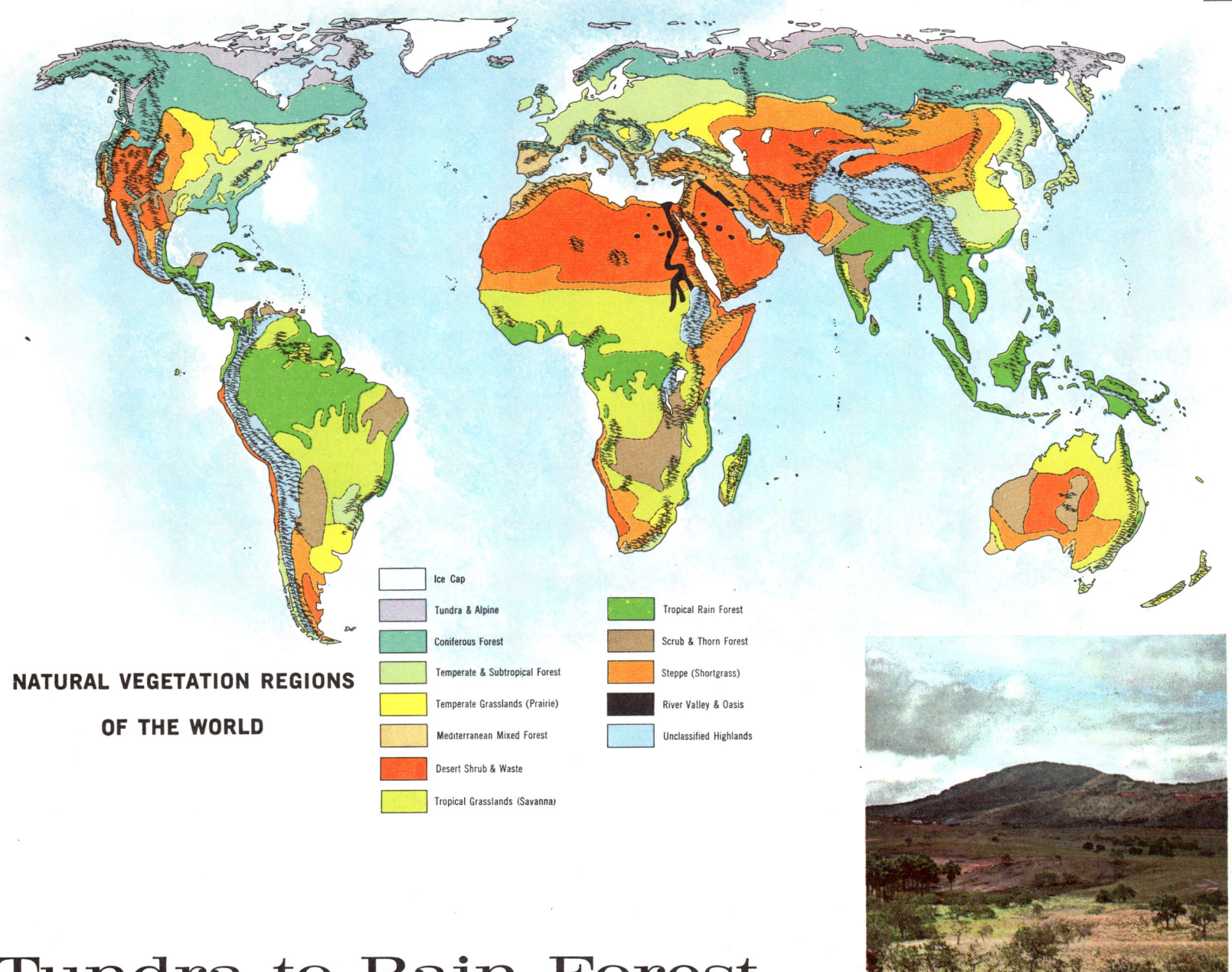

NATURAL VEGETATION REGIONS OF THE WORLD

Legend:
- Ice Cap
- Tundra & Alpine
- Coniferous Forest
- Temperate & Subtropical Forest
- Temperate Grasslands (Prairie)
- Mediterranean Mixed Forest
- Desert Shrub & Waste
- Tropical Grasslands (Savanna)
- Tropical Rain Forest
- Scrub & Thorn Forest
- Steppe (Shortgrass)
- River Valley & Oasis
- Unclassified Highlands

Tundra to Rain Forest

6. SCRUB: Olives, grapes, oranges and cork grow in the Mediterranean and California scrub forest regions of cool, rainy winters and hot, dry summers.

7. DESERT: One-fifth of all the land is desert, too dry for farming and populated largely by sheepherding nomads and those who live in the oases and irrigated valleys.

8. SAVANNA: The savanna, land of tall grass interspersed with trees, is a place of winter droughts and summer rainfall, the true jungle home of big-game animals.

9. TROPICAL RAIN FOREST: Trees over 100 feet high form a continuous canopy above dense, steaming undergrowth in which rubber, teak, mahogany, bamboo and balsa grow.

© Copyright C. S. Hammond & Co., Maplewood, N. J.

GROWTH IN WORLD POPULATION 1650 TO 2000

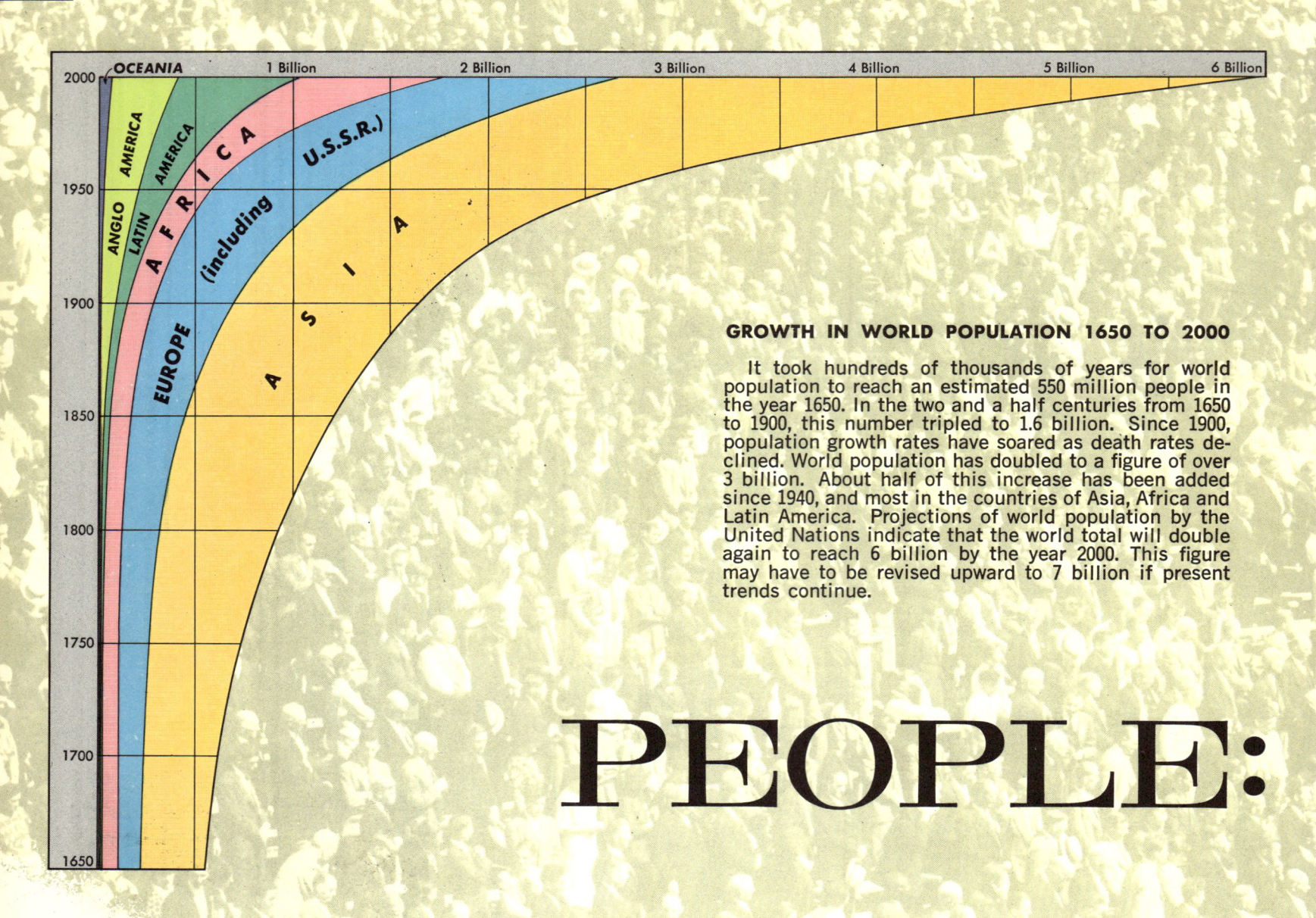

It took hundreds of thousands of years for world population to reach an estimated 550 million people in the year 1650. In the two and a half centuries from 1650 to 1900, this number tripled to 1.6 billion. Since 1900, population growth rates have soared as death rates declined. World population has doubled to a figure of over 3 billion. About half of this increase has been added since 1940, and most in the countries of Asia, Africa and Latin America. Projections of world population by the United Nations indicate that the world total will double again to reach 6 billion by the year 2000. This figure may have to be revised upward to 7 billion if present trends continue.

PEOPLE:

Nearly three out of every hundred people born since the human race began are alive today. There are some three billion of us and at our present rate of growth, the population of the earth will double in another fifty years. Of this "population explosion" it has been said that modern man is less in danger of blowing himself out of existence with nuclear bombs than he is of squeezing himself to death. Although two-thirds of all the people of the earth now live on less than eight percent of its land surface, many of them already crowded in cities, within the foreseeable future, if the trend is maintained, there will be less than one square foot for every person on earth.

Why an exploding population? The age-old balance of life and death has been upset. The high death rate that offset a high birth rate and kept the population relatively static for thousands of years has been greatly reduced. Modern technology has provided more people with food to stay alive. Modern medicine has lowered infant mortality and, by conquering or controlling many of man's principal diseases, has given him the gift of many more years of life than had his forebears. Among the more backward areas of the world, medical science has virtually worked wonders. In Ceylon, the use of antibiotics, and DDT to wipe out the malarial mosquito cut the death rate in half in less than ten years.

And so there are more of us than ever before . . . nearly a hundred more each minute . . . who will require more food, homes, farms, schools, and jobs than can be provided to meet our growing needs. By solving a number of human problems, we now face a problem of human numbers.

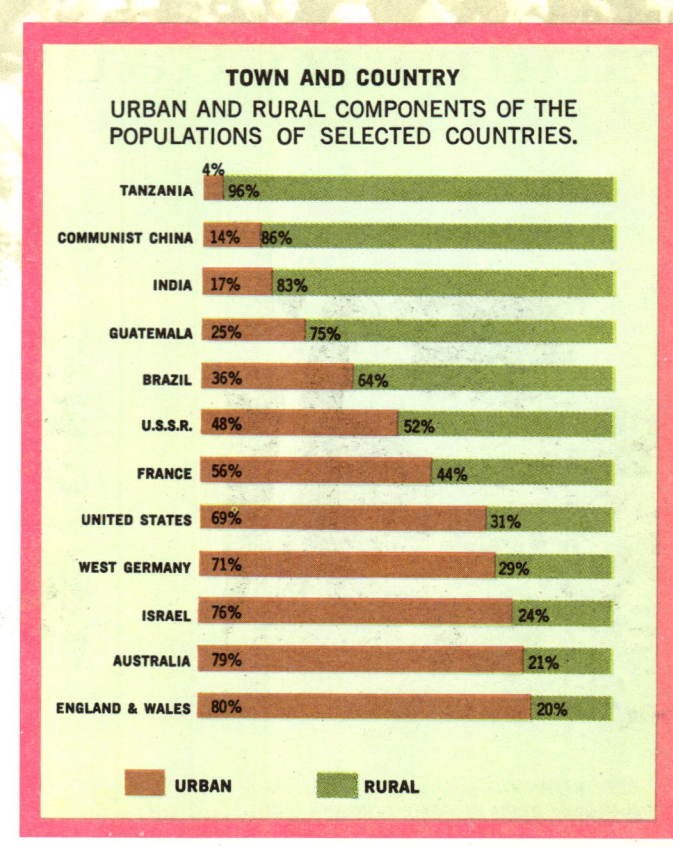

TOWN AND COUNTRY
URBAN AND RURAL COMPONENTS OF THE POPULATIONS OF SELECTED COUNTRIES.

Country	Urban	Rural
TANZANIA	4%	96%
COMMUNIST CHINA	14%	86%
INDIA	17%	83%
GUATEMALA	25%	75%
BRAZIL	36%	64%
U.S.S.R.	48%	52%
FRANCE	56%	44%
UNITED STATES	69%	31%
WEST GERMANY	71%	29%
ISRAEL	76%	24%
AUSTRALIA	79%	21%
ENGLAND & WALES	80%	20%

© Copyright C. S. Hammond & Co., Maplewood, N.J.

PROFILES OF BIRTH AND DEATH RATES FOR SELECTED COUNTRIES

Rapid population growth in Latin America, Africa and Asia is a result of declining death rates while birth rates remain at high levels. Japan's case is unique for an Asian country, for she has achieved a dramatic decline in birth rate. The industrial Western countries experienced a post-war "baby boom" that reached a peak in 1947.

- CRUDE BIRTH RATE
- CRUDE DEATH RATE

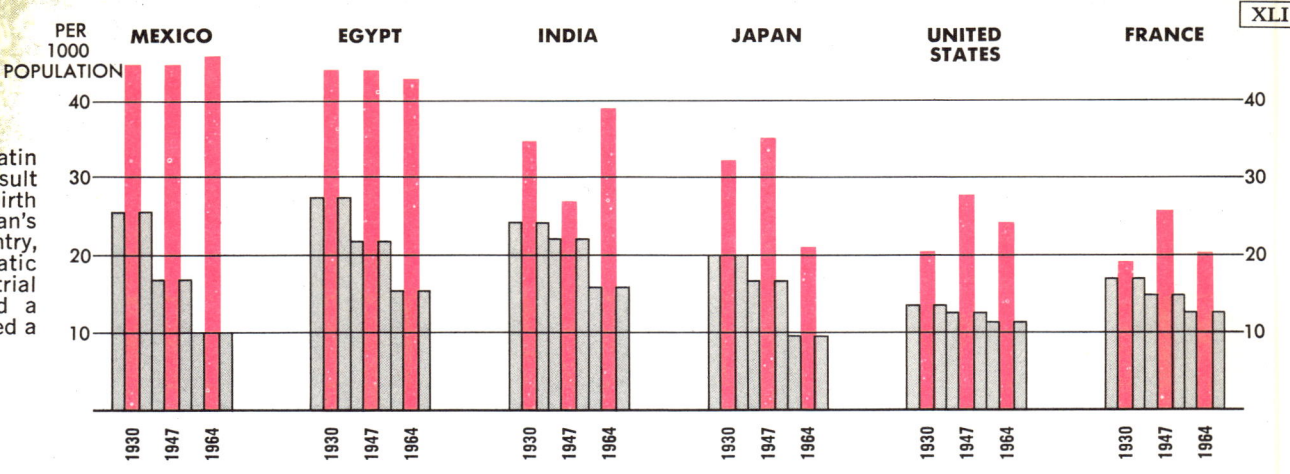

POPULATION PYRAMIDS FOR SELECTED COUNTRIES

A population pyramid indicates the age distribution within a country's population. The wide based pyramid is usually associated with young, predominately agrarian countries with high birth rates. A top-heavy pyramid indicates an aging population typical of highly industrialized nations such as England and Belgium. The United States is somewhere in between.

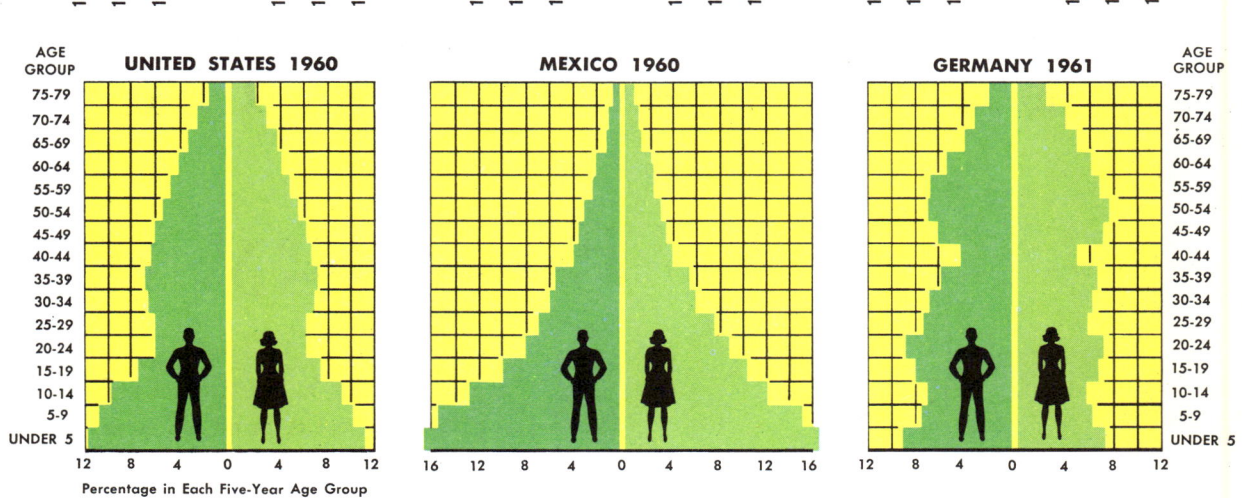

Distribution and Growth

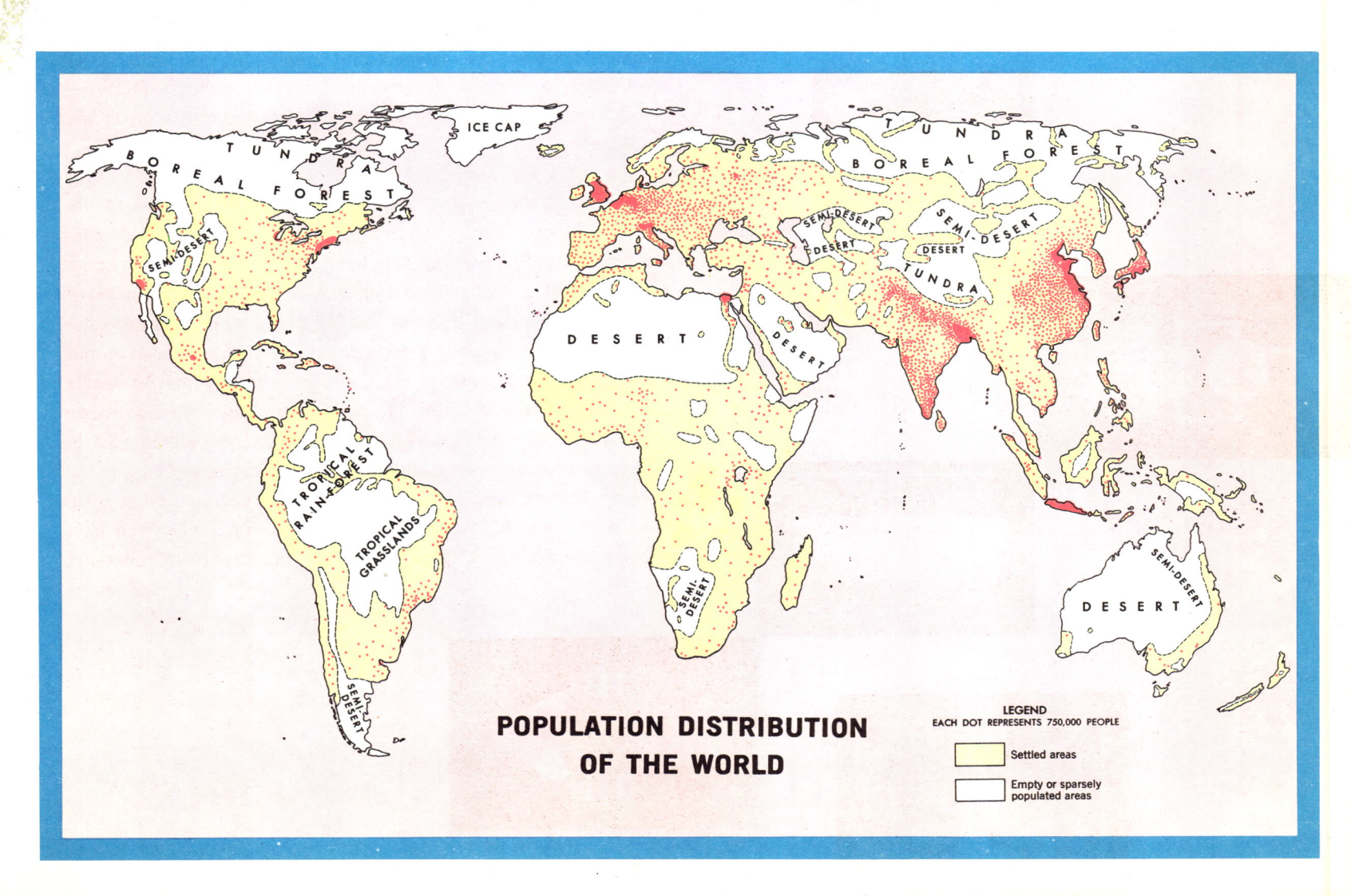

POPULATION DISTRIBUTION OF THE WORLD

LEGEND
EACH DOT REPRESENTS 750,000 PEOPLE

- Settled areas
- Empty or sparsely populated areas

RAW MATERIALS: THE RESOURCE BASE

Energy and Fuels

From the time he first harnessed the energy of water to turn a wheel to grind his grain, man has utilized the resources nature has provided to do his mechanical work for him. The force that once turned the water wheel now powers giant hydroelectric stations. To fuel the engines of his industrialized world, he has dug and drilled into the earth and found veins of coal and lakes of oil.

But though our modern productive system is little more than a hundred years old, its time is already running out. As society's demands increase, the irreplaceable supplies of coal and oil decrease and may in the foreseeable future be gone, while water power remains restricted to certain areas because of climate and topography.

Man today is seeking new ways to power his engines and once again looks to the energy that nature can provide. He looks to the sun and is developing practical means of capturing and using some portion of its limitless supply of heat . . . in terms of energy, over four and a half million horsepower for each acre of earth. He looks to the atom and has already begun to use its incredible power in a number of ways. Experimentally, he has created atomic imbalances that, in turn, produce electrical and propulsive energy efficiently and economically. He envisions an atomic fusion process which some day will provide controlled energy which may be drawn off directly as vast quantities of electric power.

In the light of these efforts, by the time the coal and oil supplies have been depleted, their large scale use as fuels may well have become as much a thing of the past as are their fossil contents.

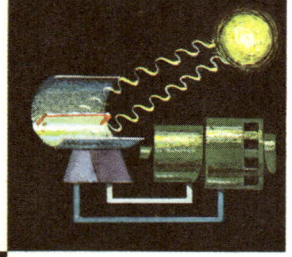

POWER OF THE FUTURE

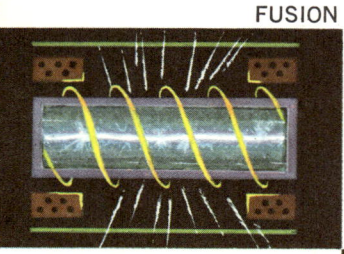

SOLAR

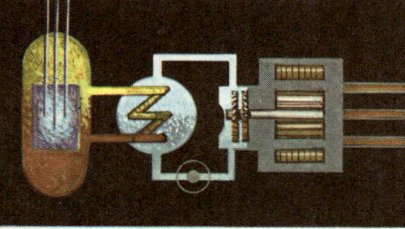

NUCLEAR

FUSION

THERMOELECTRIC

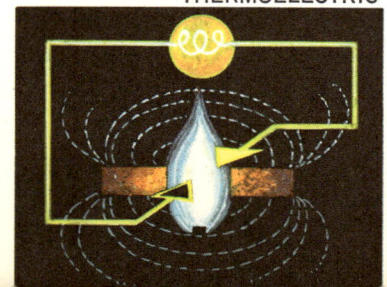

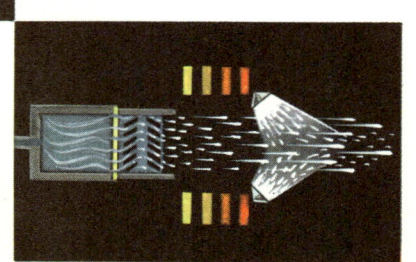

ION DRIVE

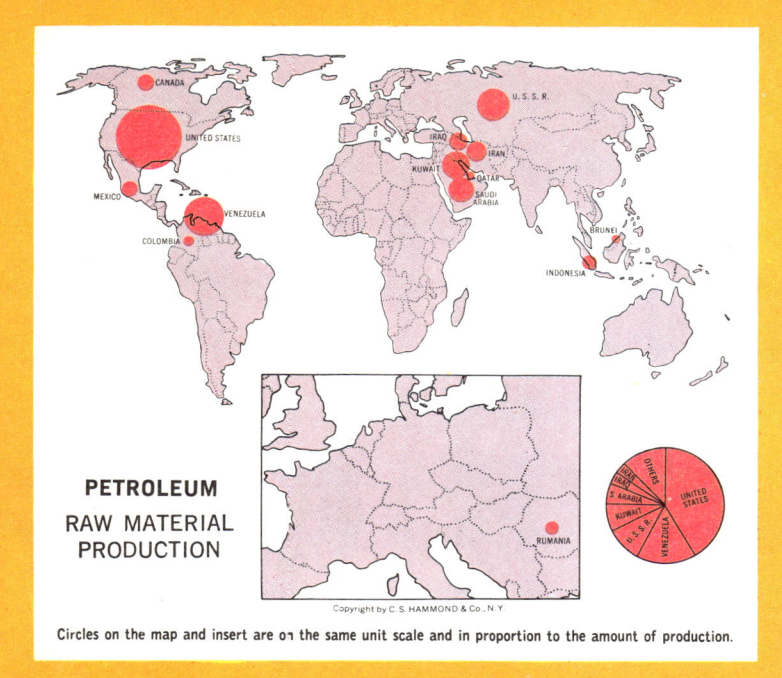

XLIII

PETROLEUM
RAW MATERIAL PRODUCTION
Circles on the map and insert are on the same unit scale and in proportion to the amount of production.

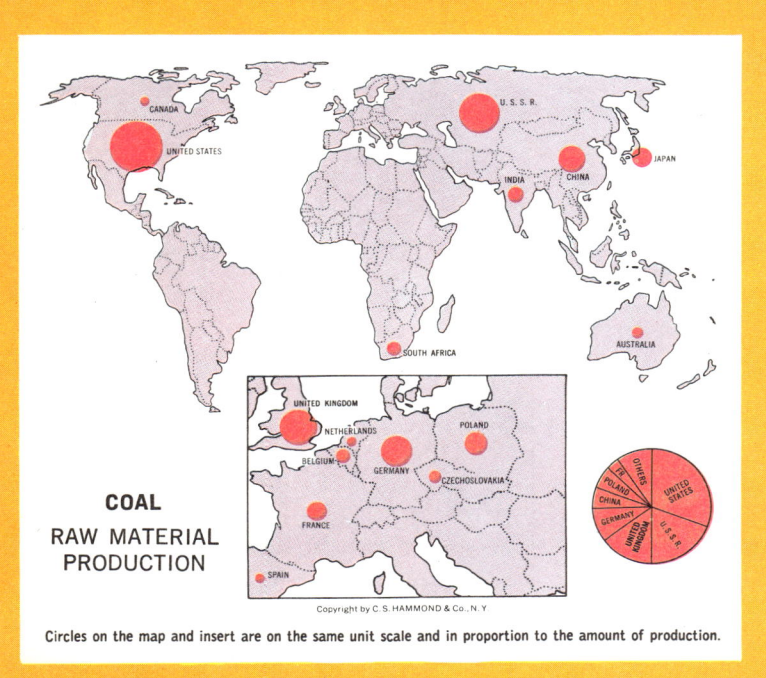

COAL
RAW MATERIAL PRODUCTION
Circles on the map and insert are on the same unit scale and in proportion to the amount of production.

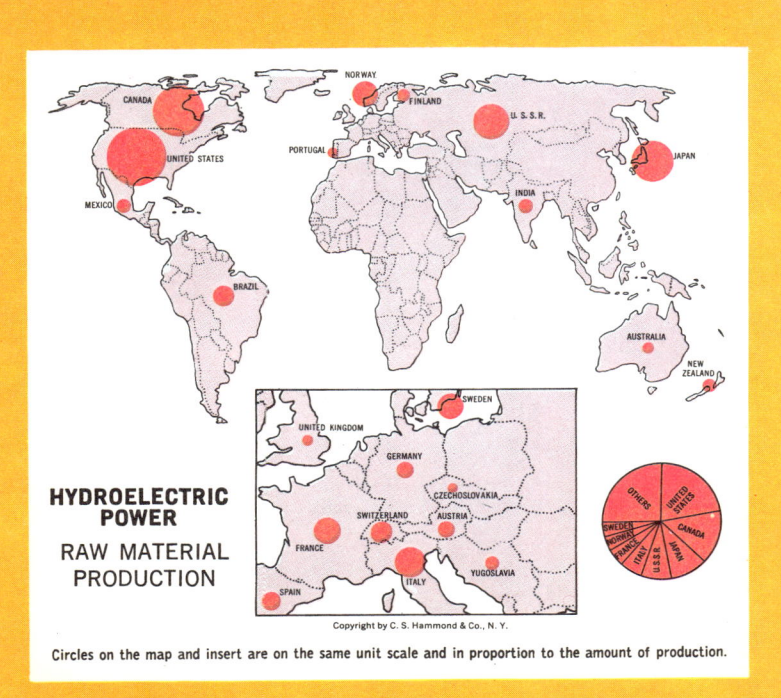

HYDROELECTRIC POWER
RAW MATERIAL PRODUCTION
Circles on the map and insert are on the same unit scale and in proportion to the amount of production.

© Copyright C. S. Hammond & Co., Maplewood, N.J.

PETROLEUM FIELD
DRY WELL — PRODUCING WELL
Limestone / Shale / Sandstone / Shale / Natural Gas / Oil

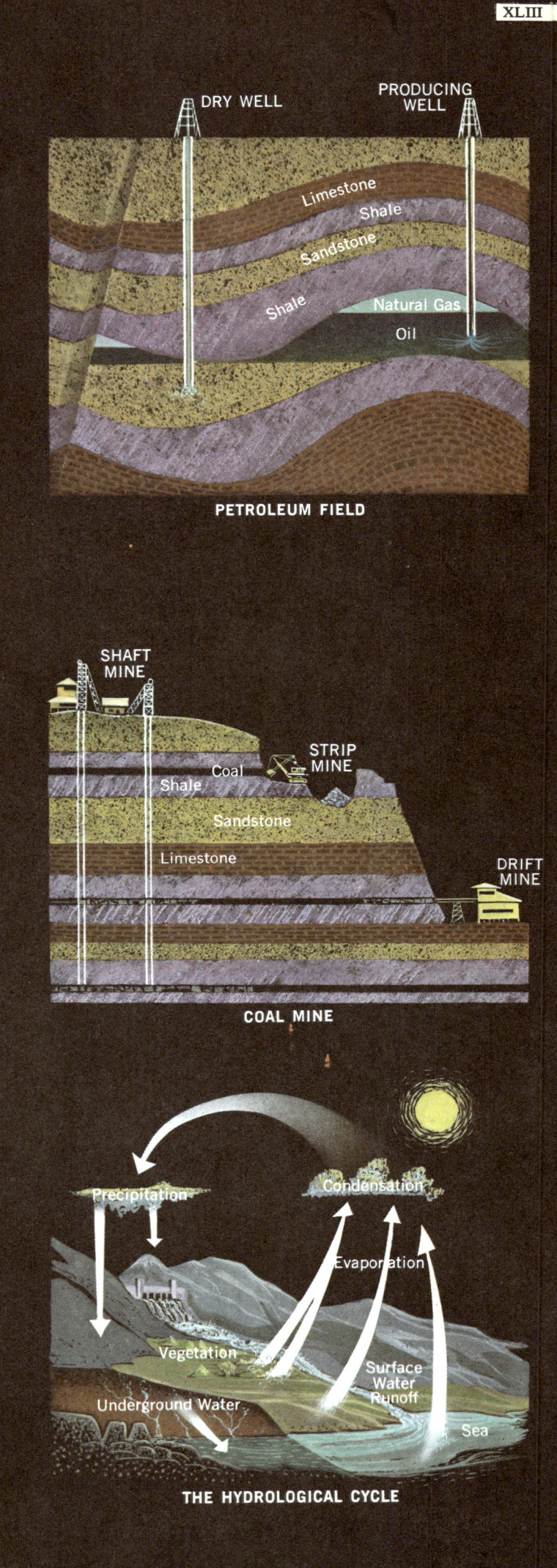

COAL MINE
SHAFT MINE — STRIP MINE — DRIFT MINE
Coal / Shale / Sandstone / Limestone

THE HYDROLOGICAL CYCLE
Precipitation / Condensation / Evaporation / Vegetation / Surface Water Runoff / Underground Water / Sea

IRON
RAW MATERIAL PRODUCTION

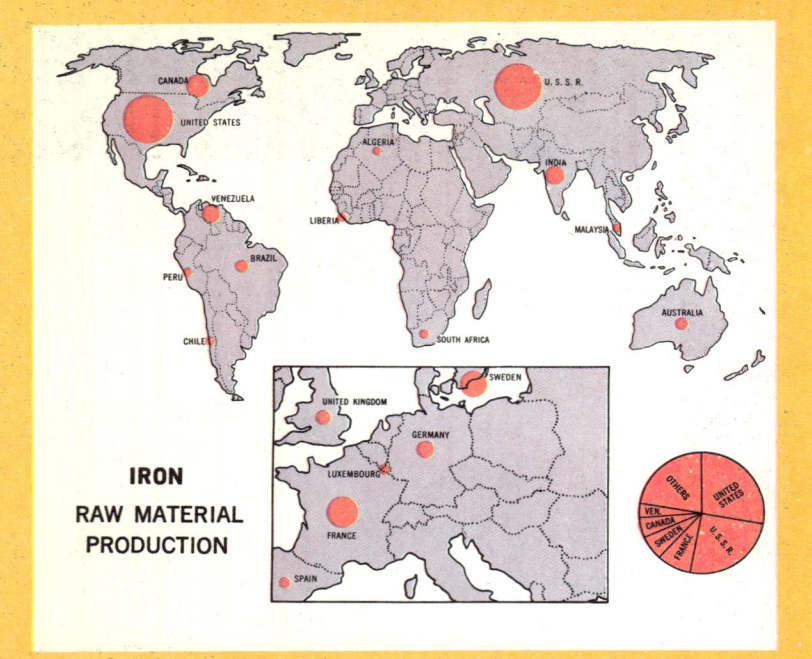

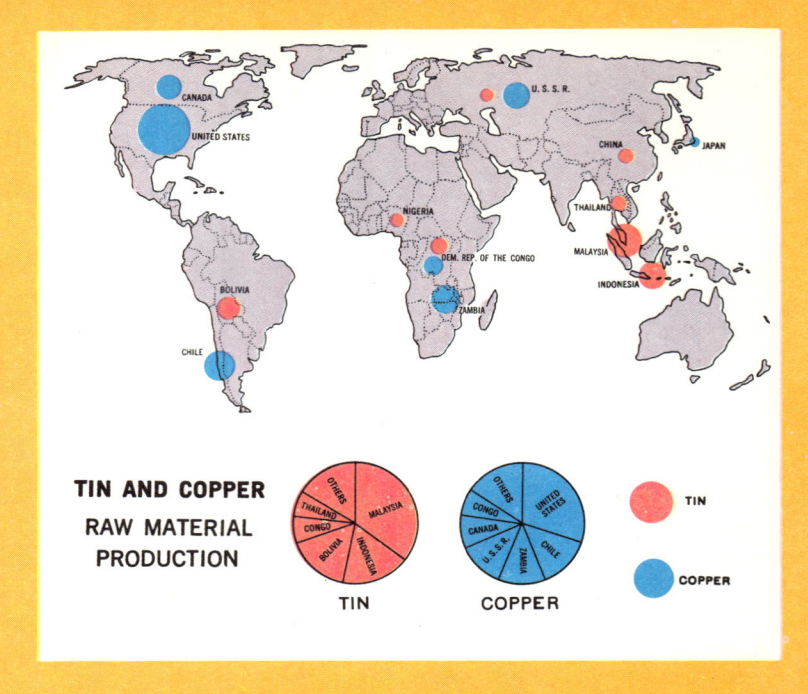

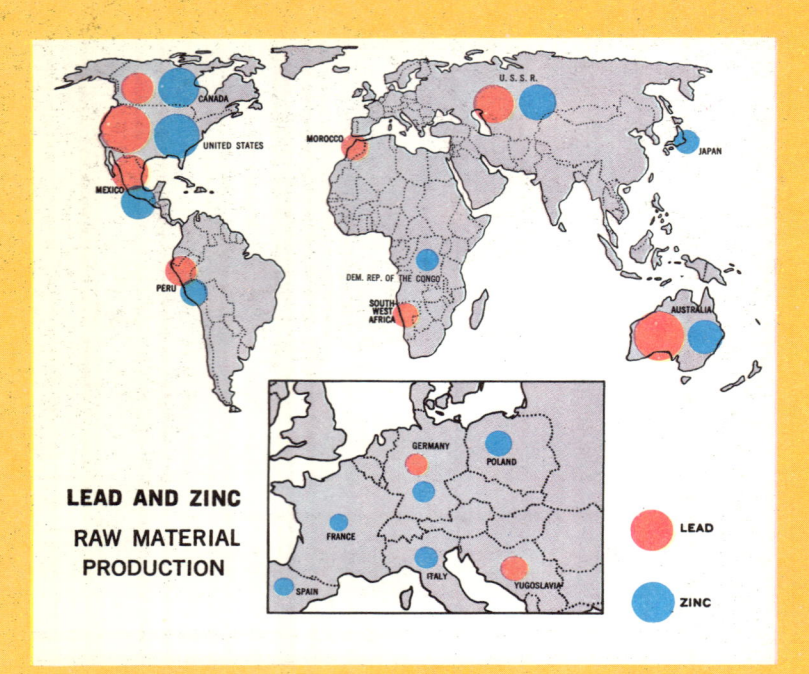

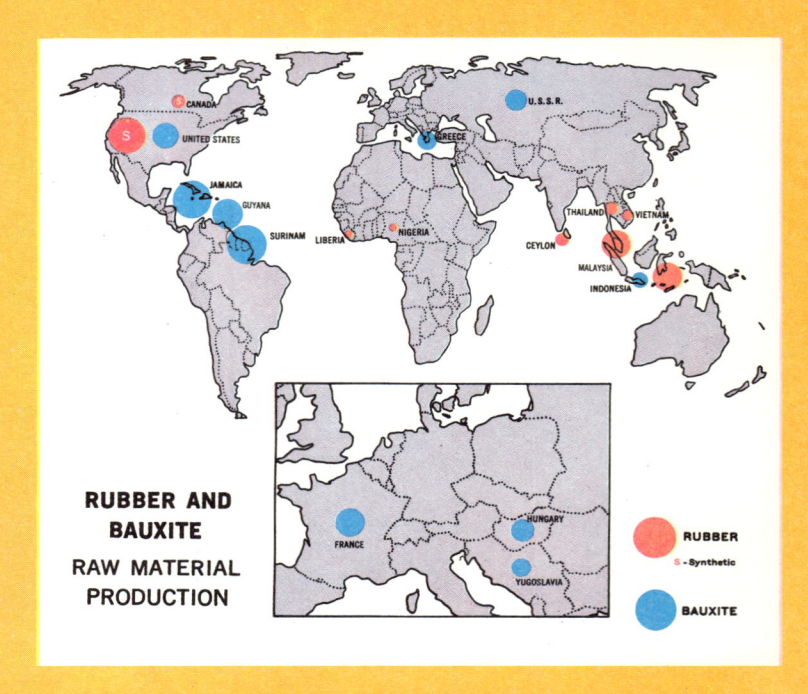

TIN AND COPPER
RAW MATERIAL PRODUCTION

TIN
COPPER

LEAD AND ZINC
RAW MATERIAL PRODUCTION

LEAD
ZINC

RUBBER AND BAUXITE
RAW MATERIAL PRODUCTION

RUBBER
S - Synthetic
BAUXITE

METALS AND STRATEGIC MATERIALS

As a maker and user of implements, man is unique among the creatures of the earth and, without these implements, it is problematical whether the species would ever have survived. As essential to man as his tools, are the materials from which they are fashioned. So integral a part of his early history were these raw materials that we have named the first stages of man's development after them... the Stone Age, the Iron Age, the Bronze Age. The time in which we live cannot be characterized by such a designation. Today man depends on scores of basic materials, not only for his implements but for all of his material needs.

For many of these materials we look to foreign lands. As long ago as the Bronze Age when those who had tin traded with those who had copper so that both could have bronze, men have exchanged the resources of the earth with one another. As we have learned how to use a greater variety of these to upgrade and extend the materialistic and technological aspects of our society, this interdependence of men and nations has become steadily greater until today no one country in the world possesses all the raw materials in sufficient quantities to meet its needs.

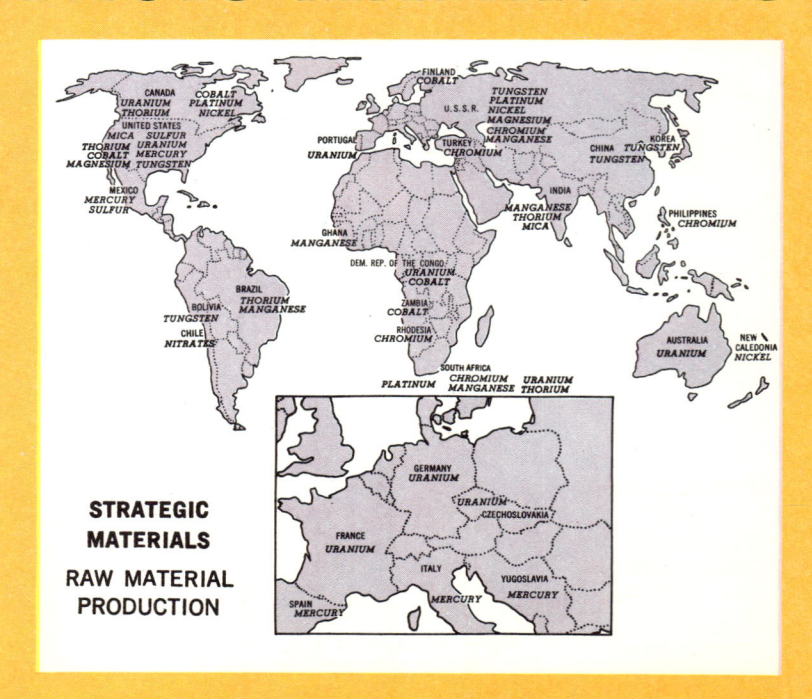

STRATEGIC MATERIALS
RAW MATERIAL PRODUCTION

© Copyright C. S. Hammond & Co., Maplewood, N.J.

WORLD

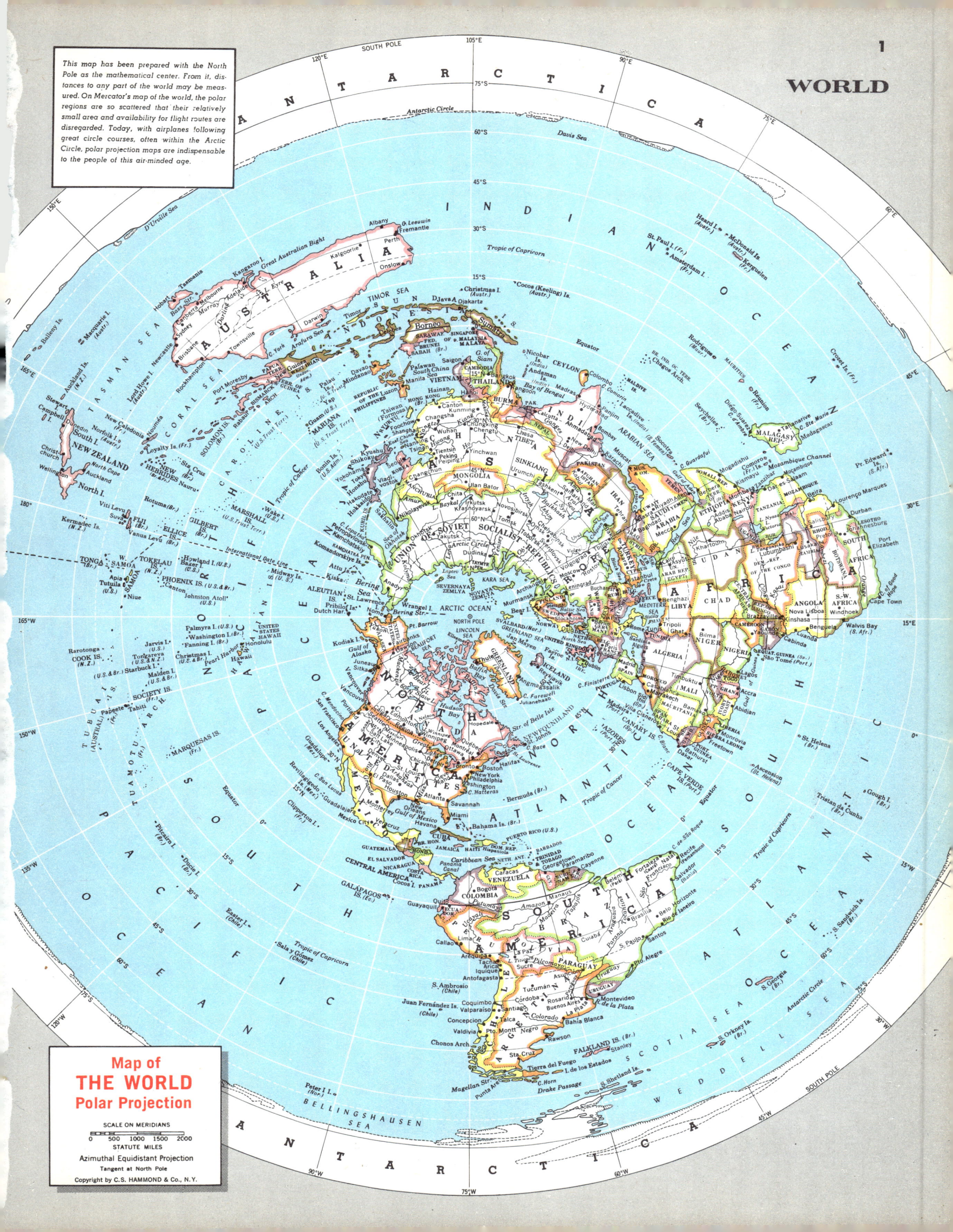

This map has been prepared with the North Pole as the mathematical center. From it, distances to any part of the world may be measured. On Mercator's map of the world, the polar regions are so scattered that their relatively small area and availability for flight routes are disregarded. Today, with airplanes following great circle courses, often within the Arctic Circle, polar projection maps are indispensable to the people of this air-minded age.

Map of THE WORLD Polar Projection

SCALE ON MERIDIANS
0 500 1000 1500 2000
STATUTE MILES

Azimuthal Equidistant Projection
Tangent at North Pole

Copyright by C.S. Hammond & Co., N.Y.

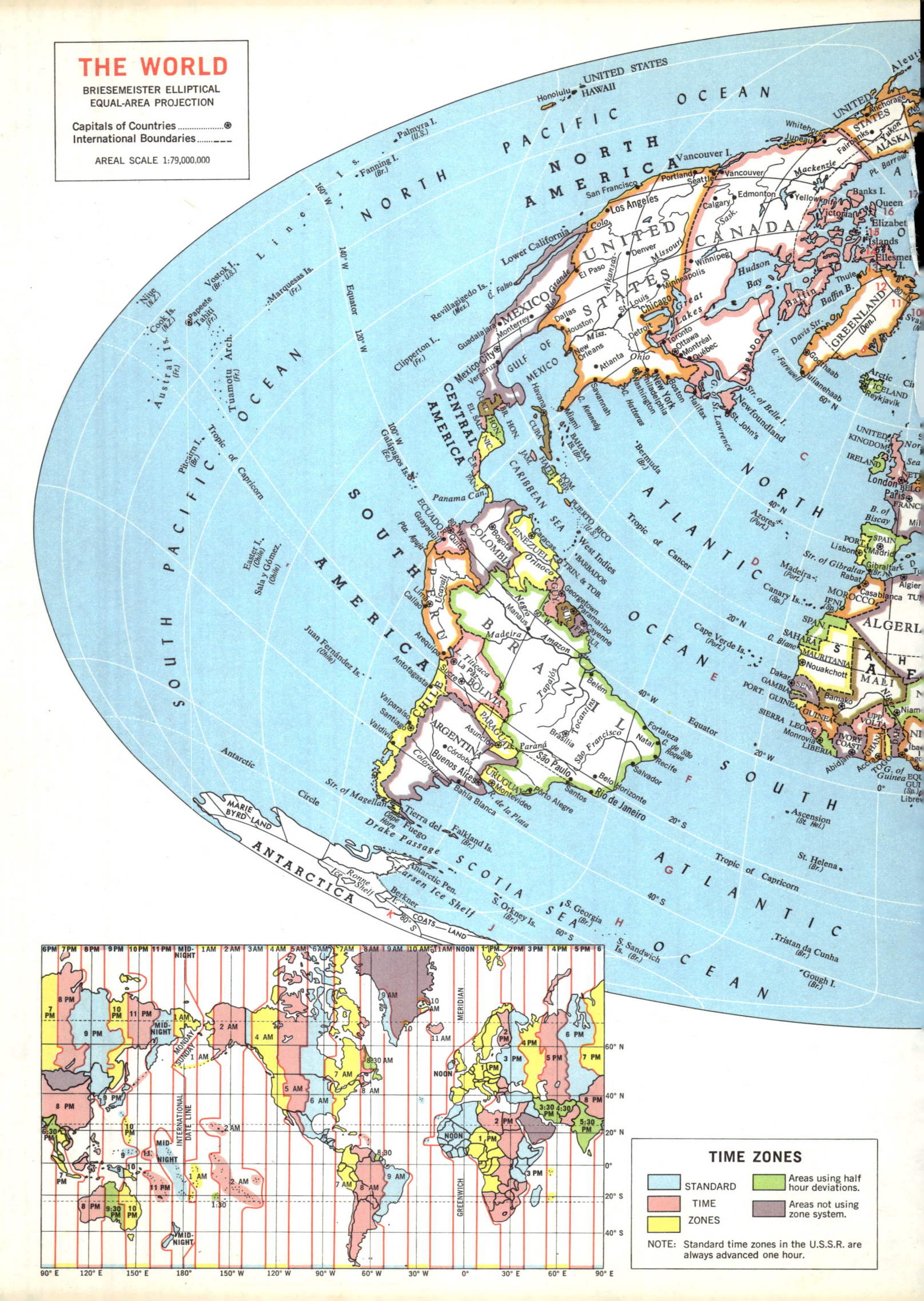

THE WORLD
BRIESEMEISTER ELLIPTICAL EQUAL-AREA PROJECTION

Capitals of Countries .... ⊛
International Boundaries .... ---

AREAL SCALE 1:79,000,000

TIME ZONES

- ▨ STANDARD
- ▨ TIME
- ▨ ZONES
- ▨ Areas using half hour deviations.
- ▨ Areas not using zone system.

NOTE: Standard time zones in the U.S.S.R. are always advanced one hour.

WORLD

LAND AREA	57,510,000 sq. mi.
WATER AREA	139,440,000 sq. mi.
TOTAL SURFACE AREA	196,950,000 sq. mi.
POPULATION	3,218,000,000

© Copyright HAMMOND INCORPORATED, Maplewood, N.J.

ARCTIC OCEAN

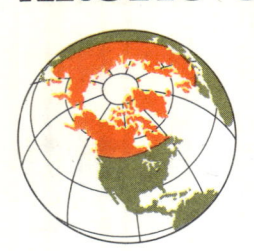

Name	Ref
Aklavik, Canada	C16
Akureyri, Iceland	C 1
Alaska (gulf), U.S.A.	D17
Alaska (mts.), U.S.A.	C17
Alaska (pen.), U.S.A.	D18
Alaska (state), U.S.A.	C17
Alert, Canada	A12
Aleutian (isls.), U.S.A.	D18
Alexander (arch.), U.S.A.	D17
Alexandra Fiord, Canada	A13
Alexandra Land (isl.), U.S.S.R.	A 8
Ambarchik, U.S.S.R.	B 1
Amundsen (gulf), Canada	C16
Anadyr', U.S.S.R.	C 1
Anadyr' (gulf), U.S.S.R.	C18
Anadyr' (river), U.S.S.R.	C 1
Angmagssalik, Greenland	C11
Archangel, U.S.S.R.	B 7
Anchorage, U.S.A.	D17
Arctic Ocean	A15
Arctic Bay, Canada	B14
Atlantic Ocean	D11
Attu (isl.), U.S.A.	D 1
Axel Heiberg (isl.), Canada	A14
Baffin (bay)	B13
Baffin (isl.), Canada	B13
Banks (isl.), Canada	B16
Barents (sea)	B 8
Barrow, U.S.A.	B17
Barrow (point), U.S.A.	B18
Bathurst (isl.), Canada	A14
Bathurst Inlet, Canada	C15
Bear (isl.), Norway	B 9
Bear (isls.), U.S.S.R.	B 1
Beaufort (sea)	B16
Belush'ya Guba, U.S.S.R.	B 7
Belyy (isl.), U.S.S.R.	B 6
Bering (strait)	C18
Bol'shevik (isl.), U.S.S.R.	A 4
Boris Vil'kitskiy (strait), U.S.S.R.	B 4
Boothia (gulf), Canada	B14
Boothia (pen.), Canada	B14
Borden (isl.), Canada	A15
Bristol (bay), U.S.A.	D18
Brodeur (pen.), Canada	B14
Brooks (mt. range), U.S.A.	C17
Bulun, U.S.S.R.	B 3
Cambridge Bay, Canada	B15
Canada	C14
Chelyuskin (cape), U.S.S.R.	A 5
Chokurdakh, U.S.S.R.	B 2
Chukchi (pen.), U.S.S.R.	C18
Chukchi (sea)	C18
Clyde, Canada	B13
Columbia (cape), Canada	A13
Cook (inlet), U.S.A.	D17
Coppermine, Canada	C15
Cordova, U.S.S.R.	C13
Craig Harbour, Canada	B13
Cumberland (sound), Canada	B10
Danborg, Greenland	B10
Danmarkshavn, Greenland	B10
Davis (strait)	C12
Dawson, Canada	C16
Denmark (strait)	C11
Devon (isl.), Canada	B14
Dezhnev (cape), U.S.S.R.	C18
Dikson, U.S.S.R.	B 5
Disko (isl.), Greenland	C12
Dmitriy Laptev (str.), U.S.S.R.	B 2
Dudinka, U.S.S.R.	B 5
Dundas Harbour, Canada	B14
Dvina, Northern (river), U.S.S.R.	C 7
East (Dezhnev) (cape), U.S.S.R.	C18
East Siberian (sea), U.S.S.R.	B 1
Edge (isl.), Norway	B 8
Ellef Ringnes (isl.), Canada	B15
Ellesmere (isl.), Canada	B14
Eureka, Canada	A14
Faddeyevskiy (isl.), U.S.S.R.	B 2
Fairbanks, U.S.A.	C17

Name	Ref
Farewell (cape), Greenland	D12
Finland	C 8
Fort Simpson, Canada	C15
Fort Yukon, U.S.A.	C17
Foxe (basin), Canada	C13
Franz Josef Land (isls.), U.S.S.R.	A 7
Frederikshaab, Greenland	C12
Garry (lake), Canada	C15
George Land (isl.), U.S.S.R.	B 7
Godhavn, Greenland	C12
Godthaab (cap.), Greenland	C12
Graham Bell (isl.), U.S.S.R.	A 6
Great Bear (lake), Canada	C16
Great Slave (lake), Canada	C16
Greenland (isl.), Denmark	B12
Greenland (sea)	B10
Grondal, Greenland	C11
Gunnbjörn (mt.), Greenland	C11
Gyda (pen.), U.S.S.R.	B 5
Hammerfest, Norway	B 9
Hekla (mt.), Iceland	C11
Holman Island, Canada	B16
Holsteinsborg, Greenland	C12
Hope (isl.), Norway	B 8
Iceland	C10
Igarka, U.S.S.R.	C 5
Igloolik, Canada	B14
Indigirka (river), U.S.S.R.	B 2
Inuvik, U.S.S.R.	C16
Isachsen, Canada	B15
Jan Mayen (isl.), Norway	B10
Julianehaab, Greenland	D12
Juneau, U.S.A.	D16
Kane (basin)	B13
Kanin (pen.), U.S.S.R.	B 7
Kara (sea), U.S.S.R.	B 6
Karskiye Vorota (strait), U.S.S.R.	B 7
Kazach'ye, U.S.S.R.	C 3
Kem', U.S.S.R.	C 8
Khatanga, U.S.S.R.	B 4
Khatanga (sea)	B 4
King Christian X Land (reg.), Greenland	B11
King Christian IX Land (reg.), Greenland	C11
King Frederik VIII Land (reg.), Greenland	B11
Kiruna, Sweden	C 8
Kodiak, U.S.A.	D17
Kodiak (isl.), U.S.A.	D17
Kola (pen.), U.S.S.R.	B 7
Kolguyev (isl.), U.S.S.R.	B 7
Kolyma (mt. range), U.S.S.R.	C 1
Kolyma (river), U.S.S.R.	B 1
Komsomolets (isl.), U.S.S.R.	A 5
Kotel'nyy (isl.), U.S.S.R.	B 2
Kotzebue, U.S.A.	C18
Kraulshavn, Greenland	B13
Kuskokwim (river), U.S.A.	C17
Lancaster (sound), Canada	B14
Laptev (sea), U.S.S.R.	B 3
Lena (river), U.S.S.R.	B 3
Lincoln (sea)	A12
Lofoten (isls.), Norway	C 9
Logan (mt.), Canada	C17
Longyearbyen, Norway	B 9
Lyakhov (isls.), U.S.S.R.	B 3
M'Clure (strait), Canada	B16
Mackenzie (bay), Canada	B16
Mackenzie (mts.), Canada	C16
Mackenzie (river), Canada	C16
Mackenzie King (isl.), Canada	A15
Markovo, U.S.S.R.	C 1
Matochkin Shar, U.S.S.R.	B 7
Mayo, Canada	C17
McKinley (mt.), U.S.A.	C17
Melville (bay), Greenland	B13
Melville (isl.), Canada	B15
Melville (isl.), Canada	C14
Mezen', U.S.S.R.	C 7
Morris Jesup (cape), Greenland	A11
Mould Bay, Canada	B16
Murmansk, U.S.S.R.	C 8
Nanortalik, Greenland	D12
Narssaq, Greenland	C12
Narvik, Norway	C 9
Nar'yan-Mar, U.S.S.R.	C 7
Navarin (cape), U.S.S.R.	C18
Nettilling (lake), Canada	C13
New Siberian (isls.), U.S.S.R.	B 2
New Siberian (isl.), U.S.S.R.	B 2
Nizhniye Kresty, U.S.S.R.	C 1
Nome, U.S.A.	C18
Nord, Greenland	A10
Nordvik, U.S.S.R.	B 4
Noril'sk, U.S.S.R.	B 5
Norman Wells, Canada	C16
North (cape), Iceland	C11
North Magnetic Pole, Canada	B15
North Pole	A 1
Northeast Foreland (pen.), Greenland	A10
Northeast Land (isl.), Norway	A 8
Norton (sound), U.S.A.	C18
Norway	C 9
Norwegian (sea)	B 9
Novaya Zemlya (isls.), U.S.S.R.	B 7
Novyy Port, U.S.S.R.	C 6
Nunivak (isl.), U.S.A.	D18
Ob' (gulf), U.S.S.R.	C 6
Ob' (river), U.S.S.R.	C 6
October Revolution (isl.), U.S.S.R.	B 5
Olenek, U.S.S.R.	C 4
Omolon (river), U.S.S.R.	C 1
Oymyakon, U.S.S.R.	C 2
Pangnirtung, Canada	C13
Peary Land (reg.), Greenland	A11
Pechenga, U.S.S.R.	C 8
Pechora (river), U.S.S.R.	C 7
Pond Inlet, Canada	B13
Port Radium, Canada	C15
Pribilof (isls.), U.S.A.	D18
Prince Charles (isl.), Canada	C13
Prince of Wales (cape), U.S.A.	C18
Prince of Wales (isl.), Canada	B14
Prince Patrick (isl.), Canada	B16
Providenya, U.S.S.R.	C18
Prudhoe (land), Greenland	B13
Queen Elizabeth (isls.), Canada	B15
Repulse Bay, Canada	C14
Resolute, Canada	B14
Reykjavik (cap.), Iceland	C11
Rocky (mts.), Canada	D16
Rudolf (isl.), U.S.S.R.	A 7
Sachs Harbour, Canada	B16
Saint Lawrence (isl.), U.S.A.	C18
Saint Matthew (isl.), U.S.A.	C18
Scoresby (sound), Greenland	B11
Scoresbysund, Greenland	B11
Severnaya Zemlya (isls.), U.S.S.R.	A 5
Seward, U.S.A.	D17
Shannon (isl.), Greenland	B11
Siberia (reg.), U.S.S.R.	C 2
Sitka, U.S.A.	D16
Somerset (isl.), Canada	B14
Sondre Strømfjord, Greenland	C12
Srednekolymsk, U.S.S.R.	C 1
Sukkertoppen, Greenland	C12
Susuman, U.S.S.R.	C 1
Svalbard (isls.), Norway	B 9
Sweden	D 9
Taymyr (lake), U.S.S.R.	B 5
Taymyr (pen.), U.S.S.R.	B 4
Taz (river), U.S.S.R.	B 6
Thule, Greenland	B13
Tiksi, U.S.S.R.	B 3
Tingmiarmiut, Greenland	C12
Traill (isl.), Greenland	B10
Tromsø, Norway	B 9
Tuktoyaktuk, Canada	C16
Ulen, U.S.S.R.	C18
Umnak (isl.), U.S.A.	D18
Unalaska (isl.), U.S.A.	D18
Unimak (isl.), U.S.A.	D18
Union of Soviet Socialist Republics	C 2
United States	C17
Upernavik, Greenland	B12
Ural (mts.), U.S.S.R.	C 6
Ushakov (isl.), U.S.S.R.	B 5
Ust'-Chaun, U.S.S.R.	C 1
Vankarem, U.S.S.R.	C 1
Vaygach (isl.), U.S.S.R.	C 6
Verkhoyansk, U.S.S.R.	C 3
Verkhoyansk (mt. range), U.S.S.R.	C 3
Victoria (isl.), Canada	C 3
Viscount Melville (sound), Canada	B15
Vorkuta, U.S.S.R.	C 6
Wainwright, U.S.A.	B18
Wandel (sea), Greenland	A10
West Spitsbergen (isl.), Norway	B 9
White (sea), U.S.S.R.	B 7
Whitehorse, Canada	C16
Wiese (isl.), U.S.S.R.	B 5
Wilczek Land (isl.), U.S.S.R.	A 7
Wrangel (isl.), U.S.S.R.	B18
Yamal (pen.), U.S.S.R.	B 6
Yana (river), U.S.S.R.	C 3
Yellowknife, Canada	C16
Yenisey (river), U.S.S.R.	B 5
York (cape), Greenland	B13
Yukon (river)	C17
Zhigansk, U.S.S.R.	C 3
Zyryanka, U.S.S.R.	C 1

ARCTIC ICE

ARCTIC OCEAN

AZIMUTHAL EQUIDISTANT PROJECTION

SCALE OF MILES
0 100 200 600
SCALE OF KILOMETRES
0 200 400 800

Copyright by C.S. Hammond & Co., N.Y.

EXPLORERS' ROUTES

- Peary 1909
- Byrd 1926
- Amundsen, Ellsworth & Nobile 1926
- Anderson in U.S.S. Nautilus 1958

By ship — By sledge
By airplane — By dirigible
By nuclear submarine

ANTARCTICA

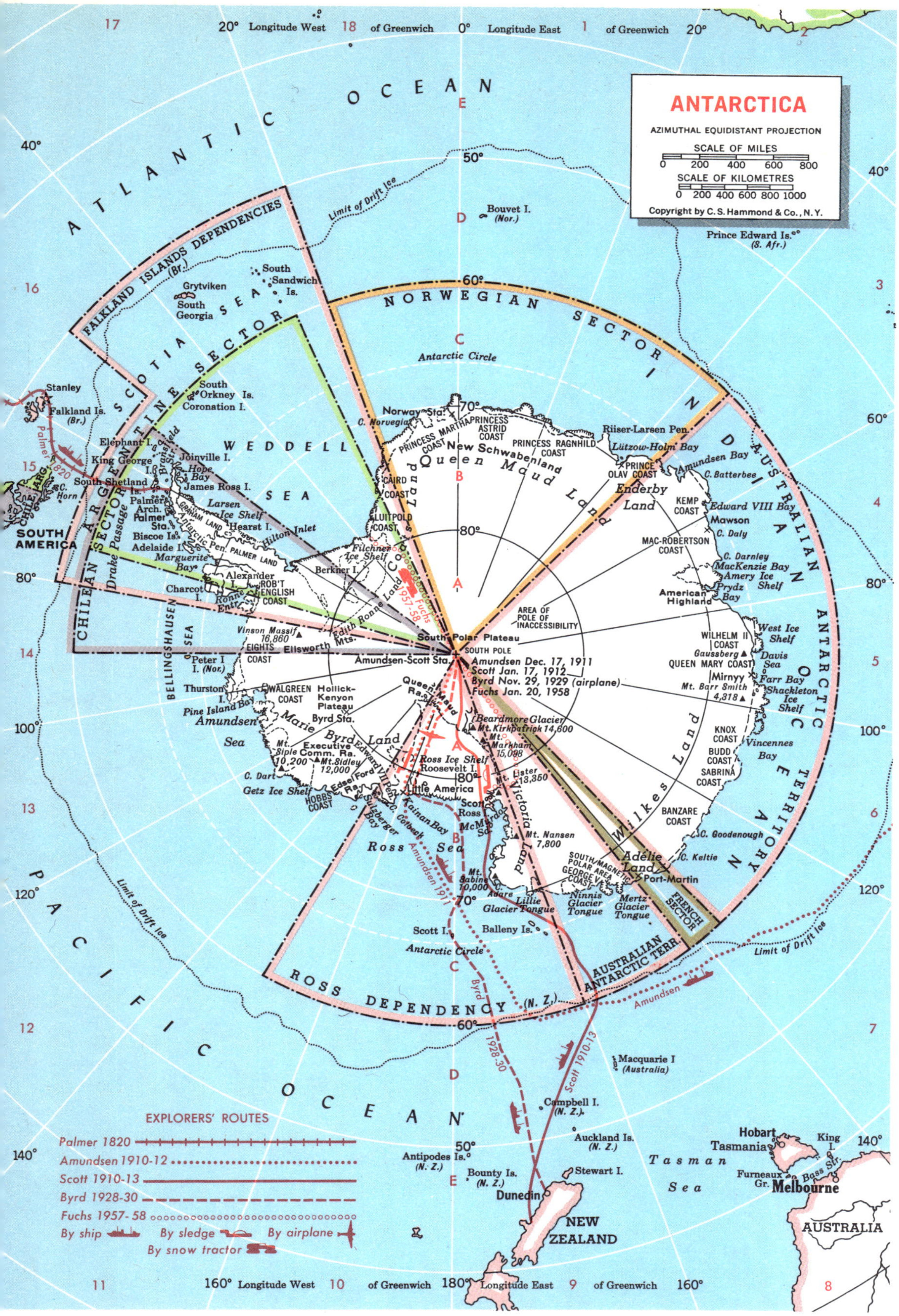

Map Index

Name	Ref
Adare (cape)	B 9
Adelaide (isl.)	C15
Adélie Land (regn.)	C 7
Alexander (isl.)	B15
American Highland	B 4
Amery Ice Shelf (glacier)	C 4
Amundsen (bay)	C 3
Amundsen (sea)	B13
Amundsen Scott Sta.	A14
Antarctic (pen.)	C15
Argentine Sector (terr.)	D16
Australian Antarctic (terr.)	C 5
Balleny (isls.)	C 9
Banzare Coast (regn.)	C 7
Barr Smith (mt.)	C 5
Batterbee (cape)	C 3
Beardmore (glacier)	A 8
Bellingshausen (sea)	C14
Berkner (isl.)	B16
Biscoe (isls.)	D 1
Bouvet (isl.)	D 1
Bransfield (strait)	C16
Budd Coast (regn.)	C 6
Caird Coast (regn.)	B17
Charcot (isl.)	C15
Chilean Sector (terr.)	C15
Coats Land (regn.)	B18
Colbeck (cape)	B10
Coronation (isl.)	C16
Daly (cape)	C 4
Darnley (cape)	C 4
Dart (cape)	B12
Davis (sea)	C 5
Drake (passage)	C15
Edith Ronne Land (regn.)	A15
Edsel Ford (mt. range)	B11
Edward VII (pen.)	B11
Eights Coast (regn.)	B14
Elephant (isl.)	C16
Ellsworth (mts.)	B14
Enderby Land (regn.)	B 3
Executive Comm. (mt. range)	B12
Farr (bay)	C 5
Filchner Ice Shelf (glacier)	B16
French Sector (terr.)	C 7
Gaussberg	C 5
George V Coast (regn.)	C 8
Getz Ice Shelf (glacier)	B12
Goodenough (cape)	C 7
Graham Land (regn.)	C15
Grytviken	D17
Hilton Inlet (bay)	B16
Hobbs Coast (regn.)	B12
Hollick-Kenyon (plateau)	B13
Hope (bay)	C15
Joinville (isl.)	C16
Kainan (bay)	B10
Keltie (cape)	C 7
Kemp Coast (regn.)	C 3
King George (isl.)	C16
Kirkpatrick (mt.)	A 8
Knox Coast (regn.)	C 6
Larsen Ice Shelf (glacier)	C16
Lillie (cape)	C 9
Lister (mt.)	B 8
Little America	B10
Luitpold Coast (regn.)	B17
Lützow-Holm (bay)	C 3
MacRobertson Coast (regn.)	C 4
Mackenzie (bay)	C 4
Marguerite (bay)	C15
Marie Byrd Land (regn.)	B12
Markham (mt.)	A 8
Mawson	C 4
McMurdo (sound)	B 9
Mertz (glacier)	C 8
Mirnyy	C 5
Nansen (mt.)	B 8
New Schwabenland (regn.)	B 1
Ninnis (glacier)	C 8
Norvegia (cape)	B18
Norway Station	B18
Norwegian Sector (terr.)	C 1
Palmer (arch.)	C15
Palmer Land (regn.)	B15
Palmer Sta.	C15
Peter I (isl.)	C14
Pine Island (bay)	B13
Port-Martin	C 7
Prince Edward (isls.)	E 2
Prince Olav Coast (regn.)	C 3
Princess Astrid Coast (regn.)	B 1
Princess Martha Coast (regn.)	B18
Princess Ragnhild Coast (region)	B 2
Prydz (bay)	C 4
Queen Mary Coast (regn.)	C 5
Queen Maud (mt. range)	A11
Queen Maud Land (region)	B 1
Riiser-Larsen (pen.)	C 2
Robert English Coast (regn.)	B15
Ronne Entrance (bay)	B15
Roosevelt (isl.)	A10
Ross (isl.)	B 9
Ross (sea)	B10
Ross Dependency (terr.)	C10
Ross Ice Shelf (glacier)	A10
Sabine (cape)	B 9
Sabrina Coast (regn.)	C 6
Scotia (sea)	D16
Scott (isl.)	B 9
Shackleton Ice Shelf (glacier)	C 5
Sidley (mt.)	B12
Siple (mt.)	B12
South Georgia (isl.)	D17
South Magnetic Polar Area	C 8
South Orkney (isls.)	C16
South Polar (plateau)	A 1
South Pole	A 4
South Sandwich (isls.)	D17
South Shetland (isls.)	C15
Sulzberger (bay)	B11
Thurston (isl.)	C14
Victoria Land (regn.)	B 8
Vincennes (bay)	C 6
Vinson Massif (mt.)	B14
Walgreen Coast (regn.)	B13
Weddell (sea)	C17
West Ice Shelf (glacier)	C 5
Wilhelm II Coast (regn.)	C 5
Wilkes Land (regn.)	C 7

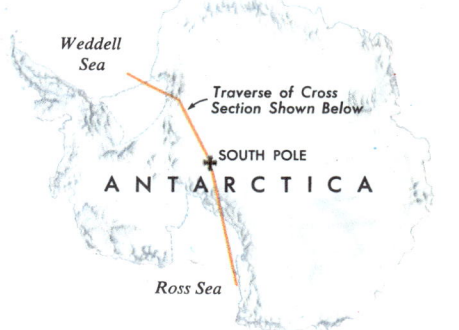

Explorers' Routes

- Palmer 1820
- Amundsen 1910-12
- Scott 1910-13
- Byrd 1928-30
- Fuchs 1957-58

By ship — By sledge — By airplane — By snow tractor

ANTARCTIC CROSS SECTION: WEDDELL SEA TO ROSS SEA

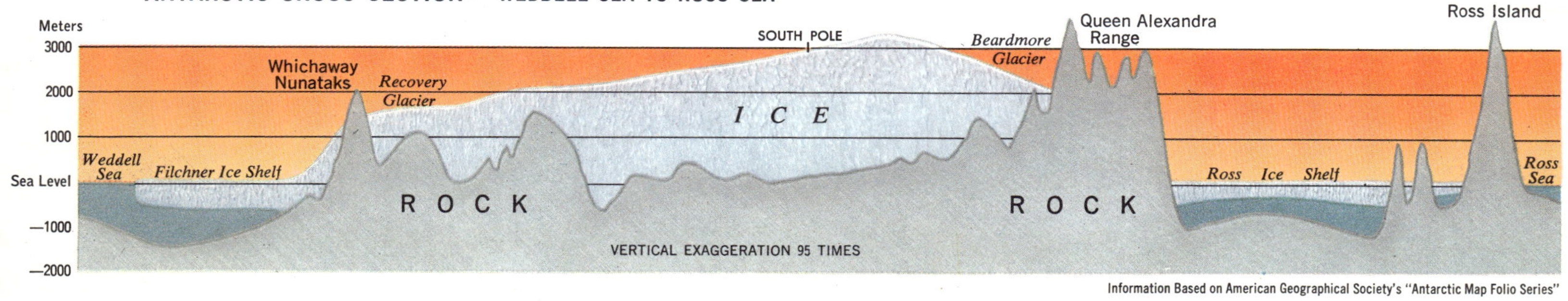

VERTICAL EXAGGERATION 95 TIMES

Information Based on American Geographical Society's "Antarctic Map Folio Series"

Location	Grid	Location	Grid	Location	Grid	Location	Grid	Location	Grid	Location	Grid
Aachen, W. Germany	E 3	Birmingham, England	D 3	Copenhagen (cap.), Denmark	E 3	Etna (mt.), Italy	F 5	Innsbruck, Austria	F 4	Kuopio, Finland	G 2	Malmö, Sweden	F 3
Aarhus, Denmark	E 3	Biscay (bay)	D 4	Córdoba, Spain	D 5	Faeröe (isls.), Denmark	E 3	Inverness, Scotland	D 3	Kursk, U.S.S.R.	H 3	Malta	F 5
Aberdeen, Scotland	D 3	Black (sea)	H 4	Corinth, Greece	G 5	Finisterre (cape), Spain	C 4	Ionian (sea)	G 5	Kutaisi, U.S.S.R.	J 4	Man (isl.), Gt. Brit.	D 3
Adriatic (sea)	F 4	Bologna, Italy	F 4	Cork, Ireland	C 3	Finland	G 2	Iráklion, Greece	G 5	Kuybyshev, U.S.S.R.	J 3	Manchester, England	D 3
Aegean (sea)	G 5	Bonn (cap.), W. Germany	E 3	Corsica (Corse) (isl.),		Florence, Italy	F 4	Ireland	D 3	La Coruña, Spain	C 4	Mannheim, W. Germany	E 4
Albania	G 4	Bordeaux, France	D 4	France	E 4	France	E 4	Irish (sea)	D 3	La Rochelle, France	D 4	Marmara (sea), Turkey	G 5
Alps (mts.)	E 4	Bosporus (strait), Turkey	G 4	Cracow, Poland	G 3	Frankfurt, W. Germany	E 3	Iron Gate (gorge)	G 4	La Spezia, Italy	E 4	Marseille, France	E 4
Amsterdam (cap.), Neth.	E 3	Bothnia (gulf)	G 2	Crete (isl.), Greece	G 5	Freiburg, W. Germany	E 4	Istanbul, Turkey	G 4	Ladoga (lake), U.S.S.R.	H 2	Mediterranean (sea)	F 5
Andorra	D 4	Braşov, Rumania	G 4	Crimea (pen.), U.S.S.R.	H 4	Galaţi, Rumania	G 4	Italy	F 4	Land's End (prom.), Eng.	D 4	Messina, Italy	F 5
Antwerp, Belg.	E 3	Bremen, W. Germany	E 3	Czechoslovakia	F 4	Garonne (river), France	D 4	Kalinin, U.S.S.R.	H 3	Lausanne, Switzerland	E 4	Milan, Italy	E 4
Araks (river)	J 5	Brest, France	D 3	Częstochowa, Poland	F 3	Gdańsk, Poland	F 3	Kaliningrad, U.S.S.R.	G 3	Le Havre, France	D 3	Milo (river)	D 4
Archangel, U.S.S.R.	J 2	Bristol, England	D 3	Danube (river)	G 4	Gdynia, Poland	F 3	Karl-Marx-Stadt, E. Germany	F 3	Leeds, England	D 3	Minorca (isl.), Spain	D 5
Astrakhan', U.S.S.R.	J 4	British Isles	D 3	Dardanelles (strait), Turkey	G 5	Geneva, Switz.	E 4	Karlskrona, Sweden	F 3	Leghorn, Italy	E 4	Minsk, U.S.S.R.	G 3
Athens (cap.), Greece	G 5	Brussels (cap.), Belgium	E 3	Debrecen, Hungary	G 4	Genoa, Italy	E 4	Karlsruhe, W. Germany	E 4	Leipzig, Germany	F 3	Modena, Italy	F 4
Atlantic (ocean)	C 3	Bucharest (cap.), Rumania	G 4	Denmark	E 3	Ghent, Belgium	E 3	Karlstad, Sweden	F 3	Leningrad, U.S.S.R.	H 3	Monaco	E 4
Austria	F 4	Budapest (cap.), Hungary	G 4	Dnepropetrovsk, U.S.S.R.	H 4	Gibraltar	D 5	Kassel, W. Germany	E 3	León, Spain	C 4	Morava (river)	G 4
Azov (sea), U.S.S.R.	H 4	Bug (river)	G 3	Dnieper (river), U.S.S.R.	H 3	Gibraltar (strait)	D 5	Katowice, Poland	F 3	Liechtenstein	E 4	Moscow (Moskva) (cap.),	
Baku, U.S.S.R.	K 5	Bulgaria	G 4	Dniester (river), U.S.S.R.	G 4	Glasgow, Scotland	D 3	Kattegat (strait)	E 3	Liège, Belgium	E 3	U.S.S.R.	H 3
Balaton (lake), Hungary	F 4	Burgas, Bulgaria	G 4	Don (river), U.S.S.R.	J 3	Gor'kiy, U.S.S.R.	J 3	Kaunas, U.S.S.R.	G 3	Lille, France	E 3	Munich, W. Germany	E 4
Balearic (isls.), Spain	D 5	Burgos, Spain	D 4	Donetsk, U.S.S.R.	H 4	Göteborg, Sweden	E 3	Kazan', U.S.S.R.	J 3	Linz, Austria	F 4	Murmansk, U.S.S.R.	H 2
Balkans (mts.)	G 4	Bydgoszcz, Poland	F 3	Douro (Duero) (river)	D 4	Graz, Austria	F 4	Kecskemét, Hungary	G 4	Lions (gulf)	E 4	Nancy, France	E 4
Baltic (sea)	F 3	Cádiz, Spain	D 5	Drava (river)	F 4	Great Britain	D 3	Kérkira, Greece	F 5	Lisbon (Lisboa) (cap.), Port.	C 5	Nantes, France	D 4
Barcelona, Spain	E 4	Cagliari, Italy	E 5	Dresden, E. Germany	F 3	Greece	G 5	Khaniá, Greece	G 5	Liverpool, England	D 3	Naples (Napoli), Italy	F 4
Barents (sea)	H 1	Calais, France	E 3	Dublin (cap.), Ireland	D 3	Guadalquivir (river), Spain	D 5	Khar'kov, U.S.S.R.	H 4	Ljubljana, Yugoslavia	F 4	Narvik, Norway	F 2
Bari, Italy	F 4	Cardiff, Wales	D 3	Durrës, Albania	F 4	Guadiana (river)	D 5	Kherson, U.S.S.R.	H 4	Łódź, Poland	F 3	Netherlands	E 3
Basel, Switzerland	E 4	Carpathian (mts.)	G 4	Düsseldorf, W. Germany	E 3	Hague, The (cap.), Neth.	E 3	Kiel, W. Germany	E 3	Loire (river), France	D 4	Nice, France	E 4
Batumi, U.S.S.R.	J 4	Cartagena, Spain	D 5	East Germany	F 3	Halle, E. Germany	F 3	Kielce, Poland	G 3	London (cap.), England	D 3	Nîmes, France	E 4
Bayonne, France	D 4	Caspian (sea)	J 4	Ebro (river), Spain	D 4	Hamburg, W. Germany	E 3	Kiev, U.S.S.R.	H 3	Lublin, Poland	G 3	Niš, Yugoslavia	G 4
Belfast (cap.), No. Ireland	D 3	Caucasus (mts.), U.S.S.R.	J 4	Edinburgh (cap.), Scotland	D 3	Hammerfest, Norway	G 1	Kirov, U.S.S.R.	J 3	Lugansk, U.S.S.R.	H 4	North (cape), Norway	G 1
Belgium	E 3	Cherbourg, France	D 3	Edirne, Turkey	G 4	Hannover, W. Germany	E 3	Kirovograd, U.S.S.R.	H 4	Luxembourg	E 4	North (sea)	D 3
Belgorod-Dnestrovskiy, U.S.S.R.	H 4	Coimbra, Portugal	C 4	Elbe (river)	F 3	Helsinki (Helsingfors) (cap.),		Kishinev, U.S.S.R.	G 4	Lyon, France	E 4	Northern Ireland	D 3
Belgrade (cap.), Yugoslavia	G 4	Cologne, W. Germany	E 3	El'brus (mt.), U.S.S.R.	J 4	Finland	G 2	Kjölen (mts.)	F 2	Madrid (cap.), Spain	D 4	Norway	F 2
Bergen, Norway	E 3	Constance (lake)	E 4	Hull, England	D 3	Krasnodar, U.S.S.R.	H 4	Kola (pen.), U.S.S.R.	H 2	Mainz, W. Germany	E 4	Nottingham, England	D 3
Berlin (cap.), E. Germany	F 3	Constanța, Rumania	G 4	English (channel)	D 3	Kristiansand, Norway	E 3	Majorca (Mallorca) (isl.),		Odense, Denmark	E 3
Bern (cap.), Switzerland	E 4	Constantinople (Istanbul)		Erivan, U.S.S.R.	J 4	Iceland	C 2	Kristiansund, Norway	E 2	Spain	E 5	Oder (river)	F 3
Biarritz, France	D 4	Turkey	H 4	Essen, W. Germany	E 3	Iași, Rumania	G 4	Krivoy Rog, U.S.S.R.	H 4	Mallorca (Majorca) (isl.),		Odessa, U.S.S.R.	H 4
Bilbao, Spain	D 4												

EUROPE

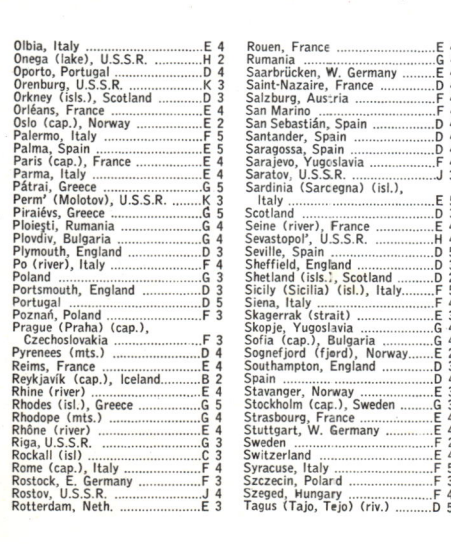

AREA	4,129,908 sq. mi.
POPULATION	610,818,000
LARGEST CITY	Paris (greater) 8,569,238
HIGHEST POINT	El'brus 18,481 ft.
LOWEST POINT	Caspian Sea —92 ft.

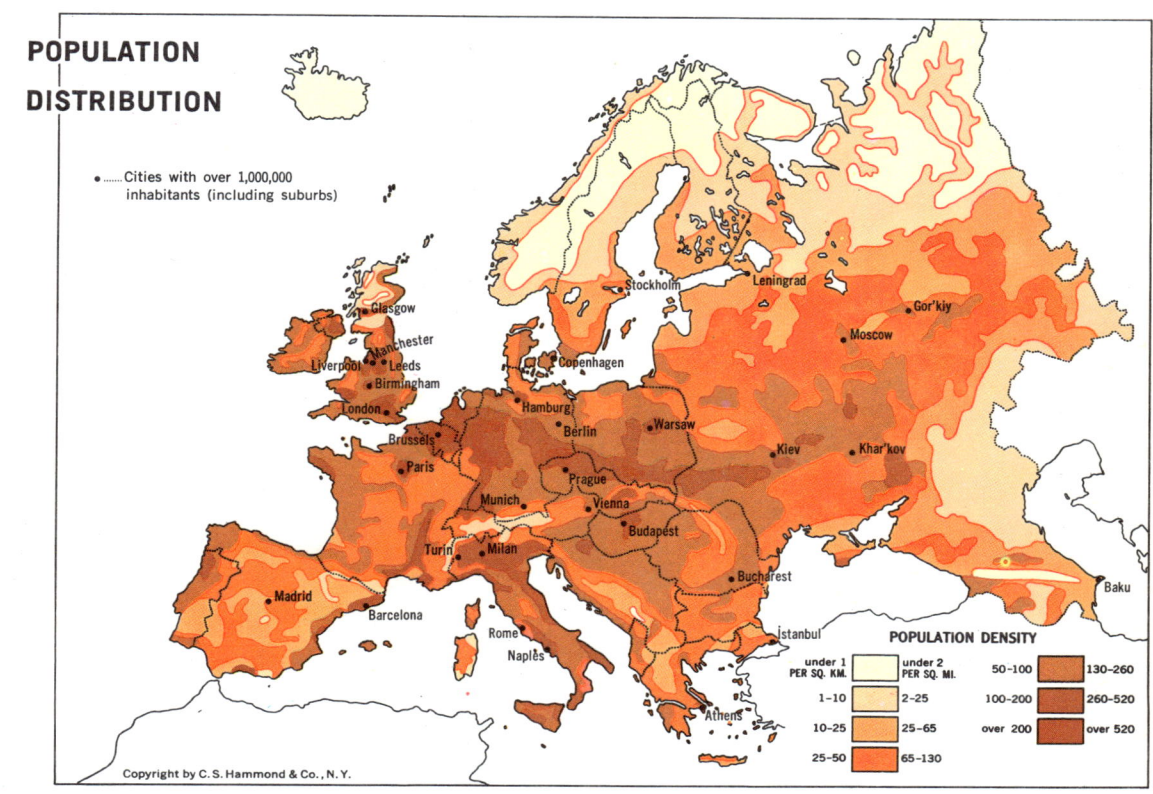

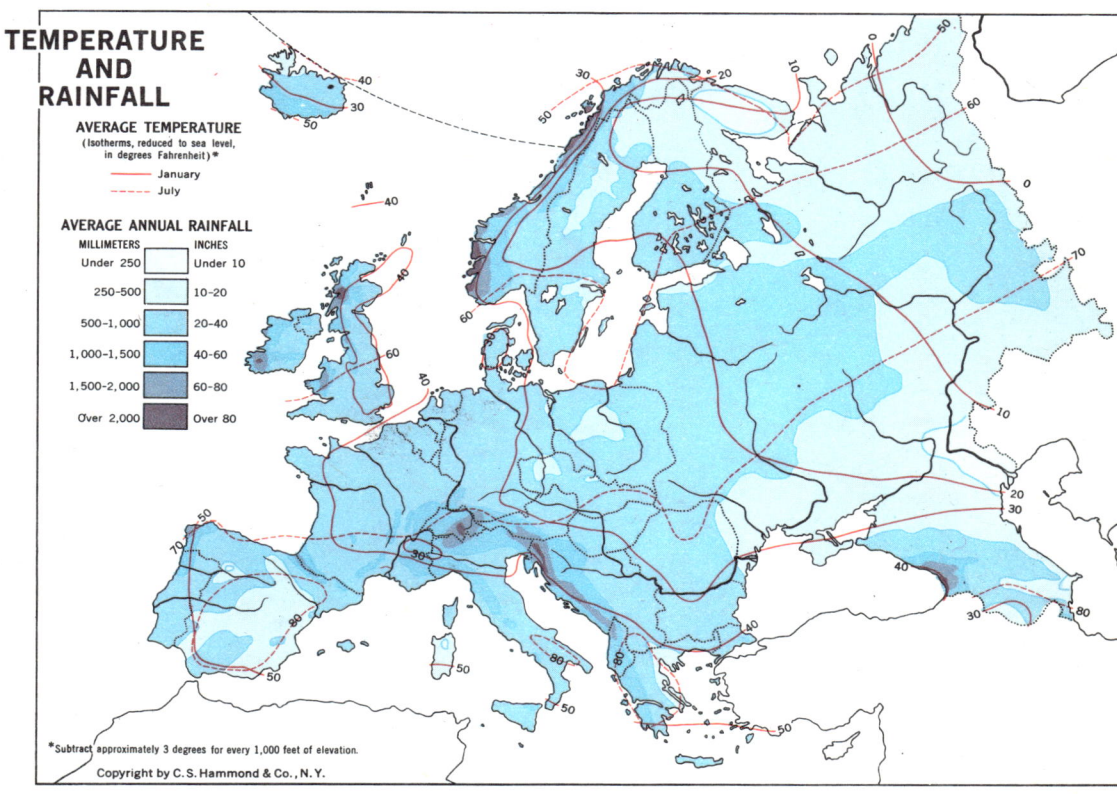

POPULATION DISTRIBUTION

• ...... Cities with over 1,000,000 inhabitants (including suburbs)

POPULATION DENSITY

PER SQ. KM.	PER SQ. MI.
under 1	under 2
1–10	2–25
10–25	25–65
25–50	65–130
50–100	130–260
100–200	260–520
over 200	over 520

Copyright by C.S. Hammond & Co., N.Y.

TEMPERATURE AND RAINFALL

AVERAGE TEMPERATURE
(Isotherms, reduced to sea level, in degrees Fahrenheit)*
— January
--- July

AVERAGE ANNUAL RAINFALL

MILLIMETERS	INCHES
Under 250	Under 10
250–500	10–20
500–1,000	20–40
1,000–1,500	40–60
1,500–2,000	60–80
Over 2,000	Over 80

*Subtract approximately 3 degrees for every 1,000 feet of elevation.

Copyright by C.S. Hammond & Co., N.Y.

EUROPE
LAMBERT AZIMUTHAL EQUAL AREA PROJECTION

SCALE OF MILES: 0–500
SCALE OF KILOMETRES: 0–500

Capitals of Countries ....☆
International Boundaries ....—·—
Canals ....

Copyright by C.S. Hammond & Co., N.Y.

Olbia, Italy	E 4
Onega (lake), U.S.S.R.	H 2
Oporto, Portugal	D 4
Orenburg, U.S.S.R.	K 3
Orkney (isls.), Scotland	D 3
Orléans, France	E 4
Oslo (cap.), Norway	E 2
Palermo, Italy	F 5
Palma, Spain	E 5
Paris (cap.), France	E 4
Parma, Italy	E 4
Pátrai, Greece	G 5
Perm' (Molotov), U.S.S.R.	K 3
Piraiévs, Greece	G 5
Ploieşti, Rumania	G 4
Plovdiv, Bulgaria	G 4
Plymouth, England	D 3
Po (river), Italy	F 4
Poland	G 3
Portsmouth, England	D 3
Portugal	D 4
Poznań, Poland	F 3
Prague (Praha) (cap.), Czechoslovakia	F 3
Pyrenees (mts.)	D 4
Reims, France	E 4
Reykjavík (cap.), Iceland	B 2
Rhine (river)	E 3
Rhodes (isl.), Greece	G 5
Rhodope (mts.)	G 4
Rhône (river)	E 4
Riga, U.S.S.R.	G 3
Rockall (isl.)	C 3
Rome (cap.), Italy	F 4
Rostock, E. Germany	F 3
Rostov, U.S.S.R.	J 4
Rotterdam, Neth.	E 3
Rouen, France	E 4
Rumania	G 4
Saarbrücken, W. Germany	E 4
Saint-Nazaire, France	D 4
Salzburg, Austria	F 4
San Marino	F 4
San Sebastián, Spain	D 4
Santander, Spain	D 4
Saragossa, Spain	D 4
Sarajevo, Yugoslavia	F 4
Saratov, U.S.S.R.	J 3
Sardinia (Sarcegna) (isl.), Italy	E 5
Scotland	D 3
Seine (river), France	E 4
Sevastopol', U.S.S.R.	H 4
Seville, Spain	D 5
Sheffield, England	D 3
Shetland (isls.), Scotland	D 2
Sicily (Sicilia) (isl.), Italy	F 5
Siena, Italy	F 4
Skagerrak (strait)	E 3
Skopje, Yugoslavia	G 4
Sofia (cap.), Bulgaria	G 4
Sognefjord (fjord), Norway	E 2
Southampton, England	D 3
Spain	D 4
Stavanger, Norway	E 3
Stockholm (cap.), Sweden	F 3
Strasbourg, France	E 4
Stuttgart, W. Germany	E 4
Sweden	F 2
Switzerland	E 4
Syracuse, Italy	F 5
Szczecin, Poland	F 3
Szeged, Hungary	G 4
Tagus (Tajo, Tejo) (riv.)	D 5
Tallinn, U.S.S.R.	G 3
Tampere, Finland	G 2
Tbilisi, U.S.S.R.	J 4
Thessaloníki, Greece	G 5
Tiber (riv.), Italy	F 4
Tiranë (cap.), Albania	F 4
Toledo, Spain	D 5
Toulon, France	E 4
Toulouse, France	E 4
Tours, France	E 4
Trieste, Italy	F 4
Trondheim, Norway	F 2
Turin (Torino), Italy	E 4
Turku, Finland	G 2
Tyrrhenian (sea)	F 5
Union of Soviet Socialist Republics	H 3
Uppsala, Sweden	F 3
Ural (mts.), U.S.S.R.	L 2
Utrecht, Netherlands	E 3
Valencia, Spain	E 5
Varna, Bulgaria	G 4
Vatican City	F 4
Venice (Venezia), Italy	F 4
Verona, Italy	F 4
Versailles, France	E 4
Vesuvius (mt.), Italy	F 4
Vichy, France	E 4
Vienna (cap.), Austria	F 4
Vilna, U.S.S.R.	G 3
Vistula (riv.), Poland	F 3
Volga (river), U.S.S.R.	J 4
Volgograd, U.S.S.R.	J 4
Wales	D 3
Warsaw (cap.), Poland	G 3
Weser (river), W. Germany	E 3
West Germany	E 3
White (sea), U.S.S.R.	H 2
Wiesbaden, E. Germany	E 3
Wrocław Pol.	F 3
Yalta, U.S.S.R.	H 4
Yugoslavia	F 4
Zadar, Yugoslavia	F 4
Zagreb, Yugoslavia	F 4
Zürich, Switzerland	E 4

HIGHWAYS OF WESTERN EUROPE

SCALE OF MILES 0 — 50 — 100 — 200 — 300
SCALE OF KILOMETRES 0 — 50 — 100 — 200 — 300

- Limited Access Highways
- Major Highways
- Other Important Roads
- Ferries

C. S. HAMMOND & Co., Maplewood, N.J.

Europe
(continued)

VEGETATION

- Tundra and Alpine
- Coniferous Forest
- Temperate Forest
- Temperate Grasslands
- Steppe
- Thorn Scrub (Heath)
- Mediterranean

Copyright by C.S. Hammond & Co., N.Y.

TOPOGRAPHY

0 — 250 — 500 MILES

Below Sea Level | 100 m. 328 ft. | 200 m. 656 ft. | 500 m. 1,640 ft. | 1,000 m. 3,281 ft. | 2,000 m. 6,562 ft. | 5,000 m. 16,404 ft.

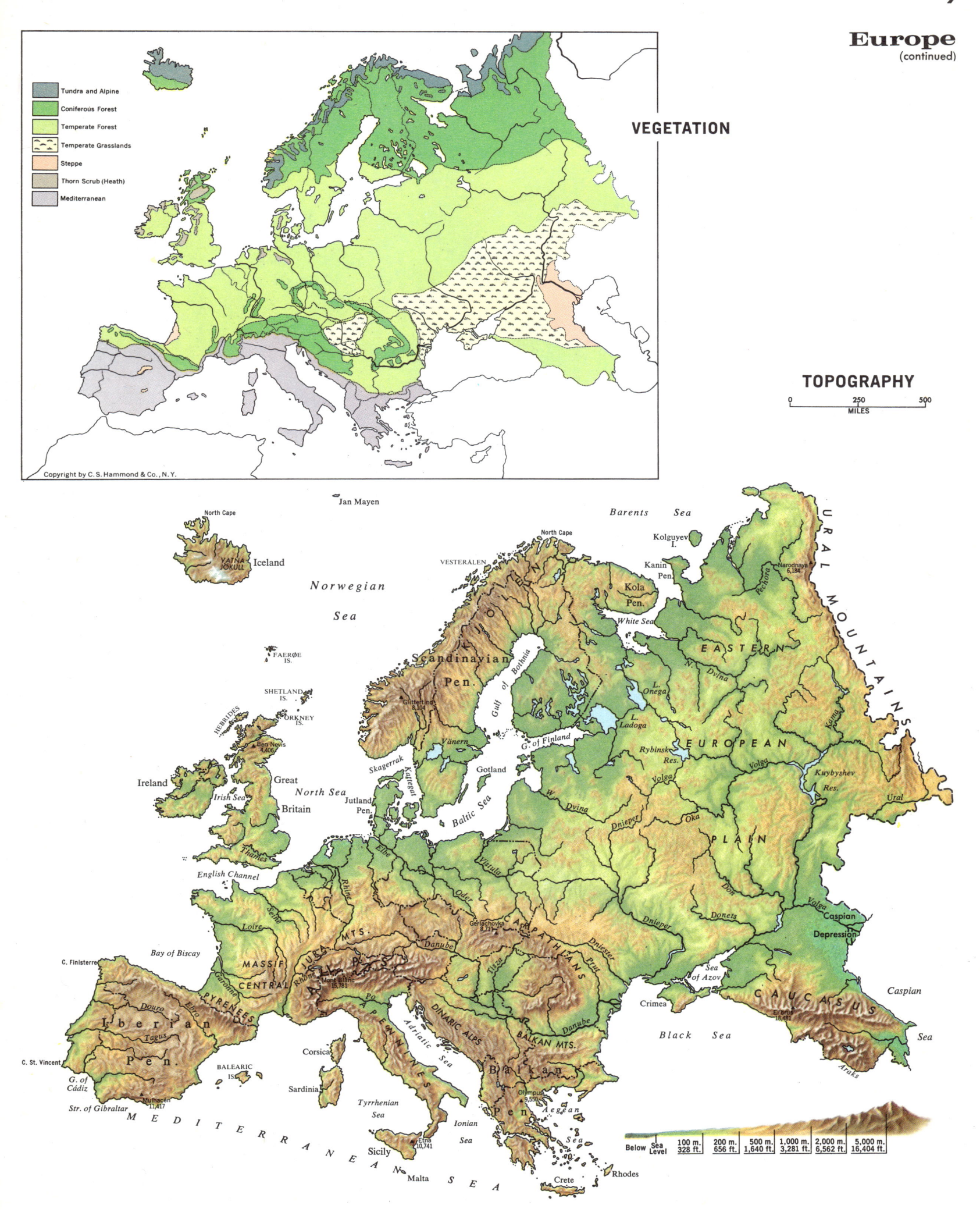

UNITED KINGDOM and IRELAND
BONNE PROJECTION

UNITED KINGDOM and IRELAND

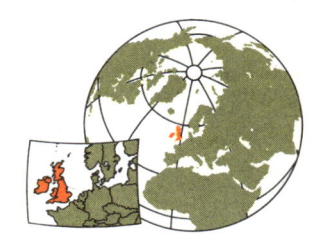

UNITED KINGDOM		IRELAND	
AREA	94,214 sq. mi.		26,601 sq. mi.
POPULATION	54,065,700		2,849,000
CAPITAL	London		Dublin
LARGEST CITY	London (greater) 7,864,500		Dublin (greater) 595,288
HIGHEST POINT	Ben Nevis 4,406 ft.		Carrantuohill 3,414 ft.
MONETARY UNIT	pound sterling		Irish pound
MAJOR LANGUAGES	English, Gaelic, Welsh		English, Gaelic
MAJOR RELIGIONS	Protestant, Roman Catholic		Roman Catholic

UNITED KINGDOM
Index .... Page
- GREATER LONDON 11
- BIRMINGHAM AREA 11
- LIVERPOOL-MANCHESTER AREA 11
- ENGLAND 11,12
- WALES 12
- ISLE OF MAN 12
- CHANNEL ISLANDS 12
- SCOTLAND 12,14
- NORTHERN IRELAND 16

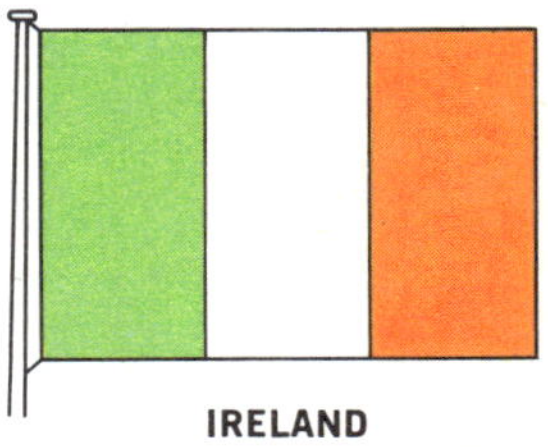

IRELAND
Index .... Page 16

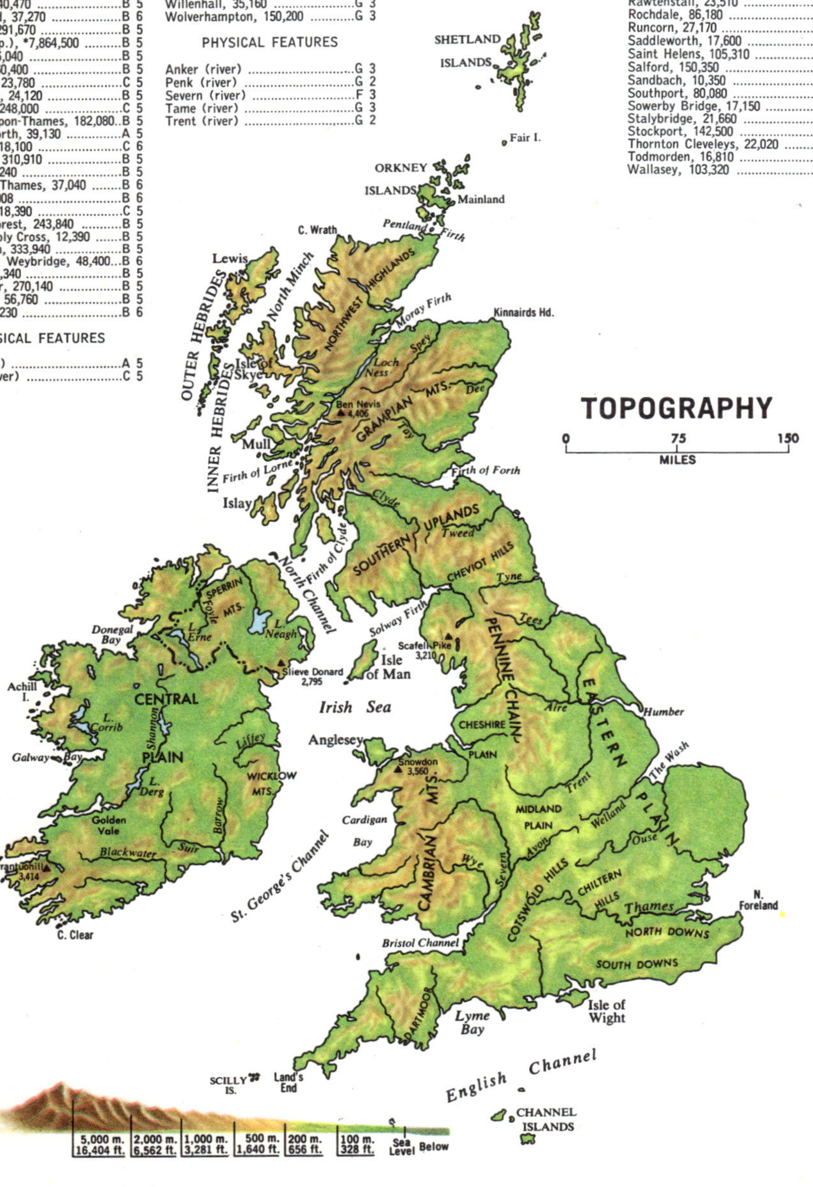

ENGLAND
- AREA 50,327 sq. mi.
- POPULATION 44,724,910
- CAPITAL London
- LARGEST CITY London (greater) 7,864,500
- HIGHEST POINT Scafell Pike 3,210 ft.

WALES
- AREA 8,017 sq. mi.
- POPULATION 2,676,390
- LARGEST CITY Cardiff 260,340
- HIGHEST POINT Snowdon 3,560 ft.

SCOTLAND
- AREA 30,411 sq. mi.
- POPULATION 5,206,400
- CAPITAL Edinburgh
- LARGEST CITY Glasgow (greater) 1,795,638
- HIGHEST POINT Ben Nevis 4,406 ft.

NORTHERN IRELAND
- AREA 5,459 sq. mi.
- POPULATION 1,458,000
- CAPITAL Belfast
- LARGEST CITY Belfast (greater) 528,700
- HIGHEST POINT Slieve Donard 2,795 ft.

GREATER LONDON
CITIES and TOWNS
- Banstead, 41,870 .... B 6
- Barking, 175,000 .... C 5
- Barnet, 317,910 .... B 5
- Bexley, 210,270 .... C 5
- Brent, 296,030 .... B 5
- Brentwood, 54,230 .... C 5
- Bromley, 305,640 .... C 5
- Bushey, 23,450 .... B 5
- Camden, 243,360 .... B 5
- Caterham and Warlingham, 36,350 .... B 6
- Chertsey, 42,870 .... B 6
- Cheshunt, 39,040 .... B 5
- Chigwell, 52,000 .... C 5
- Croydon, 328,890 .... B 6
- Dartford, 46,420 .... C 5
- Ealing, 304,740 .... B 5
- Egham, 31,470 .... B 5
- Enfield, 270,140 .... B 5
- Epping, 10,370 .... C 5
- Epsom and Ewell, 71,700 .... B 6
- Esher, 62,140 .... B 6
- Gravesend, 53,590 .... C 5
- Greenwich, 231,500 .... C 5
- Hackney, 254,720 .... B 5
- Hammersmith, 216,940 .... B 5
- Haringey, 257,640 .... B 5
- Harrow, 210,250 .... B 5
- Havering, 249,750 .... C 5
- Hillingdon, 232,520 .... B 5
- Hounslow, 208,170 .... B 5
- Islington, 259,160 .... B 5
- Kensington and Chelsea, 219,190 .... B 5
- Kingston-upon-Thames, 146,450 .... B 6
- Lambeth, 340,470 .... B 5
- Leatherhead, 37,270 .... B 6
- Lewisham, 291,670 .... B 5
- London (cap.) *7,864,500 .... B 5
- Merton, 186,040 .... B 5
- Newham, 260,400 .... B 5
- Northfleet, 23,780 .... C 5
- Potters Bar, 24,120 .... B 5
- Redbridge, 248,000 .... B 5
- Richmond-upon-Thames, 182,080 .... B 5
- Rickmansworth, 39,130 .... A 5
- Sevenoaks, 18,100 .... C 6
- Southwark, 310,910 .... B 5
- Staines, 53,240 .... B 5
- Sunbury-on-Thames, 37,040 .... B 6
- Sutton, 79,008 .... B 6
- Thurrock, 118,390 .... C 5
- Waltham Forest, 243,840 .... B 5
- Waltham Holy Cross, 12,390 .... B 5
- Wandsworth, 333,940 .... B 5
- Walton and Weybridge, 48,400 .... B 6
- Watford, 76,340 .... B 5
- Westminster, 270,140 .... B 5
- Wimbledon, 56,760 .... B 5
- Woking, 74,230 .... B 6

PHYSICAL FEATURES
- Colne (river) .... A 5
- Thames (river) .... C 5

BIRMINGHAM AREA
CITIES and TOWNS
- Aldridge, 58,890 .... G 3
- Bewdley, 5,190 .... F 3
- Bilston, 32,690 .... G 3
- Birmingham, 1,106,040 .... G 3
- Birmingham, *2,384,230 .... G 3
- Brewood, 5,751 .... F 2
- Brierley Hill, 59,510 .... G 3
- Bromsgrove, 36,790 .... G 3
- Brownhills, 28,700 .... G 2
- Burntwood, 112,085 .... G 2
- Burton-on-Trent, 50,540 .... G 2
- Cannock, 45,060 .... G 2
- Castle Bromwich, 9,205 .... G 3
- Coseley, 41,320 .... G 3
- Dudley, 63,890 .... G 3
- Halesowen, 45,190 .... G 3
- Kenilworth, 17,480 .... G 3
- Kidderminster, 43,450 .... G 3
- Lichfield, 18,130 .... G 2
- Oldbury, 54,180 .... G 3
- Redditch, 35,960 .... G 3
- Rugeley, 15,140 .... G 2
- Smethwick, 67,750 .... G 3
- Solihull, 99,300 .... G 3
- Stafford, 49,480 .... G 2
- Stourport-on-Severn, 13,400 .... G 3
- Sutton Coldfield, 87,980 .... G 3
- Swadlincote, 19,640 .... G 2
- Tamworth, 16,120 .... G 3
- Tipton, 37,990 .... G 3
- Walsall, 119,910 .... G 3
- Wednesbury, 34,760 .... G 3
- Wednesfield, 35,070 .... G 3
- West Bromwich, 97,600 .... G 3
- Willenhall, 35,160 .... G 3
- Wolverhampton, 150,200 .... G 3

PHYSICAL FEATURES
- Anker (river) .... G 3
- Penk (river) .... G 2
- Severn (river) .... F 3
- Tame (river) .... G 3
- Trent (river) .... G 2

LIVERPOOL-MANCHESTER AREA
CITIES and TOWNS
- Accrington, 38,510 .... G 1
- Altrincham, 41,250 .... G 2
- Ashton-under-Lyne, 49,380 .... G 2
- Bacup, 16,890 .... G 1
- Bakewell, 3,980 .... G 2
- Bebington, 54,070 .... F 2
- Birkenhead, 143,470 .... F 2
- Blackburn, 103,610 .... G 1
- Blackpool, 150,030 .... F 1
- Bollington, 5,700 .... G 2
- Bolton, 159,190 .... G 2
- Bootle, 83,040 .... F 2
- Bradford, 298,220 .... H 1
- Brierfield, 7,280 .... G 1
- Burnley, 79,250 .... G 1
- Burtonwood, 12,766 .... G 2
- Bury, 62,080 .... G 2
- Buxton, 19,030 .... G 2
- Cheadle and Gatley, 51,630 .... G 2
- Chester, 59,800 .... F 2
- Chorley, 31,060 .... G 1
- Clitheroe, 12,550 .... G 1
- Colne, 19,030 .... G 1
- Colne Valley, 21,140 .... G 1
- Congleton, 17,400 .... G 2
- Crewe, 52,950 .... G 2
- Crosby, 59,930 .... F 2
- Darwen, 29,110 .... G 1
- Dewsbury, 53,490 .... H 2
- Eccles, 42,530 .... G 2
- Ellesmere Port, 48,200 .... F 2
- Formby, 14,370 .... F 1
- Fulwood, 17,640 .... G 1
- Glossop, 18,690 .... G 2
- Halifax, 95,450 .... G 1
- Hebden Royd, 9,140 .... G 1
- Hoylake, 32,630 .... F 2
- Huddersfield, 132,270 .... G 2
- Hyde, 35,380 .... G 2
- Keighley, 56,190 .... H 1
- Kirkby, 57,360 .... F 2
- Kirkham, 6,020 .... F 1
- Knutsford, 10,010 .... G 2
- Leigh, 45,990 .... G 2
- Leyland, 20,670 .... G 1
- Litherland, 25,170 .... F 2
- Liverpool, 729,140 .... F 2
- Liverpool, *1,384,740 .... F 2
- Longridge, 5,120 .... G 1
- Lymm, 7,960 .... G 2
- Lytham Saint Anne's, 36,510 .... F 1
- Macclesfield, 38,540 .... G 2
- Manchester, 644,500 .... G 2
- Manchester, *2,448,960 .... G 2
- Marple, 19,920 .... G 2
- Middleton, 58,360 .... G 2
- Middlewich, 7,480 .... G 2
- Nantwich, 10,980 .... G 2
- Nelson, 31,540 .... G 1
- Neston, 13,980 .... F 2
- New Mills, 8,670 .... G 2
- Northwich, 19,460 .... G 2
- Ormskirk, 24,350 .... F 2
- Parbold, 1,976 .... F 1
- Poulton le Fylde, 14,670 .... F 1
- Preston, 110,390 .... F 1
- Rawtenstall, 23,510 .... G 1
- Rochdale, 86,180 .... G 1
- Runcorn, 27,170 .... G 2
- Saddleworth, 17,600 .... G 2
- Saint Helens, 105,310 .... F 2
- Salford, 150,350 .... G 2
- Sandbach, 10,350 .... G 2
- Southport, 80,080 .... F 2
- Sowerby Bridge, 17,150 .... G 2
- Stalybridge, 21,660 .... G 2
- Stockport, 142,500 .... G 2
- Thornton Cleveleys, 22,020 .... F 1
- Todmorden, 16,810 .... G 2
- Wallasey, 103,320 .... F 2
- Warrington, 75,110 .... F 2
- Whaley Bridge, 5,290 .... G 2
- Widnes, 53,670 .... F 2
- Wigan, 77,250 .... G 2
- Wilmslow, 26,700 .... G 2
- Winsford, 14,120 .... G 2
- Wirral, 24,060 .... F 2

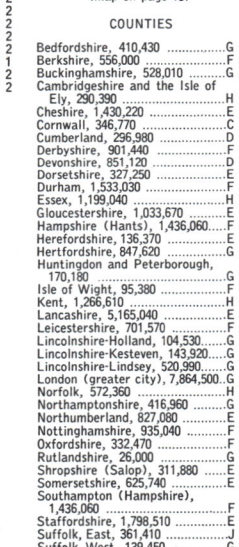

PHYSICAL FEATURES
- Dee (river) .... F 2
- Irish (sea) .... F 2
- Mersey (river) .... F 2
- Ribble (river) .... G 1

ENGLAND
(map on page 13)

COUNTIES
- Bedfordshire, 410,430 .... G 5
- Berkshire, 556,000 .... F 6
- Buckinghamshire, 528,010 .... G 6
- Cambridgeshire and the Isle of Ely, 290,390 .... H 5
- Cheshire, 1,430,220 .... E 4
- Cornwall, 346,770 .... C 7
- Cumberland, 296,980 .... D 3
- Derbyshire, 901,440 .... F 4
- Devonshire, 851,120 .... D 7
- Dorsetshire, 327,250 .... E 7
- Durham, 1,533,030 .... F 3
- Essex, 1,199,040 .... H 6
- Gloucestershire, 1,033,670 .... E 6
- Hampshire (Hants), 1,436,060 .... F 6
- Herefordshire, 136,370 .... E 5
- Hertfordshire, 847,620 .... G 6
- Huntingdon and Peterborough, 170,180 .... G 5
- Isle of Wight, 95,380 .... F 7
- Kent, 1,266,610 .... H 6
- Lancashire, 5,165,040 .... E 4
- Leicestershire, 701,570 .... F 5
- Lincolnshire-Holland, 104,530 .... G 5
- Lincolnshire-Kesteven, 143,920 .... G 5
- Lincolnshire-Lindsey, 520,990 .... G 4
- London (greater city), 7,864,500 .... G 6
- Norfolk, 572,350 .... H 5
- Northamptonshire, 416,960 .... G 5
- Northumberland, 827,080 .... E 2
- Nottinghamshire, 935,040 .... F 4
- Oxfordshire, 332,470 .... F 6
- Rutlandshire, 26,000 .... G 5
- Shropshire (Salop), 311,880 .... E 5
- Somersetshire, 625,740 .... E 6
- Southampton (Hampshire), 1,436,060 .... F 6
- Staffordshire, 1,798,510 .... E 5
- Suffolk, East, 361,410 .... J 5
- Suffolk, West, 139,450 .... G 7
- Surrey, 955,910 .... G 6
- Sussex, East, 692,510 .... H 7
- Sussex, West, 436,770 .... G 7
- Warwickshire, 2,082,250 .... F 5
- Westmorland, 66,600 .... E 3
- Wight, Isle of, 95,380 .... F 7
- Wiltshire, 457,100 .... F 6
- Worcestershire, 596,680 .... E 5
- Yorkshire-East Riding, 537,620 .... G 4
- Yorkshire-North Riding, 577,280 .... F 3
- Yorkshire-West Riding, 3,703,770 .... F 4

CITIES and TOWNS
- Abingdon, 15,680 .... F 6
- Accrington, 38,510 .... E 4
- Aldershot, 33,690 .... G 6
- Alfreton, 22,830 .... F 4
- Andover, 18,900 .... F 6
- Arnold, 29,380 .... F 4
- Ashford, 29,470 .... H 6
- Ashington, 26,600 .... F 2
- Aylesbury, 32,510 .... G 6
- Banbury, 23,080 .... F 5
- Barnet, 317,910 .... G 6
- Barnsley, 75,260 .... F 4
- Barnstaple, 16,280 .... D 6
- Barrow-in-Furness, 65,180 .... D 3
- Basildon, 103,110 .... H 6
- Basingstoke, 30,360 .... F 6
- Bath, 82,750 .... E 6
- Batley, 40,276 .... F 4
- Bedford, 66,430 .... G 5
- Bedlington Station (Bedlingtonshire), 30,670 .... D 3
- Bedworth, 34,890 .... F 5
- Beeston and Stapleford, 58,410 .... F 4
- Belper, 15,760 .... F 4
- Benfleet, 38,740 .... H 6
- Berwick-on-Tweed, 11,840 .... F 2
- Beverley, 16,530 .... G 4
- Bexhill-on-Sea, 31,300 .... H 7
- Bideford, 10,820 .... C 6
- Bilston, 32,690 .... E 5
- Birkenhead, 143,470 .... D 4
- Birmingham, 1,106,040 .... F 5
- Birmingham, *2,384,230 .... F 5
- Bishop Auckland, 34,960 .... F 3
- Bishop's Stortford, 20,490 .... H 6
- Blackburn, 103,610 .... E 4
- Blackpool, 150,030 .... D 4
- Blaydon-on-Tyne, 30,970 .... F 3
- Bletchley, 20,610 .... G 5
- Blyth, 36,320 .... F 2
- Bognor Regis, 29,620 .... G 7
- Bolsover, 11,800 .... F 4
- Bolton, 159,190 .... E 4
- Bootle, 83,040 .... D 4
- Boston, 25,060 .... H 5
- Bournemouth, 151,090 .... F 7
- Bradford, 298,220 .... F 4
- Braintree and Bocking, 21,060 .... H 6
- Brandon and Byshottles, 19,530 .... F 3
- Brentwood, 54,230 .... H 6
- Bridgwater, 26,300 .... D 6
- Bridlington, 26,250 .... G 3
- Brighouse, 31,830 .... F 4
- Brighton, 162,650 .... G 7
- Bristol, 432,070 .... E 6
- Brixham, 11,390 .... D 7
- Broadstairs and St. Peter's, 18,970 .... J 6
- Bromsgrove, 36,790 .... E 5
- Burgess Hill, 15,490 .... G 7
- Burnham-on-Sea, 10,480 .... E 6
- Burnley, 79,250 .... E 4
- Burton-on-Trent, 50,540 .... F 5
- Bury, 62,080 .... E 4
- Bury Saint Edmunds, 22,270 .... H 5
- Buxton, 19,390 .... F 4
- Cambridge, 98,390 .... H 5
- Cannock, 45,060 .... E 5
- Canterbury, 32,020 .... J 6
- Carlisle, 71,580 .... E 3
- Carlton, 40,240 .... F 4
- Castleford, 39,930 .... F 4
- Caterham and Warlingham, 36,350 .... G 6
- Chatham, 51,220 .... H 6
- Cheadle and Gatley, 51,630 .... F 5
- Chelmsford, 52,920 .... H 6
- Cheltenham, 74,910 .... F 6
- Chesham, 19,100 .... G 6
- Cheshunt, 39,040 .... G 6
- Chester, 59,800 .... E 4
- Chester-le-Street, 19,380 .... F 3
- Chesterfield, 69,590 .... F 4
- Chichester, 20,280 .... G 7
- Chippenham, 18,510 .... F 6
- Chorley, 31,060 .... E 4
- Christchurch, 28,000 .... F 7
- Cirencester, 12,640 .... F 6
- Clacton-on-Sea, 30,780 .... J 6
- Cleethorpes, 33,430 .... H 4
- Clevedon, 11,670 .... E 6
- Clitheroe, 12,550 .... E 4
- Coalville, 27,070 .... F 5
- Colchester, 68,290 .... H 6
- Colne, 19,030 .... E 4
- Congleton, 17,400 .... E 4
- Consett, 38,000 .... F 2
- Corby, 42,770 .... G 5
- Coventry, 315,670 .... F 5
- Cowes, 17,590 .... F 7
- Crawley, 59,000 .... G 6
- Crewe, 52,950 .... E 4
- Crook and Willington, 24,450 .... E 3
- Croydon, 328,890 .... G 6
- Cuckfield, 22,070 .... G 6
- Dalton-in-Furness, 10,360 .... D 3
- Darlington, 84,320 .... F 3
- Deal, 25,740 .... J 6
- Derby, 130,030 .... F 5
- Dewsbury, 53,490 .... F 4
- Doncaster, 87,100 .... F 4
- Dorchester, 13,200 .... E 7
- Dorking, 23,020 .... G 6
- Dover, 35,080 .... J 6
- Dunstable, 27,270 .... G 6
- Durham, 23,050 .... F 3
- Ealing, 304,740 .... G 6
- East Grinstead, 16,390 .... G 6
- East Retford, 18,290 .... G 4
- Eastbourne, 63,530 .... H 7
- Eastleigh, 39,970 .... F 7
- Ellesmere Port, 48,200 .... E 4
- Ely, 10,010 .... H 5
- Epping, 10,370 .... H 6
- Epsom and Ewell, 71,700 .... G 6
- Eston, 38,390 .... F 3
- Evesham, 12,980 .... F 5

(continued on following page)

United Kingdom and Ireland
(continued)

ENGLAND (continued)

Exeter, 81,810 D 7
Exmouth, 20,810 D 7
Falmouth, 17,320 C 7
Fareham, 68,690 F 7
Farnborough, 37,190 G 6
Farnham, 28,970 G 6
Faversham, 13,500 J 6
Felixstowe, 17,750 J 6
Fleet, 16,580 G 6
Fleetwood, 28,440 D 4
Folkestone, 43,470 J 6
Frinton and Walton, 10,770 J 6
Frome, 11,700 E 6
Gainsborough, 17,210 G 4
Gateshead, 101,760 F 3
Gillingham, 77,070 H 6
Glossop, 18,690 F 4
Gloucester, 71,650 E 6
Godalming, 17,590 G 6
Goole, 18,680 G 4
Gosport, 72,240 F 7
Grantham, 25,670 G 5
Gravesend, 53,590 H 6
Great Yarmouth, 52,720 J 5
Greenwich, 231,500 H 6
Grimsby, 95,300 H 4
Guildford, 54,090 G 6
Guisborough, 12,990 G 3
Halifax, 95,450 F 4
Haltemprice, 47,180 G 4
Harlow, 63,540 H 6
Harrogate, 58,230 F 4
Hartlepool, 18,100 F 3
Harwich, 14,150 J 6
Haslemere, 13,210 G 6
Haslingden, 14,210 E 4
Hastings, 66,690 H 7
Heanor, 24,190 F 5
Hemel Hempstead, 61,890 G 6
Hereford, 43,950 E 5
Herne Bay, 22,930 J 6
Hertford, 17,970 G 6
Hetton-le-Hole, 17,230 F 3
Heysham (Morecambe and Heysham), 40,570 D 3
High Wycombe, 54,060 G 6
Hinckley, 42,270 F 5
Hitchin, 24,990 G 6
Horsham, 23,250 G 6
Hove, 72,780 G 7
Hoylake, 32,630 D 4
Hucknall, 24,670 F 4
Huddersfield, 132,270 F 4
Hull (Kingston-upon-Hull), 300,320 G 4
Huntingdon and Godmanchester, 11,400 G 5
Hythe, 10,590 H 6
Ilkeston, 34,990 F 5
Ilkely, 18,960 F 4
Ipswich, 120,120 J 5
Jarrow, 26,770 F 3
Keighley, 56,190 F 4
Kendal, 18,730 E 3
Kenilworth, 17,480 F 5
Kettering, 38,840 G 5
Keynsham, 16,460 E 6
Kidderminster, 43,450 E 5
King's Lynn, 27,830 H 5
Kingston-upon-Hull (Hull), 300,320 G 4
Kingston-upon-Thames, 146,450 G 6
Kingswood, 27,640 E 6
Kirkby-in-Ashfield, 22,120 F 4
Knottingley, 13,320 F 4
Knutsford, 10,010 E 4
Lancaster, 47,860 E 3
Leamington (Royal Leamington Spa), 44,300 F 5
Leatherhead, 37,270 G 6
Leeds, 508,790 F 4
Leeds, *1,721,360 F 4
Leek, 19,100 E 4
Leicester, 267,050 G 5
Leigh, 46,360 G 6
Leighton Buzzard, 12,880 G 6
Letchworth, 26,560 G 6
Lewes, 13,890 H 7
Leyland, 20,670 E 4
Lichfield, 18,130 F 5
Lincoln, 77,180 G 4
Littlehampton, 17,060 G 7
Liverpool, 729,140 D 4
Liverpool, *1,384,740 D 4
London (cap.), 7,864,500 G 6
Long Eaton, 31,440 F 5
Loughborough, 39,270 F 5
Louth, 11,390 H 4
Lowestoft, 47,540 J 5
Luton, 147,770 G 6
Lymington, 30,610 F 7
Lytham Saint Anne's, 36,510 D 4
Macclesfield, 38,540 F 4
Maidenhead, 39,560 G 6
Maidstone, 62,300 H 6
Maldon, 11,330 H 6
Malvern, 28,030 E 5
Manchester, 644,500 E 4
Manchester, *2,448,960 E 4
Mangotsfield, 24,530 E 6
Mansfield, 54,670 F 4
March, 13,240 H 5
Margate, 47,260 J 6
Maryport, 12,220 D 3
Matlock, 19,390 F 4
Melton Mowbray, 16,850 G 5
Middlesbrough, 157,740 F 3
Morecambe and Heysham, 40,570 E 3
Morley, 42,590 F 4
Morpeth, 13,630 F 2
Nantwich, 10,980 E 4
Nelson, 31,540 E 4
New Windsor, 29,030 G 6
Newark, 24,780 G 4
Newbury, 21,380 F 6
Newcastle (Newcastle-under-Lyme), 77,000 E 5
Newcastle upon Tyne, 260,750 F 2
Newcastle upon Tyne, *853,300 F 2
Newham, 260,400 H 6
Newmarket, 11,460 H 5
Newport, 19,110 F 7
Newquay, 11,530 B 7
Newton Abbot, 18,650 D 7
Northampton, 106,120 G 5
Northfleet, 23,780 H 6
Northwich, 19,460 E 4
Norton-Radstock, 13,180 E 6
Norwich, 119,150 J 5
Nottingham, 311,850 F 5
Nuneaton, 60,010 F 5
Oakengates, 13,930 E 5
Old Fletton, 12,290 G 5
Oldham, 112,670 E 4
Ormskirk, 24,350 E 4
Oswestry, 11,940 E 5
Otley, 11,770 F 4
Oxford, 108,880 F 6
Paignton, 31,000 D 7
Penrith, 10,870 E 3
Penzance, 18,950 B 7
Peterborough, 64,770 G 5
Plymouth, 213,800 D 7
Pontefract, 28,320 F 4
Poole, 94,770 E 7
Portland, 11,800 E 7
Portslade, 17,520 G 7
Portsmouth, 221,470 G 7
Preston, 110,390 E 4
Prudhoe, 10,470 F 3
Ramsgate, 38,200 J 6
Rawmarsh, 19,600 F 4
Reading, 123,310 F 6
Redcar, 34,340 G 3
Redditch, 35,960 F 5
Reigate, 55,150 G 6
Ripley, 17,720 F 4
Ripon, 10,760 F 3
Rochdale, 86,180 E 4
Rochester, 52,360 H 6
Rotherham, 86,510 F 4
Rugby, 54,950 F 5
Rugeley, 15,140 E 5
Runcorn, 27,170 E 4
Rushden, 17,490 G 5
Ryde, 20,350 F 7
Saint Albans, 51,520 G 6
Saint Austell, 25,500 C 7
Saint Helens, 105,310 E 4
Salisbury, 35,800 F 6
Saltburn-by-the-Sea, 13,920 G 3
Sandbach, 10,350 E 4
Sandown-Shanklin, 13,510 F 7
Scarborough, 42,190 G 3
Scunthorpe, 69,600 G 4
Seaford, 14,030 H 7
Seaham, 25,470 F 3
Selby, 10,670 F 4
Sevenoaks, 18,100 H 6
Sheerness, 13,770 H 6
Sheffield, 490,930 F 4
Shildon, 13,940 F 3
Shipley, 29,800 F 4
Shoreham-by-Sea, 18,050 G 7
Shrewsbury, 51,130 E 5
Sidmouth, 10,680 D 7
Sittingbourne and Milton, 25,480 H 6
Skegness, 12,560 H 4
Skelton and Brotton, 13,330 G 3
Skipton, 13,140 E 3
Slough, 84,900 G 6
Smethwick, 67,750 F 5
South Shields, 108,770 F 3
Southampton, 208,710 F 7
Southend-on-Sea, 165,780 H 6
Southport, 80,080 D 4
Southwick, 11,790 G 7
Spalding, 15,180 G 5
Spennymoor, 18,820 F 3
Stafford, 49,480 F 5
Stalybridge, 21,660 F 4
Stamford, 12,650 G 5
Stockport, 142,500 E 4
Stockton-on-Tees, 83,330 F 3
Stoke-on-Trent, 263,910 E 4
Stourbridge, 45,910 E 5
Stourport-on-Severn, 13,400 E 5
Stratford-on-Avon, 17,400 F 5
Stretford, 60,270 E 4
Stroud, 18,030 E 6
Sunderland, 189,630 F 3
Sutton-in-Ashfield, 40,500 F 4
Swindon, 97,460 F 6
Tamworth, 16,120 F 5
Taunton, 36,840 D 6
Teignmouth, 11,640 D 7
Thornaby-on-Tees, 22,770 F 3
Thurrock, 118,390 H 6
Tiverton, 13,450 D 7
Tonbridge, 26,030 H 6
Torquay, 52,220 D 7
Trowbridge, 16,490 E 6
Truro, 14,240 C 7
Tunbridge Wells (Royal Tunbridge Wells), 41,280 H 6
Tynemouth, 71,890 F 2
Ulverston, 10,370 D 3
Wakefield, 60,130 F 4
Wallasey, 103,320 D 4
Wallsend, 49,320 F 2
Walsall, 119,910 F 5
Ware, 12,460 H 6
Warminster, 10,420 F 6
Warrington, 75,110 E 4
Warwick, 16,870 F 5
Watford, 76,340 G 6
Wednesbury, 34,760 E 5
Wellingborough, 31,910 G 5
Wellington, 15,580 E 5
Welwyn (Welwyn Garden City), 39,560 G 6
Wenlock, 15,050 E 5
West Bromwich, 97,600 F 5
West Hartlepool, 78,360 G 3
Weston-super-Mare, 43,620 E 6
Weymouth and Melcombe Regis, 42,130 E 7
Whitby, 12,340 G 3
Whitehaven, 27,500 D 3
Whitley Bay, 38,140 F 2
Whitstable, 20,340 J 6
Widnes, 53,670 E 4
Wigan, 77,250 E 4
Wigston, 24,240 G 5
Wilmslow, 26,700 E 4
Winchester, 30,310 F 6
Windsor (New Windsor), 29,030 G 6
Winsford, 14,120 E 4
Wisbech, 17,520 G 5
Witham, 10,190 H 6
Woking, 74,230 G 6
Wokingham, 14,620 F 6
Wolverhampton, 150,200 E 5
Wolverton, 13,040 G 5
Wombwell, 19,010 F 4
Worcester, 67,580 F 5
Workington, 29,770 D 3
Worksop, 35,400 F 4
Worthing, 80,580 G 7
Yeovil, 25,140 E 7
York, 105,230 F 4

PHYSICAL FEATURES

Aire (river) F 4
Avon (river) F 5
Avon (river) F 6
Axe Edge (mt.) F 4
Beachy (head) H 7
Bigbury (bay) C 7
Blackwater (river) J 6
Bridlington (bay) G 3
Bristol (channel) C 6
Brown Willy (mt.) C 7
Carter Fell (mt.) E 2
Cheviot (hills) E 2
Cornish Heights (hills) B 7
Cotswold (hills) E 6
Cross Fell (mt.) E 3
Cumbrian (mts.) D 3
Dartmoor (forest) C 7
Dee (river) D 4
Derwent (river) G 4
Don (river) F 4
Dorset Heights (hills) E 7
Dover (strait) J 6
Dukeries, The (dist.) F 4
Dungeness (prom.) J 7
East Anglian Heights (hills) H 5
Eddystone (rocks) C 7
Eden (river) E 3
English (channel) D 8
Esk (river) D 2
Exmoor (forest) D 6
Flamborough (head) H 3
Formby (head) D 4
Foulness (isl.), 316 J 6
Hartland (point) C 6
High Will Hays (mt.) C 7
Holy (Lindisfarne) (isl.), 190 F 2
Humber (river) H 4
Land's End (prom.) B 7
Liddel Water (river) F 2
Lincoln Wolds (hills) G 4
Lindisfarne (Holy) (isl.), 190 F 2
Little Ouse (river) H 5
Lizard (head) B 8
Lundy (isl.), 32 C 6
Lune (river) E 3
Lyme (bay) E 7
Manacles, The (rocks) C 7
Mendip (hills) E 6
Mersea (isl.), 3,416 J 6
Morte (point) C 6
Mounts (bay) B 8
Naze, The (prom.) J 6
Nene (river) H 5
New Forest (dist.) F 7
Nidd (river) F 3
North Foreland (prom.) J 6
North Tyne (river) E 2
Orfordness (prom.) J 5
Ouse (river) F 3
Ouse (river) H 5
Parrett (river) E 6
Peak, The (mt.) F 4
Peel Fell (mt.) E 2
Pennine (range) E 3
Portland (pen.) E 7
Prawle (point) D 7
Ribble (river) D 4
Saint Austell (bay) C 7
Saint Bees (head) D 3
Saint Mary's (isl.), 1,736 A 8
Scafell Pike (mt.) D 3
Scilly (isls.), 2,288 A 8
Selsey Bill (point) G 7
Severn (river) E 6
Sheppey (isl.), 27,211 H 6
Skiddaw (mt.) D 3
Sclent (channel) F 7
Solway (firth) D 3
South Downs (hills) G 7
South Tyne (river) E 3
Spithead (channel) F 7
Spurn (head) H 4
Swale (river) F 3
Tamar (river) C 7
Tees (river) F 3
Thames (river) H 6
Till (river) F 2
Trent (river) G 4
Tresco (isl.), 283 A 7
Trevose (head) B 7
Tweed (river) E 2
Tyne (river) F 3
Ure (river) F 3
Walney (isl.), 9,811 D 3
Wash, The (bay) H 4
Waveney (river) J 5
Wear (river) F 3
Wharfe (river) F 4
Widemouth (bay) C 7
Wight (isl.), 95,752 F 7
Witham (river) G 4
Wye (river) D 5
Yare (river) J 5

WALES

COUNTIES

Anglesey, 53,650 C 4
Breconshire, 54,320 D 6
Caernarvonshire, 119,820 C 5
Cardiganshire, 53,250 C 5
Carmarthenshire, 166,600 C 6
Denbighshire, 176,840 D 4
Flintshire, 155,150 D 4
Glamorganshire, 1,244,290 D 6
Merionethshire, 38,870 D 5
Monmouthshire, 456,230 E 6
Montgomeryshire, 43,720 D 5
Pembrokeshire, 95,350 C 6
Radnorshire, 18,300 D 5

CITIES and TOWNS

Aberayron, 1,220 C 5
Aberdare, 38,910 D 6
Abergavenny, 9,770 E 6
Abergele, 9,000 D 4
Abertillery, 24,760 E 6
Aberystwyth, 9,920 C 5
Amlwch, 3,270 C 4
Ammanford, 6,250 C 6
Bala, 1,640 D 5
Bangor, 14,200 C 4
Barmouth, 2,270 C 5
Barry, 42,460 D 6
Beaumaris, 1,930 C 4
Bethesda, 4,160 C 4
Betws-y-Coed, 770 C 4
Brecknock, 5,890 D 6
Bridgend, 15,180 D 6
Brynmawr, 6,410 D 6
Builth Wells, 1,600 D 5
Burry Port, 5,920 C 6
Caerleon, 5,390 E 6
Caernarvon, 9,170 C 4
Caerphilly, 36,890 D 6
Cardiff, 260,340 E 6
Cardigan, 3,850 C 5
Carmarthen, 12,820 C 6
Chepstow, 7,460 E 6
Colwyn Bay, 23,490 D 4
Conway, 11,430 D 4
Cowbridge, 1,140 D 6
Criccieth, 1,620 C 5
Cwmamman, 4,200 D 6
Denbigh, 8,370 D 4
Dolgellau, 2,490 D 5
Ebbw Vale, 28,100 D 6
Ffestiniog, 6,560 D 5
Fishguard and Goodwick, 4,940 B 6
Flint, 14,040 D 4
Goodwick (Fishguard and Goodwick), 4,940 B 5
Haverfordwest, 8,870 C 6
Hay, 1,320 D 5
Holyhead, 10,560 C 4
Holywell, 8,560 D 4
Kidwelly, 2,910 C 6
Knighton, 1,810 D 5
Lampeter, 2,080 C 5
Llandeilo, 1,930 C 6
Llandovery, 2,020 D 6
Llandrindod Wells, 3,160 D 5
Llandudno, 16,490 D 4
Llanelly, 29,270 C 6
Llanfairfechan, 3,010 C 4
Llanfyllin, 1,230 D 5
Llangefni, 3,300 C 4
Llangollen, 3,000 D 5
Llanidloes, 2,350 D 5
Llanrwst, 2,490 D 4
Llwchwr, 25,260 D 6
Machynlleth, 1,810 D 5
Menai Bridge, 2,230 C 4
Merthyr Tydfil, 58,310 D 6
Milford Haven, 12,960 B 6
Mold, 7,350 D 4
Monmouth, 5,820 E 6
Montgomery, 970 D 5
Mountain Ash, 29,510 D 6
Narberth, 1,050 C 6
Neath, 30,520 D 6
New Quay, 950 C 5
Newcastle Emlyn, 660 C 6
Newport, 107,590 E 6
Newtown, 5,490 D 5
Neyland, 2,180 C 6
Pembroke, 13,410 B 6
Penarth, 21,350 D 6
Penmaenmawr, 3,840 C 4
Pontypool, 39,000 E 6
Pontypridd, 35,160 D 6
Port Talbot, 51,750 D 6
Porthcawl, 11,880 D 6
Portmadoc, 3,930 C 5
Prestatyn, 12,070 D 4
Presteigne, 1,210 D 5
Pwllheli, 3,750 C 5
Rhondda, 99,130 D 6
Rhyl, 21,570 D 4
Risca, 15,200 D 6
Ruthin, 3,740 D 4
Swansea, 170,160 C 6
Tenby, 4,470 C 6
Towyn, 4,110 C 5
Welshpool, 6,460 D 5
Wrexham, 36,300 E 4

PHYSICAL FEATURES

Bardsey (isl.), 17 C 5
Berwyn (mts.) D 5
Braich-y-Pwll (prom.) C 5
Bristol (channel) E 5
Cader Idris (mts.) D 5
Caldy (isl.), 61 C 6
Cambrian (mts.) D 5
Cardigan (bay) C 5
Carmel (head) C 4
Clwyd (river) D 4
Dee (river) D 4
Gower (pen.), 12,656 C 6
Great Ormes (head) C 4
Holyhead (Holy) (isl.), 12,550 C 4
Lleyn (pen.), 20,394 C 5
Menai (strait) C 4
Pencilan (head) C 5
Plynlimmon (mt.) D 5
Ramsey (isl.) B 6
Saint Brides (bay) B 6
Saint David's (head) B 6
Saint George's (channel) B 5
Saint Gowans (head) B 6
Severn (river) D 5
Skerries (isls.) C 4
Skomer (isl.) B 6
Snowdon (mt.) D 4
Swansea (bay) C 6
Teifi (river) C 5
Towy (river) D 6
Tremadoc (bay) C 5
Usk (river) D 6
Wye (river) D 5

ISLE OF MAN
Total Population 48,000

CITIES and TOWNS

Douglas (cap.), 18,821 C 3
Onchan, 3,281 C 3
Peel, 2,483 C 3
Ramsey, 3,789 C 3

PHYSICAL FEATURES

Ayre (point) C 3
Calf of Man (isl.) B 3
Langness (prom.) C 3
Snaefell (mt.) C 3
Spanish (head) C 4

CHANNEL ISLANDS
Total Population 112,000

CITIES and TOWNS

Saint Anne, Alderney, †1,472 E 8
Saint Helier (cap.), Jersey, 26,594 E 8
Saint Peter Port (cap.), Guernsey, 15,706 E 8
Saint Sampson's, Guernsey, †5,917 E 8

PHYSICAL FEATURES

Alderney (isl.), 1,472 E 8
Guernsey (isl.), 45,028 E 8
Herm (isl.), 9,847 E 8
Jersey (isl.), 63,550 E 8
Sark (isl.), 560 E 8

*City and suburbs.
†Population of parish.

SCOTLAND
(map on page 15)

COUNTIES

Aberdeen, 321,426 L 5
Angus, 280,156 K 6
Argyll, 59,646 F 7
Ayr, 347,389 H 9
Banff, 46,041 K 5
Berwick, 22,044 L 8
Bute, 13,602 F 8
Caithness, 28,493 J 3
Clackmannan, 42,320 J 7
Dumfries, 88,472 J 9
Dunbarton, 197,437 G 7
East Lothian, 52,637 L 8
Fife, 321,110 K 7
Forfar (Angus), 280,156 K 6
Inverness, 81,165 G 5
Kincardine, 25,739 M 6
Kinross, 6,525 K 7
Kirkcudbright, 28,354 H 9
Lanark, 1,606,568 J 8
Midlothian, 592,033 K 8
Moray, 51,076 K 5
Nairn, 8,413 J 5
Orkney, 18,424 K 1
Peebles, 13,559 K 8
Perth, 126,912 H 7
Renfrew, 349,809 G 8
Ross and Cromarty, 57,568 F 4
Roxburgh, 42,946 L 9
Selkirk, 20,563 K 9
Stirling, 197,434 H 7
Sutherland, 13,313 G 3
West Lothian, 98,849 J 8
Wigtown, 28,658 G10
Zetland, 17,719 M 3

CITIES and TOWNS

Abbotsford L 8
Aberchirder, 797 L 4
Aberdeen, 185,034 N 5
Aberfeldy, 1,526 J 6
Aberfoyle, †1,316 H 7
Aberlour, 1,026 K 5
Abernethy, 580 K 7
Aboyne, ▲1,555 L 5
Acharacle, ▲314 E 6
Achiltibuie, ▲197 F 3
Achnasheen F 4
Airdrie, 34,911 D 2
Alexandria, ◉3,285 B 2
Alford, †1,180 L 5
Alloa, 13,989 E 1
Alloway G 9
Alness, †1,040 H 4
Alva, 4,074 J 7
Alyth, 1,803 K 6
Annan, 5,831 K10
Applecross, ▲254 E 5
Arbroath, 20,063 L 6
Ardgour, ▲179 F 6
Ardrishaig F 8
Ardrossan G 8
Ardvasar E 5
Arinagour C 6
Arisaig, ▲682 E 6
Armadale, 6,457 E 2
Arrochar, †740 G 7
Auchinleck, ▲5,890 H 9
Auchterarder, 2,440 J 7
Auchtermuchty, 1,399 K 7
Auldearn, ◉556 J 4
Aultbea E 4
Aviemore J 5
Avoch, †1,252 H 4
Ayr, 45,697 G 9
Ayton, ▲1,053 M 8
Badachro E 4
Badcall F 3
Ballachulish, ▲1,039 F 6
Ballantrae, †861 F 9
Ballater, 1,125 K 5
Balmaha C 1
Balmoral Castle, ▲377 K 5
Balquhidder, †637 H 7
Baltasound M 2
Banavie F 6
Banchory, 1,972 M 5
Banff, 3,318 L 4
Bannockburn, ◉3,090 D 1
Barr, †469 G 9
Barrhead, 16,129 C 2
Barvas, ▲3,703 D 3
Bathgate, 13,467 J 8
Bearsden, 19,902 C 2
Beauly, ◉1,387 G 5
Beith, †6,712 B 2
Bellshill, ▲24,569 D 2
Berriedale, ◉322 K 3
Bettyhill H 3
Biggar, 1,863 J 8
Birsay, ▲839 K 1
Bishopbriggs, 15,967 D 2
Blair-Atholl, ▲1,162 J 6
Blairgowrie and Rattray, 5,192 J 6
Blantyre, ▲17,506 D 2
Boddam N 5
Bonar Bridge, ▲927 H 4
Bo'ness, 13,262 J 7
Bonhill, ◉4,005 B 2
Bonnybridge, ◉7,192 D 2
Bonnyrigg and Lasswade, 6,737 K 8
Bower, †675 K 3
Bowmore, ▲1,289 D 8
Bracadale, ▲246 D 5
Braemar, ▲478 K 5
Brechin, 7,065 L 6
Bridge of Allan, 3,613 D 1
Broadford, ▲1,180 E 5
Brodick, ▲1,188 F 8
Brora J 3
Buckhaven and Methil, 20,600 L 7
Buckie, 7,695 L 4
Bunessan D 7
Burghead, 1,422 J 4
Burntisland, 5,945 K 7
Burravoe N 2
Cairn Ryan G10
Callander, 1,792 H 7
Cambuslang, †22.942 D 2
Campbeltown, 6,610 E 9
Cannich, ▲136 G 5
Canonbie, †1,354 K 9
Cargill, †1,215 K 7
Carloway, ▲628 C 3
Carluke, †11,929 E 2
Carnoustie, 5,472 L 6
Carnwath, 2,562 J 8
Carsphairn, †238 H 9
Carstairs Jct., †2,656 J 8
Castlebay, ◉1,032 B 6
Castle Douglas, 3,260 H10
Cawdor, ◉249 J 5
Ceres, †1,298 L 7
Chirnside, †1,111 M 8
Clackmannan, †3,030 J 7
Closeburn, †1,173 J 9
Clydebank, 50,385 C 2
Coatbridge, 54,688 D 2
Cockburnspath, †635 M 8
Cockenzie and Port Seton, 3,534 L 8
Coldingham, ▲1,674 M 8
Coldstream, 1,231 M 8
Colmonell, ▲705 G 9
Corpach F 6
Coupar Angus, 2,042 K 6
Cove and Kilcreggan, 962 B 1
Cowdenbeath, 11,438 K 7
Coylton, ▲1,617 H 9
Craignure E 7
Crail, 1,082 L 7
Crawford, ▲787 J 9
Creetown, ▲269 H10
Crieff, 5,661 J 7
Crinan E 7
Cromarty, 623 J 4
Cullen, 1,347 L 4
Cults, ◉3,910 M 5
Cumbernauld, 11,450 D 2
Cumnock and Holmhead, 5,709 H 9
Cupar, 5,958 K 7
Dalbeattie, 3.103 J10
Dalkeith, 9,058 K 8
Dalmally G 7
Dalmellington, ▲5,595 H 9
Dalry, Ayr, †6,507 B 2
Dalry, Kirkcudbright, †752 H 9
Dalwhinnie H 6
Darvel, 3,204 H 8
Daviot, †683 H 5
Denny and Dunipace, 8,017 D 1
Dingwall, 3,912 H 4
Dores, †512 H 5
Dornoch, 975 H 4
Douglas, ▲3,004 J 8
Doune, 791 H 7
Drummore G10
Dufftown, 1,528 K 5
Dumbarton, 26,496 B 2
Dumfries, 27,574 J 9
Dunbar, 4,292 M 8
Dunbeath, ◉402 K 3
Dunblane, 3,410 D 1
Dundee, 185,228 K 7
Dundonald, ▲2,187 H 8
Dunfermline, 49,555 J 7
Dunkeld, †733 J 6
Dunnet, †681 K 2
Dunnottar, ▲388 M 6
Dunoon, 9,308 A 2
Duns, 1,939 M 8
Dunscore, †876 J 9
Dunvegan D 5
Durness, ▲373 G 2
Dyce, †1,898 M 5
Earlston, †1,831 L 8
East Kilbride, 39,150 C 2
East Linton, 900 L 7
Ecclefechan K 9
Edderton, †376 H 4
Eddleston, †488 K 8
Edinburgh (cap.), 473,270 K 8
Edzell, †889 L 6
Elderslie, ◉5,476 C 2
Elgin, 12,277 K 4
Elie and Earlsferry, 930 L 7
Ellon, 1,485 M 5
Elvanfoot J 9
Eriboll G 3
Errol, †1,833 K 7
Ettrick, ▲218 K 9
Evanton H 4
Ewes, †183 K 9
Eyemouth, 2,197 M 8
Falkirk, 38,042 E 1
Fearn, †1,261 J 4
Fetteresso, ◉757 M 6
Findhorn K 4
Findochty, 1,300 K 4
Findon M 5
Fochabers, ◉1,193 K 4
Ford F 7
Fordoun, †1,377 M 6
Forfar, 10,150 L 6
Forres, 4,799 K 4
Fort Augustus, ▲887 G 5
Fort William, 2,775 F 6
Fortingall, ▲263 H 6
Fortrose, 930 H 4
Fraserburgh, 10,729 N 4
Gairloch, ◉758 E 4
Galashiels, 12,269 L 8
Galston, 3,991 H 8
Gardenstown, ◉986 M 4
Garelochhead, ◉2,276 A 1
Gatehouse-of-Fleet, 806 H10
Girvan, 6,194 G 9
Glamis, †753 L 6
Glasgow, 1,018,582 D 2
Glasgow, *1,795,638 D 2
Glenbarr E 8
Glenelg, ▲290 E 5
Glenisla, ▲250 K 6
Glenluce, †1,778 G10
Glenrothes, 16,000 K 7
Golspie, ◉1,167 H 4
Gourock, 10,169 B 2
Grangemouth, 20,425 J 8
Grantown-on-Spey, 1,597 J 5
Greenlaw, ◉778 M 8
Greenock, 74,492 A 2
Gretna Green, ◉1,930 K 9
Haddington, 5,645 L 8
Halkirk, †1,474 K 3
Hamilton, 43.967 D 2
Harris, ▲1,503 C 4
Hawick, 16,178 L 9
Helensburgh, 9,882 B 1
Helmsdale K 3
Hillswick M 2
Hobkirk, †568 L 9
Hopeman, ◉1,126 K 4
Howmore, ▲937 A 5
Huntly, 3,841 L 5
Hurlford, ▲1,000 H 8
Hutton, †469 K 9
Innerleithen, 2,261 K 8
Insch, †1,348 L 5
Insh, ▲1,189 J 5
Inveraray, 511 F 7
Inverbervie, 931 M 6
Invergordon, 1,780 M 4
Inverie, ▲128 E 5
Inverkeilor, †947 M 6
Inverkeithing, 3,978 K 7
Inverness, 30,266 H 5
Inverurie, 5,277 M 5
Irvine, 18,951 G 8
Jamestown, ◉5,692 C 1
Jedburgh, 3,679 M 9
John O'Groat's K 2
Johnshaven M 6
Johnstone, 19,876 B 2
Keiss, ▲553 K 2
Keith, 4,227 L 4
Kelso, 3,915 M 8
Kentallen F 6
Kilbarchan, ◉3,910 B 2
Kilbirnie, †8,733 B 2
Kilbride, ▲1,358 F 7
Kildonan, †1,207 J 3
Kildrummy, †273 L 5
Kilfinan, †1,095 F 8
Killin, ▲863 H 7
Kilmacolm, †4,528 B 2
Kilmarnock, 48,273 G 8
Kilmelfort, ▲148 F 7
Kilmonivaig, ▲968 G 6
Kilmory, ▲482 F 9
Kilmuir, ▲365 D 5
Kilninian, ▲285 D 6
Kilrenny and Anstruther, 2,905 L 7
Kilsyth, 9,687 D 2
Kilwinning, 7,468 G 8
Kincardine, ▲579 H 4
Kincardine O'Neil, †1,531 L 5
Kingussie, 1,031 H 5
Kinloch Rannoch H 6
Kinlochbervie, ▲451 G 3
Kinlochleven, ◉616 G 6
Kinross, 2,345 K 7
Kintail, ▲324 F 5
Kintore, 794 M 5
Kirkcaldy, 51,996 K 7
Kirkcolm, †1,017 F10
Kirkcowan, †695 G10
Kirkcudbright, 2,563 H10
Kirkintilloch, 19,587 C 2
Kirkoswald, ▲1,836 G 9
Kirkpatrick, †934 K 9
Kirkwall, 4,293 K 2
Kirriemuir, 3,855 L 6
Kyle of Lochalsh E 5
Laggan, †551 H 5
Lairg, †1,049 H 3
Lamlash, ◉687 F 8
Lanark, 8,369 J 8
Langholm, 2,360 K 9
Larbert, ◉3,627 D 1
Largs, 8,893 B 2
Larkhall, ▲16,996 D 2
Latheron, ◉409 K 3
Lauder, 612 L 8
Laurencekirk, 1,436 M 6
Leith, 51,378 K 8
Lennoxtown, ◉3,161 C 2
Lerwick, 5,729 N 3
Leslie, 3,301 K 7
Lesmahagow, ▲8,322 H 8
Leuchars, †3,631 L 7
Leven, 8,739 L 7
Leverburgh, ▲990 C 4
Linlithgow, 4,819 K 8
Lochaline E 6
Lochboisdale, ▲1,406 B 5
Lochbroom, ◉1,400 F 4
Lochcarron, †707 E 5
Lochgelly, 8,772 K 7
Lochgilphead, 1,275 F 7
Lochinver F 3
Lochmaben, 1,286 J 9
Lochmaddy, ◉865 B 4
Lochranza, ◉283 F 8
Lochwinnoch, †3,885 B 2
Lockerbie, 2,890 K 9
Logierait, ▲914 J 6
Lossiemouth and Branderburgh, 6,109 K 4
Loth, †207 J 3
Luss, ▲451 B 1
Lybster, ◉826 K 3
Macduff, 3,520 M 4
Mallaig E 5
Markinch, 2,444 K 7
Marykirk, †1,076 M 6
Mauchline, †4,453 H 8
Maybole, 4,657 G 9
Meigle, †1,001 K 6
Melness H 3
Melrose, 2,189 L 8
Melvaig E 4
Melvich H 2
Methlick, †1,254 M 5
Methven, †1,530 J 7
Mid Yell N 2
Millport, 1,279 A 2
Milngavie, 9,097 C 2
Moffat, 2,002 K 9
Moniaive J 9
Monifieth, 3,665 L 7
Montrose, 10,783 M 6
Motherwell and Wishaw, 76,249 D 2
Moulin, ▲586 J 6
Muirkirk, †3,657 H 9
Musselburgh, 17,805 L 8
Muthill, †1,197 J 7
Nairn, 4,985 J 4
Neilston, ◉3,340 C 2
New Abbey, †773 J10
Newarthill, ◉6,755 D 2
Newburgh, Aberdeen N 2
Newburgh, Fife, 2,293 K 7
New Cumnock, †6,927 H 9
New Deer, ▲2,620 M 5
New Galloway, 337 H 9
Newmilns and Greenholm, 3,433 H 8
Newport on Tay, 3,382 L 7
Newton-Stewart, 1,949 G10
Nigg, †454 J 4
North Berwick, 3,860 L 7
Oban, 6,554 F 7
Old Meldrum, 1,087 M 5
Orphir, †507 K 2
Oykell Bridge, ▲120 G 4
Paisley, 96,637 C 2
Peebles, 5,416 K 8
Penicuik, 6,578 K 8
Perth, 41,497 J 7
Peterhead, 13,097 N 4
Pierowall K 1
Pitlochry, 2,445 J 6
Pittenweem, 1,568 L 7
Plockton E 5
Poolewe, ◉1,013 E 4
Port Appin F 6
Portaskaig D 8
Port Ellen D 8
Port Erroll N 5
Port Glasgow, 22,524 B 2
Portknockie, 1,189 L 4
Portlethen, ▲932 M 5
Portmahomack, †608 J 4
Portobello, 27,141 K 8
Port of Ness D 3
Portpatrick, †1,061 F10
Portree, ▲1,753 D 5
Portsoy, 1,739 L 4
Port William G10
Prestonpans, 3,183 L 8
Prestwick, 12,501 G 9
Queensferry, 3,067 K 8
Quendale M 3
Rackwick K 2
Reay, †865 J 2
Renfrew, 18,234 C 2
Renton, ◉4,011 B 2
Rhynie, †597 L 5
Rogart, †463 H 3
Rosehearty, 1,114 M 4
Rosneath, ▲794 A 1
Rothes, 1,087 K 4
Rothesay, 6,934 F 8
Rothiemay, †678 L 4
Rutherglen, 26,023 C 2
Ruthwell, †563 K 9
Saddell, ▲638 E 8

(continued on page 14)

ENGLAND and WALES

CONIC PROJECTION

SCALE OF MILES
0   10   20   40   60   80

SCALE OF KILOMETRES
0   10   20   40   60   80

Capitals of Countries ☆
Other Capitals ⊙
Administrative Centers △
County Boundaries
Canals

Copyright by C.S. Hammond & Co., N.Y.

United Kingdom and Ireland
(continued)

SCOTLAND (continued)

Saint Andrews, 10,350 .... L 7
Saint Boswells, †1,353 .... L 8
Saint Combs .... N 4
Saint Cyrus, †997 .... M 6
Saint Margaret's Hope .... L 2
Saint Mary's .... L 2
Salen, ▲393 .... E 7
Saltcoats, 14,353 .... G 8
Sandness, ▲180 .... M 3
Sandwick, ▲1,171 .... N 3
Sanquhar, 2,133 .... J 9
Scalasaig .... D 7
Scalloway .... M 3
Scarinish .... C 7
Scone, ◉2,977 .... K 7
Scourie, ▲288 .... F 3
Scrabster, ◉503 .... J 2
Selkirk, 5,571 .... L 8
Shieldaig, ▲304 .... E 5
Shotts, ▲9,466 .... E 2
Skipness, ▲163 .... F 8
Snizort, ▲607 .... D 5
Stevenston, 10,632 .... G 8
Stewarton, 3,411 .... H 8
Stirling, 27,503 .... D 1
Stonehaven, 4,430 .... M 6
Stonehouse, †4,051 .... M 8
Stoneykirk, †1,701 .... G10
Stornoway, 5,248 .... C 3
Stow, †1,099 .... L 8
Strachur, †580 .... F 7
Stranraer, 9,355 .... G10
Strathaven .... H 8
Strathdon, †656 .... L 5
Strichen, ▲6,577 .... M 4
Stromness, 1,593 .... K 2
Strontian, ▲227 .... E 6
Tain, 1,721 .... H 4
Talisker .... C 5
Tarbert, ▲421 .... F 8
Tarbert (Harris), ▲1,503 .... C 4
Tarland, †638 .... L 5
Tayport, 3,044 .... L 7
Thornhill, ◉1,411 .... J 9
Thurso, 9,190 .... K 2
Tillicoultry, 4,039 .... J 7
Tobermory, 634 .... D 6
Tomdoun .... F 5
Tomintoul, ▲355 .... K 5
Tongue, †707 .... H 3
Torridon .... F 5
Tranent, 6,427 .... L 8
Traquair, †394 .... K 8
Troon, 9,955 .... G 8
Turriff, 2,768 .... M 4
Tweedsmuir, †153 .... J 9
Uig, Inverness .... D 4
Uig, Ross and Cromartv, ▲907 .... B 3
Ullapool, ◉1,138 .... F 4
Voe .... M 3
Walls, ▲372 .... M 3
West Calder, ◉1,058 .... K 8
West Kilbride, †4,396 .... G 8
West Linton, †1,618 .... K 8
Whitburn, 7,791 .... E 2
Whithorn, 1,020 .... H10
Wick, 7,545 .... K 3
Wigtown, 1,201 .... H10
Yarrow, †342 .... K 8
Yetholm, †651 .... M 8

PHYSICAL FEATURES

Abbey (head) J10
A'Chralaig (mt.) .... F 5
Affric (lake) .... G 5
Ailsa Craig (isl.), 10 .... F 9
Aird (pt.) .... D 4
Almond (riv.) .... J 7
Alness (riv.) .... H 4
Alsh (inlet) .... E 5
Annan (riv.) .... K 9
Appin (dist.), 429 .... F 6
Ardgour (dist.), 299 .... F 6
Ardivachar (pt.) .... A 5
Ardle (riv.) .... K 6
Ardnamurchan (dist.), 772 .... D 6
Ardnamurchan (pt.) .... D 6
Argyll (dist.), 4,900 .... F 7
Arisaig (dist.), 682 .... E 6
Arisaig (sound) .... E 6
Arkaig (lake) .... F 6
Arran (isl.), 3,450 .... F 8
Ascrib (isls.) .... C 4
Askival (mt.) .... D 6
Assynt (dist.), 800 .... F 3
Assynt (lake) .... G 3
Auskerry (isl.), 3 .... M 1
Avon (riv.) .... K 5
Awe (lake) .... F 7
Ayr (riv.) .... H 9
Badenoch (dist.), 6,473 .... H 6
Baleshare (isl.), 59 .... A 4
Barra (head) .... A 6
Barra (isl.), 1,369 .... A 5
Barra (isls.), 1,467 .... B 6
Barra (passg.) .... B 6
Barra (sound) .... A 5
Battock (mt.) .... L 6
Beauly (firth) .... H 5
Beauly (riv.) .... H 5
Beinn Bheigeir (mt.) .... D 8
Bell Rock (isl.), 3 .... M 7
Ben Alder (mt.) .... G 6
Ben Avon (mt.) .... K 5
Benbecula (isl.), 1,358 .... A 5
Benbecula (sound) .... A 5
Ben Dearg (mt.) .... G 4
Benderloch (dist.) .... F 7
Beneveian (lake) .... G 5
Ben Griam More (mt.) .... H 3
Ben Hee (mt.) .... G 3
Ben Hope (mt.) .... G 3
Ben Klibreck (mt.) .... H 3
Ben Lawers (mt.) .... H 6
Ben Macdhui (mt.) .... J 5
Ben Mhor (mt.) .... B 5
Ben More (mt.), Argyll .... E 7
Ben More (mt.), Perth .... G 7
Ben More Assynt (mt.) .... G 3
Ben Nevis (mt.) .... F 6
Ben Vorlich (mt.) .... H 7
Ben Wyvis (mt.) .... G 4
Berneray (isl.), 3 .... A 6
Berneray (isl.), 201 .... B 4
Black Isle (dist.), 5,673 .... H 4
Blackwater (res.) .... G 6
Boisdale (inlet) .... B 5
Boreray (isl.), 5 .... B 4
Boreray (isl.) .... B 8
Bracadale (inlet) .... C 5
Braemar (dist.), 5,091 .... K 5
Bran (falls) .... J 6
Breadalbane (dist.) .... H 7
Bressay (isl.), 300 .... N 3
Brims Ness (prom.) .... J 2
Broad (bay) .... D 3
Broad Law (mt.) .... K 9
Broom (inlet) .... F 4
Brora (riv.) .... H 3
Brough (head) .... K 1
Brough Ness (prom.) .... L 2
Buchan (dist.), 53,172 .... M 4
Buchan Ness (prom.) .... N 5
Buddon Ness (prom.) .... L 7
Burrow (head) H10
Bute (isl.), 8,784 .... F 8
Bute (sound) .... F 8
Butt of Lewis (prom.) .... D 3
Cairn Gorm (mt.) .... J 5
Cairngorm (mts.) .... J 5
Cairnsmore (mt.) .... H 9
Cairntoul (mt.) .... J 5
Caledonian (canal) .... G 5
Canna (isl.), 24 .... C 5
Canna (sound) .... C 6
Caolisport (inlet) .... E 8
Carn Eige (mt.) .... F 5
Carn Mor (mt.) .... K 5
Carrick (dist.), 21,867 .... G 9
Carron (inlet) .... E 5
Carron (river) .... G 4
Cellar (head) .... D 3
Cheviot (hills) .... L 9
Clar Nan (lake) .... J 3
Clisham (mt.) .... C 4
Clyde (falls) .... J 8
Clyde (firth) .... F 9
Clyde (river) .... G 8
Cnoc Moy (mt.) .... E 9
Coire (lake) .... H 3
Coll (isl.), 147 .... C 6
Colonsay (isl.), 164 .... C 6
Conon (river) .... H 4
Copinsay (isl.), 3 .... L 2
Corryvreckan (gulf) .... E 7
Corsewall (pt.) .... F 9
Cowal (dist.), 16,808 .... F 7
Creag Meagaidh (mt.) .... G 6
Cree (river) .... G 9
Creran (inlet) .... F 7
Cromarty (firth) .... H 4
Cuillin (hills) .... D 5
Cuillin (sound) .... D 5
Cumbraes (isls.), 1,329 .... A 2
Dee (riv.) .... H 9
Dee (riv.) .... M 5
Dennis (head) .... M 1
Deveron (riv.) .... L 5
Dhuheartach (isl.), 3 .... C 7
Don (riv.) .... L 5
Doon (lake) .... G 9
Doon (riv.) .... G 9
Dornoch (firth) .... J 4
Duich (inlet) .... F 5
Duirinish (dist.), 1,070 .... C 5
Dulnain (riv.) .... J 5
Dun (isl.) .... B 8
Duncansby (head) .... L 2
Dunnet (bay) .... J 2
Dunnet (head) .... J 2
Dunvegan (head) .... C 4
Dunvegan (inlet) .... C 4
Durness, Kyle of (inlet) .... G 2
Earn (lake) .... H 7
Earn (riv.) .... J 7
East Loch Tarbert (inlet) .... C 4
Eck (lake) .... F 7
Eday (isl.), 200 .... L 1
Eddrachillis (bay) .... F 3
Eden (riv.) .... L 7
Egilsay (isl.), 54 .... L 1
Eigg (isl.), 74 .... D 6
Eigg (sound) .... D 6
Eil (inlet) .... F 6
Eishort (inlet) .... D 5
Enard (bay) .... F 3
Eport (inlet) .... B 4
Eriboll (inlet) .... G 2
Ericht (lake) .... H 6
Eriskay (isl.), 231 .... B 5
Erisort (inlet) .... D 3
Esk (riv.) .... L 9
Etive (inlet) .... F 7
Ettrick Pen (mt.) .... K 9
Ewe (inlet) .... E 4
Eye (pen.) .... D 3
Eynhallow (sound) .... K 1
Eynort (inlet) .... B 5
Fair (isl.), 64 .... L 3
Fannich (lake) .... F 4
Farrar (riv.) .... G 5
Fetlar (isl.), 100 .... N 2
Fife Ness (prom.) .... L 7
Findhorn (riv.) .... J 5
Fionn (lake) .... F 4
Fladdachuain (isl.) .... D 4
Flannan (isls.), 3 .... A 3
Fleet (inlet) .... J 4
Foinaven (mt.) .... G 3
Formartine (dist.), 15,010 .... M 5
Forth (firth) .... L 7
Forth (riv.) .... H 7
Forth and Clyde (canal) .... H 8
Foula (isl.), 54 .... L 3
Foyers (falls) .... H 5
Fyne (inlet) .... F 8
Gair (inlet) .... E 4
Gairloch (dist.), 1,750 .... E 4
Gallan (head) .... B 3
Galloway (dist.), 57,012 .... H10
Galloway, Mull of (prom.) G10
Garioch (dist.), 7,950 .... L 5
Garry (lake) .... G 5
Garry (riv.) .... J 6
Gasker (isl.) .... B 4
Gigha (isl.), 163 .... E 8
Gigha (passg.) .... E 8
Gigha (sound) .... E 8
Girdle Ness (prom.) .... N 5
Glas Maol (mt.) .... K 6
Glass (lake) .... G 4
Glass (riv.) .... G 5
Glenelg (dist.), 413 .... E 5
Goat Fell (mt.) .... F 8
Grampian (mts.) .... G 6
Great Bernera (isl.), 317 .... C 3
Greenstone (pt.) .... E 4
Grimsay (isl.), 239 .... B 5
Gruinard (bay) .... E 4
Gruinard (dist.) .... F 4
Gruinart (inlet) .... D 8
Gulvain (mt.) .... F 6
Gunna (isl.) .... C 6
Gunna (sound) .... C 6
Halladale (riv.) .... J 3
Handa (isl.) .... F 3
Harris (dist.), 2,493 .... C 4
Harris (sound) .... B 4
Haskeir (isls.) .... A 4
Hebrides (isls.), 49,234 .... A 5
Hebrides, Inner (isls.), 16,625 .... D 5
Hebrides, Outer (isls.), 32,609 .... A 5
Hebrides (sea) .... C 5
Helmsdale (riv.) .... J 3
Herma Ness (prom.) .... M 2
Holm (sound) .... L 2
Holy (isl.), 7 .... F 9
Holy Loch (inlet) .... F 8
Hope (lake) .... G 3
Hourn (inlet) .... F 5
Hoy (isl.), 511 .... K 2
Hoy (sound) .... K 2
Hynish (bay) .... C 7
Inchard (inlet) .... F 3
Inchkeith (isl.), 3 .... K 7
Indaal (inlet) .... D 8
Inner (sound) .... E 5
Inner Hebrides (isls.), 16,625 .... D 5
Inver (inlet) .... F 3
Iona (isl.), 130 .... D 7
Iona (sound) .... D 7
Isla (riv.) .... K 6
Islay (isl.), 3,850 .... D 8
Islay (sound) .... D 8
Jura (isl.), 249 .... E 7
Jura (sound) .... E 7
Katrine (lake) .... G 7
Keal, Na (inlet) .... D 7
Kebock (head) .... D 3
Kilbrennan (sound) .... F 9
Kinnairds (head) .... N 4
Kintyre (dist.), 11,660 .... E 9
Kintyre, Mull of (prom.) .... E 9
Knapdale (dist.), 2,711 .... E 8
Knoydart (dist.), 1,234 .... E 5
Kyle (dist.) .... H 9
Laggan (bay) .... D 8
Lammermuir (hills) .... L 8
Langavat (lake) .... C 3
Laxford (inlet) .... F 3
Lennox (hills) .... C 1
Leven (inlet) .... F 6
Leven (lake) .... K 7
Lewis (dist.), 21,548 .... C 3
Lewis, Butt of (prom.) .... D 3
Liddel Water (riv.) .... L 9
Linnhe (inlet) .... F 6
Lismore (isl.), 155 .... F 7
Little Minch (sound) .... C 4
Lochaber (dist.), 7,591 .... F 6
Lochalsh (dist.), 1,651 .... E 5
Lochnager (mt.) .... K 6
Lochy (lake) .... G 6
Lomond (lake) .... G 7
Long (inlet) .... B 1
Longa (isl.) .... E 4
Lorne (dist.), 12,656 .... F 7
Lorne (firth) .... E 7
Lothians (dist.) .... K 8
Loyal (lake) .... H 3
Lubnaig (lake) .... H 7
Luce (bay) G10
Lyon (riv.) .... H 6
Maddy (inlet) .... B 4
Mainland (isl.), 13,282 .... N 3
Mainland (Pomona) (isl.), 13,495 .... K 1
Mam Soul (mt.) .... F 5
Mar (dist.), 16,918 .... E 4
Maree (lake) .... F 4
May (isl.), 7 .... M 7
Merrick (mt.) .... H 9
Mhor (lake) .... H 5
Minginish (dist.), 578 .... D 5
Mingulay (isl.) .... A 6
Moidart (dist.), 247 .... E 6
Monach (isls.) .... A 4
Monach (sound) .... A 4
Monadhliath (mts.) .... H 5
Monar (lake) .... F 5
Morar (dist.), 1,106 .... E 6
Morar (lake) .... E 6
Moray (firth) .... J 4
More (lake) .... G 3
Moriston (riv.) .... G 5
Morven (dist.), 420 .... E 6
Morven (mt.) .... J 3
Muck (isl.), 29 .... D 6
Muirnag (hill) .... D 3
Mull (head) .... L 1
Mull (head) .... L 2
Mull (isl.), 2,234 .... E 7
Mull (sound) .... E 7
Nairn (riv.) .... J 5
Na Keal (inlet) .... D 7
Nan Clar (lake) .... J 3
Naver (lake) .... H 3
Naver (riv.) .... H 3
Neave (isl.) .... H 2
Neist (pt.) .... C 5
Ness (lake) .... H 5
Ness (riv.) .... H 5
Nevis (inlet) .... E 5
Nith (riv.) .... J 9
North (chan.) .... E 9
North (sound) .... L 1
North Esk (riv.) .... L 6
North Minch (sound) .... E 3
North Ronaldsay (firth) .... M 1
North Ronaldsay (isl.), 150 .... M 1
North Uist (isl.), 1,620 .... A 4
Noss (head) .... L 3
Noup (head) .... K 1
Oa, Mull of (prom.) .... D 8
Ochil (hills) .... J 7
Oich (riv.) .... G 5
Oigh Sgeir (isl.), 3 .... C 6
Oldany (isl.) .... F 3
Orchy (riv.) .... G 7
Orkney (isls.), 18,424 .... J 1
Oronsay (isl.), 2 .... D 7
Oronsay (passg.) .... D 7
Orrin (riv.) .... G 5
Outer Hebrides (isls.), 32,609 .... A 5
Oykell (riv.) .... G 4
Pabbay (isl.) .... A 6
Pabbay (isl.), 2 .... B 4
Papa Stour (isl.), 55 .... L 3
Papa Westray (isl.), 139 .... L 1
Paps of Jura (peaks) .... E 8
Park (dist.), 797 .... C 3
Peel Fell (mt.) .... L 9
Pentland (firth) .... K 2
Pladda (isl.), 6 .... F 9
Pomona (isl.), 13,495 .... K 1
Priest (isl.) .... E 4
Queensberry (mt.) .... J 9
Quoich (lake) .... F 5
Raasay (isl.), 211 .... D 5
Raasay (sound) .... D 5
Rannoch (dist.), 832 .... H 6
Rannoch (lake) .... H 6
Rattray (head) .... N 4
Renish (pt.) .... C 4
Resort (inlet) .... B 3
Rhinns (pt.) .... C 8
Rhu Coigach (cape) .... E 3
Roag (inlet) .... C 3
Roan (isl.) .... H 2
Rona (isl.) .... B 7
Rona (isl.), 49 .... D 4
Ronay (isl.) .... B 5
Ross of Mull (pen.), 471 .... D 7
Rousay (isl.), 237 .... K 1
Rudha Hunish (cape) .... D 4
Rudh Re (cape) .... E 4
Rum (isl.), 40 .... D 6
Rum (sound) .... D 6
Ryan (inlet) .... F 9
Saint Abb's (head) .... M 8
Saint Andrews (bay) .... L 7
Saint Kilda (isl.), 65 .... B 8
Saint Magnus (bay) .... M 3
Saint Mary's Loch (lake) .... K 9
Sanda (isl.), 7 .... E 9
Sanday (isl.), Inverness .... D 5
Sanday (isl.), Orkney, 650 .... M 1
Sanday (sound) .... L 1
Sandray (isl.) .... B 6
Scalpay (isl.), 470 .... C 4
Scalpay (isl.), 2 .... E 5
Scapa Flow (chan.) .... K 2
Scarba (isl.), 5 .... E 7
Scarp (isl.), 46 .... B 3
Scavaig (inlet) .... D 5
Scradain (inlet) .... D 7
Scurdie Ness (prom.) .... M 6
Seaforth (inlet) .... C 4
Sgurr a Choir Ghlais (mt.) .... G 5
Sgurr Mor (mt.) .... F 4
Sgurr Na Ciche (mt.) .... F 5
Sgurr Na Lapaich (mt.) .... F 5
Shapinsay (isl.), 400 .... L 1
Shee Water (riv.) .... J 6
Shell (inlet) .... D 4
Shetland (isls.), 17,719 .... M 3
Shiant (isls.) .... D 4
Shiel (lake) .... E 6
Shin (falls) .... H 4
Shin (lake) .... G 3
Shona (isl.), 11 .... E 6
Sidlaw (hills) .... K 6
Sinclair's (bay) .... K 2
Skeir Graitich (isl.) .... D 4
Skerryvore (isl.), 3 .... B 7
Skye (isl.), 7,400 .... D 5
Sleat (dist.), 523 .... E 5
Sleat (pt.) .... D 5
Sleat (sound) .... E 5
Small (isls.), 170 .... C 6
Snizort (inlet) .... D 4
Soa (isl.) .... C 6
Soay (isl.) .... A 8
Soay (isl.), 11 .... D 5
Solway (firth) J10
South Esk (riv.) .... K 6
South Ronaldsay (isl.), 980 .... L 2
South Uist (isl.), 2,376 .... A 5
Spean (riv.) .... G 6
Spey (riv.) .... K 4
Staffa (isl.) .... D 7
Staffin (bay) .... D 4
Start (pt.) .... M 1
Stinchar (riv.) .... G 9
Stoer (pt.) .... F 3
Stornoway (harb.) .... D 3
Storr, The (mt.) .... D 4
Strathbogie (dist.), 9,152 .... L 5
Strathmore (dist.) .... J 7
Strathy (pt.) .... H 2
Stroma (isl.), 12 .... K 2
Stronsay (firth) .... L 1
Stronsay (isl.), 500 .... M 1
Sulisker (isl.) .... B 7
Sumburgh (head) .... M 3
Summer (isls.) .... E 3
Sunart (inlet) .... E 6
Swona (isl.), 3 .... K 2
Taransay (isl.), 5 .... B 4
Tarbat Ness (prom.) .... J 4
Tarbert (inlet) .... D 8
Tay (firth) .... L 7
Tay (lake) .... H 7
Tay (riv.) .... K 7
Teith (riv.) .... H 7
Teviot (riv.) .... L 9
Texa (isl.) .... D 8
Thurso (riv.) .... J 3
Tilt (riv.) .... J 6
Tiree (isl.), 993 .... C 6
Tirry (riv.) .... H 3
Tiumpan (head) .... D 3
Toe (head) .... B 4
Tolsta (head) .... D 3
Ton Mhor (pt.) .... C 8
Tongue, Kyle of (inlet) .... G 2
Tor Ness (prom.) .... K 2
Torridon (inlet) .... E 4
Treig (lake) .... G 6
Treshnish (isls.) .... C 7
Trodday (isl.) .... D 4
Trossachs, The (valley) .... H 7
Trotternish (dist.), 389 .... D 4
Troup (head) .... M 4
Tuath (inlet) .... D 7
Tummel (falls) .... J 6
Tummel (river) .... J 6
Turnberry (pt.) .... G 9
Tweed (riv.) .... M 8
Tyne (riv.) .... M 7
Ugie (riv.) .... N 4
Ulva (isl.), 28 .... D 7
Unst (isl.), 1,200 .... N 2
Vallay (isl.) .... A 4
Vaternish (dist.), 198 .... C 4
Vaternish (pt.) .... C 4
Vatersay (isl.), 95 .... A 6
Voil (lake) .... G 7
Watten (lake) .... K 3
West Burra (isl.), 561 .... M 3
West Loch Tarbert (inlet) .... B 4
Westray (firth) .... K 1
Westray (isl.), 872 .... K 1
Whalsay (isl.), 764 .... N 3
Whiten (head) .... G 2
Wiay (isl.) .... B 5
Wide (firth) .... L 1
Wigtown (bay) H10
Wrath (cape) .... F 2
Yarrow Water (riv.) .... L 8
Yell (isl.), 1,150 .... M 2
Yell (sound) .... M 2
Ythan (riv.) .... M 5

*City and suburbs.
†Population of parish.
▲Population of subdistrict or division.
◉Population of district.

AGRICULTURE, INDUSTRY and RESOURCES

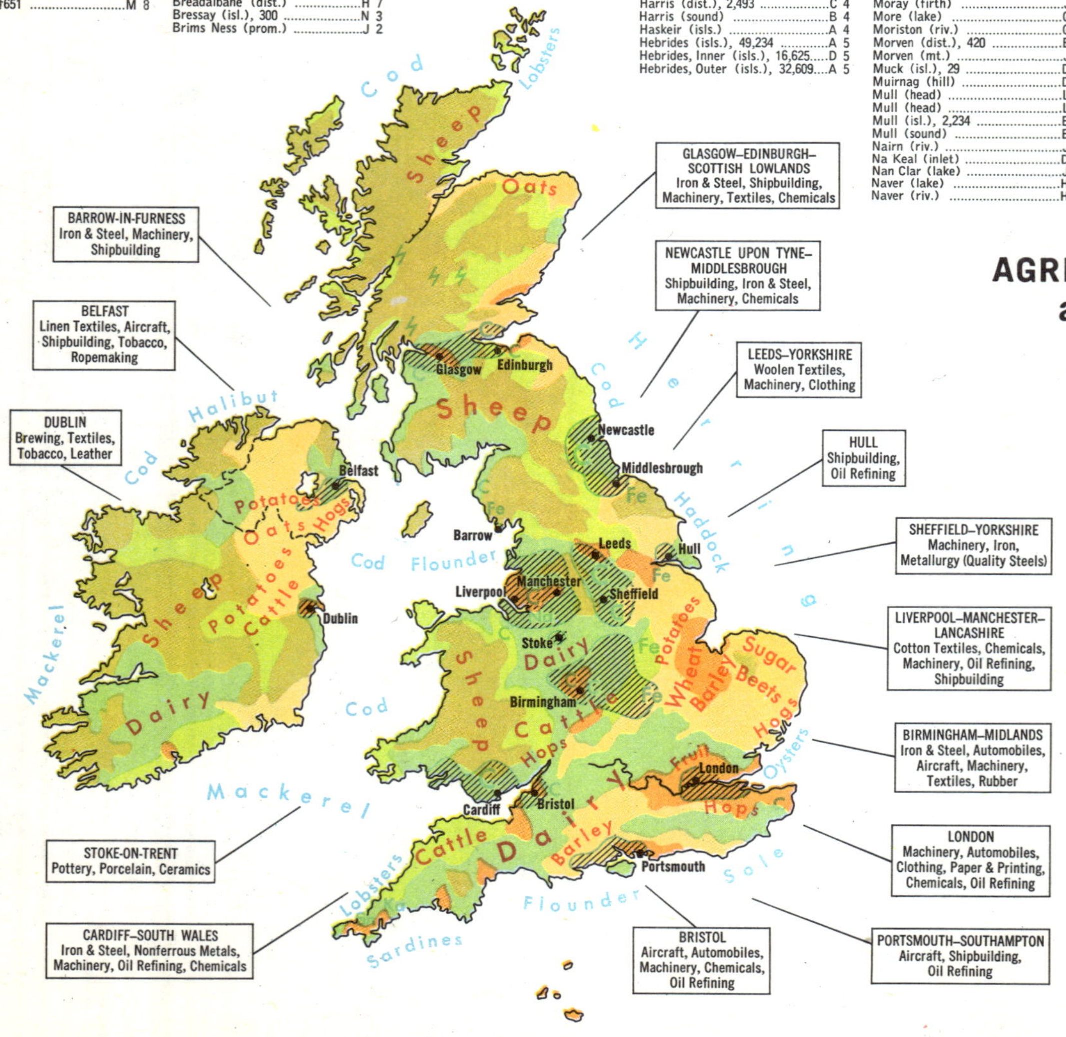
GLASGOW–EDINBURGH–SCOTTISH LOWLANDS
Iron & Steel, Shipbuilding, Machinery, Textiles, Chemicals
BARROW-IN-FURNESS
Iron & Steel, Machinery, Shipbuilding
NEWCASTLE UPON TYNE–MIDDLESBROUGH
Shipbuilding, Iron & Steel, Machinery, Chemicals
BELFAST
Linen Textiles, Aircraft, Shipbuilding, Tobacco, Ropemaking
LEEDS–YORKSHIRE
Woolen Textiles, Machinery, Clothing
DUBLIN
Brewing, Textiles, Tobacco, Leather
HULL
Shipbuilding, Oil Refining
SHEFFIELD–YORKSHIRE
Machinery, Iron, Metallurgy (Quality Steels)
LIVERPOOL–MANCHESTER–LANCASHIRE
Cotton Textiles, Chemicals, Machinery, Oil Refining, Shipbuilding
BIRMINGHAM–MIDLANDS
Iron & Steel, Automobiles, Aircraft, Machinery, Textiles, Rubber
STOKE-ON-TRENT
Pottery, Porcelain, Ceramics
LONDON
Machinery, Automobiles, Clothing, Paper & Printing, Chemicals, Oil Refining
CARDIFF–SOUTH WALES
Iron & Steel, Nonferrous Metals, Machinery, Oil Refining, Chemicals
BRISTOL
Aircraft, Automobiles, Machinery, Chemicals, Oil Refining
PORTSMOUTH–SOUTHAMPTON
Aircraft, Shipbuilding, Oil Refining
Cod
Lobsters
Sheep
Oats
Herring
Glasgow
Edinburgh
Newcastle
Middlesbrough
Halibut
Belfast
Potatoes
Oats
Hogs
Cod
Flounder
Haddock
Barrow
Leeds
Hull
Manchester
Liverpool
Sheffield
Dublin
Cattle
Mackerel
Dairy
Stoke
Birmingham
Sugar
Beets
Wheat
Barley
Hops
Fruit
London
Oysters
Cardiff
Bristol
Portsmouth
Sardines
Sole
Fe
C

DOMINANT LAND USE

- Cereals (chiefly oats, barley)
- Truck Farming, Horticulture
- Dairy, Mixed Farming
- Livestock, Mixed Farming
- Pasture Livestock

MAJOR MINERAL OCCURRENCES

- C — Coal
- Fe — Iron Ore
- Ka — Kaolin (china clay)
- Na — Salt
- Sn — Tin
- Water Power
- Major Industrial Areas

SCOTLAND

CONIC PROJECTION

United Kingdom and Ireland

(continued)

IRELAND

COUNTIES

Carlow, 33,342 ... H 6
Cavan, 56,594 ... G 4
Clare, 73,702 ... D 6
Cork, 330,443 ... D 7
Galway, 149,887 ... D 5
Donegal, 113,842 ... F 2
Dublin, 718,332 ... J 5
Kerry, 116,458 ... B 7
Kildare, 64,402 ... H 5
Kilkenny, 61,663 ... G 6
Laoighis, 45,069 ... G 6
Leitrim, 33,470 ... E 3
Leix (Laoighis), 45,069 ... G 6
Limerick, 133,339 ... D 7
Longford, 30,643 ... F 4
Louth, 67,378 ... J 4
Mayo, 123,330 ... C 4
Meath, 65,122 ... H 4
Monaghan, 47,088 ... H 3
Offaly, 51,533 ... F 5
Roscommon, 59,217 ... E 4
Sligo, 53,561 ... D 3
Tipperary, 123,822 ... F 6
Waterford, 71,439 ... F 7
Westmeath, 52,861 ... G 5
Wexford, 83,303 ... H 7
Wicklow, 58,473 ... J 5

CITIES and TOWNS

Abbeydorney, 164 ... B 7
Abbeyfeale, 1,272 ... C 7
Abbeylara, 113 ... F 4
Abbeyleix, 1,085 ... G 6
Achill Sound, 277 ... B 4
Aclare, 117 ... D 3
Adare, 590 ... D 6
Aghadoe, †371 ... C 7
Aghagower, †558 ... C 4
Ahascragh, 234 ... E 5
Annagassan, 194 ... J 4
Annascaul, 212 ... B 7
An Uaimh, 3,998 ... H 4
Ardagh, Limerick, 122 ... C 7
Ardagh, Longford, 102 ... F 4
Ardara, 547 ... E 2
Ardee, 2,710 ... H 4
Ardfinnan, 428 ... F 7
Ardmore, 290 ... F 8
Ardrahan, †266 ... D 5
Arklow, 5,390 ... J 6
Arthurstown, 136 ... H 7
Arva, 512 ... F 4
Ashford, 309 ... J 5
Askeaton, 706 ... D 6
Athboy, 680 ... H 4
Athea, 299 ... C 7
Athenry, 1,266 ... D 5
Athleague, 132 ... E 4
Athlone, 9,624 ... F 5
Athy, 3,842 ... H 6
Aughrim, 528 ... J 6
Avoca, 248 ... J 6
Bagenalstown (Muinebeag), 2,071 ... H 6
Baile Atha Cliath (Dublin) (cap.), 537,448 ... K 5
Bailieborough, 1,136 ... G 4
Balbriggan, 2,943 ... J 4
Balla, 324 ... C 4
Ballaghaderreen, 1,308 ... E 4
Ballina, 6,027 ... C 3
Ballinagh, 389 ... G 4
Ballinakill, 315 ... G 6
Ballinamore, 793 ... F 3
Ballinasloe, 5,711 ... E 5
Ballincollig, 960 ... D 8
Ballindine, 222 ... C 4
Ballingarry, Limerick, 360 ... D 7
Ballingarry, Tipperary, 209 ... F 6
Ballinlough, 252 ... D 4
Ballinrobe, 1,165 ... C 4
Ballintober, †938 ... E 4
Ballintra, 250 ... E 2
Ballisodare, 529 ... E 3
Ballybay, 716 ... G 3
Ballybofey, 1,030 ... F 2
Ballybunion, 1,163 ... B 7
Ballycanew, 168 ... J 6
Ballycarney, †309 ... J 6
Ballycastle, 191 ... C 3
Ballyconnell, 592 ... F 3
Ballycotton, 412 ... F 8
Ballydehob, 303 ... C 8
Ballydesmond, 178 ... C 7
Ballyduff, 379 ... B 7
Ballygar, 315 ... E 4
Ballyhaunis, 1,174 ... D 4
Ballyheigue, 417 ... B 7
Ballyjamesduff, 581 ... G 4
Ballylanders, 280 ... E 7
Ballylongford, 594 ... B 6
Ballymahon, 830 ... F 4
Ballymakeery-Ballyvourney, 321 ... C 8
Ballymore, 179 ... F 5
Ballymore Eustace, 348 ... J 5
Ballymote, 965 ... D 3
Ballynacargy, 288 ... G 4
Ballyporeen, 270 ... E 7
Ballyragget, 478 ... G 6
Ballyroan, 122 ... G 6
Ballyshannon, 2,322 ... E 3
Ballytore, 269 ... H 5
Ballyvaughn, 152 ... C 5
Balrothery, 102 ... J 4
Baltimore, 188 ... C 9
Baltinglass, 116 ... H 6
Banagher, 1,050 ... F 5
Bandon, 2,308 ... D 8
Bannow, †820 ... H 7
Bantry, 2,234 ... C 8
Barna, 143 ... C 5
Belmullet, 724 ... B 3
Belturbet, 1,093 ... G 3
Birr, 3,221 ... F 5
Blackrock, Cork, †18,721 ... E 8
Blackrock, Dublin, 12,396 ... J 5
Blackwater, 216 ... J 7
Blarney, 995 ... D 8
Blessington, 491 ... J 5
Borris, 413 ... H 6
Borrisokane, 750 ... E 6
Boyle, 1,739 ... E 4
Bray (Brí Chualann), 11,688 ... K 5
Bruff, 545 ... D 7
Bunclody-Carrickduff, 891 ... H 6
Buncrana, 2,960 ... G 1
Bundoran, 1,326 ... E 3
Bunmahon, 265 ... G 7
Burtonport, 224 ... E 2
Buttevant, 981 ... D 7
Cahir, 1,662 ... F 7
Cahirciveen, 1,659 ... A 8
Callan, 1,346 ... G 7
Cappamore, 501 ... E 6
Cappawhite, 318 ... E 6
Cappoquin, 806 ... F 7
Carbury, †926 ... H 5
Carlingford, 471 ... J 3
Carlow, 7,708 ... H 6
Carndonagh, 1,016 ... G 1
Carnew, 551 ... H 6
Carrick, 153 ... D 2
Carrickmacross, 1,940 ... H 4
Carrick-on-Shannon, 1,497 ... F 4
Carrick-on-Suir, 4,672 ... F 7
Carrigaholt, 160 ... B 6
Carrigallen, 202 ... F 4
Carrigart, 196 ... F 1
Carrowkeel, 118 ... G 1
Cashel, 2,679 ... F 7
Castlebar, 5,482 ... C 4
Castlebellingham, 656 ... J 4
Castleblayney, 2,127 ... H 3
Castlebridge, 181 ... J 7
Castlecomer-Donaguile, 1,129 ... G 6
Castledermot, 551 ... H 6
Castlefin, 565 ... F 2
Castlegregory, 235 ... A 7
Castleisland, 1,718 ... B 7
Castlemaine, 171 ... B 7
Castlepollard, 778 ... G 4
Castlerea, 1,568 ... D 4
Castletown, 264 ... F 6
Castletownbere, 721 ... B 8
Castletownroche, 381 ... D 7
Castletownshend, 177 ... C 9
Cavan, 3,208 ... G 3
Ceanannus Mór, 2,193 ... G 4
Celbridge, 1,305 ... H 5
Charlestown-Bellahy, 727 ... D 4
Charleville (Rathluirc), 1,956 ... D 7
Clara, 2,477 ... F 5
Claregalway, 627 ... D 5
Claremorris, 1,519 ... C 4
Clashmore, 175 ... F 8
Clifden, 1,025 ... B 5
Cloghan, 399 ... G 6
Clogh-Chatsworth, 303 ... F 5
Clogheen, 576 ... F 7
Clogherhead, 585 ... J 4
Clonakilty, 2,417 ... D 8
Clonaslee, 275 ... F 5
Clondalkin, 3,434 ... J 5
Clones, 2,107 ... G 3
Clonfert, †465 ... E 5
Clonmacnoise, †411 ... F 5
Clonmany, 238 ... G 1
Clonmel, 10,640 ... F 7
Clonroche, 193 ... H 7
Cloon, 106 ... F 4
Cloughjordan, 479 ... E 6
Cloyne, 612 ... E 8
Coachford, 275 ... D 8
Cóbh, 5,266 ... E 8
Coill Dubh, 645 ... H 5
Collooney, 553 ... E 3
Cong, 178 ... C 4
Convoy, 616 ... F 2
Coolaney, 124 ... D 3
Coole, 344 ... G 4
Coolgreany, 124 ... J 6
Cootehill, 1,296 ... G 3
Cork, 77,980 ... E 8
Corofin, 362 ... C 6
Courtmacsherry, 205 ... D 8
Courtown Harbour-Riverchapel, 396 ... J 6
Crookhaven, 62 ... B 9
Croom, 720 ... D 6
Crosshaven, 858 ... E 8
Crossmolina, 777 ... C 3
Crusheen, †475 ... D 6
Culdaff, 108 ... G 1
Cullen, 113 ... C 7
Daingean, 679 ... G 5
Dalkey, 5,754 ... J 5
Delvin, 165 ... G 4
Dingle, 1,460 ... A 7
Doaghbeg, †795 ... F 1
Donabate, 318 ... J 5
Donegal, 1,458 ... F 2
Doneraile, 725 ... D 7
Dooagh, 387 ... A 4
Douglas, †3,113 ... D 8
Drishane, †1,511 ... C 7
Drogheda, 17,085 ... J 4
Droichead Nua, 3,668 ... H 5
Dromahair, 229 ... E 3
Dromin, †390 ... H 4
Dromore West, 99 ... D 3
Drumcar, †1,205 ... J 4
Drumcliffe, 772 ... E 3
Drumconrath, 195 ... H 4
Drumkeerin, 136 ... E 3
Drumlish, 343 ... F 4
Drumshanbo, 565 ... E 3
Dublin (cap.), 537,448 ... K 5
Dublin, *595,288 ... K 5
Duleek, 379 ... J 4
Dunboyne, 521 ... H 5
Duncannon, 226 ... H 7
Dundalk, 19,790 ... H 3
Dunfanaghy, 324 ... F 1
Dunganstown ... G 7
Dungarvan, 5,188 ... F 7
Dungloe, 793 ... E 2
Dunkineely, 261 ... E 2
Dún Laoghaire, 47,792 ... K 5
Dunlavin, 416 ... H 5
Dunleen, 529 ... J 4
Dunmanway, 1,411 ... C 8
Dunmore, 500 ... D 4
Dunmore East, 547 ... G 7
Dunshaughlin, 231 ... H 5
Durrow, Laoighis, 439 ... G 6
Durrow, Westmeath, 435 ... F 5
Easky, 317 ... D 3
Edenderry, 2,691 ... G 5
Elphin, 494 ... E 4
Emyvale, 255 ... G 3
Ennis, 5,699 ... D 6
Enniscorthy, 5,754 ... J 7
Enniskerry, 652 ... J 5
Ennistymon, 1,145 ... C 6
Eyrecourt, 355 ... E 5
Fahan, 322 ... G 1
Feakle, 129 ... D 6
Fenit, 308 ... B 7
Ferbane, 896 ... F 5
Fermoy, 3,241 ... E 7
Ferns, 557 ... J 6
Fethard, Tipperary, 962 ... F 7
Fethard, Wexford, 218 ... H 7
Fiddown, 152 ... G 7
Foxford, 876 ... C 4
Foynes, 686 ... C 6
Frankford (Kilcormac), 1,018 ... F 5
Frenchpark, 155 ... E 4
Freshford, 656 ... G 6
Galbally, 266 ... E 7
Galway, 22,028 ... C 5
Geashill, 170 ... G 5
Glandore, 151 ... C 8
Glencolumbkille, 95 ... D 2
Glengarriff, 392 ... C 8
Glenties, 828 ... E 2
Glenville, 146 ... E 7
Glin, 763 ... C 6
Golden, 153 ... F 7
Gorey, 2,671 ... J 6
Gort, 1,044 ... D 5
Gowran, 365 ... G 6
Granard, 1,044 ... F 4
Greencastle, 233 ... H 1
Greenore, 142 ... J 4
Greystones-Delgany, 3,551 ... K 5
Hacketstown, 509 ... H 6
Holycross, 921 ... F 6
Hospital, 572 ... E 7
Howth, 5,614 ... K 5
Inchigeela, 157 ... C 8
Inniscrone, 533 ... C 3
Johnstown, 326 ... G 6
Kanturk, 1,985 ... D 7
Keel, 459 ... A 4
Kells, 128 ... G 7
Kells (Ceanannus Mór), 2,193 ... G 4
Kenmare, 1,046 ... B 8
Kilbaha ... B 6
Kilbeggan, 799 ... G 5
Kilbehenny, 86 ... E 7
Kilcar, 229 ... D 2
Kilcock, 739 ... H 5
Kilconnell, 113 ... E 5
Kilcoole, 549 ... K 5
Kilcormac, 1,018 ... F 5
Kilcullen, 637 ... H 5
Kildare, 2,551 ... H 5
Kildysart, 295 ... C 6
Kilfenora, 135 ... C 6
Kilfinane, 565 ... D 7
Kilflynn, 87 ... B 7
Kilgarvan, 183 ... B 8
Kilkee, 1,392 ... B 6
Kilkelly, 257 ... D 4
Kilkenny, 10,159 ... G 6
Killala, 337 ... C 3
Killaloe, 835 ... D 6
Killarney, 6,825 ... C 7
Killavullen, 167 ... D 7
Killenaule, 531 ... F 6
Killeshandra, 397 ... F 3
Killimor, 195 ... E 5
Killinaboy, †303 ... C 6
Killiney, 2,578 ... J 5
Killorglin, 1,100 ... B 7
Killucan-Rathwire, 314 ... G 4
Killybegs, 1,065 ... E 2
Kilmacrennan, 251 ... F 1
Kilmacthomas, 446 ... G 7
Kilmallock, 1,159 ... D 7
Kilmihill, 264 ... C 6
Kilnaleck, 279 ... G 4
Kilronan, 231 ... B 5
Kilrush, 2,861 ... C 6
Kilsheelan, 172 ... F 7
Kiltimagh, 980 ... C 4
Kilworth, 334 ... E 7
Kingscourt, 793 ... H 4
Kingstown (Dún Laoghaire), 47,792 ... K 5
Kinlough, 203 ... E 3
Kinnegad, 351 ... G 5
Kinnitty, 275 ... F 5
Kinsale, 1,587 ... D 8
Kinvara, 338 ... D 5
Knightstown, 337 ... A 8
Knock, 218 ... D 4
Knocklong, 289 ... D 7
Knocktopher, 127 ... G 7
Labasheeda, 142 ... C 6
Laghey, 184 ... E 2
Lahinch, 389 ... C 6
Lanesborough-Ballyleague, 720 ... E 4
Laracor, 386 ... H 4
Laytown-Bettystown, 766 ... J 4
Leenane, 123 ... B 4
Leighlinbridge, 457 ... H 6
Leitrim, 111 ... F 3
Leixlip, 915 ... H 5
Letterkenny, 4,329 ... F 2
Lifford, 864 ... F 2
Limerick, 50,786 ... D 6
Liscarroll, 228 ... D 7
Lisdoonvarna, 625 ... C 5
Lismore, 810 ... F 7
Listowel, 7,859 ... C 7
Littleton, 274 ... F 6
Longford, 3,558 ... F 4
Loughrea, 2,784 ... E 5
Louisburgh, 346 ... B 4
Louth, 207 ... J 4
Lucan-Doddsborough, 1,657 ... J 5
Luimneach (Limerick), 50,786 ... D 6
Lusk, 495 ... J 4
Macroom, 2,169 ... C 8
Malahide, 2,534 ... J 5
Malin, 164 ... G 1
Mallow, 5,545 ... D 7
Manorhamilton, 920 ... E 3
Manulla, †774 ... C 4
Maryborough (Portlaoighise), 3,133 ... G 5
Maynooth, 1,753 ... H 5
Meathas Truim, 624 ... G 4
Midleton, 2,772 ... E 8
Milford, 611 ... F 1
Millstreet, 1,283 ... D 7
Miltown Malbay, 700 ... C 6
Minard, †426 ... A 7
Mitchelstown, 2,655 ... E 7
Moate, 1,261 ... F 5
Mohill, 905 ... F 4
Monaghan, 4,013 ... G 3
Monasterevan, 1,273 ... H 5
Moneygall, 284 ... F 6
Monivea, 222 ... D 5
Mooncoin, 507 ... G 7
Mount Bellew, 306 ... D 5
Mountcharles, 400 ... E 2
Mountmellick, 2,436 ... G 5
Mountrath, 1,051 ... F 5
Moville, 1,097 ... G 1
Moycullen, 127 ... C 5
Moynalty, 128 ... H 4
Muff, 219 ... G 1
Muinebeag, 2,071 ... H 6
Mullagh, 213 ... H 4
Mullaghmore, 137 ... D 3
Mullinahone, 322 ... F 7
Mullinavat, 339 ... G 7
Mullingar, 5,834 ... G 4
Naas, 4,023 ... H 5
Navan (An Uaimh), 3,998 ... H 4
Nenagh, 4,317 ... E 6
Newbliss, 192 ... G 3
Newbridge (Droichead Nua), 3,668 ... H 5
Newcastle West, 2,527 ... D 7
New Inn, 164 ... F 7
Newmarket, 791 ... C 7
Newmarket-on-Fergus, 807 ... D 6
Newport, Mayo, 459 ... C 4
Newport, Tipperary, 581 ... E 6
New Ross, 4,494 ... H 7
Newtownforbes, 318 ... F 4
Newtownmountkennedy-Killadreenan, 935 ... J 5
Newtownsandes, 304 ... C 6
O'Briensbridge-Montpelier, 232 ... D 6
Oldcastle, †358 ... G 6
Oola, 314 ... E 6
Oranmore, 346 ... D 5
Oughterard, 618 ... C 5
Parknasilla, †380 ... B 8
Passage East, 494 ... G 7
Passage West, 2,561 ... E 8
Patrickswell, 305 ... D 6
Pettigo, 313 ... F 2
Portarlington, 2,846 ... G 5
Portlaoighise, 3,133 ... G 5
Portlaw, 1,113 ... G 7
Portmarnock, 669 ... J 5
Portumna, 836 ... E 5
Queenstown (Cóbh), 5,266 ... E 8
Rahan, †635 ... F 5
Ramelton, 759 ... F 1
Raphoe, 818 ... F 2
Rathangan, 569 ... G 5
Rathcormac, 267 ... E 7
Rathdowney, 896 ... F 6
Rathdrum, 1,128 ... J 6
Rathgormack, †288 ... F 7
Rathkeale, 1,459 ... D 7
Rathluirc, 1,956 ... D 7
Rathmore, 417 ... J 5
Rathmullen, 491 ... F 1
Rathnew-Merrymeeting, 861 ... J 6
Rathvilly, 293 ... H 6
Ratoath, 289 ... J 5
Rosapenna, †905 ... F 1
Roscommon, 1,600 ... E 4
Roscrea, 3,372 ... F 6
Rosscarbery, 380 ... C 8
Rosslare, 529 ... J 7
Roundstone, 250 ... A 5
Rush, 2,118 ... J 4
Saggart, 426 ... F 2
Saint Johnstown, 458 ... F 2
Sallybrook-Riverstown, 563 ... E 8
Scariff-Tuamgraney, 600 ... E 6
Schull, 419 ... B 8
Shannon Airport, 234 ... D 6
Shercock, 254 ... G 4
Shillelagh, 202 ... J 6
Shinrone, 402 ... F 5
Sixmilebridge, 448 ... D 6
Skerries, 2,721 ... J 4
Skibbereen, 2,028 ... C 8
Slane, 421 ... H 4
Sligo, 13,145 ... E 3
Sneem, 282 ... B 8
Spiddal, 134 ... C 5
Stradbally, Laoighis, 792 ... G 5
Stradbally, Waterford, 213 ... F 7
Stranorlar, 848 ... F 2
Strokestown, 707 ... E 4
Swanlinbar, 306 ... F 3
Swinford, 1,115 ... C 4
Swords, 1,816 ... J 5
Taghmon, 347 ... H 7
Tallow, 819 ... F 7
Tarbert, 455 ... C 6
Teltown, †684 ... H 4
Templemore, 1,779 ... F 6
Templetouhy, 156 ... F 6
Termonfeckin, 300 ... J 4
Thomastown, 1,209 ... G 7
Thurles, 6,421 ... F 6
Timoleague, 291 ... D 8
Tinahely, 417 ... H 6
Tipperary, 4,684 ... E 7
Toomevara, 231 ... E 6
Tralee, 10,723 ... B 7
Tramore, 2,882 ... G 7
Trim, 1,371 ... H 4
Tuam, 3,500 ... D 4
Tubbercurry, 878 ... D 3
Tulla, 389 ... D 6
Tullamore, 6,243 ... G 5
Tullaroan, 118 ... G 6
Tullow, 1,725 ... H 6
Tynagh, †425 ... E 5
Tyrellspass, 259 ... G 5
Upperchurch, †442 ... E 6
Urlingford, 562 ... F 6
Ventry, †441 ... A 7
Virginia, 515 ... G 4
Waterford, 28,216 ... G 7
Waterville-Spunkane, 702 ... A 8
Westport, 2,882 ... C 4
Wexford, 11,328 ... H 7
Whitegate, 397 ... E 8
Wicklow, 3,125 ... K 6
Woodford, 264 ... E 5
Youghal, 5,043 ... F 8

PHYSICAL FEATURES

Achill (head) ... A 4
Achill (isl.), 4,220 ... A 4
Aherlow (riv.) ... E 7
Allen (lake) ... E 3
Allen, Bog of (marsh) ... H 5
Allow (riv.) ... D 7
Annalee (riv.) ... G 3
Anner (riv.) ... F 7
Aran (isl.), 948 ... D 2
Aran (isls.), 1,651 ... B 5
Arklow (bank) ... K 6
Arrow (lake) ... E 3
Awbeg (riv.) ... D 7
Ballinskelligs (bay) ... A 8
Ballycotton (bay) ... F 8
Ballyheige (bay) ... B 7
Ballyhoura (mts.) ... E 7
Ballynakill (harb.) ... A 4
Ballysadare (bay) ... D 3
Ballyteige (bay) ... H 7
Bandon (riv.) ... D 8
Bann (riv.) ... J 6
Bantry (bay) ... B 8
Barrow (riv.) ... H 7
Baurtregaum (mt.) ... A 7
Bear (isl.), 382 ... C 4
Beltra (lake) ... C 4
Ben Dash (hill) ... C 6
Benwee (head) ... B 3
Bertraghboy (bay) ... A 5
Black (head) ... C 5
Blacksod (bay) ... A 3
Blackstairs (mt.) ... H 6
Blackwater (riv.) ... D 7
Blackwater (riv.) ... H 4
Blasket (isls.) ... A 7
Bloody Foreland (prom.) ... E 1
Blue Stack (mts.) ... E 2
Boderg (lake) ... E 4
Boggeragh (mts.) ... D 7
Bolus (head) ... A 8
Bonet (riv.) ... E 3
Boyne (riv.) ... J 4
Brandon (bay) ... A 7
Brannock (isls.) ... A 5
Bray (head) ... A 8
Bride (riv.) ... E 7
Broad Haven (harb.) ... B 3
Brosna (riv.) ... F 5
Bull, The (isl.) ... A 8
Caha (mts.) ... B 8
Cahore (pt.) ... J 6
Cark (mt.) ... F 2
Carlingford (inlet) ... J 3
Carnsore (pt.) ... J 7
Carra (lake) ... C 4
Carrantuohill (mt.) ... B 7
Carrigan (head) ... D 2
Carrowmore (lake) ... B 3
Clara (hills) ... D 8
Clare (riv.) ... D 5
Clare with Inishturk (isls.), 313 ... A 4
Clear (cape) ... B 9
Clear (isl.) ... C 9
Clew (bay) ... B 4
Clonakilty (bay) ... D 8
Comeragh (mts.) ... F 7
Conn (lake) ... C 3
Connaught (prov.), 419,465 ... C 4
Connemara (dist.), 23,841 ... B 5
Cork (harb.) ... E 8
Corrib (lake) ... C 5
Courtmacsherry (bay) ... D 8
Croagh Patrick (mt.) ... C 4
Crossfarnoge (pt.) ... J 7
Culdaff (bay) ... G 1
Cullin (lake) ... C 4
Curragh, The ... H 5
Cutra (lake) ... D 5
Dee (riv.) ... H 4
Deel (riv.) ... C 3
Deel (riv.) ... D 7
Deel (riv.) ... F 2
Derg (lake) ... E 6
Derg (lake) ... F 2
Derravaragh (lake) ... G 4
Derryveagh (mts.) ... E 2
Devilsbit (mt.) ... F 6
Dingle (bay) ... A 7
Donegal (bay) ... D 3
Donegal (pt.) ... B 6
Doulus (head) ... A 8
Downpatrick (head) ... C 3
Drum (hills) ... F 7
Dublin (bay) ... J 5
Dunaff (head) ... F 1
Dunany (pt.) ... J 4
Dundalk (bay) ... J 4
Dunkellin (riv.) ... D 5
Dunmanus (bay) ... B 8
Dursey (isl.) ... A 8
Eask (lake) ... E 2
Ennell (lake) ... G 5
Erkina (riv.) ... G 6
Erne (riv.) ... E 3
Erris (head) ... A 3
Fanad (head) ... F 1
Fastnet Rock (isl.) ... B 9
Feale (riv.) ... C 7
Feeagh (lake) ... B 4
Fergus (riv.) ... D 6
Finn (riv.) ... F 2
Finn (riv.) ... G 3
Flesk (riv.) ... C 7
Foul (sound) ... B 5
Foyle (inlet) ... G 1
Foyle (riv.) ... G 2
Galley (head) ... D 9
Galty (mts.) ... E 7
Galtymore (mt.) ... E 7
Galway (bay) ... C 5
Gara (lake) ... D 4
Garadice (lake) ... F 3
Gartan (lake) ... F 2
Garvan (isls.) ... G 1
Gill (lake) ... E 3
Glandore (harb.) ... C 9
Glen (lake) ... F 1
Glyde (riv.) ... H 4
Gola (isl.) ... E 1
Golden Vale (plain) ... E 7
Gorumna (isl.), †1,730 ... B 5
Gowna (lake) ... G 4
Grand (canal) ... G 5
Great Blasket (isl.) ... A 7
Greenore (pt.) ... J 7
Gregory's (sound) ... B 5
Gweebarra (bay) ... D 2
Gweebarra (riv.) ... E 2
Hags (head) ... B 6
Helvick (head) ... G 7
High (isl.) ... A 4
Hook (head) ... H 7
Horn (head) ... E 1
Iar Connaught (dist.), 4,051 ... C 5
Inishbofin (isl.), 248 ... A 4
Inishbofin (isl.) ... E 1
Inisheer (isl.), 358 ... B 5
Inishmaan (isl.), 357 ... C 5
Inishmore (isl.), 936 ... B 5
Inishmurray (isl.) ... D 3
Inishowen (head) ... H 1
Inishowen (pen.) ... G 1
Inishshark (isl.) ... A 4
Inishtrahull (isl.) ... G 1
Inishturk with Clare (isls.) 313 ... A 4
Inny (riv.) ... A 8
Inny (riv.) ... F 4
Inver (bay) ... E 2
Ireland's Eye (isl.) ... K 5
Irish (sea) ... K 4
Joyce's Country (dist.), 2,425 ... B 4
Keeper (mt.) ... E 6
Kenmare (riv.) ... A 8
Kerry (head) ... A 7
Key (lake) ... E 3
Kilkieran (bay) ... B 5
Killala (bay) ... C 3
Killary (harb.) ... A 4
Kinsale, Old Head of (head) ... E 8
Kippure (mt.) ... J 5
Knockadoon (head) ... F 8
Knockanefune (mt.) ... C 7
Knockboy (mt.) ... B 8
Knockmealdown (mts.) ... F 7
Lady's Island Lake (inlet) ... J 7
Lambay (isl.) ... K 5
Lamb's (head) ... A 8
Laune (riv.) ... B 7
Leane (lake) ... B 7
Leane (lake) ... G 4
Lee (riv.) ... D 8
Leinster (mt.) ... H 6
Leinster (prov.), 1,332,149 ... G 5
Lettermullen (isl.) ... B 5
Liffey (riv.) ... H 5
Liscannor (bay) ... B 6
Little Brosna (riv.) ... E 5
Long Island (bay) ... B 9
Loop (head) ... A 6
Loughros More (bay) ... D 2
Lugnaquillia (mt.) ... J 5
Lung (riv.) ... D 4
Macgillicuddy's Reeks (mts.) ... B 1
Macnean (lake) ... F 3
Maigue (riv.) ... D 6
Maine (riv.) ... C 7
Malin (head) ... F 1
Mangerton (mt.) ... C 8
Mask (lake) ... C 4
Maumakeogh (mt.) ... C 3
Maumturk (mts.) ... B 5
Melvin (lake) ... E 3
Mine (head) ... F 8
Mizen (head) ... B 9
Mizen (head) ... K 6
Moher (cliffs) ... B 6
Monavullagh (mts.) ... F 7
Moy (riv.) ... C 3
Muckish (mt.) ... E 1
Muckno (lake) ... H 3
Mulkear (riv.) ... E 6
Mullaghareirk (mts.) ... C 7
Mulroy (bay) ... F 1
Munster (prov.), 849,203 ... D 7
Mutton (isl.) ... B 6
Mweelrea (mt.) ... B 4
Mweenish (isl.) ... B 5
Nagles (mts.) ... E 7
Nenagh (riv.) ... E 6
Nephin (mt.) ... C 3
Nephin Beg (mt.) ... B 3
Nore (riv.) ... G 7
North (sound) ... B 5
North Inishkea (isl.) ... A 3
Omey (isl.) ... A 5
Oughter (lake) ... G 3
Ovoca (riv.) ... J 6
Owell (lake) ... G 4
Owenmore (riv.) ... B 3
Owenmore (riv.) ... D 3
Owey (isl.) ... D 1
Ox (Slieve Gamph) (mts.) ... D 3
Paps, The (mt.) ... C 7
Partry (mts.) ... C 4
Pollaphuca (res.) ... J 5
Puffin (isl.) ... A 8
Punchestown ... H 5
Ramor (lake) ... G 4
Rathlin O'Birne (isl.) ... C 2
Ree (lake) ... F 5
Rinn (lake) ... F 4
Roaringwater (bay) ... B 9
Rosscarbery (bay) ... D 9
Rosses (bay) ... D 1
Rosskeeragh (pt.) ... D 3
Rosslare (bay) ... J 7
Royal (canal) ... G 4
Saint Finan's (bay) ... A 8
Saint George's (chan.) ... K 7
Saint John's (pt.) ... D 2
Saltee (isls.) ... H 7
Scarriff (isl.) ... A 8
Seven (heads) ... D 8
Seven Hogs, The (isls.) ... A 7
Shannon (riv.) ... E 6
Shannon, Mouth of the (est.) ... B 6
Sheeffry (hills) ... B 4
Sheep Haven (harb.) ... F 1
Sheeps (head) ... B 8
Shehy (mts.) ... C 8
Sherkin (isl.) ... C 9
Silvermine (mts.) ... E 6
Slaney (riv.) ... H 7
Slieve Anierin (mt.) ... F 3
Slieve Aughty (mts.) ... D 5
Slieve Bernagh (mt.) ... D 6
Slieve Bloom (mts.) ... F 5
Slieveboy (mt.) ... H 6
Slieve Callan (mt.) ... C 6
Slievecar (mt.) ... B 3
Slievecarran (mt.) ... C 5
Slieve Elva (mt.) ... C 5
Slievefelim (mts.) ... E 6
Slieve Gamph (mts.) ... D 3
Slieve League (mt.) ... D 2
Slieve Mishkish (mts.) ... B 8
Slievenaman (mt.) ... F 7
Slieve Rushen (mt.) ... F 3
Slieve Snaght (mt.) ... E 2
Sligo (bay) ... D 3
Slyne (head) ... A 5
Smerwick (harb.) ... A 7
South (sound) ... C 5
Stacks (mts.) ... B 7
Suck (riv.) ... E 5
Sugarloaf (mt.) ... B 8
Suir (riv.) ... G 7
Swilly (inlet) ... F 1
Swilly (riv.) ... F 2
Tara (hill) ... H 4
Tawin (isl.) ... C 5
Toe (head) ... C 9
Tory (isl.) ... E 1
Tory (sound) ... E 1
Tralee (bay) ... B 7
Tramore (bay) ... G 7
Trawbreaga (bay) ... F 1
Truskmore (mt.) ... E 3
Twelve Pins (mt.) ... B 4
Ulster (prov.), 217,524 ... G 2
Valentia (Valencia) (isl.), 926 ... A 8
Veagh (lake) ... F 1
Waterford (harb.) ... G 7
Wexford (bay) ... J 7
Wicklow (mts.) ... J 6
Wicklow (head) ... K 6
Youghal (bay) ... F 8

NORTHERN IRELAND

COUNTIES

Antrim, 289,700 ... J 2
Armagh, 120,500 ... H 3
Belfast (city), 410,300 ... K 2
Down, 277,400 ... J 3
Fermanagh, 51,500 ... F 3
Londonderry, 172,200 ... H 2
Tyrone, 136,400 ... G 2

CITIES and TOWNS

Aghadowey, †679 ... H 1
Ahoghill, 885 ... J 2
Annalong, 553 ... K 3
Antrim, 1,448 ... J 2
Ardglass, 737 ... K 3
Armagh, 10,062 ... H 3
Armoy, 383 ... J 1
Augher, 222 ... G 3
Aughnacloy, 805 ... H 3
Ballycastle, 2,642 ... J 1
Ballyclare, 4,440 ... J 2
Ballygally, 276 ... K 2
Ballygawley, 427 ... G 3
Ballyhalbert, 336 ... K 3
Ballykelly, 367 ... G 1
Ballymena, 14,734 ... J 2
Ballymoney, 3,409 ... J 1
Ballynahinch, 2,042 ... J 3
Ballynure, 291 ... K 2
Ballywalter, 789 ... K 2
Banbridge, 6,114 ... J 3
Bangor, 23,862 ... K 2
Belfast (cap.), 410,300 ... J 2
Belfast, *528,700 ... J 2
Bellaghy, 663 ... H 2
Belleek, 162 ... E 3
Beragh, 349 ... G 2
Bessbrook, 3,199 ... J 3
Brookeborough, 294 ... G 3
Broughshane, 716 ... J 2
Bushmills, 936 ... J 1
Caledon, 350 ... H 3
Carnlough, 586 ... J 2
Carrickfergus, 10,211 ... K 2
Carrowdore, 297 ... K 2
Castlederg, 1,367 ... F 2
Castlewellan, 1,241 ... K 3
Claudy, 286 ... G 2
Clogher, 197 ... G 3
Cloghy, 393 ... K 3
Coalisland, 1,351 ... H 2
Coleraine, 11,901 ... H 1
Comber, 3,987 ... K 2
Cookstown, 4,969 ... H 2
Crossgar, 842 ... K 3
Crossmaglen, 932 ... H 3
Crumlin, 394 ... J 2
Cullybackey, 758 ... J 2
Cushendall, 618 ... J 1
Derrygonnelly, 296 ... F 3
Dervock, 558 ... J 1
Doagh 486 ... J 2
Donaghdee, 3,218 ... K 2
Downpatrick, 4,235 ... K 3
Draperstown, 592 ... H 2
Dromara, 280 ... J 3
Dromore, Down, 2,124 ... J 3
Dromore, Tyrone, 503 ... G 3
Drumquin, 307 ... F 2
Dundrum, 641 ... K 3
Dungannon, 6,511 ... H 3
Dungiven, 1,102 ... H 2
Dunnamanagh, 352 ... G 2
Ederny, 227 ... F 2
Enniskillen, 7,406 ... F 3
Feeny, 206 ... H 2
Fintona, 990 ... G 3
Garvagh, 550 ... H 2
Gilford, 780 ... J 3
Glenarm, 673 ... J 2
Glenavy, 1,306 ... J 2
Glynn, 389 ... K 2
Gortin, 261 ... G 2
Greyabbey, 611 ... K 2
Hillsborough, 806 ... J 3
Hilltown, 309 ... J 3
Holywood, 8,069 ... K 2
Irvinestown, 934 ... F 3
Jonesborough, 274 ... J 3
Keady, 1,637 ... H 3
Kells, 495 ... J 2
Kesh, †689 ... F 3
Kilkeel, 2,497 ... K 3
Killeter, †442 ... F 2
Killough, 504 ... K 3
Killyleagh, 1,876 ... K 3
Kilrea, 952 ... H 2
Kircubbin, 843 ... K 3
Lack, †571 ... F 2
Larne, 16,350 ... K 2
Limavady, 4,325 ... H 1
Lisburn, 17,700 ... J 2
Lisnaskea, 977 ... G 3
Londonderry, 56,300 ... G 2
Loughbrickland, 300 ... J 3
Loughgall, †1,086 ... H 3
Lurgan, 17,872 ... J 3
Maghera, 1,607 ... H 2
Magherafelt, 2,459 ... H 2
Maguire's Bridge, 339 ... G 3
Markethill, 813 ... H 3
Middletown, 161 ... H 3
Millisle, 386 ... K 2
Moira, 501 ... J 3
Moneymore, 807 ... H 2
Moy, 751 ... H 3
Newcastle, 3,724 ... J 3
Newry, 12,429 ... J 3
Newtownabbey, 37,448 ... K 2
Newtownards, 13,083 ... K 2
Newtownbutler, 358 ... G 3
Newtownhamilton, 589 ... H 3
Newtownstewart, 1,125 ... G 2
Omagh, 8,109 ... G 2
Pomeroy, 349 ... H 2
Portadown, 18,609 ... H 3
Portaferry, 1,406 ... K 3
Portglenone, 613 ... H 2
Portrush, 4,265 ... H 1
Portstewart, 3,950 ... H 1
Randalstown, 1,579 ... J 2
Rasharkin, 799 ... J 2
Rathfriland, 1,558 ... J 3
Rostrevor, 1,265 ... J 3
Saintfield, 702 ... K 3
Sion Mills, 1,616 ... G 2
Sixmilecross, 245 ... H 2
Stewartstown, 621 ... H 2
Strabane, 7,783 ... G 2
Strangford, 413 ... K 3
Tanderagee, 1,281 ... H 3
Templepatrick, †775 ... J 2
Tempo, 269 ... G 3
Trillick, 220 ... G 3
Tynan, †805 ... H 3
Warrenpoint, 3,245 ... J 3
Whitehead, 2,169 ... K 2

PHYSICAL FEATURES

Arney (riv.) ... F 3
Bann (riv.) ... H 2
Beg (lake) ... J 2
Belfast (inlet) ... K 2
Binevenagh (mt.) ... H 1
Blackwater (riv.) ... H 3
Bush (riv.) ... H 1
Copeland (isl.) ... K 2
Derg (riv.) ... F 2
Divis (mt.) ... J 2
Dundrum (bay) ... K 3
Erne (lake) ... F 3
Fair (head) ... J 1
Foyle (inlet) ... G 1
Foyle (riv.) ... G 2
Garron (pt.) ... K 1
Giant's Causeway ... H 1
Knocklayd (mt.) ... J 1
Lagan (riv.) ... K 2
Larne (inlet) ... K 2
Macnean (lake) ... F 3
Magee, Island (pen.) ... K 2
Magilligan (pt.) ... H 1
Maidens, The (isls.) ... K 2
Main (riv.) ... J 2
Mourne (mts.) ... J 3
Mourne (riv.) ... G 2
Mullaghearn (mt.) ... G 2
Neagh (lake) ... J 2
North (chan.) ... K 1
Owenkillew (riv.) ... G 2
Rathlin (isl.), 159 ... J 1
Red (bay) ... K 1
Roe (riv.) ... H 1
Saint John's (pt.) ... K 3
Slemish (mt.) ... J 2
Slieve Beagh (mt.) ... G 3
Slieve Donard (mt.) ... K 3
Slieve Gullion (mt.) ... J 3
Sperrin (mts). ... G 2
Strangford (inlet) ... K 3
Torr (head) ... K 1
Trostan (mt.) ... J 1
Ulster (prov.), 1,458,000 ... G 2
Upper Lough Erne (lake) ... F 3

*City and suburbs.
†Population of district.

IRELAND

NORWAY, SWEDEN, FINLAND and DENMARK
CONIC PROJECTION
SCALE OF MILES
0 50 100 150
SCALE OF KILOMETRES
0 50 100 150 200
Capitals of Countries
Administrative Centers
International Boundaries
Internal Boundaries
Canals
© C. S. HAMMOND & Co., N. Y.
SUBDIVISIONS
Indicated by Numbers
Fylker in NORWAY
1 Akershus G6
2 Vestfold G7
3 Østfold G7
4 Oslo G7
5 Bergen D6
Oslo is the administrative center for Akershus and Oslo Fylker; Bergen for Hordaland and Bergen Fylker.
Lan in SWEDEN
6 Göteborg och Bohus G7
7 Västmanland K7
8 Södermanland K7
9 Östergötland J7
10 Malmöhus H9
11 Kristianstad J8
Longitude East of Greenwich
SVALBARD
NORWEGIAN SEA
STOCKHOLM
OSLO
ARCTIC OCEAN
BARENTS SEA
NORWEGIAN SEA
ATLANTIC OCEAN
NORTH SEA
SKAGERRAK
KATTEGAT
GULF OF BOTHNIA
BALTIC SEA
Gulf of Finland
Gulf of Riga
Arctic Circle
DENMARK
GERMANY
POLAND
NETH.
U. S. S. R.
Oslo
Stockholm
Helsinki
Copenhagen
Bergen
Trondheim
Göteborg
Malmö
Turku
Tampere
Leningrad
Tallinn
Riga
Hamburg
Gdańsk
GOTLAND
AHVENANMAA (ÅLAND)
Bornholm

NORWAY, SWEDEN, FINLAND, DENMARK and ICELAND

	NORWAY	SWEDEN	FINLAND
AREA	124,560 sq. mi.	173,394 sq. mi.	130,500 sq. mi.
POPULATION	3,681,000	7,626,978	4,586,000
CAPITAL	Oslo	Stockholm	Helsinki
LARGEST CITY	Oslo (greater) 579,498	Stockholm (greater) 1,180,490	Helsinki (greater) 594,248
HIGHEST POINT	Glittertind 8,104 ft.	Kebnekaise 6,965 ft.	Mt. Haltia 4,343 ft.
MONETARY UNIT	krone (crown)	krona (crown)	markka (mark)
MAJOR LANGUAGES	Norwegian	Swedish	Finnish, Swedish
MAJOR RELIGIONS	Protestant	Protestant	Protestant

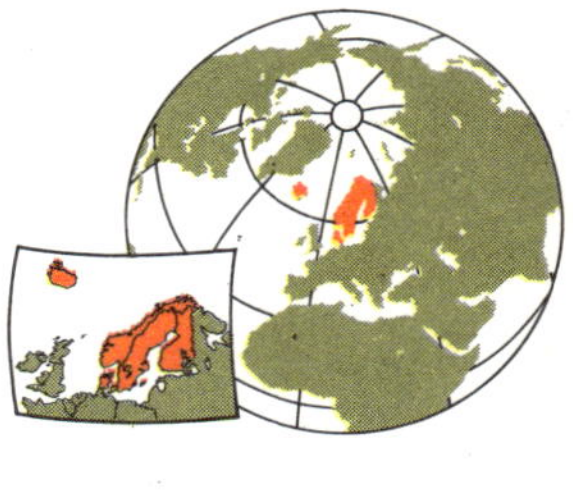

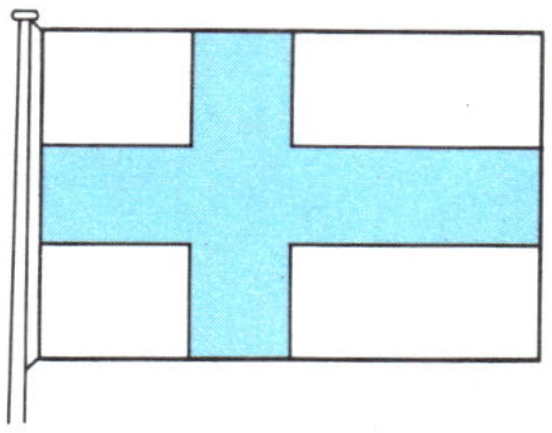

NORWAY

COUNTIES

Akershus, 249,760 ....D 4
Aust-Agder, 77,639 ....E 7
Bergen, 116,555 ....D 6
Buskerud, 170,441 ....F 6
Finnmark, 73,229 ....O 2
Hedmark, 177,730 ....G 6
Hordaland, 230,937 ....E 6
Møre og Romsdal, 214,879....E 5
Nord-Trøndelag, 116,469 ....H 4
Nordland, 240,314 ....J 3
Oppland, 116,823 ....F 6
Østfold, 206,073 ....D 4
Rogaland, 244,103 ....E 7
Sogn og Fjordane, 100,467....E 6
Sør-Trøndelag, 215,374 ....G 5
Telemark, 152,073 ....F 7
Troms, 129,219 ....L 2
Vest-Agder, 112,012 ....E 7
Vestfold, 177,438 ....D 4

CITIES and TOWNS

Åfjord, *2,616 ....G 5
Ål, *3,412 ....F 6
Ålesund, 18,942 ....D 5
Åndalsnes, 2,202 ....F 5
Årdal, *882 ....E 7
Arendal, 11,557 ....F 7
Askim, 7,210 ....E 4
Barentsburg ....C 2
Bergen, 116,555 ....D 6
Bodø, 13,523 ....J 3
Brevik, 2,402 ....F 7
Drammen, 31,240 ....C 4
Drøbak ....D 4
Egersund, 3,824 ....D 7
Elverum, 5,566 ....G 6
Farsund, 2,230 ....E 7
Flekkefjord, 3,152 ....E 7
Florø, 2,007 ....D 6
Fredrikstad, 13,416 ....D 4
Gjøvik, 8,149 ....G 6
Grimstad, 2,527 ....F 7
Gulen, *1,850 ....D 6
Halden, 10,039 ....G 7
Hamar, 13,962 ....G 6
Hammerfest, 6,067 ....N 1
Harstad, 3,886 ....K 2
Haugesund, 27,080 ....D 7
Holmestrand, 2,038 ....C 4
Hønefoss, 4,437 ....C 3
Honningsvåg, 2,813 ....O 1
Horten, 13,608 ....D 4
Kirkenes, 4,433 ....Q 2
Kongsberg, 10,220 ....F 7
Kongsvinger, 2,320 ....H 6
Kragerø, 4,566 ....F 7
Kristiansand, 27,675 ....F 8
Kristiansund, 17,297 ....E 5
Kvinnherad, *2,600 ....E 6
Langesund, 2,288 ....F 7
Larvik, 10,823 ....C 4
Lenvik, *8,692 ....L 2
Lesja, *2,042 ....F 5
Lillehammer, 5,942 ....F 6
Lillestrøm, 10,547 ....E 3
Løkken, 2,329 ....F 5
Longyearbyen ....D 2
Lysaker, 5,393 ....D 3
Mandal, 5,361 ....E 7
Mo, 9,207 ....J 3
Molde, 8,257 ....E 5
Mosjøen ....H 4
Moss, 21,143 ....D 4
Mysen, 2,500 ....G 7
Namsos, 5,302 ....G 4
Narvik, 13,506 ....K 2
Nesttun, 3,827 ....D 6
Notodden, 7,561 ....F 7
Odda, 7,299 ....E 6
Orkanger, 2,874 ....F 5
Oslo (cap.), 482,495 ....D 3
Oslo (greater), 579,498 ....D 3
Porsgrunn, 10,826 ....G 7
Risør, 3,028 ....F 7
Rjukan, 6,308 ....F 7
Røros, 2,748 ....G 5
Sandefjord, 6,647 ....C 4
Sandnes, 3,994 ....D 7
Sandvika, 3,751 ....C 3
Sarpsborg, 13,374 ....D 4
Ski, 5,015 ....D 4
Skien, 15,876 ....F 7
Skjåk, *1,548 ....F 6
Slagen, 4,173 ....D 4
Stavanger, 52,182 ....D 7
Steinkjer, 4,379 ....G 4
Stor-Elvdal, *3,331 ....G 6
Sulitjelma, 2,129 ....K 3
Sunndalsøra, 2,376 ....F 5
Svolvaer, 3,916 ....J 2
Tana, *2,212 ....Q 1
Tønsberg, 12,226 ....D 4
Tromsø, 12,448 ....L 2
Trondenes, 3,261 ....K 2
Trondheim, 57,453 ....F 5
Ullensvang, *2,403 ....E 6
Vadsø, 3,170 ....Q 1
Vardø, 3,452 ....R 1
Volda, 2,647 ....E 5
Voss, 4,240 ....E 6

PHYSICAL FEATURES

Alst (fjord) ....G 3
Alsten (isl.), 4,348 ....H 4
Alta (river) ....N 2
Alte (lake) ....L 2
Ands (fjord) ....K 2
Bardu (river) ....L 2
Barentsöya (isl.) ....D 2
Bellsund (bay) ....C 2
Bjørna (fjord) ....D 6
Bjørnøya (isl.) ....D 3
Bokn (fjord) ....D 7
Bremanger (isl.), 2,028 ....D 6
Dønna (isl.), 1,978 ....H 3
Dovrefjeld (mts.) ....F 5
Edgeøya (isl.) ....E 2
Femund (lake) ....G 5
Folda (fjord) ....G 4
Folda (fjord) ....J 3
Frohavet (bay) ....F 5
Frøya (isl.), 4,034 ....F 5
Glittertind (mt.) ....F 6
Glomma (river) ....G 6
Hadsel (fjord) ....J 2
Hardanger (fjord) ....D 7
Hardanger (mts.) ....E 6
Hinlopen (strait) ....C 1
Hinnøy (isl.), 27,599 ....K 2
Hitra (isl.), 3,134 ....F 5
Hopen (isl.) ....E 2
Hornsund (bay) ....C 2
Hortens (fjord) ....G 4
Is (fjord) ....B 2
Jostedals (glacier) ....E 6
Kob (fjord) ....O 1
Kong Karls Land (isls.)....E 1
Kvaløy (isl.), 6,869 ....O 1
Lakse (fjord) ....P 1
Langøy (isl.), 16,500 ....J 2
Lindesnes (cape) ....E 8
Lista (pen.), 13,591 ....E 7
Lofoten (isls.), 28,980 ....H 2
Lopphavet (bay) ....M 1
Losna (river) ....G 6
Magerøy (isl.), 5,545 ....P 1
Mohn (cape) ....E 1
Moskenesøy (isl.), 2,318 ....H 3
Namsen (river) ....H 4
Nordaustlandet (isl.) ....D 1
Nord (fjord) ....E 6
Nordkyn (cape) ....Q 1
North (cape) ....P 1
Norwegian (sea) ....F 3
Ofot (fjord) ....K 2
Otter (river) ....E 7
Pasvik (river) ....Q 2
Platen (cape) ....D 1
Porsanger (fjord) ....O 1
Rana (river) ....J 3
Ran (fjord) ....H 3
Rauma (river) ....F 5
Reisa (river) ....M 2
Ringvassøy (isl.), 1,472 ....L 2
Romsdals (fjord) ....E 5
Salt (fjord) ....J 3
Seiland (isl.), 769 ....N 1
Senja (isl.), 10,541 ....K 2
Skagerrak (strait) ....E 8
Smøla (isl.), 2,840 ....E 5
Snåsa (lake) ....H 4
Sogne (fjord) ....D 6
Sørkapp (cape) ....C 2
Sørøy (isl.), 2,350 ....N 1
South Kvaløy (isl.), 3,444 .... K 2
Steinneset (cape) ....E 2
Stor (fjord) ....D 2
Sunn (fjord) ....D 6
Tana (river) ....P 1
Tjuv (fjord) ....D 2
Tunn (lake) ....H 4
Tyri (fjord) ....C 3
Vågå (lake) ....F 6
Vannøy (isl.), 1,112 ....L 1
Varanger (fjord) ....Q 1
Vega (isl.) ....G 4
Vest (fjord) ....H 3
Vesterålen (isls.), 34,385....J 2
Vestspitsbergen (isl.) ....C 2
Vestvågøy (isl.), 11,749 ....H 3
Vikna (isl.), 3,411 ....G 4

*Parish population

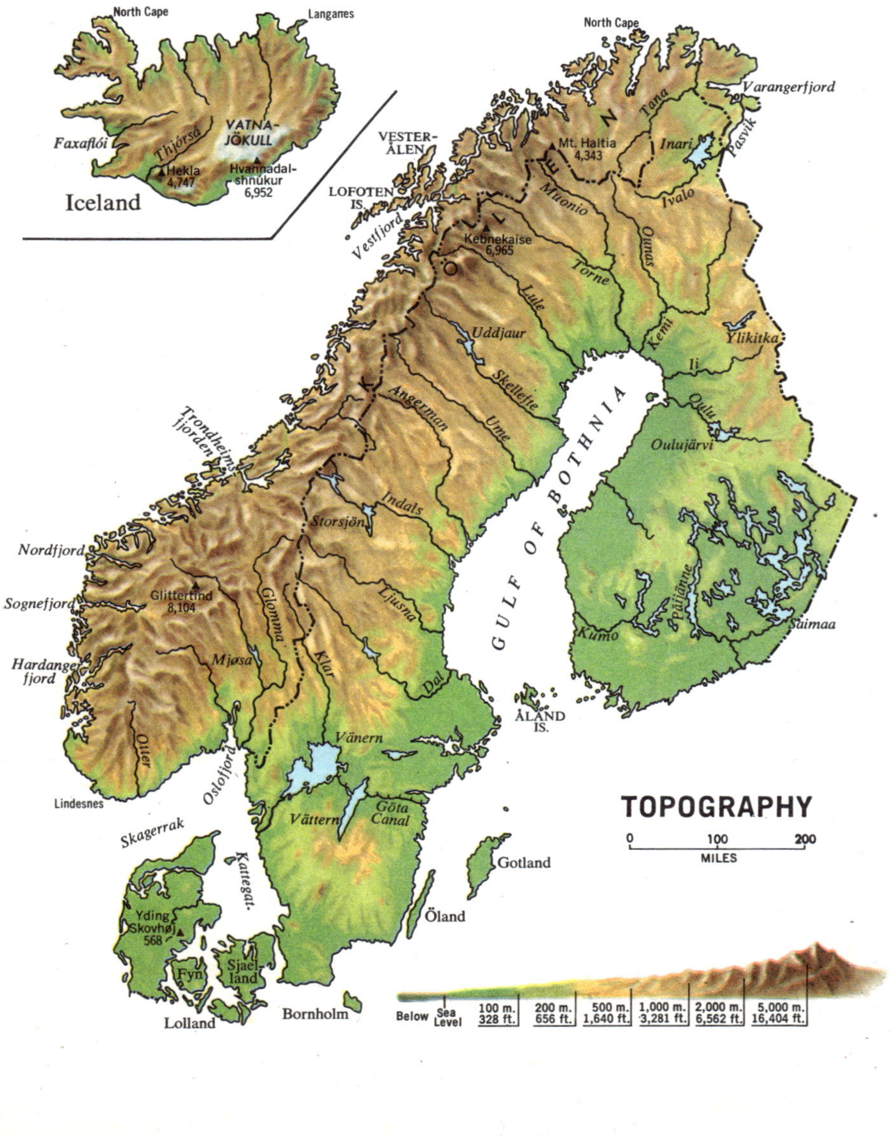

SWEDEN

COUNTIES

Älvsborg, 380,657 ....H 7
Blekinge, 146,824 ....J 8
Gävleborg, 292,707 ....K 6
Göteborg och Bohus, 647,743....G 7
Gotland, 53,662 ....L 8
Halland, 174,653 ....H 8
Jämtland, 134,200 ....J 5
Jönköping, 289,327 ....H 8
Kalmar, 233,909 ....K 8
Kopparberg, 284,620 ....J 6
Kristianstad, 257,263 ....J 8
Kronoberg, 160,171 ....J 8
Malmöhus, 647,697 ....H 9
Norrbotten, 263,059 ....L 3
örebro, 262,733 ....J 7
östergötland, 360,795 ....J 7
Skaraborg, 251,391 ....H 7
Södermanland, 233,559 ....K 7
Stockholm, 538,351 ....L 7
Uppsala, 175,564 ....K 6
Värmland, 288,337 ....H 7
Västerbotten, 235,012 ....K 4
Västernorrland, 279,498 ....K 5
Västmanland, 239,270 ....K 7

CITIES and TOWNS

Åhus, 4,415 ....J 9
Alingsås, 13,270 ....H 7
Älmhult, 5,454 ....H 8
Alvesta, 6,528 ....J 8
Alvsbyn, 3,896 ....M 4
Åmål, 9,269 ....H 7
Ange, 4,041 ....J 5
Ängelholm, 10,253 ....H 8
Arboga, 11,673 ....J 7
Årjäng, 2,831 ....H 7
Arvidsjaur, *8,142 ....L 4
Arvika, 16,001 ....H 7
Åseda, 2,481 ....J 8
Åsele, 5,273 ....K 4
Askersund, 2,676 ....J 7
Avesta, 10,852 ....J 6
Båstad, 2,279 ....H 8
Boden, 14,374 ....M 4
Bollnäs, 16,751 ....K 6
Borås, 68,466 ....H 8
Borgholm, 2,483 ....K 8
Borlänge, 27,686 ....J 6
Bräcke, *2,710 ....J 5
Brunflo, *3,642 ....J 5
Bureå, *4,747 ....M 4
Burträsk, *7,030 ....M 4
Charlottenberg, *3,104 ....H 6
Danderyd, 13,794 ....H 1
Deje, *3,955 ....H 7
Djursholm, 7,544 ....H 1
Dorotea, *4,149 ....K 4
Ed, *2,639 ....H 7
Edsbyn, *7,103 ....J 6
Eksjö, 9,802 ....J 8
Emmaboda, 3,023 ....J 8
Enköping, 15,254 ....G 1
Eskilstuna, 60,628 ....K 7
Eslöv, 10,821 ....H 9
Fagersta, 15,661 ....J 6
Falkenberg, 10,869 ....H 8
Falköping, 14,497 ....H 7
Falun, 18,632 ....J 6
Filipstad, 7,557 ....H 7
Finspång, 16,335 ....J 7
Flen, 6,078 ....K 7
Frösö, 8,724 ....J 5
Frovi, 3,047 ....J 7
Galliväre, 9,747 ....M 3
Gamleby, *3,725 ....K 8
Gävle, 56,805 ....K 6
Gimo, *1,595 ....K 6
Gnesta, 3,169 ....G 2
Göteborg, 414,466 ....G 8
Grängesberg, 6,274 ....J 6
Gränna, 3,146 ....J 8
Hagfors, 8,654 ....H 6
Hallstahammar, 11,770 ....K 7
Halmstad, 40,282 ....H 8
Hälsingborg, 78,291 ....H 8
Haparanda, 3,653 ....N 4
Härnösand, 16,712 ....L 5
Hässleholm, 14,584 ....H 8
Hedemora, 6,368 ....K 6
Hjo, 3,689 ....J 7
Höganäs, 7,698 ....H 8
Holmsund, 5,245 ....M 5
Hudiksvall, 12,219 ....K 6
Hultsfred, 4,561 ....K 8
Huskvarna, 13,953 ....J 8
Järna, *5,500 ....G 2
Järpen, *2,969 ....H 5
Järvsö, *5,232 ....K 6
Jokkmokk, *5,069 ....L 3
Jönköping, 51,875 ....H 8
Jörn, *4,532 ....M 4
Kalmar, 31,905 ....K 8
Karlshamn, 11,687 ....J 8
Karlskoga, 36,419 ....J 7
Karlskrona, 33,217 ....K 8
Karlstad, 45,858 ....H 7
Katrineholm, 20,327 ....K 7
Kil, *4,902 ....H 7
Kiruna, 28,062 ....L 3
Kisa, *4,144 ....J 8
Köping, 18,598 ....J 7
Kopparberg, *7,329 ....J 7
Kosta, *1,561 ....J 8
Kramfors, 12,047 ....K 5
Kristianstad, 26,494 ....J 9
Kristinehamn, 21,154 ....H 7
Krylbo, 4,549 ....J 6
Kumla, 10,043 ....J 7
Kungälv, *8,728 ....G 8
Kungsbacka, 5,981 ....G 8
Laholm, 3,623 ....H 8
Landskrona, 28,609 ....H 9
Långsele, *3,801 ....K 5
Långshyttan, 3,293 ....K 6
Laxå, 5,312 ....J 7
Leksand, *7,887 ....J 6
Lidingö, 32,956 ....H 1
Lidköping, 17,893 ....H 7
Limmared, 1,582 ....H 8
Lindesberg, 6,502 ....J 7
Linköping, 69,981 ....K 7
Ljungby, 10,343 ....J 8
Ljusdal, *11,089 ....J 6
Ljusne, 4,874 ....K 6
Ludvika, *21,906 ....J 6
Luleå, 33,200 ....N 4
Lund, 42,778 ....H 9
Lycksele, 6,211 ....L 4
Lysekil, 6,391 ....G 7
Malmberget, *12,354 ....M 3
Malmköping, 3,453 ....F 1
Malmö, 241,778 ....H 9
Malung, *8,613 ....H 6
Mariefred, 1,876 ....G 1
Mariestad, 10,579 ....H 7
Marstrand, 1,102 ....G 8
Mellerud, 4,214 ....H 7
Mjölby, 10,727 ....J 7
Molndal, 28,618 ....H 8
Mönsterås, 6,130 ....K 8
Mora, 13,014 ....J 6
Motala, 25,194 ....J 7
Nacka, 23,026 ....H 1
Nässjö, 19,217 ....J 8
Nora, 4,253 ....J 7
Norrköping, 92,600 ....K 7
Norrsundet, *4,634 ....K 6
Norrtälje, 9,743 ....L 7
Norsjö, *5,546 ....L 4
Nybro, 9,512 ....J 8
Nyköping, 26,542 ....K 7
Nynäshamn, 10,199 ....L 7
Ockelbo, *5,918 ....K 6
örbyhus, *2,389 ....K 6
örebro, 262,733 ....J 7
öregrund; 1,339 ....L 6
örnskoldsvik, 9,214 ....L 5
Orsa, *7,468 ....J 6
Osby, *7,341 ....J 8
Oskarshamn, 13,330 ....K 8
östersund, 25,347 ....J 5
östhammar, 1,794 ....L 6
Ottenby, 198 ....K 8
övertorneå, *3,680 ....N 3
överum, 2,447 ....K 7
Oxelösund, 12,975 ....K 7
Pajala, *3,991 ....N 3
Piteå, 8,268 ....M 4
Ramnäs, *3,764 ....J 7
Ramsele, *3,625 ....K 5
Rättvik, *7,582 ....J 6
Reftele, *2,054 ....H 8
Rimbo, *2,941 ....L 7

(continued on following page)

Norway, Sweden, Finland, Denmark and Iceland
(continued)

SWEDEN (continued)

Ronneby, 9,546 .... J 8
Säffle, 10,713 .... H 7
Sala, 11,214 .... K 7
Saltsjöbaden, 5,994 .... J 1
Sandviken, 23,146 .... K 6
Särna, *2,131 .... H 6
Säter, 4,501 .... J 6
Sävsjö, 5,207 .... J 8
Sigtuna, 2,656 .... H 1
Simrishamn, 4,667 .... J 9
Skänninge, 3,078 .... J 7
Skara, 9,213 .... H 7
Skellefteå, 23,669 .... M 4
Skön, 15,213 .... K 5
Skövde, 24,402 .... H 7
Söderhamn, 11,941 .... K 6
Söderköping, 5,632 .... K 7
Södertälje, 38,172 .... G 1
Sollefteå, 9,042 .... K 5
Sollentuna, 31,060 .... H 1
Solna, 54,281 .... H 1
Sölvesborg, 6,188 .... J 9
Sorsele, *3,760 .... K 4
Stockholm (cap.), 795,976 .... G 1
Stockholm (greater), 1,180,490 .... G 1
Storuman, 2,112 .... K 4
Storvik, 2,272 .... K 6
Strängnäs, 8,611 .... F 1
Strömstad, 4,145 .... G 7
Strömsund, *6,271 .... K 5
Sundbyberg, 27,393 .... G 1
Sundsvall, 30,423 .... K 5
Sunne, *8,862 .... H 7
Sveg, 2,272 .... J 5
Tidaholm, 6,820 .... J 7
Tierp, 3,942 .... K 6
Tillberga, 297 .... K 7
Timra, 11,804 .... K 5
Torsby, *6,736 .... H 6
Torshälla, 6,636 .... K 7
Tranås, 16,188 .... J 7
Trelleborg, 20,678 .... H 9
Trollhättan, 33,812 .... H 7
Trosa, 1,546 .... K 7
Uddevalla, 35,266 .... G 7
Ulricehamn, 8,275 .... H 8
Umeå, 24,736 .... M 5
Uppsala, 82,361 .... L 7
Vadstena, 4,307 .... J 7
Vaggeryd, 4,724 .... J 8
Valdemarsvik, 3,420 .... K 7
Vänersborg, 18,906 .... H 7
Vännäs, 4,052 .... L 5
Vansbro, 2,951 .... H 6
Vara, 2,862 .... H 7
Varberg, 15,298 .... G 8
Värnamo, 14,283 .... J 8
Västerås, 82,055 .... J 7
Västerhäninge, *8,509 .... H 1
Västervik, 18,765 .... K 8
Vaxholm, 4,094 .... J 1
Vaxjö, 26,933 .... J 8
Vetlanda, 9,601 .... J 8
Vilhelmina, 3,036 .... K 4
Vimmerby, 6,707 .... J 8
Virserum, *3,591 .... J 8
Visby, 16,345 .... L 8
Vislanda, *2,496 .... H 8
Ystad, 13,633 .... H 9

PHYSICAL FEATURES

Angerman (river) .... K 5
Asnen (lake) .... J 8
Bothnia (gulf) .... M 5
Byske (river) .... L 4
Fårö (isl.), 842 .... L 8
Göta (river) .... H 7
Gotland (isl.), 53,480 .... L 8
Hornslandet (pen.) .... K 6
Kalix (river) .... N 3
Kalmarsund (sound) .... K 8
Kattegat (strait) .... G 8
Kebnekaise (mt.) .... L 3
Lainio (river) .... N 3
Lapland (dist.) .... M 2
Lule (river) .... M 3
Muonio (river) .... M 2
öland (isl.), 23,265 .... K 8
Ornö (isl.), 271 .... J 1
österdal (river) .... H 6
Pite (river) .... M 4
Skellefte (river) .... L 4
Stora Lulevatten (lake) .... L 3
Storuman (lake) .... K 4
Sulitjelma (mt.) .... K 3
Torne (river) .... M 3
Torneträsk (lake) .... L 2
Uddjaur (lake) .... L 4
Ume (river) .... L 4
Vänern (lake) .... H 7
Vättern (lake) .... J 7
Vesterdal (river) .... H 6
Vindel (river) .... L 4
Vojmsjön (lakes) .... J 4

*Parish population

FINLAND

PROVINCES

Ahvenanmaa, 21,274 .... L 6
Häme, 597,267 .... O 6
Keski-Suomi, 247,972 .... O 5
Kuopio, 270,118 .... P 5
Kymi, 345,571 .... Q 6
Lappi, 214,383 .... P 3
Mikkeli, 234,015 .... P 6
Oulu, 415,110 .... P 4
Pohjois-Karjala, 204,742 .... Q 5
Turku-Pori, 667,508 .... N 6
Uusimaa, 879,029 .... O 6
Vaasa, 448,627 .... N 5

CITIES and TOWNS

Äänekoski, 7,388 .... O 5
Åbo (Turku), 131,992 .... N 6
Alavus (Alavo), 1,029 .... N 5
Björneborg (Pori), 57,380 .... M 6
Borgå (Porvoo), 12,140 .... O 6
Brahestad (Raahe), 5,667 .... O 4
Ekenäs (Tammisaari), 5,844 .... N 6
Forssa, 11,000 .... N 6
Fredrikshamn (Hamina), 10,343 .... P 6
Gamlakarleby (Kokkola), 17,381 .... N 5
Haapajärvi, 2,895 .... O 5
Haapamäki, 2,200 .... O 5
Hämeenlinna (Tavastehus), 30,747 .... O 6
Hamina, 10,343 .... P 6
Hangö (Hanko), 8,729 .... N 7
Heinola, 11,993 .... P 6
Helsinki (Helsingfors) (cap.), 470,410 .... O 6
Helsinki (greater), 594,248 .... O 6
Himanka, 1,268 .... N 5
Hyrynsalmi, 1,283 .... Q 4
Hyvinkää (Hyvinge), 21,750 .... O 6
Iisalmi, 6,320 .... P 5
Ilomantsi, 1,835 .... R 5
Imatra, 34,782 .... Q 6
Ivalo, 2,555 .... P 2
Jakobstad (Pietarsaari), 16,497 .... N 5
Joensuu, 30,081 .... R 5
Juuka, 1,545 .... Q 5
Jyväskylä, 43,959 .... O 5
Kajaani, 16,558 .... P 4
Kalajoki, 3,711 .... N 4
Karis (Karjaa), 4,935 .... N 6
Karkkila, 5,120 .... N 6
Kaskö (Kaskinen), 1,446 .... M 5
Kauttua, 1,970 .... M 6
Kemi, 29,352 .... O 4
Kemijärvi, 5,425 .... P 3
Kerava (Kervo), 10,594 .... O 6
Kittilä, 1,668 .... O 3
Kokemäki, *9,711 .... N 6
Kokkola (Gamlakarleby), 17,381 .... N 5
Kotka, 31,424 .... P 6
Kouvola, 19,760 .... P 6
Kristiinankaupunki (Kristinestad), 2,724 .... N 5
Kuhmo, 2,709 .... Q 4
Kuopio, 47,626 .... Q 5
Kurikka, 1,881 .... M 5
Kuusamo, 3,216 .... Q 4
Lahti, 72,676 .... O 6
Lappeenranta, 22,860 .... P 6
Lauritsala, 12,216 .... Q 6
Lieksa, 4,580 .... R 5
Loimaa, 6,130 .... N 6
Lovisa (Loviisa), 7,054 .... P 6
Maarianhamina (Mariehamn), 7,075 .... M 7
Mänttä, 6,815 .... O 6
Mariehamn (Maarianhamina), 7,075 .... M 7
Mikkeli (Sankt Michel), 21,182 .... P 6
Muonio, 1,041 .... O 3
Naantali (Nådendal), 2,848 .... M 6
Nivala, 1,571 .... O 5
Nokia, 18,362 .... N 6
Nurmes, 2,341 .... Q 5
Nykarleby (Uusikaarlepyy), 1,176 .... N 5
Nyslott (Savonlinna), 15,779 .... Q 6
Nystad (Uusikaupunki), 4,668 .... M 6
Oulainen, 3,295 .... O 4
Oulu (Uleåborg), 63,339 .... O 4
Parikkala, 1,481 .... Q 6
Parkano, 1,988 .... N 6
Pello, 1,865 .... O 3
Pieksämäki, 11,119 .... P 5
Pietarsaari (Jakobstad), 16,497 .... N 5
Pori (Björneborg), 57,380 .... M 6
Porvoo (Borgå), 12,140 .... O 6
Posio, *7,235 .... Q 3
Pudasjärvi, *15,530 .... P 4
Raahe (Brahestad), 5,667 .... O 4
Rauma (Raumo), 22,480 .... M 6
Riihimäki, 21,440 .... O 6
Rovaniemi, 23,367 .... O 3
Saarijärvi, 1,907 .... O 5
Salo, 11,801 .... N 6
Sankt Michel (Mikkeli), 21,182 .... P 6
Savonlinna, 15,779 .... Q 6
Savukoski, 448 .... Q 3
Seinäjoki, 16,814 .... N 5
Sodankylä, 2,458 .... P 3
Sotkamo, 1,719 .... Q 4
Suolahti, 5,022 .... O 5
Suomussalmi, 1,006 .... Q 4
Suonenjoki, 3,191 .... P 5
Tammerfors (Tampere), 134,202 .... N 6
Tammisaari (Ekenäs), 5,844 .... N 6
Tampere (Tammerfors), 134,202 .... N 6
Tapiola, 8,786 .... O 6
Tavastehus (Hameenlinnä), 30,747 .... O 6
Teuva, 1,027 .... N 5
Toijala, 7,178 .... N 6
Tornio (Torneå), 6,219 .... O 4
Turku (Åbo), 131,992 .... N 6
Uleåborg (Oulu), 63,339 .... O 4
Ulvila (Ulvsby), *7,544 .... N 6
Utsjoki, 629 .... P 2
Uusikaarlepyy (Nykarleby), 1,176 .... N 5
Uusikaupunki (Nystad), 4,668 .... M 6
Vaala, 571 .... P 4
Vaasa (Vasa), 44,629 .... M 5
Valkeakoski, 14,825 .... N 6
Vammala, 5,062 .... N 6
Varkaus, 23,082 .... Q 5
Vasa (Vaasa), 44,629 .... M 5

PHYSICAL FEATURES

Åland (isls.) .... L 6
Finland (gulf) .... P 7
Haltia (mt.) .... M 2
Hanko Udd (prom.) .... N 7
Hauki (lake) .... Q 5
Ii (river) .... O 4
Inari (lake) .... P 2
Juo (lake) .... Q 5
Kala (river) .... O 4
Kalla (lake) .... P 5
Keitele (lake) .... O 5
Kemi (lake) .... Q 3
Kemi (river) .... O 3
Kianta (lake) .... Q 4
Kilpis (lake) .... M 2
Kittinen (river) .... P 3
Kivi (lake) .... O 5
Koitere (lake) .... R 5
Kuusamo (lake) .... Q 4
Langelmä (lake) .... O 6
Lapland (reg.) .... O 2
Lapuan (river) .... N 5
Lesti (lake) .... O 5
Muo (lake) .... R 4
Muonio (river) .... M 2
Nasi (lake) .... O 6
Onkivesi (lake) .... P 5
Orihvesi (lake) .... Q 5
Oulu (river) .... O 4
Ounas (river) .... O 3
Päijänne (lake) .... O 6
Pasvik (river) .... Q 2
Pielinen (lake) .... Q 5
Puru (lake) .... Q 6
Puula (lake) .... P 5
Pyhä (lake) .... M 6
Pyhä (lake) .... O 5
Saimaa (lake) .... Q 6
Siika (river) .... O 4
Simo (lake) .... P 3
Simo (river) .... O 4
Tana (river) .... P 2
Tornio (river) .... O 3
Vallgrund (isl.) .... M 5
Ylikitka (lake) .... Q 3

*Population of commune

DENMARK

CITIES and TOWNS

Aabenraa, 14,219 .... C 7
Aabybro, 1,346 .... C 3
Aakirkeby, 1,461 .... F 9
Aalborg, 85,800 .... D 4
Aalestrup, 1,763 .... C 4
Aarhus, 119,568 .... D 5
Aars, 3,206 .... C 4
Aarup, 1,286 .... D 7
Ærøskøbing, 1,273 .... D 8
Allingaabro, 1,312 .... D 5
Allinge-Sandvig, 2,114 .... F 8
Andsager, 1,033 .... B 6
Arden, 1,365 .... C 4
Asaa, 1,265 .... D 3
Askov, 575 .... C 7
Asnæs, 1,120 .... E 6
Assens, 4,937 .... D 7
Assens, 1,236 .... D 4
Augustenborg, 1,926 .... D 8
Aulum, 1,253 .... B 5
Auning, 1,314 .... D 5
Bælum, 638 .... D 4
Bagenkop, 705 .... D 8
Ballerup, 9,392 .... F 6
Ballum, 890 .... B 7
Bandholm, 712 .... E 8
Bedsted, 851 .... B 4
Birkerød, 14,846 .... F 6
Bjerringbro, 3,582 .... C 5
Bogense, 2,968 .... D 6
Bolderslev, 691 .... C 8
Børkop, 1,051 .... C 6
Borup, 894 .... E 7
Brabrand, 5,139 .... C 5
Brædstrup, 1,619 .... C 6
Bramminge, 2,900 .... B 7
Brande, 4,151 .... C 6
Broager, 1,601 .... C 8
Brønderslev, 9,454 .... C 3
Brøns, 865 .... B 7
Brørup, 2,106 .... C 7
Brovst, 1,640 .... C 3
Bryrup, 1,019 .... C 5
Byrum, 939 .... E 3
Christiansfeld, 819 .... C 7
Copenhagen (København) (cap.), 712,950 .... F 6
Copenhagen (greater), 1,262,159 .... F 6
Dragør, 4,243 .... F 6
Dronninglund, 1,647 .... D 3
Dybvad, 817 .... D 3
Ebeltoft, 2,227 .... D 5
Egernsund, 1,230 .... C 8
Egtved, 1,012 .... C 6
Ejby, 1,309 .... D 7
Ejstrupholm, 913 .... C 6
Elsinore (Helsingør), 26,658 .... F 6
Esbjerg, 55,171 .... B 7
Faaborg, 2,170 .... B 6
Faaborg, 5,135 .... D 7
Fakse, 2,002 .... F 7
Fakse Ladeplads, 1,579 .... F 7
Farsø, 1,581 .... C 4
Farum, 4,101 .... F 6
Fjerritslev, 1,925 .... C 3
Fredensborg, 3,448 .... F 6
Fredericia, 29,870 .... C 6
Frederiksberg, 114,285 .... F 6
Frederikshavn, 22,522 .... D 3
Frederikssund, 5,722 .... E 6
Frederiksværk, 4,435 .... E 5
Fuglebjerg, 967 .... E 7
Gedser, 1,262 .... F 8
Gedsted, 965 .... C 4
Gelsted, 653 .... C 7
Gentofte, 88,308 .... F 6
Gilleleje, 2,219 .... F 5
Give, 1,800 .... C 6
Gjerlev, 901 .... D 4
Glamsbjerg, 1,719 .... D 7
Glostrup, 21,845 .... F 6
Glumsø, 767 .... E 7
Gørding, 1,107 .... B 7
Gørlev, 1,379 .... E 7
Graasten, 2,414 .... C 8
Græsted, 1,078 .... F 5
Gram, 1,801 .... C 7
Grenaa, 9,088 .... D 5
Grindsted, 5,289 .... C 6
Gylling, 520 .... D 6
Haarby, 1,225 .... D 7
Haarlev, 1,253 .... F 7
Haderslev, 19,735 .... C 7
Hadsten, 2,525 .... C 5
Hadsund, 3,424 .... D 4
Hals, 1,563 .... D 3
Hammel, 2,462 .... C 5
Hammerum, 1,544 .... C 5
Hansted, 510 .... B 3
Hasle, 1,487 .... F 8
Haslev, 6,155 .... E 7
Havdrup, 1,048 .... F 6
Hedensted, 1,717 .... C 6
Hellebæk, 1,870 .... F 5
Helsingør, 26,658 .... F 6
Henne, 1,159 .... B 6
Herning, 24,790 .... B 5
Hillerød, 11,605 .... F 6
Hinnerup, 937 .... D 5
Hirtshals, 4,177 .... C 2
Hjallerup, 1,241 .... C 3
Hjerm, 532 .... B 5
Hjerting, 996 .... B 6
Hjørring, 15,038 .... C 3
Hobro, 8,208 .... C 4
Højer, 1,400 .... B 8
Højslev, 889 .... C 4
Holbæk, 15,475 .... E 6
Holeby, 1,345 .... E 8
Holstebro, 18,563 .... B 5
Holsted, 1,081 .... B 6
Holte, 6,718 .... F 6
Høng, 1,950 .... E 7
Hornslet, 1,637 .... D 5
Hornum, 834 .... C 4
Horsens, 37,261 .... C 6
Hørsholm, 12,401 .... F 6
Hørve, 906 .... E 6
Hou, 548 .... D 6
Humlum, 1,343 .... B 5
Hundested, 3,806 .... E 6
Hurup, 2,160 .... B 4
Hvidbjerg, 978 .... B 4
Hviding, 677 .... B 7
Ikast, 5,797 .... C 5
Jelling, 1,228 .... C 6
Jerslev, 718 .... D 3
Juelsminde, 950 .... D 6
Jyderup, 2,305 .... E 6
Kalundborg, 9,763 .... E 6
Karby, 930 .... B 4
Karise, 923 .... F 7
Karup, 1,137 .... C 5
Kastrup, 20,305 .... F 6
Kerteminde, 4,024 .... D 7
Kjellerup, 2,637 .... C 5
Klakksvik, Faerøe Is., 3,894 .... B 2
Klitmøller, 550 .... B 3
København (Copenhagen), (cap.), 721,381 .... F 6
Køge, 12,294 .... F 7
Kolding, 35,101 .... C 7
Kolind, 814 .... D 5
Korsør, 14,276 .... E 7
Kværndrup, 776 .... D 7
Langaa, 2,119 .... C 5
Lem, 837 .... B 5
Lemvig, 5,783 .... B 4
Løgstør, 3,435 .... C 4
Løgumkloster, 1,907 .... B 7
Lohals, 640 .... E 7
Løjt Kirkeby, 725 .... C 7
Løkken, 1,506 .... C 3
Løsning, 1,110 .... C 6
Lundby, 549 .... E 7
Lunderskov, 1,181 .... C 7
Lyngby, 63,712 .... F 6
Malling, 955 .... D 5
Mariager, 1,483 .... D 4
Maribo, 5,235 .... E 8
Marstal, 1,986 .... D 8
Middelfart, 8,801 .... C 7
Møgeltønder, 680 .... B 8
Næstved (Nastved), 19,617 .... E 7
Nakskov, 16,639 .... E 8
Neksø, 3,220 .... F 9
Nibe, 2,494 .... C 4
Nordborg, 2,563 .... C 7
Nordby, 1,975 .... B 7
Nordby, 313 .... D 5
Nørre-Aaby, 1,844 .... C 7
Nørre-Alslev, 1,062 .... E 8
Nørre-Broby, 715 .... D 7
Nørre-Nebel, 753 .... B 6
Nørresundby, 10,456 .... D 2
Nørrevorupør, 610 .... B 4
Nyborg, 11.667 .... D 7
Nykøbing, Holbæk, 4,803 .... E 6

AGRICULTURE, INDUSTRY and RESOURCES

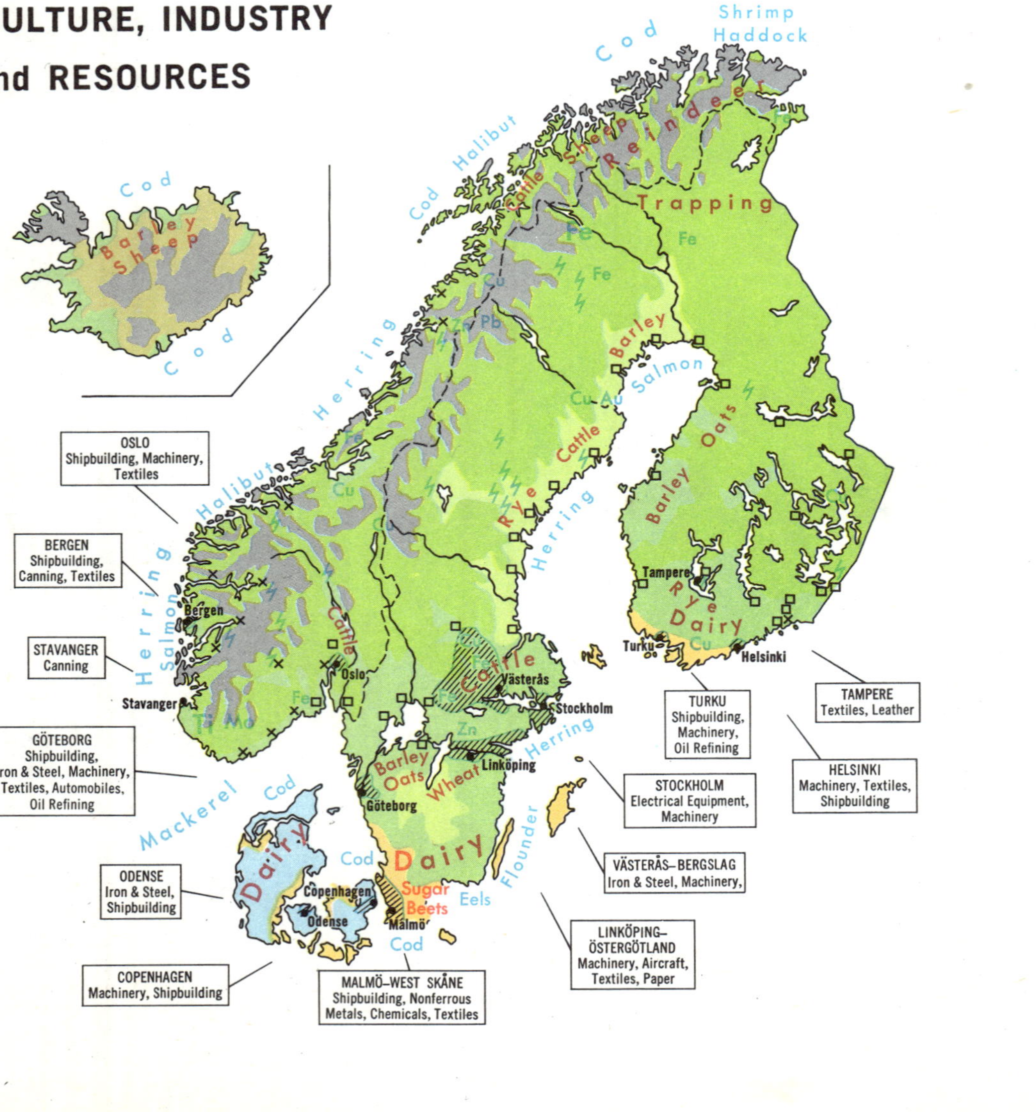

Cod
Shrimp
Haddock
Cod
Barley
Sheep
Cod
Cod
Halibut
Cod
Reindeer
Sheep
Cattle
Trapping
Fe
Fe
Cu
Pb
Herring
Barley
Salmon
Cu Au
Cattle
Rye
Oats
Barley
Herring
Halibut
Cu
Tampere
Rye
Dairy
Turku
Cu
Helsinki
Bergen
Herring
Salmon
Cattle
Cattle
Oslo
Västerås
Stockholm
Stavanger
Fe
Ti
Mo
Zn
Herring
Linköping
Barley
Oats
Wheat
Göteborg
Mackerel
Cod
Dairy
Cod
Dairy
Flounder
Copenhagen
Odense
Sugar Beets
Malmö
Eels
Cod
OSLO
Shipbuilding, Machinery, Textiles
BERGEN
Shipbuilding, Canning, Textiles
STAVANGER
Canning
GÖTEBORG
Shipbuilding, Iron & Steel, Machinery, Textiles, Automobiles, Oil Refining
ODENSE
Iron & Steel, Shipbuilding
COPENHAGEN
Machinery, Shipbuilding
MALMÖ–WEST SKÅNE
Shipbuilding, Nonferrous Metals, Chemicals, Textiles
LINKÖPING–ÖSTERGÖTLAND
Machinery, Aircraft, Textiles, Paper
VÄSTERÅS–BERGSLAG
Iron & Steel, Machinery,
STOCKHOLM
Electrical Equipment, Machinery
TURKU
Shipbuilding, Machinery, Oil Refining
TAMPERE
Textiles, Leather
HELSINKI
Machinery, Textiles, Shipbuilding

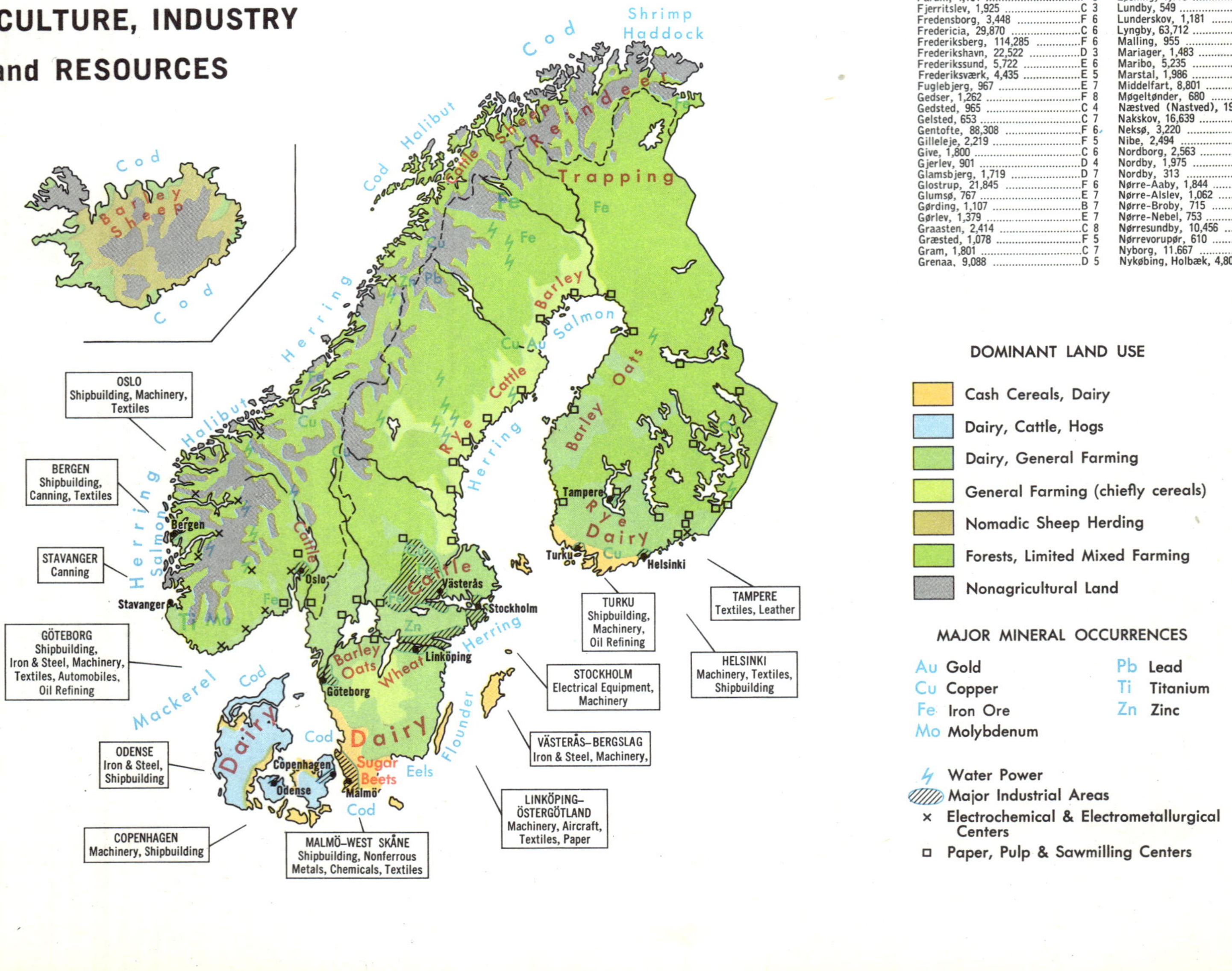

DOMINANT LAND USE

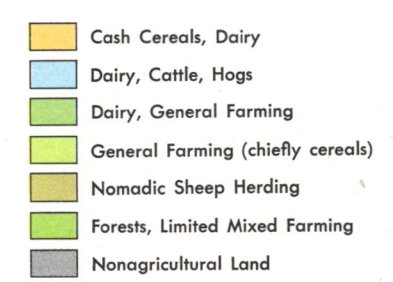

- ■ Cash Cereals, Dairy
- ■ Dairy, Cattle, Hogs
- ■ Dairy, General Farming
- ■ General Farming (chiefly cereals)
- ■ Nomadic Sheep Herding
- ■ Forests, Limited Mixed Farming
- ■ Nonagricultural Land

MAJOR MINERAL OCCURRENCES

Au	Gold	Pb	Lead
Cu	Copper	Ti	Titanium
Fe	Iron Ore	Zn	Zinc
Mo	Molybdenum		

- ϟ Water Power
- ▨ Major Industrial Areas
- × Electrochemical & Electrometallurgical Centers
- □ Paper, Pulp & Sawmilling Centers

Norway, Sweden, Finland, Denmark and Iceland
(continued)

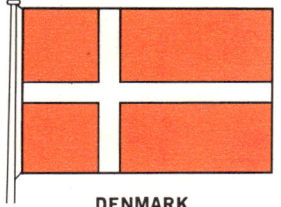

DENMARK
- AREA: 16,556 sq. mi.
- POPULATION: 4,684,000
- CAPITAL: Copenhagen
- LARGEST CITY: Copenhagen (greater) 1,262,159
- HIGHEST POINT: Yding Skovhøj 568 ft.
- MONETARY UNIT: krone (crown)
- MAJOR LANGUAGES: Danish
- MAJOR RELIGIONS: Protestant

ICELAND
- AREA: 39,709 sq. mi.
- POPULATION: 187,000
- CAPITAL: Reykjavík
- LARGEST CITY: Reykjavík (greater) 83,605
- HIGHEST POINT: Hvannadalshnúkur 6,952 ft.
- MONETARY UNIT: króna (crown)
- MAJOR LANGUAGES: Icelandic
- MAJOR RELIGIONS: Protestant

Nykøbing, Maribo, 17,850 .... F 8
Nykøbing, Thisted, 9,326 .... B 4
Nysted, 1,328 .... E 8
Odder, 5,562 .... D 6
Odense, 111,145 .... D 7
Ølgod, 1,990 .... B 6
Ørsted, 1,031 .... D 5
Østervraa, 884 .... D 3
Otterup, 1,687 .... D 7
Outrup, 513 .... B 6
Padborg, 2,979 .... C 8
Pandrup, 1,159 .... C 3
Pedersborg, 673 .... E 7
Præstø, 1,528 .... F 7
Ramme, 1,186 .... B 5
Randbøl, 1,572 .... C 6
Randers, 42,238 .... C 5
Ranum, 1,153 .... C 4
Ribe, 7,809 .... B 7
Ringe, 2,936 .... D 7
Ringkøbing, 4,869 .... B 5
Ringsted, 9,694 .... E 7
Rødby, 3,551 .... E 8
Rødbyhavn .... E 8
Rødding, 1,815 .... B 7
Rødekro, 1,621 .... C 7
Rødkærsbro, 843 .... C 5
Rødvig Stevns, 850 .... F 7
Rønde, 2,026 .... D 5
Rønne, 13,195 .... F 9
Rørby, 943 .... E 6
Roskilde, 31,928 .... E 6
Roslev, 1,041 .... C 4
Rosmus, 912 .... D 5
Rudkøbing, 4,336 .... D 8
Ruds Vedby, 918 .... E 7
Ry, 2,004 .... C 5
Sæby, 3,669 .... D 3
Sakskøbing, 2,526 .... E 8
Silkeborg, 24,465 .... C 5
Sindal, 1,410 .... D 3
Skaarup, 888 .... D 7
Skælskør, 2,889 .... E 7
Skærbæk, 1,989 .... B 7
Skagen, 10,390 .... D 2
Skals, 848 .... C 4
Skanderborg, 5,482 .... D 5
Skibby, 1,040 .... E 6
Skive, 15,558 .... B 5
Skjern, 5,349 .... B 6
Skodborg, 803 .... C 7
Skørping, 1,461 .... C 4
Slagelse, 20,562 .... E 7
Slangerup, 1,838 .... E 6
Snedsted, 1,030 .... B 4
Søllested, 718 .... E 8
Sønder Nissum, 1,219 .... B 5
Sønder Omme, 1,308 .... B 6
Sønderborg, 20,653 .... C 8
Sønderho, 410 .... B 7
Sønderse, 569 .... D 7
Sorø, 5,494 .... E 7
Stadil, 731 .... B 5
Stege, 2,620 .... F 8
Stenbjerg, 350 .... B 4
Stenlille, 942 .... E 6
Stenstrup, 966 .... D 7
Stoholm, 1,065 .... C 5
Store-Heddinge, 2,082 .... F 7
Støvring, 1,373 .... D 4
Strandby, 1,303 .... D 3
Struer, 8,335 .... B 5
Stubbekøbing, 2,097 .... E 8
Svaneke, 1,167 .... F 9
Svendborg, 23,892 .... D 7
Svenstrup, 1,254 .... D 4
Svinninge, 1,437 .... E 6
Taastrup, 12,856 .... F 6
Tarm, 2,270 .... B 6
Thisted, 8,768 .... B 4
Thorsager, 1,282 .... D 5
Thyborøn, 2,134 .... B 4
Thyregod, 860 .... C 6
Tingley, 1,406 .... C 7
Tistrup, 613 .... B 6
Tisvildeleje, 862 .... E 6
Toftlund, 1,814 .... C 7
Tølløse, 1,449 .... E 6
Tommerup, 1,402 .... D 7
Tønder, 7,192 .... C 8
Tørring, 1,367 .... C 6
Tórshavn, Faerøe Is., 7,447 .... A 3
Tranebjerg, 729 .... D 7
Troense, 655 .... D 7
Trustrup, 709 .... D 5
Tversted, 1,697 .... D 2
Udby, 396 .... F 8
Uldum, 739 .... C 6
Ulfborg, 1,174 .... B 5
Vamdrup, 2,313 .... C 7
Varde, 9,577 .... B 6
Vejen, 4,582 .... C 7
Vejle, 31,362 .... C 6
Velling, 730 .... B 5
Vemb, 1,017 .... B 5
Vester Skerninge, 543 .... D 7
Vestervested, 1,079 .... B 7
Viborg, 23,265 .... C 5
Viby, 771 .... D 5
Videbæk, 1,694 .... B 5
Vig, 826 .... E 6
Vildbjerg, 1,108 .... B 5
Vinderup, 1,910 .... B 5
Vodskov, 1,158 .... D 3
Vojens, 3,563 .... C 7
Vorbasse, 797 .... B 6
Vordingborg, 11,780 .... E 8
Vorsaa, 559 .... D 3
Vraa, 1,994 .... C 3

PHYSICAL FEATURES

Aalborg (bay) .... D 4
Aarø (isl.), 278 .... C 7
Ærø (isl.), 10,109 .... D 8
Als (isl.), 43,755 .... C 8
Amager (isl.), 178,184 .... F 6
Anholt (isl.), 239 .... E 4
Bagø (isl.), 137 .... C 8
Blaavands (point) .... A 6
Bornholm (isl.), 48,217 .... F 9
Dovns (prom.) .... D 8
Endelave (isl.), 403 .... D 6
Faerøe Is. (isls.), 34,596 .... B 2
Fakse (bay) .... F 7
Falster (isl.), 46,662 .... E 8
Fanø (isl.), 2,675 .... B 7
Fehmarn (strait) .... E 8
Frisian, North (islands), 3,485 .... B 7
Fyn (isl.), 376,872 .... D 7
Fyns (prom.) .... D 6
Gedser (point) .... E 8
Gerrild (prom.) .... D 5
Gilbjerg (prom.) .... F 5
Gjels (prom.) .... C 3
Gudenaa (river) .... C 5
Horsens (fjord) .... C 6
Ise (fjord) .... E 6
Jammerbugt (bay) .... C 3
Jydske (hills) .... D 3
Jylland (Jutland) (pen.), 2,018,168 .... C 5
Kattegat (strait) .... E 4
Knøsen (mt.) .... D 3
Knuds (prom.) .... D 7
Køge (bay) .... F 7
Laaland (Lolland) (isl.), 83,170.. E 8
Læsø (isl.), 3,120 .... D 3
Langeland (isl.), 18,692 .... D 8
Langeland Bælt (channel) .... D 8
Lille Bælt (channel) .... C 7
Lillea (river) .... B 5
Lim (fjord) .... A, D 4
Løgstør Bredning (fjord) .... C 4
Lolland (Laaland) (isl.), 83,170.. E 8
Mariager (fjord) .... D 4
Møen (isl.), 13,107 .... F 8
Mollebjerg (mt.) .... C 6
Mors (isl.), 26,766 .... B 4
Nissum (fjord) .... A 5
North Frisian (isls.), 3,485 .... B 7
Odense (river) .... D 7
Omme (river) .... B 6
Øresund (sound) .... F 6
Østerø (isl.), 7,382 .... B 3
Refsnaas (pen.) .... D 6
Ringkøbing (fjord) .... B 7
Rømø (isl.), 651 .... B 7
Samsø (isl.), 6,429 .... D 6
Samsø Bælt (channel) .... D 6
Sandø, Faerøe Is. (isl.) .... B 3
Sejerø (isl.), 664 .... E 7
Sjælland (Zealand) (isl.), 1,771,557 .... E 6
Sjællands (point) .... E 7
Skagen (The Skaw) (point) .... D 2
Skagerrak (strait) .... B 3
Skive (river) .... C 4
Sound, The (Øresund) (sound).. F 6
Stevns (prom.) .... F 7
Stor (river) .... B 5
Store Bælt (channel) .... D 7
Strømø, Faerøe Is. (isl.), 11,692.. A 2
Suderø, Faerøe Is. (isl.), 6,045.. B 3
Sus (river) .... E 7
Tannis (bay) .... D 2
Tranebjerg (mt.) .... C 5
Varde (river) .... B 6
Vejle (river) .... C 6
Vigsø (bay) .... B 3
Vorgod (river) .... C 6
Yding Skovhøj (mt.), 4,643 .... C 6
Zealand (Sjælland) (isl.), 1,771,557 .... E 6

ICELAND

CITIES and TOWNS

Akranes, 3,822 .... B 1
Akureyri, 8,835 .... C 1
Hafnarfjördhur, 7,160 .... B 1
Húsavík, 1,514 .... C 1
Ísafjördhur, 2,725 .... B 1
Keflavík, 4,700 .... B 1
Neskaupstadhur (Nes), 1,436 .... D 1
Reykjavík (cap.), 74,978 .... B 1
Reykjavík (greater), 83,605 .... B 1
Saudharkrókur, 1,205 .... B 1
Seydhisfjördhur, 745 .... D 1
Siglufjördhur, 2,680 .... C 1
Vestmannæyjar, 4,613 .... B 2

PHYSICAL FEATURES

Breidhifjördhur (fjord) .... B 1
Faxaflói (bay) .... B 1
Grímsey (isl.) .... C 1
Hekla (volcano) .... B 1
Horn (cape) .... C 1
Hornafjördhur (fjord) .... C 1
Húnaflói (bay) .... B 1
Hvannadalshnúkur (mt.) .... C 1
Hvítá (river) .... C 1
Ísafjördhur (fjord) .... B 1
Jökulsá (river) .... C 1
Lagarfljót (stream) .... D 1
Lang (glacier) .... C 1
Langanes (prom.) .... D 1
North (cape) .... C 1
Ondverdarnes (mt.) .... A 1
Rifstángi (prom.) .... C 1
Skagata (cape) .... B 1
Skjálfanda (fjord) .... C 1
Staalbjerg (point) .... A 1
Thjórsá (river) .... C 1
Vatna (glacier) .... D 1
Vopnafjördhur (fjord) .... D 1

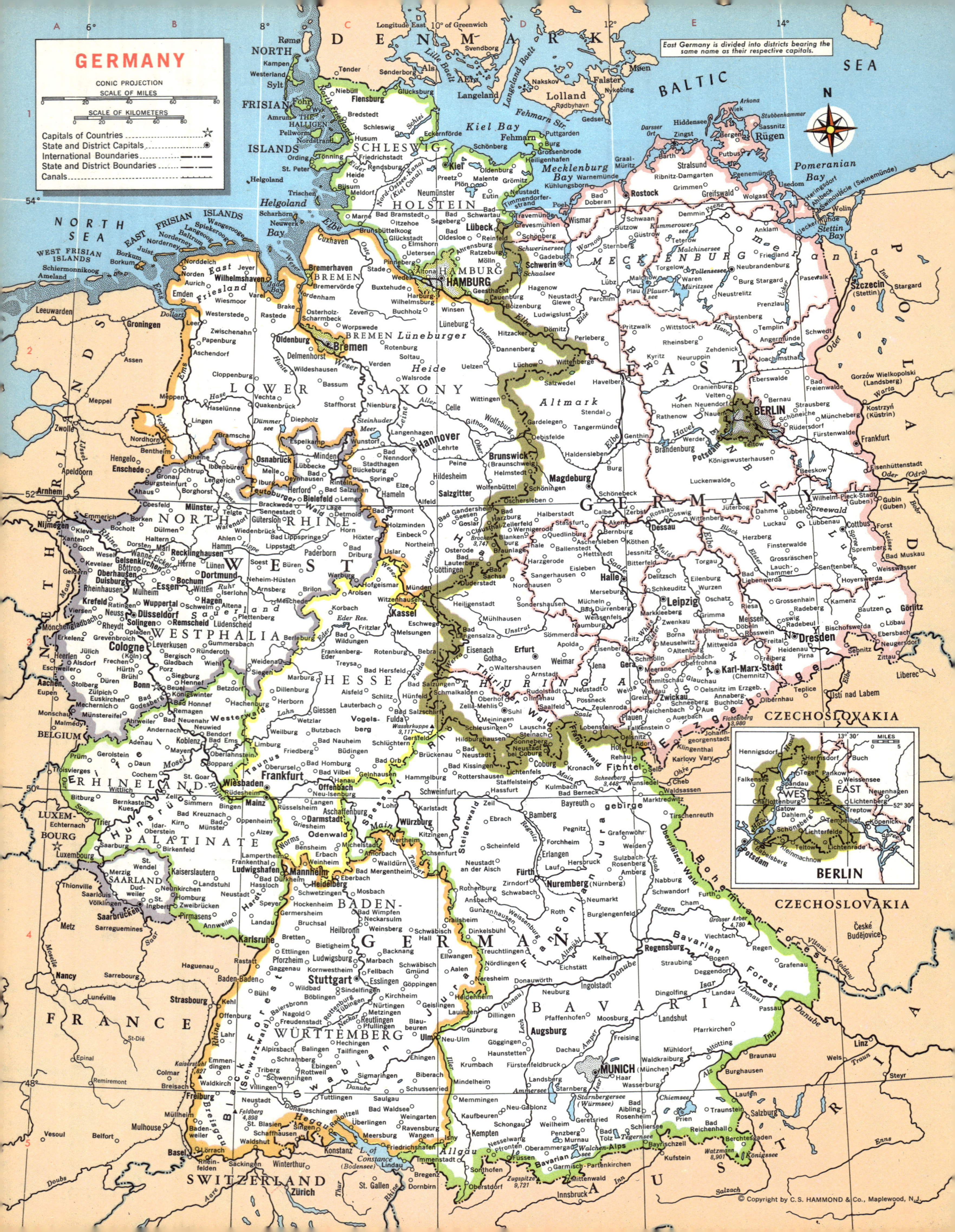

GERMANY

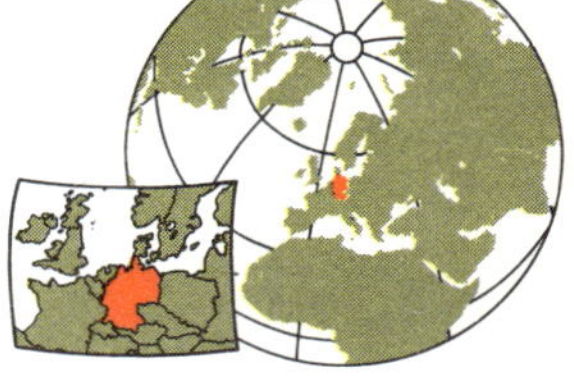

WEST GERMANY

AREA	95,914 sq. mi.
POPULATION	57,974,000
CAPITAL	Bonn
LARGEST CITY	Berlin (West) 2,187,000
HIGHEST POINT	Zugspitze 9,721 ft.
MONETARY UNIT	West German Deutsch mark
MAJOR LANGUAGE	German
MAJOR RELIGIONS	Protestant, Roman Catholic

EAST GERMANY

AREA	41,535 sq. mi.
POPULATION	17,135,867
CAPITAL	Berlin (East)
LARGEST CITY	Berlin (East) 1,061,218
HIGHEST POINT	Fichtelberg 3,980 ft.
MONETARY UNIT	East German Deutsch mark
MAJOR LANGUAGE	German
MAJOR RELIGIONS	Protestant, Roman Catholic

TOPOGRAPHY

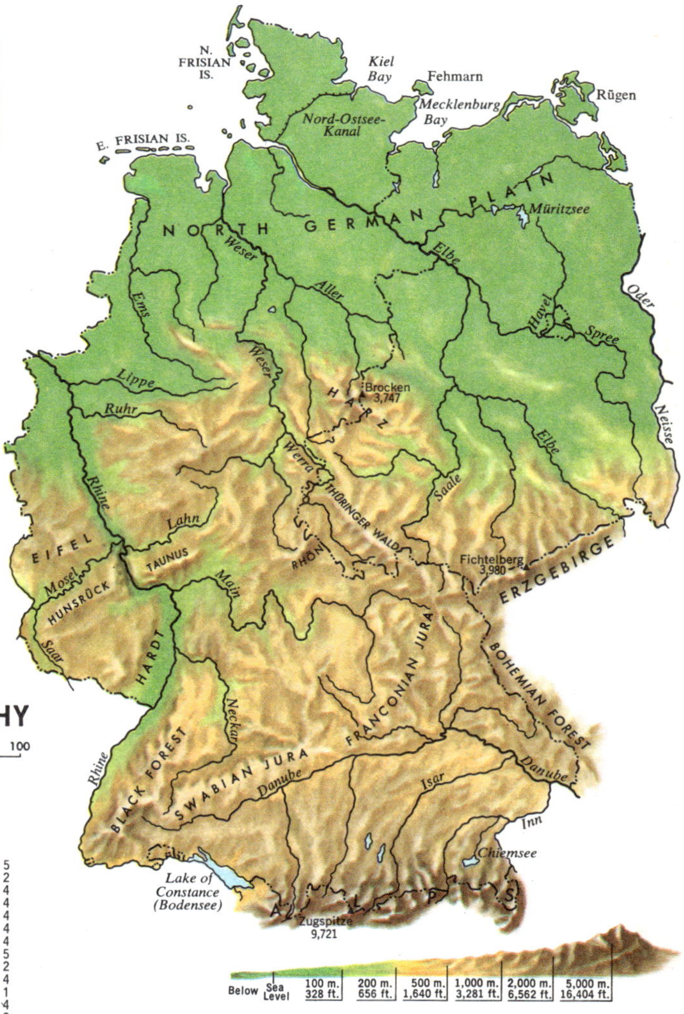

WEST GERMANY

STATES

Baden-Württemberg, 8,081,000....C 4
Bavaria, 9,805,000 ....D 4
Berlin (West) (Free City), 2,187,000 ....E 4
Bremen, 721,084 ....C 2
Hamburg, 1,851,172 ....D 2
Hesse, 4,974,000 ....C 3
Lower Saxony, 6,762,000 ....C 2
North Rhine-Westphalia, 16,276,000 ....B 3
Rhineland-Palatinate, 3,494,000...B 4
Saarland, 1,103,000 ....B 4
Schleswig-Holstein, 2,364,000 ....C 1

CITIES and TOWNS

Aachen, 174,293 ....B 3
Aalen, 31,814 ....D 4
Ahlen, 40,485 ....B 3
Ahrensburg, 21,178 ....D 2
Aix-la-Chapelle (Aachen), 169,769 ....B 3
Alfeld, 13,081 ....C 2
Alsdorf, 30,957 ....B 3
Altena, 24,007 ....B 3
Alzey, 11,927 ....C 4
Amberg, 42,493 ....E 4
Andernach, 20,825 ....B 3
Ansbach, 32,948 ....D 4
Arnsberg, 21,305 ....C 3
Aschaffenburg, 54,131 ....C 4
Augsburg, 210,537 ....D 4
Aurich, 12,982 ....B 2
Backnang, 23,725 ....C 4
Bad Dürkheim, 12,458 ....C 4
Bad Godesberg, 65,119 ....B 3
Bad Harzburg, 11,201 ....D 3
Bad Hersfeld, 23,004 ....C 3
Bad Homburg, 37,340 ....C 3
Bad Honnef, 15,500 ....B 3
Bad Kissingen, 12,865 ....D 3
Bad Kreuznach, 35,101 ....B 4
Bad Lauterberg, 10,118 ....D 3
Bad Mergentheim, 11,608 ....D 4
Bad Nauheim, 13,431 ....C 3
Bad Oeynhausen, 14,121 ....C 2
Bad Oldesloe, 15,988 ....D 2
Bad Pyrmont, 14,343 ....C 2
Bad Reichenhall, 13,147 ....E 5
Bad Salzuflen, 16,575 ....C 2
Bad Schwartau, 15,287 ....D 2
Bad Segeberg, 11,673 ....D 2
Bad Tölz, 12,064 ....D 5
Bad Vilbel, 14,237 ....C 3
Bad Wildungen, 11,210 ....C 3
Baden-Baden, 40,029 ....C 4
Balingen, 11,647 ....C 4
Bamberg, 74,115 ....D 4
Bayreuth, 61,835 ....D 4
Bendorf, 14,018 ....B 3
Bensheim, 24,060 ....C 4
Berchtesgaden, 4,795 ....E 5
Bergisch Gladbach, 41,902 ....B 3
Berlin (West), 2,187,000 ....E 4
Beuel, 31,836 ....B 3
Biberach, 21,524 ....C 4
Bielefeld, 172,843 ....C 2
Bietigheim, 16,649 ....C 4
Bingen, 20,210 ....B 4
Böblingen, 25,366 ....C 4
Bocholt, 45,675 ....B 3
Bochum, 361,096 ....B 3
Bonn (cap.), 143,748 ....B 3
Borghorst, 15,527 ....B 2
Borken, 12,254 ....B 3
Bottrop, 112,150 ....B 3
Brackwede, 25,999 ....C 3
Brake, 15,939 ....C 2
Braunschweig (Brunswick), 241,275 ....D 2
Bremen, 577,931 ....C 2
Bremerhaven, 143,153 ....C 2
Brilon, 11,887 ....C 3
Bruchsal, 22,578 ....C 4
Brühl, 35,302 ....B 3
Brunswick, 241,275 ....D 2
Bückeburg, 11,933 ....C 2
Burghausen, 13,205 ....E 4
Burgsteinfurt, 12,241 ....B 2
Buxtehude, 15,735 ....C 2
Cassel (Kassel), 207,507 ....C 3
Celle, 58,506 ....D 2
Charlottenburg, 224,538 ....F 4
Clausthal-Zellerfeld, 15,300....D 3
Cleves (Kleve), 21,483 ....B 3
Cloppenburg, 15,214 ....B 2
Coblenz (Koblenz), 99,240 ....B 3
Coburg, 44,237 ....D 3
Coesfeld, 20,348 ....B 3
Cologne, 832,392 ....B 3
Constance (Konstanz), 52,651....C 5
Crailsheim, 14,387 ....D 4
Cuxhaven, 44,123 ....C 2
Dachau, 28,998 ....D 4
Darmstadt, 139,612 ....C 4
Deggendorf, 17,082 ....E 4
Delmenhorst, 57,312 ....C 2
Detmold, 31,236 ....C 3
Dillenburg, 10,658 ....C 3
Dillingen, 11,158 ....D 4
Donaueschingen, 10,715 ....C 5
Donauwörth, 10,200 ....D 4
Dorsten, 36,323 ....B 3
Dortmund, 650,942 ....B 3
Duderstadt, 10,709 ....D 3
Dudweiler, 28,854 ....B 4
Duisburg, 501,123 ....B 3
Dülmen, 16,740 ....B 3
Düren, 49,138 ....B 3
Düsseldorf, 703,989 ....B 3
Eberbach, 12,492 ....C 4
Ebingen, 21,092 ....C 4
Eckernförde, 19,540 ....D 1
Ehingen, 10,266 ....C 4
Eichstätt, 10,625 ....D 4
Einbeck, 18,602 ....C 3
Ellwangen, 12,538 ....D 4
Elmshorn, 34,962 ....C 2
Emden, 45,713 ....B 2
Emmendingen, 13,203 ....B 4
Emmerich, 16,822 ....B 3
Erkelenz, 11,729 ....B 3
Erlangen, 69,552 ....D 4
Eschwege, 24,091 ....D 3
Eschweiler, 39,590 ....B 3
Espelkamp, 10,454 ....C 2
Essen, 729,351 ....B 3
Esslingen, 83,236 ....C 4
Ettlingen, 19,390 ....C 4
Euskirchen, 20,287 ....B 3
Eutin, 16,924 ....D 1
Fellbach, 26,040 ....C 4
Flensburg, 98,464 ....C 1
Forchheim, 20,947 ....D 4
Frankenthal, 33,949 ....C 4
Frankfurt-am-Main, 694,245....C 3
Frechen, 26,613 ....B 3
Freiburg, 150,437 ....B 5
Freising, 27,562 ....D 4
Freudenstadt, 14,213 ....C 4
Friedberg, 17,311 ....C 3
Friedrichshafen, 37,148....C 5
Fulda, 45,131 ....C 3
Fürstenfeldbruck, 17,633 ....D 4
Fürth, 98,335 ....D 4
Füssen, 10,700 ....D 5
Gaggenau, 12,537 ....C 4
Garmisch-Partenkirchen, 25,011...D 5
Geesthacht, 20,809 ....D 2
Geislingen, 25,844 ....C 4
Geldern, 10,209 ....B 3
Gelsenkirchen, 380,628 ....B 3
Giessen, 66,291 ....C 3
Gifhorn, 17,677 ....D 2
Glückstadt, 12,331 ....C 2
Goch, 15,195 ....B 3
Göggingen, 14,589 ....D 4
Göppingen, 48,937 ....C 4
Goslar, 41,431 ....D 3
Göttingen, 80,373 ....D 3
Grevenbroich, 21,955 ....B 3
Griesheim, 13,701 ....C 4
Gronau, 25,560 ....B 2
Gummersbach, 32,009 ....B 3
Günzburg, 11,800 ....D 4
Gütersloh, 52,346 ....C 3
Haar, 10,204 ....D 4
Hagen, 198,758 ....B 3
Haltern, 14,712 ....B 3
Hamburg, 1,851,172 ....D 2
Hameln, 50,436 ....C 2
Hamm, 70,641 ....B 3
Hanau, 47,207 ....C 3
Hannover (Hanover), 571,332....C 2
Hassloch, 15,350 ....C 4
Haunstetten, 16,750 ....D 4
Heide, 19,983 ....C 1
Heidelberg, 126,519 ....C 4
Heidenheim, 48,790 ....D 4
Heilbronn, 89,100 ....C 4
Helmstedt, 29,543 ....D 2
Hennef, 13,238 ....B 3
Herford, 55,663 ....C 2
Herne, 111,229 ....B 3
Hildesheim, 96,296 ....D 2
Hockenheim, 13,213 ....C 4
Hof, 57,129 ....D 3
Holzminden, 22,789 ....C 3
Homburg, 29,725 ....B 4
Höxter, 15,156 ....C 3
Hürth, 45,695 ....B 3
Husum, 23,804 ....C 1
Ibbenbüren, 15,676 ....B 2
Idar-Oberstein, 30,182 ....B 4
Immenstadt, 10,049 ....D 5
Ingolstadt, 53,405 ....D 4
Iserlohn, 55,257 ....B 3
Itzehoe, 36,084 ....C 2
Jülich, 14,687 ....B 3
Kaiserslautern, 86,259 ....B 4
Karlsruhe, 249,528 ....C 4
Kassel, 211,773 ....C 3
Kaufbeuren, 34,686 ....D 5
Kehl, 13,121 ....B 4
Kelheim, 11,927 ....D 4
Kempten, 43,116 ....D 5
Kevelaer, 11,878 ....B 3
Kiel, 270,803 ....C 1
Kirchheim, 25,007 ....C 4
Kitzingen, 17,784 ....D 4
Kleve, 21,483 ....B 3
Koblenz, 101,163 ....B 3
Köln (Cologne), 832,392....B 3
Konstanz, 52,651 ....C 5
Korbach, 15,084 ....C 3
Kornwestheim, 26,296 ....C 4
Krefeld, 216,871 ....B 3
Kulmbach, 23,467 ....D 3
Lage, 12,869 ....C 3
Lahr, 22,599 ....B 4
Lampertheim, 19,218 ....C 4
Landau, 28,725 ....C 4
Landsberg, 13,413 ....D 4
Landshut, 49,514 ....E 4
Langen, 20,957 ....C 4
Langenhagen, 26,736 ....C 2
Lauenburg, 10,713 ....D 2
Lauf, 12,863 ....D 4
Leer, 20,524 ....B 2
Lehrte, 21,257 ....D 2
Lemgo, 21,365 ....C 2
Lengerich, 21,020 ....B 2
Leverkusen, 94,641 ....B 3
Lichtenfels, 11,270 ....D 3
Limburg, 15,578 ....C 3
Lindau, 24,187 ....C 5
Lingen, 25,156 ....B 2
Lippstadt, 37,502 ....C 3
Lohr, 11,078 ....C 4
Lörrach, 30,536 ....B 5
Lübeck, 236,601 ....D 2
Lüdenscheid, 58,239 ....B 3
Ludwigsburg, 73,512 ....C 4
Ludwigshafen, 171,510 ....C 4
Lüneburg, 59,563 ....D 2
Lünen, 72,171 ....B 3
Mainz, 139,352 ....C 4
Mannheim, 321,102 ....C 4
Marburg, 44,853 ....C 3
Marktredwitz, 15,523 ....E 3
Marl, 71,508 ....B 3
Mayen, 17,268 ....B 3
Memmingen, 29,801 ....D 5
Meppen, 14,924 ....B 2
Merzig, 12,139 ....B 4
Meschede, 12,625 ....C 3
Metzingen, 11,819 ....C 4
Minden, 48,705 ....C 2
Mittenwald, 8,516 ....D 5
Mölln, 13,774 ....D 2
Mönchengladbach, 153,361 ....B 3
Mosbach, 11,343 ....C 4
Mülheim an der Ruhr, 189,910....B 3
Münden, 20,210 ....C 3
Munich (München), 1,157,306....D 4
Münster, 189,656 ....B 3
Neckarsulm, 15,299 ....C 4
Neheim-Hüsten, 33,913 ....C 3
Neu-Isenburg, 25,362 ....C 3
Neu-Ulm, 24,305 ....D 4
Neuburg, 16,461 ....D 4
Neumarkt, 15,795 ....D 4
Neumünster, 75,045 ....C 1
Neunkirchen, 45,625 ....B 4
Neuss, 101,388 ....B 3
Neustadt (Rhineland-Palatinate), 31,567 ....B 4
Neustadt (Schleswig-Holstein), 14,466 ....D 1
Neustadt bei Coburg, 12,569 ....D 3
Neuwied, 26,359 ....B 3
Nienburg, 22,055 ....C 2
Norden, 16,144 ....B 2
Nordenham, 26,876 ....C 2
Nordhorn, 39,429 ....B 2
Nördlingen, 14,350 ....D 4
Northeim, 19,263 ....C 3
Nuremberg (Nürnberg), 466,146..D 4
Nürtingen, 20,505 ....C 4
Oberammergau, 4,603 ....D 5
Oberhausen, 259,827 ....B 3
Oberlahnstein, 12,388 ....B 3
Oberursel, 22,207 ....C 3
Ochtrup, 13,207 ....B 2
Offenbach, 118,043 ....C 3
Offenburg, 27,569 ....B 4
Oldenburg, 126,209 ....B 2
Opladen, 34,204 ....B 3
Osnabrück, 140,964 ....C 2
Osterholz-Scharmbeck, 13,856....C 2
Osterode, 16,160 ....D 3
Paderborn, 53,984 ....C 3
Papenburg, 15,014 ....B 2
Passau, 31,791 ....E 4
Peine, 29,879 ....D 2
Pforzheim, 82,524 ....C 4
Pfullingen, 13,598 ....C 4
Pinneberg, 28,397 ....C 2
Pirmasens, 53,164 ....B 4
Plettenberg, 28,380 ....C 3
Plön, 10,818 ....D 1
Porz, 50,906 ....B 3
Preetz, 12,763 ....D 1
Radolfzell, 13,607 ....C 5
Rastatt, 24,067 ....C 4
Rastede, 14,235 ....C 2
Ratingen, 36,020 ....B 3
Ratzeburg, 11,359 ....D 2
Ravensburg, 31,269 ....C 5
Recklinghausen, 130,149 ....B 3
Regensburg, 125,256 ....E 4
Remscheid, 128,619 ....B 3
Rendsburg, 35,721 ....C 1
Reutlingen, 67,407 ....C 4
Rheda, 13,468 ....C 3
Rheine, 44,322 ....B 2
Rheinfelden, 14,642 ....B 5
Rheinhausen, 68,126 ....B 3
Rheydt, 94,004 ....B 3
Rosenheim, 31,611 ....D 5
Rotenburg, 14,464 ....C 2
Rothenburg, 11,134 ....D 4
Rottweil, 17,885 ....C 4
Rüsselsheim, 39,597 ....C 4
Saarbrücken, 133,101 ....B 4
Saarlouis (Saarlautern), 36,807..B 4
Säckingen, 11,326 ....C 5
Salzgitter, 113,178 ....D 2
Sankt Ingbert, 28,352 ....B 4
Schleswig, 33,766 ....C 1
Schöneberg, 193,790 ....E 4
Schöningen, 16,145 ....D 2
Schramberg, 18,114 ....C 4
Schwabach, 23,696 ....D 4
Schwäbisch Gmünd, 41,050 ....C 4
Schwäbisch Hall, 21,866 ....C 4
Schwandorf, 16,062 ....E 4
Schweinfurt, 56,894 ....D 3
Schwelm, 33,986 ....B 3
Schwenningen, 31,743 ....C 4
Schwetzingen, 14,992 ....C 4
Seesen, 12,062 ....D 3
Selb, 19,260 ....E 3
Sennestadt, 26,712 ....C 3
Siegburg, 33,974 ....B 3
Siegen, 49,404 ....C 3
Sindelfingen, 26,127 ....C 4
Singen, 33,267 ....C 5
Soest, 33,304 ....C 3
Solingen, 172,168 ....B 3
Soltau, 14,366 ....C 2
Sonthofen, 12,902 ....D 5
Spandau, 172,663 ....E 3
Speyer, 38,485 ....C 4
Stade, 30,530 ....C 2
Stadthagen, 14,865 ....C 2
Starnberg, 10,497 ....D 4
Stolberg, 37,462 ....B 3
Straubing, 36,348 ....E 4
Stuttgart, 640,465 ....C 4
Sulzbach-Rosenberg, 19,559....D 4
Tailfingen, 15,459 ....C 4
Tempelhof, 142,952 ....F 4
Traunstein, 14,394 ....E 5
Travemünde, 16,355 ....D 2
Trier (Treves), 87,141 ....B 4
Tübingen, 49,631 ....C 4
Tuttlingen, 24,874 ....C 5
Überlingen, 10,501 ....C 5
Uelzen, 25,035 ....D 2
Uetersen, 16,032 ....C 2
Ulm, 92,701 ....C 4
Varel, 12,382 ....C 2
Vechta, 13,460 ....C 2
Verden, 17,449 ....C 2
Viersen, 41,890 ....B 3
Villingen, 31,889 ....C 4
Völklingen, 42,644 ....B 4
Walsrode, 12,996 ....C 2
Wangen, 13,317 ....C 5
Wanne-Eickel, 107,834 ....B 3
Warendorf, 15,833 ....B 3
Wedel, 24,951 ....C 2
Weiden, 41,711 ....D 4
Weidenau, 17,231 ....C 3
Weilheim, 12,329 ....D 5
Weingarten, 14,783 ....C 5
Weinheim, 27,859 ....C 4
Weissenburg, 13,902 ....D 4
Wertheim, 11,329 ....C 4
Wesel, 32,002 ....B 3
Westerstede, 15,372 ....B 2
Wetzlar, 37,277 ....C 3
Wiedenbrück, 14,465 ....C 3
Wiesbaden, 257,975 ....B 3
Wilhelmshaven, 100,354 ....B 2
Witten, 96,462 ....B 3
Wolfenbüttel, 38,030 ....D 2
Wolfsburg, 64,560 ....D 2
Worms, 62,392 ....C 4
Wunstorf, 13,688 ....C 2
Wuppertal, 422,870 ....B 3
Würzburg, 119,745 ....C 4
Zirndorf, 11,984 ....D 4
Zweibrücken, 32,924 ....B 4
Zwischenahn, 16,864 ....B 2

PHYSICAL FEATURES

Aller (riv.) ....C 2
Allgäu Alps (mts.) ....D 5
Altmühl (riv.) ....D 4
Alz (riv.) ....E 4
Ammersee (lake) ....D 4
Bavarian (forest) ....E 4
Bavarian Alps (mts.) ....D 5
Black (forest) ....C 4
Bodensee (Constance) (lake)....C 5
Bohemian (forest) ....E 4
Breisgau (reg.), 580,848 ....B 5
Chiemsee (lake) ....E 5
Constance (lake) ....C 5
Danube (Donau) (riv.)....C 4
Dollart (estuary) ....B 2
Dümmer (lake) ....C 2
East Friesland (reg.), 553,610....B 2
East Frisian (isls.), 21,003....B 2
Eder (res.) ....C 3
Eider (riv.) ....C 1
Elbe (riv.) ....C 2
Ems (riv.) ....B 2
Fehmarn (isl.), 12,162 ....D 1
Feldberg (mt.) ....B 5
Fichtelgebirge (mts.) ....D 3
Franconian Jura (mts.)....D 4
Frankenwald (forest) ....D 3
Fulda (riv.) ....C 3
Grosser Arber (mt.) ....E 4
Hardt (mts.) ....C 4
Harz (mts.) ....D 3
Hegau (reg.), 150,000 ....C 5
Helgoland (bay) ....C 1
Helgoland (isl.), 1,818 ....B 1
Hunsrück (mts.) ....B 4
Iller (riv.) ....D 4
Inn (riv.) ....E 4
Isar (riv.) ....E 4
Jade (bay) ....C 2
Kaiserstuhl (mt.) ....B 4
Kiel (canal) ....C 1
Königssee (lake) ....E 5
Lahn (riv.) ....C 3
Lech (riv.) ....D 4
Leine (riv.) ....C 2
Lippe (riv.) ....C 3
Lüneburger Heide (dist.) ....C 2
Main (riv.) ....C 4
Mecklenburg (bay) ....D 1
Mosel (riv.) ....B 3
Neckar (riv.) ....C 4
Nord-Ostsee (Kiel) (canal)....C 1
Norderney (isl.), 7,341 ....B 2
North (sea) ....A 1
North Frisian (isls.), 31,992....B 1
Oberpfälzer Wald (for.)....E 4
Odenwald (forest) ....C 4
Oker (riv.) ....D 2
Regen (riv.) ....E 4
Regnitz (riv.) ....D 4
Rhine (Rhein) (riv.)....B 3
Rhön (mts.) ....D 3
Ruhr (riv.) ....B 3
Saar (riv.) ....B 4
Salzach (riv.) ....E 5
Sauer (riv.) ....B 4
Sauerland (reg.) ....B 3
Schlei (inlet) ....C 1
Schneeberg (mt.) ....D 3
Schwarzwald (Black) (forest)...C 4
Spessart (mt. range) ....C 4
Starnbergersee (lake) ....D 5
Steigerwald (forest) ....D 4
Steinhuder (lake) ....C 2
Swabian Jura (mts.) ....C 4
Sylt (isl.), 17,592 ....C 1
Tauber (riv.) ....C 4
Taunus (mt. range) ....C 3
Tegernsee (lake) ....D 5
Teutoburger Wald (for.) ....C 2
Vechte (riv.) ....B 2
Vogelsberg (mt.) ....C 3
Walchensee (lake) ....D 5
Wasserkuppe (mt.) ....C 3
Watzmann (mt.) ....E 5
Werra (riv.) ....D 3
Weser (riv.) ....C 2
Westerwald (forest) ....C 3
Würmsee (Starnbergersee)(lake)D 5
Zugspitze (mt.) ....D 5

(continued on following page)

Germany
(continued)

EAST GERMANY

DISTRICTS

Berlin (East), 1,061,218	F 4
Cottbus, 813,113	F 3
Dresden, 1,876,767	E 3
Erfurt, 1,246,571	D 3
Frankfurt, 661,062	F 2
Gera, 726,498	D 3
Halle, 1,961,878	D 3
Karl-Marx-Stadt, 2,094,763	E 3
Leipzig, 1,513,816	E 3
Magdeburg, 1,373,024	D 2
Neubrandenburg, 649,090	E 2
Potsdam, 1,151,129	E 2
Rostock, 840,692	D 1
Schwerin, 621,297	D 2
Suhl, 554,949	D 3

CITIES and TOWNS

Aken, 12,545	D 3
Altenburg, 46,905	E 3
Angermünde, 11,754	E 2
Anklam, 19,424	E 2
Annaberg-Buchholz, 28,920	E 3
Apolda, 29,363	D 3
Arnstadt, 26,754	D 3
Aschersleben, 35,063	D 3
Aue, 31,593	E 3
Auerbach, 19,185	E 3
Bad Doberan, 13,074	D 1
Bad Dürrenberg, 13,144	D 3
Bad Freienwalde, 12,182	F 2
Bad Langensalza, 16,304	D 3
Ballenstedt, 10,388	D 3
Barth, 12,334	E 1
Bautzen, 42,281	F 3
Bergen, 12,059	F 1
Berlin (East) (cap.), 1,061,218	F 4
Bernau, 13,801	F 2
Bernburg, 44,785	D 3
Bischofswerda, 11,345	F 3
Bitterfeld, 30,882	E 3
Blankenburg, 19,385	D 3
Boizenburg, 11,381	D 2
Borna, 18,562	E 3
Brandenburg, 87,993	E 2
Burg, 29,834	D 2
Bützow, 11,272	D 2
Calbe, 16,781	D 3
Chemnitz (Karl-Marx-Stadt), 287,400	E 3
Coswig, 13,450	E 3
Cottbus, 69,472	F 3
Crimmitschau, 30,988	E 3
Delitzsch, 23,478	E 3
Demmin, 16,704	E 2
Dessau, 95,167	D 3
Döbeln, 29,448	E 3
Dresden, 494,588	E 3
Ebersbach, 11,220	F 3
Eberswalde, 32,552	F 2
Eilenburg, 20,820	E 3
Eisenach, 47,626	D 3
Eisenberg, 13,657	D 3
Eisenhüttenstadt, 34,585	F 3
Eisleben, 33,945	D 3
Erfurt, 188,452	D 3
Falkensee, 29,456	F 2
Falkenstein, 14,980	E 3
Finsterwalde, 20,972	F 3
Forst, 28,722	F 3
Frankfurt-an-der-Oder, 57,669	F 2
Freiberg, 47,671	E 3
Freital, 36,436	E 3
Fürstenwalde, 31,455	F 2
Gardelegen, 12,668	D 2
Genthin, 15,045	E 2
Gera, 102,959	D 3
Glauchau, 33,497	E 3
Görlitz, 89,284	F 3
Gotha, 56,334	D 3
Greifswald, 47,206	E 1
Greiz, 38,700	E 3
Grevesmühlen, 11,197	D 2
Grimma, 16,336	E 3
Grossenhain, 19,365	E 3
Grossräschen, 12,295	F 3
Guben (Wilhelm-Pieck-Stadt), 22,842	F 3
Güstrow, 38,624	E 2
Halberstadt, 45,737	D 3
Haldensleben, 21,322	D 2
Halle, 278,049	E 3
Heidenau, 19,681	E 3
Heiligenstadt, 12,777	D 3
Hennigsdorf, 19,202	F 2
Hettstedt, 17,674	D 3
Hoyerswerda, 30,186	F 3
Ilmenau, 18,380	D 3
Jena, 82,113	D 3
Jüterbog, 13,715	E 3
Kamenz, 15,461	F 3
Karl-Marx-Stadt, 287,400	E 3
Kleinmachnow, 15,237	F 2
Klingenthal, 15,288	E 3
Köpenick, 52,294	F 4
Köthen, 38,611	D 3
Kottbus (Cottbus), 69,472	F 3
Lauchhammer, 27,607	E 3
Leipzig, 587,226	E 3
Lichtenberg, 62,861	F 4
Limbach-Oberfrohna, 26,166	E 3
Löbau, 16,790	F 3
Lübbenau, 13,860	F 3
Luckenwalde, 28,696	E 2
Ludwigslust, 12,027	D 2
Magdeburg, 265,512	D 2
Markkleeberg, 21,328	E 3
Meerane, 24,254	E 3
Meiningen, 24,179	D 3
Meissen, 47,806	E 3
Merseburg, 50,825	D 3
Mittweida, 20,781	E 3
Müchein, 12,695	D 3
Mühlhausen, 45,266	D 3
Nauen, 12,297	E 2
Naumburg, 37,678	D 3
Neubrandenburg, 37,555	E 2
Neuenhagen, 13,068	F 2
Neugersdorf, 12,112	F 3
Neuruppin, 22,091	E 2
Neustrelitz, 28,016	E 2
Nordhausen, 40,751	D 3
Oelsnitz, 16,233	E 3
Oelsnitz im Erzgebirge, 17,884	E 3
Olbernhau, 14,208	E 3
Oranienburg, 20,849	E 2
Oschatz, 15,550	E 3
Oscherleben, 29,150	D 3
Pankow, 68,785	F 3
Parchim, 19,274	D 2
Pasewalk, 13,034	F 2
Perleberg, 13,409	D 2
Pirna, 41,030	E 3
Plauen, 78,983	E 3
Pössneck, 19,528	D 3
Potsdam, 115,257	E 2
Prenzlau, 19,741	F 2
Quedlinburg, 31,128	D 3
Radeberg, 16,339	E 3
Radebeul, 40,228	E 3
Rathenow, 29,218	E 2
Reichenbach, 29,359	E 3
Ribnitz-Damgarten, 14,951	E 1
Riesa, 38,235	E 3
Rosslau, 16,027	E 3
Rostock, 166,456	E 1
Rüdersdorf, 12,445	F 2
Rudolstadt, 28,286	D 3
Saalfeld, 27,509	D 3
Salzwedel, 20,626	D 2
Sangerhausen, 25,619	D 3
Sassnitz, 13,779	E 1
Schkeuditz, 18,333	E 3
Schmalkalden, 14,392	D 3
Schmölln, 13,650	E 3
Schneeberg, 21,338	E 3
Schönebeck, 44,864	D 2
Schwedt, 12,298	F 2
Schwerin, 93,830	D 2
Sebnitz, 14,660	F 3
Senftenberg, 22,226	F 3
Sömmerda, 14,748	D 3
Sondershausen, 20,487	D 3
Sonneberg, 29,047	D 3
Spremberg, 22,537	F 3
Stassfurt, 26,276	D 3
Stendal, 36,996	D 2
Stralsund, 66,987	E 1
Strausberg, 14,481	F 2
Suhl, 26,077	D 3
Tangermünde, 13,735	D 2
Teltow, 11,949	E 4
Templin, 11,276	E 2
Teterow, 11,360	E 2
Thale, 17,431	D 3
Torgau, 20,260	E 3
Torgelow, 14,352	F 2
Treptow, 22,302	F 4
Ueckermünde, 12,002	F 2
Waldheim, 11,566	E 3
Waltershausen, 13,588	D 3
Waren, 19,471	E 2
Weida, 11,974	E 3
Weimar, 64,223	D 3
Weissenfels, 46,535	D 3
Weissensee, 50,691	F 4
Weisswasser, 14,194	F 3
Werdau, 24,619	E 3
Wernigerode, 33,109	D 3
Wilhelm-Pieck-Stadt, 22,842	F 3
Wismar, 56,553	D 2
Wittenberg, 46,134	E 3
Wittenberge, 32,154	D 2
Wolgast, 14,700	E 1
Wurzen, 23,783	E 3
Zehdenick, 12,819	E 2
Zeitz, 46,115	E 3
Zella-Mehlis, 16,635	D 3
Zerbst, 18,581	D 3
Zeulenroda, 13,483	D 3
Zittau, 43,102	F 3
Zwickau, 128,935	E 3

PHYSICAL FEATURES

Altmark (reg.), 288,928	D 2
Arkona (cape)	F 1
Baltic (sea)	F 1
Black Elster (riv.)	E 3
Brandenburg (reg.), 3,726,413	E 2
Darsser Ort (point)	E 1
Elbe (riv.)	D 2
Elster (riv.)	E 3
Erzgebirge (Ore) (mts.)	E 3
Fichtelberg (mt.)	E 3
Havel (riv.)	E 2
Kummerowersee (lake)	E 2
Lusatia (reg.)	F 3
Malchinsee (lake)	E 2
Mecklenburg (reg.), 1,226,685	E 2
Mecklenburg (bay)	D 1
Mulde (riv.)	E 3
Müritzsee (lake)	E 2
Neisse (riv.)	F 3
Oder (riv.)	F 2
Plauersee (lake)	E 2
Pomerania (reg.), 711,075	E 2
Pomeranian (bay)	F 1
Rhön (mts.)	D 3
Rügen (isl.), 92,348	E 1
Saale (riv.)	D 3
Saxony (reg.), 5,318,661	E 3
Schwerinsee (lake)	D 2
Spree (riv.)	F 3
Spreewald (forest)	F 3
Stettin (bay)	F 2
Thüringer Wald (forest)	D 3
Thuringia (Thüringen) (reg.), 2,017,924	D 3
Ucker (riv.)	F 2
Usedom (isl.)	F 1
Warnow (riv.)	D 2
Werra (riv.)	D 3
White Elster (riv.)	E 3

GERMANY Before World War I 1871–1914

GERMANY Between Wars 1919–1937

SAAR (To Germany 1935)

Occupied GERMANY 1945–1949

BRITISH ZONE · RUSSIAN ZONE · FRENCH ZONE · AMERICAN ZONE

AGRICULTURE, INDUSTRY and RESOURCES

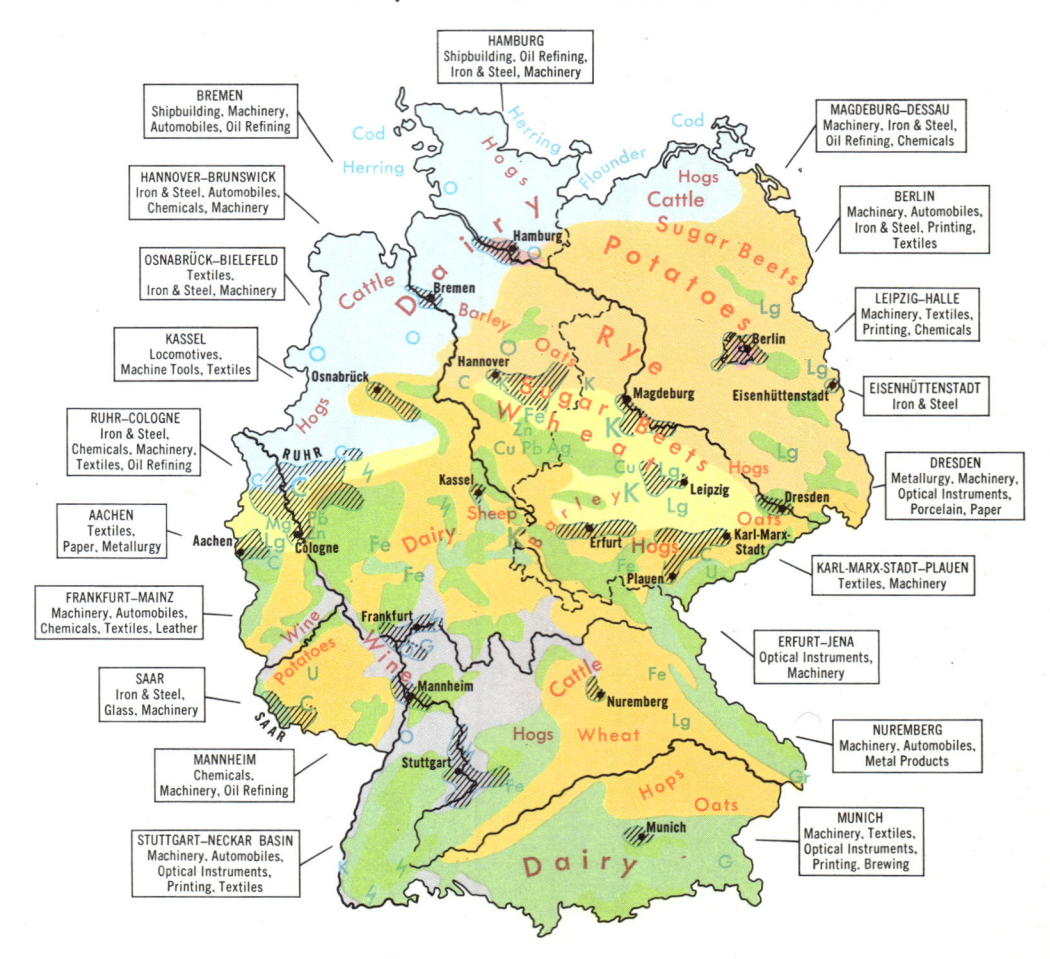

HAMBURG — Shipbuilding, Oil Refining, Iron & Steel, Machinery

BREMEN — Shipbuilding, Machinery, Automobiles, Oil Refining

MAGDEBURG–DESSAU — Machinery, Iron & Steel, Oil Refining, Chemicals

HANNOVER–BRUNSWICK — Iron & Steel, Automobiles, Chemicals, Machinery

BERLIN — Machinery, Automobiles, Iron & Steel, Printing, Textiles

OSNABRÜCK–BIELEFELD — Textiles, Iron & Steel, Machinery

LEIPZIG–HALLE — Machinery, Textiles, Printing, Chemicals

KASSEL — Locomotives, Machine Tools, Textiles

EISENHÜTTENSTADT — Iron & Steel

RUHR–COLOGNE — Iron & Steel, Chemicals, Machinery, Textiles, Oil Refining

DRESDEN — Metallurgy, Machinery, Optical Instruments, Porcelain, Paper

AACHEN — Textiles, Paper, Metallurgy

KARL-MARX-STADT–PLAUEN — Textiles, Machinery

FRANKFURT–MAINZ — Machinery, Automobiles, Chemicals, Textiles, Leather

ERFURT–JENA — Optical Instruments, Machinery

SAAR — Iron & Steel, Glass, Machinery

NUREMBERG — Machinery, Automobiles, Metal Products

MANNHEIM — Chemicals, Machinery, Oil Refining

STUTTGART–NECKAR BASIN — Machinery, Automobiles, Optical Instruments, Printing, Textiles

MUNICH — Machinery, Textiles, Optical Instruments, Printing, Brewing

DOMINANT LAND USE

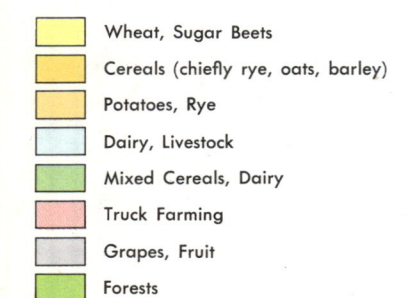

- Wheat, Sugar Beets
- Cereals (chiefly rye, oats, barley)
- Potatoes, Rye
- Dairy, Livestock
- Mixed Cereals, Dairy
- Truck Farming
- Grapes, Fruit
- Forests

MAJOR MINERAL OCCURRENCES

Ag	Silver	Lg	Lignite
C	Coal	Mg	Magnesium
Cu	Copper	O	Petroleum
Fe	Iron Ore	Pb	Lead
G	Natural Gas	U	Uranium
Gr	Graphite	Zn	Zinc
K	Potash		

⚡ Water Power

▨ Major Industrial Areas

NETHERLANDS, BELGIUM and LUXEMBOURG

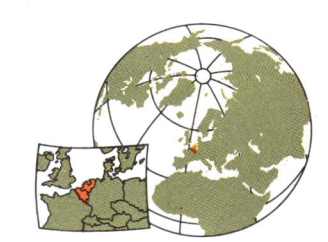

NETHERLANDS
- **AREA** 12,883 sq. mi.
- **POPULATION** 12,041,970
- **CAPITAL** The Hague, Amsterdam
- **LARGEST CITY** Amsterdam (greater) 911,248
- **HIGHEST POINT** Vaalserberg 1,056 ft.
- **MONETARY UNIT** guilder
- **MAJOR LANGUAGES** Dutch
- **MAJOR RELIGIONS** Protestant, Roman Catholic

BELGIUM
- 11,775 sq. mi.
- 9,328,000
- Brussels
- Brussels (greater) 1,439,536
- Botrange 2,277 ft.
- Belgian franc
- French (Walloon), Flemish
- Roman Catholic

LUXEMBOURG
- 999 sq. mi.
- 327,000
- Luxembourg
- Luxembourg 73,850
- Ardennes Plateau 1,825 ft.
- Luxembourg franc
- Mosel-frankisch (German dialect)
- Roman Catholic

NETHERLANDS

PROVINCES
Drenthe, 312,176	K 3
Friesland, 478,931	H 2
Gelderland, 1,274,042	H 4
Groningen, 475,462	K 2
Limburg, 886,026	H 6
North Brabant, 1,495,559	H 6
North Holland, 2,057,322	F 3
Overijssel, 775,759	J 4
South Holland, 2,706,810	E 5
Utrecht, 680,678	G 4
Zeeland, 283,465	D 6

CITIES and TOWNS
Aalsmeer, 12,763	F 4
Aalst, 4,423	G 6
Aalten, 8,083	K 5
Aardenburg, 1,663	C 6
Akkrum, 2,296	H 2
Alkmaar, 42,765	F 3
Alkmaar (greater), 44,811	F 3
Almelo, 46,195	K 4
Amersfoort, 67,254	G 4
Amstelveen, 37,634	B 5
Amsterdam (cap.), 868,445	B 4
Amsterdam (greater), 911,248	B 4
Andijk, 4,301	G 3
Apeldoorn, 118,961	H 4
Appelscha, 1,622	J 3
Appingedam, 8,505	K 2
Arnhem, 120,091	H 4
Arnhem (greater), 151,824	H 4
Assen, 25,216	K 3
Asten, 5,462	H 6
Axel, 5,873	D 6
Baarle-Nassau, 1,519	F 6
Badhoevedorp, 8,699	B 5
Balkbrug, 2,468	J 3
Barneveld, 7,499	H 4
Beilen, 4,232	K 3
Bergeijk (Hof), 3,533	G 6
Bergen, 9,295	F 3
Bergen op Zoom, 33,190	E 5
Bergum, 2,981	H 2
Berkel, 3,433	F 5
Berkhout, 1,314	F 3
Beverwijk, 32,533	F 4
Bleiswijk, 14,593	J 6
Bloemendaal, 5,492	E 4
Bodegraven, 5,648	F 4
Bolsward, 8,077	H 2
Borculo, 3,607	J 4
Borger, 1,806	K 3
Borne, 10,053	K 4
Boskoop, 9,474	F 4
Boxmeer, 6,024	H 5
Boxtel, 12,436	G 5
Breda, 102,332	F 5
Breezand, 1,962	F 3
Breskens, 3,394	C 6
Brielle, 3,817	E 5
Broek, 1,309	C 4
Brouwershaven, 1,078	D 5
Brummen, 4,244	J 4
Buiksloot, 23,738	B 4
Bussum, 39,642	G 4
Coevorden, 7,212	K 3
Colijnsplaat, 1,477	D 5
Culemborg, 11,083	G 5
Cuyk, 5,443	H 5
Dalen, 1,437	K 3
De Bilt, 12,921	G 4
Dedemsvaart, 6,384	J 3
Delft, 72,291	E 4
Delfzijl, 13,810	K 2
Den Burg, 3,579	F 2
Den Helder, 43,366	F 3
Denekamp, 3,776	L 4
Deurne, 8,331	H 6
Deventer, 54,669	J 4
Dieman, 5,821	C 5
Dieren, 8,612	J 4
Dinxperlo, 3,531	K 5
Dirksland, 2,739	E 5
Doesburg, 7,199	J 4
Doetinchem, 17,692	J 5
Dokkum, 7,323	H 2
Domburg, 2,207	C 5
Dongen, 12,452	F 5
Doorn, 7,148	G 4
Dordrecht, 80,774	F 5
Dordrecht (greater), 100,250	F 5
Drachten, 16,529	J 2
Driebergen, 10,748	G 4
Druten, 4,171	H 5
Duivendrecht, 2,656	C 5
Echt, 4,711	H 6
Edam, 3,928	G 4
Ede, 28,095	H 4
Eefde, 2,396	J 4
Egmond aan Zee, 4,135	E 3
Eindhoven, 161,178	H 6
Elburg, 2,779	H 4
Elst, 6,003	H 5
Emmeloord, 7,251	H 3
Emmen, 16,470	K 3
Enkhuizen, 9,946	G 3
Enschede, 105,481	K 4
Epe, 5,388	H 4
Erica, 3,086	K 3
Ermelo, 7,279	H 4
Etten, 7,125	F 5
Flushing, 29,141	C 6
Franeker, 8,849	H 2
Geertruidenberg, 4,275	F 5
Geldermalsen, 4,449	G 5
Geldrop, 14,183	H 6
Geleen, 20,293	H 7
Gemert, 8,344	H 5
Gendringen, 2,235	J 5
Gennep, 4,888	H 5
Giessendam, 3,905	F 5
Giethoorn, 1,794	J 3
Goes, 14,896	D 6
Goirle, 8,331	G 5
Goor, 7,445	K 4
Gorinchem, 20,621	F 5
Gorredijk, 3,006	J 2
Gouda, 41,937	F 4
Gouda (greater), 42,471	F 4
Grave, 4,188	H 5
Groenlo, 5,451	K 4
Groesbeek, 6,564	H 5
Groningen, 140,234	K 2
Grouw, 3,191	H 2
Haarlem, 167,673	F 4
Haarlem (greater), 224,053	F 4
Haarlemmermeer (Hoofddorp), 4,949	F 4
Hague, The (cap.), 602,448	E 4
Hague, The (greater), 691,521	E 4
Halfweg, 2,171	A 4
Hallum, 1,424	H 2
Harderberg, 3,080	J 3
Hardenberg, 14,054	J 4
Hardinxveld, 8,334	G 5
Harlingen, 11,594	G 2
Hasselt, 2,432	J 3
Hattem, 7,142	H 4
Heemstede, 25,027	F 4
Heer, 4,189	H 4
Heerde, 3,821	H 4
Heerenveen, 10,709	H 3
Heerlen, 15,638	J 7
Heiloo, 11,193	F 3
Hellendoorn, 2,606	J 4
Hellevoetsluis, 2,321	E 5
Helmond, 41,742	H 6
Hengelo, Gelderland, 1,939	J 4
Hengelo, Overijssel, 57,966	K 4
Heusden, 1,955	G 5
Hillegom, 13,245	E 4
Hilvarenbeek, 3,585	G 6
Hilversum, 99,386	G 4
Hippolytushoef, 3,035	G 3
Hoek, 1,210	C 6
Hoek van Holland (Hook of Holland), 5,114	D 5
Hoensbroek, 9,442	H 7
Hof, 3,533	G 6
Holwerd, 1,691	H 2
Hoofddorp, 4,949	F 4
Hoogeveen, 14,368	J 3
Hoogezand, 8,493	K 2
Hoogkarspel, 2,330	G 3
Hook of Holland, 5,114	D 5
Hoorn, 15,754	G 3
Horst, 4,955	H 6
Huissen, 5,238	J 5
Huizen, 15,567	G 4
Hulst, 5,093	E 6
IJlst, 1,394	H 2
IJmuiden, 3,587	E 4
IJsselstein, 5,705	H 3
IJzendijke, 1,701	D 6
Joure, 5,509	H 3
Kampen, 25,464	H 3
Katwijk aan Zee, 21,980	E 4
Kerkbuur en Thij, 1,466	J 3
Kerkdriel, 3,122	G 5
Kerkrade, 10,284	J 7
Kesteren, 1,225	G 5
Kloosterveen, 3,385	K 3
Kollum, 2,543	J 2
Koog aan de Zaan, 7,384	A 4
Krimpen aan den IJssel, 8,495	F 5
Landsmeer, 6,970	C 4
Laren, 13,334	G 4
Leek, 2,133	J 2
Leerdam, 10,161	F 5
Leeuwarden, 78,247	H 2
Leiden, 95,964	E 4
Leiden (greater), 116,838	E 4
Lemmer, 4,399	H 3
Lent, 2,032	H 5
Lisse, 10,687	F 4
Lith, 1,766	G 5
Lochem, 6,635	J 4
Lonneker, 1,599	L 4
Loon op Zand, 3,032	G 5
Losser, 6,655	L 4
Maarssen, 8,748	F 4
Maasbree, 1,731	H 6
Maassluis, 12,877	E 5
Maastricht, 85,188	H 7
Maastricht (greater), 96,200	H 7
Makkum, 2,416	G 2
Margraten, 1,470	H 7
Medemblik, 4,996	G 3
Meerssen, 5,489	H 7
Meppel, 16,874	J 3
Middelburg, 21,982	C 6
Middelharnis, 4,798	E 5
Middenmeer, 1,775	F 3
Millingen aan den Rijn, 3,577	H 5
Monnikendam, 3,099	C 4
Montfoort, 2,628	G 4
Muiden, 2,508	G 4
Muntendam, 2,987	K 2
Naaldwijk, 8,110	E 4
Naarden, 14,155	G 4
Neede, 5,155	K 4
Nieuw-Buinen, 3,966	K 3
Nieuw-Schoonebeek, 1,602	L 3
Nieuwe Pekela, 4,015	L 2
Nieuwendam, 15,679	C 4
Nieuweschans, 1,689	L 2
Nieuwkoop, 3,447	F 4
Nijkerk, 8,904	H 4
Nijmegen, 127,172	H 5
Nijmegen (greater), 132,880	H 5
Nijverdal, 11,986	J 4
Noordwijk, 7,920	E 4
Norg, 1,395	J 2
Numansdorp, 2,751	E 5
Nunspeet, 7,103	H 4
Oisterwijk, 9,559	G 5
Oldenzaal, 17,713	K 4
Olst, 2,534	J 4
Ommen, 3,372	J 3
Onstwedde, 1,867	K 2
Oostburg, 3,731	C 6
Oosterhout, 18,202	F 5
Oostzaan, 4,420	B 4
Ootmarsum, 2,284	K 4
Oss, 25,184	H 5
Oud-Beijerland, 6,819	E 5
Ouddorp, 3,105	D 5
Oude-Pekela, 6,515	K 2
Oude-Tonge, 2,459	E 5
Oudenbosch, 7,492	E 5
Oudewater, 4,094	F 4
Purmerend, 9,286	F 4
Putten, 6,160	H 4
Raalte, 5,005	J 4
Renkum, 8,032	H 5
Reusel, 3,919	G 6
Rheden, 6,388	J 4
Rhenen, 7,704	H 5
Ridderkerk, 10,007	F 5
Rijnsburg, 6,301	E 4
Rijssen, 13,350	J 4
Rijswijk, 35,581	J 4
Roden, 2,724	J 2
Roermond, 25,728	H 6
Roosendaal, 32,881	F 5
Rotterdam, 683,903	E 5
Rotterdam (greater), 827,326	E 5
Ruurlo, 1,822	J 4
's Gravendeel, 4,531	E 5
's Gravenhage (The Hague) (cap.), 602,435	E 4
's Gravenhage (greater), 691,521	E 4
's Gravenzande, 6,691	E 4
's Heerenberg, 5,196	J 5
's Hertogenbosch, 71,597	G 5
Sappemeer, 5,779	K 2
Schagen, 4,271	F 3
Scheveningen, 80,015	E 4
Schiedam, 75,421	E 5
Schijndel, 9,497	H 5
Schiphol, 3,368	B 5
Schoonebeek, 1,869	L 3
Schoonhoven, 6,156	F 5
Sint Annaland, 2,342	E 5
Sint Jacobiparochie, 1,246	H 2
Sittard, 27,548	H 6
Sliedrecht, 16,572	F 5
Slochteren, 2,003	K 2
Sloten, 1,332	B 5
Sloterdijk, 1,215	B 4
Sluis, 2,050	C 6
Smilde (Kloosterveen), 3,385	K 3
Sneek, 20,349	H 2
Soest, 14,925	G 4
Soesterberg, 4,627	G 4
Stadskanaal, 8,198	L 3
Staphorst, 3,330	J 3
Steenbergen, 5,654	E 5
Steenwijk, 10,330	J 3
Steenwijkerwold (Kerkbuurt en Thij), 1,466	J 3
Stiens, 2,008	J 3
Tegelen, 16,539	J 6
Ter Apel, 2,508	L 3
Terneuzen, 11,924	D 6
Tholen, 2,937	E 5
Tiel, 16,094	G 5
Tilburg, 130,818	G 5
Twello, 5,929	J 4
Uden, 8,763	H 5
Uitgeest, 4,758	F 3
Uithoorn, 6,966	F 4
Uithuizen, 3,748	K 2
Ulrum, 1,557	J 2
Urk, 5,700	H 3
Utrecht, 251,257	G 4
Vaals, 6,883	H 7
Valkenswaard, 16,252	H 6
Veendam, 12,781	K 2

(continued on following page)

AGRICULTURE, INDUSTRY and RESOURCES

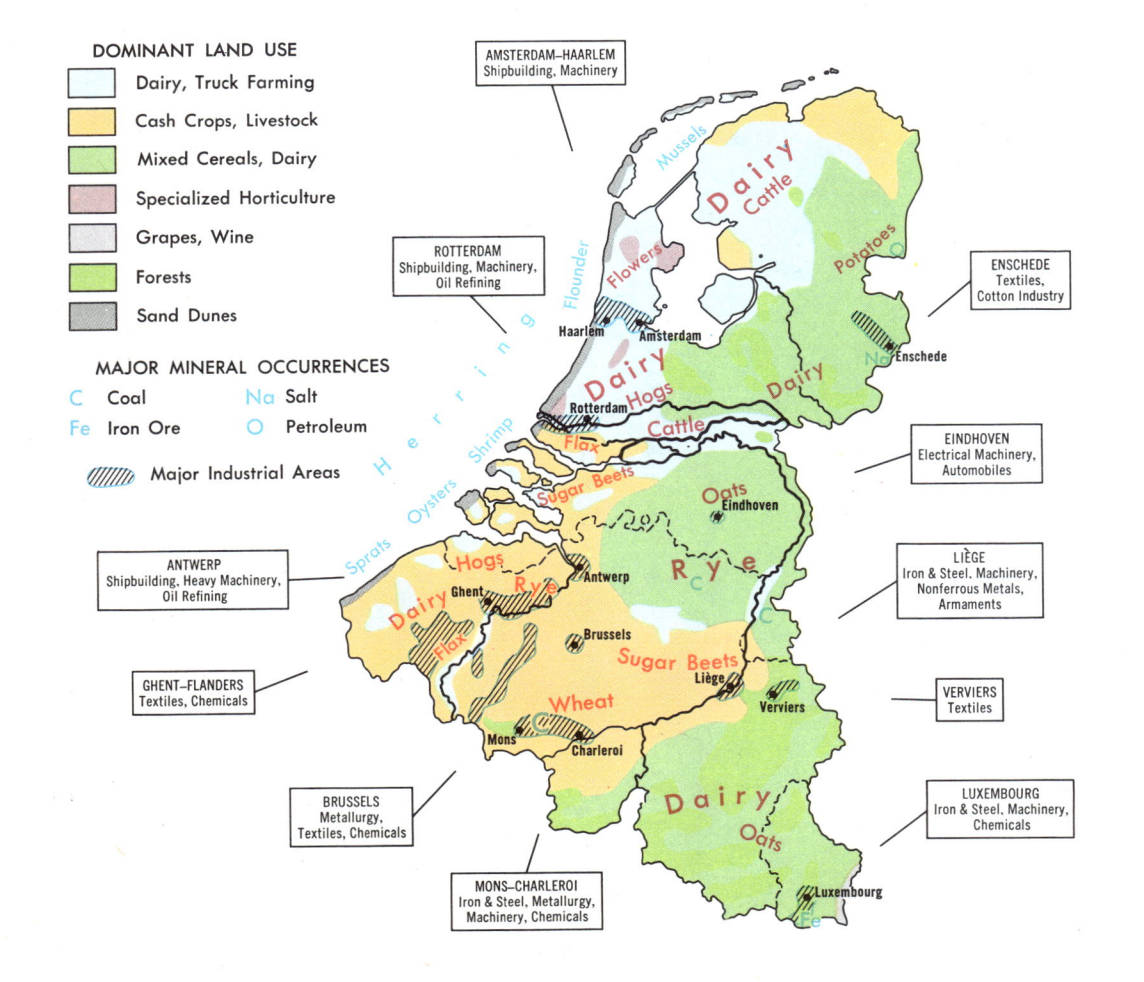

DOMINANT LAND USE
- Dairy, Truck Farming
- Cash Crops, Livestock
- Mixed Cereals, Dairy
- Specialized Horticulture
- Grapes, Wine
- Forests
- Sand Dunes

MAJOR MINERAL OCCURRENCES
- C Coal
- Fe Iron Ore
- Na Salt
- O Petroleum

Major Industrial Areas

Industrial Centers
- **AMSTERDAM–HAARLEM** Shipbuilding, Machinery
- **ROTTERDAM** Shipbuilding, Machinery, Oil Refining
- **ENSCHEDE** Textiles, Cotton Industry
- **EINDHOVEN** Electrical Machinery, Automobiles
- **ANTWERP** Shipbuilding, Heavy Machinery, Oil Refining
- **LIÈGE** Iron & Steel, Machinery, Nonferrous Metals, Armaments
- **GHENT–FLANDERS** Textiles, Chemicals
- **VERVIERS** Textiles
- **BRUSSELS** Metallurgy, Textiles, Chemicals
- **MONS–CHARLEROI** Iron & Steel, Metallurgy, Machinery, Chemicals
- **LUXEMBOURG** Iron & Steel, Machinery, Chemicals

Netherlands, Belgium and Luxembourg
(continued)

NETHERLANDS (continued)

Veenendaal, 22,906 ... G 4
Veenhuizen, 1,294 ... J 2
Veghel, 9,279 ... H 5
Velp, 18,488 ... J 5
Velsen, 51,511 ... F 4
Venlo, 33,349 ... J 6
Venraij, 11,047 ... H 6
Vianen, 4,511 ... G 5
Vlaardingen, 68,002 ... E 5
Vlagtwedde, 1,672 ... L 3
Vlijmen, 4,475 ... G 5
Vlissingen (Flushing), 29,141 ... C 6
Volendam, 10,123 ... G 4
Voorburg, 44,059 ... E 4
Vorden, 2,812 ... J 4
Vreeswijk, 3,794 ... G 4
Vrieseveen, 6,510 ... K 4
Vught, 17,073 ... G 5
Waalwijk, 17,460 ... F 5
Wageningen, 19,935 ... H 5
Wamel, 1,646 ... H 5
Weert, 19,119 ... H 6
Weesp, 10,512 ... C 5
West-Terschelling, 2,028 ... G 2
Westkapelle, 2,306 ... C 5
Westzaan, 3,505 ... A 4
Wierden, 5,604 ... K 4
Wijhe, 3,046 ... J 4
Wijk aan Zee, 2,414 ... E 4
Wiik bij Duurstede, 3,398 ... G 5
Wijk en Aalburg, 1,633 ... G 5
Wildervank, 5,280 ... K 2
Winschoten, 14,430 ... L 2
Winsum, 1,204 ... K 2
Winterswijk, 16,752 ... K 5
Woerden, 12,924 ... F 4
Wolvega, 6,620 ... J 3
Workum, 3,195 ... G 3
Wormerveer, 12,681 ... F 4
Yerseke, 4,799 ... E 6
Zaandam, 47,347 ... B 4
Zaandijk, 4,916 ... B 4
Zaltbommel, 5,613 ... G 5
Zandvoort, 13,163 ... E 4
Zeist, 41,468 ... G 4
Zevenaar, 5,540 ... J 5
Zevenbergen, 5,854 ... E 5
Zierikzee, 6,732 ... D 5
Zundert, 4,132 ... F 6
Zutphen, 24,561 ... J 4
Zwanenburg, 6,999 ... B 4
Zwartsluis, 2,974 ... H 3
Zwijndrecht, 19,536 ... F 5
Zwolle, 52,109 ... J 3

PHYSICAL FEATURES

Alkmaardermeer (lake) ... F 3
Ameland (isl.), 2,544 ... H 2
Bergumeer (lake) ... J 2
Beulaker Wijde (lake) ... H 3
Borndiep (channel) ... H 2
De Fluessen (lake) ... G 3
De Honte (bay) ... D 6
De Peel (region) ... H 6
De Zaan (river) ... B 4
Dollart (bay) ... L 2
Dommel (river) ... H 6
Duiveland (isl.), 13,317 ... D 5
East Flevoland Polder, 863 ... H 4
Eastern Scheldt (estuary) ... D 5
Eijerlandsche Gat (strait) ... F 2
Friesche Gat (channel) ... J 2
Galgenberg (hill) ... H 4
Goeree (isl.) ... D 5
Grevelingen (strait) ... E 5
Griend (isl.) ... G 2
Groninger Wad (sound) ... J 2
Groote IJ Polder, 20 ... B 4
Haarlemmermeer Polder, 43,924 ... B 5
Haringvliet (strait) ... E 5
Het IJ (estuary) ... C 4
Hoek van Holland (cape) ... D 5
Hondsrug (hills) ... K 3
Houtrak Polder, 339 ... A 4
Hunse (river) ... K 3
IJmeer (bay) ... C 4
IJssel (river) ... J 4
IJsselmeer (lake) ... G 3
Lauwers (channel) ... J 1
Lauwers Zee (bay) ... J 2
Lek (river) ... F 5
Lemelerberg (hill) ... J 4
Linde (river) ... J 3
Lower Rhine (river) ... H 5
Maas (river) ... G 5
Mark (river) ... F 6
Marken (isl.), 1,583 ... G 4
Markerwaard Polder ... G 3
Marsdiep (channel) ... F 3
Noordergat (channel) ... F 2
North (sea) ... E 3
North Beveland (isl.), 6,777 ... D 5
North East Polder, 28,545 ... H 3
North Holland (canal) ... C 4
North Sea (canal) ... F 4
Old Rhine (river) ... E 4
Ooster Eems (channel) ... K 1
Oostzaan Polder, 5,333 ... B 4
Orange (canal) ... K 3
Overflakkee (isl.), 27,814 ... E 5
Pinkegat (channel) ... H 2
Regge (river) ... K 4
Roer (river) ... J 6
Rottumeroog (isl.), 3 ... J 1
Schiermonnikoog (isl.), 792 ... J 1
Schouwen (isl.), 9,731 ... D 5
Simonszand (isl.) ... J 1
Slotermeer (lake) ... H 3
Sneekermeer (lake) ... H 2
South Beveland (isl.), 61,968 ... D 6
South Flevoland Polder ... G 4
Terschelling (isl.), 3,595 ... G 2
Texel (isl.), 10,674 ... F 2
Tjeukemeer (lake) ... H 3
Vaalserberg (mt.) ... J 7
Vecht (river) ... J 4
Vechte (river) ... J 3
Veeregat (channel) ... D 5
Veluwe (region) ... H 4
Vlie Stroom (strait) ... G 2
Vlieland (isl.), 728 ... F 2
Voorne (isl.), 22,742 ... D 5
Waal (river) ... G 5
Waddenzee (sound) ... G 2
Walcheren (isl.), 82,043 ... C 5
West Frisian (isls.), 18,336 ... F 2
Wester Eems (channel) ... K 1
Western Scheldt (De Honte) (bay) ... D 6
Westgat (channel) ... F 3
Wieringermeer Polder, 8,467 ... G 3
Wilhelmina (canal) ... G 6
Willems (canal) ... G 5

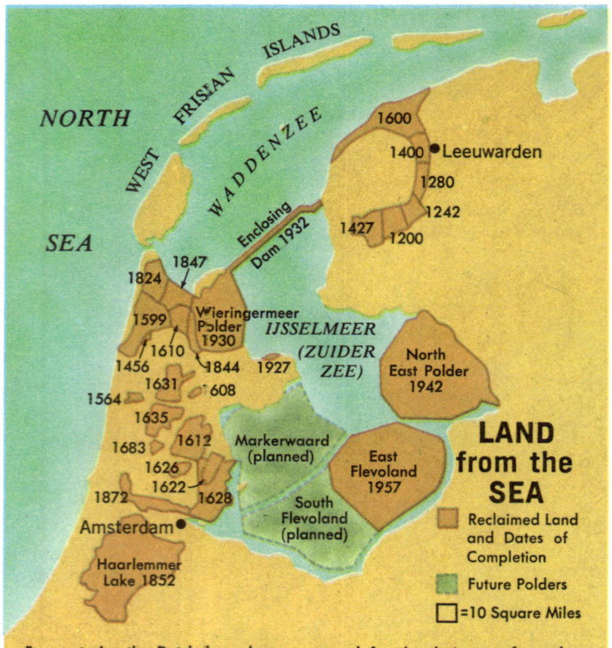

For centuries the Dutch have been renowned for the drainage of marshes and the construction of polders, i.e., arable land reclaimed from the sea. Future projects will convert much of the present IJsselmeer to agricultural land.

BELGIUM

PROVINCES

Antwerp, 1,443,355 ... F 6
Brabant, 1,992,139 ... F 7
East Flanders, 1,272,005 ... D 7
Hainault, 1,248,854 ... D 7
Liège, 1,003,526 ... H 7
Limburg, 574,606 ... G 7
Luxembourg, 216,848 ... G 9
Namur, 369,432 ... F 8
West Flanders, 1,068,976 ... B 7

CITIES and TOWNS

Aalst, 45,092 ... D 7
Aalter, 7,796 ... C 6
Aarlen (Arlon), 13,272 ... H 9
Aarschot, 12,123 ... F 7
Aat (Ath), 10,965 ... D 7
Adinkerke, 2,609 ... A 6
Alken, 7,236 ... G 7
Alost (Aalst), 45,092 ... D 7
Amay, 7,072 ... G 7
Andenne, 7,787 ... G 8
Anderlecht, 94,677 ... B 9
Anderlues, 12,377 ... E 8
Antoing, 3,476 ... C 7
Antwerp (Antwerpen), 253,295 ... E 6
Ardooie, 7,123 ... C 7
Arendonk, 8,862 ... G 6
Arlon, 13,272 ... H 9
As, 3,769 ... H 6
Asse, 12,158 ... E 7
Assebroek, 14,422 ... C 6
Ath, 10,965 ... D 7
Athus, 7,027 ... H 9
Audenarde (Oudenaarde), 6,923 ... D 7
Auderghem, 27,600 ... C 9
Autelbas, 1,502 ... H 9
Auvelais, 8,338 ... F 8
Aywaille, 3,645 ... H 8
Baerle-Duc, 2,044 ... F 6
Balen, 13,696 ... G 6
Barvaux, 1,574 ... H 8
Basècles, 4,277 ... D 7
Bastogne (Bastenaken), 6,151 ... H 9
Beaumont, 1,725 ... E 8
Beauraing, 2,383 ... F 8
Berchem, 48,667 ... F 6
Berchem-Sainte-Agathe, 15,867 ... B 9
Bergen (Mons), 26,973 ... E 8
Bertrix, 4,466 ... G 9
Beveren, 14,891 ... E 6
Bilzen, 6,426 ... G 7
Binche, 10,279 ... E 8
Blankenberge, 10,199 ... C 6
Bocholt, 5,163 ... H 6
Boom, 17,468 ... E 6
Borgerhout, 51,182 ... E 6
Borgloon, 3,499 ... G 7
Borgworm (Waremme), 6,646 ... G 7
Bouillon, 3,017 ... G 9
Bourg-Leopold (Leopoldsburg), 9,375 ... G 6
Boussu, 11,473 ... D 8
Braine-l'Alleud, 14,023 ... E 7
Braine-le-Comte, 10,779 ... D 7
Bredene, 8,772 ... B 6
Bree, 7,031 ... H 6
Bruges (Brugge), 52,220 ... C 6
Brussels (Bruxelles) (cap.) (greater), 1,439,536 ... C 9
Charleroi, 26,175 ... E 8
Châtelet, 15,378 ... F 8
Châtelineau, 19,763 ... F 8
Chièvres, 3,295 ... D 7
Chimay, 3,180 ... E 8
Ciney, 7,007 ... G 8
Comblain-au-Pont, 3,464 ... G 8
Comines, 8,373 ... B 7
Couillet, 14,424 ... E 8
Courcelles, 17,275 ... E 8
Courtrai, 43,606 ... C 7
Couvin, 3,840 ... F 8
Deinze, 6,004 ... D 7
Denderleeuw, 9,378 ... E 7
Dendermonde, 9,815 ... E 6
Dessel, 6,491 ... G 6
Deurne, 68,703 ... F 6
Diegem, 4,451 ... C 9
Diest, 9,816 ... F 7
Diksmuide, 3,812 ... B 6
Dilbeek, 10,791 ... B 9
Dinant, 6,851 ... G 8
Dison, 9,049 ... H 7
Dixmude (Diksmuide), 3,812 ... B 6
Doel, 1,477 ... E 6
Doornik (Tournai), 33,263 ... C 7
Dour, 10,785 ... D 8
Drogenbos, 4,026 ... B 9
Drongen, 7,799 ... D 6
Dudzele, 2,049 ... C 6
Duffel, 13,250 ... F 6
Ecaussinnes d'Enghien, 6,619 ... E 7
Edingen (Enghien), 4,225 ... D 7
Eeklo, 18,510 ... D 6
Eernegem, 5,833 ... B 6
Eigenbrakel (Braine-l'Alleud), 14,023 ... E 7
Ekeren, 21,452 ... E 6
Ellezelles, 4,088 ... D 7
Enghien, 4,225 ... D 7
Ensival, 5,624 ... H 7
Erquelinnes, 4,642 ... E 8
Esneux, 5,394 ... H 7
Essen, 9,850 ... F 6
Etterbeek, 52,837 ... C 9
Eupen, 14,445 ... J 7
Evere, 22,460 ... C 9
Evergem, 11,332 ... D 6
Flémalle-Haute, 7,601 ... G 7
Fleurus, 8,274 ... F 8
Florennes, 3,882 ... F 8
Florenville, 2,378 ... G 9
Forest, 51,503 ... B 9
Fosse, 3,787 ... F 8
Frameries, 11,880 ... D 8
Frasnes-lez-Buissenal, 2,771 ... D 7
Furnes (Veurne), 7,330 ... B 6
Ganshoren, 15,346 ... B 9
Gaurain-Ramecroix, 3,532 ... D 7
Geel, 27,007 ... F 6
Geraardsbergen, 9,582 ... D 7
Geldenaken (Jodoigne), 4,262 ... F 7
Gembloux, 5,875 ... F 7
Gemmenich, 2,485 ... H 7
Genk, 47,416 ... H 7
Gent (Ghent), 157,811 ... D 6
Gentbrugge, 22,222 ... D 6
Ghent, 157,811 ... D 6
Gilly, 23,858 ... E 8
Gosselies, 11,010 ... E 8
Grammont (Geeraardsbergen), 9,582 ... D 7
Haacht, 4,066 ... F 7
Hal (Halle), 19,339 ... E 7
Halen, 3,427 ... G 7
Halle, 19,339 ... E 7
Hamme, 16,974 ... E 6
Hamont, 6,025 ... H 6
Hannut (Hannuit), 2,884 ... G 7
Harelbeke, 16,779 ... C 7
Hasselt, 36,618 ... G 7
Havelange, 1,535 ... G 8
Heist, 8,677 ... C 6
Heist-op-den-Berg, 12,717 ... F 6
Herentals, 17,451 ... F 6
Herselt, 6,828 ... F 6
Herstal, 29,606 ... H 7
Herve, 4,057 ... H 7
Hoboken, 30,557 ... E 6
Hoei (Huy), 13,447 ... G 8
Hoeselt, 5,101 ... H 7
Hoogstraten, 4,200 ... F 6
Hornu, 10,845 ... D 8
Houffalize, 1,302 ... H 8
Huy 13,447 ... G 8
Ieper, 18,121 ... B 7
Ingelmunster, 9,785 ... C 7
Ixelles, 94,211 ... C 9
Izegem, 17,095 ... C 7
Jambes, 13,106 ... F 8
Jemappes, 13,092 ... D 8
Jemeppe, 12,727 ... G 7
Jette, 34,927 ... B 9
Jodoigne, 4,262 ... F 7
Jumet, 28,713 ... E 8
Kain, 4,728 ... C 7
Kalmthout, 11,006 ... F 6
Kapellen, 11,474 ... F 6
Kessel-Lo, 20,098 ... F 7
Knokke, 13,649 ... C 6
Koekelare, 6,372 ... B 6
Koekelberg, 16,442 ... B 9
Koersel, 9,340 ... G 6
Kontich, 10,923 ... E 6
Kortemark, 5,748 ... C 6
Kortrijk (Courtrai), 43,606 ... C 7
Kraainem, 8,226 ... C 9
La Louvière, 23,107 ... E 8
La Roche-en-Ardenne, 1,760 ... G 8
Lanaken, 7,444 ... H 7
Landen, 4,970 ... G 7
Langemark, 4,686 ... B 7
Lede, 9,795 ... D 7
Ledeberg, 11,232 ... D 7
Lens, 1,852 ... D 7
Leopoldsburg, 9,375 ... G 6
Lessines (Lessen), 9,242 ... D 7
Leuven (Louvain), 32,524 ... F 7
Leuze, 7,002 ... D 7
Libramont, 2,445 ... G 9
Lichtervelde, 6,914 ... C 6
Liedekerke, 9,602 ... D 7
Liège, 153,240 ... H 7
Lier (Lierre), 28,755 ... F 6
Lierneux, 2,864 ... H 8
Limbourg (Limburg), 3,833 ... J 7
Linkebeek, 3,762 ... C10
Lokeren, 25,819 ... D 6
Lommel, 17,923 ... G 6
Looz (Borgloon), 3,499 ... G 7
Louvain, 32,524 ... F 7
Luik (Liège), 153,240 ... H 7
Maaseik, 8,068 ... H 6
Machelen, 7,004 ... C 9
Maldegem, 13,694 ... C 6
Malines (Mechelen), 64,772 ... F 6
Malmédy, 6.355 ... J 8
Marche-en-Famenne, 4,360 ... G 8
Marchin, 4,429 ... G 8
Marcinelle, 25,090 ... E 8
Marienbourg, 1,654 ... E 8
Martelange, 1,583 ... H 9
Mechelen, 64,772 ... F 6
Meerhout, 7,945 ... G 6
Meerle, 2,666 ... F 6
Melsbroek, 2,013 ... D 9
Menen (Menin), 22,451 ... C 7
Merchtem, 8,189 ... E 7
Merelbeke, 12,759 ... D 7
Merksem, 36,098 ... E 6
Merksplas, 4,912 ... F 6
Messancy, 2,830 ... H 9
Mettet, 3,160 ... F 8
Meulebeke, 10,487 ... C 7
Moeskron (Mouscron), 36,554 ... C 7
Mol, 24,794 ... G 6
Molenbeek-Saint-Jean, 63,528 ... B 9
Mons, 26,973 ... E 8
Montegnée, 11,405 ... G 7
Montignies-sur-Sambre, 24,143 ... F 8
Mortsel, 25,731 ... E 6
Mouscron, 36,554 ... C 7
Namur (Namen), 32,511 ... F 8
Neerlinter, 1,418 ... G 7
Neerpelt, 7,600 ... G 6
Neufchâteau, 2,696 ... G 9
Nieuwpoort (Nieuport), 6,899 ... B 6
Ninove, 11,831 ... D 7
Nivelles (Nijvel), 14,345 ... E 7
Oostende (Ostend), 56,494 ... B 6
Oostkamp, 8,138 ... C 6
Ophoven, 2,214 ... H 6
Opwijk, 9,225 ... E 7
Ostend, 56,494 ... B 6
Oud-Turnhout, 7,383 ... F 6
Oudenaarde, 6,923 ... D 7
Ougrée, 21,364 ... H 7
Overijse, 12,389 ... F 7
Overpelt, 8,708 ... G 6
Peer, 5,838 ... G 6
Péruwelz, 7,668 ... D 8
Perwez (Perwijs), 2,730 ... F 7
Philippeville, 1,559 ... E 8
Poperinge, 12,350 ... B 7
Poppel, 2,084 ... G 6
Putte, 6,752 ... F 6
Quaregnon, 18,019 ... D 8
Quiévrain, 5,597 ... D 8
Raeren, 3,265 ... J 7
Rance, 1,522 ... E 8
Rebecq Rognon, 3,733 ... E 7
Renaix (Ronse), 25,106 ... D 7
Retie, 5,820 ... G 6
Rochefort, 4,003 ... G 8
Roeselare, 35,645 ... C 7
Roeulx, 2,639 ... E 8
Ronse, 25,106 ... D 7
Roulers (Roeselare), 35,645 ... C 7
Ruisbroek, 5,306 ... B 9
's Gravenbrakel (Braine-le-Comte), 10,779 ... D 7
Saint-Georges, 5,854 ... G 7
Saint-Gérard, 1,664 ... F 8
Saint-Gilles, 55,101 ... B 9
Saint-Hubert, 3,108 ... G 8
Saint-Josse-ten-Noode, 24,463 ... C 9
Saint-Léger, 1,561 ... H 9
Saint-Vith (Sankt-Vith), 2,708 ... J 8
Schaerbeek, 117,180 ... C 9
Schoten, 26,060 ... F 6
Seraing, 41,239 ... G 7
Sint-Amandsberg, 24,359 ... D 6
Sint-Andries, 13,409 ... C 6
Sint-Lenaarts, 4,301 ... F 6
Sint-Niklaas, 47,819 ... E 6
Sint-Pieters-Leeuw, 15,002 ... B 9
Sint-Truiden (Saint-Trond), 20,776 ... G 7
Sivry, 1,464 ... E 8
Soignies, 10,874 ... D 7
Spa, 9,055 ... H 8
Staden, 5,531 ... B 7
Stavelot, 4,500 ... H 8
Steenokkerzeel, 3,277 ... C 9
Stene, 7,113 ... B 6
Stokkem, 3,263 ... H 6
Strombeek-Bever, 8,654 ... C 9
Tamines, 7,886 ... F 8
Tamise (Temse), 14,063 ... E 6
Templeuve, 3,612 ... C 7
Temse, 14,063 ... E 6
Termonde (Dendermonde), 9,815 ... E 6
Tessenderlo, 9,643 ... G 6
Theux, 5,238 ... H 8
Thuin, 5,660 ... E 8
Tielt, Brabant, 3,690 ... F 7
Tielt, West Flanders, 13,455 ... C 7
Tienen (Tirlemont), 22,736 ... F 7
Tongeren (Tongres), 16,176 ... G 7
Torhout, 13,465 ... C 6
Tournai, 33,263 ... C 7
Tronchiennes (Drongen), 7,799 ... D 6
Tubize (Tubeke), 9,483 ... E 7
Turnhout, 36,444 ... F 6
Uccle (Ukkel), 71,725 ... B 9
Verviers, 35.453 ... H 7
Veurne, 7,330 ... B 6
Vielsalm, 3.698 ... J 8
Vilvoorde (Vilvorde), 31,441 ... F 7
Virton, 3,421 ... H 9
Visé, 6,018 ... H 7
Vorst (Forest), 51,503 ... B 9
Waarschoot, 7,870 ... D 6
Waasten (Warneton), 3,002 ... B 7
Waha, 2,608 ... G 8
Waimes, 2,705 ... J 8
Walcourt, 2,042 ... F 8
Wandre, 6,722 ... H 7
Waregem, 16,014 ... C 7
Waremme, 6,646 ... G 7
Warneton, 3,002 ... B 7
Wasmes, 14,173 ... D 7
Waterloo, 11,846 ... E 7
Watermael-Boitsfort, 23,488 ... C 9
Watervliet, 1,922 ... D 6
Wavre (Waver), 9,706 ... F 7
Weismes (Waimes), 2,705 ... J 8
Wemmel, 10,040 ... B 9
Wenduine, 1,800 ... C 6
Wervik, 12,442 ... B 7
Westende, 2,415 ... B 6
Westerlo, 7,297 ... F 6
Wetteren, 20,206 ... D 7
Wezembeek-Oppem, 8,551 ... D 9
Wezet (Visé), 6,018 ... H 7
Willebroek, 15,359 ... E 6
Wingene, 7,146 ... C 6
Woluwe-Saint-Lambert, 38,202 ... C 9
Woluwe-Saint-Pierre, 32,749 ... C 9
Wolvertem, 4,085 ... E 7
Ypres (Ieper), 18,121 ... B 7
Yvoir, 1,881 ... F 8
Zaventem, 9,179 ... C 9
Zeebrugge ... C 6
Zele, 17,648 ... E 6
Zellik, 3,931 ... B 9
Zelzate, 10,593 ... D 6
Zinnik (Soignies), 10,874 ... D 7
Zonhoven, 11,487 ... G 6
Zottegem, 6,630 ... D 7

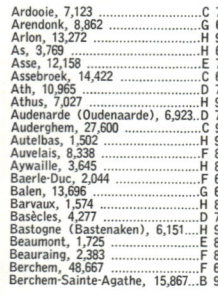

PHYSICAL FEATURES

Albert (canal) ... F 6
Ardennes (plateau) ... F 9
Botrange (mt.) ... J 8
Dender (river) ... D 7
Dyle (river) ... F 7
Hohe Venn (plateau) ... H 8
Lesse (river) ... F 8
Mark (river) ... F 6
Meuse (river) ... F 8
Nethe (river) ... F 6
Ourthe (river) ... H 8
Rupel (river) ... F 7
Scheldt (Schelde) (river) ... C 7
Schnee Eifel (plateau) ... J 8
Semois (river) ... G 9
Senne (river) ... E 7
Vesdre (river) ... H 7
Weisserstein (mt.) ... J 8
Yser (river) ... B 7
Zitterwald (plateau) ... J 8

LUXEMBOURG

CITIES and TOWNS

Clervaux, 937 ... J 8
Diekirch, 4,376 ... J 9
Differdange, 8,720 ... H 9
Dudelange, 14,617 ... J10
Echternach, 3,235 ... J 9
Esch-sur-Alzette, 27,954 ... J 9
Esch-sur-Sauer, 319 ... H 9
Ettelbruck, 4,835 ... J 9
Grevenmacher, 2,673 ... J 9
Luxembourg (cap.), 71,653 ... J 9
Mersch, 1,514 ... J 9
Pétange, 5,964 ... H 9
Redange, 862 ... H 9
Remich, 1,801 ... J 9
Troisvierges, 974 ... J 8
Vianden, 1,506 ... J 9
Wasserbillig, 1,924 ... J 9
Wiltz, 1,551 ... H 9

PHYSICAL FEATURES

Alzette (river) ... J 9
Clerf (river) ... J 8
Eisling (mts.) ... H 9
Mosel (river) ... J 9
Our (river) ... J 9
Sauer (river) ... J 9

NETHERLANDS, BELGIUM and LUXEMBOURG

CONIC PROJECTION

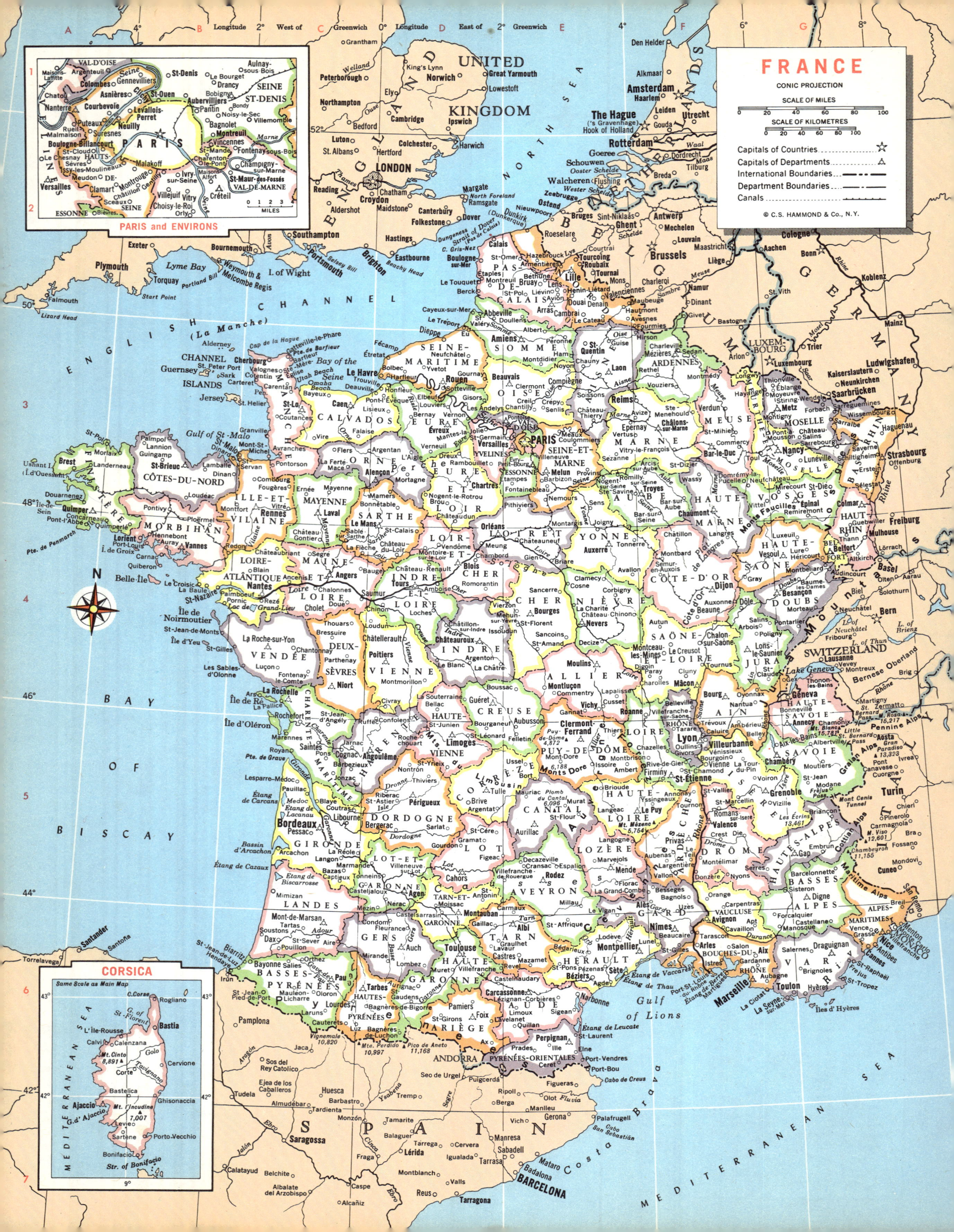

FRANCE

AREA 212,736 sq. mi.
POPULATION 46,520,271
CAPITAL Paris
LARGEST CITY Paris (greater) 8,569,238
HIGHEST POINT Mont Blanc 15,781 ft.
MONETARY UNIT franc
MAJOR LANGUAGE French
MAJOR RELIGION Roman Catholic

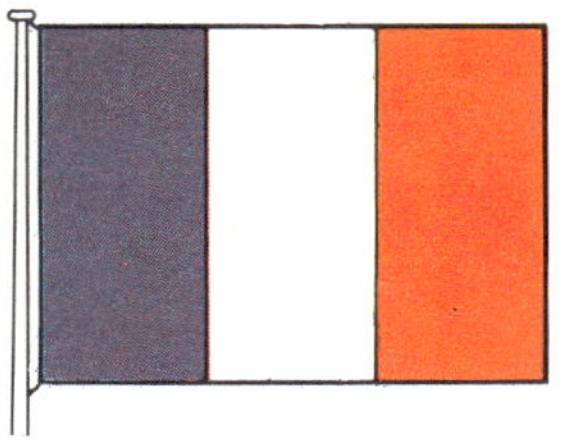

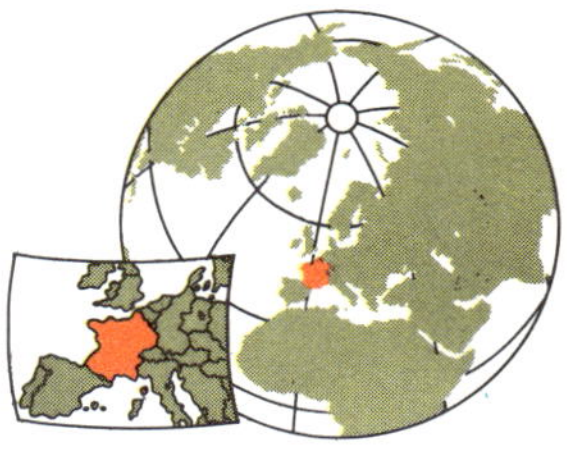

DEPARTMENTS

Ain, 327,146 F 4
Aisne, 512,920 E 3
Allier, 380,221 E 4
Alpes-Maritimes, 618,265 G 6
Ardèche, 248,516 F 5
Ardennes, 300,247 F 3
Ariège, 137,192 D 6
Aube, 255,099 E 3
Aude, 269,782 E 6
Aveyron, 290,442 E 5
Bas-Rhin, 770,150 G 3
Basses-Alpes, 91,843 G 5
Basses-Pyrénées, 466,038 C 6
Belfort (terr.), 109,371 G 4
Bouches-du-Rhône, 1,248,355 F 6
Calvados, 480,686 C 3
Cantal, 172,977 E 5
Charente, 327,658 D 5
Charente-Maritime, 470,897 C 5
Cher, 293,514 E 4
Corrèze, 237,926 D 5
Corsica (Corse), 275,465 G 6
Côte-d'Or, 387,869 F 4
Côtes-du-Nord, 501,923 B 3
Creuse, 163,515 D 4
Deux-Sèvres, 321,118 C 4
Dordogne, 375,455 D 5
Doubs, 384,881 G 4
Drôme, 304,227 F 5
Essonne, 474,469 E 3
Eure, 361,904 D 3
Eure-et-Loir, 277,546 D 3
Finistère, 749,553 A 3
Gard, 435,482 F 6
Gers, 182,264 D 6
Gironde, 935,448 C 5
Haut-Rhin, 547,920 G 4
Haute-Garonne, 594,633 D 6
Haute-Loire, 211,036 E 5
Haute-Marne, 208,446 F 3
Haute-Saône, 208,440 G 4
Haute-Savoie, 329,230 G 4
Haute-Vienne, 332,514 D 5
Hautes-Alpes, 87,406 G 5
Hautes-Pyrénées, 211,433 D 6
Hauts-de-Seine, 1,381,805 A 2
Hérault, 516,658 E 6
Ille-et-Vilaine, 614,268 C 3
Indre, 251,342 D 4
Indre-et-Loire, 395,210 D 4
Isère, 729,789 F 5
Jura, 225,682 F 4
Landes, 260,495 C 5
Loir-et-Cher, 250,741 D 4
Loire, 696,348 F 5
Loire-Atlantique, 803,372 C 4
Loiret, 389,854 E 4
Lot, 149,929 D 5
Lot-et-Garonne, 275,028 D 5
Lozère, 81,868 E 5
Maine-et-Loire, 556,272 C 4
Manche, 446,878 C 3
Marne, 442,195 F 3
Mayenne, 250,030 C 3
Meurthe-et-Moselle, 678,078 G 3
Meuse, 215,985 F 3
Morbihan, 530,833 B 4
Moselle, 919,412 G 3
Nièvre, 245,921 E 4
Nord, 2,293,112 E 2
Oise, 481,289 E 3
Orne, 280,549 C 3
Paris, 2,790,091 B 2
Pas-de-Calais, 1,366,282 E 2
Puy-de-Dôme, 508,928 E 5
Pyrénées-Orientales, 251,231 E 6
Rhône, 1,116,664 F 5
Saône-et-Loire, 535,772 F 4
Sarthe, 443,019 D 3
Savoie, 266,678 G 5
Seine-et-Marne, 524,486 E 3
Seine-Maritime, 1,035,844 D 3
Seine-Saint-Denis, 1,073,724 B 1
Somme, 488,225 E 3
Tarn, 319,560 E 6
Tarn-et-Garonne, 175,847 D 5
Val-de-Marne, 974,902 B 2
Val-d'Oise, 555,887 A 1
Var, 469,557 G 6
Vaucluse, 303,536 F 6
Vendée, 408,928 C 4
Vienne, 331,619 D 4
Vosges, 380,676 G 3
Yonne, 269,826 E 4
Yvelines, 679,444 A 1

CITIES and TOWNS

Abbeville, 21,744 D 2
Agde, 7,695 E 6
Agen, 30,639 D 5
Aix-en-Provence, 55,398 F 6
Aix-les-Bains, 17,324 G 5
Ajaccio, 40,829 F 7
Albert, 10,203 E 2
Albertville, 11,122 G 5
Albi, 31,672 E 6
Alençon, 24,299 D 3
Alès, 23,571 E 5
Ambérieu-en-Bugey, 7,498 F 5
Ambert, 5,604 E 5
Amboise, 7,332 D 4
Amiens, 101,677 D 3
Angers, 109,614 C 4
Angoulême, 46,924 D 5
Annecy, 42,304 G 5
Annonay, 12,559 F 5
Antibes, 24,730 G 6
Apt, 6,251 F 6
Arcachon, 14,738 F 4
Argentan, 11,724 D 3
Argenteuil, 82,007 A 1
Argenton-sur-Creusot, 5,874 D 4
Arles, 29,251 F 6
Armentières, 23,168 E 2
Arras, 40,969 E 2
Asnières, 81,747 A 1
Aubagne, 12,610 F 6
Aubenas, 5,739 F 5
Aubervilliers, 70,592 B 1
Aubusson, 5,343 E 4
Auch, 16,109 D 6
Audincourt, 12,433 G 4
Aulnay-sous-Bois, 47,417 B 1
Auray, 7,802 B 4
Aurignac, 742 D 6
Aurillac, 23,179 E 5
Autun, 14,003 F 4
Auxerre, 28,949 E 4
Avallon, 5,656 E 4
Avesnes-sur-Helpe, 6,028 F 2
Avignon, 64,581 F 6
Avion, 20,730 E 2
Avranches, 8,828 C 3
Bagnères-de-Bigorre, 8,958 D 6
Bagnères-de-Luchon, 3,857 D 6
Bagnolet, 31,442 B 2
Bagnols-sur-Cèze, 11,831 F 5
Bar-le-Duc, 17,988 F 3
Bar-sur-Seine, 2,408 F 3
Barfleur, 847 C 3
Bastia, 49,929 G 6
Bayeux, 9,335 C 3
Bayonne, 30,865 C 6
Beaucaire, 8,243 F 6
Beaune, 14,695 F 4
Beauvais, 33,559 E 3
Bédarieux, 6,976 E 6
Belfort, 45,576 G 4
Belley, 5,080 F 5
Berck, 12,684 D 2
Bergerac, 20,972 D 5
Bernay, 8,049 D 3
Besançon, 90,203 G 4
Bessèges, 5,047 F 5
Béthune, 22,530 E 2
Béziers, 57,601 E 6
Biarritz, 24,273 C 6
Blois, 30,081 D 4
Bobigny, 36,963 B 1
Bolbec, 11,922 D 3
Bondy, 38,032 B 1
Bordeaux, 246,186 C 5
Boulogne-Billancourt, 106,559 A 2
Boulogne-sur-Mer, 49,036 D 2
Bourg-en-Bresse, 28,813 F 4
Bourges, 55,216 E 4
Bourgoin, 8,413 F 5
Bressuire, 6,500 C 4
Brest, 130,867 A 3
Briançon, 6,756 G 5
Briare, 3,713 E 4
Brignoles, 6,432 G 6
Brioude, 6,087 E 5
Brive-la-Gaillarde, 38,105 D 5
Bruay-en-Artois, 30,876 E 2
Caen, 88,449 C 3
Cahors, 15,528 D 5
Calais, 70,127 D 2
Caluire-et-Cuire, 25,718 F 5
Calvi, 2,523 F 6
Cambrai, 32,601 E 2
Cannes, 54,967 G 6
Carcassonne, 37,190 D 6
Carentan, 4,786 C 3
Carmaux, 12,688 E 5
Carpentras, 14,169 F 5
Casteljaloux, 4,603 D 5
Castelnaudary, 7,944 E 6
Castelsarrasin, 6,765 D 6
Castres, 32,012 E 6
Cavaillon, 12,062 F 6
Cayeux-sur-Mer, 2,240 D 2
Céret, 4,813 E 6
Chalon-sur-Saône, 40,056 F 4
Châlons-sur-Marne, 39,658 F 3
Chambéry, 41,011 F 5
Chambord, 175 D 4
Chamonix-Mont-Blanc, 5,412 G 5
Champigny-sur-Marne, 57,807 C 2
Chantilly, 8,106 E 3
Chantonnay, 2,620 C 4
Charenton-le-Pont, 22,203 B 2
Charleville, 24,543 F 3
Chartres, 31,085 D 3
Château-Chinon, 2,443 E 4
Château-du-Loir, 4,481 D 4
Château-Gontier, 7,000 C 4
Château-Renault, 4,020 D 4
Château-Salins, 2,121 G 3
Château-Thierry, 9,356 E 3
Châteaubriant, 9,985 C 4
Châteaudun, 11,107 D 3
Châteauneuf-sur-Loire, 4,016 E 4
Châteauroux, 44,227 D 4
Châtellerault, 25,162 D 4
Châtillon, 20,884 B 2
Châtillon-sur-Indre, 2,373 D 4
Châtillon-sur-Seine, 5,389 F 4
Chatou, 21,648 A 1
Chaumont, 21,642 F 3
Chauny, 12,348 E 3
Chazelles-sur-Lyon, 4,956 F 5
Cherbourg, 37,096 C 3
Chinon, 5,122 D 4
Choisy-le-Roi, 40,577 B 2
Cholet, 34,543 C 4
Clamart, 47,929 A 2
Clamecy, 4,995 E 4
Clermont, 5,942 E 3
Clermont-Ferrand, 124,531 E 5
Clichy, 56,305 B 1
Cluny, 3,293 F 4
Cognac, 20,033 C 5
Colmar, 51,624 G 3
Colombes, 76,849 A 1
Commentry, 7,794 E 4
Commercy, 7,008 F 3
Compiègne, 23,833 E 3
Concarneau, 11,691 A 4
Condom, 4,577 D 6
Corte, 5,268 G 7
Cosne, 8,032 E 4
Coulommiers, 9,302 E 3
Courbevoie, 59,437 A 2
Coutances, 7,709 C 3
Coutras, 4,236 C 5
Creil, 18,344 E 3
Crépy-en-Valois, 7,271 E 3
Crest, 4,819 F 5
Créteil, 29,024 B 2
Cusset, 10,512 E 4
Dax, 16,016 C 6
Deauville, 5,024 C 3
Decazeville, 10,678 E 5
Decize, 5,713 E 4
Denain, 29,307 E 2
Dieppe, 29,853 D 3
Digne, 9,788 G 5
Digoin, 7,901 F 4
Dijon, 133,975 F 4
Dinan, 12,730 B 3
Dinard, 7,944 B 3
Dôle, 20,719 F 4
Domrémy-la-Pucelle, 171 F 3
Douai, 46,091 E 2
Douarnenez, 18,558 A 3
Doué-la-Fontaine, 3,819 C 4
Doullens, 5,584 E 2
Draguignan, 11,526 G 6
Drancy, 65,649 B 1
Dreux, 20,227 D 3
Dunkirk (Dunkerque), 26,197 E 2
Elbeuf, 18,701 D 3
Elne, 5,128 E 6
Embrun, 3,586 G 5
Épernay, 21,365 E 3
Épinal, 29,449 G 3
Ernée, 3,880 C 3
Erstein, 6,115 G 3
Étampes, 13,219 E 3
Étaples, 8,618 D 2
Eu, 6,548 D 3
Évreux, 34,398 D 3
Évry-Petit-Bourg, 4,888 E 3
Falaise, 5,977 C 3
Fécamp, 19,308 D 3
Figeac, 6,942 D 5
Firminy, 25,013 F 5
Flers, 12,616 C 3
Foix, 7,106 D 6
Fontainebleau, 19,677 E 3
Fontenay-le-Comte, 8,880 C 4
Fontenay-sous-Bois, 37,458 C 2
Forbach, 19,291 G 3
Forcalquier, 2,068 F 6
Fougères, 23,928 C 3
Fourmies, 14,231 F 2
Fréjus, 10,459 G 6
Gaillac, 6,413 D 6
Gannat, 5,061 E 4
Gap, 18,116 G 5
Gardanne, 5,320 F 6
Gennevillers, 42,562 B 1
Gentilly, 19,005 B 2
Gex, 1,411 G 4
Gien, 8,773 E 4
Gisors, 5,952 D 3
Givet, 7,219 F 2
Givors, 17,062 F 5
Gourdon, 2,914 D 5
Gournay-en-Bray, 3,957 D 3
Granville, 9,439 C 3
Grasse, 25,161 G 6
Graulhet, 7,996 E 6
Gray, 6,963 F 4
Grenoble, 155,677 G 5
Guebwiller, 10,436 G 4
Guéret, 10,487 D 4
Guingamp, 8,829 B 3
Guise, 6,249 E 3
Haguenau, 20,357 G 3
Ham, 4,193 E 3
Harfleur, 3,787 D 3
Hautmont, 18,529 F 2
Hayange, 10,987 F 3
Hazebrouck, 16,034 E 2
Hendaye, 6,674 C 6
Hénin-Liétard, 25,527 E 2
Hennebont, 7,618 B 4
Héricourt, 7,088 G 4
Hirson, 11,570 F 3
Honfleur, 8,822 D 3
Hyères, 18,301 G 6
Ille-sur-Têt, 4,305 E 6
Issoire, 10,345 E 5
Issoudun, 13,198 D 4
Issy-les-Moulineaux, 51,440 A 2
Istres, 6,391 F 6
Ivry-sur-Seine, 53,229 B 2
Jarnac, 4,280 C 5
Joigny, 7,035 E 3
Jonzac, 3,523 C 5
La Baule-Escoublac, 314 B 4
La Charité-sur-Loire, 4,742 E 4
La Châtre, 3,716 D 4
La Ciotat, 17,552 F 6
La Courneuve, 25,119 B 1
La Défense A 1
La Ferté-Macé, 3,943 C 3
La Flèche, 9,257 C 4
La Grand-Combe, 10,333 E 5
La Pallice C 4
La Réole, 3,967 C 5
La Roche-sur-Yon, 22,231 C 4
La Rochelle, 65,581 C 4
La Seyne-sur-Mer, 22,471 F 6
La Souterraine, 3,512 D 4
La Tour-du-Pin, 4,508 F 5
L'Aigle, 6,476 D 3
Lamballe, 4,963 B 3
Landerneau, 11,278 B 3
Langeac, 4,442 E 5
Langogne, 3,913 E 5
Langon, 4,630 C 5
Langres, 7,648 F 4
Lannion, 6,469 B 3
Laon, 23,528 E 3
Laval, 35,835 C 3
Lavaur, 4,010 D 6
Lavelanet, 7,518 E 6
Le Blanc, 5,371 D 4
Le Bourget, 10,077 B 1
Le Cateau, 8,765 E 2
Le Chesnay, 13,223 A 2
Le Creusot, 33,002 F 4
Le Croisic, 3,821 B 4
Le Havre, 182,504 C 3
Le Mans, 128,814 C 3
Le Puy, 22,396 F 5
Le Teil, 7,688 F 5
Le Touquet-Paris-Plage, 3,959 D 2
Le Tréport, 5,785 D 2
Le Vigan, 3,362 E 5
Lens, 42,508 E 2
Les Andelys, 5,307 D 3
Les Sables-d'Olonne, 18,267 B 4
Lesparre-Médoc, 2,428 C 5
Levallois-Perret, 61,801 B 1
Lézignan-Corbières, 6,626 E 6
Libourne, 15,050 C 5
Liévin, 35,042 E 2
Lille, 191,863 E 2
Limoges, 113,378 D 5
Limoux, 7,876 E 6
Lisieux, 20,441 D 3
Loches, 4,526 D 4
Lodève, 6,320 E 6
Longwy, 21,919 F 3
Lons-le-Saunier, 15,570 F 4
Lorient, 58,504 B 4
Loudéac, 3,751 B 3
Loudun, 5,243 D 4
Lourdes, 15,691 C 6
Louviers, 12,554 D 3
Luçon, 7,291 C 4
Lunel, 7,240 E 6
Lunéville, 21,250 G 3
Lure, 6,141 G 4
Luxeuil-les-Bains, 8,158 G 4
Lyon, 524,834 F 5
Mâcon, 25,012 F 4
Maisons-Alfort, 50,965 B 2
Maisons-Laffitte, 19,085 A 1
Malakoff, 33,600 B 2
Mamers, 4,689 D 3
Manosque, 7,429 G 6
Mantes-la-Jolie, 18,885 D 3
Marennes, 3,797 C 5
Marmande, 10,191 C 5
Marseille, 767,146 F 6
Martigues, 14,655 F 6
Marvejols, 3,933 E 5
Maubeuge, 27,208 F 2
Mauléon-Licharre, 4,400 C 6
Mayenne, 8,393 C 3
Mazamet, 14,843 E 6
Meaux, 21,960 E 3
Mehun-sur-Yèvre, 5,111 E 4
Melun, 26,061 E 3
Mende, 7,647 E 5
Menton, 17,211 G 6
Metz, 101,496 G 3
Meudon, 29,004 A 2
Mézières, 11,725 F 3
Millau, 19,215 E 5
Mirecourt, 6,640 G 3
Modane, 4,679 G 5
Moissac, 6,262 D 5
Mont-de-Marsan, 18,059 C 6
Mont-Dore, 1,897 E 5
Mont-Saint-Michel, 102 C 3
Montargis, 15,700 E 3
Montauban, 29,716 D 5
Montbard, 6,272 F 4
Montbéliard, 21,040 G 4
Montbrison, 8,327 E 5
Montceau-les-Mines, 8,201 F 4
Montdidier, 5,405 E 3
Montélimar, 15,811 F 5
Montfort, 2,182 C 3
Montigny-les-Metz, 22,325 G 3
Montluçon, 54,947 E 4
Montmorillon, 5,094 D 4
Montpellier, 109,116 E 6
Montreuil, 92,040 B 2
Montrouge, 45,224 B 2
Morlaix, 15,472 B 3
Morteau, 5,179 G 4
Moulins, 23,187 E 4
Moûtiers, 3,717 G 5
Moyeuvre-Grande, 15,146 G 3
Mulhouse, 107,946 G 4
Murat, 2,315 E 5
Muret, 4,742 D 6
Nancy, 127,729 G 3
Nanterre, 83,155 A 1
Nantes, 234,747 C 4
Narbonne, 30,388 E 6
Nemours, 6,313 E 3
Nérac, 4,192 D 5
Neufchâteau, 4,452 F 3
Neufchâtel-en-Bray, 5,460 D 3
Neuilly-sur-Seine, 72,570 B 1
Nevers, 38,716 E 4
Nice, 278,714 G 6
Nîmes, 85,884 F 6
Niort, 36,265 C 4
Nogent-le-Rotrou, 8,822 D 3
Nogent-sur-Seine, 3,690 E 3
Noisy-le-Sec, 31,120 B 1
Noyon, 9,019 E 3
Nyons, 3,599 F 5
Oloron-Sainte-Marie, 12,113 C 6
Orange, 17,202 F 5
Orléans, 82,812 D 3
Orly, 18,184 B 2
Orthez, 6,735 C 6
Oullins, 24,314 F 5
Oyonnax, 14,636 F 4
Paimpol, 5,362 B 3
Pamiers, 12,026 D 6
Pantin, 46,276 B 1
Paray-le-Monial, 9,005 F 4
Paris (cap.), 2,790,091 B 2
Paris, *8,569,238 B 2
Parthenay, 9,052 C 4
Pau, 57,476 C 6
Périgueux, 36,585 D 5
Péronne, 5,078 E 3
Perpignan, 82,626 E 6
Pessac, 22,065 C 5
Pézenas, 6,792 E 6
Pithiviers, 7,213 E 3
Ploërmel, 3,454 B 4
Poitiers, 59,799 D 4
Poligny, 3,717 F 4
Pont-à-Mousson, 12,427 G 3
Pont-l'Abbé, 5,819 A 4
Pont-l'Évêque, 2,787 D 3
Pontarlier, 15,191 G 4
Pontivy, 8,749 B 3
Pontoise, 14,898 E 3
Port-Louis, 4,140 B 4
Port-Saint-Louis-du-Rhône, 5,289 F 6
Port-Vendres, 4,141 E 6
Porto-Vecchio, 3,176 G 7
Prades, 5,344 E 6
Privas, 6,417 F 5
Provins, 7,243 E 3
Puteaux, 39,640 A 2
Quiberon, 2,393 B 4
Quillan, 4,285 E 6
Quimper, 40,223 A 4
Quimperlé, 9,280 B 4
Rambouillet, 10,631 D 3
Redon, 7,681 C 4
Reims, 133,142 E 3
Remiremont, 9,020 G 3
Rennes, 145,093 C 3
Rethel, 7,352 F 3
Revel, 5,264 E 6
Rezé, 20,602 C 4
Rive-de-Gier, 14,898 F 5
Roanne, 51,468 E 4
Rochefort, 26,490 C 4
Rodez, 20,438 E 5
Romans-sur-Isère, 24,167 F 5
Romilly-sur-Seine, 15,537 F 3
Romorantin-Lanthenay, 10,830 D 4
Roubaix, 112,567 E 2
Rouen, 118,775 D 3
Royan, 16,144 C 5
Rueil-Malmaison, 46,515 A 2

(continued on following page)

TOPOGRAPHY

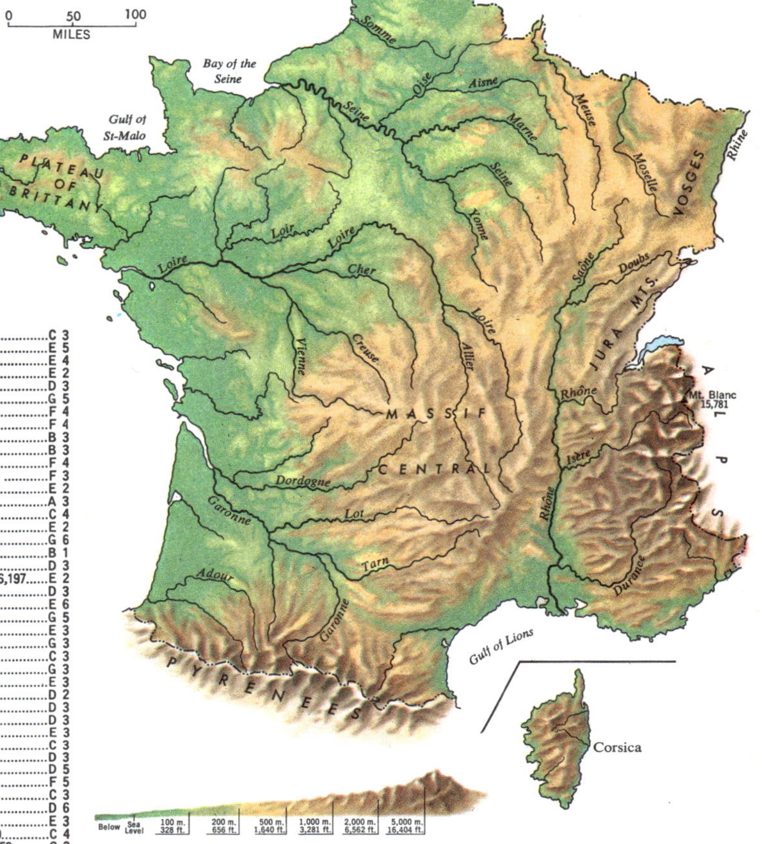

HISTORIC PROVINCES

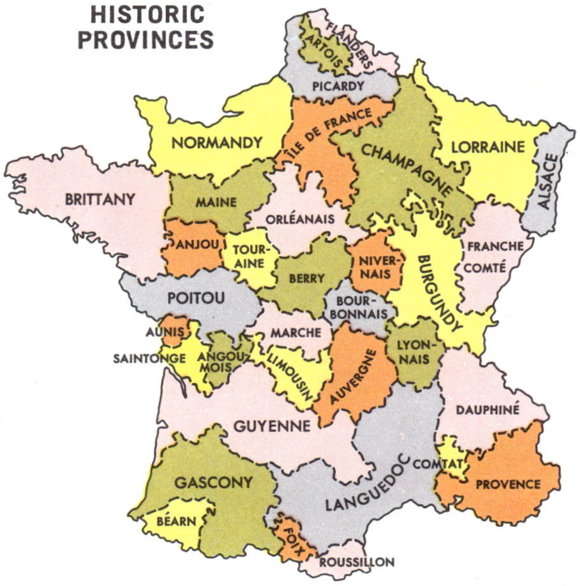

A resident of the city of Caen thinks of himself as a Norman rather than as a citizen of the modern department of Calvados. In spite of the passing of nearly two centuries, the historic provinces which existed before 1790 command the local patriotism of most Frenchmen.

France
(continued)

Ruffec, 3,808	D 5
Sable-sur-Sarthe, 6,383	C 4
Saint-Affrique, 5,655	E 6
Saint-Amand-Mont-Rond, 10,412	E 4
Saint-Brieuc, 42,211	B 3
Saint-Céré, 3,283	D 5
Saint-Chamond, 17,060	F 5
Saint-Claude, 11,526	F 4
Saint-Cloud, 26,433	A 2
Saint-Denis, 93,783	B 1
Saint-Dié, 22,200	G 3
Saint-Dizier, 33,511	F 3
Saint-Étienne, 200,528	F 5
Saint-Florent-sur-Cher, 5,283	E 4
Saint-Flour, 5,336	E 5
Saint-Gaudens, 7,945	D 6
Saint-Germain-en-Laye, 32,916	D 3
Saint-Gilles, 5,347	F 6
Saint-Girons, 6,678	D 6
Saint-Jean-d'Angély, 7,868	C 4
Saint-Jean-de-Luz, 9,056	C 5
Saint-Jean-de-Maurienne, 5,231	G 5
Saint-Jean-Pied-de-Port, 1,612	C 6
Saint-Junien, 8,449	D 5
Saint-Lô, 14,884	C 3
Saint-Malo, 16,981	B 3
Saint-Mandé, 24,279	B 2
Saint-Marcellin, 4,946	F 5
Saint-Maur-des-Fossés, 70,295	B 2
Saint-Mihiel, 5,203	F 3
Saint-Nazaire, 49,331	B 4
Saint-Omer, 18,180	E 2
Saint-Ouen, 51,471	B 1
Saint-Pol, 6,271	E 2
Saint-Pol-sur-Ternoise, 5,124	E 2
Saint-Quentin, 60,633	E 3
Saint-Raphaël, 9,470	G 6
Saint-Servan-sur-Mer, 13,479	C 3
Saint-Tropez, 4,677	G 6
Saint-Valéry-sur-Somme, 2,986	D 2
Saint-Valéry, 4,070	E 2
Saint-Yrieix-la-Perche, 3,905	D 5
Sainte-Menehould, 3,703	F 3
Sainte-Mère-Église, 768	C 3
Saintes, 23,594	C 4
Salins-les-Bains, 4,061	F 4
Salon-de-Provence, 16,930	F 6
Sarlat, 5,012	D 5
Sarralbe, 3,170	G 3
Sarrebourg, 10,728	G 3
Sarreguemines, 16,851	G 3
Sartène, 4,160	G 7
Saumur, 20,466	D 4
Saverne, 8,856	G 3
Sceaux, 18,936	A 2
Schiltigheim, 25,019	H 3
Sedan, 20,261	F 3
Ségré, 4,760	C 4
Sélestat, 13,568	G 3
Semur-en-Auxois, 3,168	F 4
Senlis, 8,717	E 3
Sens, 19,692	E 3
Sète, 35,910	E 6
Sèvres, 5,216	A 2
Sézanne, 5,216	E 3
Sisteron, 4,651	G 5
Soissons, 22,890	E 3
Sotteville-lès-Rouen, 32,998	D 3
Stiring-Wendel, 15,028	G 3
Strasbourg, 225,964	H 3
Suresnes, 38,980	A 2
Tarare, 11,926	F 5
Tarascon, 6,475	F 6
Tarbes, 46,162	C 6
Thann, 7,538	G 4
Thiers, 12,396	E 5
Thionville, 31,636	G 3
Thonon-les-Bains, 14,478	G 4
Thouars, 11,016	C 4
Tonneins, 5,204	D 5
Tonnerre, 5,359	E 3
Toul, 13,353	F 3
Toulon, 160,142	F 6
Toulouse, 254,791	D 6
Tourcoing, 89,187	E 2
Tournon, 5,883	F 5
Tournus, 6,796	F 4
Tours, 91,374	D 4
Trouville, 5,965	C 3
Troyes, 67,074	F 3
Tulle, 16,477	D 5
Ussel, 6,796	E 5
Uzès, 4,825	F 5
Valence, 49,840	F 5
Valenciennes, 45,019	E 2
Valognes, 4,545	C 3
Vannes, 26,846	B 4
Vence, 5,630	G 6
Vendôme, 12,847	D 4
Vénissieux, 28,705	F 5
Verdun, 21,406	F 3
Verneuil-sur-Avre, 4,865	D 3
Vernon, 15,872	D 3
Versailles, 84,860	A 2
Vesoul, 10,794	F 4
Vichy, 30,610	E 4
Vienne, 24,277	F 5
Vierzon, 30,395	D 4
Villefranche, 5,236	D 6
Villefranche-de-Rouergue, 7,914	E 5
Villefranche-sur-Saône, 24,102	F 4
Villejuif, 43,714	B 2
Villemomble, 24,533	B 2
Villeneuve-sur-Lot, 14,862	D 5
Villeurbanne, 105,156	F 5
Vincennes, 50,425	B 2
Vire, 8,889	C 3
Vitré, 9,335	C 3
Vitry-le-François, 14,487	F 3
Vitry-sur-Seine, 65,607	B 2
Vittel, 4,975	F 3
Vizille, 6,130	F 5
Voiron, 11,105	F 5
Wassy, 2,812	F 3
Wissembourg, 4,917	H 3
Yvetot, 7,503	D 3

*City and suburbs.

WINE REGIONS

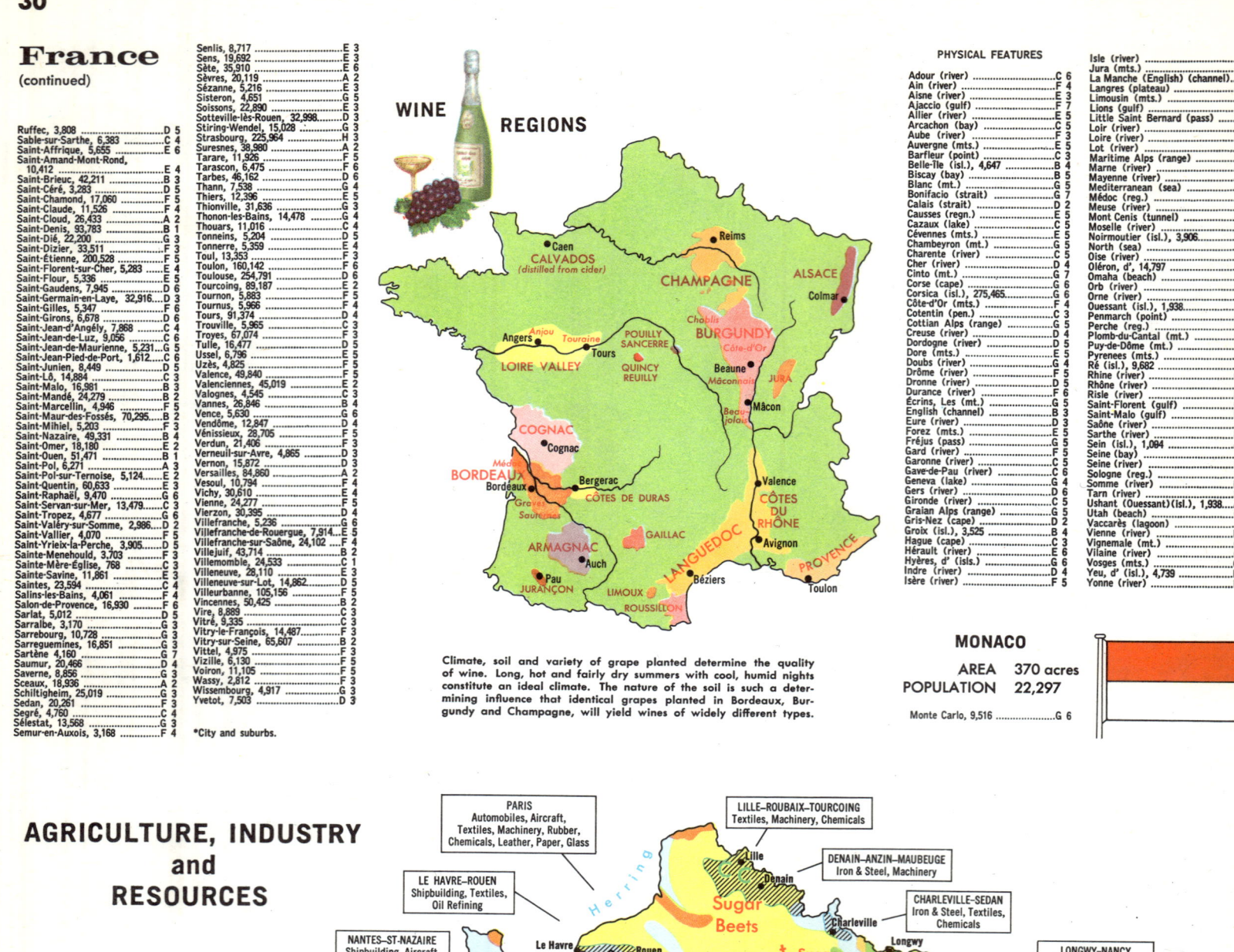

Climate, soil and variety of grape planted determine the quality of wine. Long, hot and fairly dry summers with cool, humid nights constitute an ideal climate. The nature of the soil is such a determining influence that identical grapes planted in Bordeaux, Burgundy and Champagne, will yield wines of widely different types.

PHYSICAL FEATURES

Adour (river)	C 6
Ain (river)	F 4
Aisne (river)	E 3
Ajaccio (gulf)	G 7
Allier (river)	E 5
Arcachon (bay)	C 5
Aube (river)	F 3
Auvergne (mts.)	A 2
Barfleur (point)	C 3
Belle-Île (isl.), 4,647	B 4
Biscay (bay)	B 5
Blanc (mt.)	G 5
Bonifacio (strait)	G 7
Calais (strait)	D 2
Causses (regn.)	E 5
Cazaux (lake)	C 5
Cévennes (mts.)	E 5
Chambeyron (mt.)	G 5
Charente (river)	C 5
Cher (river)	D 4
Cinto (mt.)	G 6
Corse (cape)	G 6
Corsica (isl.), 275,465	G 6
Côte-d'Or (mts.)	F 4
Cotentin (pen.)	C 3
Cottian Alps (range)	G 5
Creuse (river)	D 4
Dordogne (river)	D 5
Dore (mts.)	E 5
Doubs (river)	G 4
Drôme (river)	F 5
Dronne (river)	D 5
Durance (river)	F 6
Écrins, Les (mt.)	G 5
English (channel)	B 3
Eure (river)	D 3
Forez (mts.)	E 5
Fréjus (pass)	G 5
Gard (river)	F 5
Garonne (river)	C 5
Gave-de-Pau (river)	C 6
Geneva (lake)	G 4
Gers (river)	D 6
Gironde (river)	C 5
Graian Alps (range)	G 5
Gris-Nez (cape)	D 2
Groix (isl.), 3,525	B 4
Hague (cape)	C 3
Hérault (river)	E 6
Hyères, d' (isls.)	G 6
Indre (river)	D 4
Isère (river)	F 5
Isle (river)	D 5
Jura (mts.)	F 4
La Manche (English) (channel)	B 3
Langres (plateau)	F 3
Limousin (mts.)	D 5
Lions (gulf)	E 6
Little Saint Bernard (pass)	G 5
Loir (river)	D 4
Loire (river)	E 4
Lot (river)	D 5
Maritime Alps (range)	G 5
Marne (river)	F 3
Mayenne (river)	C 3
Mediterranean (sea)	F 6
Médoc (reg.)	C 5
Meuse (river)	F 3
Mont Cenis (tunnel)	G 5
Moselle (river)	G 3
Noirmoutier (isl.), 3,906	B 4
North (sea)	E 1
Oise (river)	E 3
Oléron, d', 14,797	C 5
Omaha (beach)	C 3
Orb (river)	E 6
Orne (river)	D 3
Ouessant (isl.), 1,938	A 3
Penmarch (point)	A 4
Perche (reg.)	D 3
Plomb-du-Cantal (mt.)	E 5
Puy-de-Dôme (mt.)	E 5
Pyrenees (mts.)	C 6
Ré (isl.), 9,682	C 4
Rhine (river)	H 3
Rhône (river)	F 5
Risle (river)	D 3
Saint-Florent (gulf)	G 6
Saint-Malo (gulf)	B 3
Saône (river)	F 4
Sarthe (river)	D 4
Sein (isl.), 1,094	A 3
Seine (bay)	C 3
Seine (river)	E 3
Sologne (reg.)	E 4
Somme (river)	D 2
Tarn (river)	E 5
Ushant (Ouessant) (isl.), 1,938	A 3
Utah (beach)	C 3
Vaccarès (lagoon)	F 6
Vienne (river)	D 4
Vignemale (mt.)	C 6
Vilaine (river)	C 4
Vosges (mts.)	G 3
Yeu, d' (isl.), 4,739	B 4
Yonne (river)	E 3

MONACO

AREA 370 acres
POPULATION 22,297

Monte Carlo, 9,516 .... G 6

AGRICULTURE, INDUSTRY and RESOURCES

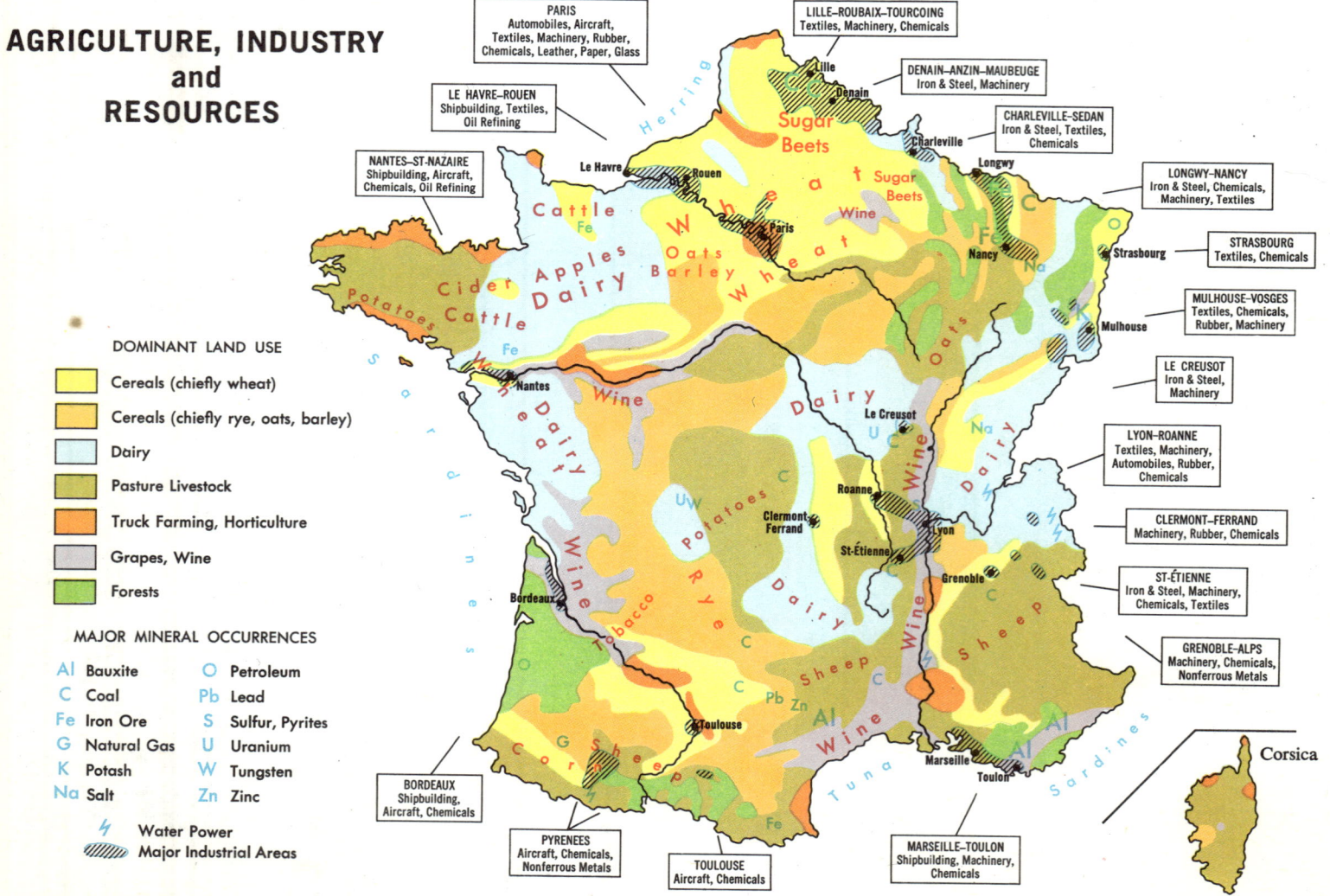

DOMINANT LAND USE
- Cereals (chiefly wheat)
- Cereals (chiefly rye, oats, barley)
- Dairy
- Pasture Livestock
- Truck Farming, Horticulture
- Grapes, Wine
- Forests

MAJOR MINERAL OCCURRENCES
Al	Bauxite	O	Petroleum
C	Coal	Pb	Lead
Fe	Iron Ore	S	Sulfur, Pyrites
G	Natural Gas	U	Uranium
K	Potash	W	Tungsten
Na	Salt	Zn	Zinc

Water Power
Major Industrial Areas

PARIS Automobiles, Aircraft, Textiles, Machinery, Rubber, Chemicals, Leather, Paper, Glass

LE HAVRE–ROUEN Shipbuilding, Textiles, Oil Refining

NANTES–ST-NAZAIRE Shipbuilding, Aircraft, Chemicals, Oil Refining

LILLE–ROUBAIX–TOURCOING Textiles, Machinery, Chemicals

DENAIN–ANZIN–MAUBEUGE Iron & Steel, Machinery

CHARLEVILLE–SEDAN Iron & Steel, Textiles, Chemicals

LONGWY–NANCY Iron & Steel, Chemicals, Machinery, Textiles

STRASBOURG Textiles, Chemicals

MULHOUSE–VOSGES Textiles, Chemicals, Rubber, Machinery

LE CREUSOT Iron & Steel, Machinery

LYON–ROANNE Textiles, Machinery, Automobiles, Rubber, Chemicals

CLERMONT–FERRAND Machinery, Rubber, Chemicals

ST-ÉTIENNE Iron & Steel, Machinery, Chemicals, Textiles

GRENOBLE–ALPS Machinery, Chemicals, Nonferrous Metals

BORDEAUX Shipbuilding, Aircraft, Chemicals

PYRENEES Aircraft, Chemicals, Nonferrous Metals

TOULOUSE Aircraft, Chemicals

MARSEILLE–TOULON Shipbuilding, Machinery, Chemicals

SPAIN and PORTUGAL

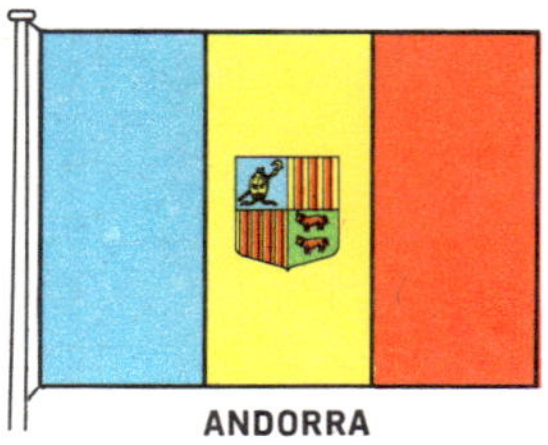

ANDORRA

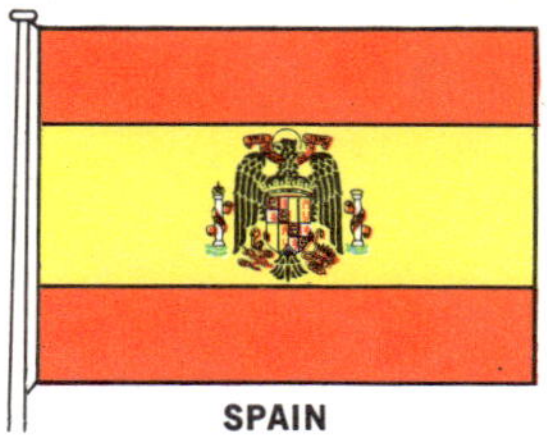

SPAIN

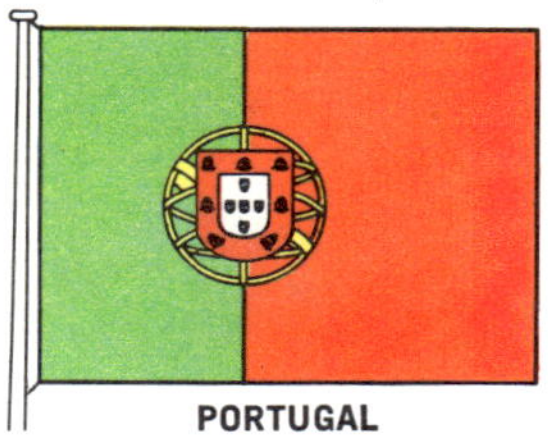

PORTUGAL

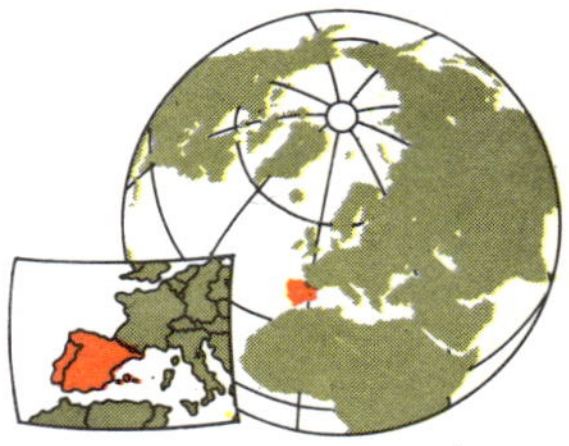

	SPAIN	PORTUGAL
AREA	195,258 sq. mi.	35,413 sq. mi.
POPULATION	31,339,000	9,123,000
CAPITAL	Madrid	Lisbon
LARGEST CITY	Madrid (greater) 2,443,152	Lisbon 802,230
HIGHEST POINT	Pico de Teide 12,200 ft. (Canary Is.) Mulhacén 11,417 ft. (mainland)	Malhão da Estrêla 6,532 ft.
MONETARY UNIT	peseta	escudo
MAJOR LANGUAGES	Spanish, Catalan	Portuguese
MAJOR RELIGION	Roman Catholic	Roman Catholic

	ANDORRA	GIBRALTAR
AREA	175 sq. mi.	2 sq. mi.
POPULATION	11,000	24,502
CAPITAL	Andorra la Vella	Gibraltar
MONETARY UNIT	French franc, Spanish peseta	pound sterling
MAJOR LANGUAGES	Catalan	English, Spanish
MAJOR RELIGION	Roman Catholic	Roman Catholic

SPAIN

PROVINCES

Álava, 138,934 .... E 1
Albacete, 370,976 .... E 3
Alicante, 711,942 .... F 3
Almería, 360,777 .... E 4
Ávila, 238,372 .... D 2
Badajoz, 834,370 .... C 3
Baleares (Balearic Is.), 443,327 .. H 3
Barcelona, 2,877,966 .... G 2
Burgos, 380,791 .... E 1
Cáceres, 544,407 .... C 3
Cádiz, 818,847 .... D 4
Castellón, 339,229 .... G 2
Ciudad Real, 583,948 .... D 3
Córdoba, 798,437 .... D 3
Cuenca, 315,433 .... E 2
Gerona, 351,369 .... H 1
Granada, 769,408 .... E 4
Guadalajara, 183,545 .... E 2
Guipúzcoa, 478,337 .... E 1
Huelva, 399,934 .... C 4
Huesca, 233,543 .... F 1
Jaén, 736,391 .... E 4
La Coruña, 991,729 .... B 1
Las Palmas, 453,793 .... C 4
León, 584,594 .... C 1
Lérida, 333,765 .... G 2
Logroño, 229,852 .... E 1
Lugo, 479,530 .... C 1
Madrid, 2,606,254 .... E 2
Málaga, 775,167 .... D 4
Murcia, 800,643 .... F 4
Navarra, 402,042 .... F 1
Orense, 451,474 .... C 1
Oviedo, 989,344 .... C 1
Palencia, 231,977 .... D 1
Pontevedra, 680,229 .... B 1
Salamanca, 405,729 .... C 2
Santa Cruz de Tenerife, 490,655 .... B 5
Santander, 432,132 .... D 1
Saragossa, 656,772 .... F 2
Segovia, 195,602 .... D 2
Seville, 1,234,435 .... D 4
Soria, 147,052 .... E 2
Tarragona, 362,679 .... G 2
Teruel, 215,183 .... F 2
Toledo, 521,637 .... D 3
Valencia, 1,429,708 .... F 3
Valladolid, 363,106 .... D 2
Vizcaya, 754,383 .... E 1
Zamora, 301,129 .... D 2

CITIES and TOWNS

Adra, 10,211 .... E 4
Aguilar, 13,760 .... D 4
Aguilas, 11,970 .... F 4
Alagón, 5,270 .... F 2
Alayor, 4,988 .... J 3
Albacete, 61,635 .... F 3
Albox, 4,036 .... E 4
Alburqerque, 9,540 .... C 3
Alcalá de Chivert, 4,049 .... G 2
Alcalá de Guadaira, 27,378 .... D 4
Alcalá de Henares, 20,572 .... G 4
Alcalá de los Gazules, 7,015 .... D 4
Alcalá la Real, 8,351 .... E 4
Alcanar, 6,332 .... G 2
Alcañiz, 9,489 .... F 2
Alcántara, 3,564 .... C 3
Alcantarilla, 15,748 .... F 4
Alcaudete, 9,280 .... E 4
Alcázar de San Juan, 23,788 .... E 3
Alcira, 22,417 .... F 3
Alcoy, 48,712 .... F 3
Alfaro, 8,570 .... F 1
Algeciras, 51,096 .... D 4
Algemesí, 16,683 .... F 3
Alhama de Granada, 6,989 .... E 4
Alhama de Murcia, 7,175 .... F 4
Alhaurín el Grande, 11,525 .... D 4
Alicante, 103,289 .... F 3
Almadén, 13,206 .... D 3
Almagro, 9,232 .... E 3
Almansa, 15,391 .... F 3
Almendralejo, 20,867 .... C 3
Almería, 76,643 .... E 4
Almodóvar del Campo, 8,115 .... D 3
Almonte, 9,444 .... C 4
Almuñécar, 5,644 .... E 4
Álora, 6,459 .... D 4
Amposta, 11,026 .... G 2
Andújar, 23,897 .... D 3
Antequera, 28,400 .... D 4
Aracena, 5,605 .... C 4
Aranda de Duero, 12,623 .... E 2
Aranjuez, 25,988 .... E 2
Archena, 5,802 .... F 3
Archidona, 7,262 .... D 4
Arcos de la Frontera, 13,536 .... D 4
Arenas de San Pedro, 5,585 .... D 2
Arenys de Mar, 6,665 .... H 2
Argamasilla de Alba, 6,411 .... E 3
Arganda, 5,253 .... G 4
Arnedo, 7,958 .... E 1
Aroche, 5,319 .... C 4
Arrecife, 12,748 .... C 4
Arroyo de la Luz, 9,781 .... C 3
Arta, 5,173 .... H 3
Arucas, 10,917 .... B 5
Aspe, 9,742 .... F 3
Astorga, 10,101 .... C 1
Ávila de los Caballeros, 26,738 .... D 2
Avilés, 19,992 .... C 1
Ayamonte, 9,608 .... C 4
Ayora, 5,635 .... F 3
Azpeitia, 8,219 .... E 1
Azuaga, 15,477 .... D 3
Badajoz, 23,715 .... C 3
Badalona, 90,655 .... H 2
Baena, 17,612 .... D 4
Baeza, 13,329 .... E 4
Bailén, 11,144 .... E 3
Balaguer, 8.342 .... G 2
Bañolas, 7,531 .... H 1
Barajas, 9,058 .... F 4
Barbastro, 9,730 .... F 1
Barcarrota, 7,443 .... C 3
Barcelona, 1,555,564 .... H 2
Baza, 13,323 .... E 4
Beas de Segura, 8,194 .... E 3
Béjar, 14,225 .... D 2
Bélmez, 6,907 .... D 3
Benavente, 11,061 .... D 1
Benicarló, 10,627 .... G 2
Berga, 8,923 .... G 1
Berja, 7,989 .... E 4
Bermeo, 12,398 .... E 1
Betanzos, 6,999 .... B 1
Bilbao, 293,939 .... E 1
Blanes, 9,256 .... H 2
Borjas Blancas, 5,086 .... G 2
Brozas, 5,634 .... C 3
Bujalance, 10,465 .... D 4
Bullas, 7,326 .... F 4
Burgos, 79,810 .... E 1
Burriana, 15,670 .... G 3
Cabeza del Buey, 10,734 .... D 3
Cabra, 15,688 .... D 4
Cáceres, 42,903 .... C 3
Cádiz, 117,871 .... C 4
Calahorra, 14,400 .... E 1
Calasparra, 7,543 .... F 3
Calatayud, 15,777 .... F 2
Calella, 7,947 .... H 2
Callosa de Ensarria, 4,617 .... G 3
Calzada de Calatrava, 7,536 .... E 3
Campanario, 8,910 .... D 3
Campillos, 8,791 .... D 4
Campo de Criptana, 13,616 .... E 3
Candeleda, 6,507 .... D 2
Caniles, 5,026 .... E 4
Caravaca, 10,016 .... E 3
Carcagente, 15,791 .... F 3
Carmona, 26,368 .... D 4
Cartagena, 42,424 .... F 4
Casar de Cáceres, 4,560 .... C 3
Caspe, 8,251 .... G 2
Castellón de la Plana, 52,868 .... G 3
Castro del Río, 11,200 .... D 4
Castro-Urdiales, 7,128 .... E 1
Castuera, 9,905 .... D 3
Caudete, 7,481 .... F 3
Cazalla de la Sierra, 9,414 .... D 4
Cazorla, 7,932 .... E 4
Ceclavín, 4,778 .... C 3
Cehegín, 10,467 .... F 3
Cervera, 5,215 .... G 2
Cervera del Río Alhama, 3,648 .... E 1
Ceuta, 73,182 .... D 5
Chiclana de la Frontera, 19,155 .... C 4
Ciempozuelos, 9,042 .... F 5
Cieza, 20,620 .... F 3
Ciudad Real, 35,015 .... D 3
Ciudadela, 10,872 .... H 2
Cocentaina, 7,405 .... F 3
Coín, 11,441 .... D 4
Colmenar de Oreja, 5,119 .... G 5
Colmenar Viejo, 8,133 .... F 4
Constantina, 12,015 .... D 4
Consuegra, 10,572 .... E 3
Córdoba, 167,808 .... D 4
Corella, 5,591 .... F 1
Coria del Río, 13,781 .... C 4
Corral de Almaguer, 8,261 .... E 3
Crevillente, 12,025 .... F 3
Cuéllar, 5,703 .... D 2
Cuenca, 26,663 .... E 2
Cúllar de Baza, 3,769 .... E 4
Cullera, 13,040 .... F 3
Daimiel, 19,485 .... E 3
Denia, 8,281 .... G 3
Don Benito, 22,642 .... C 3
Dos Hermanas, 21,517 .... D 4
Durango, 11,882 .... E 1
Écija, 29,262 .... D 4
Eibar, 31,371 .... E 1
Ejea de los Caballeros, 9,000 .... F 1
El Arahal, 15,107 .... D 4
El Bonillo, 5,215 .... E 3
El Ferrol del Caudillo, 62,010 .... B 1
El Puerto de Santa María, 31,848 .... C 4
Elche, 50,989 .... F 3
Elda, 24,182 .... F 3
Énguera, 4,606 .... F 3
Espejo, 8,006 .... D 4
Estella, 8,142 .... E 1
Estepa, 8,628 .... D 4
Estepona, 11,309 .... D 4
Felanitx, 7,860 .... H 3
Fermoselle, 3,885 .... C 2
Figueras, 16,460 .... H 1
Fraga, 8,264 .... G 2
Fregenal de la Sierra, 9,506 .... C 3
Fuengirola, 5,622 .... D 4
Fuensalida, 4,697 .... D 2
Fuente de Cantos, 8,484 .... C 3
Fuente-Obejuna, 5,353 .... D 3
Fuentes de Andalucía, 8,357 .... D 4
Gálvez, 3,828 .... D 3
Gandía, 15,940 .... F 3
Gerona, 28,134 .... H 2
Getafe, 21,066 .... F 4
Gijón, 92,020 .... D 1
Granada, 150,186 .... E 4
Granollers, 18,810 .... H 2
Guadalajara, 20,135 .... E 2
Guadalcanal, 5,483 .... D 3
Guadix, 15,897 .... E 4
Guareña, 8,438 .... C 3
Guernica y Luno, 4,855 .... E 1
Haro, 8,375 .... E 1
Hellín, 17,071 .... F 3
Herencia, 8,606 .... E 3
Herrera del Duque, 5,404 .... D 3
Hinojosa del Duque, 14,074 .... D 3
Hortaleza, 8,552 .... F 4
Hospitalet, 122,813 .... H 2
Huelma, 5,468 .... E 4
Huelva, 56,548 .... C 4
Huércal-Overa, 4,406 .... F 4
Huesca, 24,338 .... F 1
Huéscar, 5,097 .... E 4
Ibiza, 11,259 .... G 3
Igualada, 19,866 .... G 2
Illora, 5,586 .... E 4
Inca, 13,816 .... H 3
Iniesta, 4,292 .... F 3
Irún, 20,212 .... F 1
Isla Cristina, 9,616 .... C 4
Jaca, 9,821 .... F 1
Jaén, 59,699 .... E 4
Jaraiz, 8,130 .... D 2
Játiva, 19,195 .... F 3
Jávea, 4,929 .... G 3
Jerez de la Frontera, 96,209 .... C 4
Jerez de los Caballeros, 12,349 .... C 3
Jijona, 5,147 .... F 3
Jimena de la Frontera, 3,620 .... D 4
Jódar, 14,289 .... E 4
Jumilla, 15,703 .... F 3
La Bañeza, 7,869 .... C 1
La Bisbal, 5,194 .... H 1
La Carolina, 10,915 .... E 3
La Coruña, 161,260 .... B 1
La Gineta, 3,237 .... E 3
La Línea, 58,169 .... D 4
La Orotava, 8,019 .... B 4
La Palma del Condado, 8,526 .... C 4
La Puebla, 9,931 .... H 3
La Puebla de Montalbán, 7,286 .... D 3
La Rambla, 8,057 .... D 4
La Roda, 11,739 .... E 3
La Solana, 14,948 .... E 3
La Unión, 9,357 .... F 4
Laredo, 6,382 .... E 1
Las Palmas, 166,236 .... B 4
Las Pedroñeras, 6,418 .... E 3
Lavadores, 9,708 .... B 1
Lebrija, 13,663 .... D 4
Ledesma, 2,527 .... C 2
Leganés, 8,064 .... F 4
León, 73,483 .... D 1
Lérida, 50,047 .... G 2
Linares, 50,527 .... E 3
Liria, 9,723 .... F 3
Llerena, 7,854 .... C 3
Lluchmayor, 9,827 .... H 3
Logroño, 58,545 .... E 1
Logrosán, 6,595 .... D 3
Loja, 11,441 .... D 4
Lora del Río, 15,086 .... D 4
Lorca, 19,854 .... F 4
Los Navalmorales, 4,686 .... D 3
Los Navalucillos, 4,823 .... D 3
Los Santos de Maimona, 8,910 .... C 3
Los Yébenes, 6,596 .... E 3
Luarca, 4,070 .... C 1
Lucena, 19,975 .... D 4
Lugo, 45,497 .... C 1
Madrid (cap.), 2,167,847 .... F 4
Madrid (greater), 2,443,152 .... F 4
Madridejos, 9,795 .... E 3
Madroñera, 5,256 .... D 3
Mahón, 14,836 .... J 3
Málaga, 259,245 .... D 4
Malagón, 9,246 .... E 3
Malpartida de Cáceres, 5,751 .... C 3
Malpartida de Plasencia, 6,757 .... C 2
Manacor, 17,544 .... H 3
Mancha Real, 7,587 .... E 4
Manlleu, 8,489 .... H 1
Manresa, 46,105 .... G 2
Manzanares, 16,639 .... E 3
Marbella, 7,302 .... D 4
Marchena, 15,879 .... D 4
Marín, 8,838 .... B 1
Martos, 16,442 .... E 4
Mataró, 29,937 .... H 2
Mazarrón, 3,379 .... F 4
Medina de Ríoseco, 4,897 .... D 2
Medina del Campo, 13,640 .... D 2
Medina-Sidonia, 6,869 .... D 4
Menasalbas, 4,407 .... D 3
Mérida, 28,791 .... C 3
Miajadas, 8,632 .... D 3
Mieres, 19,308 .... D 1
Miranda de Ebro, 22,836 .... E 1
Moguer, 6,776 .... C 4
Monasterio, 7,559 .... C 3
Monforte, 13,737 .... C 1
Monóvar, 7,972 .... F 3
Montánchez, 4,190 .... D 3
Montefrío, 4,917 .... D 4
Montehermoso, 6,006 .... C 2
Montellano, 8,694 .... D 4
Montijo, 12,519 .... C 3
Montilla, 19,830 .... D 4
Montoro, 11,243 .... D 3
Monzón, 9,020 .... G 2
Mora, 10,613 .... E 3
Moratalla, 5,675 .... E 3
Morón de la Frontera, 29,096 .... D 4
Mota del Cuervo, 5,403 .... E 3
Motril, 18,624 .... E 4
Mula, 9,912 .... F 3
Munera, 5,931 .... E 3
Murcia, 83,190 .... F 4
Nava del Rey, 3,815 .... D 2
Navalcarnero, 4,681 .... F 4
Navalmoral de la Mata, 8,978 .... D 3
Navalucillos, Los, 4,823 .... D 3
Nerja, 5,767 .... E 4
Nerva, 11,974 .... C 4
Novelda, 11,003 .... F 3
Nules, 7,626 .... F 3
Ocaña, 6,592 .... E 3
Oliva, 13,342 .... F 3
Oliva de la Frontera, 11,141 .... C 3
Olivenza, 8,304 .... C 3
Olot, 13,099 .... H 1
Olvera, 9,088 .... D 4
Onda, 10,666 .... F 3
Onteniente, 18,787 .... F 3
Orellana la Vieja, 6,925 .... D 3
Orense, 42,371 .... C 1
Orihuela, 15,873 .... F 3
Osuna, 17,671 .... D 4
Oviedo, 91,550 .... C 1
Padul, 6,868 .... E 4
Palafrugell, 7,476 .... H 2
Palamós, 5,481 .... H 2
Palencia, 48,144 .... D 2
Palma, 136,431 .... H 3
Palma del Río, 14,053 .... D 4
Pamplona, 59,227 .... F 1
Paredes de Nava, 4,065 .... D 1
Pego, 8,291 .... F 3
Peñafiel, 5,333 .... E 2
Peñaranda de Bracamonte, 5,943 .... D 2
Peñarroya-Pueblonuevo, 17,449 .... D 3
Piedrabuena, 5,453 .... D 3
Pinos-Puente, 8,311 .... E 4
Plasencia, 21,297 .... C 2
Pollensa, 7,370 .... H 3
Ponferrada, 17,042 .... C 1
Pontevedra, 19,739 .... B 1
Porcuna, 9,671 .... D 4
Portugalete, 20,514 .... E 1
Posadas, 8,440 .... D 4
Pozoblanco, 14,728 .... D 3
Priego de Córdoba, 13,469 .... D 4
Puebla de Don Fadrique, 3,771 .... E 4
Puebla de Montalbán, La., 7,286 .... D 3
Puente-Genil, 24,836 .... D 4
Puerto Real, 12,717 .... D 4
Puertollano, 48,528 .... D 3
Quesada, 6,503 .... E 4
Quintana de la Serena, 7,160 .... D 3
Quintanar de la Orden, 9,483 .... E 3
Reinosa, 10,044 .... D 1
Requena, 8,278 .... F 3

(continued on following page)

AGRICULTURE, INDUSTRY and RESOURCES

DOMINANT LAND USE

- Cereals (chiefly wheat)
- Livestock (chiefly sheep, goats)
- Mixed Cereals, Livestock
- Olives, Fruit
- Grapes, Fruit, Nuts, Mixed Cereals
- Forests
- Nonagricultural Land

MAJOR MINERAL OCCURRENCES

Ag	Silver	Na	Salt
C	Coal	Pb	Lead
Cu	Copper	S	Sulfur, Pyrites
Fe	Iron Ore	Sn	Tin
Hg	Mercury	U	Uranium
K	Potash	W	Tungsten
Lg	Lignite	Zn	Zinc

Water Power
Major Industrial Areas

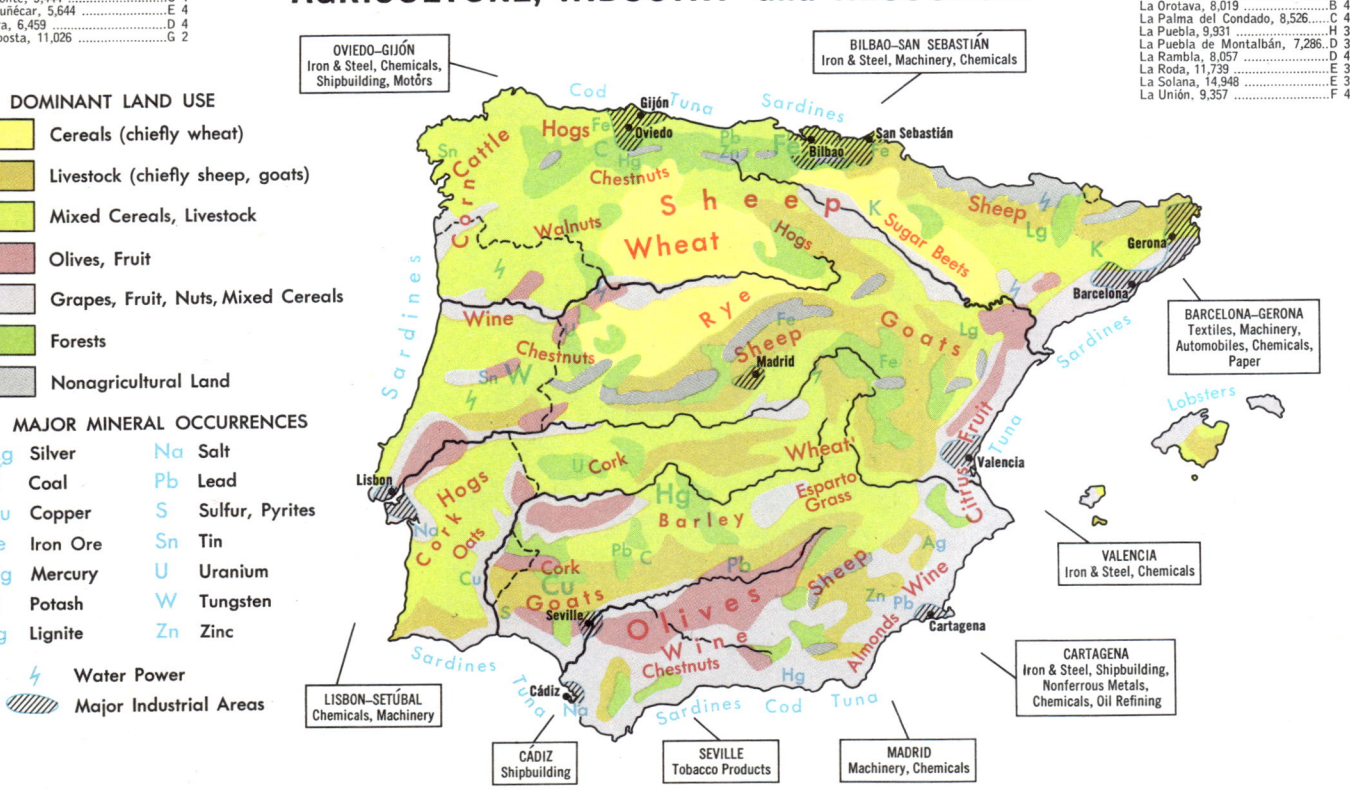

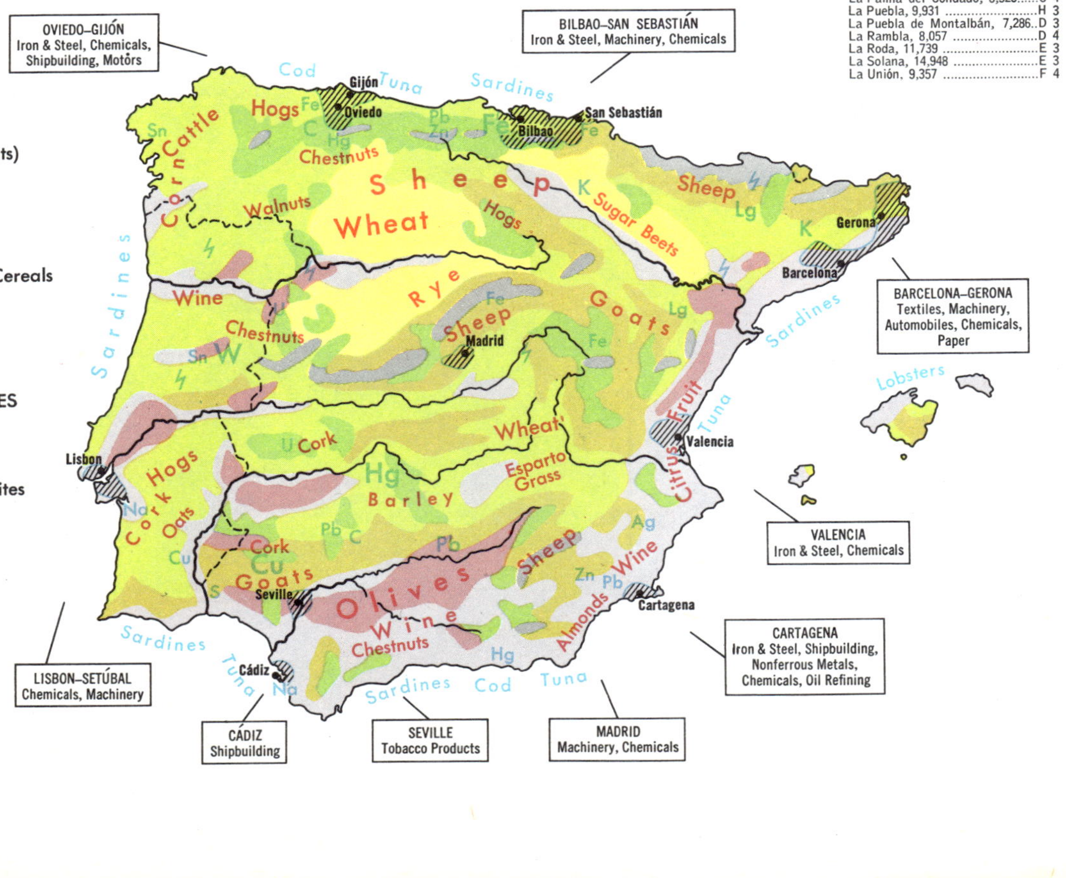
OVIEDO–GIJÓN
Iron & Steel, Chemicals, Shipbuilding, Motors
BILBAO–SAN SEBASTIÁN
Iron & Steel, Machinery, Chemicals
BARCELONA–GERONA
Textiles, Machinery, Automobiles, Chemicals, Paper
VALENCIA
Iron & Steel, Chemicals
CARTAGENA
Iron & Steel, Shipbuilding, Nonferrous Metals, Chemicals, Oil Refining
LISBON–SETÚBAL
Chemicals, Machinery
CÁDIZ
Shipbuilding
SEVILLE
Tobacco Products
MADRID
Machinery, Chemicals
Cod
Tuna
Sardines
Gijón
Oviedo
Bilbao
San Sebastián
Gerona
Barcelona
Madrid
Valencia
Lisbon
Seville
Cádiz
Cartagena
Hogs
Cattle
Corn
Chestnuts
Sheep
Walnuts
Wheat
Sugar Beets
Rye
Goats
Wine
Lobsters
Citrus Fruit
Cork
Esparto Grass
Barley
Oats
Olives
Almonds

Spain and Portugal
(continued)

SPAIN (continued)

Reus, 32,037	G 2
Ripoll, 7,821	H 1
Ronda, 17,703	D 4
Rota, 14,236	C 4
Rute, 8,945	D 4
Sabadell, 98,049	H 2
Sagunto, 15,210	F 3
Salamanca, 90,388	D 2
Sallent, 7,462	G 2
Sama, 7,149	D 1
San Carlos de la Rápita, 6,844	G 2
San Clemente, 6,411	E 3
San Feliú de Guixols, 9,077	H 2
San Fernando, 51,406	C 4
San Lorenzo de El Escorial, 7,455	E 2
San Sebastián, 98,603	E 1
San Vicente de Alcántara, 8,059	C 3
Sanlúcar de Barrameda, 32,580	C 4
Sanlúcar la Mayor, 6,094	C 4
Santa Cruz de la Palma, 9,928	B 4
Santa Cruz de la Mudela, 8,724	E 3
Santa Cruz de la Zarza, 5,588	E 3
Santa Cruz de Tenerife, 82,620	B 4
Santa Eugenia, 5,336	B 1
Santafé, 8,212	E 4
Santander, 98,784	D 1
Santiago, 37,916	B 1
Santoña, 7,535	E 1
Saragossa, 295,080	F 2
Segorbe, 7,135	F 3
Segovia, 33,360	D 2
Sestao, 24,992	E 1
Seville (Sevilla), 423,762	D 4
Sitges, 6,796	G 2
Socuéllamos, 14,742	E 3
Sóller, 6,011	H 3
Sonseca, 5,994	D 3
Soria, 18,872	E 2
Sueca, 19,005	F 3
Tabernes de Valldigna, 12,890	G 3
Tafalla, 7,320	F 1
Talavera de la Reina, 28,107	D 2
Tarancón, 7,678	E 2
Tarazona de Aragón, 11,004	F 2
Tarazona de la Mancha, 6,850	F 3
Tarifa, 9,147	D 4
Tarragona, 35,689	G 2
Tárrega, 7,317	G 2
Tauste, 6,544	F 2
Telde, 11,761	B 5
Teruel, 18,304	F 2
Tobarra, 7,029	F 3
Toledo, 29,367	D 3
Tolosa, 10,980	E 1
Tomelloso, 27,715	E 3
Toro, 9,123	D 2
Torredonjimeno, 12,848	D 4
Torrejoncillo, 5,499	C 3
Torrelavega, 13,612	D 1
Torrente, 23,432	F 3
Torrevieja, 8,961	F 4
Torrox, 5,211	E 4
Tortosa, 18,674	G 2
Totana, 10,156	F 4
Trigueros, 6,151	C 4
Trujillo, 13,326	D 3
Tudela, 16,422	F 1
Úbeda, 26,930	E 3
Ubrique, 8,915	D 4
Utiel, 9,479	F 3
Utrera, 25,935	D 4
Valdepeñas, 24,462	E 3
Valverdeja, 3,607	D 3
Valencia, 466,577	F 3
Valencia de Alcántara, 13,159	C 3
Vall de Uxó, 18,577	F 3
Valladolid, 133,486	D 2
Valls, 10,890	G 2
Valverde del Camino, 10,843	C 4
Vejer de la Frontera, 11,853	C 4
Vélez-Málaga, 14,348	E 4
Vélez Rubio, 4,113	E 4
Vich, 18,184	H 2
Vigo, 69,429	B 1
Villacañas, 10,113	E 3
Villacarrillo, 10,970	E 3
Villafranca de los Barros, 14,591	C 3
Villafranca del Panadés, 11,306	G 2
Villagarcía, 4,391	B 1
Villahermosa, 5,496	E 3
Villajoyosa, 7,508	F 3
Villanueva de Córdoba, 15,719	D 3
Villanueva de la Serena, 17,647	D 3
Villanueva de los Infantes, 9,909	E 3
Villanueva del Arzobispo, 9,307	E 3
Villanueva y Geltrú, 25,669	G 2
Villar del Arzobispo, 3,876	F 3
Villarreal de los Infantes, 20,025	G 3
Villarrobledo, 19,585	E 3
Villarrubia de los Ojos, 9,043	E 3
Villena, 18,333	F 3
Vinaroz, 10,968	G 2
Vitoria, 65,946	E 1
Yecla, 17,955	F 3
Zafra, 9,950	C 3
Zalamea de la Serena, 8,543	D 3
Zamora, 41,319	D 2
Zaragoza (Saragossa), 295,080	F 2
Zarza la Mayor, 3,728	C 3
Zorita, 5,718	D 3

PHYSICAL FEATURES

Adaja (river)	D 2
Alagón (river)	C 2
Alborán (isl.)	E 5
Alcaraz (mts.)	E 3
Alcudia (bay)	H 3
Almanzor (mt.)	D 2
Almanzora (river)	F 4
Almería (gulf)	E 4
Andalusia (reg.), 5,893,396	D 4
Aneto (mt.)	G 1
Aragón (reg.), 1,105,498	F 2
Aragón (river)	F 1
Arosa (inlet)	B 1
Asturias (reg.), 989,344	C 1
Balearic (isls.) 443,327	H 3
Bañuelo (mt.)	D 4
Barbate (river)	D 4
Biscay (bay)	E 1
Cádiz (gulf)	C 4
Cala Burras (point)	D 4
Canary (isls.) 944,448	B 4
Cantabrian (mts.)	D 1
Castile, New (reg.), 4,210,817	E 3
Castile, Old (reg.), 3,925,779	D 2
Catalonia (reg.), 3,925,779	G 2
Cerredo (mt.)	D 1
Cinca (river)	G 2
Collarada (mt.)	F 1
Columbretes (isls.)	G 3
Costa Brava	H 2
Costa del Sol	E 4
Creus (cape)	H 1
Cuenca (mts.)	F 3
Dartuch (cape)	H 3
Demanda (mts.)	E 1
Douro (Duero) (river)	D 2
Duratón (river)	E 2
Ebro (river)	E 2
El Teleno (mt.)	C 1
Eresma (river)	D 2
Esla (river)	D 2
Estats (mt.)	G 1
Estremadura (region), 1,378,777	C 3
Finisterre (cape)	B 1
Formentor (cape)	H 2
Fuerteventura (isl.), 18,138	C 4
Galicia (reg.), 2,602,962	B 1
Gata (cape)	E 4
Gata (mt.)	C 2
Genil (river)	D 4
Gibraltar (strait)	D 5
Gomera (isl.), 27,790	B 5
Gran Canaria (isl.), 400,837	B 5
Gredos (mts.)	D 2
Guadalquivir (river)	C 4
Guadalupe (mts.)	D 3
Guadarrama (mts.)	E 2
Guadarrama (river)	D 3
Guadiana (river)	D 3
Henares (river)	E 2
Hierro (isl.), 7,957	A 5
Huelva (river)	C 4
Ibiza (Iviza) (isl.), 34,495	G 3
Jalón (river)	E 2
Jarama (river)	E 2
Júcar (river)	F 3
Lanzarote (isl.), 34,805	C 4
León (reg.), 1,291,452	D 2
Lima (river)	B 2
Llobregat (river)	G 2
Majorca (isl.), 363,199	H 3
Mallorca (Majorca) (isl.), 363,199	H 3
Mancha, La (dist.)	E 3
Manzanares (river)	F 4
Marismas, Las (marsh)	C 4
Mayor (cape)	E 1
Menor, Mar (lagoon)	F 4
Menorca (Minorca) (isl.), 42,954	J 2
Miño (river)	B 1
Minorca (isl.), 42,954	J 2
Moncayo (mts.)	F 2
Monegros (mts.)	F 2
Mont Rouch, Pic de (mt.)	G 1
Montseny (mt.)	H 2
Montserrat (mt.)	G 2
Morena (mts.)	D 3
Mulhacén (mt.)	E 4
Murcia (reg.), 1,171,439	F 3
Nao (cape)	G 3
Navia (river)	C 1
Nevada (mts.)	E 4
Nudo de Albarracín (mt.)	F 2
Oca (river)	E 2
Odiel (river)	C 4
Orbigo (river)	D 1
Ortegal (cape)	C 1
Palma, La (isl.), 67,141	A 4
Palos (cape)	F 4
Peñalara (mt.)	E 2
Peñas (cape)	D 1
Penibética (mts.)	E 4
Perales (river)	G 1
Perdido (mt.)	G 1
Prior (cape)	B 1
Pyrenees (mts.)	H 1
Rosas (gulf)	H 1
Rouch (mt.)	G 1
Sacratif (cape)	E 4
Salinas (cape)	H 4
San Jorge (gulf)	G 2
San Pedro (mts.)	C 3
Sebollera (mt.)	E 2
Segre (river)	G 2
Segura (river)	F 3
Sil (river)	C 1
Tagomago (isl.)	G 3
Tagus (Tajo) (river)	F 3
Tenerife (isl.), 387,767	B 5
Teide Peak (mt.)	B 5
Ter (river)	H 1
Tinto (river)	C 4
Toledo (mts.)	D 3
Torote (river)	E 2
Tortosa (cape)	G 2
Trafalgar (cape)	C 4
Turia (river)	F 3
Ulla (river)	B 1
Urgel (plain)	G 2
Valencia (gulf)	G 3
Valencia (lagoon)	F 3
Vascongadas (reg.), 1,371,654	E 1
Vieja (mt.)	D 1

TOPOGRAPHY

0 50 100 MILES

AZORES

DISTRICTS

Angra do Heroísmo, 96,174	C 1
Horta, 49,382	A 1
Ponta Delgada, 181,924	D 2

CITIES and TOWNS

Angra do Heroísmo, 13,502	C 1
Horta, 7,109	B 1
Lajes do Pico, 2,508	B 1
Ponta Delgada, 22,316	D 2
Santa Cruz das Flores, 1,898	A 1
Vila do Porto, 5,373	D 2

PHYSICAL FEATURES

Corvo (isl.), 681	A 1
Faial (isl.), 20,281	B 1
Flores (isl.), 6,583	A 1
Graciosa (isl.), 8,669	C 1
Pico (isl.), 21,831	B 1
Santa Maria (isl.), 13,233	D 2
São Jorge (isl.), 15,895	C 1
São Miguel (isl.), 168,691	D 2
Terceira (isl.), 71,610	C 1

Copyright by C.S. Hammond & Co., N.Y.

Spain and Portugal
(continued)

PORTUGAL

PROVINCES

Algarve, 314,841	B 4
Alto Alentejo, 408,398	C 3
Baixo Alentejo, 276,895	B 3
Beira Alta, 765,022	C 2
Beira Baixa, 316,536	C 3
Beira Litoral, 1,362,748	B 2
Douro Litoral, 1,193,368	B 2
Estremadura, 1,760,145	B 3
Madeira, 268,937	
Minho, 874,516	B 2
Ribatejo, 461,207	B 3
Trás-os-Montes e Alto Douro, 558,703	

CITIES and TOWNS

Águeda, 8,345	B 2
Alcácer do Sal, 14,733	B 3
Alcântara, 30,625	A 3
Alcobaça, 5,166	B 3
Aldeia Nova, 6,768	C 3
Algés, 14,517	A 3
Alhos Vedros, 19,606	A 3
Aljezur, 5,333	B 4
Aljustrel, 9,913	B 4
Almada, 30,688	A 3
Almeirim, 8,902	B 3
Alpiarça, 7,856	B 3
Amadora, 36,763	A 3
Amareleja, 4,816	C 3
Aveiro, 13,607	B 2
Baixa da Banheira, 12,525	A 3
Barcelos, 5,420	B 2
Batalha, 7,053	B 3
Beja, 15,702	C 3
Belas, 7,509	A 3
Belém, 20,416	A 3
Benfica, 23,161	A 3
Braga, 41,023	B 2
Bragança, 8,554	C 2
Caldas da Rainha, 10,170	B 3
Calheta, 5,404	A 2
Campo Maior, 8,807	C 3
Cantanhede, 6,630	B 2
Caparica, 10,363	A 3
Carnaxide, 28,301	A 3
Cartaxo, 6,665	B 3
Cascais, 10,861	A 3
Castelo Branco, 14,467	C 3
Castro Marim, 5,347	C 4
Chaves, 13,897	C 2
Coimbra, 45,508	B 2
Cova da Piedade, 12,817	A 3
Covilhã, 23,091	C 2
Elvas, 11,336	C 3
Espinho, 13,305	B 2
Estoril, 11,193	B 3
Estremoz, 11,122	C 3
Évora, 24,144	C 3
Fafe, 7,126	B 2
Faro, 19,393	B 4
Fátima, 5,852	B 3
Ferreira do Alentejo, 8,108	B 3
Figueira da Foz, 10,568	B 2
Funchal, 43,301	
Gondomar, 11,182	B 2
Guarda, 9,094	C 2
Guimarães, 23,233	B 2
Horta, 14,128	
Lagoa, 12,616	B 4
Lagos, 10,008	B 4
Lamego, 10,236	C 2
Lavos, 5,744	B 2
Leiria, 7,477	B 3
Lisbon (Lisboa) (cap.), 802,230	A 1
Loulé, 16,152	B 4
Lourical, 5,508	B 2
Lourinhã, 8,677	B 3
Lousã, 8,191	B 2
Machico, 11,608	
Marinha Grande, 15,699	B 3
Matosinhos, 33,370	B 2
Mértola, 5,682	C 4
Mirandela do Corvo, 5,103	B 2
Montargil, 6,357	B 3
Montemor-o-Novo, 13,115	B 3
Montijo, 17,522	B 3
Moscavide, 22,065	A 1
Moura, 12,126	C 3
Muge, 5,546	B 3
Nazaré, 9,189	B 3
Nisa, 5,262	B 3
Óbidos, 4,599	B 3
Odivelas, 27,423	A 1
Oeiras, 6,857	A 3
Olhão, 17,775	B 4
Olivais, 11,896	A 1
Oporto, 303,424	B 2
Ovar, 14,128	B 2
Peniche, 11,357	B 3
Pombal, 9,973	B 3
Ponta do Sol, 7,426	
Ponte de Sor, 13,010	B 3
Portalegre, 10,929	C 3
Portimão, 12,039	B 4
Pôrto (Oporto), 303,424	B 2
Póvoa de Varzim, 17,314	B 2
Proença-a-Nova, 6,060	B 3
Queluz, 14,703	A 1
Vendas Novas, 9,695	B 3
Viana do Castelo, 14,371	B 2
Ribeira Brava, 8,726	A 2
Sacavém, 10,624	A 1
Santa Cruz, 9,658	
Santarém, 16,455	B 3
Santiago do Cacém, 6,939	B 3
São Brás de Alportel, 9,058	C 4
São João da Madeira, 11,921	B 2
São Teotónio, 8,183	B 4
Serpa, 10,967	C 4
Sertã, 6,879	B 3
Sesimbra, 16,837	A 3
Setúbal, 44,605	B 3
Sines, 8,866	B 4
Sintra, 19,930	A 3
Soure, 9,655	B 2
Tavira, 12,046	C 4
Tomar, 12,974	B 3
Torres Novas, 11,974	B 3
Torres Vedras, 13,091	B 3
Vagos, 8,281	B 2
Vila Franca de Xira, 13,404	B 3
Vila Nova de Gaia, 45,739	B 2
Vila Real, 10,498	C 2
Vila Real de Sto. António, 11,096	C 4
Viseu, 16,961	C 2

PHYSICAL FEATURES

Baixo (isl.)	B 2
Bugio (isl.)	A 3
Carvoeiro (cape)	B 3
Chao (isl.)	
Deserta Grande (isl.)	
Desertas (isls.)	A 2
Douro (river)	C 2
Espichel (cape)	A 3
Estrêla (mts.)	C 2
Guadiana (river)	
Lima (river)	B 2
Madeira (isl.), 265,432	
Minho (river)	B 2
Mira (river)	B 4
Monchique (mts.)	B 4
Mondego (river)	C 2
Mondego (cape)	B 2
Monsanto (hill)	C 3
Ossa (mts.)	C 3
Palha, Mar da (bay)	A 1
Roca (cape)	B 3
Sado (river)	B 3
Saint Vincent (cape)	B 4
Santa Maria (cape)	C 4
Setúbal (bay)	B 3
Sines (cape)	B 3
Tagus (river)	C 3
Tâmega (river)	C 2
Tejo (Tagus) (river)	B 3
Xarrama (river)	B 3

ANDORRA

CITIES and TOWNS

Andorra la Vella (cap.), 2,250 .... G 1

GIBRALTAR

PHYSICAL FEATURES

Europa (point) .... D 4

ITALY
CONIC PROJECTION

SCALE OF MILES
0 20 40 60 80 100

SCALE OF KILOMETERS
0 20 40 60 80 100

Capitals of Countries ☆
Regional Capitals ⌂
Provincial Capitals △
International Boundaries —·—·—
Regional Boundaries — — —

ITALY is divided for administrative purposes into 19 regions, shown on the map in separate colors. The regions of Friuli-Venezia Giulia, Sardinia, Sicily, Trentino-Alto Adige and Valle d'Aosta enjoy special autonomy.

The regions are subdivided into provinces bearing the same names as their respective capitals, except:

PROVINCE	CAPITAL
MASSA-CARRARA	Massa
PESARO-URBINO	Pesaro

Copyright by C.S. HAMMOND & Co., N.Y.

VATICAN CITY

ROME and ENVIRONS

35

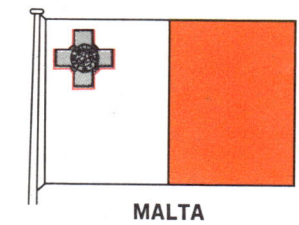

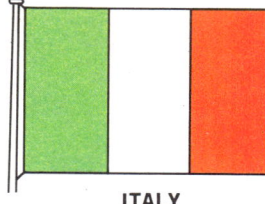

ITALY

REGIONS

Abruzzi, 1,206,266	D 3
Apulia, 3,421,217	F 4
Basilicata, 644,297	E 4
Calabria, 2,045,047	F 5
Campania, 4,760,759	E 4
Emilia-Romagna, 3,666,680	C 2
Friuli-Venezia Giulia, 1,204,298	D 1
Latium, 3,958,957	D 4
Liguria, 1,735,349	B 2
Lombardy, 7,406,152	B 2
Marche, 1,347,489	D 3
Molise, 358,052	E 4
Piedmont, 3,914,250	A 2
Puglia (Apulia), 3,421,217	F 4
Sardinia, 1,419,362	B 4
Sicily, 4,721,001	E 6
Trentino-Alto Adige, 785,967	C 1
Tuscany, 3,286,160	C 3
Umbria, 794,745	D 3
Valle d'Aosta, 100,959	A 2
Venetia, 3,846,562	C 2

PROVINCES

Agrigento, 472,945	D 6
Alessandria, 478,613	B 2
Ancona, 405,709	D 3
Arezzo, 308,964	C 3
Ascoli Piceno, 335,627	D 3
Asti, 214,604	B 2
Avellino, 464,904	E 4
Bari, †1,312,023	F 4
Belluno, 234,921	D 1
Benevento, 313,020	E 4
Bergamo, 744,670	B 2
Bologna, 841,474	C 2
Bolzano, 373,863	C 1
Brescia, 882,949	C 2
Brindisi, 345,635	G 4
Cagliari, 754,965	B 5
Caltanissetta, 302,513	D 6
Campobasso, 358,052	E 4
Caserta, 649,327	E 4
Catania, 893,542	E 6
Catanzaro, 741,509	F 5
Chieti, 373,632	E 3
Como, 622,132	B 2
Cosenza, 694,398	F 5
Cremona, 351,160	B 2
Cuneo, 536,356	A 2
Enna, 229,126	E 6
Ferrara, 403,218	C 2
Florence, 1,012,703	C 3
Foggia, 665,286	E 4
Forlì, 521,128	D 2
Frosinone, 438,254	D 4
Genoa, 1,031,091	B 2
Gorizia, 137,745	D 2
Grosseto, 220,305	C 3
Imperia, 202,160	B 3
L'Aquila, 328,989	D 3
La Spezia, 239,256	B 2
Latina, 319,056	D 4
Lecce, 678,338	G 4
Leghorn, 310,210	C 3
Lucca, 365,540	C 3
Macerata, 291,412	D 3
Mantua, 384,131	C 2
Massa-Carrara, 202,981	C 2
Matera, 200,131	F 4
Messina, 685,260	E 5
Milan, 3,156,815	B 2
Modena, 511,355	C 2
Naples, 2,421,243	E 4
Novara, 460,190	B 2
Nuoro, 283,206	B 4
Padua, 694,017	D 2
Palermo, 1,111,397	D 5
Parma, 389,199	C 2
Pavia, 518,193	B 2
Perugia, 570,149	D 3
Pesaro e Urbino, 314,741	D 3
Pescara, 242,958	E 3
Piacenza, 291,059	B 2
Pisa, 362,396	C 3
Pistoia, 232,999	C 3
Potenza, 444,166	F 4
Ragusa, 252,769	E 6
Ravenna, 329,559	D 2
Reggio di Calabria, 609,140	E 5
Reggio nell'Emilia, 379,688	C 2
Rieti, 162,405	D 3
Rome, 2,775,380	D 4
Rovigo, 277,811	C 2
Salerno, 912,265	E 4
Sassari, 381,191	B 4
Savona, 262,942	B 2
Siena, 270,062	C 3
Sondrio, 161,450	B 1
Syracuse, 345,777	E 6
Taranto, 468,713	F 4
Teramo, 260,687	D 3
Terni, 224,596	D 3
Trapani, 427,672	D 5
Trento, 412,104	C 1
Treviso, 607,616	D 2
Trieste, 298,645	E 2
Turin, 1,824,254	A 2
Udine, 767,908	D 1
Valle d'Aosta, 100,959	A 2
Varese, 581,528	B 2
Venice, 749,173	D 2
Vercelli, 400,233	B 2
Verona, 667,517	C 2
Vicenza, 615,507	C 2
Viterbo, 263,862	C 3

CITIES and TOWNS

Acireale, †43,752	E 6
Acqui, 118,407	B 2
Acri, 121,583	F 5
Adrano, 131,532	E 6
Adria, 11,456	D 2
Agira, 13,157	E 6
Agrigento, †47,919	D 6
Alassio, 10,492	B 2
Alatri, 121,127	D 4
Alba, 121,110	B 2
Albano Laziale, 119,659	F 7
Albino, †13,262	B 2
Alcamo, 143,097	D 6
Alessandria, 192,760	B 2
Alghero, 126,688	B 4
Altamura, 143,735	F 4
Amalfi, 17,163	E 4
Amantea, 110,687	F 5
Ancona, 77,748	D 3
Andria, 115,889	F 4
Anzio, 11,025	D 4
Aosta, 28,637	A 2
Aprilia, 115,782	D 4
Aragona, 112,689	D 6
Arezzo, 43,868	C 3
Ariano Irpino, 126,035	E 4
Ascoli Piceno, 150,114	D 3
Assisi, 5,302	D 3
Asti, 44,455	B 2
Atri, †13,258	E 3
Augusta, 127,950	E 6
Avellino, 141,825	E 4

Aversa, †40,336	E 4
Avezzano, †30,072	D 3
Avigliano, †11,307	E 4
Avola, 127,453	E 6
Bagheria, 134,201	D 5
Barcellona Pozzo di Gotto, †32,138	E 5
Bari, †312,023	F 4
Barletta, 168,035	F 4
Bassano del Grappa, 24,077	C 2
Belluno, 15,400	D 1
Benevento, 155,381	E 4
Bergamo, †114,907	B 2
Biancavilla, 120,010	E 6
Biella, 150,209	B 2
Bisceglie, 141,451	F 4
Bitonto, 137,395	F 4
Bologna, 443,178	C 2
Bolzano, 84,685	C 1
Bordighera, 9,045	A 3
Borgo, 3,795	C 1
Borgomanero, 115,692	B 2
Borgo San Lorenzo, 6,135	C 2
Bra, 119,163	A 2
Brescia, †172,744	C 2
Bressanone, 10,095	C 1
Brindisi, 63,480	G 4
Bronte, †21,619	E 6
Busto Arsizio, †64,367	B 2
Cagliari, †183,791	B 5
Caltagirone, 144,212	E 6
Caltanissetta, 51,699	D 6
Campli, †10,627	D 3
Campobasso, 134,011	E 4
Campo Tures, 1,162	C 1
Canicatti, †30,352	E 6
Canosa di Puglia, 134,015	F 4
Cantu, †26,559	B 2
Capua, 118,242	E 4
Caravaggio, 112,271	B 2
Carbonia, 135,327	B 5
Carini, 116,723	D 5
Carmagnola, 114,477	A 2
Carpi, 27,647	C 2
Carrara, 37,386	C 2
Casale Monferrato, 140,827	B 2
Casalmaggiore, 114,066	C 2
Cascina-Navacchio, 23,739	C 3
Caserta, 150,381	E 4
Cassano allo Ionio, 115,179	F 5
Cassino, 121,105	E 4
Castelfranco Veneto, 9,978	D 2
Castel Gandolfo, 14,395	F 7
Castellammare del Golfo, †17,638	D 5
Castellammare di Stabia, †64,618	E 4
Castel San Pietro Terme, 4,824	C 2
Castelvetrano, 131,282	D 6
Castrovillari, 114,950	F 5
Catania, †363,928	E 6
Catanzaro, 174,037	F 5
Caulonia, 110,988	F 5
Cava de' Tirreni, 142,231	E 4
Cavarzere, 120,277	D 2
Cecina, 13,749	C 3
Cefalù, 18,021	E 5
Ceglie Messapico, †17,891	F 4
Celano, 10,389	D 3
Cerignola, 149,287	E 4
Cervetri, 110,369	D 4
Cesena, 31,153	D 2
Chiari, 115,332	B 2
Chiavari, 124,603	B 2
Chieri, 119,688	A 2
Chieti, 147,792	E 3
Chioggia, †47,151	D 2
Chivasso, †16,427	A 2
Ciampino,	F 7
Cisterna di Latina, †16,514	F 6

Cittadella, †13,807	C 2
Città di Castello, 15,564	D 3
Cittanova, †12,880	F 5
Cividale del Friuli, †10,799	D 1
Civitavecchia, 138,138	C 3
Civitella del Tronto, 18,303	D 3
Codroipo, †11,780	D 2
Colle di Val d'Elsa, 7,329	C 3
Comiso, 24,016	E 6
Como, †81,983	B 2
Conegliano, 16,910	D 2
Conversano, †17,776	F 4
Corato, 139,452	F 4
Corigliano Calabro, †24,317	F 5
Corleone, 114,682	D 6
Cortina d'Ampezzo, 4,291	D 1
Cosenza, 178,611	F 5
Courmayeur, 1,013	A 2
Crema, 130,035	B 2
Cremona, 173,902	C 2
Crotone, 143,256	F 5
Cuneo, 146,065	A 2
Desenzano del Garda, †14,294	C 2
Diano Marina, 4,033	B 3
Domodossola, †16,728	B 1
Eboli, 125,634	E 4
Empoli, 122,484	C 3
Enna, 26,206	E 6
Erice, 118,021	D 5
Este, 115,651	D 2
Fabriano, 15,127	D 3
Faenza, 40,425	D 2
Fano, 24,591	D 3
Fasano, 17,990	F 4
Favara, 127,909	D 6
Feltre, 9,446	C 1
Fermo, 130,545	D 3
Ferrara, 90,419	C 2
Fidenza, 13,567	B 2
Finale Emilia, 6,711	C 2
Finale Ligure, 9,789	B 2

Firenze (Florence), 413,455	C 3
Fiumicino,	F 7
Florence, 413,455	C 3
Floridia, 116,248	E 6
Foggia, †118,608	E 4
Foligno, 23,094	D 3
Fondi, †21,777	D 4
Forlì, 65,376	D 2
Formia, 120,528	D 4
Fossano, 120,069	A 2
Fossombrone, 4,899	D 3
Francavilla Fontana, 27,629	F 4
Frascati, 115,793	F 7
Frosinone, †31,155	D 4
Gaeta, 120,569	D 4
Galatina, 125,059	G 4
Gallarate, 135,477	B 2
Gallipoli, 116,196	G 4
Gela, 54,526	E 6
Gemona del Friuli, †12,534	D 1
Genoa (Genova), 1,784,194	B 2
Genzano di Roma, †12,727	F 7
Giarre, 120,229	E 6
Gioia del Colle, 128,646	F 4
Giovinazzo, 114,478	F 4
Giulianova, 115,252	E 3
Gorizia, 35,307	D 2
Gravina di Puglia, 131,977	F 4
Grosseto, 36,558	C 3
Grottaglie, 123,223	F 4
Guardiagrele, 110,367	E 3
Guastalla, 7,511	C 2
Gubbio, 9,730	D 3
Guidonia Montecelio, †22,205	F 6
Iesi, 26,018	D 3
Iglesias, 128,004	B 5
Imola, 32,148	C 2
Imperia, 30,522	B 3
Isernia, 112,781	E 4
Ivrea, 123,723	B 2

Lagonegro, †6,377	E 4
La Maddalena, †11,169	B 4
Lanciano, 127,624	E 3
Lanusei, 15,449	B 5
L'Aquila, 156,019	D 3
La Spezia, 111,768	B 2
Latina, 149,391	D 4
Lauria, 112,644	E 4
Lavello, 113,745	E 4
Lecce, 175,297	G 4
Lecco, 148,230	B 2
Leghorn, 152,517	C 3
Legnago, 10,126	C 2
Lendinara, 6,475	C 2
Lentini, 132,389	E 6
Leonforte, 17,690	E 6
Lerici, 5,231	B 2
Licata, 138,655	D 6
Lido di Roma,	D 4
Lido di Venezia,	D 2
Lipari, 111,037	E 5
Livorno (Leghorn), 152,517	C 3
Lodi, 138,158	B 2
Lonigo, 5,774	C 2
Lucca, 45,398	C 3
Lucera, †28,409	E 4
Lugo, 16,550	D 2
Macerata, 27,054	D 3
Maglie, †13,028	G 4
Manduria, 126,218	F 4
Manfredonia, 138,723	F 4
Mantua, †62,411	C 2
Marino, †30,374	F 7
Marsala, 181,327	D 5
Marsciano, 3,018	D 3
Martina Franca, †37,460	F 4
Massa, 46,992	C 2
Massafra, †20,005	F 4
Massa Marittima, 6,804	C 3
Matera, 36,727	F 4
Mazara del Vallo, †36,827	D 6
Mazzarino, †17,789	E 6
Melfi, †18,208	E 4
Menfi, †12,492	D 6
Merano, 29,196	C 1
Mesagne, 25,042	G 4
Messina, †254,715	E 5
Mestre,	D 2
Milan, †1,582,534	B 2
Milazzo, †24,137	E 5
Minturno, 115,363	D 4
Mirandola, 9,272	C 2
Mira Taglio, 127,670	D 2
Modena, 107,814	C 2
Modica, 28,998	E 6

Mola di Bari, †22,852	F 4
Molfetta, †61,584	F 4
Moncalieri, 134,857	A 2
Moncalvo, 120,536	A 2
Monfalcone, 26,708	D 2
Monopoli, 137,095	F 4
Monreale, †23,676	D 5
Monselice, 116,368	D 2
Montalcino, 2,622	C 3
Monte Sant'Angelo, †21,601	F 4
Montebelluna, 6,088	D 2
Montefiascone, 112,054	D 3
Monteoulciano, 3,553	C 3
Monterotondo, 115,674	F 6
Montevarchi, 112,413	C 3
Monza, 184,445	B 2
Mortara, 114,383	B 2
Naples, 1,182,815	E 4
Nardò, 129,422	F 4
Narni, 5,551	D 3
Naro, 114,392	D 6
Nettuno, 118,520	D 4
Nicastro, 133,398	F 5
Nicolosi, 16,624	E 6
Niscemi, 24,468	E 6
Nizza Monferrato, 6,229	B 2
Nocera Inferiore, †43,050	D 4
Noto, 127,109	E 6
Novara, 187,704	B 2
Novi Ligure, 126,972	B 2
Nuoro, 123,033	B 4
Olbia, 25,190	B 4
Orbetello, 6,800	C 3
Oristano, 121,738	B 5
Ortona, 122,224	E 3
Orvieto, 9,617	D 3
Osimo, 9,406	D 3
Ostia Antica,	F 7
Ostuni, 25,190	F 4
Otzieri, 111,384	B 4
Pachino, 123,798	E 6
Padua, 197,680	C 2
Palazzolo Acreide, †11,024	E 6
Palermo, 1,587,985	D 5
Palestrina, 110,419	F 7
Palma di Montechiaro, 120,517	D 6
Palmi, 118,448	E 5
Pantelleria, 119,601	C 6
Paola, 114,618	E 5
Parma, 118,602	C 2
Partanna, †13,011	D 6
Partinico, 126,119	D 5
Paterno, †42,935	E 6
Patti, †11,663	E 5
Pavia, †74,962	B 2
Pavullo nel Frignano, 3,555	C 2
Penne, 5,709	E 3
Pergine Valsugana, 4,877	C 1
Pergola, 3,467	D 3
Perugia, 52,534	D 3
Pesaro, 47,185	D 3
Pescara, 81,697	E 3
Pescia, 8,737	C 3
Piacenza, 78,985	B 2
Piazza Armerina, 23,915	E 6
Pietrasanta, 6,785	C 3
Pinerolo, 129,557	A 2
Piombino, 30,843	C 3
Piove di Sacco, †14,349	C 2
Pisa, 76,846	C 3
Pisticci, 11,469	F 4
Pistoia, 41,058	C 3
Poggibonsi, 12,932	C 3
Pomezia, 110,587	F 7
Pontecorvo, 112,239	D 4
Pontremoli, 4,839	C 2
Popoli, 6,749	E 3
Pordenone, †34,055	D 2
Porto Civitanova, 118,288	D 3
Porto Empedocle, 116,649	D 6
Portoferraio, 6,318	C 3
Portofino, 11,011	B 2
Portogruaro, 120,840	D 2
Portomaggiore, 5,532	C 2
Porto Recanati, 4,986	D 3
Porto Torres, 111,199	B 4
Potenza, 143,545	F 4
Pozzallo, 112,413	E 6
Pozzuoli, 151,308	D 4
Prato, 75,402	C 3
Priverno, 111,638	D 4
Putignano, 119,644	F 4
Quartu Sant'Elena, †22,916	B 5
Ragusa, 50,718	E 6
Rapallo, 120,606	B 2

Ravenna, 56,815	D 2
Recanati, 17,722	D 3
Reggio di Calabria, 1153,380	E 5
Reggio nell'Emilia, 83,073	B 2
Rho, 134,231	B 2
Riesi, 17,899	D 6
Rieti, 21,278	D 3
Rimini, 72,720	D 2
Rionero in Vulture, 114,378	E 4
Riva, 7,626	C 1
Roccastrada, 3,001	C 3
Rome (cap.), †2,188,160	F 6
Rosignano Marittimo, 2,443	C 3
Rossano, 123,304	F 5
Rovereto, 20,505	C 2
Rovigo, 22,804	C 2
Ruvo di Puglia, 123,746	F 4
Sala Consilina, 110,944	E 4
Salemi, 115,364	D 6
Salerno, 110,733	E 4
Salsomaggiore Terme, 10,376	B 2
Saluzzo, 118,149	A 2
San Bartolomeo in Galdo, 18,767	E 4
San Benedetto del Tronto, †31,274	E 3
San Cataldo, 21,785	D 6
San Giovanni in Fiore, 118,429	F 5
San Marco in Lamis, 119,014	F 4
San Remo, 40,068	A 3
Sannicandro Garganico, 117,270	F 4
Sansepolcro, 10,063	D 3
San Severino Marche, 5,582	D 3
San Severo, 148,443	E 4
Santa Maria Capua Vetere, †30,424	E 4
Sant'Elpidio a Mare, †11,013	E 3
Santeramo in Colle, 120,127	F 4
San Vito al Tagliamento, 111,298	D 2
San Vito dei Normanni, 117,703	F 4
Saronno, 125,190	B 2
Sassari, 190,937	B 4
Sassuolo, 19,429	C 2
Savigliano, 117,711	A 2
Savona, 64,480	B 2
Schio, 21,290	C 2
Sciacca, 131,365	D 6
Scicli, 18,727	E 6
Senigallia, 21,194	D 3
Sesto Fiorentino, 20,148	C 3
Sestri Levante, 119,151	B 2
Sezze, 117,846	D 4
Siderno, 115,512	F 5
Siena, 49,415	C 3
Siracusa (Syracuse), †89,407	E 6
Sondrio, 118,944	B 1
Sora, 123,656	D 4
Sorrento, 111,768	E 4
Spoleto, 17,005	D 3
Squinzano, 113,737	G 4
Stia, 1,863	C 3
Sulmona, 121,405	D 3
Suzzara, 115,826	C 2
Syracuse, †89,407	E 6
Taormina, 17,722	E 6
Taranto, †194,609	F 4
Tarquinia, 111,840	C 3
Taurianova, 117,742	E 5
Tempio Pausania, 114,139	B 4
Teramo, 141,899	D 3
Termini Imerese, 123,690	D 5
Termoli, 111,278	E 3
Terni, 65,194	D 3
Terracina, 129,751	D 4
Tivoli, 134,067	F 7
Todi, 4,572	D 3
Tolentino, 8,385	D 3
Torino (Turin), †1,025,822	A 2
Torre Annunziata, 158,400	E 4
Torre del Greco, †77,576	E 4
Torremaggiore, 117,318	E 4
Tortona, 125,315	B 2
Tortorici, 111,112	E 6
Trani, 138,129	F 4
Trapani, 177,139	D 5
Trento, 50,174	C 1
Treviglio, 123,413	B 2
Treviso, 75,208	D 2
Tricase, 13,196	G 5
Trieste, 254,086	D 2
Turin, †1,025,822	A 2
Udine, 186,188	D 1
Umbertide, 4,780	D 3
Urbino, 7,405	D 3

(continued on following page)

MALTA

AREA	122 sq. mi.
POPULATION	329,326
CAPITAL	Valletta
LARGEST CITY	Valletta 18,170
HIGHEST POINT	785 ft.
MONETARY UNIT	Maltese pound
MAJOR LANGUAGE	Maltese, English
MAJOR RELIGION	Roman Catholic

ITALY

AREA	116,286 sq. mi.
POPULATION	50,849,000
CAPITAL	Rome
LARGEST CITY	Rome 2,188,160
HIGHEST POINT	Dufourspitze (Mte. Rosa) 15,217 ft.
MONETARY UNIT	lira
MAJOR LANGUAGE	Italian
MAJOR RELIGION	Roman Catholic

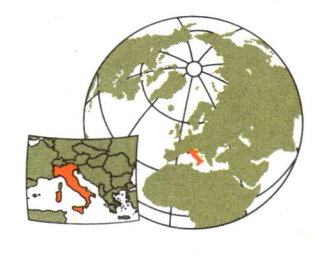

VATICAN CITY

AREA	109 acres
POPULATION	904

SAN MARINO

AREA	38 sq. mi.
POPULATION	17,000

TOPOGRAPHY

Italy
(continued)

ITALY (continued)

Valdagno, 17,058	C 2
Valenza, 118,536	B 2
Varazze, 9,748	B 2
Varese, 166,963	B 2
Vasto, 120,121	E 3
Velletri, †40,053	F 7
Venice (Venezia), †347,347	D 2
Venosa, †12,701	E 4
Ventimiglia, 15,433	A 3
Verbania, †29,810	B 2
Vercelli, †50,907	B 2
Veroli, †18,188	D 4
Verona, †75,581	C 2
Viadana, †16,379	C 2
Viareggio, 41,021	C 3
Vibo Valentia, †25,451	F 5
Vicenza, 78,921	C 2
Vigevano, †57,069	B 2
Villacidro, †11,266	B 5
Villafranca, 8,529	C 2
Viterbo, †50,047	D 3
Vittoria, 42,088	E 6
Vittorio Veneto, 19,175	D 1
Voghera, †35,747	B 2
Volterra, 11,460	C 3

PHYSICAL FEATURES

Adda (river)	B 2
Adige (river)	C 2
Adriatic (sea)	E 3
Albano (lake)	F 4
Alicudi (isl.)	E 5
Aniene (river)	F 6
Apennines (range)	D 3
Apennines, Central (range)	D 3
Apennines, Northern (range)	B 2
Apennines, Southern (range)	E 4
Arno (river)	C 3
Asinara (isl.)	B 4
Belice (river)	D 6
Bernina (mt.)	B 1
Bernina (pass)	C 1
Blanc (mt.)	A 2
Bolsena (lake)	C 3
Bonifacio (strait)	B 4
Bracciano (lake)	D 3
Brenner (pass)	C 1
Cagliari (gulf)	B 5
Capraia (isl.), 467	B 3
Capri (isl.)	E 4
Carbonara (cape)	B 5
Carnic Alps (range)	D 1
Castellammare (gulf)	D 5
Chambeyron (mt.)	A 2
Chienti (river)	D 3
Cimone (mt.)	C 2
Circeo (cape)	D 4
Coghinas (river)	B 4
Colonne (cape)	F 5
Como (lake)	B 1
Corno (mt.)	D 3
Cottian Alps (range)	A 2
Crati (river)	F 5
Dolomite Alps (range)	C 1
Dora Baltea (river)	A 2
Dora Riparia (river)	A 2
Egadi (isls.)	C 6
Elba (isl.), 27,577	C 3
Etna (volcano)	E 6
Falcone (cape)	B 4
Favignana (isl.)	D 6
Filicudi (isl.)	E 5
Frejus (pass)	A 2
Gaeta (gulf)	D 4
Garda (lake)	C 2
Gennargentu (mts.)	B 5
Genoa (gulf)	B 2
Giannutri (isl.), 3	C 3
Giglio (isl.), 2,256	C 3
Gorgona (isl.), 292	B 3
Graian Alps (range)	A 2
Gran Paradiso (mt.)	A 2
Great Saint Bernard (pass)	A 2
Ionian (sea)	F 5
Ischia (isl.)	D 4
Iseo (lake)	C 2
Julian Alps (range)	D 1
Lampedusa (isl.)	D 7
Lepontine Alps (range)	B 1
Lesina (lake)	F 4
Levanzo (isl.)	D 5
Licosa (cape)	E 4
Linosa (isl.)	D 7
Lipari (isls.)	E 5
Liri (river)	D 4
Maggiore (lake)	B 1
Malta (channel)	E 6
Manfredonia (gulf)	F 4
Mannu (river)	B 5
Marettimo (isl.)	C 6
Maritime Alps (range)	A 2
Marmolada (mt.)	C 1
Mediterranean (sea)	C 6
Messina (strait)	E 6
Metauro (river)	D 3
Mincio (river)	C 2
Mont Cenis (tunnel)	A 2
Montecristo (isl.), 8	C 3
Nera (river)	D 3
Ofanto (river)	E 4
Oglio (river)	C 2
Ombrone (river)	C 3
Oristano (gulf)	B 4
Orosei (gulf)	B 4
Ortles (range)	C 1
Otranto (strait)	G 5
Ötztal Alps (range)	C 1
Palmarola (isl.)	D 4
Panarea (isl.)	E 5
Panaro (river)	C 2
Pantelleria (isl.)	D 6
Parma (river)	C 2
Passero (cape)	E 6
Pelagie (isls.)	D 7
Pennine Alps (range)	A 2
Pescara (river)	D 3
Pianosa (isl.), 878	C 3
Pianosa (isl.)	E 3
Piave (river)	D 2
Po (river)	C 2
Policastro (gulf)	E 5
Pompeii (ruins)	E 4
Pontine (isls.)	D 4
Ponza (isl.)	D 4
Presanella (mt.)	C 1
Rosa (mt.)	A 2
Salerno (gulf)	E 4
Salina (isl.)	E 5
Salso (river)	D 6
Sangro (river)	E 4
San Pietro (isl.)	B 5
Santa Maria di Leuca (cape)	G 5
Sant'Antioco (isl.)	B 5
Sant'Eufemia (gulf)	F 5
San Vito (cape)	D 5
Sardinia (island)	B 4
Sele (river)	E 4
Sicily (island)	E 6
Sicily (strait)	D 6
Simeto (river)	E 6
Spartivento (cape)	B 5
Spartivento (cape)	F 6
Splügen (pass)	B 1
Squillace (gulf)	F 5
Stromboli (isl.)	E 5
Stura (river)	A 2
Tagliamento (river)	D 1
Tanaro (river)	B 2
Taranto (gulf)	F 5
Testa (cape)	B 4
Testa del Gargano (cape)	F 4
Teulada (cape)	B 5
Tiber (river)	D 3
Tirso (river)	B 4
Trasimeno (lake)	D 3
Trebbia (river)	B 2
Tremiti (isls.)	E 3
Trieste (gulf)	D 2
Tuscan (arch.), 31,481	B 3
Tyrrhenian (sea)	C 4
Ustica (isl.)	D 5
Varano (lake)	F 3
Vaticano (cape)	E 5
Venice (gulf)	D 2
Ventotene (isl.)	D 4
Vesuvius (volcano)	E 4
Viso (mt.)	A 2
Volturno (river)	E 4
Vulcano (isl.)	E 5

MALTA

CITIES and TOWNS

Sliema, 23,949	E 7
Valletta (cap.), 18,170	E 7
Victoria, 6,505	E 6

PHYSICAL FEATURES

Comino (isl.), 30	E 7
Gozo (isl.), 27,152	E 6
Malta (isl.), 302,144	E 7

SAN MARINO

San Marino, *3,817 ..... D 3

VATICAN CITY

Total Population 904 ..... B 6

*City and suburbs.
†Population of commune.

DOMINANT LAND USE

- Wheat, Rice, Dairy
- Pasture Livestock
- Cereals, Livestock
- Fruit, Truck and Mixed Farming
- Grapes, Wine
- Forests
- Nonagricultural Land

MAJOR MINERAL OCCURRENCES

Al	Bauxite	Hg	Mercury	O	Petroleum
C	Coal	Lg	Lignite	Pb	Lead
Fe	Iron Ore	Mr	Marble	S	Sulfur, Pyrites
G	Natural Gas	Na	Salt	Zn	Zinc

⚡ Water Power

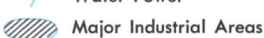

▨ Major Industrial Areas

AGRICULTURE, INDUSTRY and RESOURCES

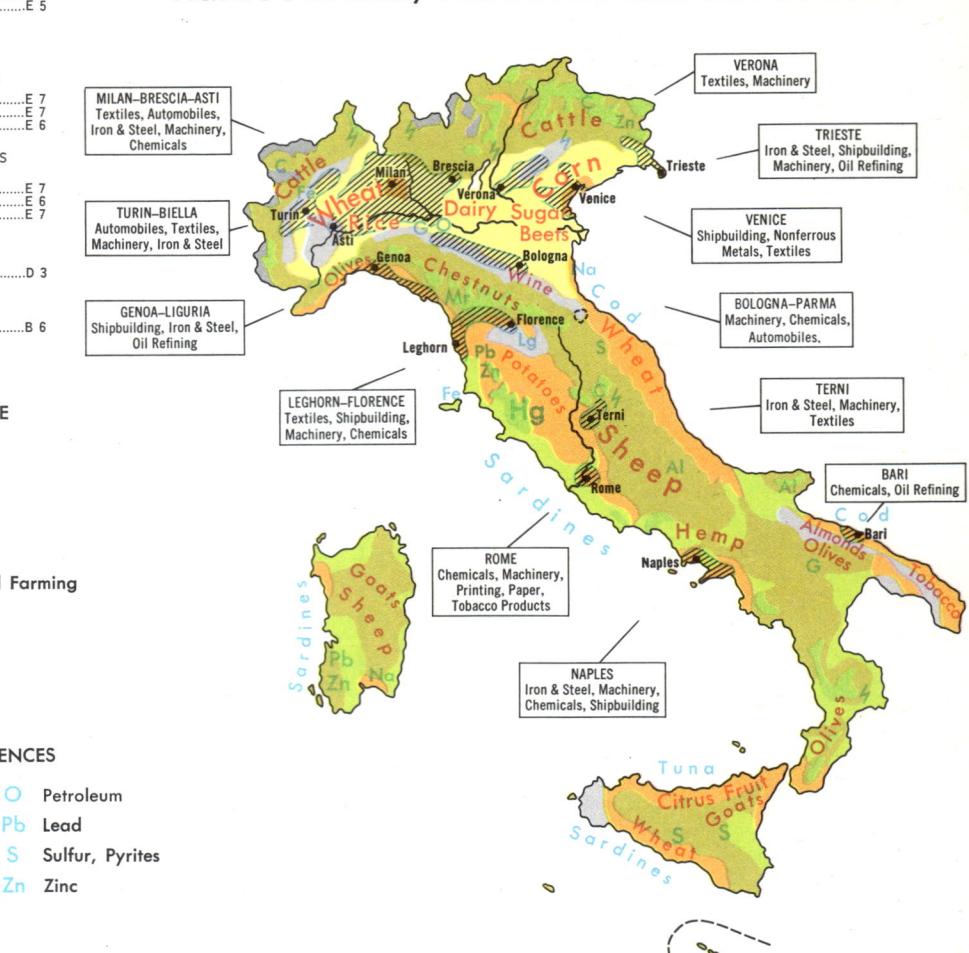

VERONA – Textiles, Machinery
TRIESTE – Iron & Steel, Shipbuilding, Machinery, Oil Refining
MILAN–BRESCIA–ASTI – Textiles, Automobiles, Iron & Steel, Machinery, Chemicals
TURIN–BIELLA – Automobiles, Textiles, Machinery, Iron & Steel
VENICE – Shipbuilding, Nonferrous Metals, Textiles
GENOA–LIGURIA – Shipbuilding, Iron & Steel, Oil Refining
BOLOGNA–PARMA – Machinery, Chemicals, Automobiles
LEGHORN–FLORENCE – Textiles, Shipbuilding, Machinery, Chemicals
TERNI – Iron & Steel, Machinery, Textiles
BARI – Chemicals, Oil Refining
ROME – Chemicals, Machinery, Printing, Paper, Tobacco Products
NAPLES – Iron & Steel, Machinery, Chemicals, Shipbuilding

THE MEDITERRANEAN

SCALE OF MILES
0 50 100 200 300 400

SCALE OF KILOMETRES
0 50 100 200 300 400

★ Capitals of Countries
Canals

© C. S. Hammond & Co., Maplewood, N.J.

SWITZERLAND and LIECHTENSTEIN

SWITZERLAND
- **AREA** 15,944 sq. mi.
- **POPULATION** 6,030,000
- **CAPITAL** Bern
- **LARGEST CITY** Zürich 444,000
- **HIGHEST POINT** Dufourspitze (Mte. Rosa) 15,217 ft.
- **MONETARY UNIT** Swiss franc
- **MAJOR LANGUAGES** German, French, Italian, Romansch
- **MAJOR RELIGIONS** Protestant, Roman Catholic

LIECHTENSTEIN
- 65 sq. mi.
- 18,000
- Vaduz
- Vaduz 3,398
- Naafkopf 8,445 ft.
- Swiss franc
- German
- Roman Catholic

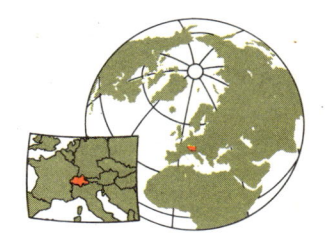

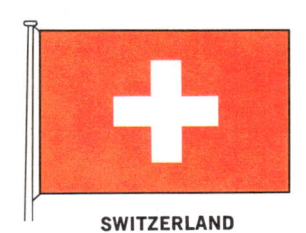

SWITZERLAND (flag)

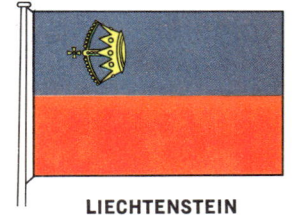

LIECHTENSTEIN (flag)

LANGUAGES

- German
- French
- Italian
- Romansch

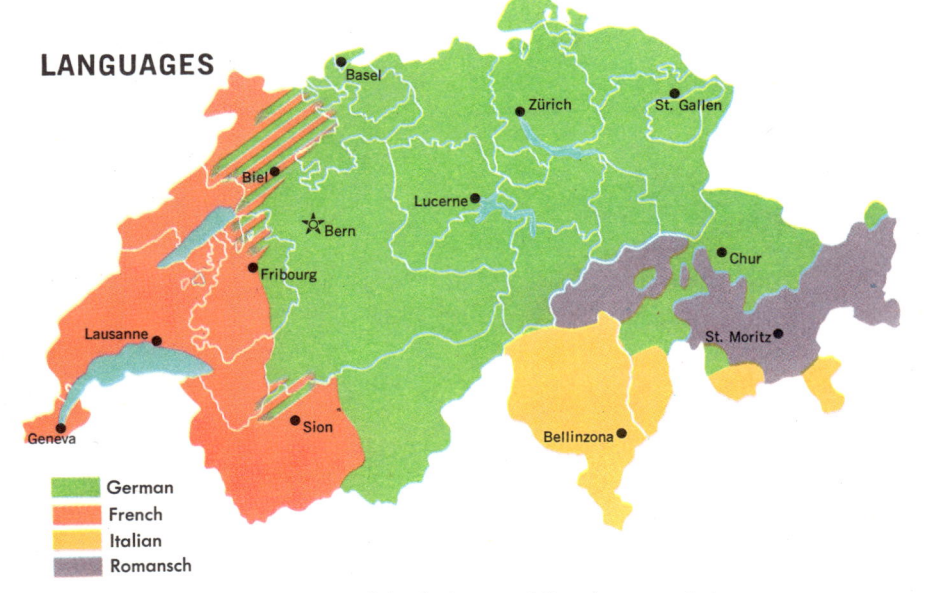

Switzerland is a multilingual nation with four official languages. 70% of the people speak German, 19% French, 10% Italian and 1% Romansch.

AGRICULTURE, INDUSTRY and RESOURCES

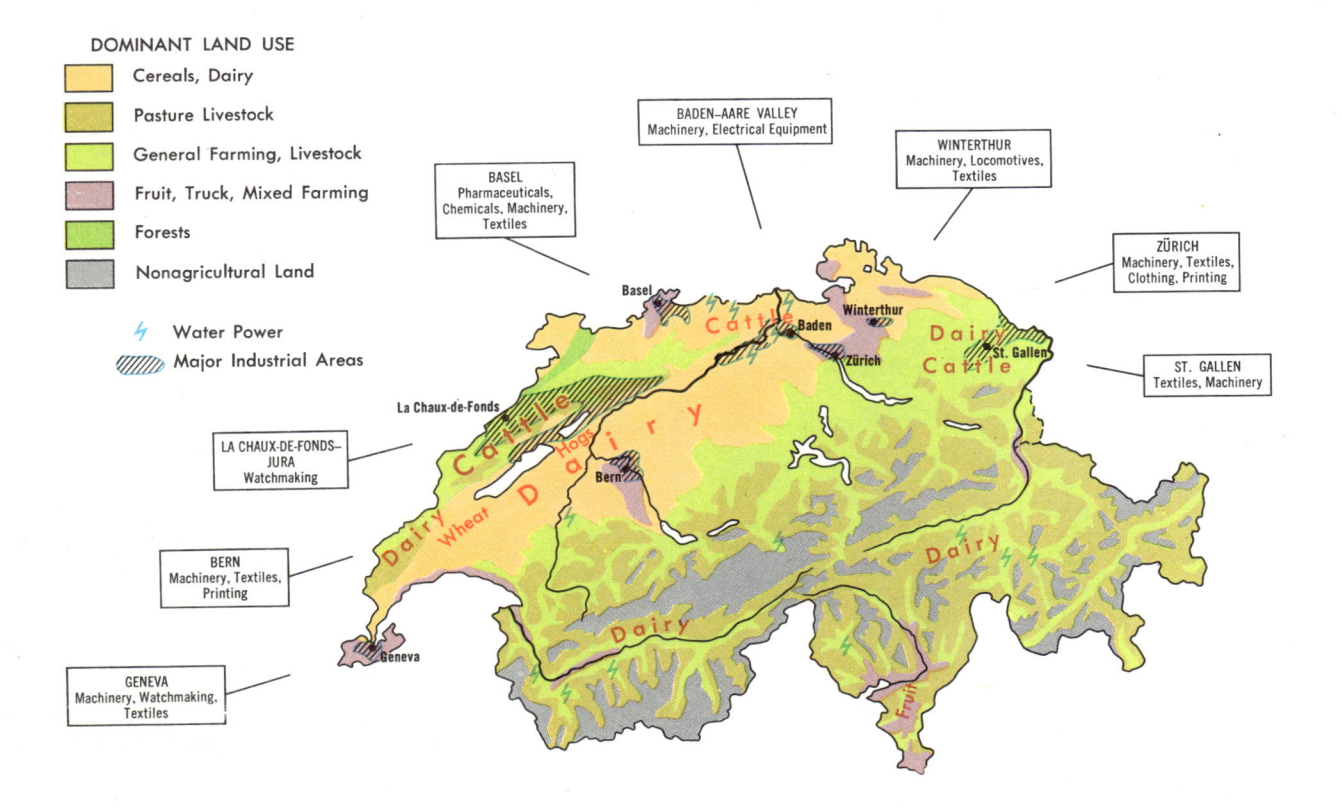

DOMINANT LAND USE
- Cereals, Dairy
- Pasture Livestock
- General Farming, Livestock
- Fruit, Truck, Mixed Farming
- Forests
- Nonagricultural Land

- Water Power
- Major Industrial Areas

BASEL Pharmaceuticals, Chemicals, Machinery, Textiles

BADEN–AARE VALLEY Machinery, Electrical Equipment

WINTERTHUR Machinery, Locomotives, Textiles

ZÜRICH Machinery, Textiles, Clothing, Printing

ST. GALLEN Textiles, Machinery

LA CHAUX-DE-FONDS–JURA Watchmaking

BERN Machinery, Textiles, Printing

GENEVA Machinery, Watchmaking, Textiles

SWITZERLAND

CANTONS

Aargau, 374,700	F 2
Appenzell, Ausser Rhoden, 49,800	H 2
Appenzell, Inner Rhoden, 13,300	H 2
Baselland, 160,800	E 2
Baselstadt, 230,800	E 1
Bern, 912,100	D 2
Fribourg, 161,000	D 3
Geneva (Genève), 275,900	B 4
Glarus, 41,400	H 3
Graubünden (Grisons), 155,100	J 3
Luzern (Lucerne), 260,500	F 2
Neuchâtel, 154,500	C 3
Nidwalden, 23,000	G 3
Obwalden, 23,600	F 3
Sankt Gallen, 348,100	H 2
Schaffhausen, 69,700	G 1
Schwyz, 80,600	G 2
Solothurn (Soleure), 209,200	E 2
Thurgau, 171,800	H 1
Ticino, 203,700	G 4
Unterwalden, 46,600	F 3
Uri, 32,400	G 3
Valais, 187,000	E 4
Vaud, 464,700	C 3
Zug, 55,300	G 2
Zürich, 1,001,000	G 2

CITIES and TOWNS

Aadorf, 2,258	G 2
Aarau, 17,300	F 2
Aarberg, 2,355	D 2
Aarburg, 5,302	E 2
Adelboden, 2,881	E 3
Aeschi bei Spiez, 1,319	E 3
Affoltern am Albis, 4,904	F 2
Affoltern im Emmental, 1,206	E 2
Aigle, 4,381	C 4
Airolo, 2,023	G 3
Alle, 1,471	D 2
Allschwil, 14,000	D 1
Alpnach, 3,211	F 3
Altdorf, 7,477	G 3
Altstätten, 8,751	J 2
Amriswil, 6,752	H 1
Andermatt, 1,523	G 3
Appenzell, 5,082	H 2
Arbedo-Castione, 1,467	G 4
Arbon, 12,500	H 1
Ardon, 1,432	D 4
Arlesheim, 5,219	E 2
Arosa, 2,600	J 3
Arth, 6,321	F 2
Ascona, 3,053	G 4
Attalens, 1,023	C 3
Aubonne, 1,766	B 4
Avenches, 1,776	D 3
Baar, 9,114	F 2
Bad Ragaz, 2,699	H 2
Baden, 14,900	F 2
Balerna, 3,040	G 5
Balsthal, 5,735	E 2
Bäretswil, 2,577	G 2
Basel (Bâle), 210,800	E 1
Bassecourt, 2,284	D 2
Bätterkinden, 1,916	E 2
Bauma, 3,214	G 2
Beatenberg, 1,303	E 3
Beckenried, 2,042	G 3
Beinwil am See, 2,346	F 2
Bellinzona, 13,400	H 4
Belp, 4,922	D 3
Bergün-Bravuogn, 551	J 3
Bern (Berne) (cap.), 168,900	D 3
Beromünster, 1,443	F 2
Bex, 4,667	D 4
Biasca, 3,349	G 4
Biberist, 7,188	D 2
Biel (Bienne), 64,000	D 2
Bière, 1,166	B 3
Binningen, 13,000	D 1
Bischofszell, 3,811	H 1
Blumenstein, 1,121	E 3
Bodio, 1,276	G 4
Bolligen, 17,900	E 3
Boltigen, 1,691	D 3
Boncourt, 1,493	C 2
Bönigen, 1,883	E 3
Boswil, 1,663	F 2
Boudry, 3,086	C 3
Bourg-Saint-Pierre, 524	D 5
Breil-Brigels, 1,272	H 3
Breitenbach, 1,851	E 2
Bremgarten, 4,555	F 2
Brienz, 2,864	F 3
Brig, 4,647	E 4
Brissago, 1,845	G 4
Brittnau, 3,070	F 2
Brugg, 6,683	F 2
Brusio, 1,445	K 4
Bubendorf, 1,690	E 2
Bubikon, 2,612	G 2
Buchs, 6,345	H 2
Bülach, 14,900	G 1
Bulle, 5,983	D 3
Buochs, 2,733	F 3
Büren an der Aare, 2,432	D 2
Burgdorf, 14,400	E 2
Bürglen, 3,175	G 3
Bürglen, 1,899	H 1
Bussigny-près-Lausanne, 2,381	B 3
Bütschwil, 3,414	H 2
Carouge, 14,600	B 4
Castagnola, 3,775	G 4
Cazis, 1,553	H 3
Cernier, 1,545	C 2
Chalais, 1,597	E 4
Cham, 6,483	F 2
Chamoson, 2,088	D 4
Charmey, 1,144	D 3
Châteaux-d'Oex, 3,378	D 4
Châtel-Saint-Denis, 2,666	C 3
Chavornay, 1,414	C 3
Chexbres, 1,449	C 4
Chiasso, 7,377	G 5
Chur (Coire), 26,700	J 3
Churwalden, 877	J 3
Coire (Chur), 26,700	J 3
Conthey, 3,563	D 4
Coppet, 774	B 4
Corcelles-près-Payerne, 1,253	C 3
Corgémont, 1,414	D 2
Cossonay, 1,284	C 3
Courgenay, 1,666	D 2
Courroux, 1,667	D 2
Court, 1,493	D 2
Courtelary, 1,330	D 2
Courtételle, 1,618	D 2
Couvet, 3,450	C 3
Cully, 1,375	C 4
Därstetten, 900	D 3
Davos (Dorf and Platz), 9,588	J 3
Degersheim, 3,221	H 2
Delémont, 9,542	D 2
Derendingen, 4,463	E 2
Diemtigen, 1,934	D 3
Diessenhofen, 2,222	G 1
Dietikon, 17,300	F 2
Disentis-Mustèr, 2,376	G 3
Dombresson, 1,040	C 2
Dornach, 4,260	E 2
Dübendorf, 15,200	G 2
Düdingen, 4,248	D 3
Dürnten, 4,271	G 2
Dürrenroth, 1,221	E 2
Ebnat-Kappel, 4,979	H 2
Echallens, 1,428	C 3
Egg, 3,018	G 2
Eggiwil, 2,591	E 3
Eglisau, 1,911	G 1
Egnach, 3,483	H 1
Einsiedeln, 8,792	G 2
Elgg, 2,643	G 2
Emmen, 18,200	F 2
Engelberg, 2,646	F 3
Engi, 1,064	H 3
Ennenda, 3,076	H 3
Entlebuch, 3,318	F 3
Erlenbach im Simmental, 1,471	E 3
Ermatingen, 1,857	H 1
Erstfeld, 4,126	G 3
Eschenbach, 2,866	G 2

(continued on following page)

37

Switzerland and Liechtenstein

(continued)

TOPOGRAPHY

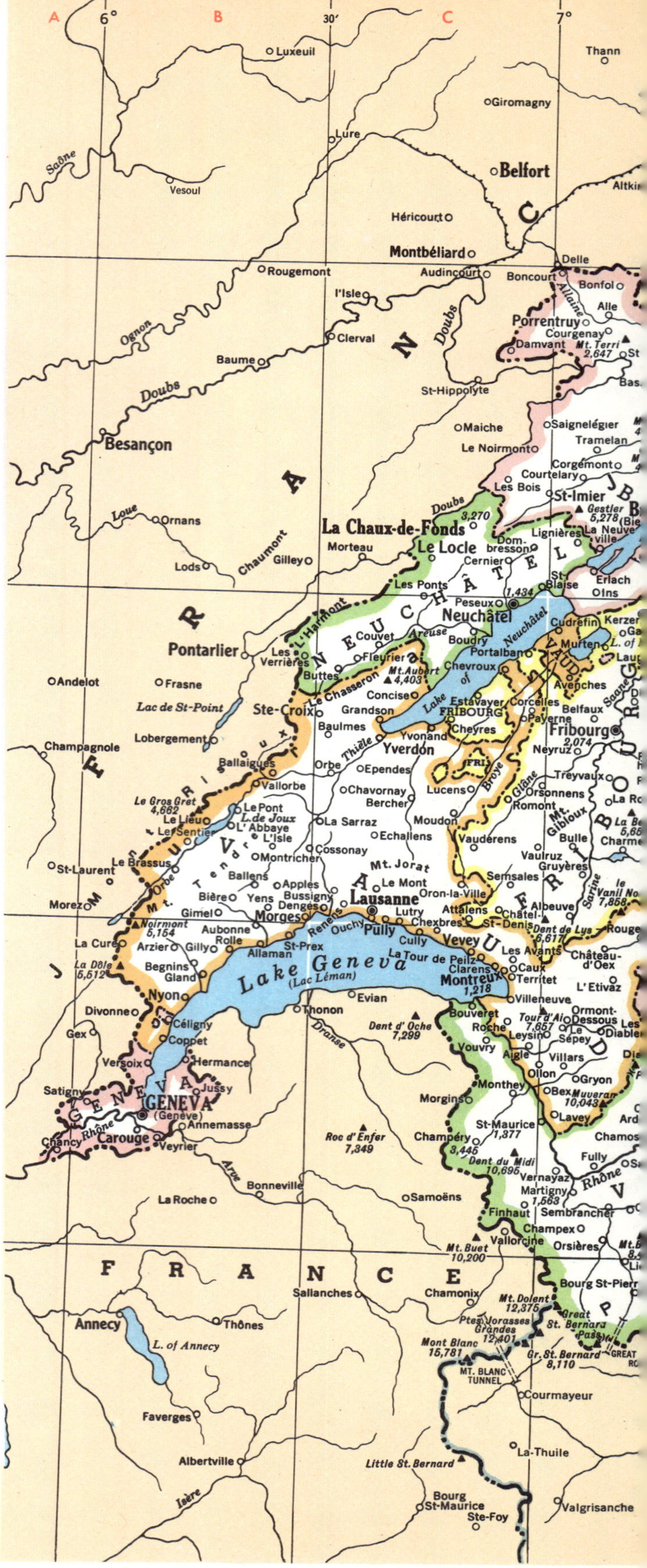

SWITZERLAND (continued)

Escholzmatt, 3,257 ....E 3
Estavayer-le-Lac, 2,583 ....C 3
Evolène, 1,786 ....D 4
Faido, 1,441 ....G 4
Flawil, 7,256 ....H 2
Fleurier, 3,814 ....C 3
Flims, 1,444 ....H 3
Flüelen, 1,717 ....G 3
Flums, 4,462 ....H 2
Frauenfeld, 15,900 ....G 1
Fribourg, 34,000 ....D 3
Frick, 2,123 ....E 1
Frutigen, 5,565 ....E 3
Fully, 3,419 ....D 4
Gais, 2,488 ....H 2
Gelterkinden, 3,870 ....E 2
Geneva (Genève), 181,400 ....B 4
Gersau, 1,754 ....G 2
Gimel, 1,091 ....B 3
Giornico, 1,063 ....G 4
Giswil, 2,656 ....F 3
Giubiasco, 4,281 ....H 4
Gland, 1,545 ....B 4
Glarus, 5,852 ....H 2
Glattfelden, 2,426 ....F 1
Gordola, 1,794 ....G 4
Göschenen, 1,284 ....G 3
Gossau, 9,731 ....H 2
Grabs, 4,218 ....H 2
Grandson, 2,091 ....C 3
Gränichen, 4,411 ....F 2
Grenchen, 18,800 ....D 2
Grindelwald, 3,244 ....E 3
Grossandelfingen, 1,102 ....G 1
Grosswangen, 2,373 ....F 2
Gruyères, 1,349 ....D 3
Gsteig, 937 ....D 4
Guggisberg, 2,021 ....D 3
Gurtnellen, 1,048 ....G 3
Hallau, 1,966 ....F 1
Heiden, 3,158 ....H 2
Heimberg, 2,125 ....E 3
Hemberg, 1,011 ....H 2
Henau, 7,828 ....H 2
Hérémence, 1,868 ....D 4
Herisau, 15,200 ....H 2
Hermance, 512 ....B 4
Herzogenbuchsee, 4,641 ....E 2
Hinwil, 4,811 ....G 2
Hochdorf, 4,452 ....F 2
Horgen, 14,500 ....G 2
Hospental, 289 ....F 3
Huttwil, 4,664 ....E 2
Igis, 3,902 ....J 3
Ilanz, 1,843 ....H 3
Illnau, 6,160 ....G 2
Ingenbohl, 5,046 ....G 2
Innertkirchen, 1,230 ....F 3
Ins, 2,486 ....D 2
Interlaken, 4,738 ....E 3
Jegenstorf, 1,397 ....D 2
Jenaz, 1,143 ....J 3
Jona, 5,686 ....G 2
Jungfraujoch ....E 3
Kaltbrunn, 2,527 ....H 2
Kandersteg, 937 ....E 4
Kerns, 3,553 ....F 3
Kerzers, 2,228 ....D 3
Kilchberg, 6,784 ....F 2
Kirchberg, 3,304 ....E 2
Kirchberg, 5,554 ....G 2
Kleinlützel, 1,269 ....D 2
Klingnau, 2,192 ....F 1
Klosters, 3,181 ....J 3
Kloten, 8,446 ....G 2
Koblenz, 1,114 ....F 1
Kölliken, 3,007 ....F 2
Köniz, 29,700 ....D 3
Kreuzlingen, 13,800 ....H 1
Kriens, 15,500 ....F 2
Küsnacht, 11,984 ....G 2
Küssnacht, 12,400 ....F 2
Küttigen, 3,457 ....F 2
La Chaux-de-Fonds, 41,200 ....C 2
La Neuveville, 3,216 ....D 2
La Roche, 1,043 ....D 3
La Sarraz, 1,026 ....C 3
La Tour-de-Peilz, 6,820 ....C 4
L'Abbaye, 1,124 ....B 3
Lachen, 3,913 ....G 2
Langenthal, 11,600 ....E 2
Langnau, 9,201 ....E 3
Langnau am Albis, 2,850 ....G 2
Läufelfingen, 1,176 ....E 2
Laufen, 3,955 ....D 2
Laufénburg, 1,850 ....F 1
Laupen, 1,607 ....D 3
Lauperswil, 2,652 ....E 3
Lausanne, 132,500 ....C 3
Lauterbrunnen, 3,216 ....E 3
Le Brassus (Le Chenit), 5,242 ....B 3
Le Châble, 4,237 ....D 4
Le Lieu, 970 ....B 3
Le Locle, 14,200 ....C 2
Le Mont, 1,719 ....C 3
Le Noirmont, 1,559 ....C 2
Lengnau, 3,524 ....D 2
Lenk, 1,900 ....D 4
Lens, 1,743 ....D 4
Lenzburg, 6,378 ....F 2
Les Bois, 1,098 ....C 2
Les Ponts-de-Martel, 1,429 ....C 2
Les Verrières, 1,084 ....B 3
Leuk, 2,546 ....E 4
Leukerbad, 619 ....E 4
Leysin, 2,241 ....C 4
Liestal, 11,000 ....E 2
Linthal, 2,645 ....H 3
Littau, 8,715 ....F 2
Locarno, 10,200 ....G 4
Lucens, 1,620 ....C 3
Lucerne (Luzern), 72,400 ....F 2
Lugano, 19,000 ....G 4
Lungern, 1,794 ....F 3
Luthern, 1,801 ....E 2
Lutry, 3,481 ....C 3
Lützelflüh, 3,960 ....E 3
Luzein, 1,013 ....J 3
Luzern (Lucerne), 72,400 ....F 2
Lyss, 5,616 ....D 2
Maienfeld, 1,488 ....J 2
Malans, 1,358 ....J 3
Malters, 4,579 ....F 2
Malvaglia, 1,120 ....H 4
Männedorf, 6,182 ....G 2
Marbach, 1,347 ....E 3
Martigny, 7,593 ....C 4
Meilen, 8,203 ....G 2
Meiringen, 3,749 ....F 3
Melchnau, 1,511 ....E 2
Melide, 1,046 ....G 5
Mellingen, 1,941 ....F 2
Mels, 5,254 ....H 2
Mendrisio, 5,100 ....G 5
Menzingen, 3,340 ....G 2
Menznau, 2,275 ....E 2
Mesocco, 1,324 ....H 4
Minusio, 3,663 ....G 4
Möhlin, 4,681 ....E 1
Mollis, 2,303 ....H 2
Montana-Vermala (Montana), 1,543 ....E 4
Monthey, 6,834 ....C 4
Montreux-Le Châtelard, 18,700 ....C 4
Morges, 8,420 ....B 3
Moudon, 2,806 ....C 3
Moutier, 7,472 ....D 2
Müllheim, 1,475 ....G 1
Mümliswil-Ramiswil, 2,714 ....E 2
Münchenbuchsee, 3,652 ....E 2
Münsingen, 6,051 ....E 3
Muotathal, 2,592 ....G 3
Muri, 3,957 ....F 2
Muri bei Bern, 7,855 ....E 3
Murten, 3,330 ....D 3
Müstair, 717 ....K 3
Muttenz, 12,600 ....E 1
Näfels, 3,617 ....H 2
Naters, 3,797 ....E 4
Nebikon, 1,206 ....F 2
Nesslau, 2,002 ....H 2
Netstal, 2,925 ....H 2
Neuchâtel, 34,800 ....C 3
Neuenegg, 2,921 ....D 3
Neuhausen am Rheinfall, 10,900 ....G 1
Neunkirch, 1,208 ....F 1
Niederbipp, 3,141 ....E 2
Niederurnen, 3,347 ....G 2
Niederweningen, 1,027 ....F 1
Nunningen, 1,372 ....E 2
Nyon, 7,643 ....B 4
Oberägeri, 2,656 ....G 2
Oberburg, 3,030 ....E 2
Oberdiessbach, 1,927 ....E 3
Oberdorf, 1,132 ....E 2
Oberriet, 5,498 ....J 2
Obersaxen, 710 ....H 3
Oberuzwil, 4,394 ....H 2
Oensingen, 2,907 ....E 2
Ollon, 4,126 ....D 4
Olten, 21,400 ....E 2
Orbe, 3,824 ....C 3
Ormont-Dessous, 996 ....D 4
Orsières, 2,281 ....D 4
Payerne, 6,024 ....C 3
Peseux, 4,933 ....C 3
Pfäffikon, 5,735 ....G 2
Pfaffnau, 2,575 ....E 2
Pieterlen, 2,978 ....D 2
Pontresina, 1,067 ....J 3
Porrentruy, 7,095 ....C 2
Poschiavo, 3,743 ....J 4
Pratteln, 9,492 ....E 1
Pully, 14,200 ....C 4
Quinto, 1,365 ....G 3
Rafz, 1,925 ....G 1
Ramsen, 1,181 ....G 1
Rapperswil, 7,585 ....G 2
Raron, 1,077 ....E 4
Rechthalten, 1,015 ....D 3
Regensdorf, 4,997 ....F 2
Reichenbach, 2,829 ....E 3
Reiden, 2,795 ....F 2
Reigoldswil, 1,192 ....E 2
Reinach, 5,174 ....F 2
Renens, 12,600 ....C 3
Rheinau, 2,363 ....G 1
Rheineck, 3,047 ....J 2
Rheinfelden, 5,197 ....E 1
Richterswil, 5,842 ....G 2
Riehen, 19,100 ....E 1
Riggisberg, 1,949 ....E 3
Riva San Vitale, 1,358 ....G 5
Rivera, 950 ....G 4
Roggwil, 3,420 ....E 2
Rohrbach, 1,534 ....E 2
Rolle, 2,942 ....B 4
Romanshorn, 7,755 ....H 1
Romont, 2,982 ....C 3
Rorschach, 13,000 ....H 2
Rosenlaui ....F 3
Rothrist, 5,048 ....E 2
Rougemont, 860 ....D 4
Roveredo, 1,878 ....H 4
Rüeggisberg, 2,035 ....E 3
Rüschegg, 1,628 ....D 3
Ruswil, 4,657 ....F 2
Rüthi, 1,521 ....J 2
Rüti, 8,282 ....G 2
Rüti, 738 ....H 3
Saanen, 5,649 ....D 4
Saas-Fee, 739 ....E 4
Sachseln, 2,721 ....F 3
Saignelégier, 1,636 ....D 2
Saint-Blaise, 2,412 ....D 2
Saint-Imier, 6,704 ....D 2
Saint-Martin, 1,155 ....E 4
Saint-Maurice, 3,196 ....C 4
Saint Moritz, 3,751 ....J 3
Saint Niklaus, 2,071 ....E 4
Saint-Prex, 1,897 ....B 4
Saint-Stephan, 1,227 ....D 3
Saint-Ursanne, 1,304 ....D 2
Sainte-Croix, 6,925 ....B 3
Samedan, 2,106 ....J 3
Sankt Gallen, 78,300 ....H 2
Sargans, 2,571 ....H 2
Sarnen, 6,554 ....F 3
Satigny, 1,594 ....A 4
Savièse, 3,203 ....D 4
Savognin, 632 ....J 3
Saxon, 2,305 ....D 4
Schaffhausen, 32,900 ....G 1
Schangnau, 1,031 ....E 3
Schänis, 2,328 ....H 2
Schiers, 2,363 ....J 3
Schinznach-Dorf, 1,081 ....F 2
Schlarigna-Celerina, 868 ....J 3
Schleitheim, 1,494 ....G 1
Schlieren, 10,700 ....F 2
Schönenwerd, 4,561 ....E 2
Schüpfheim, 3,771 ....F 3
Schwanden, 3,020 ....H 2
Schwyz, 11,400 ....G 2
Scuol-Schuls, 1,429 ....K 3
Sedrun, 1,855 ....G 3
Seewis, 969 ....J 3
Sembrancher, 710 ....D 4
Sempach, 1,345 ....F 2
Semsales, 762 ....C 3
Seon, 3,006 ....F 2
Sevelen, 2,370 ....H 2
Sierre, 8,690 ....D 4
Siggenthal, 7,376 ....F 1
Signau, 2,555 ....E 3
Sigriswil, 3,739 ....E 3
Silenen, 2,261 ....G 3
Sils im Domleschg, 737 ....H 3
Silvaplana, 346 ....J 4
Sins, 2,195 ....F 2
Sion, 17,100 ....D 4
Sirnach, 3,075 ....G 2
Sissach, 4,574 ....E 2
Solothurn (Soleure), 19,100 ....E 2
Somvix, 2,004 ....G 3
Sonvico, 1,005 ....G 4
Spiez, 8,168 ....E 3
Stäfa, 6,947 ....G 2
Stalden, 1,007 ....E 4
Stammheim, 1,460 ....G 1
Stans, 4,337 ....F 3
Steckborn, 3,514 ....G 1
Steffisburg, 11,000 ....E 3
Stein, 1,060 ....E 1
Stein am Rhein, 2,588 ....G 1
Sulgen, 1,252 ....H 1
Sulz, 1,022 ....F 1
Sumiswald, 5,525 ....E 2
Sursee, 5,324 ....F 2
Tafers, 1,621 ....D 3
Täuffelen, 1,500 ....D 2
Tavannes, 3,939 ....D 2
Thalwil, 12,500 ....G 2
Thayngen, 3,013 ....G 1
Therwil, 1,946 ....E 1
Thun, 31,300 ....E 3
Thusis, 1,998 ....H 3
Trachselwald, 1,269 ....E 2
Tramelan, 5,567 ....D 2
Trogen, 2,101 ....H 2
Trub, 1,981 ....E 3
Trun, 1,583 ....G 3
Turbenthal, 2,685 ....G 2
Turgi, 1,860 ....F 1
Ueberstorf, 1,536 ....D 3
Uetendorf, 2,810 ....E 3
Unterägeri, 3,832 ....G 2
Unterkulm, 2,149 ....F 2
Unterseen, 3,783 ....E 3
Untervaz, 1,142 ....H 3
Urnäsch, 2,330 ....H 2
Uster, 18,700 ....G 2
Utzenstorf, 2,821 ....E 2
Uznach, 3,173 ....H 2
Vallorbe, 3,990 ....B 3
Vals, 968 ....H 3
Vaz-Obervaz, 1,568 ....J 3
Vechigen, 3,153 ....E 3
Vernayaz, 1,188 ....D 4
Versoix, 3,426 ....B 4
Vevey, 17,900 ....C 4
Veyrier, 2,705 ....B 4
Villeneuve, 2,366 ....C 4
Visp, 3,658 ....E 4
Vouvry, 1,368 ....C 4
Wädenswil, 12,900 ....G 2
Wahlern, 4,723 ....D 3
Wald, 7,778 ....G 2
Waldenburg, 1,284 ....E 2
Waldkirch, 2,487 ....H 2
Wallenstadt, 3,296 ....H 2
Walzenhausen, 2,345 ....J 2
Wangen an der Aare, 1,936 ....E 2
Wängi, 1,681 ....H 1
Wartau, 3,284 ....H 2
Wattwil, 7,480 ....H 2
Weesen, 1,280 ....H 2
Weggis, 2,243 ....F 2
Weinfelden, 6,954 ....H 1
Wettingen, 18,600 ....F 2
Wetzikon, 11,500 ....G 2
Wil, 11,800 ....H 2
Wilchingen, 1,061 ....F 1
Wilderswil, 1,701 ....E 3
Wildhaus, 1,179 ....H 2
Willisau, 2,508 ....F 2
Wimmis, 1,756 ....E 3
Windisch, 5,377 ....F 1
Winterthur, 86,300 ....G 1
Wohlen, 8,636 ....F 2
Wohlen bei Bern, 2,985 ....D 3
Wolfenschiessen, 1,647 ....F 3
Wolhusen, 3,446 ....F 2
Wollerau, 2,415 ....G 2
Worb, 5,885 ....E 3
Wynigen, 2,221 ....E 2
Yverdon, 17,500 ....C 3
Yvonand, 1,290 ....C 3
Zäziwil, 1,265 ....E 3
Zell, 1,582 ....E 2
Zell, 3,347 ....G 2
Zermatt, 2,731 ....E 4
Zizers, 1,290 ....J 3
Zofingen, 1,290 ....F 2
Zollikofen, 6,237 ....E 3
Zollikon, 11,200 ....G 2
Zug, 21,100 ....G 2
Zuoz, 1,001 ....J 3
Zürich, 444,000 ....F 2
Zurzach, 2,694 ....F 1
Zweisimmen, 2,676 ....D 3

PHYSICAL FEATURES

Aa (river) ....F 3
Aare (river) ....E 3
Ägerisee (lake) ....G 2
Albristhorn (mt.) ....D 4
Aletschhorn (mt.) ....F 4
Allaine (river) ....D 2
Areuse (river) ....C 3
Aubert (mt.) ....C 3
Aul (mt.) ....H 3
Baldeggersee (lake) ....F 2
Balmhorn (mt.) ....E 4
Bärenhorn (mt.) ....H 3
Basodino (mt.) ....G 4
Bernese Oberland (region) ....E 3
Bernina (mts.) ....J 4
Bernina (pass) ....K 4
Bernina (river) ....J 4
Beverin (mt.) ....H 3
Biel (lake) ....D 2
Bietschhorn (mt.) ....E 4
Birs (river) ....D 2
Blas (mt.) ....G 3
Blindenhorn (mt.) ....F 4
Blümlisalp (mt.) ....E 3
Bodensee (Constance) (lake) ....H 1
Borgne (river) ....D 4
Breithorn (mt.) ....E 5
Breithorn (mt.) ....E 4
Brienz (lake) ....F 3
Brienzer Rothorn (mt.) ....F 3
Broye (river) ....C 3
Brulé (mt.) ....D 4
Buchegg (mts.) ....D 2
Bürkelkopf (mt.) ....K 3
Bütschelegg (mt.) ....D 3
Calancasca (river) ....H 4
Campo (mt.) ....K 4
Campo Tencia (mt.) ....G 4
Ceneri (mt.) ....G 4
Cheville (pass) ....D 4
Churfirsten (mt.) ....H 2
Claridenstock (mt.) ....G 3
Collon (mt.) ....D 5
Constance (Bodensee) (lake) ....H 1
Dammastock (mt.) ....F 3
Davos (valley) ....J 3
Dent Blanche (mt.) ....E 4
Dent d'Herens (mt.) ....E 5
Dent de Lys (mt.) ....D 4
Dent de Ruth (mt.) ....D 3
Dent du Midi (mt.) ....C 4
Diablerets (mt.) ....D 4
Doldenhorn (mt.) ....E 4
Dolent (mt.) ....C 5
Dom (mt.) ....E 4
Doubs (river) ....C 2
Drance (river) ....D 4
Dufourspitze (mt.) ....E 5
Emmental (valley) ....E 3
Err (mt.) ....J 3
Faulen (mt.) ....G 3
Finsteraarhorn (mt.) ....F 3
Finstermünz (pass) ....K 3
Fletschhorn (mt.) ....F 4
Flüela (pass) ....J 3
Fluhberg (mt.) ....G 2
Fort (mt.) ....D 4
Frienis (mt.) ....D 2
Furka (pass) ....F 3
Generoso (mt.) ....H 5
Geneva (Léman) (lake) ....C 4
Gestler (mt.) ....D 2
Giacomo (pass) ....G 4
Gibloux (mt.) ....D 3
Glâne (river) ....C 3
Glärnisch (mt.) ....H 2
Glarus Alps (mts.) ....H 3
Glatt (river) ....G 2
Goms (valley) ....F 4
Grand Combin (mt.) ....D 5
Grande Dixence (dam) ....D 4
Grauehörner (mts.) ....H 3

SWITZERLAND and LIECHTENSTEIN

CONIC PROJECTION

SCALE OF MILES
SCALE OF KILOMETRES

Capitals of Countries .... ☆
Capitals of Cantons .... ●
International Boundaries .... ---
Canals ....

Copyright by C.S. Hammond & Co., N.Y.

Great Saint Bernard (mt.)....D 5	Klausen (pass)....................G 3	Männlifluh (mt.)...............E 3	Poschiavo (river)................K 4	Sarnen (lake)......................F 3	Weisshorn (mt.)..................J 3
Greifensee (lake)................G 2	Kleine Emme (river)...........F 3	Marmontana (mt.)..............H 4	Poschiavo (valley)..............K 4	Sasseneire (mt.)..................E 4	Weissmies (mt.)..................F 4
Greina (pass)......................G 3	La Berra (mt.)....................B 4	Matterhorn (mt.)................E 5	Pragel (pass)......................G 2	Scaletta (pass)....................J 3	Wetterhorn (mt.)................F 3
Gridone (mt.)....................G 4	La Dôle (mt.)....................A 3	Mauvoisin (dam)................D 5	Quater Vals (mt.)...............J 3	Sesceplana (mt.).................J 2	Wildhorn (mt.)..................C 4
Grimsel (pass)....................F 3	Landquart (river)...............J 3	Moësa (river)....................G 3	Rafruti (mt.)......................E 3	Sesceplana (mt.).................J 3	Wildstrubel (mt.)...............D 4
Gross Emme (river)............E 2	Le Chasseron (mt.)............A 3	Molare (mt.)......................G 3	Remia (mt.)......................H 4	Schwarzhorn (mt.)..............E 4	Zellersee (lake)...................G 1
Gross Litzner (mt.).............K 3	Le Gros Gret (mt.).............B 3	Montoz (mt.)....................D 2	Reuss (river)......................F 2	Schwarzhorn (mt.)..............F 3	Zuccherro (mt.).................H 4
Gross Scheerhorn (mt.).......G 3	Le Raimeux (mt.)..............C 2	Morat (lake)......................B 3	Rhaetian Alps (mts.)..........H 3	Scopi (mt.)........................G 3	Zug (lake).........................F 2
Gross Schreckhorn (mt.)....F 3	Le Vanil Noir (mt.)............C 4	Moro (mt.)......................F 4	Rhätikon (mts.)..................J 3	Seez (river).......................H 2	Zürich (lake).....................G 2
Hallwilersee (lake)..............F 2	Léman (Geneva) (lake).....A 4	Muota (river)....................G 3	Rheinwaldhorn (mt.)..........H 3	Segnes (pass).....................H 3	
Haustock (mt.)...................H 3	Leone (mt.)......................F 4	Muretto (pass)..................J 4	Rhine (Rhein) (river).......E 1, J 2	Sempach (lake)..................F 2	
Helsenhorn (mt.)................F 4	Lepontine Alps (mts.)........G 4	Murg (river)......................G 1	Rhône (river).....................D 4	Sense (river)......................C 3	LIECHTENSTEIN
Hinterrhein (river)..............H 3	L'Harmont (mts.)...............C 3	Murtérôl (mt.)....................K 3	Riedergrat (mt.).................E 3	Septimer (pass)..................J 4	
Hochwang (mt.)................J 3	Limmat (river)...................G 2	Muttler (mt.).....................K 3	Rigi (mt.)..........................F 3	Sessenna (mt.)...................J 4	CITIES and TOWNS
Hohenstollen (mt.).............F 3	Linard (mt.)......................K 3	Muveran (mt.)...................C 4	Rimpfischhorn (mt.)............E 4	Sihlsee (lake)......................F 3	Schaan, 3,022 ....H 2
Honegg (mt.)....................E 3	Linden (mt.)......................E 2	Napf (mt.)........................E 3	Ringelspitz (mt.)................H 3	Silvretta (mt.)....................K 3	Triesen, 1,789 ....H 2
Hörnli (mt.)......................G 2	Linth (river).......................G 3	National Park....................K 3	Risoux (mt.)......................A 3	Silvrettahorn (mt.)..............K 3	Vaduz (cap.), 3,398 ....H 2
Ilfis (river).........................E 3	Lorze (river)......................F 3	Neuchâtel (lake)................B 3	Rosa (mt.)........................E 5	Simme (river)....................D 4	
Inn (river).........................K 3	Lötschberg (tunnel)..........E 4	Noirmont (mt.)..................B 4	Rosstock (mt.)..................G 3	Simplon (pass)..................F 4	PHYSICAL FEATURES
Joch (pass).......................F 3	Lower Engadine (dist.).......K 3	Oberalp (pass)..................G 3	Rothorn (mt.)....................D 4	Simplon (tunnel)...............F 4	
Jorat (mt.)........................C 3	Lucerne (Luzern) (lake).....F 3	Oberalpstock (mt.).............G 3	Rothorn d'Arosa (mt.).........J 3	Sol (mt.)...........................H 3	Naafkopf (mt.)..................J 2
Julia (mt.)........................B 3	Lugano (lake)....................G 5	Ochsen (mt.).....................C 2	Saane (river).....................C 3	Sonnenhorn (mt.)..............F 4	Ochsenkopf (mt.)..............J 2
Jungfrau (mt.)..................E 3	Madrisahorn (mt.).............J 3	Ofen (pass).......................K 3	Saint Gotthard (pass)..........G 3	Speer (mt.)......................G 2	Rhätikon (mts.)................J 2
Jura (mts.).......................B 3	Magereu (mt.)..................H 2	Ofenhorn (mt.).................F 3	Saint Gotthard (tunnel)......G 3	Spügen (pass)..................H 3	Rhine (river)....................J 2
Kaiseregg (mt.)................D 3	Maggia (river)..................F 4	Pennine Alps (mts.)...........E 5	San Bernardino (pass)........H 3	Stockhorn (mt.)................D 3	
Kesch (mt.).....................J 3	Maggiore (lake)................G 5	Pilatus (mt.).......................F 3	Sântis (mt.).......................H 2	Sulzfluh (mt.)...................J 2	
Kisten (pass)....................H 3		Plessur (river)..................J 3	Sarine (Saane) (river).........D 3	Susten (pass)....................F 3	
				Sustenhorn (mt.)...............F 3	
				Tamaro (mt.)....................G 4	
				Weisshorn (mt.)...............E 4	

Austria, Czechoslovakia and Hungary

AUSTRIA

PROVINCES

Burgenland, 271,001 D 3
Carinthia, 495,226 B 3
Lower Austria, 1,374,012 C 2
Salzburg, 347,292 B 3
Styria, 1,137,865 C 3
Tirol, 462,899 A 3
Upper Austria, 1,131,623 B 2
Vienna (city), 1,631,423 D 2
Vorarlberg, 226,323 A 3

CITIES and TOWNS

Admont, 3,057 C 3
Aigen, 1,941 B 2
Alt Aussee, 2,026 B 3
Altheim, 4,271 B 2
Althofen, 3,221 C 3
Amstetten, 12,086 C 2
Andau, 3,011 D 3
Arnoldstein, 6,229 B 3
Aspang, 2,359 D 3
Attnang-Puchheim, 7,525 B 2
Bad Aussee, 5,144 B 3
Bad Hofgastein, 4,700 B 3
Bad Ischl, 12,703 B 3
Bad Sankt Leonhard, 1,939 C 3
Baden, 22,484 D 2
Badgastein, 5,742 B 3
Berndorf, 8,992 C 3
Bischofshofen, 8,287 B 3
Bludenz, 11,127 A 3
Bramberg, 2,620 B 3
Braunau, 14,449 B 2
Bregenz, 21,428 A 3
Bruck an der Leitha, 6,791 D 2
Bruck an der Mur, 16,087 C 3
Deutsch Feistritz, 3,427 C 3
Deutsch Landsberg, 5,227 C 3
Deutsch Wagram, 4,207 D 2
Deutschkreutz, 3,901 D 3
Dornbirn, 28,075 A 3
Ebenfurth, 2,342 D 3
Ebensee, 9,602 B 3
Eferding, 3,151 B 2
Eggenburg, 3,338 C 2
Eisenerz, 12,435 C 3
Eisenstadt, 7,167 D 3
Enns, 8,919 C 2
Feldbach, 3,687 C 3
Feldkirch, 17,343 A 3
Feldkirchen in Karnten, 3,181 B 3
Ferlach, 5,672 C 3
Fieberbrunn, 3,010 B 3
Fohnsdorf, 11,571 C 3
Frankenmarkt, 2,565 B 3
Frauenkirchen, 2,812 D 3
Friesach, 3,388 C 3
Freistadt, 5,375 C 2
Frohnleiten, 4,969 C 3
Fulpmes, 2,282 A 3
Fürstenfeld, 6,415 C 3
Gaming, 4,218 C 3
Gänserndorf, 3,378 D 2
Gleisdorf, 4,385 C 3
Gloggnitz, 7,228 D 3
Gmünd, Carinthia, 2,195 B 3
Gmünd, Lower Austria, 6,552 C 2
Gmunden, 12,518 B 3
Goisern, 6,028 B 3
Golling an der Salzach, 2,845 B 3
Götzis, 7,034 A 3
Gratwein, 2,515 C 3
Graz, 237,080 C 3
Grein, 2,518 C 2
Grieskirchen, 4,137 B 2
Gross Siegharts, 2,599 C 2
Grünburg, 3,609 C 3
Güssing, 2,715 D 3
Haag, 4,671 C 2
Hainburg, 6,437 D 2
Hainfeld, 3,883 C 2
Hallein, 13,329 B 3
Hallstatt, 1,373 B 3
Hartberg, 3,629 C 3
Haslach an der Muhl, 2,565 C 2
Heidenreichstein, 3,653 C 2
Heiligenblut, 1,195 B 3
Hermagor, 2,778 B 3
Herzogenburg, 5,166 C 2
Hieflau, 2,003 C 3
Hohenau an der March, 3,907 D 2
Hohenberg, 2,093 C 3
Hohenems, 9,188 A 3
Hollabrunn, 5,832 D 2
Hopfgarten in Nordtirol, 4,163 B 3
Horn, 4,705 C 2
Hüttenberg, 2,257 C 3
Imst, 5,074 A 3
Innsbruck, 100,695 A 3
Jenbach, 5,479 A 3
Judenburg, 9,869 C 3
Kapfenberg, 23,859 C 3
Kappl, 1,970 A 3
Kaprun, 2,164 B 3
Kindberg, 5,766 C 3
Kirchdorf an der Krems, 2,964 C 3
Kitzbühel, 7,744 B 3
Klagenfurt, 69,218 C 3
Klosterneuburg, 22,787 D 2
Knittelfeld, 14,259 C 3
Köflach, 12,367 C 3
Königswiesen, 2,707 C 2
Korneuburg, 8,276 D 2
Kössen, 2,361 B 3
Kotschach-Mauthen, 2,763 B 3
Krems, 21,046 C 2
Kufstein, 11,215 B 3
Kundl, 2,508 A 3
Laa an der Thaya, 4,925 D 2
Laakirchen, 6,722 B 3
Lambach, 3,019 C 2
Landeck, 6,514 A 3
Landskron, 9,058 B 3
Längenfeld, 2,314 A 3
Langenlois, 4,655 C 2
Langenwang, 3,734 C 3
Lavamünd, 2,506 C 3
Leibnitz, 6,356 C 3
Lenzing, 5,372 B 3
Leoben, 36,257 C 3
Leonfelden, 2,546 C 2
Lienz, 11,132 B 3
Liezen, 5,444 C 3
Lilienfeld, 3,307 C 3
Linz, 195,978 C 2
Lustenau, 12,582 A 3
Mannersdorf, 3,909 D 3
Marchegg, 2,159 D 2
Mariazell, 2,191 C 3
Matrei, 3,430 B 3
Mattersburg, 4,270 D 3
Mattighofen, 3,919 B 2
Mauerkirchen, 2,175 B 2
Mautern, 2,365 C 3
Mauthausen, 3,836 C 2
Mauthen-Kotschach, 2,763 B 3
Mayrhofen, 2,523 A 3
Melk, 3,534 C 2
Mistelbach an der Zaya, 5,434 D 2
Mittersill, 3,502 B 3
Mödling, 17,274 D 2
Mondsee, 2,050 B 3
Murau, 2,755 C 3
Mürzzuschlag, 11,586 C 3
Nassereith, 1,744 A 3
Neuberg an der Mürz, 2,411 C 3
Neumarkt, Styria, 1,880 C 3
Neumarkt am Wallersee, 2,877 B 3
Neunkirchen, 10,027 C 3
Neusiedl am See, 3,826 D 3
Neustift im Stubaital, 2,195 A 3
Ober Grafendorf, 3,825 C 2
Oberndorf bei Salzburg, 3,084 B 3
Obervellach, 2,371 B 3
Oberwart, 4,740 D 3
Paternion, 5,581 B 3
Perg, 4,106 C 2
Peuerbach, 2,105 B 2
Pinkafeld, 3,826 C 3
Pöchlarn, 2,921 C 2
Pörtschach, 2,449 C 3
Poysdorf, 2,738 D 2
Pregarten, 2,818 C 2
Radenthein, 5,651 B 3
Radstadt, 3,311 B 3
Rankweil, 6,451 A 3
Rechnitz, 3,374 D 3
Reichenau an der Rax, 4,441 C 3
Retz, 2,941 D 2
Reutte, 4,285 A 3
Ried im Innkreis, 9,471 B 2
Rottenmann, 4,139 C 3
Saalfelden, 8,901 B 3
Salzburg, 108,114 B 3
Sankt Aegyd am Neuwalde, 3,206 C 3
Sankt Anton am Arlberg, 1,741 A 3
Sankt Johann, 4,713 B 3
Sankt Michael, Styria, 3,433 C 3
Sankt Michael im Lungau, 2,422 B 3
Sankt Paul, 1,808 C 3
Sankt Pölten, 40,112 C 2
Sankt Valentin, 7,750 C 2
Sankt Veit an der Glan, 10,950 C 3
Sankt Wolfgang, 2,234 B 3
Schärding, 5,710 B 2
Scheibbs, 3,231 C 2
Schladming, 3,249 B 3
Schrems, 3,080 C 2
Schruns, 3,304 A 3
Schwarzach, 3,186 B 3
Schwaz, 9,455 A 3
Schwertberg, 3,369 C 2
Sierning, 7,527 C 2
Sillian, 1,948 B 3
Solbad Hall, 10,750 A 3
Spital, 2,421 C 3
Spittal, 10,045 B 3
Steinach, 2,155 A 3
Steyr, 38,306 C 2
Stockerau, 11,853 D 2
Strassburg, 2,972 C 3
Tamsweg, 4,431 B 3
Telfs, 5,438 A 3
Ternitz, 9,032 D 3
Traiskirchen, 7,026 D 2
Traun, 16,026 C 2
Trieben, 4,023 C 3
Trofaiach, 6,909 C 3
Tulln, 6,306 D 2
Velden, 2,039 C 3
Vienna (cap.), 1,631,423 D 2
Villach, 32,971 B 3
Vöcklabruck, 9,353 B 2
Voitsberg, 6,353 C 3
Völkermarkt, 3,678 C 3
Vordernberg, 2,896 C 3
Waidhofen an der Thaya, 3,748 C 2
Waidhofen an der Ybbs, 5,586 C 3
Weitensfeld, 2,998 B 3
Weiz, 8,146 C 3
Wels, 41,060 C 2
Weyer, 2,367 C 3
Wiener-Neustadt, 33,845 D 3
Wildon, 2,020 C 3
Wilhelmsburg, 6,196 C 2
Wolfsberg, 9,470 C 3
Wörgl, 6,828 A 3
Ybbs, 5,324 C 2
Zams, 2,782 A 3
Zell am See, 6,455 B 3
Zeltweg, 7,340 C 3
Zirl, 3,165 A 3
Zistersdorf, 3,011 D 2
Zwettl, 3,836 C 2

PHYSICAL FEATURES

Allgäu Alps (mts.) A 3
Atter (lake) B 3
Brenner (pass) A 3
Carnic Alps (mts.) B 3
Constance (lake) A 3
Danube (river) C 2
Donau (Danube) (river) D 2
Drau (river) C 3
Enns (river) C 3

TOPOGRAPHY

0 50 100
MILES

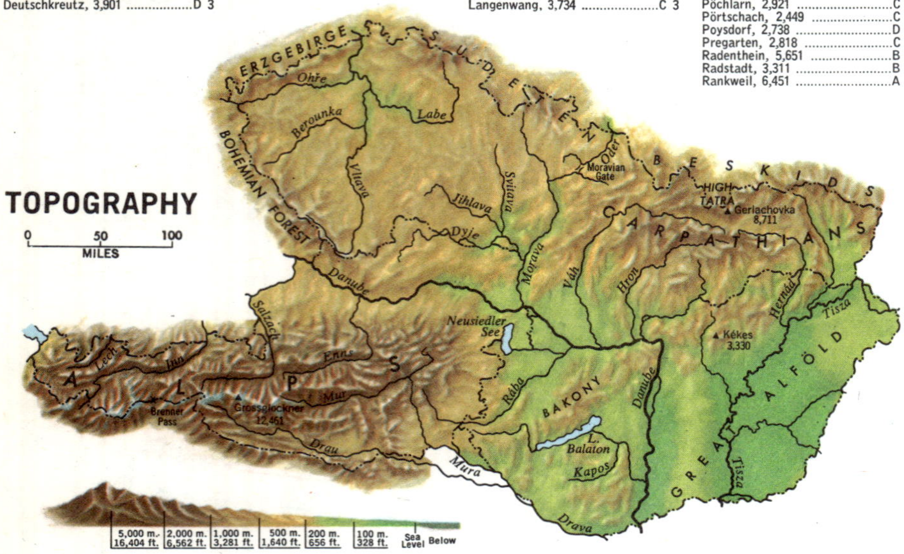

CZECHOSLOVAKIA

REGIONS

Jihoceský, 649,637 C 2
Jihomoravský, 1,900,865 D 2
Prague (city), 1,008,903 C 1
Severočeský, 1,086,392 C 1
Severomoravský, 1,631,579 C 1
Středočeský, 1,269,195 C 2
Středoslovenský, 1,301,011 E 2
Východočeský, 1,199,808 C 1
Východoslovenský, 1,112,884 F 2
Západočeský, 828,676 B 2
Západoslovenský, 1,760,151 D 2

CITIES and TOWNS

As, 10,273 B 1
Austerlitz (Slavkov), 4,869 D 2
Bánovce, 3,563 E 2
Banská Bystrica, 24,994 E 2
Banská Štiavnica, 10,381 E 2
Bardejov, 9,953 F 2
Bechyně, 2,398 C 2
Benešov, 9,082 C 2
Beroun, 15,657 B 2
Bílina, 11,455 B 1
Blansko, 10,072 D 2
Blatná, 3,596 B 2
Blovice, 2,629 B 2
Bojkovice, 2,902 D 2
Bor, 2,257 B 2
Boskovice, 6,396 D 2
Brandýs nad Labem Stará-Boleslav, 13,161 C 1
Bratislava, 252,842 D 2
Břeclav, 12,061 D 2
Březnice, 2,634 B 2
Brezno, 10,032 E 2
Brno, 319,858 D 2
Broumov, 6,370 D 1
Brtnicé, 2,176 C 2
Bruntál, 7,817 D 2
Bučovice, 3,381 D 2
Budišov, 3,677 D 2
Bystřice nad Pernštejnem, 2,653 D 2
Bystřice pod Hostýnem, 4,973 D 2
Bytča, 4,528 E 2
Čadca, 12,101 E 2
Čalovo, 4,536 D 3
Čáslav, 10,306 C 2
Česká Kamenice, 6,084 C 1
Česká Lípa, 14,263 C 1
Česká Třebová, 13,228 D 2
České Budějovice, 65,906 C 2
Český Brod, 5,754 C 1
Český Krumlov, 9,061 C 2
Český Těšín, 15,337 E 2
Cheb, 22,320 B 1
Chlumec, 4,345 C 1
Choceň, 6,789 D 1
Chodov, 5,383 B 1
Chomutov, 34,029 B 1
Chotěboř, 4,846 C 2
Chrastava, 3,618 C 1
Chrudim, 15,953 C 2
Čierny Balog, 5,978 E 2
Cukmantl, 2,362 D 1
Dačice, 2,810 C 2
Děčín, 40,176 C 1
Detva, 7,786 E 2
Dobřany, 4,905 B 2
Dobříš, 4,390 C 2
Dobruška, 4,093 D 1
Dobšiná, 3,957 F 2
Doksy, 3,061 C 1
Dolný Kubín, 4,346 E 2
Domažlice, 7,924 B 2
Dubnica nad Váhom, 11,250 E 2
Duchcov, 8,229 B 1
Dunajská Streda, 8,634 D 3
Dvory, 5,475 E 3
Dvůr Králové nad Labem, 15,100 C 1
Falknov (Sokolov), 19,400 B 1
Fil'akovo, 5,950 E 2
Františkovy Lázně, 5,212 B 1
Frýdek-Místek, 28,515 E 2
Frýdlant, 5,460 C 1
Frýdlant nad Ostravicí, 4,178 E 2
Fulnek, 2,765 D 2
Galanta, 7,373 D 2
Gelnica, 3,240 F 2
Golčův Jeníkov, 1,920 C 2
Gottwaldov, 55,563 D 2
Handlová, 14,987 E 2
Havířov, 60,523 E 2
Havlíčkův Brod, 15,386 C 2
Hlinsko, 5,189 D 2
Hlohovec, 13,137 D 2
Hlučín, 5,064 E 2
Hodonín, 18,707 D 2
Holešov, 6,599 D 2
Holič, 5,881 D 2
Holice, 5,695 D 1
Horaždovice, 3,098 B 2
Hořice, 7,133 C 1
Horní Benešov, 3,181 D 2
Horní Libina, 4,583 D 2
Hořovice, 4,697 C 2
Horšovsky Tyň, 3,475 B 2

(continued on page 42)

AUSTRIA, CZECHOSLOVAKIA and HUNGARY

	AUSTRIA	CZECHOSLOVAKIA	HUNGARY
AREA	32,369 sq. mi.	49,356 sq. mi.	35,875 sq. mi.
POPULATION	7,193,000	14,058,000	10,123,000
CAPITAL	Vienna	Prague	Budapest
LARGEST CITY	Vienna 1,631,423	Prague 1,008,903	Budapest 1,874,947
HIGHEST POINT	Grossglockner 12,461 ft.	Gerlachovka 8,711 ft.	Kékes 3,330 ft.
MONETARY UNIT	schilling	koruna (crown)	forint
MAJOR LANGUAGE	German	Czech, Slovak	Hungarian
MAJOR RELIGION	Roman Catholic	Roman Catholic	Roman Catholic, Protestant

Index (partial):
Fertő tó (Neusiedler) (lake) ..... D 3
Feuerkogel (mt.) .... B 3
Greiner (forest) .... C 2
Grossglockner (mt.) .... B 3
Hochgolling (mt.) .... B 3
Hohe Tauern (mt. range) .... B 3
Inn (river) .... B 2
Kamp (river) .... C 2
Karawanken (mts.) .... C 3
Laufnitz (river) .... D 3
March (river) .... D 2
Mühlviertel (region), 196,037 .. C 2
Mur (river) .... C 3
Mürz (river) .... C 3
Neusiedler (lake) .... D 3
Niedere Tauern (mt. range) ..... B 3
Olsa (river) .... C 3
Ötztal Alps (mts.) .... A 3
Parseierspitze (mt.) .... A 3
Raab (river) .... C 3
Rhine (river) .... A 3
Salzach (river) .... B 2
Salzkammergut (region) .... B 3
Semmering (pass) .... C 3
Thaya (river) .... C 2
Traun (lake) .... B 3
Traun (river) .... B 2
Weinsberg (mt.) .... C 2
Wildspitze (mt.) .... A 3
Zugspitze (mt.) .... A 3

Austria, Czechoslovakia and Hungary
(continued)

CZECHOSLOVAKIA (continued)

Hostinné, 4,412 C 1
Hradec Králové, 57,074 C 1
Hranice, 11,071 D 2
Hronov, 10,500 D 1
Hrušovany, 3,128 D 2
Humenné, 12,031 G 2
Humpolec, 5,083 C 2
Hurbanovo, 3,578 E 3
Hustopeče, 2,698 D 2
Il'ava, 2,043 E 2
Ivančice, 4,742 D 2
Jablonec nad Nisou, 27,806 C 1
Jablunkov, 4,467 E 2
Jáchymov, 6,806 B 1
Jaroměř, 11,922 C 1
Jelšava, 2,456 F 2
Jemnice, 3,383 C 2
Jeseník, 5,873 D 1
Jesenské, 1,567 F 2
Jevíčko, 2,881 D 2
Jičín, 12,345 C 1
Jihlava, 35,566 C 2
Jilemnice, 3,362 C 1
Jindřichův Hradec, 10,585 C 2
Jiříkov, 11,741 B 1
Kadaň, 5,062 B 1
Kamenice, 2,692 C 2
Kaplice, 1,931 C 2
Karlovy Vary, 43,091 B 1
Karviná, 54,625 E 2
Kašperské Hory, 2,814 B 2
Kdyně, 2,609 B 2
Kežmarok, 7,372 F 2
Kladno, 50,796 B 1
Klatovy, 14,268 B 2
Kojetín, 5,292 D 2
Kokava, 5,398 E 2
Kolárovo, 10,895 D 3
Kolín, 23,530 C 1
Komárno, 24,854 D 3
Košice, 88,310 F 2
Kostelec nad Černými Lesy, 3,616 C 2
Kostelec nad Orlicí, 5,539 D 1
Králíky, 3,895 D 1
Kralovice, 2,268 B 2
Kráľovský Chl'mec, 3,410 G 2
Kralupy nad Vltavou, 11,870 C 1
Kraslice, 6,294 B 1
Krásna Lípa, 5,041 C 1
Kremnica, 4,979 E 2
Krnov, 21,772 D 1
Kroměříž, 20,923 D 2
Krompachy, 3,340 F 2
Krupina, 5,418 E 2
Kutná Hora, 16,820 C 2
Kúty, 3,348 D 2
Kyjov, 5,620 D 2
Kynšperk, 5,398 B 1
Kysucké Nové Mesto, 2,318 E 2
Lanškroun, 6,558 D 2
Ledeč, 2,625 C 2
Levice, 14,190 E 2
Levoča, 7,584 F 2
Libáň, 2,261 C 1
Liberec, 66,365 C 1
Libochovice, 2,879 B 1
Lidice B 1
Lipník, 6,887 D 2
Liptovský Mikuláš, 12,455 E 2
Lišov, 2,193 C 2
Litoměřice, 17,234 C 1
Litomyšl, 6,384 D 2
Litovel, 4,496 D 2
Litvínov, 20,744 B 1
Lomnice, 2,228 C 2
Louny, 12,540 B 1
Lovosice, 4,962 C 1
L'ubica, 3,335 F 2
Lučenec, 16,349 E 2
Lysá, 6,500 C 1
Malacky, 10,067 D 2
Mariánské Lázně, 12,847 B 2
Martin, 25,201 E 2
Mělník, 13,775 C 1
Město Teplá, 2,500 B 2
Michalovce, 17,006 G 2
Mikulov, 5,220 D 2
Milevsko, 3,754 C 2
Mimoň, 5,349 C 1
Místek-Frýdek, 28,515 E 2
Mladá Boleslav, 26,171 C 1
Mladá Vožice, 1,732 C 2
Mnichovo Hradiště, 4,647 C 1
Modra, 6,239 D 2
Modřany, 10,229 C 1
Modrý Kameň, 1,836 E 2
Mohelnice, 4,949 D 2
Moldava, 2,241 F 2
Moravská Třebová, 5,844 D 2
Moravské Budějovice, 4,348 D 2
Moravský Krumlov, 2,897 D 2
Most, 51,374 B 1
Mučeníky, 5,207 D 2
Myjava, 9,935 D 2
Náchod, 17,996 D 1
Neded, 4,553 D 3
Nejdek, 5,748 B 1
Nepomuk, 1,860 B 2
Nesvady, 5,070 E 3
Netolice, 2,503 C 2
Nitra, 35,792 E 2
Nová Baňa, 5,113 E 2
Nová Bystřice, 2,418 C 2
Nové Město na Moravě, 3,250 D 2
Nové Město nad Váhom, 12,881 D 2
Nové Strašecí, 3,288 B 1
Nové Zamky, 22,642 D 3
Nový Bohumín, 11,600 E 2
Nový Bor, 5,994 C 1
Nový Bydžov, 6,120 C 1
Nový Hrozenkov, 5,302 E 2
Nový Jičín, 16,801 E 2
Nymburk, 12,580 C 1
Nýřany, 4,420 B 2
Nýrsko, 4,124 B 2
Odry, 5,340 D 2
Olomouc, 72,221 D 2
Opava, 43,622 E 2
Orlová, 21,255 E 2
Oslavany, 3,606 D 2
Ostrava, 244,899 E 2
Ostrov, 18,443 B 1
Otrokovice-Kvítkovice, 10,744 D 2
Pacov, 2,775 C 2
Pardubice, 55,331 C 1
Partizánske, 3,171 E 2
Pelhřimov, 7,548 C 2
Pezinok, 11,025 D 2
Piešťany, 19,489 D 2
Písek, 20,430 C 2
Planá, 5,216 B 2
Plánice, 1,718 B 2
Plasy, 1,472 B 2
Plzeň, 139,643 B 2
Počatky, 2,141 C 2
Podbořany, 3,893 B 1
Poděbrady, 12,062 C 1
Pohořelice, 3,068 D 2
Polička, 5,600 D 2
Polná, 4,005 C 2
Poprad, 15,069 F 2
Poruba, 21,179 E 2
Považská Bystrica, 12,106 E 2
Prachatice, 5,196 B 2
Prague (Praha) (cap.), 1,008,903 C 1
Přelouč, 4,228 C 1
Přerov, 31,431 D 2
Prešov, 36,306 F 2
Přeštice, 4,616 B 2
Příbor, 5,491 E 2
Příbram, 27,112 B 2
Přibyslav, 2,556 C 2
Prievidza, 19,778 E 2
Prostějov, 33,588 D 2
Protivín, 3,217 C 2
Púchov, 4,316 E 2
Radnice, 2,342 B 2
Rajec, 2,753 E 2
Rakovník, 12,106 B 1
Říčany, 6,376 C 2
Rimavská Sobota, 11,036 E 2
Rokycany, 12,184 B 2
Rokytnice nad Jizerou, 3,893 C 1
Rosice, 4,900 D 2
Roudnice nad Labem, 9,964 C 1
Rožňava, 10,578 F 2
Rožnov, 3,989 E 2
Rumburk, 6,759 C 1
Ružomberok, 19,063 E 2
Rychnov nad Kněžnou, 6,296 D 1
Rýmařov, 4,328 D 2
Sabinov, 3,909 F 2
Šafaríkovo, 3,180 F 2
Šahy, 4,019 E 2
Sal'a, 4,397 D 2
Sečovce, 3,354 F 2
Sedlčany, 2,083 C 2
Semily, 6,549 C 1
Senec, 6,184 D 2
Senica, 7,032 D 2
Sered, 6,208 D 2
Skalica, 5,440 D 2
Skuteč, 3,348 D 2
Slaný, 12,176 C 1
Slavkov, 4,869 D 2
Snina, 5,002 G 2
Sobešlav, 4,643 C 2
Sobotka, 2,147 C 1
Sokolov, 19,400 B 1
Spišská Belá, 3,072 F 2
Spišská Nová Ves, 18,324 F 2
Stará L'ubovňa, 1,989 F 2
Staré Mešto, 6,350 D 2
Šternberk, 11,338 D 2
Stod, 2,502 B 2
Strakonice, 14,953 B 2
Strážnice, 5,147 D 2
Stříbro, 4,659 B 2
Stropkov, 2,506 F 2
Šturovo, 4,082 E 3
Šumperk, 19,964 D 1
Šurany, 5,381 E 2
Sušice, 6,793 B 2
Svárov, 3,381 C 1
Svitavy, 13,743 D 2
Tábor, 19,885 C 2
Tachov, 5,935 B 2
Tardošked, 6,689 D 2
Telč, 4,381 C 2
Teplice, 43,997 B 1
Terchová, 4,400 E 2
Tišnov, 4,885 D 2
Tisovec, 3,988 E 2
Topol'čany, 11,107 E 2
Třebíč, 19,589 C 2
Trebišov, 9,627 F 2
Třeboň, 4,663 C 2
Trenčín, 23,119 E 2
Třešť, 4,900 C 2
Trhové Sviny, 2,953 C 2
Třinec, 23,516 E 2
Trnava, 33,011 D 2
Trstená, 2,468 E 2
Trutnov, 23,437 D 1
Turnov, 11,563 C 1
Turzovka, 9,823 E 2
Tyň, 4,135 C 2
Uherské Hradiště, 13,260 D 2
Uherský Brod, 6,457 D 2
Uhlířské Janovice, 1,979 C 2
Uničov, 3,325 D 2
Úpice, 5,498 C 1
Ústí nad Labem, 66,674 C 1
Ústí nad Orlicí, 10,978 D 1
Valašské Klobouky, 2,525 D 2
Valašské Meziříčí, 12,816 D 2
Varnsdorf, 13,607 C 1
Važec, 2,747 E 2
Vejprty, 5,476 B 1
Velká Bíteš, 1,714 D 2
Velká Bystřice, 4,459 D 2
Vel'ké Kapušany, 2,371 G 2
Velké Meziříčí, 6,217 D 2
Veselí nad Lužnicí, 4,382 C 2
Veselí nad Moravou, 4,636 D 2
Vítkov, 2,685 D 2
Vizovice, 3,583 D 2
Vlašim, 5,066 C 2
Vodňany, 5,374 C 2
Volary, 5,034 B 2
Volyně, 3,019 B 2
Votice, 2,191 C 2
Vráble, 3,148 E 2
Vracov, 4,171 D 2
Vranov, 3,964 F 2
Vrchlabí, 10,177 C 1
Vrútky, 5,927 E 2
Vsetín, 18,999 D 2
Vyškov, 12,840 D 2
Vysoké Mýto, 7,983 D 2
Vysoké Tatry, 14,445 F 2
Vyšší Brod, 1,905 C 2
Zábřeh, 5,847 D 2
Žamberk, 4,278 D 1
Žatec, 15,301 B 1
Zbiroh, 1,718 B 2
Zborov, 1,551 F 2
Žďár nad Sázavou, 10,663 C 2
Želiezovce, 3,748 E 2
Židlochovice, 2,696 D 2
Žilina, 34,269 E 2
Zlaté Moravce, 4,003 E 2
Zlín (Gottwaldov), 55,563 D 2
Žlutice, 2,114 B 1
Znojmo, 24,512 D 2
Zvolen, 20,903 E 2

PHYSICAL FEATURES

Berounka (river) C 2
Beskids, East (mts.) F 1
Beskids, West (mts.) E 2
Bohemia (region), 6,039,087 C 2
Bohemian (forest) B 2
Bohemian-Moravian Heights C 2
Dudváh (river) D 2
Dunajec (river) F 2
Dyje (river) D 2
Erzgebirge (mts.) B 1
Gerlachovka (mt.) F 2
Hornád (river) F 2
Hron (river) E 2
Ipel' (river) E 2
Jablunka (pass) E 2
Jeseníky (mts.) D 1
Jihlava (river) D 2
Krušné Hory (Erzgebirge) (mts.) B 1
Labe (river) C 1
Laborec (river) F 2
Lužnice (river) C 2
Moldau (Vltava) (river) C 2
Morava (river) D 2
Moravia (region), 3,532,444 D 2
Nitra (river) E 2
Oder (Odra) (river) D 1
Ohře (river) B 1
Orava (river) E 2
Orlice (river) D 1
Otava (river) B 2
Poprad (river) F 2
Slana (river) F 2
Slovakia (region), 4,239,588 E 2
Slovenske Rudohorie (mts.) E 2
Sudeten (mts.) C 1
Tatra, High (mts.) E 2
Uh (river) G 2
Váh (river) E 2
Vltava (river) C 2
White Carpathians (mts.) E 2

AGRICULTURE, INDUSTRY and RESOURCES

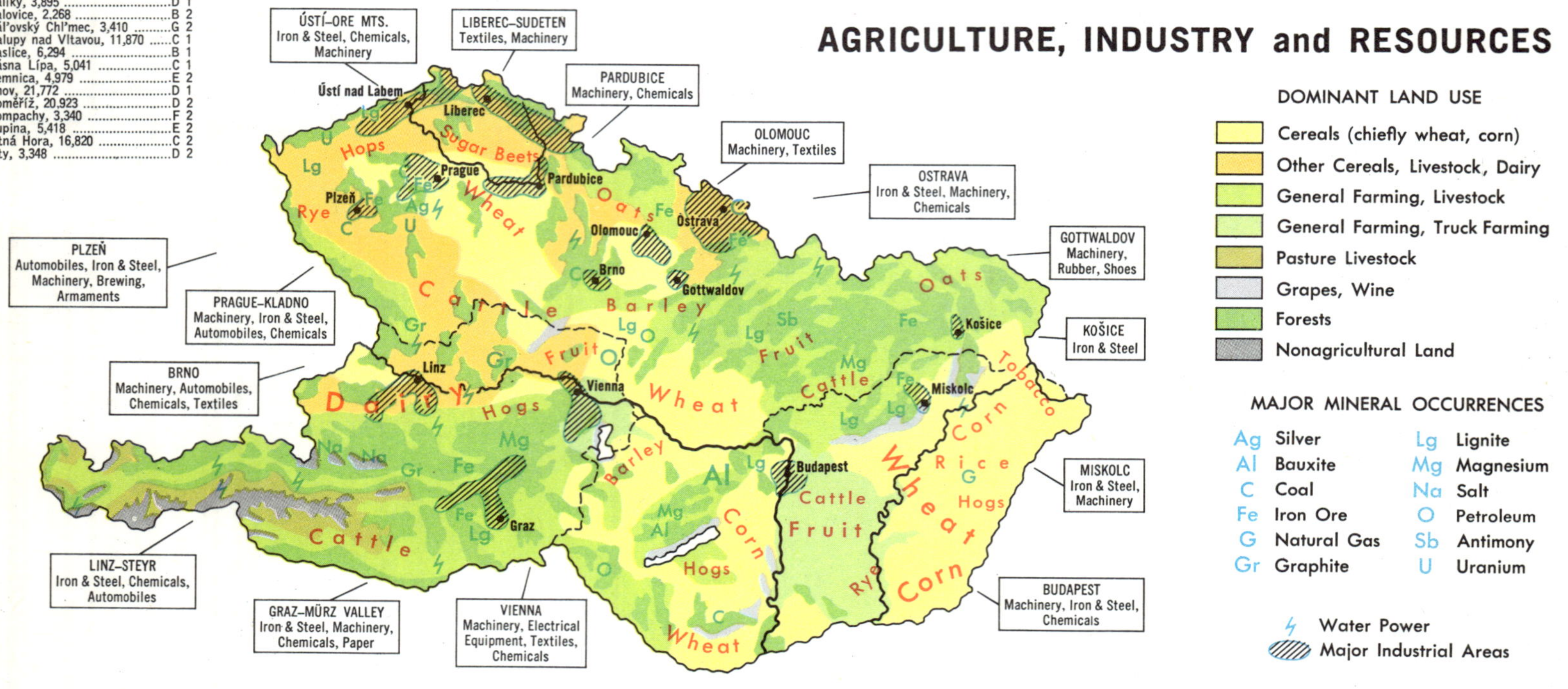

ÚSTÍ-ORE MTS.
Iron & Steel, Chemicals, Machinery
LIBEREC-SUDETEN
Textiles, Machinery
PARDUBICE
Machinery, Chemicals
OLOMOUC
Machinery, Textiles
OSTRAVA
Iron & Steel, Machinery, Chemicals
PLZEŇ
Automobiles, Iron & Steel, Machinery, Brewing, Armaments
PRAGUE-KLADNO
Machinery, Iron & Steel, Automobiles, Chemicals
GOTTWALDOV
Machinery, Rubber, Shoes
BRNO
Machinery, Automobiles, Chemicals, Textiles
KOŠICE
Iron & Steel
MISKOLC
Iron & Steel, Machinery
LINZ-STEYR
Iron & Steel, Chemicals, Automobiles
GRAZ-MÜRZ VALLEY
Iron & Steel, Machinery, Chemicals, Paper
VIENNA
Machinery, Electrical Equipment, Textiles, Chemicals
BUDAPEST
Machinery, Iron & Steel, Chemicals
Ústí nad Labem
Liberec
Prague
Pardubice
Plzeň
Olomouc
Ostrava
Brno
Gottwaldov
Košice
Linz
Vienna
Miskolc
Budapest
Graz
Hops
Sugar Beets
Wheat
Rye
Oats
Cattle
Barley
Fruit
Dairy
Hogs
Tobacco
Corn
Rice
DOMINANT LAND USE
Cereals (chiefly wheat, corn)
Other Cereals, Livestock, Dairy
General Farming, Livestock
General Farming, Truck Farming
Pasture Livestock
Grapes, Wine
Forests
Nonagricultural Land
MAJOR MINERAL OCCURRENCES
Ag Silver
Al Bauxite
C Coal
Fe Iron Ore
G Natural Gas
Gr Graphite
Lg Lignite
Mg Magnesium
Na Salt
O Petroleum
Sb Antimony
U Uranium
Water Power
Major Industrial Areas

HUNGARY

COUNTIES

Bács-Kiskun, 572,606 E 3
Baranya, 282,264 E 4
Békés, 456,810 F 3
Borsod Abaúj-Zemplén, 588,892 F 2
Budapest (city), 1,874,947 E 3
Csongrád, 327,473 F 3
Fejér, 370,813 E 3
Győr, 395,103 D 3
Hajdu-Bihar, 3,384,422 F 3
Heves, 345,532 F 3
Komárom, 283,265 E 3
Nógrád, 235,892 E 3
Pest, 809,118 E 3
Somogy, 366,375 D 3
Szabolcs-Szatmár, 568,390 G 3
Szolnok, 455,878 F 3
Tolna, 261,470 E 3
Vas, 280,615 D 3
Veszprém, 399,837 D 3
Zala, 268,393 D 3

CITIES and TOWNS

Aba, 4,369 E 3
Abádszalók, 7,257 F 3
Abaújszántó, 4,586 F 2
Abony, 16,048 F 3
Ács, 8,507 E 3
Adony, 4,211 E 3
Ajka, 16,953 D 3
Albertirsa, 11,490 E 3
Aszód, 5,361 E 3
Bácsalmás, 9,514 E 3
Baja, 31,478 E 3
Balassagyarmat, 12,410 E 2
Balatonfüred, 7,561 D 3
Balkány, 8,224 G 3
Balmazújváros, 18,645 F 3
Barcs, 7,245 D 4
Bátaszék, 7,378 E 3
Battonya, 11,019 F 3
Békés, 21,296 F 3
Békéscsaba, 51,242 F 3
Berettyóújfalu, 11,577 F 3
Berzence, 3,651 D 3
Bicske, 9,106 E 3
Biharkeresztes, 4,844 F 3
Biharnagybajom, 4,762 F 3
Böhönye, 3,809 D 3
Bonyhád, 9,354 E 3
Budafok, 39,870 E 3
Budaörs, 12,682 E 3
Budapest (cap.), 1,874,947 E 3
Cegléd, 37,898 E 3
Celldömölk, 9,762 D 3
Cigánd, 5,220 F 2
Csákvár, 5,135 E 3
Csanádpalota, 5,264 F 3
Csenger, 4,835 G 3
Csepel, 86,287 E 3
Csepreg, 4,348 D 3
Csongrád, 20,317 F 3
Csorna, 9,192 D 3
Csorvás, 7,622 F 3
Csurgó, 5,400 D 3
Debrecen, 136,719 F 3
Derecske, 9,980 F 3
Dévaványa, 12,137 F 3
Devecser, 5,741 D 3
Dombóvár, 15,605 E 3
Dombrád, 6,868 F 2
Dömsöd, 6,532 E 3
Dorog, 9,994 E 3
Dunaföldvár, 11,039 E 3
Dunaharaszti, 13,655 E 3
Dunakeszi, 15,636 E 3
Dunaújváros, 37,415 E 3
Dunavecse, 4,908 E 3
Edelény, 6,851 F 2
Eger, 40,096 F 3
Egyek, 8,678 F 3
Elek, 6,325 F 3
Emőd, 5,233 F 3
Endrőd, 9,263 F 3
Enying, 6,406 E 3
Ercsi, 7,850 E 3
Érd, 25,900 E 3
Érdőtelek, 4,634 F 3
Esztergom, 24,381 E 3
Fegyvernek, 7,835 F 3
Fehérgyarmat, 6,024 G 3
Földeák, 4,275 F 3
Füzesabony, 7,125 F 3
Füzesgyarmat, 7,807 F 3
Gödöllő, 18,673 E 3
Gönc, 3,093 F 2
Gyoma, 10,921 F 3
Gyöngyös, 29,641 E 3
Gyónk, 2,684 E 3
Győr, 73,810 D 3
Gyula, 24,688 F 3
Hajdúböszörmény, 31,668 F 3
Hajdudorog, 10,559 F 3
Hajduhadház, 13,030 F 3
Hajdunánás, 17,926 F 3
Hajdusámson, 7,784 F 3
Hajduszoboszló, 21,372 F 3
Hajós, 5,584 E 3
Hatvan, 20,312 E 3
Hercegfalva, 4,951 E 3
Heves, 11,349 F 3
Hogyesz, 3,501 E 3
Hódmezővásárhely, 53,185 F 3
Izsák, 8,609 E 3
Jánoshalma, 12,897 E 3
Jánosháza, 3,468 D 3
Jászapáti, 10,495 F 3
Jászárokszállás, 10,745 E 3
Jászberény, 30,314 E 3
Jászfényszaru, 7,542 E 3
Jászkarajenő, 4,955 E 3
Jászkisér, 7,280 F 3
Jászladány, 8,841 F 3
Kalocsa, 13,797 E 3
Kaposvár, 46,316 D 3
Kapuvár, 10,748 D 3
Karád, 3,438 D 3
Karcag, 25,466 F 3
Kazincbarcika, 19,571 F 2
Kecel, 10,193 E 3
Kecskemét, 69,349 E 3
Kemecse, 4,681 F 2
Keszthely, 15,182 D 3
Kisbér, 4,567 D 3
Kiskőrös, 12,954 E 3
Kiskundorozsma, 8,679 E 3
Kiskunfélegyháza, 32,719 E 3
Kiskunhalas, 26,841 E 3
Kiskunmajsa, 12,311 E 3
Kispest, 66,547 E 3
Kistelek, 8,925 E 3
Kisújszállás, 13,564 F 3
Kisvárda, 13,050 G 2
Komádi, 9,850 F 3
Komárom, 10,141 E 3
Komló, 26,513 E 3
Kondoros, 7,462 F 3
Körmend, 7,548 D 3
Körösladány, 7,302 F 3
Kőszeg, 10,195 D 3
Kunágota, 5,547 F 3
Kunhegyes, 10,792 F 3
Kunmadaras, 8,463 F 3
Kunszentmárton, 13,383 F 3
Kunszentmiklós, 8,198 E 3
Lajosmizse, 12,617 E 3
Lébény, 3,588 D 3
Lengyeltóti, 3,392 D 3
Letenye, 4,507 D 3
Lökösháza, 2,511 F 3
Lőrinci, 11,142 E 3
Madaras, 5,177 E 3
Makó, 24,418 F 3
Mándok, 4,828 G 2
Marcali, 7,877 D 3
Mátészalka, 11,496 G 3
Mélykút, 8,168 E 3
Mezőberény, 12,830 F 3
Mezőcsát, 6,583 F 3
Mezőhegyes, 9,137 F 3
Mezőkövesd, 18,160 F 3
Mezőszilas, 3,434 E 3
Mezőtúr, 23,206 F 3
Mindszent, 9,179 F 3
Miskolc, 155,214 F 2
Mohács, 18,208 E 4
Monor, 15,360 E 3
Mór, 11,622 E 3
Mosonmagyaróvár, 22,288 D 3
Nádudvar, 10,006 F 3
Nagyatád, 8,791 D 3
Nagybajom, 4,972 D 3
Nagyecsed, 8,348 G 3
Nagyhalász, 6,650 F 2
Nagykálló, 11,329 F 3
Nagykanizsa, 34,662 D 3
Nagykáta, 11,924 E 3
Nagykőrös, 25,272 E 3
Nagyléta, 6,902 G 3
Nagyszénás, 7,439 F 3
Nyírábrány, 4,517 G 3
Nyíradony, 7,325 G 3
Nyírbátor, 10,167 G 3
Nyíregyháza, 58,711 F 3
Nyírmada, 4,826 F 2
Orosháza, 31,811 F 3
Oroszlány, 16,639 E 3
Ózd, 37,454 F 2
Paks, 11,919 E 3
Pannonhalma, 3,529 D 3
Pápa, 26,116 D 3
Pásztó, 8,091 E 3
Pécs, 125,411 E 3
Pécsvárad, 3,199 E 3
Pétervására, 2,727 F 2
Pilis, 8,458 E 3
Pilisvörösvár, 9,627 E 3
Polgár, 9,353 F 3
Püspökladány, 15,488 F 3
Putnok, 6,440 F 2
Ráckeve, 7,456 E 3
Rakamaz, 5,381 F 2
Rákospalota, 63,344 E 3
Sajószentpéter, 12,846 F 2
Salgótarján, 33,130 E 2
Sándorfalva, 5,815 F 3
Sárbogárd, 6,853 E 3
Sarkad, 12,169 F 3
Sárospatak, 12,799 F 2
Sárvár, 11,247 D 3
Sátoraljaújhely, 16,393 F 2
Siklós, 5,897 E 4
Siófok, 10,322 E 3
Solt, 7,199 E 3
Soltvadkert, 8,244 E 3
Sopron, 43,081 D 3
Sümeg, 5,925 D 3
Szabadszállás, 8,799 E 3
Szarvas, 18,592 F 3
Szécsény, 4,410 E 2
Szeged, 104,506 F 3
Szeghalom, 10,093 F 3
Szegvár, 6,970 F 3
Székesfehérvár, 59,552 E 3
Szekszárd, 20,502 E 3
Szendrő, 3,773 F 2
Szentendre, 10,880 E 3
Szentes, 31,022 F 3
Szentgotthárd, 5,421 D 3
Szerencs, 7,789 F 2
Szigetvár, 7,394 D 3
Szikszó, 6,110 F 2
Szolnok, 49,565 F 3
Szombathely, 56,566 D 3
Tab, 4,265 D 3
Tamási, 7,689 E 3
Tápiószele, 5,632 E 3
Tapolca, 8,579 D 3
Tarpa, 3,966 G 2
Tata, 17,832 E 3
Tatabánya, 56,024 E 3
Tét, 4,861 D 3
Tiszacsege, 7,002 F 3
Tiszaföldvár, 12,377 F 3
Tiszafüred, 11,214 F 3
Tiszakécske, 12,834 F 3
Tiszalök, 6,125 F 2
Tiszavasvári, 12,201 F 3
Tokaj, 5,031 F 2
Tolna, 8,741 E 3
Törökszentmiklós, 23,556 F 3
Tótkomlós, 9,368 F 3
Tura, 8,169 E 3
Túrkeve, 12,146 F 3
Újfehértó, 14,386 F 3
Újpest, 79,961 E 3
Vác, 27,846 E 3
Várpalota, 23,691 E 3
Vasvár, 4,293 D 3
Vecsés, 16,411 E 3
Veszprém, 27,997 D 3
Vésztő, 10,463 F 3
Villány, 2,769 E 4
Zahony, 2,117 G 2
Zalaegerszeg, 25,555 D 3
Zalaszentgrót, 4,470 D 3
Zirc, 5,427 D 3

PHYSICAL FEATURES

Bakony (mts.) D 3
Balaton (lake) D 3
Berettyó (river) F 3
Börsöny (mts.) E 3
Csepelsziget (isl.) E 3
Danube (river) E 3
Dráva (river) D 3
Duna (Danube) (river) E 3
Fertő Tó (Neusiedler) (lake) D 3
Hernád (river) F 2
Ipoly (river) E 2
Kapos (river) D 3
Kékes (mt.) E 3
Kőrishegy (mt.) D 3
Körös (river) F 3
Maros (river) F 3
Matra (mts.) E 3
Mecsek (mts.) D 3
Nagy Alföld (plain) F 3
Neusiedler (lake) D 3
Rába (river) D 3
Sajo (river) F 2
Sebes Körös (river) F 3
Sió (canal) E 3
Szentendreisziget (isl.) E 3
Tarna (river) E 3
Tisza (river) F 3
Zala (river) D 3

BALKAN STATES

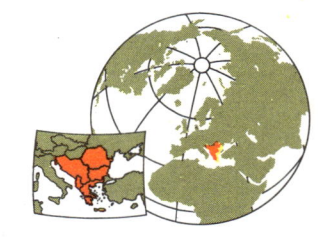

YUGOSLAVIA
AREA	99,079 sq. mi.
POPULATION	19,503,000
CAPITAL	Belgrade
LARGEST CITY	Belgrade 653,000
HIGHEST POINT	Triglav 9,393 ft.
MONETARY UNIT	Yugoslav dinar
MAJOR LANGUAGES	Serbian-Croatian, Slovenian, Macedonian
MAJOR RELIGIONS	Eastern Orthodox, Roman Catholic

ALBANIA
	11,096 sq. mi.
	1,867,000
	Tiranë
	Tiranë 152,500
	Korab 9,068 ft.
	lek
	Albanian
	Mohammedan, Eastern Orthodox, Roman Catholic

RUMANIA
	91,671 sq. mi.
	19,092,000
	Bucharest
	Bucharest (greater) 1,366,794
	Moldoveanul 8,343 ft.
	leu
	Rumanian
	Rumanian Orthodox

BULGARIA
AREA	42,796 sq. mi.
POPULATION	8,211,000
CAPITAL	Sofia
LARGEST CITY	Sofia (greater) 724,600
HIGHEST POINT	Musala 9,596 ft.
MONETARY UNIT	lev
MAJOR LANGUAGE	Bulgarian
MAJOR RELIGION	Eastern Orthodox

GREECE
	51,182 sq. mi.
	8,550,000
	Athens
	Athens (greater) 1,852,709
	Olympus 9,550 ft.
	drachma
	Greek
	Greek Orthodox

ALBANIA — **YUGOSLAVIA** — **BULGARIA** — **RUMANIA** — **GREECE**

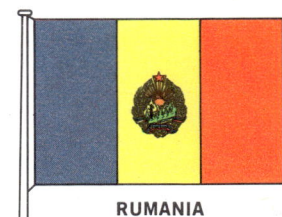

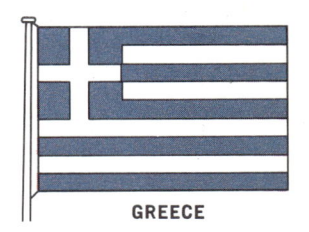

DOMINANT LAND USE
- Cereals (chiefly wheat, corn)
- Mixed Farming, Horticulture
- Pasture Livestock
- Tobacco, Cotton
- Grapes, Wine
- Forests
- Nonagricultural Land

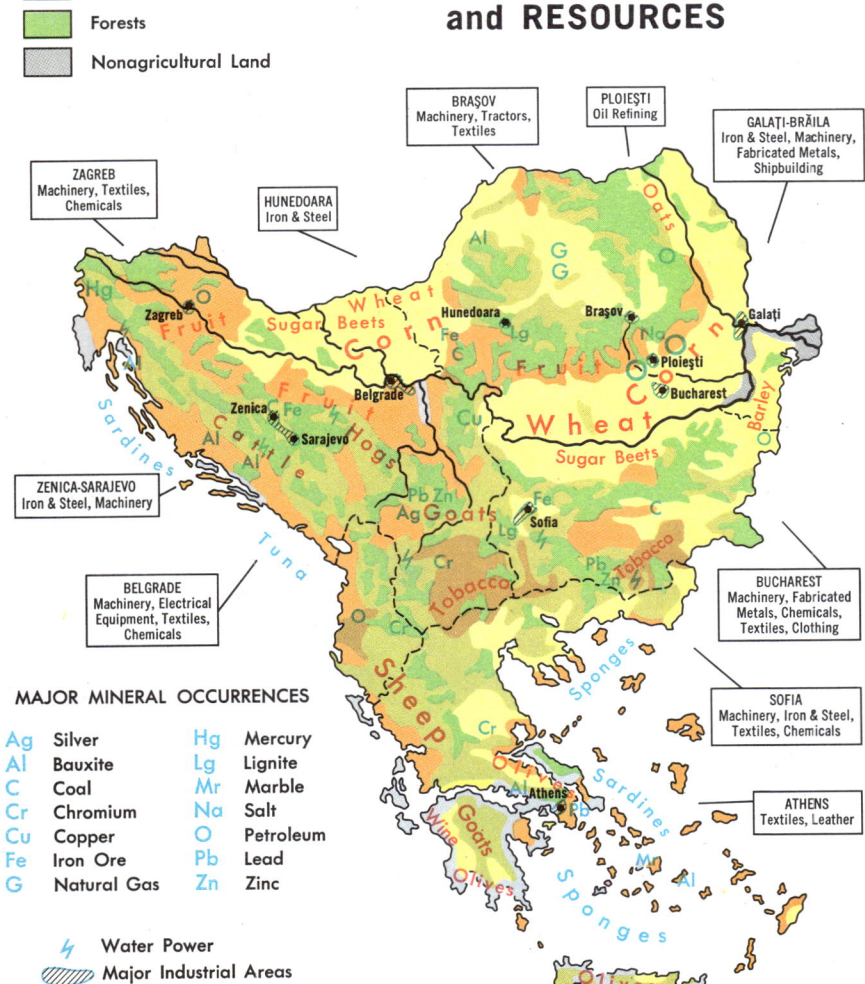

AGRICULTURE, INDUSTRY and RESOURCES

ZAGREB — Machinery, Textiles, Chemicals
HUNEDOARA — Iron & Steel
BRAȘOV — Machinery, Tractors, Textiles
PLOIEȘTI — Oil Refining
GALAȚI-BRĂILA — Iron & Steel, Machinery, Fabricated Metals, Shipbuilding
ZENICA-SARAJEVO — Iron & Steel, Machinery
BELGRADE — Machinery, Electrical Equipment, Textiles, Chemicals
BUCHAREST — Machinery, Fabricated Metals, Chemicals, Textiles, Clothing
SOFIA — Machinery, Iron & Steel, Textiles, Chemicals
ATHENS — Textiles, Leather

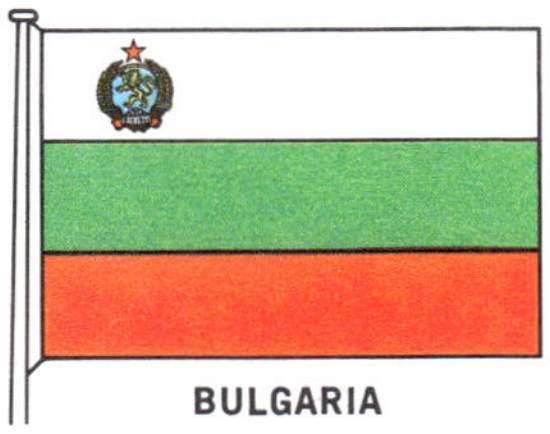

MAJOR MINERAL OCCURRENCES
Ag	Silver	Hg	Mercury
Al	Bauxite	Lg	Lignite
C	Coal	Mr	Marble
Cr	Chromium	Na	Salt
Cu	Copper	O	Petroleum
Fe	Iron Ore	Pb	Lead
G	Natural Gas	Zn	Zinc

⚡ Water Power
▨ Major Industrial Areas

ALBANIA
CITIES and TOWNS
Berat, 21,000 .... D 5
Bicaj .... E 5
Delvinë, 5,525 .... D 6
Durrës, 45,935 .... D 5
Elbasan, 34,100 .... E 5
Fier, 17,050 .... D 5
Frashër .... E 5
Gjinokastër, 14,400 ..... D 5
Himarë .... D 5
Kavajë, 17,225 .... D 5
Klos .... E 5
Konispol .... E 6
Korcë, 42,550 .... E 5
Kruë, 6,575 .... D 5
Kucovë (Stalin), 11,700 .. D 5
Kukës, 3,425 .... D 4
Leskovik, 1,625 .... E 5
Lezh, 2,800 .... D 5
Lushnje, 15,050 .... D 5
Peqin, 3,700 .... D 5
Peshkopi, 4,975 .... E 5
Pogradec, 8,585 .... E 5
Pukë, 1,535 .... D 4
Sarandë, 7,375 .... E 6
Shëngjin, 900 .... D 5
Shijak, 4,850 .... D 5
Shkodër, 45,925 .... D 4
Stalin, 11,700 .... D 5
Tepelenë, 2,340 .... D 5
Tiranë (Tirana) (cap.), 152,500 .. E 5
Tropojë .... D 4
Vlonë, 45,350 .... D 5

PHYSICAL FEATURES
Drin (riv.) .... E 4
Korab (mt.) .... E 5
Ohrid (lake) .... E 5
Otranto (str.) .... D 5
Prespa (lake) .... E 5
Saseno (isl.) .... D 5
Scutari (lake) .... D 4
Tomor (mt.) .... E 5
Vijosë (riv.) .... D 5

BULGARIA
CITIES and TOWNS
Akhtopol, 1,049 .... H 4
Alfatar, 4,049 .... H 4
Ardino, 2,556 .... G 5
Asenovgrad, 25,319 ...... G 4
Aytos, 14,003 .... H 4
Balchik, 7,990 .... H 4
Bansko, 6,842 .... F 5
Belogradchik, 3,452 ...... F 4
Berkovitsa, 9,059 .... F 4
Blagoevgrad, 21,936 ..... F 5
Botevgrad, 8,683 .... F 4
Bregovo, 4,992 .... F 3
Breznik, 3,486 .... F 4
Burgas, 72,795 .... H 4
Byala, 7,884 .... G 4
Byala Slatina, 13,502 .... F 4
Chirpan, 15,501 .... G 4
Devin, 3,602 .... G 5
Dimitrovgrad, 34,389 ..... G 4
Dobrich (Tolbukhin), 42,815 .. H 4
Dryanovo, 5,400 .... G 4
Elena, 4,092 .... G 4
Elkhovo, 10,339 .... H 4
Gabrovo, 38,032 .... G 4
General Toshevo, 5,982 .. H 4
Godech, 2,933 .... F 4
Gorna Dzhumaya (Blagoevgrad), 21,936 .... F 5
Gorna Oryakhovitsa, 18,907 .. G 4
Gotse Delchev, 12,526 .. F 5
Grudevo, 7,733 .... F 4
Ikhtiman, 9,123 .... F 4
Isperikh, 6,788 .... H 4
Ivaylovgrad, 2,918 .... G 5
Kara-pelit, 2,033 .... H 4
Kavarna, 7,112 .... J 4
Kazanlŭk, 31,133 .... G 4
Kharmanli, 12,577 .... G 4
Khaskovo, 39,006 .... G 5
Kolarovgrad, 41,670 ...... H 4
Kotel, 5,881 .... H 4
Krumovgrad, 2,232 .... G 5
Kubrat, 6,559 .... H 4
Kula, 6,467 .... F 4
Kŭrdzhali, 21,018 .... G 5
Kyustendil, 24,876 .... F 4
Levskigrad, 12,679 .... G 4
Lom, 23,015 .... F 4
Lovech, 17,963 .... G 4
Lukovit, 8,812 .... G 4
Malko Tŭrnovo, 3,746 ... H 4
Maritsa, 7,167 .... H 4
Michurin, 2,794 .... H 4
Mikhaylovgrad, 13,434 .. F 4
Momchilgrad, 4,307 ...... G 5
Nesebŭr, 2,340 .... H 4
Nikopol, 5,788 .... G 4
Nova Zagora, 14,913 ..... H 4
Novi Pazar, 9,149 .... H 4
Novoseltsi, 4,060 .... H 4
Omortag, 6,145 .... H 4
Oryakhovo, 8,136 .... F 4
Panagyurishte, 14,038 ... F 4
Pazardzhik, 39,520 .... F 4
Pernik, 59,721 .... F 4
Peshtera, 13,921 .... F 4
Petrich, 16,462 .... F 5
Pirdop, 5,570 .... G 4
Pleven, 57,758 .... G 4
Plovdiv, 198,200 .... G 4
Polyanovgrad, 14,551 ... H 4
Pomorie, 6,020 .... H 4
Popina, 2,713 .... H 3
Popovo, 10,650 .... H 4
Provadiya, 12,426 .... H 4
Radomir, 6,709 .... F 4
Razgrad, 18,416 .... H 4
Razlog, 8,652 .... F 5
Rositsa, 1,514 .... H 4
Ruse, 117,500 .... G 4
Samokov, 16,919 .... F 4
Sandanski, 10,554 .... F 5
Sevlievo, 14,420 .... G 4
Shabla, 3,739 .... J 4
Shumen (Kolarovgrad), 41,670 .. H 4
Silistra, 20,491 .... H 3
Simeonovgrad (Maritsa), 7,167 .. H 4
Sliven, 46,383 .... H 4
Smedovo, 5,941 .... H 4
Smolyan, 5,095 .... G 5
Sofia (cap.), 591,685 ..... F 4
Sofia, *724,600 .... F 4
Sozopol, 3,265 .... H 4
Stanke Dimitrov, 25,137 .. F 4
Stara Zagora, 55,322 .... G 4
Sveti Vrach (Sandanski), 10,554 .... F 5
Svilengrad, 11,001 .... G 5
Svishtov, 18,537 .... G 4
Teteven, 7,799 .... G 4
Tolbukhin, 42,815 .... H 4
Topolovgrad, 6,970 .... H 4
Troyan, 9,973 .... G 4
Trŭn, 2,923 .... F 4
Tŭrgovishte, 14,241 ...... H 4
Tŭrnovo, 24,751 .... G 4
Tutrakan, 9,577 .... H 3
Varna, 161,800 .... J 4
Vidin, 23,984 .... F 4
Vratsa, 26,592 .... F 4
Yambol, 42,038 .... H 4
Zimnitsa, 2,315 .... H 4
Zlatograd, 4,522 .... G 5

PHYSICAL FEATURES
Balkan (mts.) .... G 4
Black (sea) .... J 4
Bogdan (mt.) .... G 4
Danube (Dunav) (riv.) ... H 4
Emine (cape) .... J 4
Iskŭr (riv.) .... F 4
Kaliakra (cape) .... J 4
Lom (riv.) .... F 4
Maritsa (riv.) .... G 4
Mesta (riv.) .... F 5
Midzhur (mt.) .... F 4
Musala (mt.) .... F 4
Osŭm (riv.) .... G 4
Perelik (mt.) .... G 5
Rhodope (mts.) .... G 5
Ruyen (mt.) .... F 4
Struma (riv.) .... F 5
Timok (riv.) .... F 3
Tundzha (riv.) .... G 4
Vit (riv.) .... G 4

GREECE
REGIONS
Aegean Islands, 477,476 .. G 6
Áyion Óros, 2,687 .... G 5
Central Greece and Euboea, 2,823,658 .... F 6
Crete, 483,258 .... G 8
Epirus, 352,604 .... E 6
Ionian Islands, 212,573 .. D 6
Macedonia, 1,890,654 ... F 5
Pelopónnisos, 1,096,390 .. F 7
Thessalía, 695,385 .... F 6
Thrace, 356,555 .... G 5

CITIES and TOWNS
Agrínion, 24,763 .... E 6
Aíyina, 4,989 .... F 7
Aíyion, 17,762 .... F 6
Alexandroúpolis, 18,712 .. H 5
Alivérion, 3,523 .... G 6
Almirós, 6,010 .... F 6
Amaliás, 15,468 .... E 7
Amfilokhía, 5,408 .... F 6
Amfissa, 6,076 .... F 6
Andissa, 2,530 .... H 6
Andravidha, 3,155 .... E 6
Ándros, 2,032 .... G 7
Áno Viánnos, 1,820 .... G 8
Anóyia, 2,461 .... G 8
Ardhéa, 3,222 .... F 5
Areópolis, 834 .... F 7
Argalastí, 1,864 .... F 6
Árgos, 16,712 .... F 7
Argostólion, 7,322 .... E 6
Arkhángelos, 2,918 ...... J 7
Arnaía, 2,612 .... G 5
Árta, 16,899 .... E 6
Astipálaia, 1,205 .... H 7
Atalándi, 4,552 .... F 6
Athens (cap.), 627,564 .. F 7
Athens, *1,852,709 .... F 7
Ayiá, 3,067 .... F 6
Áyios Kírikos, 998 .... H 7
Áyios Matthaíos, 1,892 .. D 6
Áyios Nikólaos, 3,709 .. G 8
Candia (Iráklion), 63,458 .. G 8
Canea (Khaniá), 38,467 .. F 8
Chalcis (Khalkís), 24,745 .. F 6
Corinth, 15,892 .... F 7
Delvinákion, 1,076 .... E 6
Dhidhimótikhon, 7,287 .. H 5
Dhíkaia, 1,181 .... H 5
Dhimitsána, 1,300 .... F 7
Dhomokós, 2,017 .... F 6
Dráma, 32,195 .... G 5
Édhessa, 15,534 .... F 5
Elassón, 6,501 .... F 6
Elevtheroúpolis, 5,448 .. G 5
Ermoúpolis, 14,402 ...... G 7
Fársala, 6,356 .... F 6
Filiátes, 3,065 .... E 6
Filiatrá, 6,753 .... E 7
Flórina, 11,933 .... E 5
Gargaliánoi, 6,637 .... E 7
Grevená, 6,892 .... F 5
Ídhra, 2,546 .... F 7
Ierápetra, 6,488 .... G 8
Igoumenítsa, 3,235 ...... E 6
Ioánnina, 34,997 .... E 6
Iráklion, 63,458 .... G 8
Istiaía, 3,882 .... F 6
Itháki, 2,632 .... E 6
Kalámai, 38,211 .... F 7
Kalampáka, 4,640 .... F 6
Kalávrita, 2,039 .... F 6
Kálimnos, 10,211 .... H 7
Kándanos, 337 .... F 8
Kardhítsa, 23,708 .... F 6
Kariá, 1,739 .... E 6
Karíai, 429 .... G 5
Kárístos, 3,335 .... G 6
Karpenísion, 3,523 .... F 6
Kastéllion, 2,071 .... F 8
Kastéllion, 1,351 .... G 8
Kastoría, 10,162 .... E 5
Katákolon, 873 .... E 7
Kateríni, 28,046 .... F 5

(continued on following page)

Balkan States
(continued)

GREECE (continued)

Kaválla, 44,517 ... G 5
Kéa, 1,788 ... G 7
Kérkira, 26,991 ... D 6
Khalkís, 24,745 ... D 6
Khaniá, 38,467 ... G 8
Khíos, 24,053 ... G 6
Khóra Sfakíon, 294 ... G 8
Kiáton, 6,069 ... F 6
Kilkís, 10,963 ... F 5
Kími, 3,252 ... F 6
Kiparissía, 4,602 ... E 7
Kíthira, 469 ... F 7
Komotiní, 28,355 ... G 5
Kónitsa, 3,485 ... E 5
Koropí, 7,862 ... G 7
Kos, 8,138 ... H 7
Kozáni, 21,537 ... F 5
Kranídhion, 3,942 ... F 7
Lamía, 21,509 ... F 6
Langadhás, 6,739 ... F 5
Lárisa, 55,391 ... F 6
Lávrion, 6,553 ... G 7
Leonídhion, 3,297 ... F 7
Levádhia, 12,609 ... F 6
Levkás, 6,552 ... E 6
Limenária, 1,999 ... G 5
Limín Vathéos, 5,469 ... H 7
Límni, 2,394 ... F 6
Líndos, 643 ... J 7
Litókhoron, 5,032 ... F 5
Lixoúrion, 3,977 ... E 6
Loutrá Aidhipsoú, 1,859 ... F 6
Marathón, 2,167 ... G 6
Margarítion, 982 ... E 6
Megalópolis, 2,235 ... E 7
Mégara, 15,450 ... F 6
Meligalá, 1,960 ... F 7
Mesolóngion, 11,266 ... E 6
Messíni, 8,249 ... E 7
Métsovon, 2,976 ... E 6
Mikínai, 361 ... F 7
Mílos, 944 ... G 7
Mírina, 3,460 ... G 6
Missolonghi (Mesolóngion), 11,266 ... E 6
Míthimna, 1,828 ... G 6
Mitilíni, 25,758 ... H 6
Moláoi, 2,526 ... F 7
Monólithos, 496 ... H 7
Moúdhros, 1,236 ... G 6
Náousa, 15,492 ... F 6
Návpaktos, 7,080 ... F 6
Návplion, 8,918 ... F 7
Náxos, 2,458 ... G 7
Néa Filippiás, 3,001 ... E 6
Neápolis, 2,464 ... F 7
Neméa, 4,720 ... F 7
Néon Karlóvasi, 5,308 ... H 7
Nestórion, 702 ... E 5
Nigríta, 9,979 ... F 5
Oinói, 235 ... F 6
Olimbía, 771 ... E 7
Orestiás, 10,281 ... H 5
Paramithiá, 2,827 ... E 6
Pátrai, 95,364 ... E 6
Péta, 2,522 ... E 6
Pigádhia, 1,281 ... H 8
Pílos, 2,434 ... E 7
Piraiévs (Piraeus), 183,877 ... F 7
Pírgos, 20,558 ... E 7
Pírgos, 896 ... G 8
Piryí, 1,914 ... G 6
Píthion, 1,535 ... H 5
Plomárion, 5,172 ... H 6
Políkastron, 3,821 ... F 5
Políkhnitos, 5,131 ... G 6
Políyiros, 3,541 ... F 5
Póros, 4,392 ... F 7
Préveza, 11,172 ... E 6
Psakhná, 4,433 ... F 6
Psári, 881 ... E 7
Ptolemaïs, 12,747 ... E 5
Rethímnon, 14,999 ... G 8
Ródhos (Rhodes), 27,393 ... J 7
Salamís, 11,161 ... F 6
Salonika (Thessaloníki), 250,920 ... F 5
Sámi, 1,065 ... E 6
Samothráki, 1,555 ... G 5
Sápai, 2,589 ... G 5
Sérrai, 40,063 ... F 5
Sérvia, 4,132 ... F 5
Siátista, 4,737 ... E 5
Sidhirókastron, 8,177 ... F 5
Sími, 2,982 ... H 7
Sitía, 5,327 ... H 8
Skíros, 2,411 ... G 6
Skópelos, 2,955 ... F 6
Souflíon, 6,693 ... H 5
Sparta, 10,412 ... F 7
Spétsai, 3,314 ... F 7
Spíli, 723 ... G 8
Stavrós, 1,584 ... F 5
Stilís, 4,673 ... F 6
Thásos, 1,875 ... G 5
Thebes (Thívai), 15,779 ... F 6
Thessaloníki, 250,920 ... F 5
Thíra, 1,481 ... G 7
Thívai, 15,779 ... F 6
Timbákion, 2,816 ... G 8
Tínos, 2,888 ... G 7
Tírnavos, 10,805 ... F 6
Tríkkala, 27,876 ... E 6
Trípolis, 18,500 ... F 7
Vámos, 724 ... F 8
Vartholomión, 3,244 ... E 7
Vathí, 3,161 ... H 7
Velvendós, 4,158 ... F 5
Vérroia, 25,765 ... F 5
Vólos, 49,221 ... F 6
Vólos, *67,424 ... F 6
Vónitsa, 2,996 ... E 6
Vrondádhes, 4,685 ... G 6
Xánthi, 26,377 ... G 5
Yerolimín, 111 ... F 7
Yiannitsá, 19,693 ... F 5
Yíthion, 4,992 ... F 7
Zákinthos, 9,506 ... E 7

PHYSICAL FEATURES

Aegean (sea) ... G 6
Akrítas (cape) ... E 7
Aktí (pen.) ... G 5
Amorgós (isl.), 2,396 ... G 7
Anáfi (isl.), 471 ... G 7
Andikíthira (isl.), 178 ... F 8
Ándros (isl.), 12,928 ... G 7
Arda (riv.) ... G 5
Argolís (gulf) ... F 7
Astipálaia (isl.), 1,539 ... H 7
Áthos (mt.) ... G 5
Áyios Evstrátios (isl.), 1,061 ... G 6
Áyios Yeóryios (cape) ... G 5
Cephalonia (Kefallinía) (isl.), 39,793 ... E 6
Chios (Khíos) (isl.), 60,061 ... G 6
Corfu (Kérkira) (isl.), 99,092 ... D 6
Corinth (gulf) ... F 6
Crete (isl.), 483,075 ... G 8
Crete (sea) ... G 7
Cyclades (isls.), 99,959 ... G 7
Dhrépanon (cape) ... G 6
Día (isl.) ... G 8
Dodecanese (isls.), 123,021 ... H 8
Euboea (isl.), 163,215 ... G 6
Évros (riv.) ... H 5
Gávdhos (isl.), 172 ... F 8
Ídhi (mt.) ... G 8
Ikaría (isl.), 9,577 ... G 7
Ionian (sea) ... D 7
Íos (isl.), 1,343 ... G 7
Itháki (Ithaca) (isl.), 5,210 ... E 6
Kafirévs (cape) ... G 6
Kálimnos (isl.), 10,211 ... H 7
Kárpathos (isl.), 6,689 ... H 8
Kásos (isl.), 1,422 ... H 8
Kasándra (pen.) ... F 6
Kéa (isl.), 2,361 ... G 7
Kefallinía (isl.), 39,793 ... E 6
Kérkira (isl.), 99,092 ... D 6
Khálki (isl.), 501 ... H 7
Khaniá (gulf) ... G 8
Khíos (isl.), 60,061 ... G 6
Kiparissía (gulf) ... E 7
Kíthira (isl.), 5,340 ... F 7
Kíthnos (isl.), 2,064 ... G 7
Kos (isl.), 18,187 ... H 7
Kriós (cape) ... F 8
Lakonía (gulf) ... F 7
Léros (isl.), 6,611 ... H 7
Lésvos (isl.), 117,371 ... G 6
Levítha (isl.), 7 ... H 7
Levkás (isl.), 2,697 ... E 6
Límnos (isl.), 21,808 ... G 6
Maléa (cape) ... F 7
Matapan (Taínaron) (cape) ... F 7
Merabéllou (gulf) ... H 8
Mesará (gulf) ... G 8
Messíni (gulf) ... E 7
Míkonos (isl.), 3,633 ... G 7
Mílos (isl.), 4,910 ... G 7
Mirtóön (sea) ... F 7
Náxos (isl.), 16,703 ... G 7
Néstos (riv.) ... G 5
Nísiros (isl.), 1,788 ... H 7
Northern Sporades (isls.), 9,810 ... F 6
Olympus (mt.) ... F 5
Óssa (mt.) ... F 6
Parnassus (mt.) ... F 6
Páros (isl.), 7,830 ... G 7
Pátmos (isl.), 2,564 ... H 7
Paxoí (isl.), 2,678 ... D 6
Pindus (mts.) ... E 6
Piniós (riv.) ... E 6
Prespa (lake) ... G 6
Psará (isl.), 576 ... G 6
Rhodes (isl.), 63,951 ... H 7
Rhodope (mts.) ... G 5
Salonika (Thermaic) (gulf) ... F 6
Sámos (isl.), 41,124 ... H 7
Samothráki (isl.), 3,830 ... G 5
Saría (isl.), 18 ... H 8
Saronic (gulf) ... F 7
Sérifos (isl.), 1,878 ... G 7
Sídheros (cape) ... H 8
Sífnos (isl.), 2,258 ... G 7
Sími (isl.), 3,123 ... H 7
Síros (isl.), 19,570 ... G 7
Sithoniá (pen.) ... F 5
Skíros (isl.), 2,882 ... G 6
Smólikas (mt.) ... E 5
Spátha (cape) ... F 8
Strimón (gulf) ... G 5
Strofádhes (isls.), 10 ... E 7
Taínaron (cape) ... F 7
Taïyetos (mt.) ... F 7
Thásos (isl.), 15,916 ... G 5
Thermaic (gulf) ... F 6
Thíra (isl.), 7,751 ... G 7
Tílos (isl.), 789 ... H 7
Tínos (isl.), 9,273 ... G 7
Toronaic (gulf) ... F 5
Vardar (riv.) ... E 5
Voïviïs (lake) ... F 6
Vólvi (lake) ... F 5
Voúxa (cape) ... F 8
Zákinthos (Zante) (isl.), 35,499 ... E 7

RUMANIA

REGIONS

Argeş, 1,189,395 ... G 3
Bacău, 1,103,964 ... H 2
Banat, 1,241,832 ... E 3
Braşov, 1,062,481 ... G 2
Bucharest, 1,681,599 ... H 3
Bucharest (city), 1,366,794 ... G 3
Cluj, 1,217,401 ... F 2
Constanţa (town), 153,871 ... J 3
Crişana, 873,393 ... F 2
Dobrogea, 517,016 ... J 3
Galaţi, 1,065,646 ... H 3
Hunedoara, 656,452 ... F 3
Iaşi, 1,052,378 ... H 2
Maramureş, 782,127 ... F 2
Mureş-Magyar, 814,632 ... G 2
Oltenia, 1,570,574 ... F 3
Ploieşti, 1,460,693 ... H 3
Suceava, 1,002,883 ... G 2

CITIES and TOWNS

Aiud, 11,886 ... F 2
Alba Iulia, 14,776 ... F 2
Alexandria, 21,258 ... G 3
Anima, 11,837 ... E 3
Arad, 114,494 ... E 2
Arad, *124,642 ... E 2
Babadag, 5,549 ... J 3
Bacău, 65,763 ... H 2
Bacău, *76,214 ... H 2
Baia de Arama ... F 3
Baia Mare, 46,312 ... F 2
Baia Mare, *88,941 ... F 2
Băileşti, 15,932 ... F 3
Balş, 6,956 ... G 3
Bărbăteşti ... F 3
Beiuş, 6,467 ... F 2
Bereşti Tîrg ... H 2
Bîrlad, 36,840 ... H 2
Bîrlad, *48,191 ... H 2
Bistriţa, 23,346 ... G 2
Bivolari ... H 2
Blaj, 8,731 ... F 2
Blejeşti ... G 3
Botoşani, 31,587 ... H 2
Botoşani, *47,319 ... H 2
Brad, 9,963 ... F 2
Brăila, 119,466 ... H 3
Brăila, *123,132 ... H 3
Braşov, 133,532 ... G 3
Braşov, *228,299 ... G 3
Bucharest (Bucureşti) (cap.), 1,236,065 ... G 3
Bucharest, *1,366,794 ... G 3
Buhuşi, 12,382 ... H 2
Buzău, 54,165 ... H 3
Buzău, *79,588 ... H 3
Buziaş, 5,140 ... E 3
Călafat, 8,069 ... F 3
Călăraşi, 29,474 ... H 3
Caracal, 20,296 ... G 3
Caransebeş, 15,195 ... F 3
Carei, 16,780 ... F 2
Cernavodă, 8,802 ... J 3
Chisineu Criş ... E 2
Cîmpeni ... F 2
Cîmpio Turzii, 11,514 ... F 2
Cîmpina, 20,827 ... H 3
Cîmpulung, 22,696 ... G 3
Cîmpulung Moldovenesc, 13,627 ... G 2
Cluj, 166,428 ... F 2
Cluj, *204,400 ... F 2
Cogealac ... J 3
Comaneşti, 12,392 ... H 2
Constanţa, 118,803 ... J 3
Constanţa, *153,871 ... J 3
Corabia, 11,502 ... G 4
Craiova, 118,753 ... F 3
Craiova, *140,526 ... F 3
Cujmir ... F 3
Curtea de Argeş, 10,764 ... G 3
Dăbuleni ... F 4
Dăeni ... J 3
Darabani ... H 1
Dej, 22,827 ... F 2
Deta ... E 3
Deva, 22,331 ... F 3
Deva, *40,560 ... F 3
Dorohoi, 14,771 ... H 2
Drăgăneşti Olt ... G 3
Drăgăşani, 9,963 ... F 3
Făgăraş, 20,780 ... G 3
Fălçiu ... J 2
Fălticeni, 13,305 ... H 2
Feteşti, 15,383 ... H 3
Focşani, 31,410 ... H 3
Focşani, *36,854 ... H 3
Folteşti ... H 3
Găeşti, 7,179 ... G 3
Galaţi, 111,906 ... H 3
Gheorgheni, 11,969 ... G 2
Gherla, 7,617 ... G 2
Giurgiu, 34,806 ... G 3
Giurgiu, *51,520 ... G 3
Hateg, 3,853 ... F 3
Hîrlău ... H 2
Hîrşova, 4,761 ... J 3
Huedin ... F 2
Hunedoara, 53,817 ... F 3
Hunedoara, *86,197 ... F 3
Huşi, 18,055 ... J 2
Iara ... F 2
Iaşi, 126,865 ... H 2
Iaşi, *159,541 ... H 2
Ineu ... E 2
Isaccea, 5,203 ... J 3
Jimbolia, 11,281 ... E 3
Lipova, 10,064 ... E 2
Luduş ... G 2
Lugoj, 32,142 ... F 3
Lupeni, 32,145 ... F 3
Mangalia, 4,792 ... J 4
Medgidia, 23,928 ... J 3
Mediaş, 40,696 ... G 2
Mehadia ... F 3
Miercurea Ciuc, 11,996 ... G 2
Mizil, 7,460 ... H 3
Moclu ... G 2
Moineşti, 12,934 ... H 2
Moldova Nouă, 3,582 ... E 3
Moreni, 11,687 ... G 3
Nădlac ... F 2
Năsăud, 5,725 ... G 2
Negreşti ... H 2
Ocna Mureş, 10,701 ... G 2
Odobeşti, 4,977 ... H 3
Odorhei, 14,162 ... G 2
Olteniţa, 14,111 ... H 3
Oneşti, 23,005 ... H 2
Oradea, 110,296 ... E 2
Oradea, *122,535 ... E 2
Orăstie, 10,488 ... F 3
Oravita, 8,175 ... E 3
Orşova, 6,527 ... F 3
Panciu, 7,679 ... H 3
Paşcani, 15,008 ... H 2
Pătulele ... F 3
Pechea ... H 3
Pecica ... E 2
Periam ... E 2
Peşteana Jiu ... F 3
Petrila, 27,210 ... F 3
Petroşeni, 31,044 ... F 3
Petroşeni, *134,245 ... F 3
Piatra Neamţ, 38,434 ... G 2
Piatra Neamţ, *48,572 ... G 2
Piteşti, 48,477 ... G 3
Piteşti, *67,236 ... G 3
Pleniţa ... F 3
Ploieşti, 131,379 ... H 3
Ploieşti, *170,894 ... H 3
Poenari Burchi ... G 3
Poiana Mare ... F 4
Pucioasa, 9,259 ... G 3
Rădăuti, 15,949 ... G 2
Reghin, 21,020 ... G 2
Reşiţa, 47,389 ... E 3
Reşiţa, *112,039 ... E 3
Rîmnicu Sarat, 21,920 ... H 3
Rîmnicu Vîlcea, 22,242 ... F 3
Roman, 34,731 ... H 2
Roman, *45,930 ... H 2
Roşiori de Vede, 17,320 ... G 3
Ruşeţu ... H 3
Săcele, 21,180 ... G 3
Salonta, 16,276 ... E 3
Satu Mare, 63,656 ... F 2
Săveni ... H 1
Sebeş, 11,628 ... F 3
Sebiş ... F 2
Segarcea ... F 3
Sfîntu Gheorge, 17,638 ... G 3
Sfîntu Gheorge ... J 3
Şibiu, 100,659 ... G 3
Sighet, 27,528 ... F 2
Sighişoara, 23,646 ... G 2
Şimleu Silvaniei, 8,560 ... F 2
Šinaia, 9,006 ... G 3
Sînnicolau Mare, 9,956 ... E 2
Siret, 5,664 ... G 1
Şiria ... E 2
Slănic, 6,842 ... G 3
Slatina, 13,381 ... G 3
Slobozia, 9,632 ... H 3
Solca, 2,384 ... G 2
Stefaneşti ... H 2
Strehaia, 8,545 ... F 3
Suceava, 24,856 ... G 2
Suceava, *62,557 ... G 2
Sulina, 3,622 ... J 3
Tăşnad ... F 2
Techirghiol, 2,705 ... J 3
Tecuci, 27,226 ... H 3
Timişoara, 150,257 ... E 3
Timişoara, *167,907 ... E 3
Tinca ... F 2
Tîrgovişte, 27,900 ... G 3
Tîrgovişte, *46,911 ... G 3
Tîrgu Frumos ... H 2
Tîrgu Jiu, 25,393 ... F 3
Tîrgu Mureş, 74,004 ... G 2
Tîrgu Mureş, *90,584 ... G 2
Tîrgu Neamţ, 10,373 ... G 2
Tîrgu Ocna, 11,227 ... H 2
Tîrgu Secuiesc, 7,500 ... H 2
Tîrnăveni, 14,883 ... F 2
Topliţa, 8,944 ... G 2
Tulcea, 29,932 ... J 3
Turda, 38,841 ... G 2
Turda, *63,421 ... G 2
Turnu Măgurele, 18,055 ... G 4
Turnu Severin, 36,831 ... F 3
Urlaţi, 8,658 ... H 3
Urziceni, 6,061 ... H 3
Vasile Roaită, 3,286 ... J 3
Vaslui, 14,850 ... H 2
Vatra Dornei, 10,822 ... G 2
Vişeu de Sus, 13,956 ... F 2
Viziru ... H 3
Zalău, 13,378 ... F 2
Zărneşti, 6,673 ... G 3
Zimnicea, 12,445 ... G 4

PHYSICAL FEATURES

Argeş (riv.) ... G 3
Bîrlad (riv.) ... H 2
Brăila (marshes) ... H 3
Buzău (riv.) ... H 3
Carpathian (mts.) ... G 2
Crişul Alb (riv.) ... F 2
Crişul Repede (riv.) ... F 2
Danube (delta) ... J 3
Danube (river) ... H 4
Godeanul (mt.) ... F 3
Ialomiţa (marshes) ... J 3
Ialomiţa (riv.) ... H 3
Jijia (riv.) ... H 2
Jiu (riv.) ... F 3
La Omu (mt.) ... G 3
Moldoveanul (mt.) ... G 3
Mureş (riv.) ... E 2
Negoiul (mt.) ... G 3
Olt (riv.) ... G 3
Pietrosul (mt.) ... G 2
Prut (riv.) ... J 2
Retezat (mt.) ... F 3
Siret (riv.) ... H 2
Someş (riv.) ... F 2
Timiş (riv.) ... E 3
Tîrnava Mare (riv.) ... G 2
Transylvanian Alps (mts.) ... G 3

YUGOSLAVIA

INTERNAL DIVISIONS

Bosnia and Hercegovina (rep.), 3,277,948 ... C 3
Croatia (rep.), 4,159,696 ... C 3
Kosovo-Mitohiyan (aut. prov.), 963,988 ... E 4
Macedonia (rep.), 1,406,003 ... E 5
Montenegro (rep.), 471,894 ... D 4
Serbia (rep.), 7,642,227 ... E 3
Slovenia (rep.), 1,591,523 ... B 2
Voyvodina (aut. prov.), 1,854,965 ... D 3

CITIES and TOWNS

Aleksinac, 8,828 ... E 4
Apatin, 17,000 ... D 3
Bačka Topola, 14,000 ... D 3
Banja Luka, 55,000 ... C 3
Bar, 2,184 ... D 4
Bečej, 22,000 ... E 3
Bela Crkva, 11,000 ... E 3
Belgrade (Beograd) (cap.), 653,000 ... E 3
Bihać, 17,000 ... B 3
Bijeljina, 19,000 ... D 3
Bijelo Polje, 5,856 ... D 4
Bileća, 2,491 ... D 4
Biograd, 2,418 ... B 4
Bitola (Bitolj), 52,000 ... E 5
Bjelovar, 16,000 ... C 3
Bled, 4,156 ... A 2
Bor, 19,000 ... E 3
Bosanska Dubica, 6,259 ... C 3
Bosanska Gradiška, 6,363 ... C 3
Bosanska Kostajnica, 2,034 ... B 3
Bosanska Krupa, 6,191 ... C 3
Bosanski Brod, 7,350 ... D 3
Bosanski Novi, 7,023 ... C 3
Bosanski Petrovac, 3,473 ... C 3
Bosanski Šamac, 3,654 ... D 3
Brčko, 20,000 ... D 3
Brežice, 2,641 ... B 3
Brod, 30,000 ... D 3
Bugojno, 5,453 ... C 3
Buje, 1,955 ... A 3
Čačak, 30,000 ... F 4
Čapljina, 3,275 ... C 4
Caribrod (Dimitrovgrad), 3,665 ... F 4
Cazin, 795 ... B 3
Celje, 28,000 ... B 2
Cetinje, 9,359 ... D 4
Ćuprija, 12,000 ... E 4
Debar, 6,323 ... E 5
Derventa, 9,843 ... C 3
Dimitrovgrad, 3,665 ... F 4
Djakovica, 22,000 ... E 4
Djakovo, 13,000 ... D 3
Donji Vakuf, 3,764 ... C 3
Drvar, 3,646 ... C 3
Dubrovnik, 24,000 ... C 4
Fiume (Rijeka), 108,000 ... B 3
Foča, 6,763 ... D 4
Fojnica, 1,549 ... C 4
Gacko, 1,368 ... D 4
Gevgelija, 7,332 ... F 5
Glamoč, 1,626 ... C 3
Gnjilane, 14,000 ... E 4
Gornji Vakuf, 1,860 ... C 4
Gospić, 6,767 ... B 3
Gostivar, 14,000 ... E 5
Gračac, 2,183 ... B 3
Gračanica, 7,656 ... D 3
Gradačac, 5,878 ... D 3
Grubišno Polje, 2,655 ... C 3
Gusinje, 2,756 ... D 4
Hercegnovi, 3,797 ... D 4
Ivangrad, 6,969 ... E 4
Jajce, 6,853 ... C 3
Jesenice, 16,000 ... A 2
Kamnik, 5,062 ... B 2
Kanjiža, 10,000 ... D 2
Kardeljevo, 3,267 ... C 4
Karlovac, 35,000 ... B 3
Kastav, 776 ... B 3
Kavadarci, 13,000 ... E 5
Kičevo, 11,000 ... E 5
Kikinda, 32,000 ... E 3
Kladanj, 2,825 ... D 3
Ključ, 2,320 ... C 3
Knin, 5,116 ... C 3
Knjaževac, 7,448 ... F 4
Kočevje, 5,819 ... B 3
Konjic, 5,927 ... D 4
Koper, 12,000 ... A 3
Koprivnica, 12,000 ... C 2
Korčula, 2,458 ... C 4
Kosovska Mitrovica, 29,000 ... E 4
Kostajnica, 2,080 ... C 3
Kostanjevica, 548 ... B 3
Kotor, 4,764 ... D 4
Kragujevac, 56,000 ... E 3
Kraljevo (Rankovićevo), 26,000 ... E 4
Kranj, 23,000 ... B 2
Križevci, 6,642 ... C 2
Krk, 1,280 ... B 3
Krško, 3,518 ... B 3
Kruševac, 31,000 ... E 4
Kulen Vakuf, 923 ... B 3
Kumanovo, 33,000 ... E 4
Leskovac, 37,000 ... E 4
Livno, 5,181 ... C 4
Ljubinje, 621 ... D 4
Ljubljana, 153,000 ... B 3
Ljubuški, 2,168 ... C 4
Loznica, 12,000 ... D 3
Maglaj, 4,556 ... D 3
Makarska, 3,634 ... C 4
Maribor, 89,000 ... B 2
Mladenovac, 12,000 ... E 4
Modriča, 5,053 ... D 3
Mostar, 53,000 ... D 4
Našice, 4,187 ... C 3
Negotin, 8,635 ... F 3
Nevesinje, 2,349 ... D 4
Nikšić, 25,000 ... D 4
Nin, 1,823 ... B 3
Niš, 92,000 ... F 4
Nova Gradiška, 9,229 ... C 3
Novi, 2,075 ... B 3
Novi Pazar, 23,000 ... E 4
Novi Sad, 119,000 ... D 3
Novo Mesto, 6,885 ... B 3
Novska, 3,844 ... C 3
Ogulin, 3,522 ... B 3
Ohrid, 18,000 ... E 5
Omiš, 2,171 ... C 4
Opatija, 7,974 ... A 3
Osijek, 78,000 ... D 3
Pag, 2,431 ... B 3
Pančevo, 49,000 ... E 3
Paraćin, 17,000 ... E 4
Peć, 30,000 ... E 4
Petrinja, 7,366 ... B 3
Piran, 5,474 ... A 3
Pirot, 20,000 ... F 4
Plav, 2,535 ... D 4
Pljevlja, 12,000 ... D 4
Podgorica (Titograd), 37,000 ... D 4
Pola (Pula), 40,000 ... A 3
Poreč, 3,006 ... A 3
Postojna, 4,857 ... B 3
Požarevac, 23,000 ... E 3
Požega, 14,000 ... C 3
Preševo, 5,680 ... E 4
Priboj, 5,490 ... D 4
Prijedor, 13,000 ... C 3
Prijepolje, 4,566 ... D 4
Prilep, 40,000 ... E 5
Priština, 43,000 ... E 4
Prizren, 29,000 ... E 4
Prokuplje, 15,000 ... E 4
Prozor, 1,052 ... C 2
Ptuj, 7,392 ... C 2
Pula, 40,000 ... A 3
Rab, 1,548 ... B 3
Rača, 1,351 ... E 3
Radeče, 1,500 ... B 2
Radoviš, 6,246 ... F 5
Ragusa (Dubrovnik), 24,000 ... C 4
Rankovićevo, 26,000 ... E 4
Raška, 2,278 ... E 4
Rijeka, 108,000 ... B 3
Rogatica, 3,040 ... D 4
Rovinj, 7,155 ... A 3
Ruma, 21,000 ... D 3
Šabac, 30,000 ... D 3
Sanski Most, 5,096 ... C 3
Sarajevo, 213,000 ... D 4
Šavnik, 487 ... D 4
Senj, 3,903 ... B 3
Senta, 22,000 ... D 3
Šibenik, 27,000 ... C 4
Sinj, 4,134 ... C 4
Sisak, 29,000 ... C 3
Škofja Loka, 3,429 ... A 2
Skopje, 206,000 ... E 5
Skradin, 1,118 ... C 4
Smederevo, 29,000 ... E 3
Sombor, 31,000 ... D 3
Split, 106,000 ... C 4
Srebrenica, 1,859 ... D 3
Sremska Mitrovica, 22,000 ... D 3
Sremski Karlovci, 6,390 ... D 3
Stari Majdan, 1,445 ... C 3
Štip, 22,000 ... F 5
Stolac, 2,970 ... D 4
Ston, 562 ... C 4
Struga, 6,857 ... E 5
Strumica, 17,000 ... F 5
Subotica, 76,000 ... D 2
Surdulica, 5,007 ... F 4
Svetozarevo, 22,000 ... E 4
Svilajnac, 5,895 ... E 3
Tešanj, 3,148 ... C 3
Tetovo, 27,000 ... E 5
Titograd, 37,000 ... D 4
Titovo Užice, 26,000 ... D 4
Titov Veles, 29,000 ... E 5
Travnik, 12,000 ... C 3
Trbovlje, 16,000 ... B 2
Trebinje, 4,073 ... D 4
Trogir, 5,003 ... C 4
Tržič, 4,881 ... B 2
Tuzla, 55,000 ... D 3
Ulcinj, 5,705 ... D 5
Valjevo, 27,000 ... D 3
Varaždin, 28,000 ... B 2
Vareš, 7,647 ... D 3
Veliki Bečkerek (Zrenjanin), 56,000 ... E 3
Vinkovci, 24,000 ... D 3
Virovitica, 10,000 ... C 3
Višegrad, 3,309 ... D 4
Vranje, 18,000 ... F 4
Vrbas, 19,000 ... D 3
Vršac, 32,000 ... E 3
Vukovar, 25,000 ... D 3
Žabari, 1,984 ... E 3
Zadar, 28,000 ... B 3
Zagreb, 481,000 ... C 3
Zaječar, 18,000 ... E 4
Zara (Zadar), 28,000 ... B 3
Zenica, 50,000 ... C 3
Žepče, 2,709 ... D 3
Zrenjanin, 56,000 ... E 3
Zvornik, 5,444 ... D 3

PHYSICAL FEATURES

Adriatic (sea) ... B 4
Bosna (riv.) ... D 3
Brač (isl.), 14,227 ... C 4
Cazma (riv.) ... C 3
Cres (isl.), 4,949 ... B 3
Čursnica (mt.) ... C 4
Danube (riv.) ... E 3
Dinaric Alps (mts.) ... B 3
Drava (riv.) ... C 3
Drina (riv.) ... D 3
Dugi Otok (isl.), 4,873 ... B 3
Durmitor (mt.) ... D 4
Hvar (isl.), 12,147 ... C 4
Ibar (riv.) ... E 4
Ivancica (mt.) ... C 2
Kamenjak (cape) ... A 3
Komovi (mt.) ... D 4
Korab (mt.) ... E 5
Korčula (isl.), 10,245 ... C 4
Kornat (isl.), 6 ... B 4
Krk (isl.), 14,548 ... B 3
Kvarner (gulf) ... B 3
Lastovo (Lagosta) (isl.), 1,449 ... C 4
Lim (riv.) ... D 4
Lošinj (isl.), 5,068 ... B 3
Midzhur (mt.) ... F 4
Mljet (isl.), 1,963 ... C 4
Mokra Gora (mt.) ... E 4
Morava (riv.) ... E 3
Mur (riv.) ... B 2
Neretva (riv.) ... D 4
Ohrid (lake) ... E 5
Pag (isl.), 8,017 ... B 3
Pelagruž (Pelagosa) (isl.) ... C 4
Prespa (lake) ... E 5
Rab (isl.), 8,400 ... B 3
Rajinac (mt.) ... B 3
Ruyen (mt.) ... F 4
Sava (riv.) ... D 3
Scutari (lake) ... D 4
Solta (isl.), 2,735 ... C 4
Solunska (mt.) ... E 5
Tara (riv.) ... D 4
Timok (riv.) ... F 3
Tisza (riv.) ... E 4
Triglav (mt.) ... A 2
Una (riv.) ... C 3
Vardar (riv.) ... E 5
Vis (isl.), 7,004 ... C 4
Vrbas (riv.) ... C 3
Žirje (isl.), 506 ... B 4

*City and suburbs.

THE BALKAN STATES

CONIC PROJECTION

SCALE OF MILES
0 25 50 75 100 150 175

SCALE OF KILOMETRES
0 25 50 75 100 150 175

Capitals of Countries	☆
Administrative Centers	△
International Boundaries	————
Major Internal Boundaries	— — —
Minor Internal Boundaries	·········
Canals	

BULGARIA and GREECE are divided into counties and departments, respectively. Because of the scale no attempt has been made to delimit and name these subdivisions; their administrative centers have, however, been designated.

The larger divisions named in Greece are well-known geographical regions, without administrative function.

RUMANIA consists of sixteen regions and two independent administrative units, Bucharest City and Constanța Town.

ALBANIA is divided into twenty-seven districts. Scale does not permit the delimitation of these divisions.

YUGOSLAVIA is a federation of six republics. The Serbian republic includes an autonomous province (Vojvodina), and an autonomous region (Kosovo-Mitohiyan).

© C. S. HAMMOND & Co., N.Y.

Poland

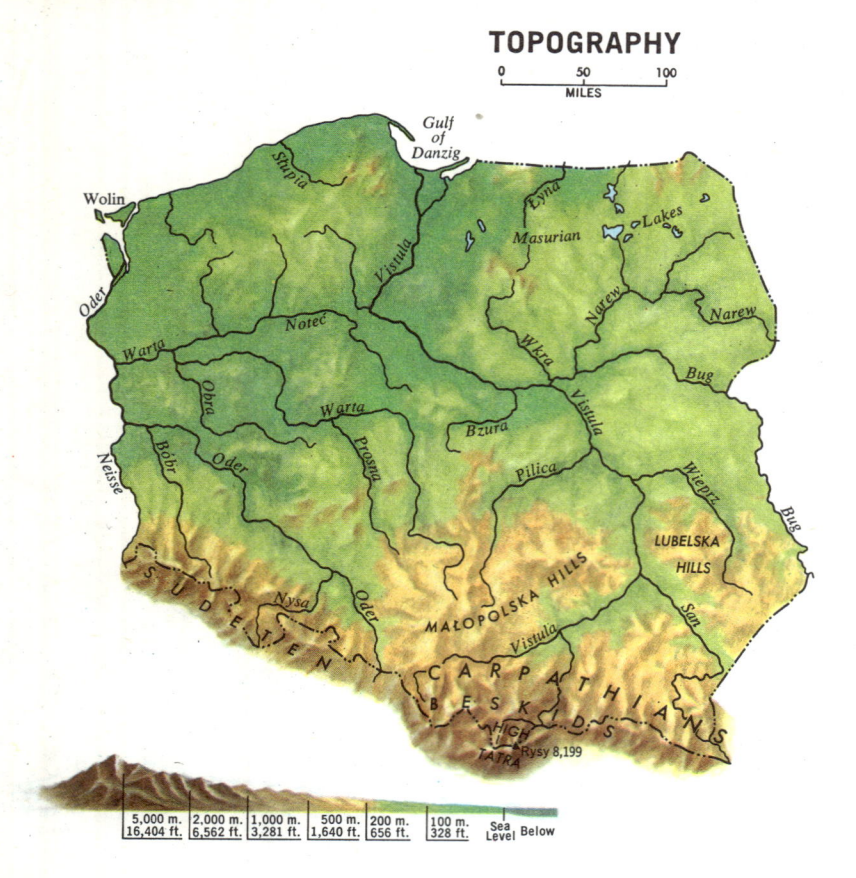

TOPOGRAPHY

PROVINCES	CITIES and TOWNS		
Białystok, 1,139,300 ... F 2	Aleksandrów Kujawski, 8,800 ... D 2	Busko Zdrój, 9,100 ... E 3	
Bydgoszcz, 1,803,500 ... D 2	Aleksandrów Łódzki, 12,800 ... D 3	Bydgoszcz (Bromberg), 248,300 ... D 2	
Cracow, 2,088,400 ... D 4	Allenstein (Olsztyn), 72,300 ... E 2	Bystrzyca Kłodzka, 8,600 ... C 3	
Cracow (City), 505,400 ... E 3	Augustów, 16,100 ... F 2	Bytom, 191,400 ... B 4	
Gdańsk, 1,312,300 ... C 1	Auschwitz (Oświęcim), 34,100 ... D 3	Bytów, 9,500 ... C 1	
Katowice, 3,458,600 ... D 3	Bartoszyce, 12,800 ... E 1	Chełm, 33,500 ... F 3	
Kielce, 1,882,600 ... E 3	Będzin, 41,200 ... C 4	Chełmno, 17,100 ... D 2	
Koszalin, 730,200 ... C 2	Belgard (Białogard), 19,000 ... B 2	Chełmża, 14,400 ... D 2	
Łódź, 1,651,300 ... D 3	Beuthen (Bytom), 191,400 ... B 4	Chodzież, 12,200 ... D 2	
Łódź (City), 734,300 ... D 3	Biała Podlaska, 22,200 ... F 2	Chojnice, 21,700 ... C 2	
Lublin, 1,876,500 ... F 3	Białogard (Belgard), 19,000 ... B 2	Chojnów, 10,300 ... C 3	
Olsztyn, 929,000 ... E 2	Białystok, 132,100 ... F 2	Chorzów (Königshütte), 153,200 ... B 3	
Opole, 987,700 ... C 3	Bielawa, 30,000 ... C 3	Choszczno, 8,200 ... C 2	
Poznań, 2,090,200 ... C 2	Bielsk Podlaski, 11,800 ... F 2	Chrzanów, 22,500 ... D 4	
Poznań (City), 429,300 ... C 2	Bielsko-Biała, 80,500 ... D 4	Ciechanów, 20,900 ... E 2	
Rzeszów, 1,664,600 ... E 4	Biłgoraj, 8,600 ... F 3	Cieplice Śląskie-Zdrój, 15,100 ... B 3	
Szczecin, 817,800 ... B 2	Bochnia, 13,000 ... D 4	Cieszyn (Teschen), 23,800 ... D 4	
Warsaw, 2,415,900 ... E 2	Bogatynia, 12,300 ... B 3	Cracow, 505,400 ... D 4	
Warsaw (City), 1,221,900 ... E 2	Bolesławiec, 25,600 ... B 3	Czechowice-Dziedzice, 23,700 ... D 3	
Wrocław, 1,914,700 ... C 3	Braniewo, 10,600 ... E 1	Czeladź, 31,200 ... B 3	
Wrocław (City), 461,900 ... C 3	Breslau (Wrocław), 461,900 ... C 3	Częstochowa, 171,800 ... D 3	
Zielona Góra, 824,700 ... B 2	Brieg (Brzeg), 26,900 ... C 3	Dąbrowa Górnicza, 59,500 ... C 4	
	Brodnica, 15,500 ... D 2	Danzig (Gdańsk), 309,700 ... D 1	
	Bromberg (Bydgoszcz), 248,300 ... D 2	Darłowo, 9,900 ... C 1	
	Brzeg (Brieg), 26,900 ... C 3	Dębica, 18,300 ... E 3	
	Brzeziny Śląskie, 8,400 ... B 4	Dęblin, 11,300 ... E 3	
		Dębno, 9,500 ... B 2	
		Działdowo, 8,300 ... E 2	

POLAND 1938

POLAND 1945

AGRICULTURE, INDUSTRY and RESOURCES

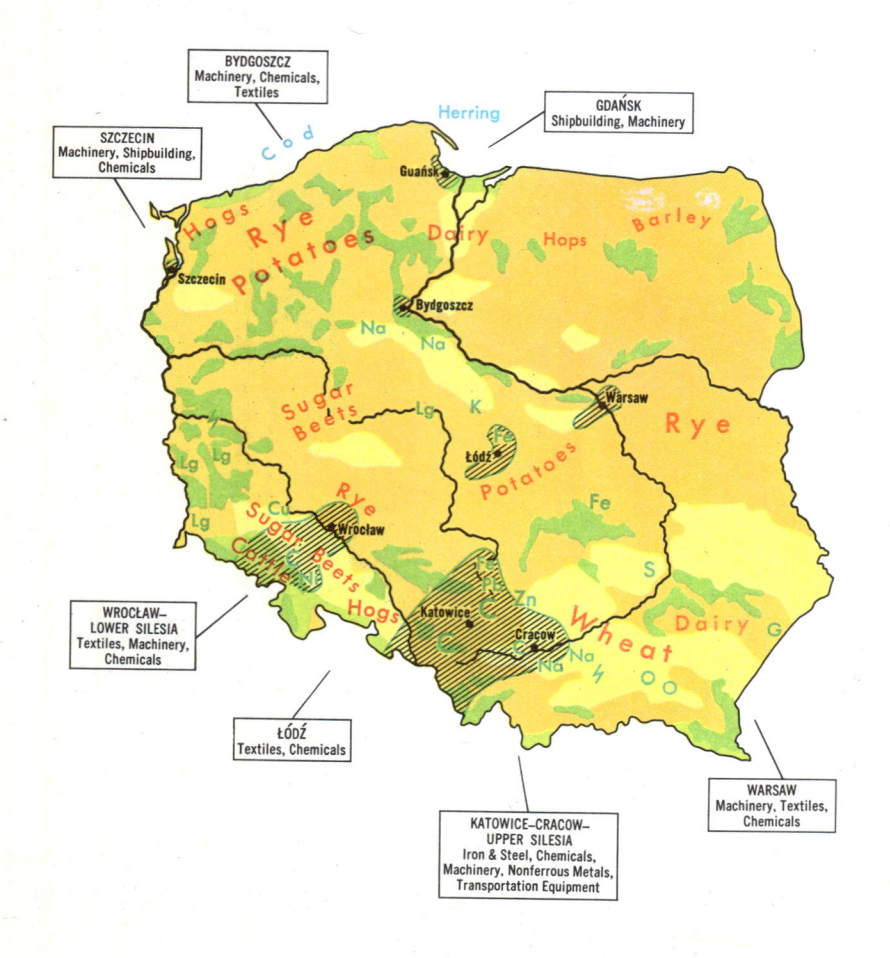

SZCZECIN — Machinery, Shipbuilding, Chemicals
BYDGOSZCZ — Machinery, Chemicals, Textiles
GDAŃSK — Shipbuilding, Machinery
WROCŁAW–LOWER SILESIA — Textiles, Machinery, Chemicals
ŁÓDŹ — Textiles, Chemicals
KATOWICE–CRACOW–UPPER SILESIA — Iron & Steel, Chemicals, Machinery, Nonferrous Metals, Transportation Equipment
WARSAW — Machinery, Textiles, Chemicals

DOMINANT LAND USE
- Cereals (chiefly wheat)
- Rye, Oats, Barley, Potatoes
- General Farming, Livestock
- Forests

MAJOR MINERAL OCCURRENCES
- C Coal
- Cu Copper
- Fe Iron Ore
- G Natural Gas
- K Potash
- Lg Lignite
- Na Salt
- Ni Nickel
- O Petroleum
- Pb Lead
- S Sulfur
- Zn Zinc

Water Power
Major Industrial Areas

POLAND

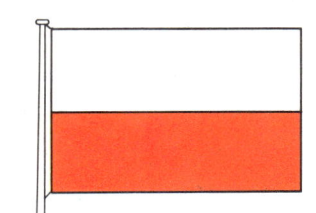

AREA	119,734 sq. mi.
POPULATION	31,161,000
CAPITAL	Warsaw
LARGEST CITY	Warsaw 1,221,900
HIGHEST POINT	Rysy 8,199 ft.
MONETARY UNIT	zloty
MAJOR LANGUAGE	Polish
MAJOR RELIGION	Roman Catholic

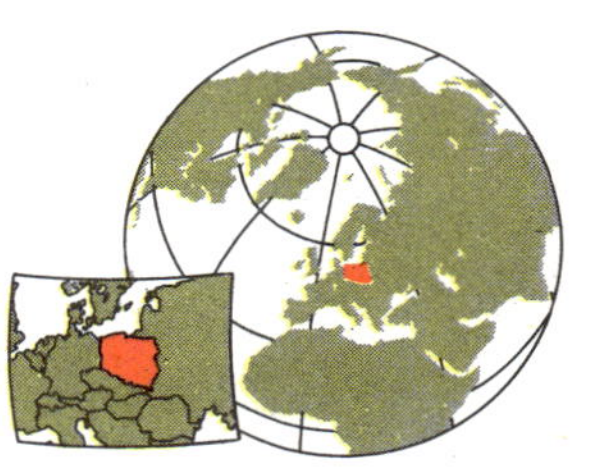

Cities and Towns

Dzierżoniów, 29,300 .... C 3
Elbląg (Elbing), 83,200 .... D 1
Ełk, 23,500 .... F 2
Gdańsk, 309,700 .... D 1
Gdynia, 159,300 .... D 1
Giżycko, 15,800 .... E 1
Glatz (Kłodzko), 24,800 .... C 3
Gliwice (Gleiwitz), 145,900 .... A 4
Głogów, 10,400 .... B 3
Głowno, 12,100 .... D 2
Głubczyce, 9,700 .... C 3
Głuchołazy, 12,500 .... C 3
Gniezno (Gnesen), 46,400 .... C 2
Goleniów, 11,900 .... B 2
Gostyń, 12,800 .... C 3
Gorzów Wielkopolski, 64,500 .... B 2
Gostyń, 11,100 .... C 3
Gostynin, 10,300 .... D 2
Grajewo, 9,400 .... F 2
Graudenz (Grudziądz), 69,500 .... D 2
Grodziec, 10,600 .... C 3
Grodzisk Mazowiecki, 19,500 .... E 2
Grodzisk Wielkopolski, 8,300 .... C 2
Grójec, 9,000 .... E 3
Grudziądz (Graudenz), 69,500 .... D 2
Gryfice, 12,100 .... B 2
Gubin, 13,400 .... B 3
Hajnówka, 13,600 .... F 2
Haynau (Chojnów), 10,300 .... B 3
Hindenburg (Zabrze), 199,400 .... A 4
Hirschberg (Jelenia Góra), 53,000 .... B 3
Hohensalza (Inowrocław), 49,900 .... D 2
Hrubieszów, 13,300 .... F 3
Iława, 13,800 .... D 2
Inowrocław, 49,900 .... D 2
Jarocin, 17,100 .... C 3
Jarosław, 26,500 .... F 3
Jasło, 12,800 .... E 4
Jawor (Lauer), 14,500 .... B 3
Jaworzno, 57,800 .... D 3
Jędrzejów, 13,400 .... E 3
Jelenia Góra, 53,000 .... B 3
Kalisz, 74,600 .... D 3
Kamienna Góra, 19,600 .... B 3
Katowice, 282,500 .... B 4
Kędzierzyn, 24,000 .... C 3
Kępno, 9,500 .... C 3
Kętrzyn, 17,000 .... E 1
Kielce, 97,900 .... E 3
Kłobuck, 10,100 .... D 3
Kłodzko (Glatz), 24,800 .... C 3
Kluczbork, 14,800 .... D 3
Knurów, 15,700 .... A 4
Koło, 11,600 .... D 2
Kołobrzeg, 20,400 .... C 1
Königshütte (Chorzów), 153,200 .... B 4
Konin, 20,800 .... D 2
Końskie, 10,500 .... E 3
Konstantynów, 11,800 .... D 3
Kościan, 16,600 .... C 2
Kościerzyna, 12,200 .... C 1
Kostrzyn, 8,200 .... B 2

Koszalin, 50,000 .... C 1
Kraków (Cracow), 505,400 .... E 3
Kraśnik, 13,300 .... F 3
Krasnystaw, 11,500 .... F 3
Krosno, 23,400 .... E 4
Krotoszyn, 19,800 .... C 3
Krynica, 9,300 .... E 4
Kutno, 26,900 .... D 2
Kwidzyn (Marienwerder), 21,700 .... D 2
Łańcut, 10,900 .... F 3
Landeshut (Kamienna Góra), 19,600 .... B 3
Landsberg (Gorzów Wielkopolski), 64,500 .... B 2
Langenbielau (Bielawa), 30,000 .... C 3
Lębork (Lauenburg), 22,700 .... C 1
Łęczyca, 12,600 .... D 2
Lędziny, 13,100 .... B 4
Legionowo, 20,400 .... E 2
Legnica (Liegnitz), 69,800 .... B 3
Leszno, 30,900 .... C 3
Lidzbark Warmiński, 11,900 .... E 1
Lipno, 10,800 .... D 2
Łobez, 12,100 .... C 2
Łódź, 734,300 .... D 3
Łomża, 21,700 .... F 2
Łowicz, 18,300 .... E 2
Lubań, 16,200 .... B 3
Lubin, 8,200 .... B 3
Lublin, 197,100 .... F 3
Lubliniec, 17,000 .... D 3
Luboń, 15,100 .... C 2
Lubsko, 11,600 .... B 3
Łuków, 12,100 .... F 2
Lyck (Ełk), 23,500 .... F 2
Malbork (Marienburg), 27,200 .... D 2
Marienwerder (Kwidzyn), 21,700 .... D 2
Międzyrzec Podlaski, 11,900 .... F 2
Międzyrzecz, 11,400 .... B 2
Mielec, 24,100 .... E 3
Mikołów, 19,500 .... B 4
Mińsk Mazowiecki, 21,000 .... E 2
Morąg, 8,900 .... D 1
Mrągowo, 11,600 .... E 2
Myślenice, 9,600 .... E 4
Myślibórz, 8,000 .... B 2
Myszków, 15,300 .... D 3
Mysłowice (Myslowitz), 42,700 .... B 4
Nakło nad Notecią, 15,000 .... C 2
Namysłów, 8,900 .... C 3
Neisse (Nysa), 26,400 .... C 3
Neustadt (Prudnik), 18,400 .... C 3
Neustettin (Szczecinek), 25,100 .... C 2
Nisko, 8,800 .... F 3
Nowa Ruda, 18,100 .... C 3
Nowa Sól, 22,500 .... B 3
Nowy Dwór Mazowiecki, 14,100 .... E 2
Nowy Sącz, 36,400 .... E 4
Nowy Targ, 18,200 .... E 4
Nysa (Neisse), 26,400 .... C 3

Oborniki, 8,800 .... C 2
Oels (Oleśnica), 22,300 .... C 3
Oława (Ohlau), 12,800 .... C 3
Olecko, 8,100 .... F 1
Olkusz, 9,100 .... D 3
Olsztyn, 72,300 .... E 2
Opoczno, 10,700 .... E 3
Opole (Oppeln), 68,800 .... C 3
Orneta, 8,000 .... E 1
Ostróda (Osterode), 19,000 .... D 2
Ostrołęka, 17,100 .... E 2
Ostrów Mazowiecka, 13,400 .... E 2
Ostrów Wielkopolski, 44,800 .... C 3
Ostrowiec Świętokrzyski, 41,700 .... E 3
Oświęcim (Auschwitz), 34,100 .... D 3
Otwock, 16,800 .... E 2
Ozorków, 16,800 .... D 3
Pabianice, 58,200 .... D 3
Piekary Śląskie, 34,700 .... B 4
Piła (Schneidemühl), 36,600 .... C 2
Pionki, 12,800 .... E 3
Piotrków Trybunalski, 55,400 .... D 3
Pleszew, 11,700 .... C 3
Płock, 50,000 .... D 2
Płońsk, 10,900 .... E 2
Police, 10,000 .... B 2
Poznań (Posen), 429,300 .... C 2
Pruszcz, 18,400 .... D 1
Pruszków, 57,800 .... E 2
Przasnysz, 8,900 .... E 2
Przemyśl, 49,300 .... F 4
Przeworsk, 8,100 .... F 3
Pszczyna, 16,100 .... B 4
Puławy, 15,800 .... F 3
Pułtusk, 11,500 .... E 2
Pyskowice, 22,900 .... A 4
Racibórz (Ratibor), 35,500 .... C 3
Radom, 139,700 .... E 3
Radomsko, 28,300 .... D 3
Rawa Mazowiecka, 9,200 .... E 3
Rawicz, 13,300 .... C 3
Ruda Śląska, 138,700 .... B 4
Rumia, 18,000 .... D 1
Rybnik, 36,800 .... B 4
Rypin, 9,300 .... D 2
Sandomierz, 14,600 .... F 3
Sanok, 18,300 .... F 4
Schneidemühl (Piła), 36,600 .... C 2
Schweidnitz (Świdnica), 43,100 .... C 3
Siedlce, 34,900 .... F 2
Siemianowice Śląskie, 65,200 .... B 4
Sieradz, 14,400 .... D 3
Sierpc, 11,700 .... D 2
Skarżysko-Kamienna, 36,100 .... E 3
Skierniewice, 23,400 .... E 2
Sławno, 9,400 .... C 1
Słubice, 10,200 .... B 2
Słupsk (Stolp), 57,400 .... C 1
Sochaczew, 17,300 .... E 2
Sokółka, 8,000 .... F 2
Sopot (Zoppot), 45,100 .... D 1
Sorau (Żary), 27,100 .... B 3
Sosnowiec, 137,300 .... B 4
Śrem, 8,100 .... C 2
Środa, 13,600 .... C 2
Stalowa Wola, 24,600 .... F 3
Starachowice, 38,100 .... E 3
Stargard Szczeciński, 35,800 .... B 2
Starogard Gdański, 28,600 .... D 2
Stettin (Szczecin), 299,200 .... B 2
Stolp (Słupsk), 57,400 .... C 1
Strzegom, 13,100 .... B 3
Strzelce Opolskie, 13,000 .... C 3
Strzelin, 9,100 .... C 3
Suchedniów, 8,400 .... E 3
Sulechów, 9,200 .... B 2
Suwałki, 21,300 .... F 1
Świdnica (Schweidnitz), 43,100 .... C 3
Świdnik, 14,800 .... F 3
Świdwin, 10,900 .... B 2
Świebodzin, 13,000 .... B 2
Świecie, 14,500 .... D 2
Świętochłowice, 58,200 .... B 4

Świnoujście (Swinemünde), 20,100 .... B 2
Szamotuły, 12,200 .... C 2
Szczecin, 299,200 .... B 2
Szczecinek, 25,100 .... C 2
Szczytno, 13,900 .... E 2
Szprotawa, 10,300 .... B 3
Tarnobrzeg, 9,300 .... F 3
Tarnów, 75,100 .... E 3
Tarnowskie Góry, 30,500 .... D 3
Tczew (Dirschau), 36,000 .... D 1
Teschen (Cieszyn), 23,800 .... D 4
Thorn (Toruń), 111,300 .... D 2
Tomaszów Lubelski, 9,700 .... F 3
Tomaszów Mazowiecki, 51,200 .... E 3
Toruń (Thorn), 111,300 .... D 2
Trzcianka, 10,200 .... C 2
Trzebiatów (Treptow), 8,000 .... B 1
Tuchola, 9,200 .... C 2
Turek, 13,500 .... D 2
Tychy, 59,500 .... B 4
Wąbrzeźno, 11,700 .... D 2
Wadowice, 10,300 .... D 4
Wągrowiec, 13,400 .... C 2
Wałbrzych, 122,700 .... C 3

Wałcz, 16,600 .... C 2
Waldenburg (Wałbrzych), 122,700 .... C 3
Warsaw (Warszawa) (cap.), 1,221,900 .... E 2
Wejherowo, 27,400 .... D 1
Wieliczka, 12,300 .... E 3
Wieluń, 12,400 .... D 3
Włocławek, 66,900 .... D 2
Wołomin, 22,600 .... E 2
Wrocław, 461,900 .... C 3
Września, 14,800 .... C 2
Wschowa, 9,000 .... C 3
Wyszków, 8,600 .... E 2
Ząbkowice Śląskie, 12,600 .... C 3
Zabrze (Hindenburg), 199,400 .... A 4

Żagań, 20,100 .... B 3
Zakopane, 25,800 .... D 4
Zambrów, 11,000 .... F 2
Zamość, 29,600 .... F 3
Zawiercie, 26,500 .... D 3
Zduńska Wola, 26,900 .... D 3
Zgierz, 38,700 .... D 3
Zgorzelec, 20,300 .... B 3
Zięcie, 10,300 .... D 3
Zielona Góra, 59,700 .... B 3
Zlocieniec, 9,300 .... C 2
Złotów, 9,700 .... C 2
Żnin, 8,700 .... D 1
Zoppot (Sopot), 45,100 .... D 1
Żyrardów, 30,900 .... E 2
Żywiec, 20,100 .... D 4

PHYSICAL FEATURES

Alle (Łyna) (river) .... E 1
Baltic (sea) .... C 1
Beskids (mts.) .... D 4
Brda (river) .... C 2
Bug (river) .... F 2
Bzura (river) .... E 2
Danzig (gulf) .... D 1
Drawa (river) .... C 2
Dręcza (river) .... D 2
Dukla (pass) .... E 4
Dunajec (river) .... E 4
Gwda (river) .... C 2

Hel (pen.) .... D 1
High Tatra (mts.) .... D 4
Kłodnica (river) .... C 3
Łyna (river) .... E 1
Mamry (Mauer) (lake) .... E 1
Narew (river) .... F 2
Neisse (Nysa Łużycka) (riv.) .... B 3
Noteć (Netze) (river) .... B 2
Nysa (river) .... C 3
Nysa Łużycka (Neisse) (riv.) .... B 3
Oder (Odra) (river) .... C 1
Odra (Oder) (river) .... C 1
Pilica (river) .... E 3
Pomerania (gulf) .... B 1

Prosna (river) .... C 2
Rysy (mt.) .... E 4
San (river) .... F 3
Sniardwy (Spirding) (lake) .... F 2
Sokolija (river) .... F 3
Sudeten (mt. range) .... B 3
Usnam (Usedom) (isl.) .... B 1
Vistula (Wisła) (river) .... D 2
Warta (Warthe) (river) .... C 2
Wieprz (river) .... F 3
Wisła (Vistula) (river) .... D 2
Wkra (river) .... E 2
Wolin (Wollin) (isl.) .... B 2

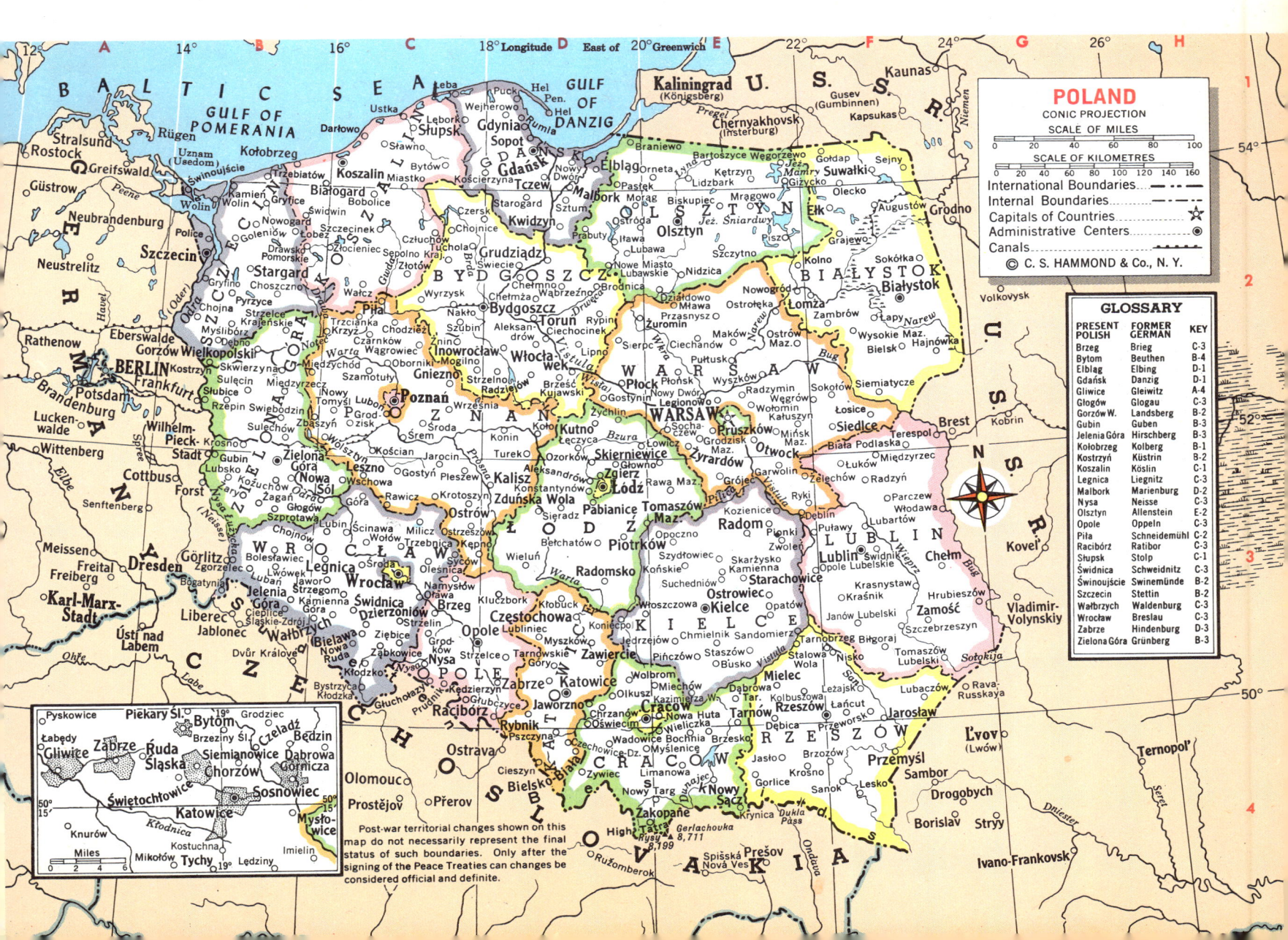

Union of Soviet Socialist Republics

UNION REPUBLICS

Republic	Population	Ref.
Armenian S.S.R.	1,958,000	E 6
Azerbaidzhan S.S.R.	4,117,000	E 5
Estonian S.S.R.	1,235,000	C 4
Georgian S.S.R.	4,271,000	D 5
Kazakh S.S.R.	10,934,000	G 5
Kirghiz S.S.R.	2,318,000	H 5
Latvian S.S.R.	2,170,000	C 4
Lithuanian S.S.R.	2,852,000	C 4
Moldavian S.S.R.	3,106,000	C 5
Russian S.F.S.R.	122,084,000	J 3
Tadzhik S.S.R.	2,188,000	H 6
Turkmen S.S.R.	1,683,000	F 6
Ukrainian S.S.R.	43,091,000	C 5
Uzbek S.S.R.	8,986,000	G 5
White Russian S.S.R.	8,316,000	C 4

INTERNAL DIVISIONS

Division	Population	Ref.
Abkhaz A.S.S.R.	426,000	D 5
Adygey Aut. Oblast	297,000	D 5
Adzhar A.S.S.R.	260,000	E 5
Aginsk Nat'l Okrug	53,000	M 4
Bashkir A.S.S.R.	3,464,000	F 4
Buryat A.S.S.R.	711,000	M 4
Chechen-Ingush A.S.S.R.	840,000	E 5
Chukchi Nat'l Okrug	52,000	R 3
Chuvash A.S.S.R.	1,137,000	E 4
Dagestan A.S.S.R.	1,165,000	E 5
Evenki Nat'l Okrug	10,000	K 3
Gorno-Altay Aut. Oblast	159,000	J 4
Gorno-Badakhshan Aut. Oblast	80,000	H 6
Jewish Aut. Oblast	161,000	O 5
Kabardin-Balkar A.S.S.R.	455,000	E 5
Kalmuck A.S.S.R.	193,000	E 5
Kara-Kalpak A.S.S.R.	544,000	G 5
Karachay-Cherkess Aut. Oblast	300,000	E 5
Karelian A.S.S.R.	659,000	D 3
Khakass Aut. Oblast	425,000	J 4
Khanty-Mansi Nat'l Okrug	134,000	F 3
Komi A.S.S.R.	851,000	F 3
Komi-Permyak Nat'l Okrug	233,000	F 3
Koryak Nat'l Okrug	32,000	R 3
Mari A.S.S.R.	662,000	E 4
Mordvinian A.S.S.R.	1,003,000	E 4
Nagorno-Karabakh Aut. Oblast	139,000	E 6
Nakhichevan' A.S.S.R.	142,000	E 6
Nenets Nat'l Okrug	37,000	E 3
North Ossetian A.S.S.R.	469,000	E 5
South Ossetian Aut. Oblast	98,000	E 5
Tatar A.S.S.R.	2,948,000	F 4
Taymyr Nat'l Okrug	33,000	K 2
Tuvinian A.S.S.R.	186,000	K 4
Udmurt A.S.S.R.	1,368,000	F 4
Ust'-Ordynskiy Nat'l Okrug	150,000	L 4
Yakut A.S.S.R.	527,000	N 3
Yamal-Nenets Nat'l Okrug	64,000	H 3

CITIES and TOWNS

City	Population	Ref.
Abakan	56,416	J 4
Adimi		O 5
Aginskoye	16,000	M 4
Akmolinsk (Tselinograd)	139,000	H 4
Aksha		M 4
Aktyubinsk	116,000	F 4
Aldan		N 4
Aleksandrovsk-Sakhalinskiy	22,206	P 5
Aleysk	28,982	J 4
Alga	11,748	F 4
Allakh-Yun'		O 3
Alma-Ata	580,000	H 5
Ambarchik		P 2
Amderma		F 3
Amga		O 3
Anadyr'	6,000	S 3
Andizhan	150,000	H 5
Angarsk	160,000	L 4
Anzhero-Sudzhensk	120,000	J 4
Aral'sk	19,615	G 5
Archangel	286,000	E 3
Armavir	123,000	E 5
Artem	55,531	O 5
Artemovskiy		O 5
Arzamas	41,518	E 4
Ashkhabad	207,000	F 6
Asino	24,682	J 4
Astrakhan'	324,000	E 5
Atbasar	34,316	H 4
Ayaguz	31,061	J 5
Ayan		O 3
Bagdarin		M 4
Bakanas		H 5
Baku	700,000	F 5
Balashov	64,349	E 4
Balkhash	53,031	H 5
Baranovka	40,878	E 5
Baranovichi	58,064	C 4
Barnaul	357,000	J 4
Batumi	82,328	E 5
Baykit		K 3
Baykonur		G 5
Bayram-Ali	24,156	G 6
Belgorod	72,278	D 4
Belogorsk	48,831	N 4
Belomorsk		D 3
Beloretsk	59,315	F 4
Berdichev	53,206	C 4
Berezniki	120,000	F 4
Berezovo	5,700	G 3
Beringovskiy		T 3
Birobidzhan	40,667	O 5
Biysk	165,000	J 4
Blagoveshchensk	104,000	N 4
Bobruysk	108,000	C 4
Bodaybo	18,226	M 4
Borisoglebsk	54,415	E 4
Borzya	23,680	M 4
Bratsk	51,455	L 4
Brest	73,557	C 4
Bryansk	249,000	D 4
Bugul'ma	60,980	F 4
Bulun		N 2
Buzuluk	54,851	F 4
Chagda		O 4
Chapayevo		G 4
Chapayevsk	83,263	F 4
Chara		M 4
Chardzhou	66,112	G 6
Cheboksary	142,000	F 4
Chelkar	17,236	F 5
Chelyabinsk	757,000	G 4
Cheremkhovo	119,000	L 4
Cherepovets	124,000	D 4
Cherkessk	41,709	E 5
Chernigov	113,000	C 4
Chernovtsy	152,000	C 5
Chernyshevsk		M 4
Chimbay	15,954	F 5
Chimkent	185,000	G 5
Chita	189,000	M 4
Chul'man		N 4
Chumikan		O 4
Daugavpils	65,459	C 4
Dikson		J 2
Dnepropetrovsk	738,000	D 5
Dolinsk		P 5
Donetsk	794,000	D 5
Drogobych	42,145	C 5
Druzhina		P 3
Dudinka	16,332	J 3
Dushanbe	276,000	G 6
Dzerzhinsk	180,000	E 4
Dzhalal-Abad	31,234	H 5
Dzhalinda		N 4
Dzhambul	139,000	H 5
Dzhelinda		M 2
Dzhetygara	14,672	G 4
Dzhezkazgan	32,442	G 5
Dzhizak	15,689	G 5
Ege-Khaya		O 3
Eibastuz	25,705	H 4
Ekimchan		O 4
El'dikan		O 3
Elista	23,171	E 5
Engel's	106,000	E 4
Erivan	578,000	E 6
Fergana	80,226	H 5
Fort-Shevchenko	11,393	F 5
Frolovo	26,438	E 4
Frunze	326,000	H 5
Gasan-Kuli		F 6
Gizhiga		R 3
Gol'chikha		J 2
Gomel	199,000	D 4
Gor'kiy	1,042,000	E 4
Gorno-Altaysk	27,534	J 5
Gorodok		L 4
Grodno	72,943	C 4
Groznyy	270,000	E 5
Gubakha		F 4
Gur'yev	78,143	F 5
Gusinoozersk		L 4
Gydy		H 2
Igarka	14,500	J 3
Ilanskiy	26,911	K 4
Ili	14,072	H 5
Ilimsk		L 4
Iman	25,411	O 5
Indiga		E 3
Industrial'nyy		L 2
Inta	36,154	F 3
Iolotan'	9,640	G 6
Irkutsk	390,000	L 4
Ishim	47,793	G 4
Ishimbay	46,568	F 4
Isil'-Kul'	23,120	H 4
Ivano-Frankovsk	66,456	C 5
Ivanovo	368,000	E 4
Izhevsk	330,000	F 4
Izmail	48,103	C 5
Kachuga		L 4
Kagan	21,103	G 6
Kalachinsk	18,987	H 4
Kalakan		L 4
Kalinin	292,000	D 4
Kaliningrad	238,000	B 4
Kalmykovo		F 5
Kaluga	157,000	D 4
Kamensk-Ural'skiy	152,000	G 4
Kamenskoye		R 3
Kamyshin	56,511	E 4
Kandalaksha	37,045	D 3
Kansk	73,814	K 4
Kara		G 3
Karabekaul		G 6
Karaganda	462,000	H 5
Karasuk	19,961	H 4

UNION OF SOVIET SOCIALIST REPUBLICS

AREA 8,570,600 sq. mi.
POPULATION 226,253,000
CAPITAL Moscow
LARGEST CITY Moscow (greater) 6,354,000
HIGHEST POINT Mt. Communism 24,590 ft.
MONETARY UNIT ruble
MAJOR LANGUAGES Russian, Ukrainian, White Russian, Uzbek, Azerbaidzhani, Tatar, Georgian, Lithuanian, Armenian, Yiddish, Latvian, Mordvinian, Kirghiz, Tadzhik, Estonian, Kazakh, etc.
MAJOR RELIGIONS Russian Orthodox, Moslem, Tribal Religions

UNION REPUBLICS

	AREA (sq. mi.)	POPULATION	CAPITAL and LARGEST CITY
RUSSIAN S.F.S.R.	6,501,500	122,084,000	Moscow (greater) 6,354,000
KAZAKH S.S.R.	1,061,600	10,934,000	Alma-Ata 580,000
UKRAINIAN S.S.R.	220,600	43,091,000	Kiev 1,248,000
TURKMEN S.S.R.	187,200	1,683,000	Ashkhabad 207,000
UZBEK S.S.R.	157,400	8,986,000	Tashkent 1,029,000
WHITE RUSSIAN S.S.R.	80,100	8,316,000	Minsk 644,000
KIRGHIZ S.S.R.	76,100	2,318,000	Frunze 326,000
TADZHIK S.S.R.	54,900	2,188,000	Dushanbe 276,000
AZERBAIDZHAN S.S.R.	33,100	4,117,000	Baku 700,000
GEORGIAN S.S.R.	29,400	4,271,000	Tbilisi 768,000
LITHUANIAN S.S.R.	25,200	2,852,000	Vilna 271,000
LATVIAN S.S.R.	24,600	2,170,000	Riga 632,000
ESTONIAN S.S.R.	17,400	1,235,000	Tallinn 311,000
MOLDAVIAN S.S.R.	13,100	3,106,000	Kishinev 254,000
ARMENIAN S.S.R.	11,500	1,958,000	Erivan 578,000

TOPOGRAPHY

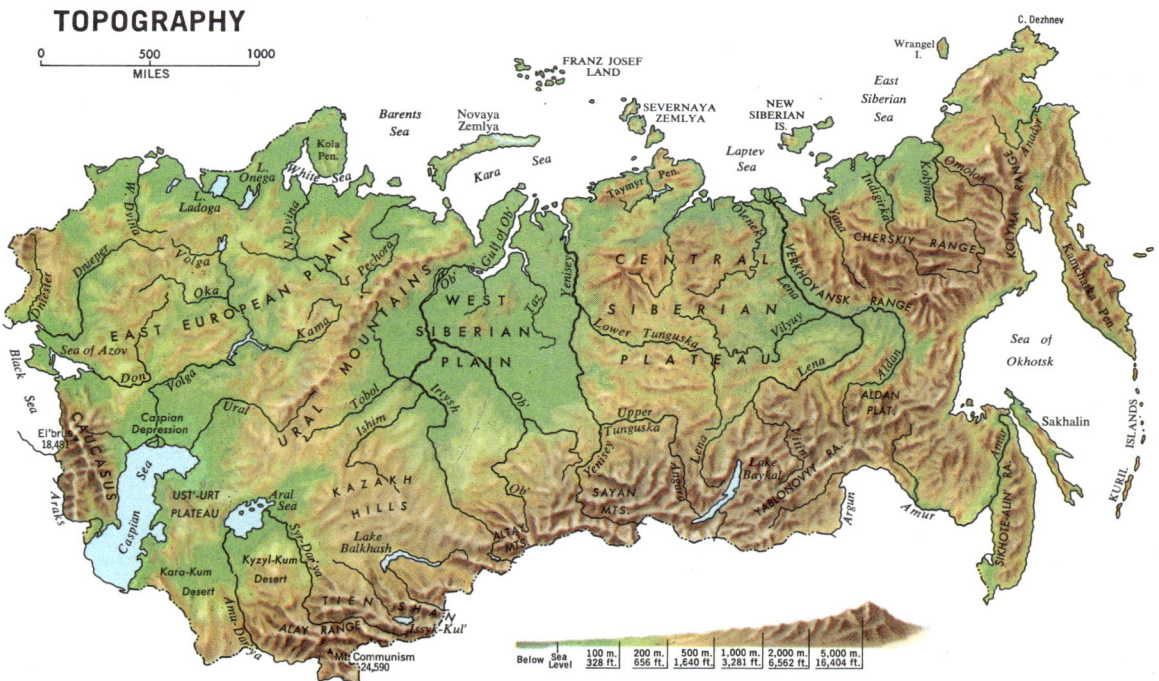

(continued on following page)

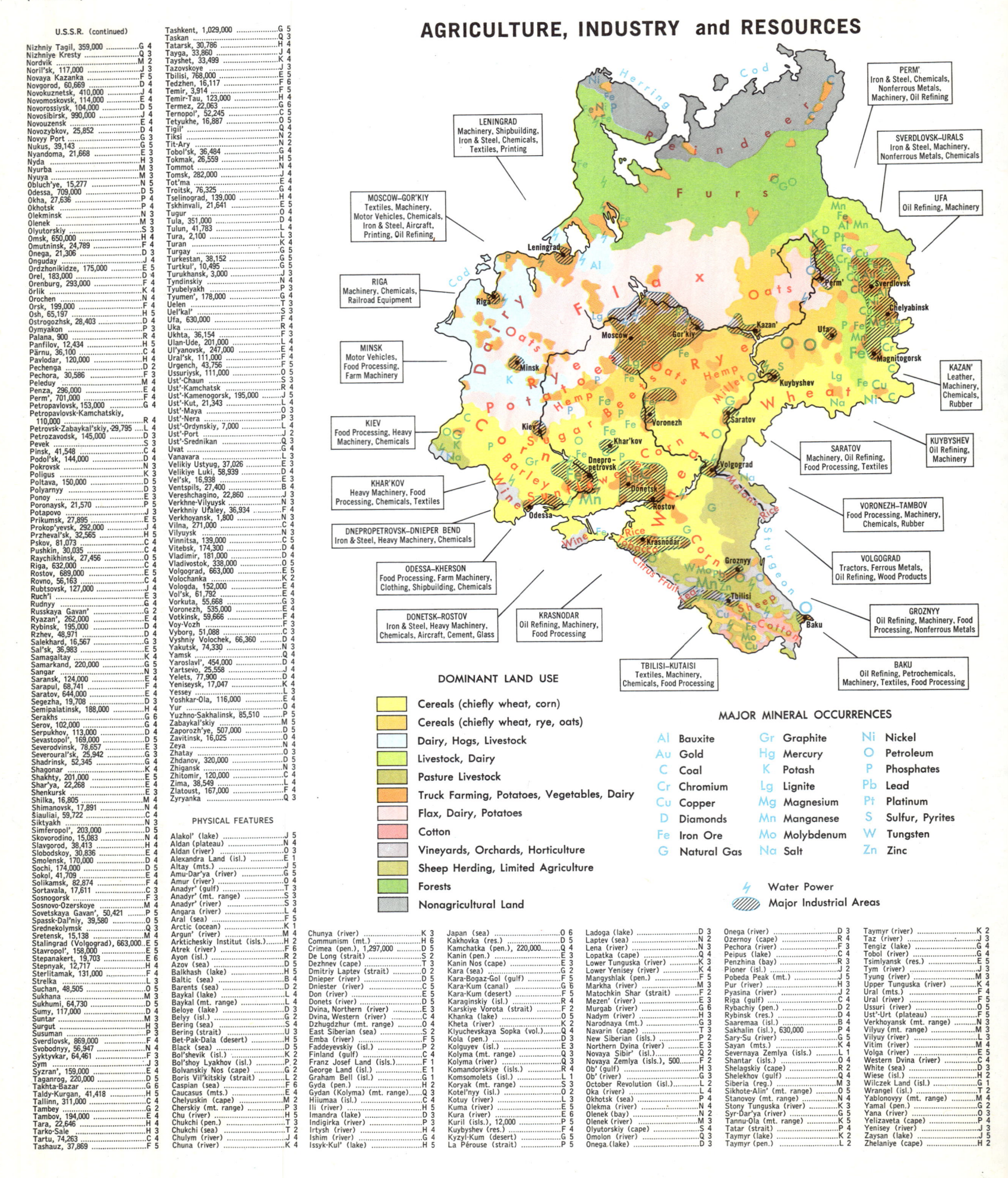

Union of Soviet Socialist Republics
(continued)

U.S.S.R. (continued)

Nizhniy Tagil, 359,000 .... G 4
Nizhniye Kresty .... Q 3
Nordvik .... M 2
Noril'sk, 117,000 .... J 3
Novaya Kazanka .... F 5
Novgorod, 60,669 .... D 4
Novokuznetsk, 410,000 .... J 4
Novomoskovsk, 114,000 .... E 4
Novorossiysk, 104,000 .... D 5
Novosibirsk, 990,000 .... J 4
Novouzensk .... E 4
Novozybkov, 25,852 .... D 4
Novyy Port .... G 3
Nukus, 39,143 .... G 5
Nyandoma, 21,668 .... E 3
Nyda .... H 3
Nyurba .... M 3
Nyuya .... M 3
Obluch'ye, 15,277 .... N 5
Odessa, 709,000 .... D 5
Okha, 27,636 .... P 4
Okhotsk .... P 4
Olekminsk .... N 3
Olenek .... M 3
Olyutorskiy .... S 3
Omsk, 650,000 .... H 4
Omutninsk, 24,789 .... F 4
Onega, 21,306 .... D 3
Onguday .... J 4
Ordzhonikidze, 175,000 .... E 5
Orel, 183,000 .... D 4
Orenburg, 293,000 .... F 4
Örlik .... K 4
Orochen .... N 4
Orsk, 199,000 .... F 4
Osh, 65,197 .... H 5
Ostrogozhsk, 28,403 .... D 4
Oymyakon .... P 3
Palana, 900 .... R 4
Panfilov, 12,434 .... H 5
Pärnu, 36,100 .... C 4
Pavlodar, 120,000 .... H 4
Pechenga .... D 2
Pechora, 30,586 .... F 3
Peleduy .... M 4
Penza, 296,000 .... E 4
Perm', 701,000 .... F 4
Petropavlovsk, 153,000 .... G 4
Petropavlovsk-Kamchatskiy, 110,000 .... R 4
Petrovsk-Zabaykal'skiy, 29,795 .... L 4
Petrozavodsk, 145,000 .... D 3
Pevek .... S 3
Pinsk, 41,548 .... C 4
Podol'sk, 144,000 .... D 4
Pokrovsk .... N 3
Poligus .... K 3
Poltava, 150,000 .... D 5
Polyarnyy .... D 3
Ponoy .... E 3
Poronaysk, 21,570 .... P 5
Potapovo .... J 3
Prikumsk, 27,895 .... E 5
Prokop'yevsk, 292,000 .... J 4
Przheval'sk, 32,565 .... H 5
Pskov, 81,073 .... C 4
Pushkin, 30,035 .... C 4
Raychikhinsk, 27,456 .... O 5
Riga, 632,000 .... C 4
Rostov, 689,000 .... E 5
Rovno, 56,163 .... C 4
Rubtsovsk, 127,000 .... J 4
Ruch'i .... E 3
Rudnyy .... G 4
Russkaya Gavan' .... G 2
Ryazan', 262,000 .... E 4
Rybinsk, 195,000 .... D 4
Rzhev, 48,971 .... D 4
Salekhard, 16,567 .... G 3
Sal'sk, 36,983 .... E 5
Samagaltay .... K 4
Samarkand, 220,000 .... G 5
Sangar .... N 3
Saransk, 124,000 .... E 4
Sarapul, 68,741 .... F 4
Saratov, 644,000 .... E 4
Segezha, 19,708 .... D 3
Semipalatinsk, 188,000 .... H 4
Serakhs .... G 6
Serov, 102,000 .... G 4
Serpukhov, 113,000 .... D 4
Sevastopol', 169,000 .... D 5
Severodvinsk, 78,657 .... E 3
Severoural'sk, 25,942 .... G 3
Shadrinsk, 52,345 .... G 4
Shagonar .... K 4
Shakhty, 201,000 .... E 5
Shar'ya, 22,268 .... E 4
Shenkursk .... E 3
Shilka, 16,805 .... M 4
Shimanovsk, 17,891 .... N 4
Šiauliai, 59,722 .... C 4
Siktyakh .... N 3
Simferopol', 203,000 .... D 5
Skovorodino, 15,083 .... N 4
Slavgorod, 38,413 .... H 4
Slobodskoy, 30,836 .... E 4
Smolensk, 170,000 .... D 4
Sochi, 174,000 .... D 5
Sokol, 41,709 .... E 4
Solikamsk, 82,874 .... F 4
Sortavala, 17,611 .... C 3
Sosnogorsk .... F 3
Sosnovo-Ozerskoye .... M 4
Sovetskaya Gavan', 50,421 .... P 5
Spassk-Dal'niy, 39,580 .... O 5
Srednekolymsk .... Q 3
Sretensk, 15,138 .... M 4
Stalingrad (Volgograd), 663,000 .... E 5
Stavropol', 158,000 .... E 5
Stepanakert, 19,703 .... E 6
Stepnyak, 12,717 .... H 4
Sterlitamak, 131,000 .... F 4
Strelka .... L 3
Suchan, 48,505 .... O 5
Sukhana .... M 3
Sukhumi, 64,730 .... D 5
Sumy, 117,000 .... D 4
Suntar .... M 3
Surgut .... H 3
Susuman .... P 3
Sverdlovsk, 869,000 .... F 4
Svobodnyy, 56,947 .... N 4
Syktyvkar, 64,461 .... F 3
Sym .... J 3
Syzran', 159,000 .... E 4
Taganrog, 220,000 .... D 5
Takhta-Bazar .... G 6
Taldy-Kurgan, 41,418 .... H 5
Tallinn, 311,000 .... C 4
Tambey .... G 2
Tambov, 194,000 .... E 4
Tara, 22,646 .... H 4
Tarko-Sale .... H 3
Tartu, 74,263 .... C 4
Tashauz, 37,869 .... F 5
Tashkent, 1,029,000 .... G 5
Taskan .... Q 3
Tatarsk, 30,786 .... H 4
Tayga, 33,860 .... J 4
Tayshet, 33,499 .... K 4
Tazovskoye .... J 3
Tbilisi, 768,000 .... E 5
Tedzhen, 16,117 .... F 6
Temir, 3,914 .... F 5
Temir-Tau, 123,000 .... H 4
Termez, 22,063 .... G 6
Ternopol', 52,245 .... C 5
Tetyukhe, 16,887 .... O 5
Tigil' .... Q 4
Tiksi .... N 2
Tit-Ary .... N 2
Tobol'sk, 36,484 .... G 4
Tokmak, 26,559 .... H 5
Tommot .... N 4
Tomsk, 282,000 .... J 4
Tot'ma .... E 4
Troitsk, 76,325 .... G 4
Tselinograd, 139,000 .... H 4
Tskhinvali, 21,641 .... E 5
Tugur .... O 4
Tula, 351,000 .... D 4
Tulun, 41,783 .... L 4
Tura, 2,100 .... L 3
Turan .... K 4
Turgay .... G 5
Turkestan, 38,152 .... G 5
Turtkul', 10,495 .... G 5
Turukhansk, 3,000 .... J 3
Tyndinskiy .... N 4
Tyubelyakh .... P 3
Tyumen', 178,000 .... G 4
Uelen .... T 3
Uel'kal' .... S 3
Ufa, 630,000 .... F 4
Uka .... R 4
Ukhta, 36,154 .... F 3
Ulan-Ude, 201,000 .... L 4
Ul'yanovsk, 247,000 .... E 4
Ural'sk, 111,000 .... F 4
Urgench, 43,756 .... F 5
Ussuriysk, 111,000 .... O 5
Ust'-Chaun .... S 3
Ust'-Kamchatsk .... R 4
Ust'-Kamenogorsk, 195,000 .... J 5
Ust'-Kut, 21,343 .... L 4
Ust'-Maya .... O 3
Ust'-Nera .... P 3
Ust'-Ordynskiy, 7,000 .... L 4
Ust'-Port .... J 2
Ust'-Srednikan .... Q 3
Uvat .... G 4
Vanavara .... L 3
Velikiy Ustyug, 37,026 .... E 3
Velikiye Luki, 58,939 .... D 4
Vel'sk, 16,938 .... E 3
Ventspils, 27,400 .... B 4
Vereshchagino, 22,860 .... J 3
Verkhne-Vilyuysk .... N 3
Verkhniy Ufaley, 36,934 .... F 4
Verkhoyansk, 1,800 .... N 3
Vilna, 271,000 .... C 4
Vilyuysk .... N 3
Vinnitsa, 139,000 .... C 5
Vitebsk, 174,300 .... D 4
Vladimir, 181,000 .... D 4
Vladivostok, 338,000 .... O 5
Volgograd, 663,000 .... E 5
Volochanka .... K 2
Vologda, 152,000 .... E 4
Vol'sk, 61,792 .... E 4
Vorkuta, 55,668 .... G 3
Voronezh, 535,000 .... E 4
Votkinsk, 59,666 .... F 4
Voy-Vozh .... F 3
Vyborg, 51,088 .... C 3
Vyshniy Volochek, 66,360 .... D 4
Yakutsk, 74,330 .... N 3
Yamsk .... Q 4
Yaroslavl', 454,000 .... D 4
Yartsevo, 25,558 .... J 4
Yelets, 77,900 .... D 4
Yeniseysk, 17,047 .... K 4
Yessey .... L 3
Yoshkar-Ola, 116,000 .... E 4
Yur .... O 4
Yuzhno-Sakhalinsk, 85,510 .... P 5
Zabaykal'skiy .... M 5
Zaporozh'ye, 507,000 .... D 5
Zavitinsk, 16,025 .... O 4
Zeya .... N 4
Zhatay .... O 3
Zhdanov, 320,000 .... D 5
Zhigansk .... N 3
Zhitomir, 120,000 .... C 4
Zima, 38,549 .... L 4
Zlatoust, 167,000 .... F 4
Zyryanka .... Q 3

PHYSICAL FEATURES

Alakol' (lake) .... J 5
Aldan (plateau) .... N 4
Aldan (river) .... O 3
Alexandra Land (isl.) .... E 1
Altay (mts.) .... J 5
Amu-Dar'ya (river) .... G 5
Amur (river) .... O 4
Anadyr' (gulf) .... T 3
Anadyr' (mt. range) .... S 3
Anadyr' (river) .... S 3
Angara (river) .... L 4
Aral (sea) .... F 5
Arctic (ocean) .... K 1
Argun' (river) .... M 4
Arkticheskiy Institut (isls.) .... H 2
Atrek (river) .... F 6
Ayon (isl.) .... R 2
Azov (sea) .... D 5
Balkhash (lake) .... H 5
Baltic (sea) .... B 4
Barents (sea) .... D 2
Baykal (lake) .... L 4
Baykal (mt. range) .... L 4
Beloye (lake) .... D 3
Belyy (isl.) .... G 2
Bering (sea) .... S 4
Bering (strait) .... U 3
Bet-Pak-Dala (desert) .... H 5
Black (sea) .... D 5
Bol'shevik (isl.) .... K 2
Bol'shoy Lyakhov (isl.) .... P 2
Bolvanskiy Nos (cape) .... G 2
Boris Vil'kitskiy (strait) .... L 2
Caspian (sea) .... F 6
Caucasus (mts.) .... E 4
Chelyuskin (cape) .... M 2
Cherskiy (mt. range) .... P 3
Chu (river) .... H 5
Chukchi (pen.) .... T 3
Chukchi (sea) .... T 2
Chulym (river) .... J 4
Chuna (river) .... K 4

AGRICULTURE, INDUSTRY and RESOURCES

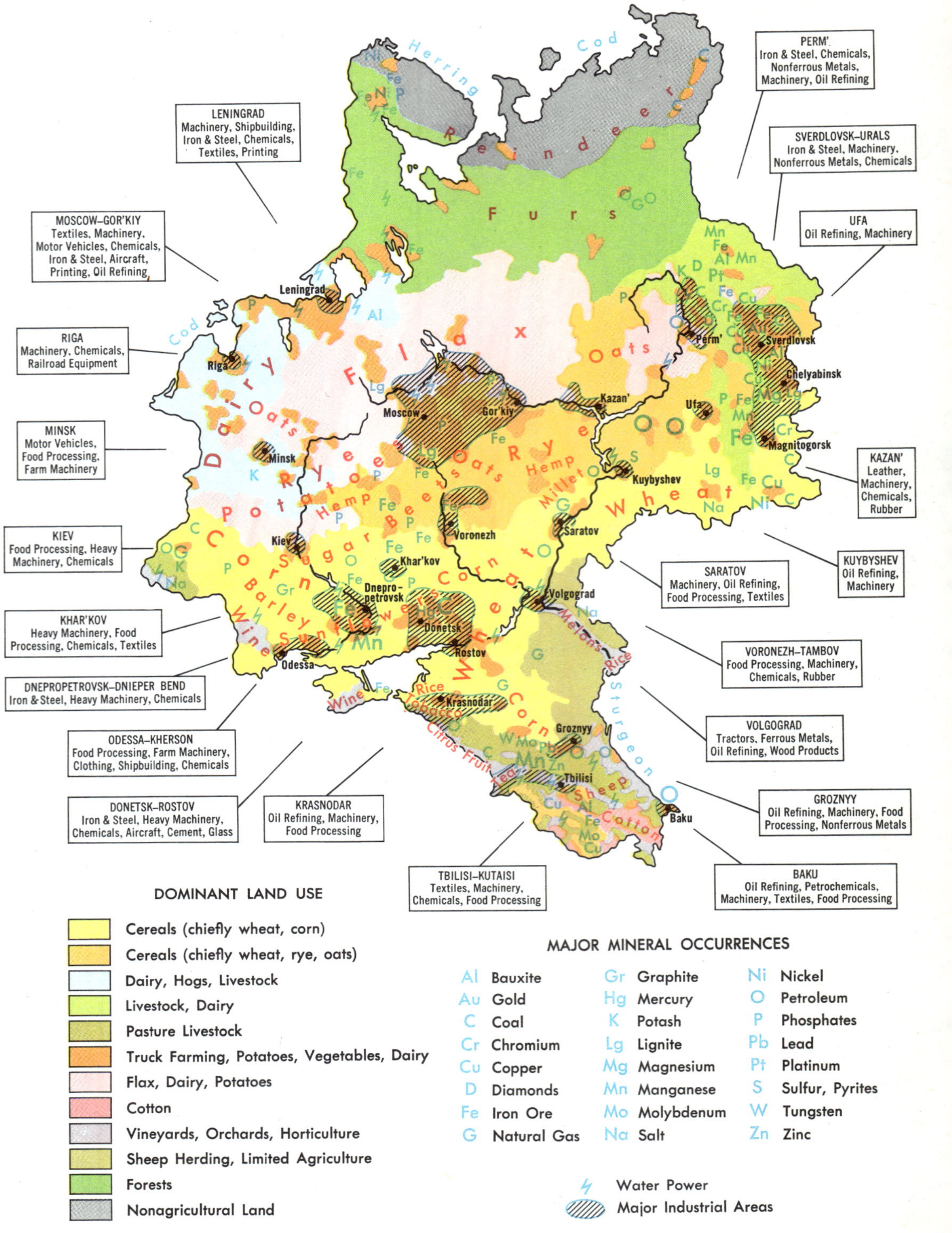

PERM'
Iron & Steel, Chemicals, Nonferrous Metals, Machinery, Oil Refining
LENINGRAD
Machinery, Shipbuilding, Iron & Steel, Chemicals, Textiles, Printing
SVERDLOVSK–URALS
Iron & Steel, Machinery, Nonferrous Metals, Chemicals
MOSCOW–GOR'KIY
Textiles, Machinery, Motor Vehicles, Chemicals, Iron & Steel, Aircraft, Printing, Oil Refining
UFA
Oil Refining, Machinery
RIGA
Machinery, Chemicals, Railroad Equipment
MINSK
Motor Vehicles, Food Processing, Farm Machinery
KAZAN'
Leather, Machinery, Chemicals, Rubber
KIEV
Food Processing, Heavy Machinery, Chemicals
KUYBYSHEV
Oil Refining, Machinery
SARATOV
Machinery, Oil Refining, Food Processing, Textiles
KHAR'KOV
Heavy Machinery, Food Processing, Chemicals, Textiles
VORONEZH–TAMBOV
Food Processing, Machinery, Chemicals, Rubber
DNEPROPETROVSK–DNIEPER BEND
Iron & Steel, Heavy Machinery, Chemicals
VOLGOGRAD
Tractors, Ferrous Metals, Oil Refining, Wood Products
ODESSA–KHERSON
Food Processing, Farm Machinery, Clothing, Shipbuilding, Chemicals
GROZNYY
Oil Refining, Machinery, Food Processing, Nonferrous Metals
DONETSK–ROSTOV
Iron & Steel, Heavy Machinery, Chemicals, Aircraft, Cement, Glass
KRASNODAR
Oil Refining, Machinery, Food Processing
TBILISI–KUTAISI
Textiles, Machinery, Chemicals, Food Processing
BAKU
Oil Refining, Petrochemicals, Machinery, Textiles, Food Processing
Cod
Herring
Reindeer
Furs
Dairy
Flax
Oats
Potatoes
Rye
Hemp
Sugar Beets
Millet
Wheat
Corn
Barley
Sunflowers
Wine
Rice
Tobacco
Citrus Fruit
Tea
Melons
Sturgeon
Sheep
Cotton
Leningrad
Riga
Minsk
Moscow
Gor'kiy
Kazan'
Perm'
Sverdlovsk
Chelyabinsk
Ufa
Magnitogorsk
Kuybyshev
Saratov
Voronezh
Kiev
Khar'kov
Dnepropetrovsk
Donetsk
Volgograd
Rostov
Odessa
Krasnodar
Groznyy
Tbilisi
Baku
DOMINANT LAND USE
Cereals (chiefly wheat, corn)
Cereals (chiefly wheat, rye, oats)
Dairy, Hogs, Livestock
Livestock, Dairy
Pasture Livestock
Truck Farming, Potatoes, Vegetables, Dairy
Flax, Dairy, Potatoes
Cotton
Vineyards, Orchards, Horticulture
Sheep Herding, Limited Agriculture
Forests
Nonagricultural Land
MAJOR MINERAL OCCURRENCES
Al Bauxite
Au Gold
C Coal
Cr Chromium
Cu Copper
D Diamonds
Fe Iron Ore
G Natural Gas
Gr Graphite
Hg Mercury
K Potash
Lg Lignite
Mg Magnesium
Mn Manganese
Mo Molybdenum
Na Salt
Ni Nickel
O Petroleum
P Phosphates
Pb Lead
Pt Platinum
S Sulfur, Pyrites
W Tungsten
Zn Zinc
Water Power
Major Industrial Areas

Chunya (river) .... K 3
Communism (mt.) .... H 6
Crimea (pen.), 1,297,000 .... D 5
De Long (strait) .... S 2
Dezhnev (cape) .... T 3
Dmitriy Laptev (strait) .... O 2
Dnieper (river) .... D 5
Dniester (river) .... C 5
Don (river) .... E 5
Donets (river) .... D 5
Dvina, Northern (river) .... E 3
Dvina, Western (river) .... C 4
Dzhugdzhur (mt. range) .... O 4
East Siberian (sea) .... S 2
Emba (river) .... F 5
Faddeyevskiy (isl.) .... P 2
Finland (gulf) .... C 4
Franz Josef Land (isls.) .... F 1
George Land (isl.) .... E 1
Graham Bell (isl.) .... G 1
Gyda (pen.) .... H 2
Gydan (Kolyma) (mt. range) .... Q 3
Hiiumaa (isl.) .... C 4
Ili (river) .... H 5
Imandra (lake) .... D 3
Indigirka (river) .... P 3
Irtysh (river) .... H 4
Ishim (river) .... G 4
Issyk-Kul' (lake) .... H 5
Japan (sea) .... O 6
Kakhovka (res.) .... D 5
Kamchatka (pen.), 220,000 .... Q 4
Kanin (pen.) .... E 3
Kanin Nos (cape) .... E 3
Kara (sea) .... G 2
Kara-Bogaz-Gol (gulf) .... F 5
Kara-Kum (canal) .... G 6
Kara-Kum (desert) .... F 5
Karaginskiy (isl.) .... R 4
Karskiye Vorota (strait) .... F 2
Khanka (lake) .... O 5
Kheta (river) .... K 2
Klyuchevskaya Sopka (vol.) .... Q 4
Kola (pen.) .... D 3
Kolguyev (isl.) .... E 3
Kolyma (mt. range) .... Q 3
Kolyma (river) .... Q 3
Komandorskiye (isls.) .... R 4
Komsomolets (isl.) .... L 1
Koryak (mt. range) .... S 3
Kotel'nyy (isl.) .... O 2
Kotuy (river) .... L 3
Kuma (river) .... E 5
Kura (river) .... E 6
Kuril (isls.), 12,000 .... P 5
Kuybyshev (res.) .... F 4
Kyzyl-Kum (desert) .... G 5
La Pérouse (strait) .... P 5
Ladoga (lake) .... D 3
Laptev (sea) .... N 2
Lena (river) .... N 3
Lopatka (cape) .... Q 4
Lower Tunguska (river) .... K 3
Lower Yenisey (river) .... K 4
Mangyshlak (pen.) .... F 5
Markha (river) .... M 3
Matochkin Shar (strait) .... F 2
Mezen' (river) .... E 3
Murgab (river) .... G 6
Nadym (river) .... H 3
Narodnaya (mt.) .... G 3
Navarin (cape) .... T 3
New Siberian (isls.) .... P 2
Northern Dvina (river) .... E 3
Novaya Sibir' (isl.) .... Q 2
Novaya Zemlya (isls.), 500 .... F 2
Ob' (gulf) .... H 3
Ob' (river) .... G 3
October Revolution (isl.) .... L 2
Oka (river) .... L 4
Okhotsk (sea) .... P 4
Olekma (river) .... N 4
Olenek (bay) .... N 2
Olenek (river) .... M 3
Olyutorskiy (cape) .... S 4
Omolon (river) .... Q 3
Onega (lake) .... D 3
Onega (river) .... D 3
Ozernoy (cape) .... R 4
Pechora (river) .... F 3
Peipus (lake) .... C 4
Penzhina (bay) .... R 3
Pioner (isl.) .... J 2
Pobeda Peak (mt.) .... J 5
Pur (river) .... H 3
Pyasina (river) .... J 2
Riga (gulf) .... C 4
Rybachiy (pen.) .... D 2
Rybinsk (res.) .... D 4
Saaremaa (isl.) .... B 4
Sakhalin (isl.), 630,000 .... P 4
Sary-Su (river) .... G 5
Sayan (mts.) .... K 4
Severnaya Zemlya (isls.) .... L 1
Shantar (isls.) .... O 4
Shelagskiy (cape) .... R 2
Shelekhov (gulf) .... Q 4
Siberia (reg.) .... M 3
Sikhote-Alin' (mt. range) .... O 5
Stanovoy (mt. range) .... N 4
Stony Tunguska (river) .... K 3
Syr-Dar'ya (river) .... G 5
Tannu-Ola (mt. range) .... K 5
Tatar (strait) .... P 4
Taymyr (lake) .... K 2
Taymyr (pen.) .... L 2
Taymyr (river) .... K 2
Taz (river) .... J 3
Tengiz (lake) .... G 4
Tobol (river) .... G 4
Tsimlyansk (res.) .... E 5
Tym (river) .... J 3
Tyung (river) .... M 3
Upper Tunguska (river) .... K 4
Ural (mts.) .... F 4
Ural (river) .... F 5
Ussuri (river) .... O 5
Ust'-Urt (plateau) .... F 5
Verkhoyansk (mt. range) .... N 3
Vilyuy (mt. range) .... M 3
Vilyuy (river) .... L 3
Vitim (river) .... M 4
Volga (river) .... E 5
Western Dvina (river) .... C 4
White (sea) .... D 3
Wiese (isl.) .... H 2
Wilczek Land (isl.) .... G 1
Wrangel (isl.) .... T 2
Yablonovyy (mt. range) .... M 4
Yamal (pen.) .... G 2
Yana (river) .... O 3
Yelizaveta (cape) .... P 4
Yenisey (river) .... J 3
Zaysan (lake) .... J 5
Zhelaniye (cape) .... H 2

Union of Soviet Socialist Republics
(continued)

AGRICULTURE, INDUSTRY and RESOURCES

DOMINANT LAND USE
- Cereals (chiefly wheat, corn)
- Livestock, Dairy
- Truck Farming, Potatoes, Vegetables, Dairy
- Cotton
- Sheep Herding, Limited Agriculture
- Forests
- Nonagricultural Land

MAJOR MINERAL OCCURRENCES

Ab	Asbestos	Mn	Manganese
Al	Bauxite	Mo	Molybdenum
Au	Gold	Na	Salt
C	Coal	Ni	Nickel
Cu	Copper	O	Petroleum
D	Diamonds	P	Phosphates
Fe	Iron Ore	Pb	Lead
G	Natural Gas	S	Sulfur, Pyrites
Gr	Graphite	Sb	Antimony
Hg	Mercury	Sn	Tin
Lg	Lignite	U	Uranium
Mi	Mica	W	Tungsten
		Zn	Zinc

- Water Power
- Major Industrial Areas

NOVOSIBIRSK–KUZNETSK
Iron & Steel, Heavy Machinery, Chemicals, Textiles, Nonferrous Metals

OMSK
Food Processing, Machinery, Railroad Equipment, Oil Refining

TASHKENT–CENTRAL ASIA
Cotton & Silk Textiles, Chemicals, Machinery, Metalworking

KARAGANDA
Iron & Steel, Machinery, Rubber

ALMA–ATA
Textiles, Machinery

KRASNOYARSK
Railroad Equipment, Farm Machinery, Food Processing, Lumber

IRKUTSK
Machinery, Motor Vehicles, Chemicals, Oil Refining, Leather, Lumber

ULAN–UDE
Railroad Equipment, Textiles, Lumber, Meat, Glass

KOMSOMOL'SK
Iron & Steel, Shipbuilding, Machinery

KHABAROVSK
Machinery, Motor Vehicles, Oil Refining, Lumber, Food Processing

VLADIVOSTOK
Machinery, Shipbuilding, Fish Preserving, Woodworking

U.S.S.R. – RAILROADS AND NAVIGATION

- Principal Railroads
- Navigable Rivers
- Canals
- Main Sea Routes
- Major Ports

(continued on following page)

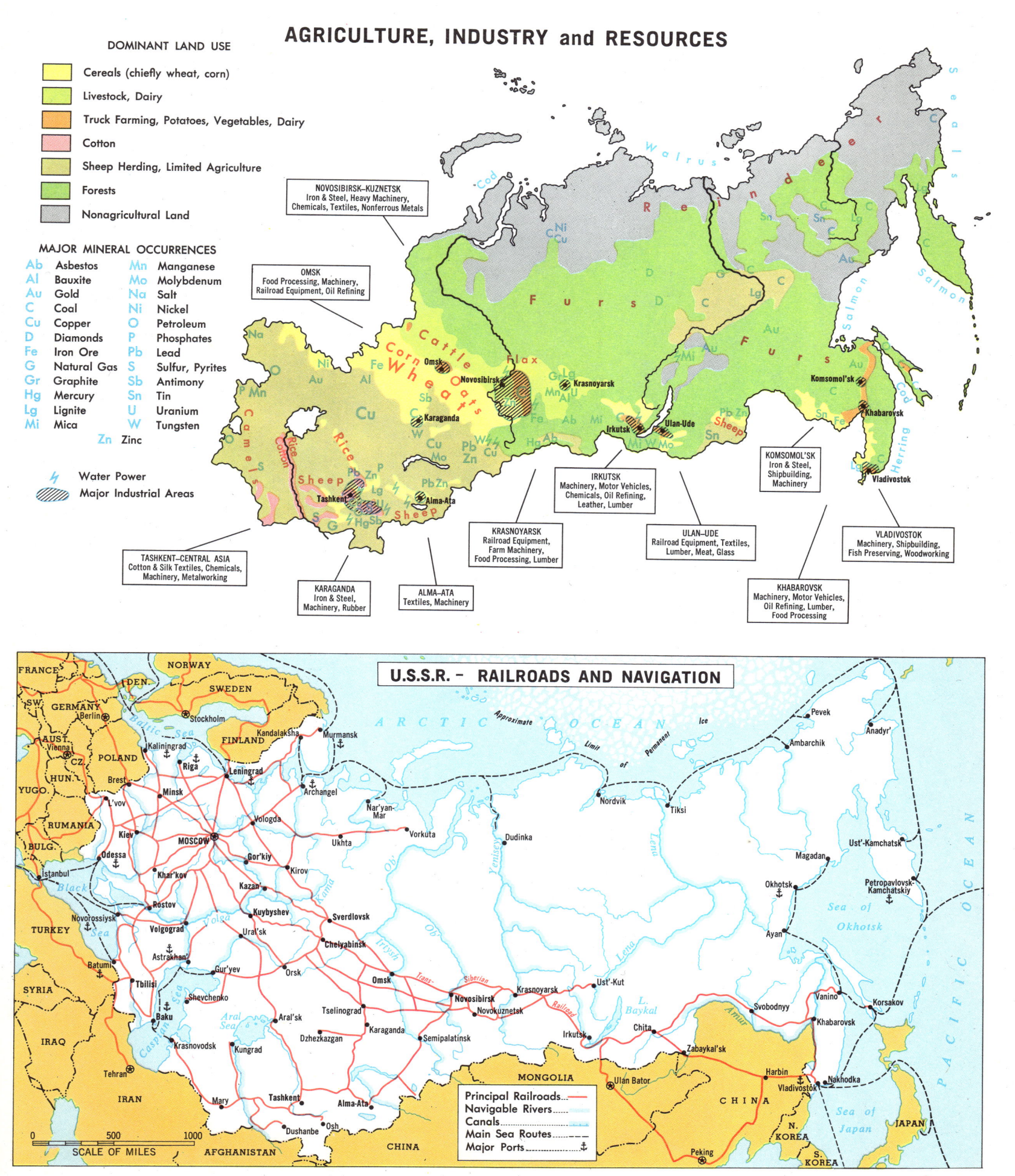

UNION OF SOVIET SOCIALIST REPUBLICS
European Part

CONIC PROJECTION
SCALE OF MILES
SCALE OF KILOMETRES

National Capitals	★
Capitals of Union Republics	⊠
Administrative Centers	△
International boundaries	
Union Republic boundaries	
A.S.S.R., Oblast, Kray boundaries	
Autonomous Oblast boundaries	
National Okrug boundaries	
Canals	

The government of the United States has not recognized the incorporation of Estonia, Latvia and Lithuania into the Soviet Union, nor does it recognize as final the de facto western limit of Polish administration in Germany (the Oder-Neisse line).

Administrative Divisions bear same names as their respective Capitals or Centers, except:

Abkhaz A.S.S.R.	Sukhumi	F6
Adygey Aut. Oblast	Maykop	F6
Adzhar A.S.S.R.	Batumi	F6
Bashkir A.S.S.R.	Ufa	J4
Chechen-Ingush A.S.S.R.	Groznyy	G6
Chuvash A.S.S.R.	Cheboksary	G3
Crimean Oblast	Simferopol'	D6
Dagestan A.S.S.R.	Makhachkala	G6
Kabardin-Balkar A.S.S.R.	Nal'chik	F6
Kalmuck	Elista	F5
Karachay-Cherkess Aut. Obl.	Cherkessk	F6
Karelian A.S.S.R.	Petrozavodsk	D2
Komi A.S.S.R.	Syktyvkar	H2
Komi-Permyak Nat'l Okrug	Kudymkar	H3
Mari A.S.S.R.	Yoshkar-Ola	G3
Mordvinian A.S.S.R.	Saransk	G4
Nagorno-Karabakh Aut. Obl.	Stepanakert	G7
Nenets Nat'l Okrug	Nar'yan-Mar	H1
North Ossetian A.S.S.R.	Ordzhonikidze	F6
South Ossetian Aut. Obl.	Tskhinvali	F6
Tatar A.S.S.R.	Kazan'	G3
Trans-Carpathian Oblast	Uzhgorod	B5
Udmurt A.S.S.R.	Izhevsk	H3
Volyn Oblast	Lutsk	C4

Copyright by C. S. HAMMOND & CO., N.Y.

Union of Soviet Socialist Republics

(continued)

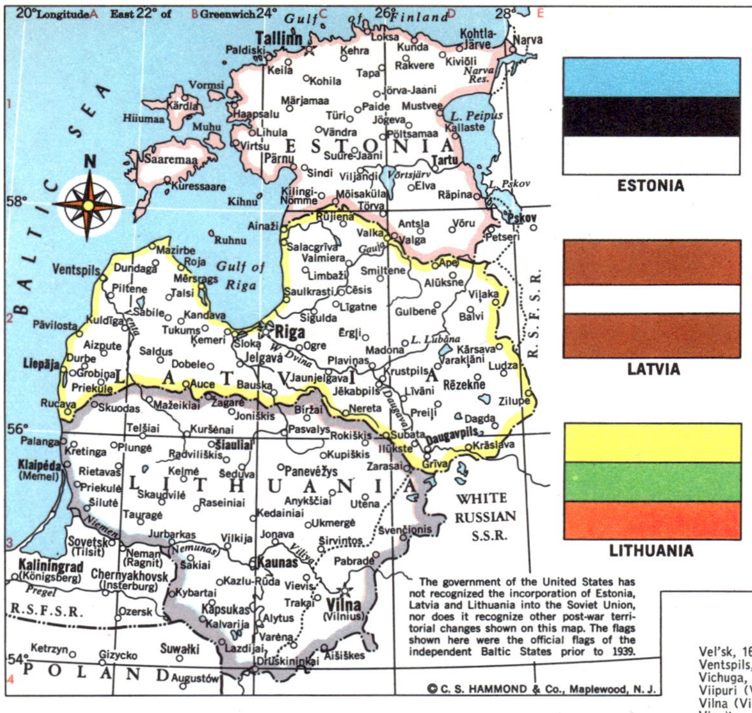

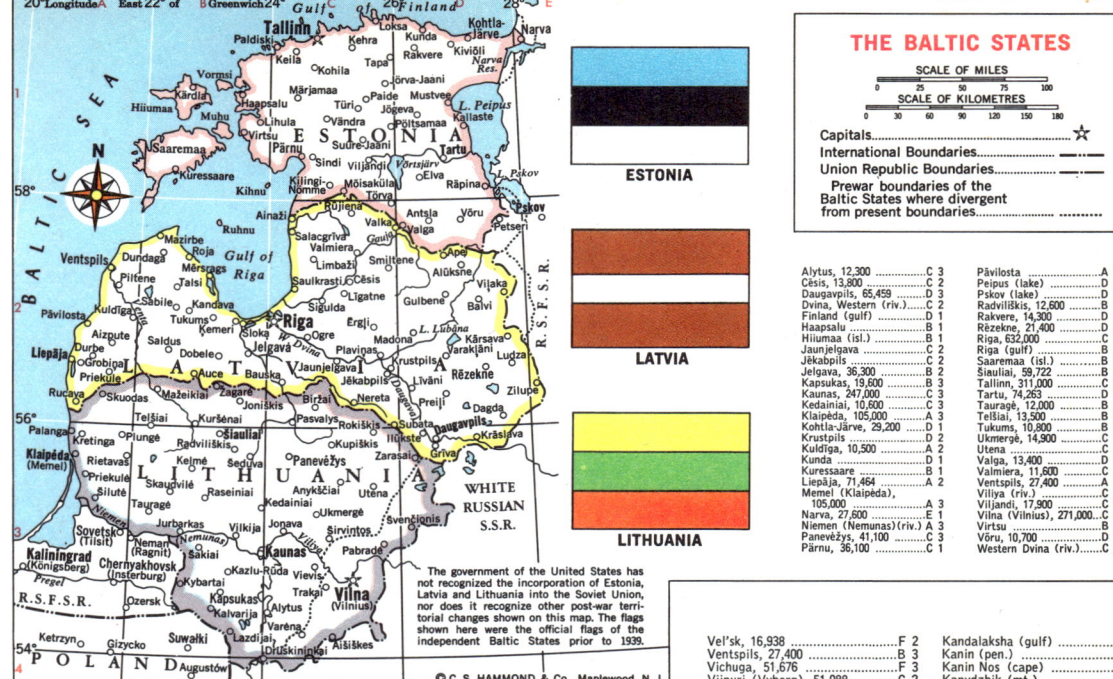

Gulf of Finland
BALTIC SEA
Gulf of Riga
ESTONIA
LATVIA
LITHUANIA
WHITE RUSSIAN S.S.R.
R.S.F.S.R.
POLAND
Tallinn
Riga
Kaunas
Vilna (Vilnius)
Kaliningrad (Königsberg)
The government of the United States has not recognized the incorporation of Estonia, Latvia and Lithuania into the Soviet Union, nor does it recognize other post-war territorial changes shown on this map. The flags shown here were the official flags of the independent Baltic States prior to 1939.
© C. S. HAMMOND & Co., Maplewood, N. J.

THE BALTIC STATES

SCALE OF MILES
SCALE OF KILOMETRES

Capitals ☆
International Boundaries
Union Republic Boundaries
Prewar boundaries of the Baltic States where divergent from present boundaries

Alytus, 12,300 ....C 3
Cēsis, 13,800 ....C 2
Daugavpils, 65,459 ....D 3
Dvina, Western (riv.)........C 2
Finland (gulf) ....D 1
Haapsalu ....B 1
Hiiumaa (isl.) ....B 1
Jaunjelgava ....C 2
Jēkabpils ....C 2
Jelgava, 36,300 ....B 2
Kapsukas, 19,600 ....B 3
Kaunas, 247,000 ....C 3
Kedainiai, 10,600 ....C 3
Klaipėda, 105,000 ....A 3
Kohtla-Järve, 29,200 ....D 1
Krustpils ....D 2
Kuldīga, 10,500 ....A 2
Kunda ....D 1
Kuressaare ....B 1
Liepāja, 71,464 ....A 2
Memel (Klaipėda), 105,000 ....A 3
Narva, 27,600 ....E 1
Niemen (Nemunas)(riv.) A 3
Panevėžys, 41,100 ....C 3
Pärnu, 36,100 ....C 1
Pāvilosta ....A 2
Peipus (lake) ....D 1
Pskov (lake) ....D 1
Radviliškis, 12,600 ....B 3
Rakvere, 14,300 ....D 1
Rēzekne, 21,400 ....D 2
Riga, 632,000 ....C 2
Riga (gulf) ....B 2
Saaremaa (isl.) ....B 1
Šiauliai, 59,722 ....B 3
Tallinn, 311,000 ....C 1
Tartu, 74,263 ....D 1
Tauragė, 12,000 ....B 3
Telšiai, 13,500 ....B 2
Tukums, 10,800 ....B 2
Ukmergė, 14,900 ....C 3
Utena ....C 3
Valga, 13,400 ....D 2
Valmiera, 11,600 ....C 2
Ventspils, 27,400 ....A 2
Viliya (riv.) ....C 3
Viljandi, 17,900 ....C 1
Vilna (Vilnius), 271,000...C 3
Virtsu ....B 1
Võru, 10,700 ....D 2
Western Dvina (riv.)........C 2

U.S.S.R.-EUROPEAN

UNION REPUBLICS

Armenian S.S.R., 1,958,000 ....F 6
Azerbaidzhan S.S.R., 4,117,000...G 6
Estonian S.S.R., 1,235,000 ....C 3
Georgian S.S.R., 4,271,000 ....F 6
Latvian S.S.R., 2,170,000 ....B 3
Lithuanian S.S.R., 2,852,000 ....B 3
Moldavian S.S.R., 3,106,000 ....C 5
Russian S.F.S.R., 122,084,000 ....F 3
Ukrainian S.S.R., 43,091,000 ....D 5
White Russian S.S.R., 8,316,000..C 4

INTERNAL DIVISIONS

Abkhaz A.S.S.R., 426,000 ....F 6
Adygey Aut. Oblast, 297,000 ....F 6
Adzhar A.S.S.R., 260,000 ....F 6
Bashkir A.S.S.R., 3,464,000 ....J 4
Chechen-Ingush A.S.S.R., 840,000 ....G 6
Chuvash A.S.S.R., 1,137,000 ....G 3
Crimean Oblast, 1,297,000 ....D 6
Dagestan A.S.S.R., 1,165,000 ....G 6
Kabardin-Balkar A.S.S.R., 455,000 ....F 6
Kalmuck A.S.S.R., 193,000 ....F 5
Karachay-Cherkess Aut. Oblast, 300,000 ....F 6
Karelian A.S.S.R., 659,000 ....D 2
Komi A.S.S.R., 851,000 ....H 2
Komi-Permyak Nat'l Okrug, 233,000 ....H 3
Mari A.S.S.R., 662,000 ....G 3
Mordvinian A.S.S.R., 1,003,000...G 4
Nagorno-Karabakh Aut. Oblast, 139,000 ....G 7
Nakhichevan' A.S.S.R., 142,000...F 7
Nenets Nat'l Okrug, 37,000 ....H 1
North Ossetian A.S.S.R., 469,000 ....F 6
South Ossetian Aut. Oblast, 98,000 ....F 6
Tatar A.S.S.R., 2,948,000 ....G 3
Trans-Carpathian Oblast, 966,000 ....B 5
Udmurt A.S.S.R., 1,368,000........H 3
Volyn Oblast, 925,000 ....C 4

CITIES and TOWNS

Abdulino, 29,976 ....H 4
Agdam, 16,061 ....G 6
Agryz, 20,270 ....H 3
Akhaltsikhe, 16,868 ....F 6
Akhtubinsk, 15,221 ....G 5
Akhtyrka, 31,563 ....E 4
Akkerman (Belgorod-Dnestrovskiy), 21,832 ....D 5
Alagir, 15,163 ....F 6
Alatyr', 36,933 ....G 4
Aleksandriya, 35,190 ....D 5
Aleksandrov, 36,738 ....E 3
Alekseyevka, 20,148 ....E 4
Aleksin, 46,313 ....E 4
Ali-Bayramly, 13,427 ....G 7
Al'met'yevsk, 48,611 ....H 3
Alushta, 12,337 ....D 6
Anapa, 18,512 ....E 6
Apatity, 19,938 ....D 1
Apsheronsk, 29,837 ....F 6
Archangel (Arkhangel'sk), 286,000 ....F 2
Armavir, 123,000 ....F 5
Artemovsk, 60,626 ....E 5
Arzamas, 41,518 ....F 3
Astara, 5,381 ....G 7
Astrakhan', 324,000 ....G 5
Atkarsk, 27,771 ....G 4
Azov, 39,931 ....E 5
Bakhchisaray, 10,852 ....D 6
Bakhmach, 13,066 ....D 4
Baku, 700,000 ....H 6
Baku, *1,086,000 ....H 6
Balakhna, 29,846 ....F 3
Balaklava ....D 6
Balakovo, 36,428 ....G 4
Balashov, 64,349 ....F 4
Baltiysk, 17,378 ....A 4
Baranovichi, 58,064 ....C 4
Barysh, 17,909 ....G 4
Bataysk, 52,242 ....E 5
Batumi, 82,328 ....F 6
Belaya Tserkov', 70,633 ....C 5
Belebey, 26,172 ....H 4
Belev, 17,153 ....E 4
Belgorod, 72,278 ....E 4
Belgorod-Dnestrovskiy, 21,832......D 5
Beloretsk, 59,315 ....J 4
Bel'tsy, 67,114 ....C 5
Bendery, 43,109 ....C 5
Berdichev, 53,206 ....C 5
Berdyansk, 65,249 ....E 5
Beregovo, 25,730 ....B 5
Berezniki, 120,000 ....J 3
Berislav, 10,507 ....D 5
Beslan, 19,385 ....F 6
Bezhetsk, 26,921 ....E 3
Birsk, 24,837 ....J 3
Bobrinets, 11,453 ....D 5
Bobruysk, 108,000 ....C 4
Bologoye, 30,301 ....D 3
Bol'shoy Tokmak, 28,575 ....D 5
Borisoglebsk, 54,415 ....F 4
Borislav, 28,603 ....B 5
Borisov, 59,280 ....C 4
Borovichi, 44,123 ....D 3
Borzhomi, 15,332 ....F 6
Brest, 73,557 ....B 4
Bryansk, 249,000 ....D 4
Bugul'ma, 60,980 ....H 4
Buguruslan, 42,476 ....H 4
Buy, 27,221 ....F 3
Buynaksk, 32,956 ....G 6
Buzuluk, 54,851 ....H 4
Bykhov, 13,227 ....C 4
Cēsis, 13,800 ....C 3
Chadyr-Lunga, 13,193 ....B 5
Chapayevsk, 83,263 ....G 4
Cheboksary, 142,000 ....G 3
Cherepovets, 124,000 ....E 3
Cherkassy, 103,000 ....D 5
Cherkessk, 41,709 ....F 6
Chernigov, 113,000 ....D 4
Chernovtsy, 152,000 ....C 5
Chervonograd, 12,241 ....B 4
Chiatura, 21,521 ....F 6
Chistopol', 51,864 ....H 3
Chkalov (Orenburg), 293,000 ....J 4
Chortkov, 15,294 ....B 5
Chusovoy, 60,658 ....J 3
Danilov, 16,902 ....E 3
Daugavpils, 65,459 ....C 3
Davlekanovo, 17,072 ....H 4
Derbent, 47,318 ....G 6
Dmitrov, 34,415 ....E 3
Dneprodzerzhinsk, 207,000 ....D 5
Dnepropetrovsk, 738,000 ....D 5
Dobrush, 14,270 ....D 4
Donetsk, 794,000 ....E 5
Drogobych, 42,145 ....B 5
Dubna, 32,626 ....E 3
Dubna ....E 4
Dvinsk (Daugavpils), 65,459 ....C 3
Dzerzhinsk, 180,000 ....F 3
Dzhankoy, 28,457 ....D 5
Dzhul'fa, 4,017 ....G 7
Elista, 23,171 ....F 5
Engel's, 106,000 ....G 4
Erivan, 578,000 ....F 6
Fastov, 30,240 ....C 4
Feodosiya, 46,327 ....D 5
Frolovo, 26,438 ....F 5
Furmanov, 38,225 ....F 3
Gadyach, 11,725 ....D 4
Gagra, 14,023 ....E 6
Galich, 16,119 ....F 3
Gandzha (Kirovabad), 126,000....G 6
Gaysin, 17,680 ....C 5
Genichesk, 14,420 ....E 5
Glazov, 59,012 ....H 3
Glukhov, 22,962 ....D 4
Gomel', 199,000 ....D 4
Gori, 35,061 ....F 6
Gorki, 15,099 ....D 4
Gor'kiy, 1,042,000 ....F 3
Gorlovka, 309,000 ....E 5
Gornyatskiy, 28,457 ....K 1
Gorodets, 27,019 ....F 3
Gremyachinsk, 38,014 ....J 3
Grodno, 72,943 ....B 4
Groznyy, 300,000 ....G 6
Gryazi, 34,425 ....F 4
Gubakha, 47,094 ....J 3
Gubkin, 21,333 ....E 4
Gudauta, 13,019 ....F 6
Gukovo, 52,969 ....F 5
Gus-Khrustal'nyy, 54,158 ....F 3
Ichnya, 13,131 ....D 4
Inta, 36,154 ....K 1
Inza, 18,612 ....G 4
Ishimbay, 46,568 ....J 4
Ivano-Frankovsk, 66,456 ....B 5
Ivanovo, 368,000 ....E 3
Izhevsk, 330,000 ....H 3
Izmail, 48,103 ....C 5
Izyaslav, 11,587 ....C 4
Izyum, 37,595 ....E 5
Jelgava, 36,300 ....B 3
Kadiyevka, 192,000 ....E 5
Kagul, 16,223 ....C 5
Kakhovka, 19,107 ....D 5
Kalach, 16,906 ....F 5
Kalinin, 292,000 ....E 3
Kaliningrad, 238,000 ....B 4
Kalinkovichi, 14,942 ....F 4
Kaluga, 157,000 ....E 4
Kamenets-Podol'skiy, 40,299 ....C 5
Kamenka, 27,634 ....F 4
Kamensk-Shakhtinskiy, 57,525 ....E 5
Kamyshin, 56,511 ....F 4
Kanash, 32,897 ....G 3
Kandalaksha, 37,045 ....D 1
Kapsukas, 19,600 ....B 4
Kashin, 16,162 ....E 3
Kasimov, 27,855 ....F 4
Kaspiysk, 25,178 ....G 6
Kaunas, 247,000 ....B 4
Kazan', 725,000 ....G 3
Kazatin, 22,784 ....C 5
Kem', 18,127 ....D 2
Kerch', 107,000 ....E 5
Khachmas, 17,123 ....G 6
Khar'kov, 1,006,000 ....E 5
Khasavyurt, 34,194 ....G 6
Kherson, 192,000 ....D 5
Khmel'nitskiy, 62,473 ....C 5
Khorol, 12,357 ....D 5
Khotin, 10,319 ....C 5
Khvalynsk, 17,036 ....G 4
Kiev, 1,248.000 ....D 4
Kiliya, 20,304 ....C 5
Kimovsk, 39,490 ....E 4
Kimry, 41,243 ....E 3
Kinel', 32,447 ....H 4
Kineshma, 85,418 ....F 3
Kirov, 16,647 ....D 4
Kirov, 284,000 ....G 3
Kirovabad, 126,000 ....G 6
Kirovakan, 49,423 ....G 6
Kirovo-Chepetsk, 28,726 ....H 3
Kirovograd, 142,000 ....D 5
Kirovsk, 39,047 ....D 1
Kirsanov, 15,654 ....F 4
Kishinev, 254,000 ....C 5
Kislovodsk, 79,097 ....F 6
Kizel, 60,687 ....J 3
Kizlyar, 25,573 ....G 6
Klaipėda, 105,000 ....B 3
Klimovichi, 11,586 ....D 4
Klintsy, 42,033 ....D 4
Kobrin, 13,686 ....B 4
Kobuleti, 12,598 ....F 6
Kohtla-Järve, 29,200 ....C 3
Kolomna, 125,000 ....E 4
Kommunarsk, 110,000 ....E 5
Komrat, 14,361 ....C 5
Kondopoga, 16,060 ....D 2
Königsberg (Kaliningrad), 238,000 ....B 4
Konotop, 54,097 ....D 4
Korosten', 38,041 ....C 4
Kostroma, 193,000 ....F 3
Kotel'nich, 27,640 ....G 3
Kotel'nikovo, 17,605 ....F 5
Kotlas, 39,162 ....G 2
Kotovsk, 25,511 ....F 4
Kotovsk, 27,383 ....C 5
Kovel', 24,666 ....C 4
Kovrov, 105,000 ....F 3
Kramatorsk, 126,000 ....E 5
Krasnodar, 368,000 ....E 6
Krasnograd, 14,941 ....E 5
Krasnokamsk, 54,715 ....H 3
Krasnoslobodsk, 18,993 ....F 4
Krasnovishersk, 15,207 ....J 2
Krasnyy Liman, 28,911 ....E 5
Kremenchug, 100,000 ....D 5
Krichev, 19,028 ....D 4
Krivoy Rog, 448,000 ....D 5
Krolevets, 13,996 ....D 4
Kronshtadt ....C 3
Kropotkin, 53,997 ....F 5
Krymsk, 32,803 ....E 6
Kuba, 15,947 ....G 6
Kudymkar, 21,801 ....H 3
Kulebaki, 44,720 ....F 3
Kumertau, 30,937 ....J 4
Kungur, 64,796 ....J 3
Kupyansk, 25,644 ....E 5
Kursk, 233,000 ....E 4
Kutaisi, 141,000 ....F 6
Kuvandyk, 21,383 ....J 4
Kuybyshev, 901,000 ....H 4
Kuznetsk, 56,880 ....G 4
Labinsk, 41,944 ....F 6
Lebedin, 24,741 ....D 4
Leninakan, 117,000 ....F 6
Leningrad, 3,180,000 ....C 3
Leningrad, *3,552,000 ....C 3
Leninogorsk, 38,565 ....H 4
Lenkoran', 25,209 ....G 7
L'gov, 21,328 ....E 4
Lida, 28,541 ....C 4
Liepāja, 71,464 ....B 3
Lipetsk, 205,000 ....E 4
Lisichansk, 37,878 ....E 5
Liski, 37,638 ....E 4
Livny, 23,900 ....E 4
Lodeynoye Pole, 17,485 ....D 2
Lozovaya, 27,144 ....E 5
Lubny, 29,442 ....D 4
Luga, 25,540 ....C 3
Lugansk, 314,000 ....E 5
Luninets, 10,328 ....C 4
Lutsk, 56,282 ....B 4
L'vov (Lwów), 469,000 ....B 5
Lyubotin, 31,540 ....E 4
Lyskovo, 16,167 ....F 3
Lys'va, 72,989 ....J 3
Lyudinovo, 26,433 ....D 4
Makeyevka, 381,000 ....E 5
Makhachkala, 140,000 ....G 6
Makharadze, 19,131 ....F 6
Malaya Vishera, 16,109 ....D 3
Manturovo, 16,345 ....F 3
Marganets, 34,422 ....E 5
Mariupol' (Zhdanov), 320,000......E 5
Maykop, 82,135 ....F 6
Mednogorsk, 36,303 ....J 4
Medvezh'yegorsk, 15,824 ....D 2
Melekess, 50,696 ....G 4
Melenki, 17,462 ....F 3
Meleuz, 17,772 ....J 4
Melitopol', 104,000 ....D 5
Memel (Klaipėda), 105,000........B 3
Merefa, 26,307 ....E 5
Michurinsk, 80,653 ....F 4
Mikhaylovka, 34,645 ....F 4
Millerovo, 30,005 ....F 5
Mineralnye Vody, 40,131 ....F 6
Mingechaur, 19,904 ....G 6
Minsk, 644,000 ....C 4
Mirgorod, 25,069 ....D 5
Mogilev, 145,000 ....C 4
Mogilev-Podol'skiy, 21,208 ....C 5
Molodechno, 26,275 ....C 4
Molotov (Perm'), 722,000 ....J 3
Molotovsk (Severodvinsk), 78,657 ....E 2
Monchegorsk, 45,523 ....D 1
Morozovsk, 26,952 ....F 5
Morshansk, 40,924 ....F 4
Moscow (Moskva) (cap.), 6,317,000 ....E 3
Moscow, *6,354,000 ....E 3
Mozhaysk, 15,697 ....E 3
Mozhga, 29,987 ....H 3
Mozyr', 25,710 ....C 4
Mukachevo, 46,423 ....B 5
Murmansk, 254,000 ....D 1
Murom, 71,567 ....F 3
Naberezhnye Chelny, 16,214 ....H 3
Nakhichevan', 25,340 ....F 7
Nal'chik, 106,000 ....F 6
Naro-Fominsk, 35,419 ....E 3
Narva, 27,600 ....C 3
Nar'yan-Mar, 13,200 ....H 1
Nelidovo, 26,465 ....D 3
Nerekhta, 22,310 ....F 3
Nevinnomyssk, 39,806 ....F 6
Nezhin, 46,211 ....D 4
Nikel', 16,305 ....C 1
Nikolayev, 263,000 ....D 5
Nikol'sk, 16,818 ....G 3
Nikopol', 82,992 ....D 5
Noginsk, 92,760 ....E 3
Novaya Kakhovka, 19,885 ....D 5
Novgorod, 60,669 ....D 3
Novgorod-Severskiy, 11,249 ....D 4
Novoanninskiy, 18,664 ....F 4
Novocherkassk, 104,000 ....F 5
Novograd-Volynskiy, 27,580 ....C 4
Novokuybyshevsk, 62,755 ....G 4
Novomoskovsk, 114,000 ....E 4
Novorossiysk, 104,000 ....E 6
Novoshakhtinsk, 108,000 ....E 5
Novotroitsk, 54,484 ....J 4
Novoukrainka, 16,098 ....D 5
Novovolynsk, 23,895 ....B 4
Novyy Bug, 15,354 ....D 5
Nukha, 34,348 ....G 6
Nyandoma, 21,668 ....F 2
Obruch, 11,536 ....C 4
Ochamchire, 16,500 ....F 6
Odessa, 709,000 ....D 5
Oktyabr'sk, 33,771 ....G 4
Oktyabr'skiy, 64,717 ....H 4
Omutninsk, 24,789 ....H 3
Onega, 21,306 ....E 2
Oni, 4,385 ....F 6
Ordzhonikidze, 194,000 ....F 6
Orekhovo-Zuyevo, 113,000 ....E 3
Orel, 183,000 ....E 4
Orenburg, 293,000 ....J 4
Orgeyev, 14,391 ....C 5
Orsha, 64,432 ....C 4
Orsk, 199,000 ....J 4
Osipenko (Berdyansk), 65,249....E 5
Osipovichi, 15,777 ....C 4
Ostashkov, 19,542 ....D 3
Ostrogozhsk, 28,403 ....E 4
Ostrov, 17,646 ....C 3
Otradnyy, 27,889 ....H 4
Panevėžys, 41,100 ....B 3
Pärnu, 36,100 ....C 3
Pavlovo, 47,890 ....F 3
Pechora, 30,586 ....J 1
Penza, 296,000 ....F 4
Perm', 722,000 ....J 3
Pervomaysk, 44,330 ....D 5
Pervomayskiy, 16,341 ....F 2
Petrovsk, 24,987 ....G 4
Petrozavodsk, 145,000 ....D 2
Pinsk, 41,548 ....C 4
Piryatin, 15,203 ....D 4
Pochep, 15,700 ....D 4
Podol'sk, 144,000 ....E 3
Polonnoye, 19,775 ....C 4
Polotsk, 41,308 ....C 3
Poltava, 158,000 ....D 5
Polyarnyy ....D 1
Postavy, 10,566 ....C 3
Poti, 42,068 ....F 6
Povorino, 19,274 ....F 4
Prikumsk, 27,895 ....F 6
Priluki, 43,719 ....D 4
Primorsko-Akhtarsk, 22,006 ....E 5
Privolzhskiy, 15,168 ....G 5
Priyutovo, 18,941 ....H 4
Promyshlennyy, 20,405 ....K 1
Pskov, 101,000 ....C 3
Pugachev, 32,725 ....G 4
Pushkin, 30,035 ....D 3
Pyatigorsk, 69,617 ....F 6
Pyatikhatki, 21,359 ....D 5
Radomyshl', 11,427 ....C 4
Rakhov, 10,849 ....B 5
Rakvere, 14,300 ....C 3
Rasskazovo, 33,785 ....F 4
Rechitsa, 30,602 ....C 4
Revel (Tallinn), 311,000 ....B 3
Rēzekne, 21,400 ....C 3
Riga, 632,000 ....B 3
Rogachev, 10,156 ....D 4
Romny, 35,792 ....D 4
Roslavl', 37,433 ....D 4
Rossosh', 30,184 ....E 4
Rostov, 29,230 ....E 3
Rostov, 689,000 ....F 5
Rovno, 56,163 ....C 4
Rtishchevo, 32,739 ....F 4
Rubezhnoye, 35,122 ....E 5
Rustavi, 62,395 ....G 6
Ruzayevka, 24,909 ....F 4
Ryazan', 262,000 ....E 4
Rybinsk, 195,000 ....E 3
Rybnitsa, 18,649 ....C 5
Rzhev, 48,971 ....D 3
Sabirabad, 8,872 ....G 6
Safonovo, 31,709 ....D 3
Saki, 18,122 ....D 5
Salavat, 60,667 ....H 4
Sal'sk, 36,983 ....F 5
Sal'yany, 17,197 ....G 7
Samara (Kuybyshev), 901,000.....H 4
Saransk, 124,000 ....G 4
Sarapul, 68,741 ....H 3
Saratov, 644,000 ....G 4
Sarny, 10,174 ....C 4
Sasovo, 20,735 ....F 4
Segezha, 19,708 ....D 2
Semenov, 19,837 ....F 3
Serdobol (Sortavala), 17,611......D 2
Serdobsk, 26,119 ....F 4
Serpukhov, 113,000 ....E 4
Sevastopol', 169,000 ....D 6
Severodvinsk, 78,657 ....E 2
Severomorsk, 32,234 ....D 1
Shakhty, 201,000 ....F 5
Shakhun'ya, 21,305 ....G 3
Shar'ya, 22,268 ....G 3
Shatura, 19,629 ....E 3
Shcherbakov (Rybinsk), 195,000..E 3
Shemakha, 13,066 ....G 6
Shepetovka, 31,898 ....C 4
Shostka, 38,884 ....D 4
Shumerlya, 30,213 ....G 3
Shuya, 64,562 ....F 3
Šiauliai, 59,722 ....B 3
Sibay, 28,822 ....J 4
Simferopol', 203,000 ....D 6
Skopin, 17,957 ....F 4
Slantsy, 35,303 ....C 3
Slavgorod, 38,413 ....D 4
Slavuta, 20,216 ....C 4
Slavyansk, 82,784 ....E 5
Slavyansk-na-Kubani, 38,954 ....E 5
Slobodskoy, 30,836 ....H 3
Slutsk, 22,740 ....C 4
Smela, 44,534 ....D 5
Smolensk, 170,000 ....D 4
Sochi, 174,000 ....E 6
Sokol, 41,709 ....F 3
Sol'-Iletsk, 21,614 ....J 4
Solikamsk, 82,874 ....J 3
Sorochinsk, 19,359 ....H 4
Soroki, 15,195 ....C 5
Sortavala, 17,611 ....D 2
Sosnogorsk, 15,799 ....H 2
Sovetsk, 31,941 ....B 4
Stalingrad (Volgograd), 663,000..F 5
Stalino (Donetsk), 794,000 ....E 5
Staraya Russa, 25,409 ....D 3
Starobel'sk, 19,519 ....E 5
Staryy Oskol, 27,474 ....E 4
Stavropol', 158,000 ....F 5
Stepanakert, 19,703 ....G 7
Stepnoy (Elista), 23,171 ....G 5
Sterlitamak, 131,000 ....J 4
Stupino, 40,343 ....E 4
Sukhumi, 64,730 ....F 6
Sumgait, 52,186 ....G 6
Sumy, 117,000 ....E 4
Syktyvkar, 64,461 ....H 2
Syzran', 159,000 ....G 4
Taganrog, 220,000 ....E 5
Tallinn, 311,000 ....B 3
Tambov, 194,000 ....F 4
Tartu, 74,263 ....C 3
Tauragė, 12,000 ....B 3
Tbilisi, 768,000 ....F 6
Telavi, 15,328 ....G 6
Telšiai, 13,500 ....B 3
Temryuk, 22,182 ....E 5
Ternopol', 52,245 ....C 5
Teykovo, 28,298 ....E 3
Tiflis (Tbilisi), 768,000 ....F 6
Tighina (Bendery), 43,109........C 5
Tikhoretsk, 49,658 ....F 5
Tikhvin, 18,412 ....D 3
Tiraspol', 62,676 ....D 5
Togliatti, 61,281 ....G 4
Toropets, 15,154 ....D 3
Torzhok, 34,921 ....D 3
Tskhinvali, 21,641 ....F 6
Tuapse, 36,650 ....E 6
Tukums, 10,800 ....B 3
Tula, 351,000 ....E 4
Tul'chin, 12,492 ....C 5
Tutayev, 17,210 ....E 3
Tuymazy, 23,408 ....H 4
Ufa, 630,000 ....J 4
Ugleural'skiy, 31,369 ....J 3
Uglich, 28,890 ....E 3
Ukhta, 36,154 ....H 2
Ukmerge, 14,900 ....C 3
Ul'yanovsk, 247,000 ....G 4
Uman', 44,546 ....D 5
Uryupinsk, 31,546 ....F 4
Uzhgorod, 47,396 ....B 5
Uzlovaya, 53,912 ....E 4
Valga, 13,400 ....C 3
Valmiera, 11,600 ....C 3
Valuyki, 18,068 ....E 4
Vasil'kov, 20,450 ....D 4
Velikiy Ustyug, 37,026 ....F 2
Velikiye Luki, 58,939 ....D 3
Vel'sk, 16,938 ....F 2
Ventspils, 27,400 ....B 3
Vichuga, 51,676 ....F 3
Viipuri (Vyborg), 51,088 ....C 2
Vilna (Vilnius), 271,000 ....C 4
Vinnitsa, 139,000 ....C 5
Vitebsk, 174,300 ....C 3
Vladimir, 181,000 ....F 3
Volgodonsk, 15,710 ....F 5
Volgograd, 663,000 ....F 5
Volkhov, 36,630 ....D 3
Volkovysk, 18,283 ....B 4
Vologda, 152,000 ....F 3
Vol'sk, 61,792 ....G 4
Volzhsk, 33,412 ....G 3
Volzhskiy, 66,965 ....G 5
Vorkuta, 55,668 ....K 1
Voronezh, 535,000 ....E 4
Voroshilovgrad (Lugansk), 314,000 ....F 5
Votkinsk, 59,666 ....H 3
Voznesensk, 31,043 ....D 5
Vyatskiye Polyany, 25,717 ....H 3
Vyaz'ma, 31,883 ....D 3
Vyborg, 51,088 ....C 2
Vyksa, 40,275 ....F 3
Vyshniy Volochek, 66,360 ....D 3
Yalta, 43,994 ....D 6
Yanaul, 15,843 ....J 3
Yaroslavl', 454,000 ....E 3
Yartsevo, 25,558 ....D 3
Yefremov, 28,672 ....E 4
Yegor'yevsk, 59,341 ....E 3
Yelabuga, 21,992 ....H 3
Yelets, 77,900 ....E 4
Yenakiyevo, 92,306 ....E 5
Yershov, 19,977 ....G 4
Yessentuki, 48,101 ....F 6
Yevpatoria, 56,992 ....D 5
Yeysk, 55,324 ....E 5
Yoshkar-Ola, 116,000 ....G 3
Yur'yevets, 19,746 ....F 3
Zagorsk, 73,578 ....E 3
Zaporozh'ye, 507,000 ....E 5
Zelenodol'sk, 60,472 ....G 3
Zhdanov, 320,000 ....E 5
Zherdevka, 15,267 ....K 4
Zhigulevsk, 46,117 ....G 4
Zhitomir, 120,000 ....C 4
Zhlobin, 19,216 ....D 4
Zhmerinka, 29,368 ....C 5
Znamenka, 22,297 ....D 5
Zolotonosha, 24,603 ....D 5
Zugdidi, 31,081 ....F 6
Zvenigorodka, 17,154 ....D 5

PHYSICAL FEATURES

Apsheron (pen.) ....H 6
Araks (river) ....G 7
Azov (sea) ....E 5
Baltic (sea) ....B 3
Belaya (river) ....H 3
Beloye (lake) ....E 2
Berezina (river) ....C 4
Black (sea) ....D 6
Bolvanskiy Nos (cape) ....K 1
Bug (river) ....B 4
Bug (river) ....D 5
Caspian (sea) ....G 6
Caucasus (mts.) ....F 6
Central Ural (mts.) ....J 2
Cheshskaya (bay) ....G 1
Chir (river) ....F 5
Crimea (pen.), 1,297,000 ....D 5
Dagö (Hiiumaa) (isl.) ....B 3
Denezhkin Kamen' (mt.) ....J 2
Desna (river) ....D 4
Dnieper (river) ....D 5
Dniester (river) ....C 5
Dolgiy (isl.) ....J 1
Don (river) ....F 5
Donets (river) ....E 5
Dvina (bay) ....E 2
Dvina, Northern (river) ....F 2
Dvina, Western (river) ....C 3
Dykh-Tau (mt.) ....F 6
El'brus (mt.) ....F 6
Finland (gulf) ....C 3
Goryn' (river) ....C 4
Hiiumaa (isl.) ....B 3
Ilek (river) ....J 4
Il'men (lake) ....D 3
Imandra (lake) ....D 1
Izhma (river) ....H 2
Kakhovka (res.) ....D 5
Kama (river) ....H 2
Kandalaksha (gulf) ....D 1
Kanin (pen.) ....G 1
Kanin Nos (cape) ....F 1
Kapydzhik (mt.) ....G 7
Kara (sea) ....K 1
Karskiye Vorota (strait) ....J 1
Kazbek (mt.) ....F 6
Khoper (river) ....F 4
Kil'din (isl.) ....D 1
Kinel' (river) ....H 4
Kola (pen.) ....E 1
Kolguyev (isl.) ....G 1
Kolva (river) ....J 1
Kuban' (river) ....E 5
Kubeno (lake) ....E 3
Kuma (river) ....G 5
Kura (river) ....G 6
Kuybyshev (res.) ....G 4
Kuyto (lake) ....D 2
Lacha (lake) ....E 2
Ladoga (lake) ....D 2
Lovat' (river) ....D 3
Mansel'ka (mts.) ....C 1
Manych-Gudilo (lake) ....F 5
Matveyev (isl.) ....J 1
Medveditsa (river) ....F 4
Mezen' (bay) ....F 1
Mezen' ((river) ....G 1
Mezhdusharskiy (isl.) ....G 1
Moksha (river) ....F 4
Moskva (river) ....E 3
Msta (river)........D 3
Narodnaya (mt.) ....K 1
Niemen (river) ....B 4
North Ural (mts.) ....K 1
Northern Dvina (river) ....F 2
Novaya Zemlya (isls.), 500 ....H 1
Oka (river) ....F 4
Onega (bay) ....E 2
Onega (lake) ....E 2
Onega (river) ....E 2
Ösel (Saaremaa) (isl.) ....B 3
Pay-Yer (mt.) ....K 1
Pechora (river) ....H 1
Peipus (lake) ....C 3
Pinega (river) ....G 2
Ponoy (river) ....E 1
Pripet (marsh) ....C 4
Pripyat' (river) ....C 4
Prut (river) ....C 5
Psel (river) ....D 4
Riga (gulf) ....B 3
Russkiy Zavorot (cape) ....H 1
Rybachiy (pen.) ....D 1
Rybinsk (res.) ....E 3
Saaremaa (isl.) ....B 3
Samara (river) ....H 4
Seg (lake) ....D 2
Sevan (lake) ....G 6
Seym (river) ....D 4
Solovetskiye (isls.) ....E 1
South Ural (mts.) ....J 4
Suda (river) ....E 3
Sukhona (river) ....F 2
Sura (river) ....G 4
Svir' (river) ....D 2
Sysola (river) ....H 2
Tel'pos-Iz (mt.) ....K 2
Timan Ridge (mts.) ....H 1
Top (lake) ....D 1
Tsimlyansk (res.) ....F 5
Tuloma (river) ....D 1
Ufa (river) ....J 3
Undzha (river) ....F 3
Ural (mts.) ....J 2
Ural (river) ....J 4
Usa (river) ....K 1
Vaga (river) ....F 2
Valday (hills) ....D 3
Vaygach (isl.) ....K 1
Velikaya (river) ....C 3
Vetluga (river) ....G 3
Vodl (lake) ....E 2
Volga (river) ....G 5
Volga-Don (canal) ....F 5
Volkhov (river) ....D 3
Vorona (river) ....F 4
Vorskla (river) ....E 4
Vozhe (lake) ....F 2
Vyatka (river) ....H 3
Vychegda (river) ....G 2
Vyg (lake) ....E 2
Vym' (river) ....H 2
Western Dvina (river) ....C 3
White (sea) ....E 1
Yamantau (mt.) ....J 4
Yug (river) ....G 2
Yugorskiy (pen.) ....K 1

*City and suburbs.

ASIA
LAMBERT AZIMUTHAL EQUAL-AREA PROJECTION
SCALE OF MILES
0 150 300 600 900 1200
SCALE OF KILOMETRES
0 300 600 900 1200
Capitals of Countries
Canals
International Boundaries
Copyright by C. S. Hammond & Co., N.Y.
ATLANTIC OCEAN
ARCTIC OCEAN
North Pole
Longitude East of Greenwich
GREENLAND
Iceland
UNITED STATES ALASKA
BERING SEA
BARENTS SEA
KARA SEA
LAPTEV SEA
SEA OF OKHOTSK
PACIFIC OCEAN
NORTH SEA
BALTIC SEA
BLACK SEA
CASPIAN SEA
MEDITERRANEAN SEA
RED SEA
ARABIAN SEA
BAY OF BENGAL
SOUTH CHINA SEA
SEA OF JAPAN
YELLOW SEA
JAVA SEA
FLORES SEA
CELEBES SEA
INDIAN OCEAN
Equator
Tropic of Cancer
Tropic of Capricorn
UNION OF SOVIET SOCIALIST REPUBLICS
RUSSIAN SOVIET FEDERATED SOCIALIST REPUBLIC
SIBERIA
KAZAKH S.S.R.
MONGOLIA
CHINA
MANCHURIA
INNER MONGOLIA
SINKIANG
TIBET
KOREA
JAPAN
TURKEY
IRAQ
IRAN (PERSIA)
SAUDI ARABIA
YEMEN
SOUTH YEMEN
MUSCAT AND OMAN
AFGHANISTAN
PAKISTAN
INDIA
NEPAL
BHUTAN
CEYLON
BURMA
THAILAND (SIAM)
LAOS
CAMBODIA
VIETNAM
MALAYSIA
SINGAPORE
INDONESIA
Borneo
KALIMANTAN
REPUBLIC OF THE PHILIPPINES
AUSTRALIA
AFRICA
Madagascar
Sumatra
Java
Celebes
HONG KONG
MACAO
PEKING
TOKYO
SHANGHAI
NANKING
CALCUTTA
BOMBAY
Madras
Moscow
Leningrad
Novaya Zemlya
New Siberian Is.
Kamchatka
Sakhalin
Aleutian Is.
Kunlun
Himalayas
Gobi
Taklamakan
Lake Baikal
L. Balkhash
Aral Sea
MALDIVE ISLANDS
BRITISH INDIAN OCEAN TERR.
Chagos Archipelago
Diego Garcia
Seychelles
Comoro Is.
Réunion (Fr.)
MAURITIUS
Rodrigues (To Mauritius)
Christmas I. (Australia)
Cocos (Keeling) Is. (Australia)
Amsterdam I. (Fr.)
St. Paul I.
Andaman Is. (India)
Nicobar Is. (India)
Laccadive Is. (India)
Perth
Fremantle
Port Hedland
Great Victoria Desert

ASIA

AREA 16,500,000 sq. mi.
POPULATION 1,852,946,000
LARGEST CITY Tokyo (greater) 10,293,193
HIGHEST POINT Mt. Everest 29,028 ft.
LOWEST POINT Dead Sea —1,290 ft.

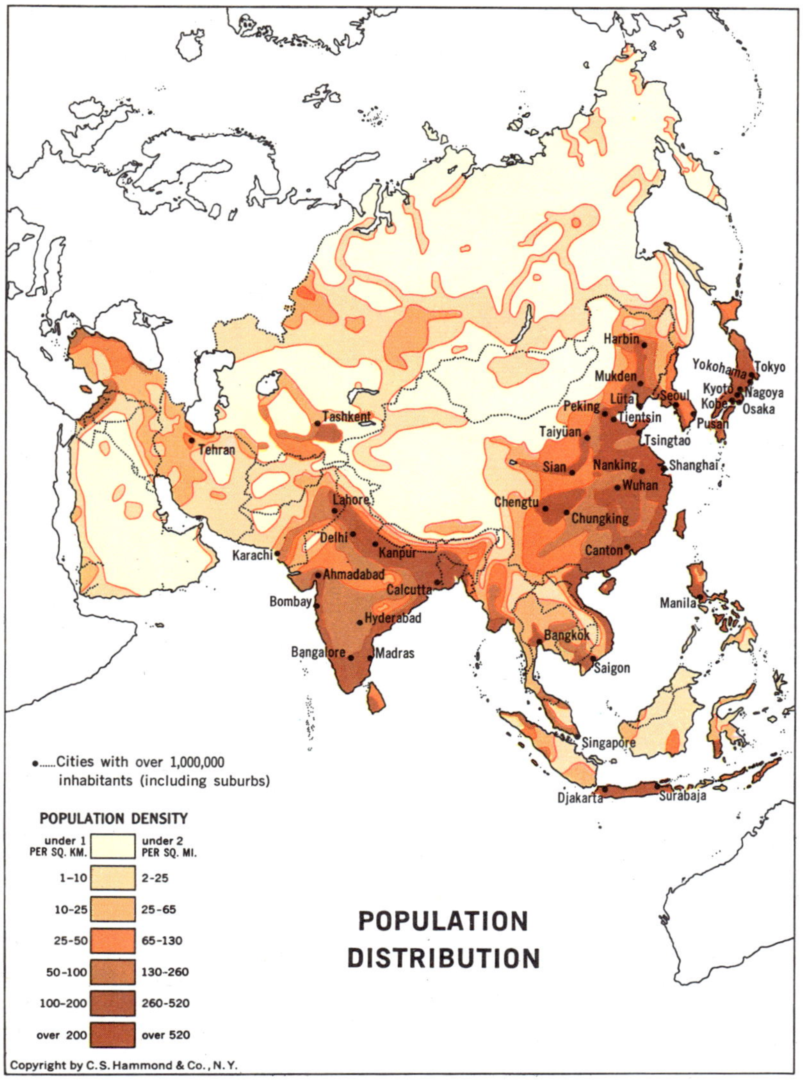
POPULATION DISTRIBUTION
Harbin
Mukden
Yokohama
Tokyo
Kyoto
Kobe
Nagoya
Osaka
Peking
Lüta
Seoul
Tientsin
Pusan
Taiyüan
Tsingtao
Tashkent
Tehran
Sian
Nanking
Shanghai
Wuhan
Lahore
Chengtu
Chungking
Delhi
Kanpur
Canton
Karachi
Ahmadabad
Calcutta
Bombay
Hyderabad
Manila
Bangkok
Bangalore
Madras
Saigon
Singapore
Djakarta
Surabaja
•......Cities with over 1,000,000 inhabitants (including suburbs)
POPULATION DENSITY
under 1 PER SQ. KM. | under 2 PER SQ. MI.
1–10 | 2–25
10–25 | 25–65
25–50 | 65–130
50–100 | 130–260
100–200 | 260–520
over 200 | over 520

Copyright by C. S. Hammond & Co., N. Y.

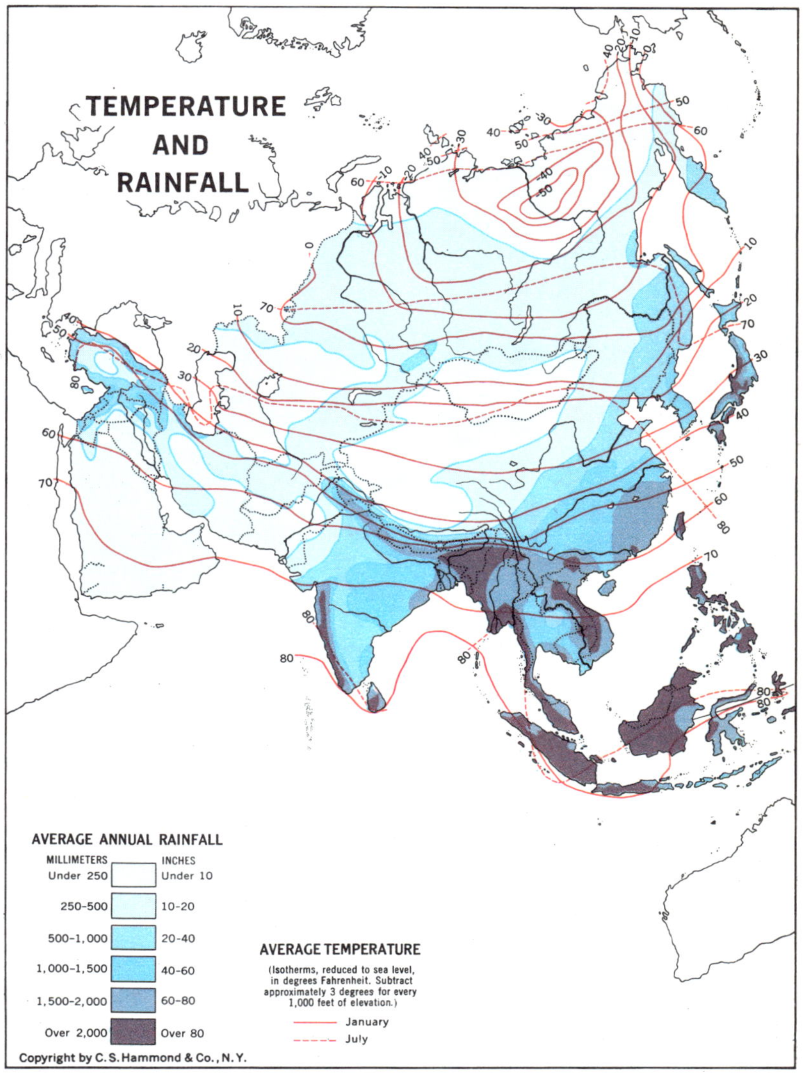
TEMPERATURE AND RAINFALL
AVERAGE ANNUAL RAINFALL
MILLIMETERS | INCHES
Under 250 | Under 10
250–500 | 10–20
500–1,000 | 20–40
1,000–1,500 | 40–60
1,500–2,000 | 60–80
Over 2,000 | Over 80
AVERAGE TEMPERATURE
(Isotherms, reduced to sea level, in degrees Fahrenheit. Subtract approximately 3 degrees for every 1,000 feet of elevation.)
January
July

Copyright by C. S. Hammond & Co., N. Y.

Abadan, Iran ......H 6
Adana, Turkey ......G 6
Aden, South Yemen ......H 8
Aden (gulf) ......H 8
Afghanistan ......K 6
Agra, India ......L 7
Ahmadabad, India ......K 7
Aleksandrovsk-Sakhalinskiy, U. S. S. R. ......T 4
Aleppo, Syria ......G 6
Allahabad, India ......L 7
Alma-Ata, U. S. S. R. ......L 5
Altay (mts.) ......M 5
Altyn Tagh (mts.), China ......M 6
Amman (cap.), Jordan ......G 6
Amoy, China ......P 7
Amritsar, India ......L 6
Amu-Dar'ya (river), U. S. S. R. ..K 5
Amur (river) ......S 4
Anadyr' (gulf), U. S. S. R. ......X 3
Andaman (sea) ......N 9
Angara (river), U. S. S. R. ......O 4
Ankara (cap.), Turkey ......G 5
'Aqaba, Jordan ......G 7
Arabia ......H 7
Arabian (sea) ......K 8
Aral (sea), U. S. S. R. ......J 5
Ararat (mt.), Turkey ......H 6
Ashkhabad, U. S. S. R. ......J 6
Ayubnagar (cap.), Pakistan ......N 7
Baghdad (cap.), Iraq ......H 6
Bahrein ......J 7
Bali (island), Indonesia P10
Balkhash (lake), U. S. S. R. ......L 5
Bandung, Indonesia O10
Bangalore, India ......L 8
Bangkok (cap.), Thailand ......N 8
Barnaul, U. S. S. R. ......M 4
Basra, Iraq ......H 7
Baykal (lake), U. S. S. R. ......P 4
Beirut (cap.), Lebanon ......G 6
Bengal (bay) ......M 8
Bering (sea) ......X 4
Bering (strait) ......Y 3
Black (sea) ......G 5
Blagoveshchensk, U. S. S. R ......R 4
Bombay, India ......L 8
Borneo (isl.) ......P 9
Brahmaputra (river) ......N 7
British Indian Ocean Terr. L10
Brunei ......P 9
Bukhara, U. S. S. R. ......K 6
Burma ......N 7
Calcutta, India ......M 7
Cambodia ......O 8
Canton, China ......P 7
Caspian (sea) ......H 5
Cebu, Philippine Is. ......R 9
Celebes (sea) ......R 9
Ceylon ......M 9
Changchun, China ......R 5
Changsha, China ......P 7
Chelyabinsk, U. S. S. R. ......K 4
Chelyuskin (cape), U. S. S. R. ......P 2
Chengtu, China ......O 6
China ......O 6
China Sea (see East and South)
Chita, U. S. S. R. ......P 4
Chittagong, Pakistan ......N 7
Christmas (isl.), Australia O11
Chukchi (pen.), U. S. S. R. ......X 3
Chungking, China ......O 7
Cocos (isls.), Australia N11
Colombo (cap.), Ceylon ......L 9
Comorin (cape), India ......L 9
Cyprus ......G 6
Da Nang, South Vietnam ......O 8
Dacca, Pakistan ......N 7
Daito (islands) ......S 7
Damascus (cap.), Syria ......G 6
Darjeeling, India ......M 7
Davao, Philippine Is. ......R 9
Delhi, India ......L 7
Demavend (mt.), Iran ......J 6
Dezhnev (cape), U. S. S. R. ......X 3
Dhahran, Saudi Arabia ......H 7
Dili (cap.), P. Timor R10
Djakarta (cap.), Indonesia O10
Djokjakarta, Indonesia O10
East China (sea) ......R 6
Euphrates (river) ......H 6
Everest (mt.) ......M 7
Flores (sea) R10
Foochow, China ......P 7
Formosa (Taiwan) (isl.), China..R 7
Frunze, U. S. S. R. ......L 5
Fuji (mt.), Japan ......S 6
Fukuoka, Japan ......R 6
Ganges (river), India ......M 7
George Town (Penang), Malaya..N 9
Gobi (desert) ......O 5
Godavari (river), India ......L 8
Grand (canal), China ......P 6
Great Khingan (mts.), China ......R 5
Great Wall (ruins), China ......O 6
Hadhramaut (region), South Yemen ......H 8
Hainan (island), China ......P 8
Haiphong, North Vietnam ......O 7
Hakodate, Japan ......T 5
Halmahera (island), Indonesia....R 9
Hamadan, Iran ......H 6
Hangchow, China ......R 7
Hanoi (cap.), North Vietnam......O 7
Harbin, China ......R 5
Helmand (river) ......K 6
Herat, Afghanistan ......K 6
Himalaya (mt. range) ......L 6
Hindu Kush (mts.) ......K 6
Hiroshima, Japan ......S 6
Hodeida, Yemen ......H 8
Hofuf, Saudi Arabia ......H 7
Hokkaido (island), Japan ......T 5
Hong Kong ......P 7
Honshu (island), Japan ......T 6
Howrah, India ......M 7
Hue, South Vietnam ......O 8
Hwang Ho (river), China ......P 6
Hyderabad, India ......L 8
Hyderabad, Pakistan ......L 7
Inch'ŏn, South Korea ......R 6
India ......L 7
Indigirka (river), U. S. S. R. ......T 3
Indochina (region) ......O 8
Indonesia P10
Indore, India ......L 7
Indus (river) ......K 7
Inner Mongolia (region), China..P 5
Iran ......J 6
Iraq ......H 6
Irkutsk, U. S. S. R. ......O 4
Irrawaddy (river), Burma ......N 7
Irtysh (river), U. S. S. R. ......K 4
Isfahan, Iran ......J 6
Islamabad (cap.), Pakistan......L 6
Israel ......G 6
Izmir, Turkey ......F 6
Jaipur, India ......L 7
Japan ......S 6
Japan (sea) ......S 6
Java (island), Indonesia O10
Jerusalem, Jordan and (cap.), Israel ......G 6
Jidda, Saudi Arabia ......G 7
Jordan ......G 6
Kabul (cap.), Afghanistan ......L 6
Kamchatka (pen.), U. S. S. R. ..U 4
Kandahar, Afghanistan ......K 6
Kandy, Ceylon ......M 9
Kanpur, India ......L 7
Kara (sea), U. S. S. R. ......K 2
Karachi, Pakistan ......K 7
Karaganda, U. S. S. R. ......L 5
Karakorum (ruins), Mongolia ....O 5
Katmandu (cap.), Nepal ......M 7
Kazakh S. S. R., U. S. S. R. ......J 5
Kemerovo, U. S. S. R. ......M 4
Kerman, Iran ......J 6
Kermanshah, Iran ......H 6
Kerulen (river) ......P 5
Khabarovsk, U. S. S. R. ......S 5
Khatanga (river), U. S. S. R. ....O 3
Khiva, U. S. S. R. ......J 5
Khyber (pass) ......K 6
Kirghiz S. S. R., U. S. S. R. ......L 5
Kirin, China ......R 5
Kirkuk, Iraq ......H 6
Kistna (river), India ......L 8
Kitakyushu, Japan ......S 6
Kobdo, Mongolia ......N 5
Kobe, Japan ......S 6
Koko Nor (lake), China ......N 6
Kolyma (mt. range), U.S.S.R. ....V 3
Komsomol'sk, U. S. S. R. ......S 4
Konya, Turkey ......G 6
Korea, North ......R 6
Korea, South ......R 6
Kuala Lumpur (cap.), Malaysia..O 9
Kuching, Sarawak ......O 9
Kunlun (mts.), China ......M 6
Kunming, China ......O 7
Kuril (islands), U. S. S. R. ......T 5
Kuwait ......H 7
Kyoto, Japan ......S 6
Kyushu (island), Japan ......S 6
Laccadive (islands), India ......K 8
Lahore, Pakistan ......L 6
Lanchow, China ......O 6
Laos ......O 8
Laptev (sea), U. S. S. R. ......R 2
Lebanon ......G 6
Lena (river), U. S. S. R. ......R 3
Leninsk-Kuznetskiy, U. S. S. R. M 4
Leyte (isl.), Philippine Is. ......R 8
Lhasa, China ......N 6
Lop Nor (basin), China ......M 5
Lopatka (cape), U. S. S. R. ......V 4
Lucknow, India ......M 7
Lüta (Dairen and Pt. Arthur), China ......R 6
Luzon (island), Philippine Is. ....R 8
Macao ......P 7
Madras, India ......M 8
Magnitogorsk, U. S. S. R. ......J 4
Makassar, Indonesia P10
Malacca (strait) ......O 9
Malaysia, Federation of ......O 9
Maldive Islands ......L 9
Manchuria (region), China ......R 5
Mandalay, Burma ......N 7
Manila, Philippine Is. ......P 8
Mauritius J12
Mecca (cap.), Saudi Arabia ......H 7
Medina Saudi Arabia ......H 7
Medina as-Shaab (cap.), South Yemen ......H 8
Mekong (river) ......O 8
Mindanao (isl.), Philippine Is. ....R 9
Mocha, Yemen ......H 8
Molucca (islands), Indonesia ....R 9
Mongolia ......O 5
Mosul, Iraq ......H 6
Moulmein, Burma ......N 8
Mukden, China ......R 5
Muscat (cap.), Muscat & Oman..J 7
Muscat & Oman ......J 7
Mysore, India ......L 8
Nagasaki, Japan ......R 6
Nagoya, Japan ......S 6
Naha (cap.), Ryukyu Is. ......R 7
Nanking, China ......P 6
Narmada (river), India ......L 7
Nepal ......M 7
New Delhi (cap.), India ......L 7
Nias (island), Indonesia ......N 9
Nicobar (islands), India ......N 9
Nicosia (cap.), Cyprus ......G 6
Nizhniy Tagil, U. S. S. R. ......K 4
Noril'sk, U. S. S. R. ......N 3
Novosibirsk, U. S. S. R. ......L 4
Ob' (river), U. S. S. R. ......K 3
Okhotsk (sea), U. S. S. R. ......T 4
Okinawa (isls.), Ryukyu Is. ......R 7
Oman (gulf) ......J 7
Omsk, U. S. S. R. ......L 4
Osaka, Japan ......S 6
Pakistan ......L 7, M 8
Pamir (plateau) ......L 6
Peking (Peiping) (cap.), China (Communist) ......P 5
Penang, Malaya ......N 9
Persia (Iran) ......J 6
Persian (gulf) ......J 7
Peshawar, Pakistan ......K 6
Petropavlovsk-Kamchatskiy, U. S. S. R. ......V 4
Philippines, Republic of the ......R 8
Phnom Penh (cap.), Cambodia....O 8
Poona, India ......L 8
Pusan, South Korea ......S 6
P'yŏngyang (cap.), North Korea..R 5
Qatar ......J 7
Quezon City (cap.), Philippine Is. ......R 8
Qui Nhon, S. Vietnam ......P 8
Rangoon (cap.), Burma ......N 8
Riyadh (cap.), Saudi Arabia ......H 7
Rub' al Khali (desert), Arabia....J 7
Russian Soviet Federated Socialist Rep., U. S. S. R. ....M 3
Ryukyu (islands) ......R 7
Saigon (cap.), South Vietnam....O 8
Sakhalin (isl.), U. S. S. R. ......T 4
Salekhard, U. S. S. R. ......L 3
Salem, India ......L 8
Salween (river) ......N 8
Samarkand, U. S. S. R. ......K 6
Samsun, Turkey ......G 5
San'a (cap.), Yemen ......H 8
Sandakan, Sabah ......P 9
Sapporo, Japan ......T 5
Saudi Arabia ......H 7
Semarang, Indonesia O10
Sendai, Japan ......T 6
Seoul (cap.), South Korea ......R 6
Severnaya Zemlya (islands), U. S. S. R. ......O 1
Seychelles (islands) J10
Shanghai, China ......R 6
Shikoku (island), Japan ......S 6
Shiraz, Iran ......J 7
Shizuoka, Japan ......S 6
Siam (Thailand) ......O 8
Siam (gulf) ......O 9
Sian, China ......O 6
Siberia (region), U. S. S. R. ......N 4
Singapore ......O 9
Sinkiang (region), China ......M 5
Socotra (isl.), South Yemen......J 8
Soochow, China ......R 6
South China (sea) ......P 8
South Yemen ......H 8
Srinagar, India ......L 6
Stanovoy (mts.), U. S. S. R. ......S 4
Sulawesi (Celebes) (island), Indonesia R10
Sulu (arch.), Philippine Is. ......R 9
Sulu (sea) ......P 9
Sumatra (island), Indonesia O10
Sumba (island), Indonesia P11
Sumbawa (island), Indonesia P11
Sunda (islands), Indonesia N10
Sunda (strait), Indonesia O10
Sungari (river), China ......R 5
Surabaja, Indonesia P10
Surakarta, Indonesia P10
Sutlej (river) ......L 6
Sverdlovsk, U. S. S. R. ......K 4
Swatow, China ......P 7
Syr-Dar'ya (river), U. S. S. R. ...K 5
Syria ......G 6
Tabriz, Iran ......H 6
Tadzhik S. S. R., U. S. S. R. ......L 6
Taegu, South Korea ......R 6
Tainan, China ......R 7
Taipei (cap.), China (Nationalist) ......R 7
Taiwan (island), China ......R 7
Taiwan (strait), China ......P 7
Taiyüan, China ......P 6
Ta'izz (cap.), Yemen ......H 8
Taklamakan (desert), China ......M 6
Tarim (river), China ......M 6
Tashkent, U. S. S. R. ......K 5
Tatar (strait), U. S. S. R. ......T 4
Taymyr (pen.), U.S.S.R. ......N 2
Tehran (cap.), Iran ......J 6
Tel Aviv-Jaffa, Israel ......G 6
Thailand ......O 8
Tibet (territory), China ......M 6
Tien Shan (mts.) ......L 5
Tientsin, China ......P 6
Tigris (river) ......H 6
Timor (island) R10
Tobol (river), U. S. S. R. ......K 4
Tokyo (cap.), Japan ......T 6
Tomsk, U. S. S. R. ......M 4
Tonkin (gulf) ......O 8
Trans-Himalayas (mts.), China..M 6
Trucial Oman ......J 7
Tsaidam (swamp), China ......N 6
Tsangpo (river), China ......M 7
Tsingtao, China ......R 6
Tsitsihar, China ......R 5
Tunguska, Upper (river), U. S. S. R. ......N 4
Turkey ......G 6
Turkmen S. S. R., U. S. S. R. ....J 6
Ulan Bator (cap.), Mongolia ......O 5
Ulan-Ude, U. S. S. R. ......O 4
Union of Soviet Socialist Republics ......N 3
Ural (mts.), U. S. S. R. ......J 4
Ural (river), U. S. S. R. ......J 5
Urmia (lake), Iran ......H 6
Urumchi, China ......M 5
Ussuri (river) ......S 5
Uzbek S. S. R., U. S. S. R. ......J 5
Van (lake), Turkey ......H 6
Varanasi, India ......M 7
Verkhoyansk, U. S. S. R. ......S 3
Vientiane (cap.), Laos ......O 8
Vietnam, North ......O 8
Vietnam, South ......O 8
Vijayavada, India ......L 8
Vilyuy (river), U. S. S. R. ......P 3
Vladivostok, U. S. S. R. ......S 5
Wuchang (see Wuhan), China ....P 7
Wuhan (Hankow, Hanyang and Wuchang), China ......P 6
Yakutsk, U. S. S. R. ......R 3
Yalu (river) ......R 5
Yamal (pen.), U. S. S. R. ......K 2
Yana (river), U. S. S. R. ......S 3
Yangtze Kiang (river), China ....O 7
Yellow (sea) ......R 6
Yemen ......H 8
Yenisey (river), U. S. S. R. ......M 3
Yokohama, Japan ......T 6
Zamboanga, Philippine Is. ......P 9
Zlatoust, U. S. S. R. ......J 4

SOUTHERN ASIA TRANSPORTATION

Legend	
Principal Railroads	———— (red)
Under Construction	- - - - (red)
Connecting Roads	———— (black)
Under Construction	- - - - (black)
Desert Tracks, Caravan Routes	....
Major Seaports	⚓

SCALE OF MILES
0 100 200 400 600

SCALE OF KILOMETRES
0 100 200 400 600

© C. S. Hammond & Co., Maplewood, N.J.

Asia
(continued)

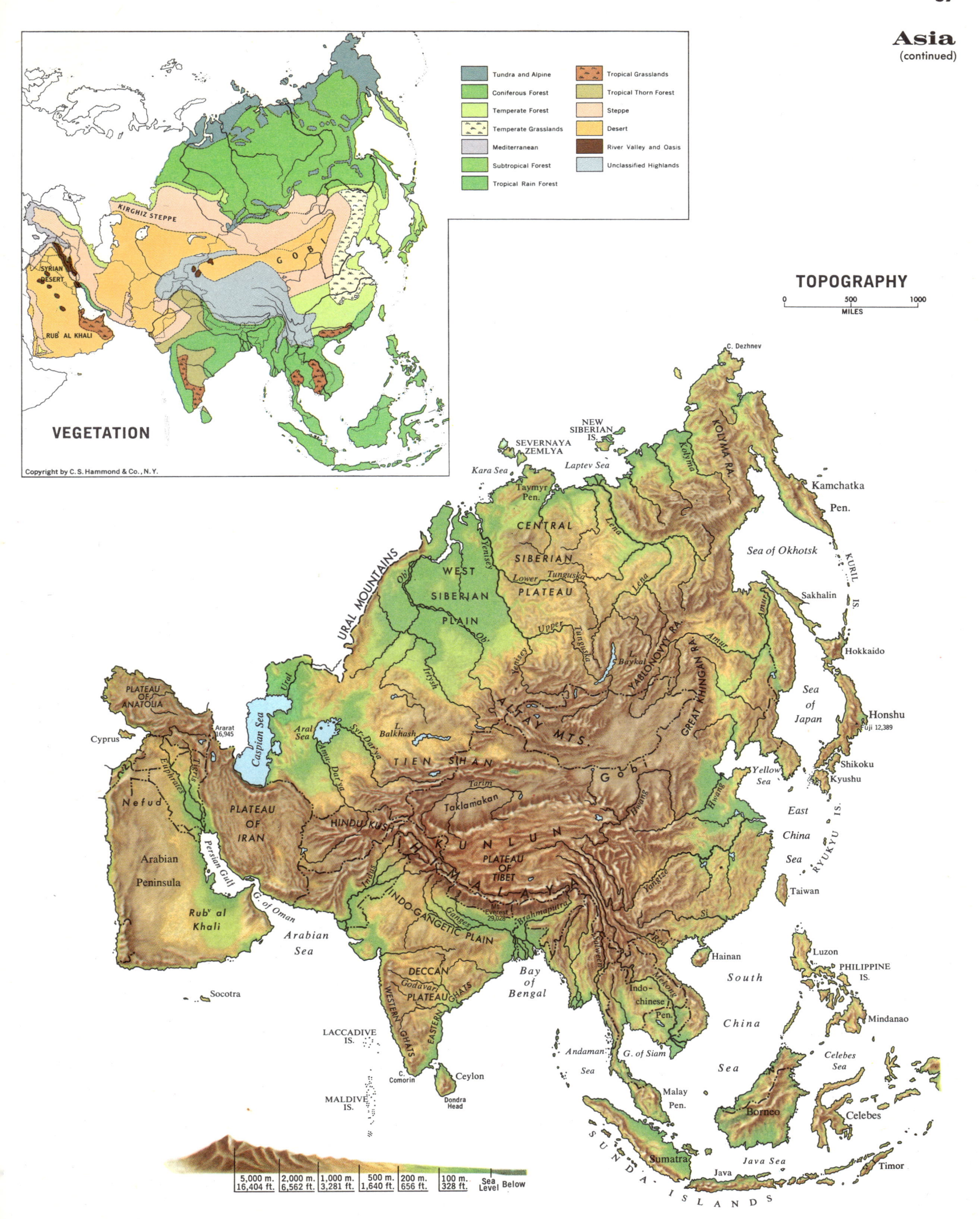

VEGETATION

Legend:
- Tundra and Alpine
- Coniferous Forest
- Temperate Forest
- Temperate Grasslands
- Mediterranean
- Subtropical Forest
- Tropical Rain Forest
- Tropical Grasslands
- Tropical Thorn Forest
- Steppe
- Desert
- River Valley and Oasis
- Unclassified Highlands

Copyright by C.S. Hammond & Co., N.Y.

TOPOGRAPHY

0 — 500 — 1000 MILES

Elevation scale:
- 5,000 m. / 16,404 ft.
- 2,000 m. / 6,562 ft.
- 1,000 m. / 3,281 ft.
- 500 m. / 1,640 ft.
- 200 m. / 656 ft.
- 100 m. / 328 ft.
- Sea Level
- Below

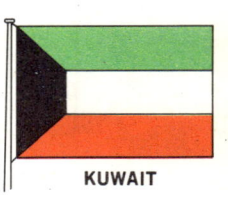

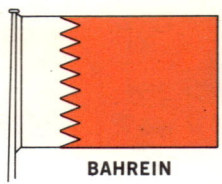

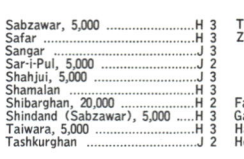

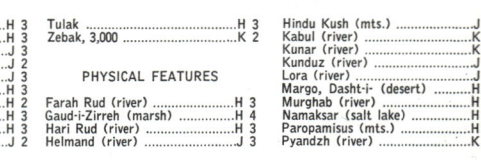

Near and Middle East

AFGHANISTAN
CITIES and TOWNS

Adin Khel	J 3	Daulatabad, 15,000	H 3
Anardarra	H 3	Dilaram	H 3
Andkhui, 30,000	H 2	Doshi, 5,000	J 2
Baghlan, 20,000	J 2	Faizabad, 25,000	K 2
Bala Murghab, 10,000	H 2	Farah, 10,000	H 3
Balkh, 15,000	J 2	Farsi	H 3
Bamian, 10,000	J 3	Gardez, 20,000	J 3
Bara Khel	J 3	Ghazni, 25,000	J 3
Belchiragh	J 2	Ghizao	J 3
Chahar Burjak, 500	H 3	Ghurian, 10,000	H 3
Chahardeh	J 3	Girishk, 10,000	H 3
Charikar, 15,000	J 2	Haibak, 10,000	J 2
Daulat Yar, 2,000	J 3	Herat, 61,760	H 3
		Isfi Maidan	J 3
		Ishkashim	K 2
		Jalalabad, 44,290	K 3
		Jurm, 10,000	J 2

Juwain, 2,000	H 3	Mazar-i-Sharif, 39,695	J 2
Kabul (cap.), 400,000	J 3	Mirabad	H 3
Kabul, +480,000	J 3	Mukur, 10,000	J 3
Kala Bist, 500	H 3	Nauzad	H 3
Kala Kin	H 3	Obeh, 5,000	H 3
Kalat-i-Ghilzai, 10,000	J 3	Panjao, 3,000	J 3
Kandahar, 119,000	J 3	Qala Panja, 1,000	K 2
Khanabad, 30,000	J 2	Qaleh-i-Kang, 1,000	H 3
Khash	H 3	Rudbar, 1,000	H 3
Khugiani	H 3	Rustak, 1,000	J 2
Kuhsan	H 3		
Kushk, 10,000	H 2		
Landi Muhammad Amin Khan, 1,000	J 3		
Maimana, 30,000	H 2		
Maruf	J 3		
Matun, 15,000	J 3		

SAUDI ARABIA

Sabzawar, 5,000	H 3	Shibarghan, 20,000	J 2
Safar	H 3	Shindand (Sabzawar), 5,000	H 3
Sangar	H 3	Taiwara, 5,000	H 3
Sar-i-Pul, 5,000	J 2	Tashkurghan	J 2
Shahjui, 5,000	J 3		

KUWAIT

Tulak	H 3	
Zebak, 3,000	K 2	

PHYSICAL FEATURES

Farah Rud (river)	H 3	Hindu Kush (mts.)	J 2
Gaud-i-Zirreh (marsh)	H 4	Kabul (river)	K 3
Hari Rud (river)	H 3	Kunar (river)	K 3
Helmand (river)	J 3	Kunduz (river)	J 2
		Margo, Dasht-i (desert)	H 3
		Murghab (river)	H 2
		Namaksar (salt lake)	H 3
		Paropamisus (mts.)	H 3
		Pyandzh (river)	K 2

YEMEN

BAHREIN

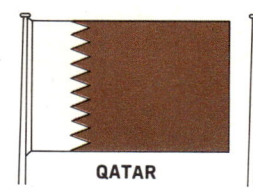

QATAR | TRUCIAL OMAN No. 1 | No. 2 | MUSCAT & OMAN

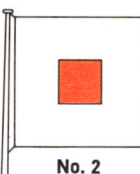

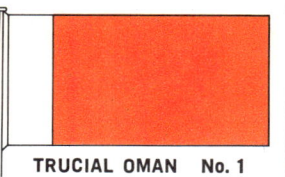

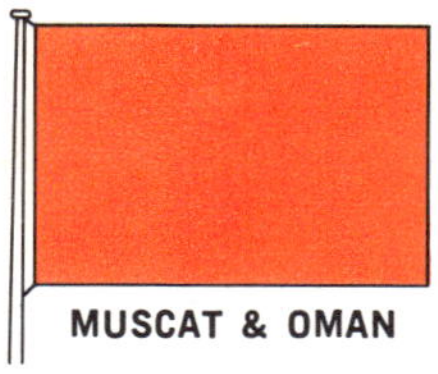

NEAR and MIDDLE EAST

For facts and flags of nations other than Arabian states, see pages 61 to 69.

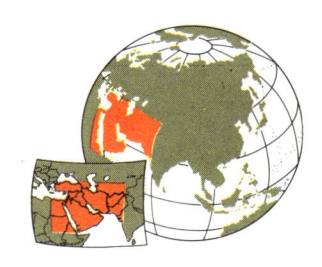

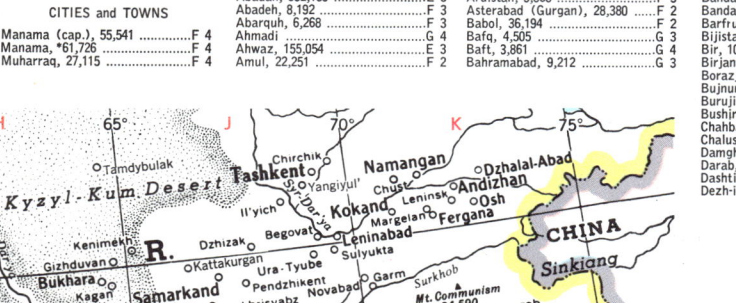

SOUTH YEMEN

Registan (desert) .... H 3
Wala, Kuh-i- (mt.) .... H 3

BAHREIN
CITIES and TOWNS
Manama (cap.), 55,541 .... F 4
Manama, *61,726 .... F 4
Muharraq, 27,115 .... F 4

IRAN
CITIES and TOWNS
Abadan, 302,189 .... E 3
Abadeh, 8,192 .... F 3
Abarquh, 6,268 .... F 3
Ahmadi .... G 4
Ahwaz, 155,054 .... E 3
Amul, 22,251 .... F 2

Anar, 463 .... G 3
Anarak, 1,342 .... F 3
Arak, 58,998 .... E 3
Ardebil, 65,742 .... E 2
Ardistan, 5,868 .... F 3
Asterabad (Gurgan), 28,380 .. F 2
Babol, 36,194 .... F 2
Bafq, 4,505 .... G 3
Baft, 3,861 .... G 3
Bahramabad, 9,212 .... G 3

Bam, 15,737 .... G 4
Bampur, 1,585 .... H 4
Bandar 'Abbas, 17,710 .... G 4
Bandar Rig, 1,889 .... F 4
Bandar Shah, 8,284 .... F 2
Bandar Shahpur, 3,725 .... E 3
Barfrush (Babol), 36,194 ...... F 2
Bijistan, 3,823 .... G 3
Bir, 103 .... G 4
Birjand, 13,934 .... G 3
Borazjun, 10,233 .... F 4
Bujnurd, 19,253 .... G 2
Burujird, 49,186 .... E 3
Bushire, 18,412 .... F 4
Chahbar, 1,800 .... H 4
Chalus, 9,758 .... F 2
Damghan, 8,909 .... F 2
Darab, 9,106 .... G 4
Dashtiari .... H 4
Dezh-i-Shahpur, 1,384 .... E 2

SAUDI ARABIA
AREA 850,000 sq. mi.
POPULATION 7,000,000
CAPITAL Riyadh, Mecca
MONETARY UNIT riyal
MAJOR LANGUAGE Arabic
MAJOR RELIGION Mohammedan

YEMEN
AREA 75,000 sq. mi.
POPULATION 5,000,000
CAPITAL San'a, Ta'izz
MONETARY UNIT bakcha
MAJOR LANGUAGE Arabic
MAJOR RELIGION Mohammedan

SOUTH YEMEN
110,000 sq. mi.
1,613,000
Medina as-Shaab
East African shilling
Arabic
Mohammedan

BAHREIN
AREA 231 sq. mi.
POPULATION 182,203
CAPITAL Manama
MONETARY UNIT Indian rupee
MAJOR LANGUAGE Arabic
MAJOR RELIGION Mohammedan

QATAR
5,000 sq. mi.
60,000
Doha
Indian rupee
Arabic
Mohammedan

KUWAIT
8,000 sq. mi.
468,042
Al Kuwait
Kuwaiti dinar
Arabic
Mohammedan

TRUCIAL OMAN
AREA 12,000 sq. mi.
POPULATION 111,000
CAPITAL Dubai
MONETARY UNIT Indian rupee
MAJOR LANGUAGE Arabic
MAJOR RELIGION Mohammedan

MUSCAT & OMAN
82,000 sq. mi.
565,000
Muscat
rupee, Maria Theresa dollar
Arabic
Mohammedan

TOPOGRAPHY

NEAR and MIDDLE EAST
CONIC PROJECTION
SCALE OF MILES
SCALE OF KILOMETRES

Capitals of Countries ★
Other Capitals ⊛
International Boundaries ―――

Copyright by C. S. Hammond & Co., N.Y.

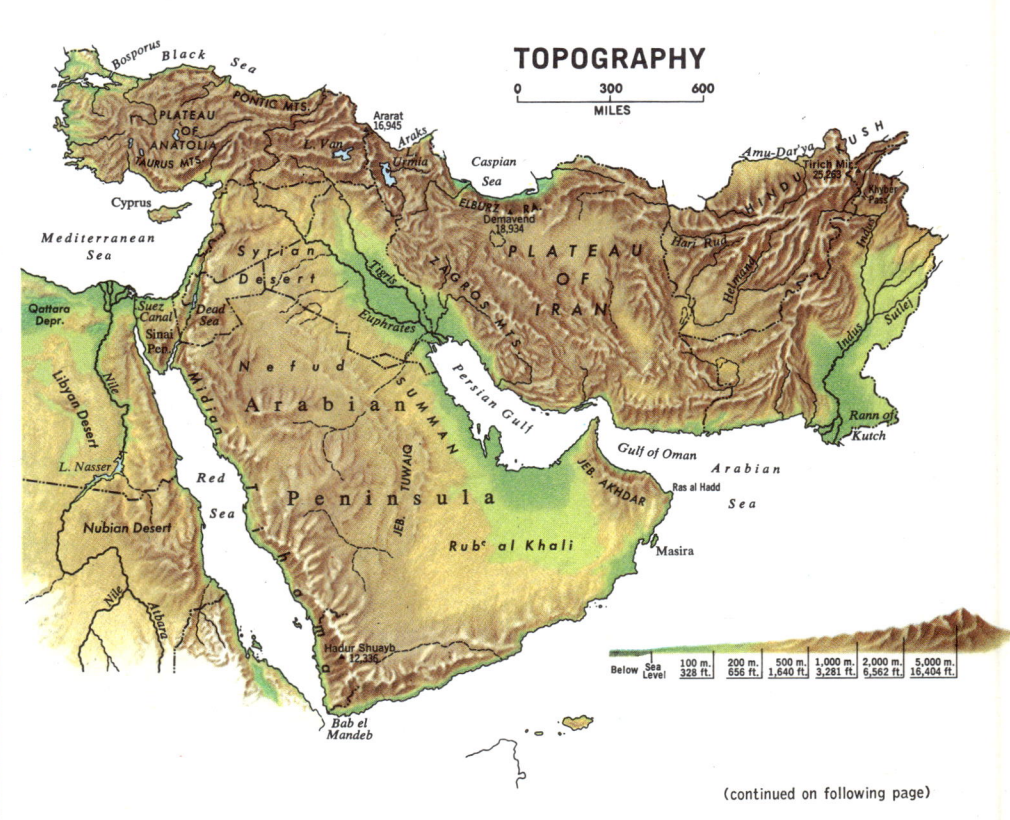

(continued on following page)

Near and Middle East

(continued)

IRAN (continued)

Dizful, 52,121	E 3
Duruh	H 3
Duzdab (Zahidan), 17,495	H 4
Enzeli (Pahlevi), 31,349	E 2
Estahbanat, 16,308	F 4
Fahrej (Iranshahr), 3,618	H 4
Fasa, 11,711	F 4
Firdaus, 6,834	G 3
Gach Saran	F 3
Garmsar, 3,520	F 2
Geh	H 4
Gulpaigan, 12,400	F 3
Gunabad, 7,555	G 3
Gurgan, 28,380	F 2
Gwatar	H 4
Hamadan, 114,610	E 3
Iranshahr, 3,618	H 4
Isfahan, 339,909	F 3
Jahrum, 29,169	F 4
Jask, 1,078	G 4
Juimand (Gunabad), 7,555	G 3
Kangan, 2,682	F 4
Kangavar, 6,251	E 3
Kashan, 45,955	F 3
Kashmar, 13,299	G 2
Kazerun, 30,641	F 4
Kazvin, 66,420	E 2
Kerman, 62,157	G 3
Kermanshah, 166,720	E 3
Khaf, 4,144	H 3
Khash, 7,439	H 4
Khoi, 34,491	E 2
Khorramshahr, 43,850	E 3
Khur, 2,307	G 3
Khurramabad, 38,676	E 3
Lar, 14,188	F 4
Lingeh, 4,920	F 4
Mahabad, 20,332	E 2
Maragheh, 36,551	E 2
Marand, 13,822	E 2
Mehrabad, 1,695	F 2
Meshed, 312,186	H 2
Mianeh, 21,100	E 2
Minab, 4,228	G 4
Mirjawa, 883	H 4
Naband, 97	F 4
Naibandan	G 3
Na'in, 4,681	F 3
Naishapur (Nishapur), 25,820	G 2
Nasratabad (Zabul), 12,221	H 3
Natanz, 2,090	F 3
Neh, 2,130	G 3
Nehavend, 20,972	E 3
Nejafabad, 30,422	F 3
Nikshahr, 1,879	H 4
Nishapur, 25,820	G 2
Pahlevi, 31,349	E 2
Qain, 4,414	G 3
Quchan, 21,250	G 2
Qum, 105,272	F 3
Ramishk	G 4
Ravar, 5,074	G 3
Resht, 118,634	E 2
Reza'iyeh, 67,605	D 2
Sabzawar, 30,545	G 2
Sabzawaran, 2,480	G 4
Saidabad, 12,160	G 4
Samnan, 29,036	F 2
Sanandaj, 40,651	E 2
Saqqiz, 12,729	E 2
Sarbaz	H 4
Sari, 26,278	F 2
Saveh, 14,537	F 2
Shahdad, 2,777	G 3
Shahistan, 4,012	H 4
Shahr-i-Tajan (Sari), 26,278	F 2
Shahriza, 29,311	F 3
Shahrud, 17,058	G 2
Shahsawar, 7,626	F 2
Shiraz, 229,761	F 4
Shirvan, 6,906	G 2
Shushtar, 18,527	E 3
Sultanabad (Arak), 58,998	E 3
Sultanabad (Kashmar), 13,299	G 2
Susangird, 6,025	E 3
Tabas, 466	G 3
Tabas, 7,413	H 3
Tabriz, 387,803	E 2
Tarum, 394	G 4
Tehran (Teheran) (cap.), 2,317,116	F 2
Tun (Firdaus), 6,834	G 3
Turbat-i-Haidari, 19,830	G 2
Turbat-i-Shaikh Jam, 6,756	H 2
Turshiz (Kashmar), 13,299	G 2
Turun	G 2
Turut, 721	F 2
Urmia (Reza'iyeh), 67,605	D 2
Yazdan	H 3
Yezd, 63,502	F 3
Zabul, 12,221	H 3
Zahidan, 17,495	H 4
Zarand, 4,099	G 3
Zenjan, 47,159	E 2

PHYSICAL FEATURES

Aj-i-Bala (mt.)	F 3
'Aliabad (mt.)	F 3
'Alijug (mt.)	F 3
Araks (river)	E 2
Atrek (river)	G 2
Bazman (mt.)	H 4
Demavend (mt.)	F 2
Diz, Ab-i- (river)	E 3
Elburz (mts.)	F 2
Galvkhaneh (lake)	F 3
Gurgan (river)	F 2
Haliri (river)	G 4
Jaz Murian, Hamun-i- (marsh)	G 4
Karun (river)	E 3
Kavir, Dasht-i- (salt desert)	G 3
Kavir-i-Namak (salt desert)	G 3
Lalehzar (mt.)	G 4
Lut, Dasht-i- (desert)	G 3
Maidani, Ras (cape)	G 4
Mand Rud (river)	F 4
Manisht (mt.)	E 3
Mashkel (river)	H 4
Mehran (river)	F 4
Mihrabi (mt.)	G 2
Namak, Darya-i- (salt lake)	F 3
Namaksar (salt lake)	H 3
Namakzar (marsh)	G 3
Nezwar (mt.)	F 2
Qais (isl.)	F 4
Qishm (isl.)	G 4
Qizil Uzun (river)	E 2
Safidar (mt.)	F 4
Savalan (mt.)	E 2
Shaikh Shu'aib (isl.)	F 4
Shir (mt.)	F 3
Taftan (mt.)	H 4
Talab (river)	H 4
Tashk (lake)	F 4
Urmia (lake)	E 2
Zagros (mt. range)	E 3

IRAQ

CITIES and TOWNS

Al 'Aziziya, 27,288	E 3
Al Falluja, 50,499	D 3
Al Fatha	D 2
Al Musaiyib, 12,219	D 3
Al Qurna, 4,124	E 3
'Amadiya, 9,099	D 2
'Amara, 62,552	E 3
An Najaf, 125,424	D 3
An Nasiriya, 39,239	E 3
'Ana, 15,729	D 3
Ar Rahhaliya, 1,579	D 3
Arbela (Erbil), 39,913	D 2
As Salman, 3,584	E 3
Baghdad (cap.), 410,877	E 3
Baghdad, *784,763	E 3
Ba'quba, 56,616	D 3
Basra, 175,678	E 3
Erbil, 39,913	D 2
Habbaniya, 35,113	D 3
Haditha, 17,589	D 3
Hai, 45,205	E 3
Hilla, 72,943	D 3
Hit, 23,297	D 3
Karbala, 60,294	D 3
Khanaqin, 19,797	D 3
Kirkuk, *176,794	D 2
Kut, 71,360	E 3
Maidan, 7,939	E 3
Mosul, *215,882	D 2
Qal'a Sharqat, 35,367	D 2
Ramadi, 55,971	D 3
Rutba, 11,025	D 3
Samarra, 48,940	D 3
Samawa, 27,010	D 3
Shithatha, 2,083	D 3
Sulaimaniya, 48,812	E 2
Tikrit, 21,702	D 3

PHYSICAL FEATURES

Al Batin, Wadi (river)	E 4
'Aneiza, Jebel (mt.)	C 3
'Ar'ar, Wadi (dry river)	D 3
El Hamad (desert)	D 3
Hauran, Wadi (dry river)	D 3
Mesopotamia (reg.)	D 3

KUWAIT

CITIES and TOWNS

Al Kuwait (cap.), 99,633	E 4
Al Kuwait, *152,218	E 4
Mina al-Ahmadi	E 4

PHYSICAL FEATURES

Bubiyan (isl.)	E 4

MUSCAT AND OMAN

CITIES and TOWNS

Adam	G 5
Dhank	G 5
Ibra	G 5
'Ibri	G 5
Juwara	G 6
Kamil	G 5
Khaluf	G 5
Khasab	G 4
Manah	G 5
Matrah, 11,100	G 5
Murbat	G 6
Muscat (cap.), 5,080	G 5
Muscat, *6,208	G 5
Nizwa	G 5
Quryat	G 5
Risut	F 6
Salala	F 6
Sarur	G 5
Shinas	G 5
Sohar	G 5
Sur	G 5
Suwaiq	G 5

PHYSICAL FEATURES

Akhdar, Jebel (mt. range)	G 5
Batina (reg.)	G 5
Dhofar (reg.)	F 6
Hadd, Ras al (cape)	G 5
Jibsh, Ras (cape)	G 5
Madraka, Ras (cape)	G 6
Masira (gulf)	G 6
Masira (isl.)	G 5
Musandam, Ras (cape)	G 4
Nus, Ras (cape)	G 6
Oman (reg.)	G 5
Ruus al Jibal (dist.)	G 4
Sauqira (bay)	G 6
Sauqira, Ras (cape)	G 6
Sham, Jebel (mt.)	G 5
Sharbatat, Ras (cape)	G 6

QATAR

CITIES and TOWNS

Doha (cap.), 45,000	F 4
Dukhan, 2,500	F 4
Umm Sa'id, 3,500	F 5

PHYSICAL FEATURES

Rakan, Ras (cape)	F 4

SAUDI ARABIA

PROVINCES

'Asir, 900,000	D 6
Hasa, 2,250,000	E 4
Hejaz, 1,250,000	C 4
Nejd, 1,500,000	D 4

CITIES and TOWNS

'Abaila	F 5
Abha	D 6
Abqaiq	E 4
Abu 'Arish	D 6
Abu Hadriya	E 4
'Ain al Mubarrak	C 5
Akhdar	C 4
Al 'Ain	C 4
Al 'Ala	C 4
Al 'Auda	E 4
Al Lith	C 5
Al Muadhdham	C 4
Al Qahm	D 6
'Anaiza	D 4
Artawiya	E 4
Ashaira	D 5
Ayun	D 4
Badr	C 5
Bisha	D 5
Buraida	D 4
Dam	D 5
Dammam, 3,000	F 4
Dar al Hamra	C 4
Debaba	D 6
Dhaba	C 4
Dhahran, 12,500	E 4
Dharma	E 5
Dilam	E 5
Doqa	D 6
Duwadami	D 5
Er Ras	D 4
Faid	D 4
Gail	E 5
Haddar	E 5
Hadiya	C 4
Hafar al Batin	E 4
Hail, 20,000	D 4
Halli	D 6
Hamar	E 5
Hanakiya	D 5
Haql	C 4
Haradh	E 5
Haraja	D 6
Hariq	E 5
Hauta	E 5
Hofuf, 83,000	E 4
Jabrin	E 5
Jauf, 5,000	C 4
Jidda, 147,859	C 5
Jubail	F 4
Jubba	D 4
Junaina	D 5
Kaf	C 3
Khaibar	D 6
Khamis Mushait	D 6
Khurma	D 5
Khurs	D 5
Laila	E 5
Majma'a	D 4
Maqna	C 4
Mastaba	C 5
Mastura	C 5
Mecca (cap.), 158,908	C 5
Medain Salih	C 4
Medina, 72,000	D 5
Mendak	D 5
Mina Sa'ud	E 4
Mubarraz	E 4
Mudhnib	D 4
Muwaila	C 4
Najran	D 6
Nisab	D 4
Oqair	E 4
Qadhima	C 5
Qafar	D 4
Qasr al Haiyanya	D 4
Qatif	E 4
Qizan	D 6
Qunfidha	D 6
Qusaiba	D 4
Rabigh	C 5
Ras Tanura	F 4
Riyadh (cap.), 169,185	E 5
Rumaihiya	E 4
Sabya	D 6
Sakaka	D 4
Salwa	F 5
Shaqra	D 4
Shuqaiq	D 6
Sufeina	D 5
Sulaiyil	E 5
Taif, 54,000	D 5
Taima	C 4
Tamra	D 5
Tebuk	C 4
Truba	D 4
Turaba	D 5
Umm Lajj	C 4
Wejh	C 4
Yamama	E 5
Yenbo	C 5
Zilfi	E 4

PHYSICAL FEATURES

Abu-mad (cape)	C 5
Al Ahqaf (Bahr es Safi) (desert)	E 6
'Aneiza, Jebel (mt.)	C 3
'Aqaba (gulf)	C 4
'Ar'ar, Wadi (dry river)	D 3
Arafat, Jebel (mt.)	D 5
Arma (plateau)	E 4
Aswad, Ras al (cape)	C 5
Bahr es Safi (desert)	E 6
Barida, Ras (cape)	C 5
Bisha, Wadi (dry river)	D 5
Dahana (desert)	E 4
Dawasir, Wadi (dry river)	E 5
Dawasir, Hadb (mt. range)	D 5
Farasan (isls.)	D 6
Hatiba, Ras (cape)	C 5
Jafura (desert)	F 5
Mashabi (isl.)	C 4
Midian (district)	C 4
Misha'ab, Ras (cape)	E 4
Nefud (desert)	D 4
Nefud Dahi (desert)	D 5
Ranya, Wadi (dry river)	D 5
Red (Nefud) (desert)	D 4
Rima, Wadi (river)	D 4
Rimal, Ar (desert)	F 5
Rub' al Khali (desert)	F 5
Safaniya, Ras (cape)	E 4
Salma, Jebel (mts.)	D 4
Shaibara (isl.)	C 4
Shammar, Jebel (plateau)	D 4
Sirhan, Wadi (dry river)	C 3
Subh, Jebel (mt.)	C 5
Summan (plateau)	E 4
Tiran (isl.)	C 4
Tuwaiq, Jebel (mt. range)	E 5

SOUTH YEMEN

CITIES and TOWNS

Aden, 99,285	E 7
Ahwar	E 7
Al Qatn	E 6
Balhaf	E 7
Bir 'Ali	E 7
Damqut	F 6
'Einat	E 6
Ghaida	F 6
Hadibu	F 7
Hajarain	E 6
Haura	E 7
Hureidha	E 6
'Irqa	E 7
Lahej	E 7
Leijun	E 6
Lodar	E 7
Maqatin	E 7
Medina as-Shaab (cap.)	E 7
Mukalla, 20,000	E 7
Nisab	E 7
Nuqub	E 6
Qishn	F 6
Riyan	E 7
Saihut	F 6
Seiyun	E 6
Shabwa	E 6
Shibam	E 6
Shihr	E 7
Shuqra	E 7
Taburkum	E 6
Tarim	E 6
Yeshbum	E 7

PHYSICAL FEATURES

Asida, Ras (cape)	E 7
Fartak, Ras (cape)	F 6
Hadhramaut (dist.), 350,000	E 7
Hadhramaut, Wadi (dry river)	F 7
Hallaniya (isl.), 70	G 6
Kamaran (isl.), 2,200	D 6
Kuria Muria (isls.), 70	G 6
Perim (isl.), 381	D 7
Socotra (isl.), 14,000	F 7

TRUCIAL OMAN

CITIES and TOWNS

Abu Dhabi, 4,000	F 5
'Ajman, 2,000	G 4
'Arada	F 5
Dubai, (cap.), 40,000	F 4
Dubai, *55,000	F 4
Fujaira, 2,000	G 4
Sharja, 9,000	F 4

PHYSICAL FEATURES

Das (isl.)	F 4
Yas (isl.)	F 5
Zirko (isl.)	F 5

YEMEN

CITIES and TOWNS

'Amran	D 6
Bait al Faqih	D 7
Dhamar	D 7
Harib	E 6
Hodeida, 40,000	D 7
Huth	D 6
Ibb	D 7
Luhaiya (Loheia)	D 6
Maida, 2,500	D 6
Manakha	D 6
Marib	D 6
Mocha	D 7
Sa'ada	D 6
Safir	E 6
San'a (cap.), 75,000	D 6
Sheikh Sa'id	D 7
Ta'izz (cap.), 25,000	D 7
Yarim, 5,000	D 7
Zabid, 8,000	D 7

PHYSICAL FEATURES

Hanish (isls.)	D 7
Manar, Jebel (mt.)	D 7
Sabir, Jebel (mt.)	D 7
Zuqar (isl.)	D 7

NEAR EAST

Arabian (sea)	H 5
Buraimi	G 5
Euphrates (river)	E 3
Kurdistan (reg.)	D 2
Mandeb, Bab el (strait)	D 7
Oman (gulf)	G 5
Persian (gulf)	F 4
Red (sea)	C 5
Tigris (river)	E 3
Tihama (reg.)	C 5

*City and suburbs.

AGRICULTURE, INDUSTRY and RESOURCES

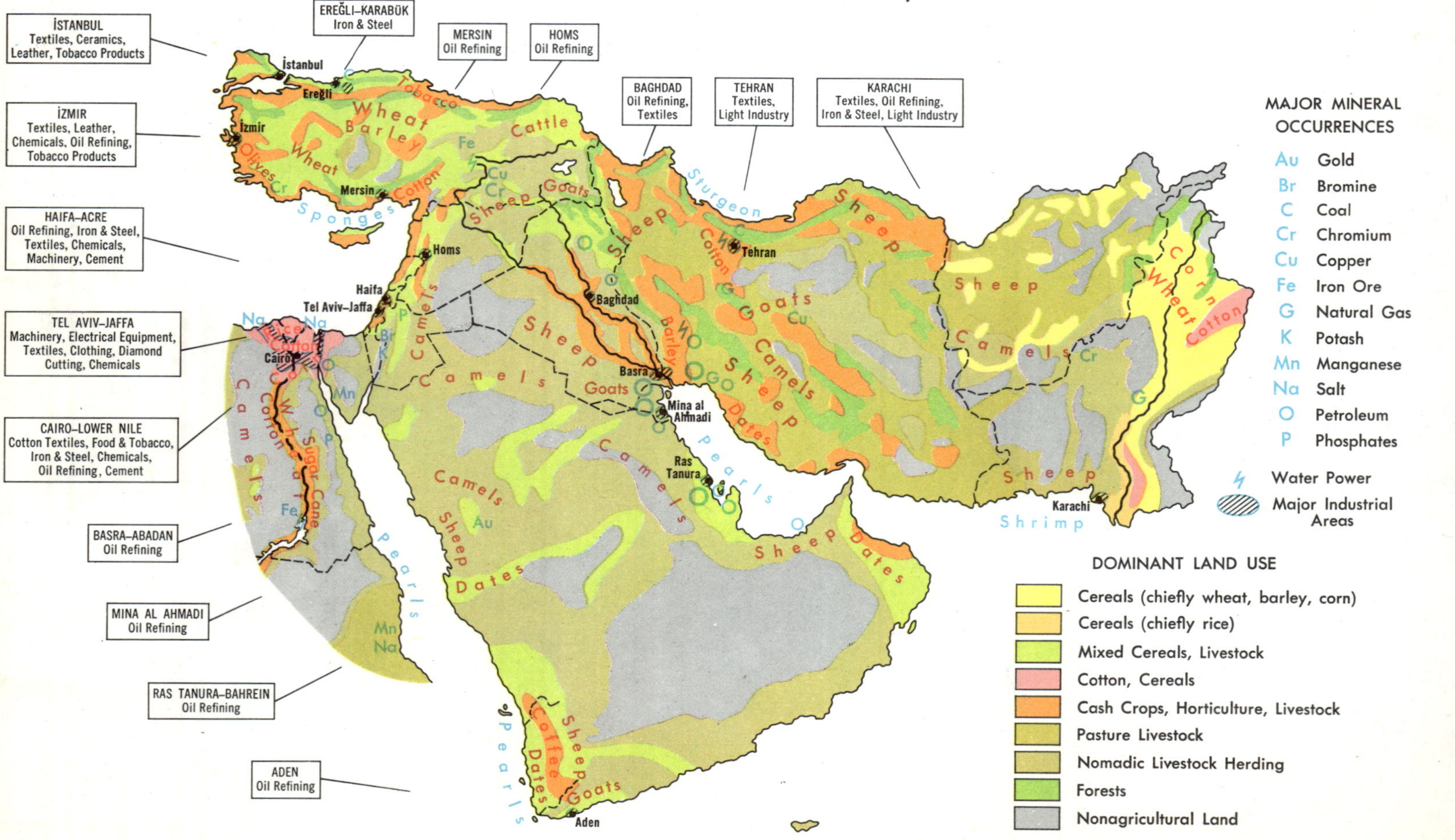

İSTANBUL Textiles, Ceramics, Leather, Tobacco Products
EREĞLI–KARABÜK Iron & Steel
MERSIN Oil Refining
HOMS Oil Refining
BAGHDAD Oil Refining, Textiles
TEHRAN Textiles, Light Industry
KARACHI Textiles, Oil Refining, Iron & Steel, Light Industry
İZMIR Textiles, Leather, Chemicals, Oil Refining, Tobacco Products
HAIFA–ACRE Oil Refining, Iron & Steel, Textiles, Chemicals, Machinery, Cement
TEL AVIV–JAFFA Machinery, Electrical Equipment, Textiles, Clothing, Diamond Cutting, Chemicals
CAIRO–LOWER NILE Cotton Textiles, Food & Tobacco, Iron & Steel, Chemicals, Oil Refining, Cement
BASRA–ABADAN Oil Refining
MINA AL AHMADI Oil Refining
RAS TANURA–BAHREIN Oil Refining
ADEN Oil Refining
İstanbul
Ereğli
İzmir
Mersin
Homs
Haifa
Tel Aviv–Jaffa
Cairo
Baghdad
Tehran
Basra
Mina al Ahmadi
Ras Tanura
Karachi
Aden
Wheat
Barley
Tobacco
Cattle
Olives
Cotton
Sponges
Sheep
Goats
Camels
Sturgeon
Dates
Pearls
Coffee
Sugar Cane
Corn
Shrimp
MAJOR MINERAL OCCURRENCES
Au Gold
Br Bromine
C Coal
Cr Chromium
Cu Copper
Fe Iron Ore
G Natural Gas
K Potash
Mn Manganese
Na Salt
O Petroleum
P Phosphates
Water Power
Major Industrial Areas
DOMINANT LAND USE
Cereals (chiefly wheat, barley, corn)
Cereals (chiefly rice)
Mixed Cereals, Livestock
Cotton, Cereals
Cash Crops, Horticulture, Livestock
Pasture Livestock
Nomadic Livestock Herding
Forests
Nonagricultural Land

TURKEY, SYRIA, LEBANON and CYPRUS

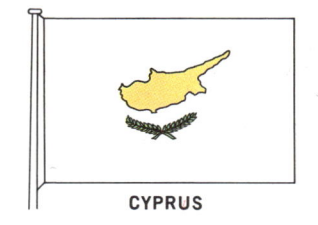

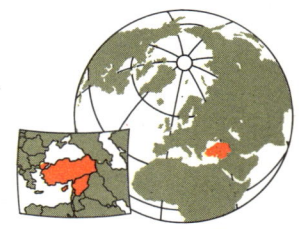

TURKEY
- **AREA** 296,185 sq. mi.
- **POPULATION** 31,118,000
- **CAPITAL** Ankara
- **LARGEST CITY** İstanbul (greater) 1,466,525
- **HIGHEST POINT** Ararat 16,945 ft.
- **MONETARY UNIT** Turkish pound (lira)
- **MAJOR LANGUAGES** Turkish
- **MAJOR RELIGIONS** Mohammedan

SYRIA
- 72,587 sq. mi.
- 5,399,000
- Damascus
- Damascus (greater) 630,063
- Hermon 9,232 ft.
- Syrian pound
- Arabic, Turkish, Kurdish
- Mohammedan, Christian

LEBANON
- 3,475 sq. mi.
- 2,500,000
- Beirut
- Beirut (greater) 500,000
- Qurnet es Sauda 10,131 ft.
- Lebanese pound
- Arabic, French
- Christian, Mohammedan

CYPRUS
- 3,572 sq. mi.
- 591,000
- Nicosia
- Nicosia (greater) 100,000
- Troodos 6,406 ft.
- Cypriot pound
- Greek, Turkish
- Greek Orthodox, Mohammedan

AGRICULTURE, INDUSTRY and RESOURCES

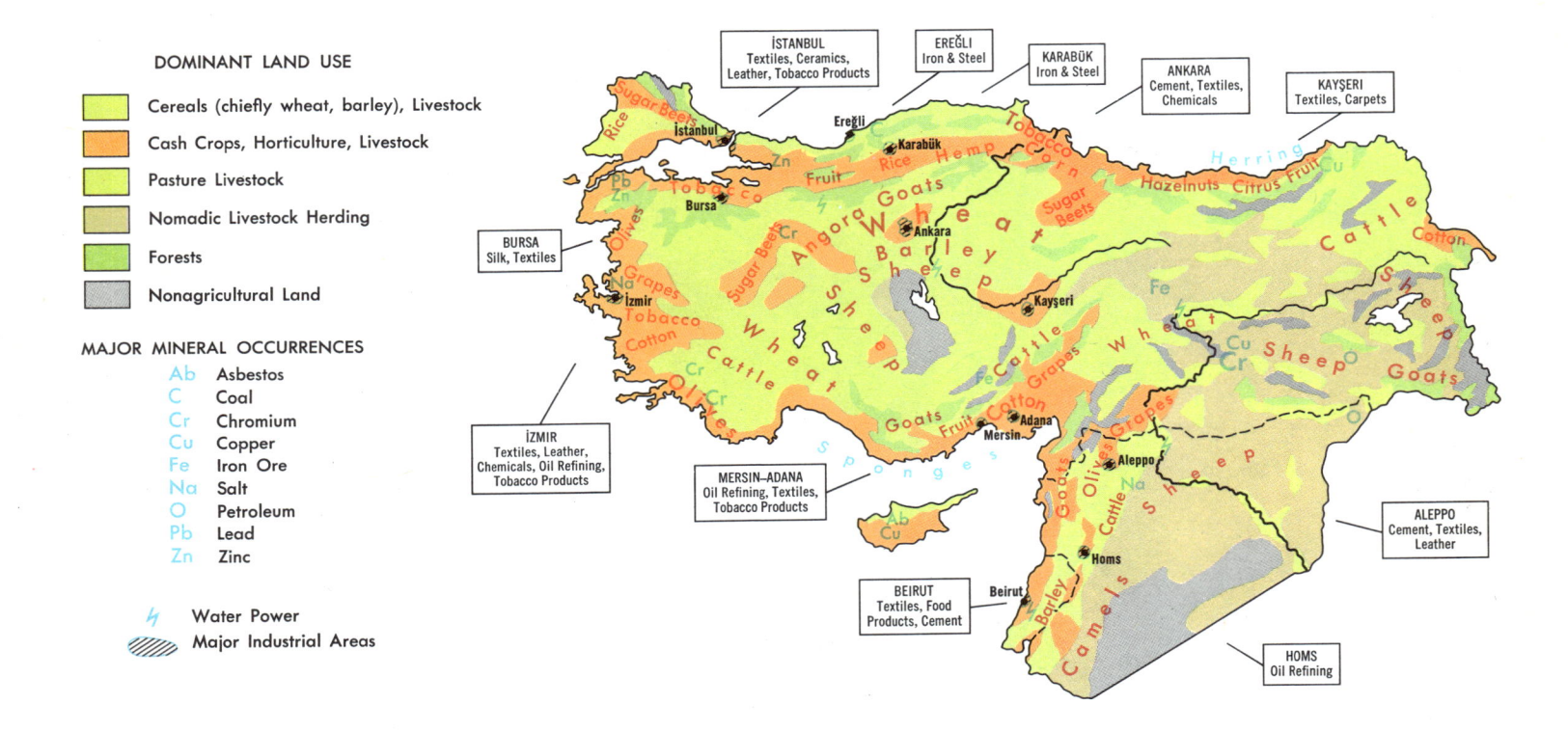

DOMINANT LAND USE
- Cereals (chiefly wheat, barley), Livestock
- Cash Crops, Horticulture, Livestock
- Pasture Livestock
- Nomadic Livestock Herding
- Forests
- Nonagricultural Land

MAJOR MINERAL OCCURRENCES
- Ab — Asbestos
- C — Coal
- Cr — Chromium
- Cu — Copper
- Fe — Iron Ore
- Na — Salt
- O — Petroleum
- Pb — Lead
- Zn — Zinc

- Water Power
- Major Industrial Areas

İSTANBUL — Textiles, Ceramics, Leather, Tobacco Products
EREĞLI — Iron & Steel
KARABÜK — Iron & Steel
ANKARA — Cement, Textiles, Chemicals
KAYSERİ — Textiles, Carpets
BURSA — Silk, Textiles
İZMİR — Textiles, Leather, Chemicals, Oil Refining, Tobacco Products
MERSİN–ADANA — Oil Refining, Textiles, Tobacco Products
ALEPPO — Cement, Textiles, Leather
BEIRUT — Textiles, Food Products, Cement
HOMS — Oil Refining

TURKEY
CITIES and TOWNS

Abana, 2,514	F 1
Acıpayam, 3,835	C 4
Adalia (Antalya), 50,408	D 4
Adıyaman, 231,548	F 4
Adana, 231,548	F 4
Adapazarı, 79,420	D 2
Adıyaman, 16,487	H 4
Afşin, 6,485	G 3
Afyon, 38,394	D 3
Ağrı (Karaköse), 19,776	K 3
Ağvanis, 1,004	H 2
Ahlat, 5,080	K 3
Akçaabat, 6,667	H 2
Akçadağ, 5,121	G 4
Akçakoca, 5,303	D 2
Akdağmadeni, 4,028	F 3
Akhisar, 39,831	B 3
Aksaray, 19,979	F 3
Akşehir, 20,566	D 3
Akseki, 2,608	D 4
Akyazı, 6,617	D 2
Alaca, 7,168	F 2
Alacahan, 1,487	G 3
Alaçam, 6,865	F 2
Alanya, 10,129	D 4
Alaşehir, 13,924	C 3
Alexandretta (İskenderun), 62,061	G 4
Amasya, 28,525	F 2
Anadoluhisarı, 13,181	D 6
Anamur, 6,523	E 4
Andırın, 2,637	G 4

Ankara (Angora) (capital), 129,934	E 3
Ankara, *650,067	E 3
Antakya (Hatay), 45,674	G 4
Antalya, 50,908	D 4
Araç, 2,306	E 2
Arapkir, 6,865	H 3
Ardahan, 7,228	K 2
Artvin, 8,016	J 2
Aşkale, 6,336	J 3
Avanos, 5,663	F 3
Aydın, 35,527	B 4
Ayrancı, 1,912	E 4
Ayvacık, 1,908	B 3
Ayvalık, 16,087	B 3
Babaeski, 11,590	B 2
Bafra, 20,759	F 2
Bahçe, 1,323	G 4
Bakırköy, 61,459	D 6
Balâ, 3,287	E 3
Balıkesir, 61,145	B 3
Balya, 1,713	B 3
Bandırma, 28,880	B 2
Bartın, 11,506	E 2
Başkale, 2,383	K 3
Batman, 12,401	J 4
Bayburt, 11,937	H 2
Bayındır, 11,329	B 3
Bayır, 1,172	C 6
Bayramiç, 4,145	B 3
Bebek	D 6
Bergama, 21,689	B 3
Beşiktaş, 93,647	D 6
Beşiri, 1,435	J 4
Besni, 11,194	G 4

Beykoz, 45,679	D 5
Beyoğlu, 216,425	D 6
Beypazarı, 8,854	D 2
Beyşehir, 5,833	D 4
Biga, 10,845	B 3
Bigadiç, 4,239	C 3
Bilecik, 7,528	D 2
Bingöl (Çapakçur), 8,526	J 3
Birecik, 13,110	H 4
Bismil, 3,472	J 4
Bitlis, 16,636	J 3
Bodrum, 5,047	B 4
Boğazlıyan, 6,981	F 3
Bolayır, 1,908	B 2
Bolu, 13,745	D 2
Bolvadin, 16,026	D 3
Bor, 13,169	F 4
Bornova, 25,015	B 3
Bostancı	D 6
Boyabat, 8,190	F 2
Bozdoğan, 5,365	C 4
Bozhüyük, 9,109	C 3
Bozkır, 2,451	E 4
Bucak, 8,754	D 4
Bulancak, 7,346	G 2
Bulanık, 4,900	K 3
Buldan, 10,496	C 3
Burdur, 25,271	D 4
Burgaz, 616	B 2
Burhaniye, 10,281	B 3
Bursa, 153,866	C 3
Büyükada, 7,023	D 6
Büyükanafarta, 620	B 6

Büyükdere	D 5
Çal, 3,612	C 3
Çaldıran, 1,860	K 3
Çanakkale, 19,391	B 6
Çandarlı, 2,164	B 3
Çankaya, 304,077	E 3
Çapakçur, 8,526	J 3
Çardak, 2,507	C 6
Çarşamba, 14,877	G 2
Çatalca, 5,674	C 2
Çay, 7,238	D 3
Çayeli, 9,724	J 2
Çemişkezek, 2,200	H 3
Çerkes, 2,831	E 2
Çerkezköy, 5,466	C 2
Çermik, 4,683	H 3
Çeşme, 3,712	B 3
Ceyhan, 31,592	F 4
Ceylanpınarı, 7,950	H 4
Cide, 2,067	E 2
Çifteler, 4,655	D 3
Çıldır, 1,420	K 2
Cine, 6,342	B 4
Çivril, 5,338	C 3
Cizre, 6,473	K 4
Çölemerik, 3,982	K 4
Çorlu, 21,983	B 2
Çorum, 34,726	F 2
Çubuk, 7,052	E 2
Cumra, 7,052	E 2
Dadaý, 1,570	E 2
Darende, 6,930	G 3
Datça, 1,339	B 4

Demirci, 8,745	C 3
Demirköy, 2,335	C 2
Denizli, 48,925	C 4
Derik, 5,660	J 4
Develi, 12,923	F 3
Devrek, 4,193	D 2
Dikili, 5,387	B 3
Dinar, 12,024	D 3
Divriği, 8,829	H 3
Diyadin, 2,269	K 3
Diyarbakır, 79,888	H 4
Doğanhisar, 5,567	C 3
Doğubayazit, 7,047	K 3
Dörtyol, 10,293	F 2
Dursunbey, 5,934	C 3
Düzce, 18,344	D 2
Eceabat, 2,714	B 6
Edirne, 39,410	B 2
Eğridir, 7,071	D 4
Elâzığ, 60,289	H 3
Elbistan, 10,282	G 3
Eleskirt, 3,988	K 3
Elmalı, 6,743	C 4
Emet, 4,132	C 3
Emirdağ, 10,069	D 3
Enez, 1,478	B 2
Erbaa, 10,738	G 2
Erciş, 9,927	K 3
Erdemli, 7,961	E 4
Ereğli, 31,935	F 4
Ereğli, 8,812	E 2
Ergani, 8,553	J 3
Erkilet, 3,170	F 3

Ermenek, 7,553	E 4
Erzin, 9,115	G 4
Erzincan, 36,420	H 3
Erzurum, 90,069	J 3
Eskişehir, 153,096	D 3
Esme, 4,929	C 3
Ezine, 4,929	B 3
Eyüp, 72,237	D 6
Fatih, 300,594	D 6
Fatsa, 6,841	G 2
Feke, 2,446	F 4
Fethiye, 7,693	C 4
Fevzipaşa, 2,804	G 4
Finike, 2,952	D 4
Fındıklı, 3,701	J 2
Foça, 1,762	B 3
Galata, 894	C 6
Gallipoli (Gelibolu), 12,945	B 6
Gaziantep, 124,097	G 4
Gazipaşa, 2,672	E 4
Gebze, 8,018	C 2
Gediz, 7,306	C 3
Gelibolu, 12,945	C 6
Gemlik, 12,640	C 2
Genç, 2,397	J 3
Gerçüş, 2,354	J 4
Gerede, 6,398	E 2
Gerze, 4,680	F 2
Gevaş, 3,580	K 3
Geyve, 3,676	D 2
Giresun, 19,902	H 2
Göksun, 3,697	G 4
Gölcük, 18,764	C 3
Göle, 3,028	K 3
Gölhisar, 4,934	C 3

Gölköy, 4,930	G 2
Gölmarmara, 6,064	C 3
Gölpazarı, 3,331	D 2
Gönen, 10,890	B 2
Gördes, 5,071	C 3
Gülnar, 3,920	E 4
Gülşehir, 2,701	F 3
Gümüşhacıköy, 9,463	F 2
Gümüşhane, 5,312	H 2
Gündogmus, 1,420	D 4
Güney, 7,049	C 3
Gürün, 5,691	G 3
Hacılar, 9,023	F 3
Hadım, 3,475	E 4
Hafik, 2,524	G 3
Hakkâri (Çölemerik), 3,982	K 4
Hani, 3,573	J 3
Harmancık, 1,028	C 3
Harput, 1,926	H 3
Harran, 731	H 4
Hatay (Antakya), 45,674	G 4
Havza, 9,443	F 2
Haydarpaşa	D 6
Haymana, 4,456	E 3
Hayrabolu, 8,628	B 2
Hekimhan, 3,546	H 3
Hendek, 9,880	D 2
Hilvan, 2,357	H 4
Hınıs, 4,117	J 3
Hisarönü, 3,185	E 2
Hopa, 4,877	J 2
Hozat, 3,528	H 3
İçel (Mersin), 68,485	F 4
Iğdır, 12,730	L 3

(continued on following page)

# Turkey, Syria, Lebanon and Cyprus
(continued)

TURKEY (continued)			
Ilgaz, 2,216	E 2	Izmit, 73,488	C 2
Ilgın, 8,116	D 3	Iznik, 6,290	C 2
Iliç, 922	H 3	Kadıköy, 129,918	D 6
Incesu, 5,824	F 3	Kadınhanı, 6,848	E 3
Inebolu, 5,873	E 2	Kadirli, 10,964	F 4
Inegöl, 25,297	C 2	Kağızman, 7,176	K 2
Inönü, 4,699	C 3	Kâhta, 3,866	H 4
Intepe, 25,717	B 6	Kalan, 3,818	H 3
Ipsile, 1,787	G 4	Kale, 3,101	C 4
Iskenderun, 62,061	G 4	Kalecik, 4,112	E 2
Iskilip, 12,210	F 2	Kaman, 8,871	E 3
Islahiye, 11,560	G 4	Kandıra, 4,876	D 2
Isparta, 35,981	C 4	Karabük, 31,440	E 2
Ispir, 2,025	J 2	Karacabey, 15,969	C 2
Istanbul, 1,466,525	C 2	Karahallı, 4,771	C 3
Izmir (Smyrna), 296,635	B 3	Karaköse, 19,776	K 3
Izmir, *360,829	B 3	Karaman, 21,668	E 4
		Karapınar, 10,767	E 4
		Karataş, 3,313	F 4

Karayazı, 950	J 3
Kars, 32,141	K 2
Karşıyaka, 64,194	B 3
Kartal, 14,815	D 6
Kas, 1,479	C 4
Kastamonu, 20,307	F 2
Kavak, 1,959	G 2
Kaymaz, 2,056	D 3
Kayseri, 102,596	F 3
Kelkit, 3,806	H 2
Kemah, 2,408	H 3
Kemaliye, 2,652	H 3
Kemalpaşa, 657	B 3
Kemer, 1,712	D 4
Kemerburgaz, 3,059	C 5
Kepsut, 3,980	C 3
Keşan, 15,061	B 2
Keskin, 6,438	E 3
Kiği, 1,430	J 3

Kilimli, 20,294	G 4
Kilis, 33,005	H 4
Kilitbahir, 865	B 6
Kırıkhan, 15,219	G 4
Kırıkkale, 42,904	E 3
Kırkağaç, 11,345	B 3
Kırklareli, 20,196	C 2
Kırşehir, 20,248	F 3
Kızılcahamam, 4,124	E 2
Kızıltepe, 6,379	J 4
Kocaeli (Izmit), 73,488	C 2
Kömürcüpınar	C 5
Konya, 119,821	E 4
Korkuteli, 5,033	C 4
Kozan, 15,159	F 4
Kozlu, 17,533	D 2
Kozluk, 2,748	J 4
Kula, 8,532	C 3

Kulu, 7,198	E 3
Kumkale, 1,237	B 6
Küre, 1,765	E 2
Kuşadası, 7,008	B 4
Kütahya, 39,663	C 3
Lâdik, 5,520	F 2
Lâpseki, 3,129	C 6
Lice, 6,725	J 3
Maden, 7,956	H 3
Mağara, 5,060	F 4
Malatya, 83,692	H 3
Malazgirt, 5,060	K 3
Malkara, 9,364	B 2
Manavgat, 3,218	D 4
Manisa, 59,675	B 3
Maraş, 54,447	G 4
Mardin, 28,382	J 4
Marmaris, 3,411	C 4
Mazgirt, 1,556	H 3
Mazıdağı, 1,999	J 4
Mecidiye, 1,134	B 5
Mecitözü, 5,217	F 2
Menemen, 15,155	B 3
Mersin, 68,465	F 4
Merzifon, 22,096	F 2
Midyat, 9,621	J 4

Mihalıççık, 3,289	D 3
Milâs, 11,710	B 4
Misis, 999	F 4
Mucur, 5,289	F 3
Mudanya, 6,026	C 2
Mudurnu, 3,462	D 2
Muğla, 14,053	C 4
Mükus, 1,231	K 3
Muradiye, 1,864	K 3
Muş, 11,965	J 3
Mustafa Kemalpaşa, 20,886	C 2
Nazilli, 18,042	C 4
Nevşehir, 18,662	F 3
Niğde, 18,042	F 3
Niksar, 10,534	G 2
Nizip, 19,336	G 4
Nusaybin, 5,011	J 4
Obruk, 737	E 3
Odemiş, 28,482	C 3
Oltu, 4,306	J 2
Ordu, 20,029	G 2
Ortaköy, 2,025	F 3
Osmancık, 6,748	F 2
Osmaniye, 27,451	G 4
Ovacık, 904	H 3
Özalp, 1,930	K 3

Palu, 3,995	H 3
Pasinler, 7,926	J 3
Patnos, 3,478	K 3
Pazar, 4,846	J 2
Pazarcık, 5,812	G 4
Pera (Beyoğlu), 216,425	D 6
Pertek, 3,069	H 3
Pınarbaşı, 5,631	G 3
Polatlı, 20,169	E 3
Posof, 1,469	K 2
Pozantı, 2,470	F 4
Pülümür, 2,277	H 3
Pütürge, 2,532	H 3
Refahiye, 1,677	H 3
Reşadiye, 2,372	G 2
Reyhanlı, 12,371	G 4
Rize, 22,181	J 2
Rumelifeneri, 2,225	D 5
Safranbolu, 7,383	E 2
Saimbeyli, 2,188	F 4
Sakarya (Adapazarı), 79,420	D 2
Salihli, 24,109	C 3
Samandağ, 13,912	G 4
Samsat, 991	H 4
Samsun, 87,688	G 2
Sandıklı, 9,357	D 3
Sapanca, 5,788	D 2

Turkey, Syria, Lebanon and Cyprus
(continued)

Saphane, 3,245	C 3
Saraköy, 6,984	C 4
Sarayönü, 5,783	E 3
Sarıkamış, 17,529	K 2
Sarıyer, 43,991	D 5
Şarkikaraağaç, 3,737	D 3
Sarkisla, 6,647	G 3
Savşat, 1,748	K 2
Savur, 3,379	J 4
Şebinkarahisar, 8,747	H 2
Seddülbahir, 466	B 6
Seferihisar, 4,416	B 3
Selendi, 2,135	C 3
Selimiye, 1,944	B 4
Şemdinli, 840	L 4
Şereflikoçhisar, 8,656	E 3
Serik, 4,775	D 4
Seydişehir, 6,303	D 4
Seyhan (Adana), 231,548	F 4
Seyitgazi, 2,577	D 3
Siirt, 22,944	J 4
Şile, 2,749	C 2
Silifke, 9,843	E 4
Silivri, 4,949	C 2
Silvan, 6,492	J 3
Simav, 6,528	C 3
Sindirgi, 5,065	C 3
Sinop, 10,214	F 2
Şiran, 1,665	H 2
Şirnak, 4,058	K 4
Sivas, 93,368	G 3
Siverek, 26,134	H 4
Sivrihisar, 7,186	D 3
Smyrna (Izmir), 296,635	B 4
Söke, 23,593	B 4
Soma, 13,200	B 3
Şuhut, 5,922	D 3
Sungurlu, 10,619	F 2
Sürmene, 3,517	H 2
Suruç, 6,800	H 4
Suşehri, 6,426	H 2
Susurluk, 11,450	C 3
Tarsus, 51,184	F 4
Taşkent, 4,998	E 4
Taşköprü, 5,715	F 4
Tatvan, 6,533	K 3
Tavas, 8,042	C 4
Tavşanlı, 11,622	C 3
Tefenni, 2,918	C 4
Tekirdağ, 23,987	B 2
Tercan, 2,234	J 3
Terme, 7,090	G 2
Tire, 26,643	B 3
Tirebolu, 4,705	H 2
Tokat, 32,654	G 2
Tonya, 5,360	H 2
Torbali, 8,010	B 3
Tortum, 2,229	J 2
Tosya, 13,699	F 2
Trabzon, 53,039	H 2
Trebizond (Trabzon), 53,039	H 3
Tunceli (Kalan), 3,818	H 3
Turgutlu, 31,459	B 3
Turhal, 17,124	F 2
Türkeli, 621	F 2
Tutak, 1,848	K 3
Tuzluca, 2,287	K 3
Ula, 4,236	C 4
Ulaş, 2,253	G 3
Uluborlu, 4,334	D 4
Ulukışla, 4,524	F 4
Ünye, 11,350	G 2
Urfa, 59,863	H 4
Ürgüp, 5,017	F 3
Urla, 10,827	B 3
Uşak, 29,021	C 3
Üsküdar, 101,814	D 6
Uzunköprü, 18,232	B 2
Van, 22,043	K 3
Vezirköprü, 8,224	F 2
Viranşehir, 7,026	H 4
Vize, 6,196	B 2
Yahyali, 8,697	F 3
Yalova, 11,318	C 2
Yenice, 3,058	F 4
Yeniköy, 21,654	D 6
Yeniköy, 586	B 6
Yeniköy, 783	C 3
Yenimahalle, 67,636	E 3
Yenişehir, 10,740	C 2
Yerköy, 8,244	F 3
Yeşilhisar, 7,100	F 3
Yeşilköy, 12,530	D 6
Yıldızeli, 5,312	G 3
Yozgat, 18,305	F 3
Yusufeli, 1,624	J 2
Zara, 7,394	G 3
Zile, 21,339	G 2
Zıvarık, 17,310	E 3
Zonguldak, 54,010	D 2

PHYSICAL FEATURES

Aci (lake)	C 4
Adalar (island), 7,023	D 6
Adalia (gulf)	D 4
Ak (mt. range)	G 3
Akçay (river)	C 4
Akdağ (mt.)	C 4
Akşehir (lake)	D 3
Aksu (river)	D 4
Aksu (river)	H 2
Ala (mt. range)	F 4
Alexandretta (gulf)	F 4
Amanos (mt. range)	G 4
Anamur (cape)	E 5
Ankara (river)	D 3
Anti-Taurus (mts.)	F 3
Apolyont (lake)	C 2
Araks (river)	K 2
Ararat (mt.)	L 3
Atranos (river)	C 3
Aydost (river)	F 4
Baba (cape)	A 3
Baba (cape)	D 2
Bafa (lake)	B 4
Bafra (cape)	G 2
Bağır (mt.)	D 4
Balik (lake)	G 2
Banaz (river)	C 3
Bati Firat (river)	H 3
Bergos (river)	C 6
Bey (mt. range)	D 4
Beyşehir (lake)	D 4
Binboğa (mt. range)	G 3
Bingöl (mt. range)	J 3
Bolu (river)	D 2
Bosporus (strait)	D 5
Boz (cape)	C 2
Bozcaada (island), 1,805	A 3
Burdur (lake)	D 4
Burgaz (island)	D 6
Büyük Ağri (Ararat) (mt.)	L 3
Büyük Kemikli (cape)	B 6
Buzakçı (river)	E 4
Çanakkale Boğazı (Dardanelles) (strait)	B 6
Çandarlı (gulf)	B 3
Çanik (mts.)	G 2
Çekerek (river)	F 2
Ceyhan (river)	F 4
Çıldır (lake)	K 2
Çiva (cape)	G 2
Çoruh (river)	J 2
Çorum (river)	F 2
Dalaman (river)	C 4
Dardanelles (strait)	B 6
Deliçerimak (river)	F 3
Demir (river)	E 2
Devrez (river)	E 2
Dicle (river)	J 4
Dürtmen (mt.)	F 2
Eastern Taurus (mts.)	J 3
Edremit (gulf)	B 3
Eğridir (lake)	D 4
Emir (mt.)	D 3
Ephesus (ruins)	B 4
Erciyas (mt.)	F 3
Ergene (river)	B 2
Euphrates (Firat) (river)	H 4
Filyos (river)	D 2
Firat (river)	H 3
Gâvur (Amanos) (mt. range)	G 4
Gediz (river)	B 3
Gelidonya (cape)	D 4
Geyik (mt.)	E 4
Gök (river)	E 2
Göksu (river)	E 4
Hasan (mt.)	E 3
Hazar (lake)	H 3
Heybeli (island), 6,978	D 6
Honaz (mt.)	C 4
Hoyran (lake)	D 3
İğneada (cape)	C 2
Ilgaz (mt. range)	E 2
Ilium (Troy) (ruins)	B 6
Imralı (island)	C 2
Imroz (island), 5,776	A 2
Ince (cape)	F 1
Incekum (cape)	F 4
Isfendiyar (Küre) (mt. range)	F 2
Istranca (mt. range)	B 2
Izmir (gulf)	B 3
Iznik (lake)	C 2
Kara (mt.)	E 4
Karaca (mt.)	H 4
Karadeniz Boğazı (Bosporus) (strait)	C 2
Karanfil (mt.)	F 4
Karasu (river)	J 3
Karataş (cape)	F 4
Kelkit (river)	G 2
Kerempe (cape)	E 1
Kınalı (island)	D 6
Kızıl Tepe (mt.)	E 2
Kızılırmak (river)	E 2
Koca (river)	C 6
Kocaçay (river)	E 2
Köprü (river)	D 4
Koraka (cape)	B 4
Köroğlu (mts.)	E 2
Kos (gulf)	B 4
Köyceğiz (lake)	C 4
Küre (mt. range)	E 2
Kuruçay (river)	K 2
Kuşada (gulf)	B 4
Mandalya (gulf)	B 4
Manyas (lake)	B 2
Marmara (island), 13,997	B 2
Marmara (sea)	B 2
Meleto (mt.)	J 3
Menderes (river)	C 4
Mercan (mt.)	H 2
Meriç (river)	B 2
Murat (river)	H 3
Murat (mt.)	C 3
Nemrut (mt.)	J 3
Nurhak (mt.)	G 3
Pontic (mts.)	D 2
Porsuk (river)	D 3
Sakarya (river)	D 2
Saros (gulf)	B 5
Seyhan (river)	F 4
Sife (lake)	F 3
Simav (river)	C 3
Soğanlı (river)	D 2
Soğanlı (mt. range)	D 2
Söğüt (mt.)	D 4
Sultan (mt. range)	D 3
Suphan (mt.)	K 3
Taurus (mt. range)	D 4
Tohma (river)	G 3
Troy (Ilium) (ruins)	B 6
Türkmen (mt.)	D 3
Tuz (lake)	E 3
Uludağ (mt.)	C 2
Van (lake)	K 3
Varshambek (mt.)	J 2
Yasun (cape)	G 2
Yeşilırmak (river)	G 2
Yut (mt.)	F 4

SYRIA
GOVERNORATES

Aleppo, 1,131,854	G 4
Damascus (munic.), 630,063	G 6
Damascus, 332,772	G 6
Deir ez Zor, 286,010	H 5
Der'a, 190,766	G 6
El Haseke, 309,279	J 4
El Ladhiqiya (Latakia), 625,473	G 5
El Quneitra, 128,158	F 6
El Rashid, 124,876	H 5
Es Suweida, 151,500	G 6
Haleb (Aleppo), 1,131,854	G 4
Hama, 390,084	G 5
Hauran (Der'a), 190,766	G 6
Homs, 504,098	H 5
Idlib, 374,751	G 5
Latakia, 625,473	G 5

CITIES and TOWNS

Abu ed Duhur	G 5
Abu Kemal, 6,907	J 5
'Ain el Arab, 4,529	H 4
Aleppo (Haleb), 528,618	G 4
'Amrit	F 5
A'zaz, 13,923	G 4
Baniyas, 8,537	F 5
Bir Bidea	J 4
Busra	G 6
Damascus (cap.), 544,712	G 6
Damascus, *630,063	G 6
Deir ez Zor, 60,335	H 5
Demir Qapu	J 4
Dimishq (Damascus) (capital), 544,712	G 6
Duma, 30,050	G 6
Dumeir	G 6
El Bab, 27,366	G 4
El Hammam	H 5
El Haseke, 23,074	J 4
El Ladhiqiya (Latakia), 72,378	F 5
El Qadmus	G 5
El Qaryatein	G 5
El Quneitra, 17,752	F 6
El Quseir	G 5
El Rashid, 11,998	H 5
En Nebk, 16,334	G 5
Es Sukhne	H 5
Es Suweida, 17,592	G 6
Et Tell el Abyad	H 4
Fajami	G 5
Haffe, 4,656	G 5
Haleb (Aleppo), 528,618	G 4
Hama, 126,364	G 5
Harim, 175,303	G 4
Idlib, 37,501	G 5
Izra', 3,226	G 6
Jeble, 15,715	F 5
Jerablus, 8,610	G 4
Jisr esh Shughur, 13,131	G 5
Khan esh Shamat	H 6
Khan Sheikhun	G 5
Khatuniye	J 4
Latakia, 72,378	F 5
Masyaf, 7,058	G 5
Membij, 13,796	H 4
Meskene	G 5
Meyadin, 12,515	J 5
Muslimiya	G 4
Palmyra (Tadmor), 10,670	H 5
Qal'at es Salihiye	J 5
Qamishliye, 31,448	J 4
Quteife, 4,993	G 6
Raqqa (El Rashid), 11,998	H 5
Risafe	H 5
Sabkha, 3,375	H 5
Safita, 9,650	G 5
Selemiya, 25,728	G 5
Suwar	H 5
Tadmor (Palmyra), 10,670	H 5
Tartus, 19,137	F 5
Tel Kotchek	K 4
Telkalakh	G 5
Zebdani, 10,010	G 6

PHYSICAL FEATURES

'Abdul 'Aziz (mts.)	J 4
Abu Rujmein (mts.)	H 5
'Asi (Orontes) (river)	G 5
Ed Druz (mts.)	G 6
El Bishri (mts.)	H 5
El Furat (river)	H 4
Esh Sharqi (mt. range)	G 5
Hermon (mt.)	F 6
Khabur (river)	J 5
Orontes ('Asi) (river)	G 5
Ruad (island)	F 5

LEBANON
CITIES and TOWNS

'Aleih, 18,630	F 6
Amyun, 7,926	F 5
Ba'albek, 15,560	G 5
Batrun, 5,976	F 5
Beirut (capital), 298,129	F 6
Beirut, *500,000	F 6
En Naqura, 967	F 6
Hermil, 2,652	G 5
Juniye	F 6
Merj 'Uyun, 9,318	F 6
Rasheiya, 6,731	F 6
Rayak, 1,480	G 6
Saida (Sidon), 32,200	F 6
Sur (Tyre), 16,483	F 6
Tarabulus (Tripoli), 114,443	F 5
Tripoli (Tarabulus), 114,443	F 5
Tyre (Sur), 16,483	F 6
Zahle, 53,121	F 6
Zegharta, 18,210	G 5

PHYSICAL FEATURES

Libnan (mt. range)	F 6
Litani (Leontes) (river)	F 6
Sauda, Qurnet es (mt.)	G 5

CYPRUS
CITIES and TOWNS

Famagusta, 34,774	F 5
Ktima	E 5
Kyrenia, 3,498	E 5
Larnaca, 19,824	F 5
Lefka, 3,673	E 5
Lefkara, 2,075	E 5
Limassol, 43,593	E 5
Morphou, 6,642	E 5
Nicosia (capital), 47,000	E 5
Nicosia, *100,000	E 5
Paphos, 9,083	E 5
Yialousa, 2,541	F 5

PHYSICAL FEATURES

Andreas (cape)	F 5
Arnauti (cape)	E 5
Famagusta (bay)	F 5
Gata (cape)	E 5
Greco (cape)	F 5
Klides (isls.)	F 5
Kormakiti (cape)	E 5
Larnaca (bay)	F 5
Morphou (bay)	E 5
Pomos (point)	E 5
Sovereign Base Area (Br.), 3,602	E 5
Troodos (mt.)	E 5

*City and suburbs.

Israel and Jordan

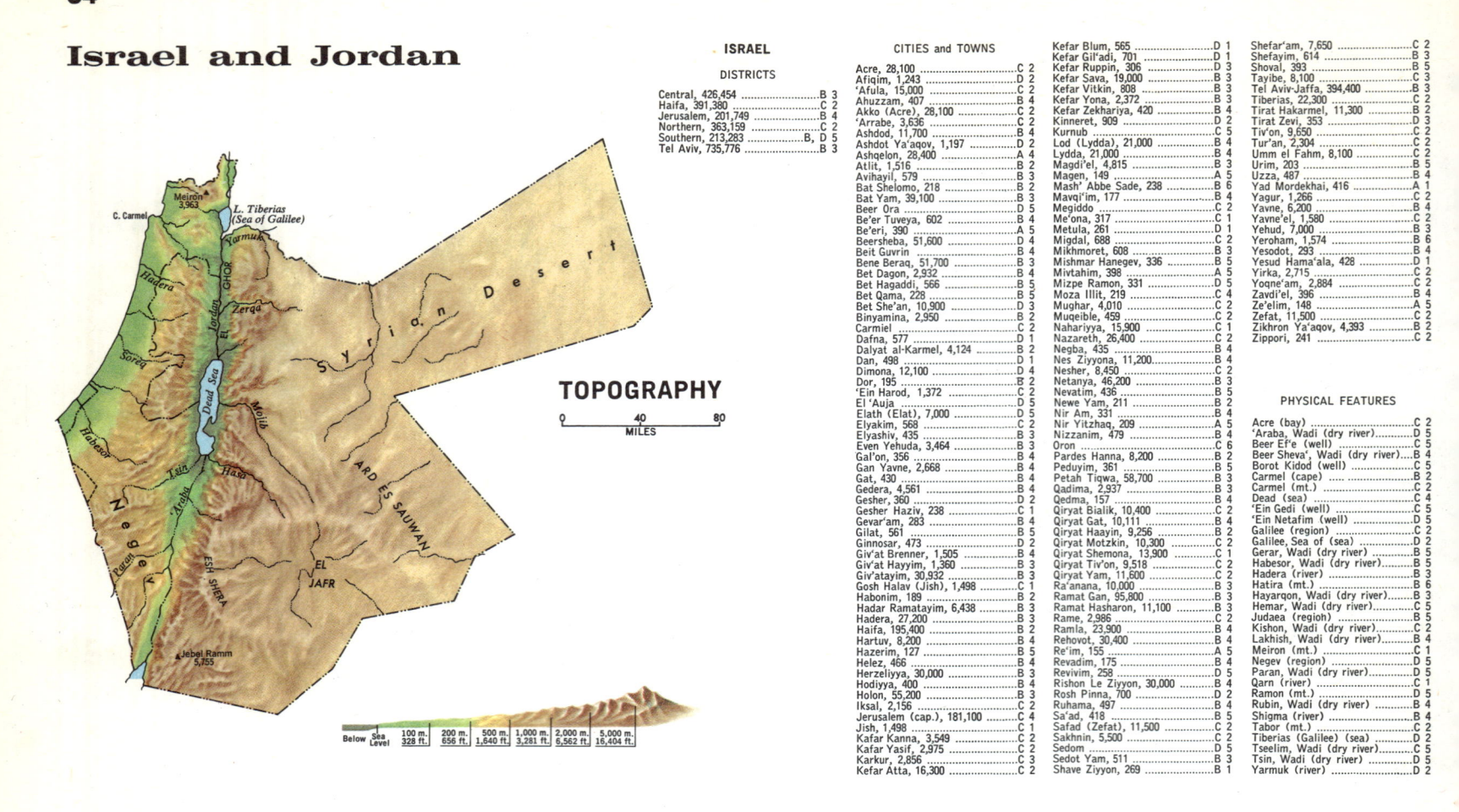

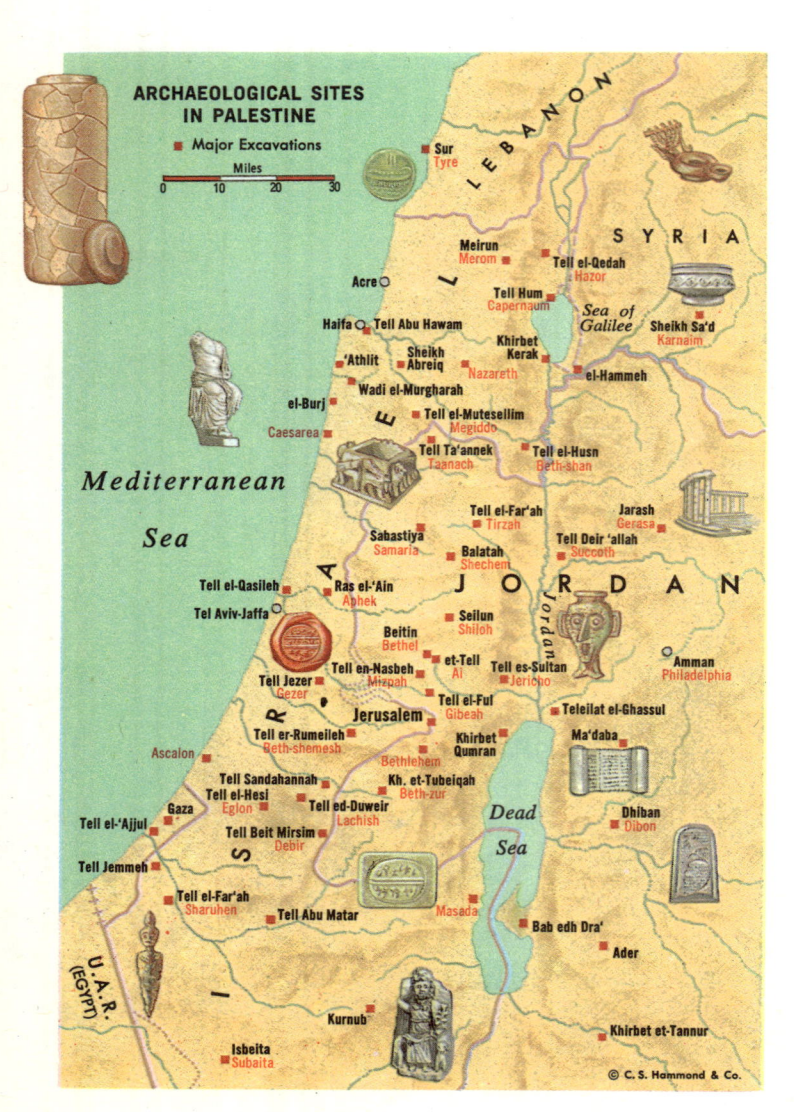

TOPOGRAPHY

ARCHAEOLOGICAL SITES IN PALESTINE
■ Major Excavations

AGRICULTURE, INDUSTRY and RESOURCES

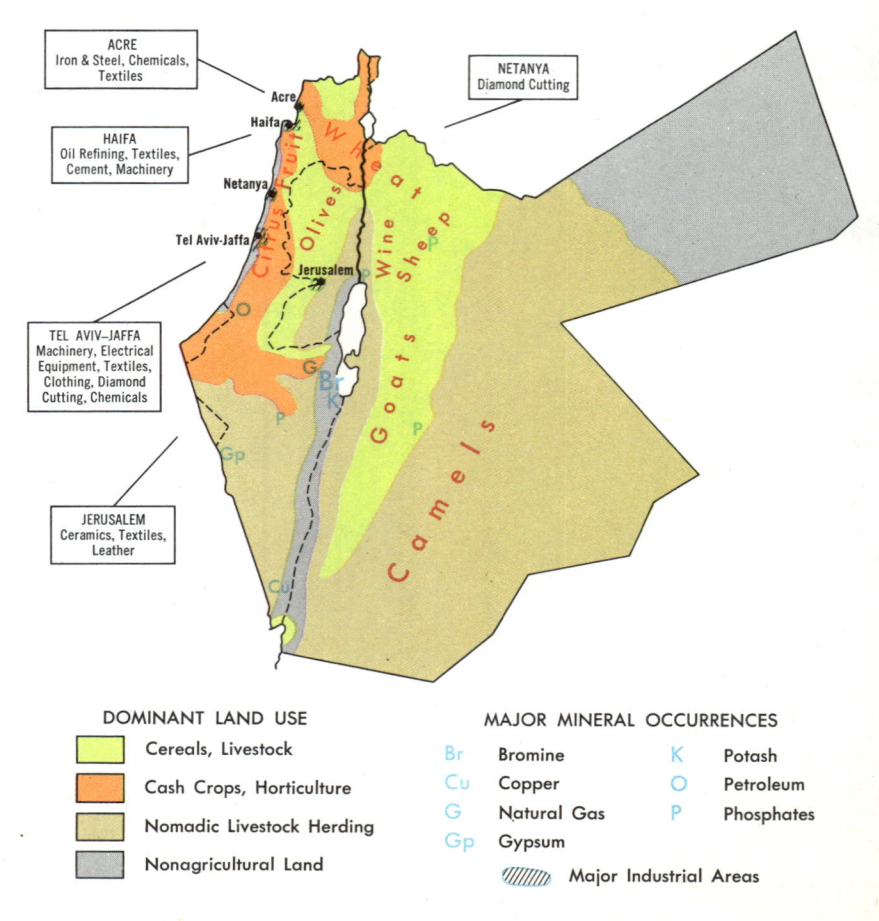

ACRE — Iron & Steel, Chemicals, Textiles
HAIFA — Oil Refining, Textiles, Cement, Machinery
NETANYA — Diamond Cutting
TEL AVIV-JAFFA — Machinery, Electrical Equipment, Textiles, Clothing, Diamond Cutting, Chemicals
JERUSALEM — Ceramics, Textiles, Leather

DOMINANT LAND USE
- Cereals, Livestock
- Cash Crops, Horticulture
- Nomadic Livestock Herding
- Nonagricultural Land

MAJOR MINERAL OCCURRENCES
- Br Bromine
- Cu Copper
- G Natural Gas
- Gp Gypsum
- K Potash
- O Petroleum
- P Phosphates
- Major Industrial Areas

ISRAEL

CITIES and TOWNS

DISTRICTS
Central, 426,454	B 3
Haifa, 391,380	C 2
Jerusalem, 201,749	B 4
Northern, 363,159	C 2
Southern, 213,283	B, D 5
Tel Aviv, 735,776	B 3

Acre, 28,100 .... C 2
Afiqim, 1,243 .... D 2
'Afula, 15,000 .... C 2
Ahuzzam, 407 .... B 4
Akko (Acre), 28,100 .... C 2
'Arrabe, 3,636 .... C 2
Ashdod, 11,700 .... B 4
Ashdot Ya'aqov, 1,197 .... D 2
Ashqelon, 28,400 .... A 4
Atlit, 1,516 .... B 2
Avihayil, 579 .... B 3
Bat Shelomo, 218 .... B 2
Bat Yam, 39,100 .... B 3
Beer Ora, 205 .... D 5
Be'er Tuveya, 602 .... B 4
Be'eri, 390 .... A 5
Beersheba, 51,600 .... B 4
Beit Guvrin, 205 .... C 2
Bene Beraq, 51,700 .... B 3
Bet Dagon, 2,532 .... B 4
Bet Dagadid, 566 .... B 5
Bet Qama, 228 .... B 4
Bet She'an, 10,900 .... D 3
Binyamina, 2,950 .... B 2
Carmiel .... C 2
Dafna, 577 .... D 1
Dalyat al-Karmel, 4,124 .... B 2
Dan, 498 .... D 1
Dimona, 12,100 .... B 5
Dor, 195 .... B 2
'Ein Harod, 1,372 .... C 2
El 'Auja .... D 5
Elath (Elat), 7,000 .... D 5
Elyakim, 568 .... C 2
Elyashiv, 435 .... B 3
Even Yehuda, 3,464 .... B 3
Gal'on, 356 .... B 4
Gan Yavne, 2,668 .... B 4
Gat, 430 .... B 4
Gedera, 4,561 .... B 4
Gesher, 360 .... D 2
Gesher Haziv, 238 .... C 1
Gevar'am, 283 .... B 4
Gilat, 561 .... B 5
Ginnosar, 473 .... D 2
Giv'at Brenner, 1,505 .... B 4
Giv'at Hayyim, 1,360 .... B 3
Giv'atayim, 30,932 .... B 3
Gosh Halav (Jish), 1,498 .... C 1
Habonim, 189 .... B 2
Hadar Ramatayim, 6,438 .... B 3
Hadera, 27,200 .... B 3
Haifa, 195,400 .... B 2
Hartuv, 8,200 .... B 4
Hazerim, 127 .... B 5
Helez, 466 .... A 4
Herzeliyya, 30,000 .... B 3
Hodiyya, 400 .... B 4
Holon, 55,200 .... B 3
Iksal, 2,156 .... C 2
Jerusalem (cap.), 181,100 .... C 4
Jish, 1,498 .... C 1
Kafar Kanna, 3,549 .... C 2
Kafar Yasif, 2,975 .... C 2
Karkur, 2,856 .... C 3
Kefar Atta, 16,300 .... C 2
Kefar Blum, 565 .... D 1
Kefar Gil'adi, 701 .... D 1
Kefar Ruppin, 306 .... D 3
Kefar Sava, 19,000 .... B 3
Kefar Vitkin, 808 .... B 3
Kefar Yona, 2,372 .... B 3
Kefar Zekhariya, 420 .... B 4
Kinneret, 909 .... D 2
Kurnub .... C 5
Lod (Lydda), 21,000 .... B 4
Lydda, 21,000 .... B 4
Magdi'el, 4,815 .... B 3
Magen, 149 .... A 5
Mash' Abbe Sade, 238 .... B 6
Mavqi'im, 177 .... A 4
Megiddo .... C 2
Me'ona, 317 .... D 1
Metula, 261 .... D 1
Migdal, 688 .... D 2
Mikhmoret, 608 .... B 3
Mishmar Hanegev, 336 .... B 5
Mivtahim, 398 .... A 5
Mizpe Ramon, 331 .... C 5
Moza Illit, 219 .... C 4
Mughar, 4,010 .... C 2
Muqeible, 459 .... C 2
Nahariyya, 15,900 .... C 1
Nazareth, 26,400 .... C 2
Negba, 435 .... B 4
Nes Ziyyona, 11,200 .... B 4
Nesher, 8,450 .... C 2
Netanya, 46,200 .... B 3
Nevatim, 436 .... B 5
Newe Yam, 211 .... B 2
Nir Am, 331 .... A 4
Nir Yitzhaq, 209 .... A 5
Oron .... C 6
Pardes Hanna, 8,200 .... B 2
Peduyim, 361 .... B 5
Petah Tiqwa, 58,700 .... B 3
Qadima, 2,937 .... B 3
Qedma, 157 .... B 4
Qiryat Bialik, 10,400 .... C 2
Qiryat Gat, 10,111 .... B 4
Qiryat Haayin, 9,256 .... B 2
Qiryat Motzkin, 10,300 .... C 2
Qiryat Shemona, 13,900 .... D 1
Qiryat Tiv'on, 9,518 .... C 2
Qiryat Yam, 11,600 .... C 2
Ra'anana, 10,000 .... B 3
Ramat Gan, 95,800 .... B 3
Ramat Hasharon, 11,100 .... B 3
Rame, 2,986 .... C 2
Ramla, 23,900 .... B 4
Rehovot, 30,400 .... B 4
Re'im, 155 .... A 5
Revadim, 175 .... B 4
Revivim, 258 .... B 5
Rishon Le Ziyyon, 30,000 .... B 4
Rosh Pinna, 700 .... D 2
Ruhama, 497 .... B 4
Sa'ad, 418 .... A 5
Safad (Zefat), 11,500 .... C 2
Sakhnin, 5,500 .... C 2
Sedom .... D 5
Sedot Yam, 511 .... B 3
Shave Ziyyon, 269 .... B 1
Shefar'am, 7,650 .... C 2
Shefayim, 614 .... B 3
Shoval, 393 .... B 5
Tayibe, 8,100 .... B 3
Tel Aviv-Jaffa, 394,400 .... B 3
Tiberias, 22,300 .... D 2
Tirat Hakarmel, 11,300 .... B 2
Tirat Zevi, 353 .... D 3
Tiv'on, 9,650 .... C 2
Tur'an, 2,304 .... C 2
Umm el Fahm, 8,100 .... C 2
Urim, 203 .... B 5
Uzza, 487 .... A 1
Yad Mordekhai, 416 .... A 1
Yagur, 1,266 .... C 2
Yavne, 6,200 .... B 4
Yavne'el, 1,580 .... C 2
Yehud, 7,000 .... B 3
Yeroham, 1,574 .... B 6
Yesodot, 293 .... B 4
Yesud Hama'ala, 428 .... D 1
Yirka, 2,715 .... C 1
Yoqne'am, 2,884 .... C 2
Zavdi'el, 396 .... B 4
Ze'elim, 148 .... A 5
Zefat, 11,500 .... C 2
Zikhron Ya'aqov, 4,393 .... B 2
Zippori, 241 .... C 2

PHYSICAL FEATURES
Acre (bay) .... C 2
'Araba, Wadi (dry river) .... D 5
Beer Ef'e (well) .... D 5
Beer Sheva', Wadi (dry river) .... B 4
Borot Kidod (well) .... C 5
Carmel (cape) .... B 2
Carmel (mt.) .... C 2
Dead (sea) .... C 4
'Ein Gedi (well) .... C 5
'Ein Netafim (well) .... D 5
Galilee (region) .... C 2
Galilee, Sea of (sea) .... D 2
Gerar, Wadi (dry river) .... B 5
Habesor, Wadi (dry river) .... B 5
Hadera (river) .... B 3
Hatira (river) .... B 6
Hayarqon, Wadi (dry river) .... B 3
Hemar, Wadi (dry river) .... C 5
Judaea (region) .... B 5
Kishon, Wadi (dry river) .... C 2
Lakhish, Wadi (dry river) .... B 4
Meiron (mt.) .... C 1
Negev (region) .... B 5
Paran, Wadi (dry river) .... D 5
Qarn (river) .... C 1
Ramon (mt.) .... C 5
Rubin, Wadi (dry river) .... B 4
Shigma (river) .... B 4
Tabor (mt.) .... C 2
Tiberias (Galilee) (sea) .... D 2
Tseelim, Wadi (dry river) .... B 5
Tsin, Wadi (dry river) .... D 5
Yarmuk (river) .... D 2

ISRAEL and JORDAN

	ISRAEL	JORDAN
AREA	7,978 sq. mi.	34,750 sq. mi.
POPULATION	2,565,000	1,900,000
CAPITAL	Jerusalem	Amman
LARGEST CITY	Tel Aviv-Jaffa 394,400	Amman (greater) 280,651
HIGHEST POINT	Meiron 3,963 ft.	Jeb. Ramm 5,755 ft.
MONETARY UNIT	Israeli pound	Jordan dinar
MAJOR LANGUAGES	Hebrew, Arabic	Arabic
MAJOR RELIGIONS	Judaist, Mohammedan, Christian	Mohammedan

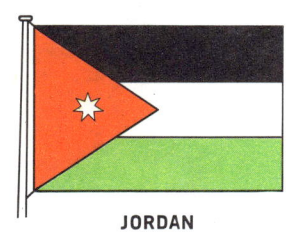

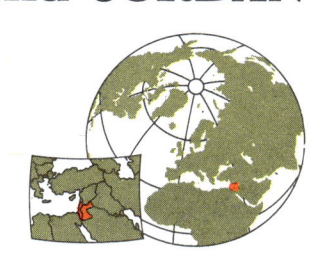

JORDAN

DISTRICTS

'Ajlun, 273,976 .... D 3
Amman, 433,618 .... D 4
El Balqa, 79,057 .... D 4
El Karak, 67,211 .... E 5
Hebron, 119,432 .... C 5
Jerusalem, 344,270 .... C 4
Ma'an, 46,914 .... D 5
Nablus, 341,748 .... C 3

CITIES and TOWNS

'Ajja, 1,190 .... C 3
'Ajlun, 5,390 .... D 3
Amman (cap.), 246,475 .... D 4
Amman, *280,651 .... D 4
'Anabta, 4,018 .... C 3
'Anin, 752 .... C 2
'Anjara, 3,163 .... D 3
'Anza, 1,011 .... C 3
'Aqaba, 8,908 .... D 6
'Aqqaba, 1,164 .... C 3
'Aqraba, 2,875 .... C 3
Ariha (Jericho), 10,166 .... C 3
'Arraba, 4,865 .... C 3
'Arura, 1,337 .... C 3
'Attil, 4,087 .... C 3
Bal'ama, 769 .... E 3
Baqura, 3,042 .... D 2
Beit Fajjar, 2,182 .... C 4
Beit Hanina, 3,067 .... C 4
Beit Jala, 7,966 .... C 4
Beit Lahm (Bethlehem), 22,453 .. C 4
Beit Nuba, 1,350 .... B 4
Beit Sahur, 5,316 .... C 4
Bethlehem, 22,453 .... C 4
Bethlehem, *35,735 .... C 4
Biddu, 1,444 .... C 4
Bir Zeit, 3,253 .... C 3
Birqin, 2,055 .... C 3
Burqa, 3,352 .... C 3
Damiya, 483 .... D 3
Dana, 844 .... D 5
Deir Abu Sa'id, 1,927 .... D 3
Deir Ballut, 1,087 .... C 3
Deir Sharaf, 1,241 .... C 3
Dhahiriya, 4,199 .... B 5
Duma, 444 .... C 3
Dura, 3,852 .... C 4
El 'Al, 492 .... D 2
El Bira, 14,510 .... C 4
El Husn, 3,728 .... D 3
El Karak, 7,422 .... E 4
El Khalil (Hebron), 37,868 .... C 4
El Kitta, 987 .... D 3
El Madwar, 164 .... D 3
El Mafraq, 9,499 .... E 3
El Majdal, 259 .... D 3
El Quweira, 268 .... E 5
El Yaduda, 251 .... D 4
Er Rafid, 787 .... D 2
Er Ramtha, 10,791 .... E 3
Er Rihiya, 555 .... C 4
Er Rumman, 293 .... D 3
Er Ruseifa, 6,200 .... D 3
Es Sahab, 2,580 .... E 4
Es Salt, 16,176 .... D 3
Es Sukhna, 649 .... E 3
Esh Shaubak, 14,634 .... D 5
Et Tafila, 4,506 .... D 5
Et Taiyiba, 2,606 .... C 3
Ez Zababda, 1,474 .... D 3
Ez Zarqa, 96,080 .... E 3
Falama, 178 .... D 3
Ghor Fara', 214 .... D 4
Ghor Mazra', 1,194 .... E 5
Ghor Safi, 3,468 .... E 5
Halhul, 5,387 .... C 4
Harima, 635 .... D 2
Haris, 726 .... C 3
Hawara, 2,342 .... C 3
Hebron, 37,868 .... C 4
Hisban, 718 .... D 4
Idna, 3,568 .... B 4
'Imwas, 1,955 .... C 4
Irbid, 44,685 .... D 3
Jaba', 2,507 .... C 3
Jabir, 135 .... E 2
Jalama, 784 .... C 3
Jalbun, 826 .... D 3
Jalud, 290 .... C 3
Jarash, 3,796 .... D 3
Jenin, 14,402 .... C 3
Jericho, 10,166 .... C 3
Jerusalem (Old City), 60,488 ... C 4
Jifna, 758 .... C 4
Kharas, 1,264 .... C 4
Kitim, 1,026 .... D 3
Kufrinja, 3,922 .... D 3

Ma'ad, 125 .... D 3
Ma'an, 6,643 .... E 5
Ma'daba, 11,224 .... D 4
Ma'in, 1,271 .... D 4
Manja, 353 .... D 4
Nablus (Nablus), 45,768 .... C 3
Nahhalin, 1,015 .... C 4
Na'ur, 2,382 .... D 4
Ni'lin, 2,055 .... C 4
Nimrin (Shunat Nimrin), 109 .... D 4
Nitil, 348 .... D 4
Qabalan, 1,867 .... C 3
Qabatiya, 5,917 .... C 3
Qaffin, 2,457 .... C 3
Qalqiliya, 11,401 .... C 3
Qibya, 1,635 .... C 4
Qumeim, 955 .... D 2
Rafidiya, 923 .... C 3
Ramallah, 14,759 .... C 4
Rammun, 1,186 .... C 4
Rantis, 1,539 .... C 3
Ra's en Naqb, 225 .... E 5
Safut, 421 .... D 3
Safit, 3,393 .... C 3
Samar, 716 .... E 5
Samu, 3,103 .... C 5
Sarih, 3,390 .... D 2
Shu'fat, 2,541 .... C 4
Shunat Nimrin (Nimrin), 109 .... D 4
Shuweika, 3,099 .... C 3
Silat Dhahr, 3,566 .... C 3
Sinjil, 1,778 .... C 3
Siris, 1,207 .... C 3
Subeibi, 514 .... D 3
Suf, 3,259 .... D 3
Suweilih, 3,457 .... D 3
Suweima, 315 .... D 4
Tammun, 2,593 .... C 3
Tarqumiya, 2,651 .... C 4
Tubas, 5,709 .... C 3
Tulkarm, 20,690 .... C 3
Tur, 4,829 .... C 3
Um Jauza, 582 .... D 3
Wadi es Sir, 4,455 .... D 3
Wadi Musa, 654 .... E 5
Ya'bad, 4,709 .... C 3
Yabrud, 349 .... C 3
Yamun, 4,173 .... C 3
Yatta, 6,326 .... C 5
Zububa, 683 .... C 2
Zuweiza, 126 .... D 4

PHYSICAL FEATURES

'Ajlun (mt. range) .... D 3
'Aqaba (gulf) .... D 6
'Araba, Wadi (dry river) .... D 5
Dead (sea) .... C 4
Ebal (mt.) .... C 3
El Ghor (reg.) .... C 4
El Lisan (pen.) .... D 5
Hasa, Wadi (dry river) .... E 5
Hebron (mt.) .... C 4
Jordan (river) .... D 3
Judaea (reg.) .... C 4
Khirbet Qumran (site) .... D 4
Kufrinja, Wadi (dry river) ...... D 3
Mashash, Wadi (dry river) ..... D 3
Nebo (mt.) .... D 4
Petra (ruins) .... D 5
Ramm, Jebel (mt.) .... E 5
Samaria (region) .... C 3
Shallala, Wadi (dry river) ...... D 2
Shu'eib, Wadi (dry river) ...... D 4
Tell 'Asur (mt.) .... C 4
Yabis, Wadi (dry river) .... D 3
Zarqa' (river) .... D 3

GAZA STRIP

Total Population 430,000

CITIES and TOWNS

'Abasan .... A 5
Bani Suheila .... A 5
Beit Hanun .... A 5
Deir el Balah .... A 5
Gaza, 34,170 .... A 4
Jabalula .... A 4
Khan Yunis, 11,220 .... A 5
Rafah .... A 5

*City and suburbs.
†Population of district

Iran and Iraq

IRAN
INTERNAL DIVISIONS

Bakhtiari (governorate), 340,612	F 4
East Azerbaijan (prov.), 2,012,134	E 1
Fars (prov.), 1,295,682	H 6
Gilan (prov.), 1,422,407	F 2
Hamadan (governorate), 730,365	F 3
Isfahan (prov.), 1,682,781	H 4
Islands and Ports of the Sea of Oman (governorate), 240,289	H 7
Kerman (prov.), 616,705	K 4
Kermanshah (prov.), 1,438,607	E 3
Khurasan (prov.), 2,023,612	K 3
Khuzistan (prov.), 1,855,162	F 5
Kurdistan (prov.), 490,244	E 3
Luristan (governorate), 564,987	F 4
Mazanderan (prov.), 1,365,555	H 3
Persian Gulf (governorate), 188,063	G 6
Samnan (governorate), 177,239	J 3
Seistan and Baluchistan (prov.), 428,363	M 6
Tehran (prov.), 3,264,140	G 3
West Azerbaijan (prov.), 719,023	D 1

CITIES and TOWNS

Abadan, 302,189	F 5
Abadeh, 8,192	H 5
Abarquh, 6,268	J 5
Agha Jari, 24,195	F 5
Ahar, 19,816	E 1
Ahwaz, 155,054	F 5
Alishtar, 294	E 4
Amul, 22,251	H 2
Anar, 463	J 5
Anarak, 1,342	J 4
Aq Darband, 104	M 2
Aradan, 2,401	H 3
Arak, 58,998	F 3
Ardal, 159	G 4
Ardebil, 65,742	F 1
Ardistan, 5,868	H 4
Arfa' Deh, 201	K 2
Asadabad, 5,190	F 3
Asterabad (Gurgan), 28,380	J 2
Aveh, 200	F 3
Avroman, 1,024	E 3
Azarshahr, 12,687	D 2
Babol, 36,194	H 2
Babulsar, 7,237	H 2
Bafq, 4,505	J 5
Baft, 3,861	K 6
Bagh Baqu, 254	M 3
Baghu, 80	K 3
Bahramabad, 9,212	K 5
Bajgiran, 1,151	L 2
Bam, 15,737	L 6
Bampur, 1,585	M 7
Bandar 'Abbas, 17,710	K 7
Bandar Dilam, 3,691	G 5
Bandar Ma'shur, 15,694	F 5
Bandar Rig, 1,889	G 5
Bandar Shah, 8,284	H 2
Bandar Shahpur, 3,725	F 5
Basht, 535	G 5
Bastak, 2,473	J 7
Behbehan, 29,886	G 5
Behshahr, 16,172	H 2
Bidukht, 226	L 3
Bijar, 9,090	E 3
Bijistan, 3,823	K 3
Bir, 103	K 3
Birjand, 13,934	L 4
Borazjun, 10,233	G 6
Bostan, 4,619	F 5
Bujnurd, 19,253	K 2
Bukan, 5,307	E 2
Buq, 68	M 4
Burujird, 49,186	F 4
Bushire, 18,412	G 6
Bustam, 3,296	J 2
Bustanabad, 1,297	E 2
Chahbar, 1,800	M 8
Charak, 453	J 7
Chehar Deh	K 4
Dalijan, 4,887	G 4
Damghan, 8,909	J 2
Darab, 3,106	J 6
Daran, 3,331	G 4
Darreh Gaz, 8,541	L 2
Dashtab	K 6
Dashtiari	M 8
Daulatabad (Malayer), 21,105	F 3
Daulatabad, 1,129	M 2
Daulatabad, 1,235	M 6
Deh Bid, 556	H 5
Deh Diz, 268	G 4
Deh Haqq, 6,075	H 3
Demavend, 4,523	H 3
Dezh-i-Shahpur, 1,384	E 3
Dizful, 52,121	F 4
Duruh	L 4
Duzdab (Zahidan), 17,495	M 6
Enzeli (Pahlevi), 31,349	F 2
Estahbanat, 16,308	J 6
Evaz, 6,064	J 7
Fahraj (Iranshahr), 3,618	M 7
Fariman, 4,802	L 3
Farrahabad, 3,342	H 2
Fasa, 7,613	J 6
Firdaus, 6,834	L 3
Firuzabad, 5,747	H 6
Firuzkuh, 3,497	H 3
Fumen, 6,692	F 2
Gach Saran	G 5
Galand, 769	L 2
Ganaveh, 2,695	G 5
Garmsar, 3,520	H 3
Gazik, 51	L 4
Gifan, 896	L 2
Golshan (Tabas), 7,413	K 4
Gulpaigan, 12,400	G 4
Gumishan, 5,168	J 2
Gunabad, 7,555	L 3
Gunbad-i-Qabus	J 2
Gunbadli, 531	M 2
Gurgan, 28,380	J 2
Gusht, 1,177	N 7
Gwatar	M 8
Haft Kel, 7,693	F 5
Hamadan, 114,610	F 3
Hashtpar, 3,354	F 1
Havizeh, 4,722	F 5
Herauabad, 5,422	F 2
Hormuz	J 7
Ilam, 3,346	M 7
Iranshahr, 3,618	M 7
Iran-i-Sar (Babulsar), 7,237	H 2
Isfandak, 265	N 7
Izeh, 1,983	F 4
Jahrum, 29,169	J 6
Jajarm, 3,641	K 2
Jalq	N 7
Jamm	H 6
Jandag, 1,361	J 3
Jauri, 1,078	L 4
Kahk	L 3
Kalat, 5,911	L 2
Kangan, 2,682	H 6
Kangavar, 6,251	F 3
Karaj, 14,526	G 3
Kariz, 1,125	M 3
Kart, 320	M 3
Kashan, 45,955	G 3
Kashmar, 13,299	L 3
Kazerun, 30,641	G 6
Kazvin, 66,420	F 2
Kerman, 62,157	K 5
Kermanshah, 166,720	E 3
Khaf, 4,144	L 3
Khash, 7,439	M 6
Khorramshahr, 43,850	F 5
Khunsar, 10,669	G 4
Khur, 2,307	J 4
Khurramabad, 38,676	F 4
Kuhpayeh, 1,906	H 4
Kurd Kui, 9,855	J 2
Ladis	M 6
Lahijan, 19,877	F 2
Lar, 14,188	J 7
Lingeh, 4,920	J 7
Mahabad, 20,332	D 2
Mahallat, 10,575	G 4
Maham, 6,239	K 5
Maibud, 3,202	J 4
Maku, 5,306	D 1
Malayer, 21,105	F 3
Maragheh, 36,551	E 2
Marand, 13,822	D 1
Marivan (Dezh-i-Shapur), 1,384	E 3
Masjid-i-Sulaiman, 44,651	F 5
Mehrabad, 1,695	G 3
Mehran, 664	E 4
Meshed, 312,186	L 2
Meshkinshahr, 7,221	E 2
Mianeh, 21,100	E 2
Minab, 4,228	K 7
Mirjawa, 883	M 6
Miyandoab, 14,796	H 7
Nafti-Shah, 2,825	D 4
Na'in, 4,681	H 3
Naraq, 2,725	G 3
Nasratabad (Zabul), 12,221	M 5
Nasratabad Sipi, 1,488	L 6
Natanz, 12,181	H 4
Nau Gumbaz	H 4
Naushahr, 2,717	H 2
Neh, 2,130	M 4
Nehavend, 20,972	F 3
Nejafabad, 30,422	G 4
Nikshahr, 1,879	N 7
Niriz, 12,401	J 6
Nishapur, 25,820	L 2
Pahlevi (Enzeli), 31,349	F 2
Pazanun, 81	G 5
Pik, 802	L 2
Pishin, 1,660	M 7
Qain, 4,414	L 4
Qasr-i-Shirin, 23,901	E 3
Qasrqand (Nikshahr), 1,879	M 7
Qazian, 3,054	F 2
Quchan, 21,250	L 2
Qurveh, 2,929	E 3
Qutur, 655	D 1
Rafsenjan (Bahramabad), 9,212	K 5
Ra'i, 22,327	G 3
Ram Hormuz, 7,258	F 5
Ramsar, 1,105	G 2
Rask	N 7
Ravar, 5,074	K 5
Resht, 118,634	F 2
Reza'iyeh, 67,605	D 2
Rigan, 8,255	L 6
Robat-i-Karim, 2,328	G 3
Rud-i-Sar, 7,460	G 2
Sabzawar, 30,545	K 2
Sabzawar, 2,480	K 6
Samnan, 29,036	J 3
Sanandaj, 40,641	E 3
Sang-i-Sar, 9,109	H 3
Saqqiz, 12,729	E 2
Sarakhs, 3,461	M 2
Saraskand, 3,153	E 2
Sarbaz	N 7
Sardasht, 2,645	D 2
Sari, 26,278	H 2
Savanat (Estahbanat), 16,308	H 6
Saveh, 14,537	G 3
Sehkuheh	L 5
Shahabad, 4,346	E 4
Shahdad, 2,777	L 5
Shahdegan, 4,321	F 5
Shahi, 23,055	H 2
Shahin Dezh, 4,195	E 2
Shahistan, 4,012	N 7
Shahpur, 13,161	D 1
Shahr-i-Kurd, 15,476	G 4
Shahriza, 29,311	H 4
Shahrud, 17,058	J 2
Shahsawar, 7,626	G 2
Shamil, 666	J 7
Sharifabad, 760	H 3
Sharifkhaneh, 1,260	D 1
Shiraz, 229,761	H 5
Shirvan, 6,906	L 2
Shush, 5,413	F 4
Shuster, 18,527	F 4
Shusp, 497	L 3
Sib, 1,249	N 7
Sinneh (Sanandaj), 40,641	E 3
Sirik, 1,365	K 7
Sirjan, 12,160	K 6
Sivand, 1,811	H 5
Soh, 1,012	G 4
Sufian, 2,914	D 1
Sultanabad (Kashmar), 13,299	L 3
Sunqur, 12,126	F 3
Susangird, 6,025	F 5
Tabas, 7,413	L 3
Tabas (Tabas-Masina), 466	L 4
Tabriz, 387,803	D 1
Taft, 6,451	J 5
Tajabad, 269	J 5
Takistan, 10,534	F 3
Tarum, 394	K 6
Tehran, 2,317,116	G 3
Tuiserkan, 11,323	F 3

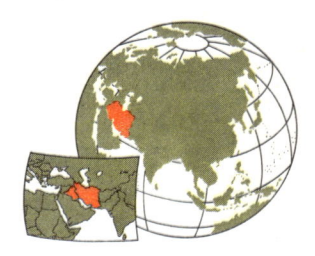

IRAN and IRAQ

IRAN
AREA	628,000 sq. mi.
POPULATION	22,860,000
CAPITAL	Tehran
LARGEST CITY	Tehran 2,317,116
HIGHEST POINT	Demavend 18,934 ft.
MONETARY UNIT	rial
MAJOR LANGUAGES	Persian, Arabic, Kurdish
MAJOR RELIGIONS	Mohammedan, Parsi

IRAQ
AREA	116,000 sq. mi.
POPULATION	7,004,000
CAPITAL	Baghdad
LARGEST CITY	Baghdad (greater) 784,763
HIGHEST POINT	Haji Ibrahim 12,000 ft.
MONETARY UNIT	Iraqi dinar
MAJOR LANGUAGES	Arabic, Turkish, Kurdish
MAJOR RELIGIONS	Mohammedan

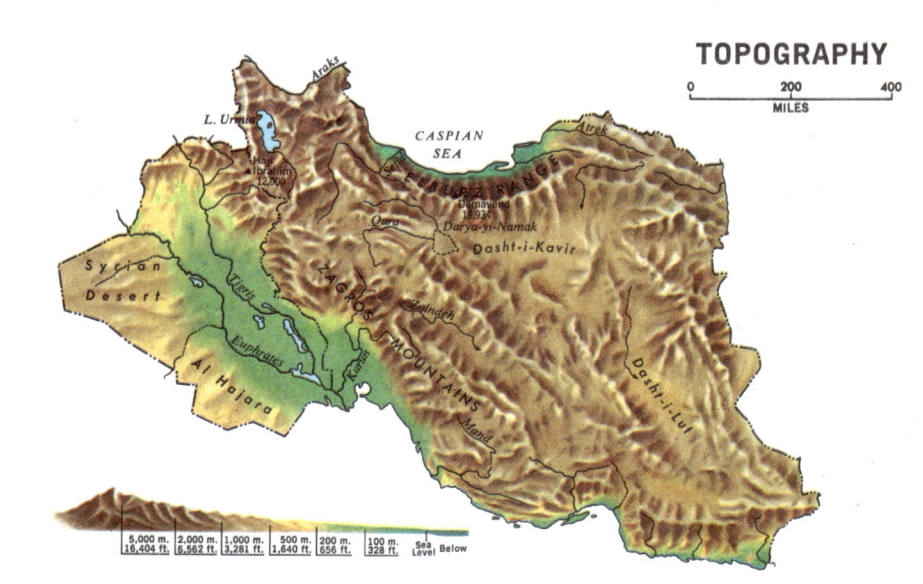

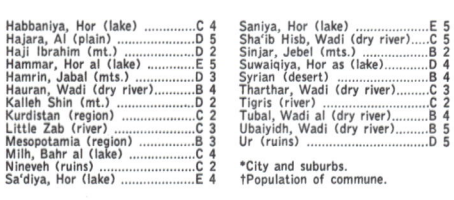

TOPOGRAPHY

AGRICULTURE, INDUSTRY and RESOURCES

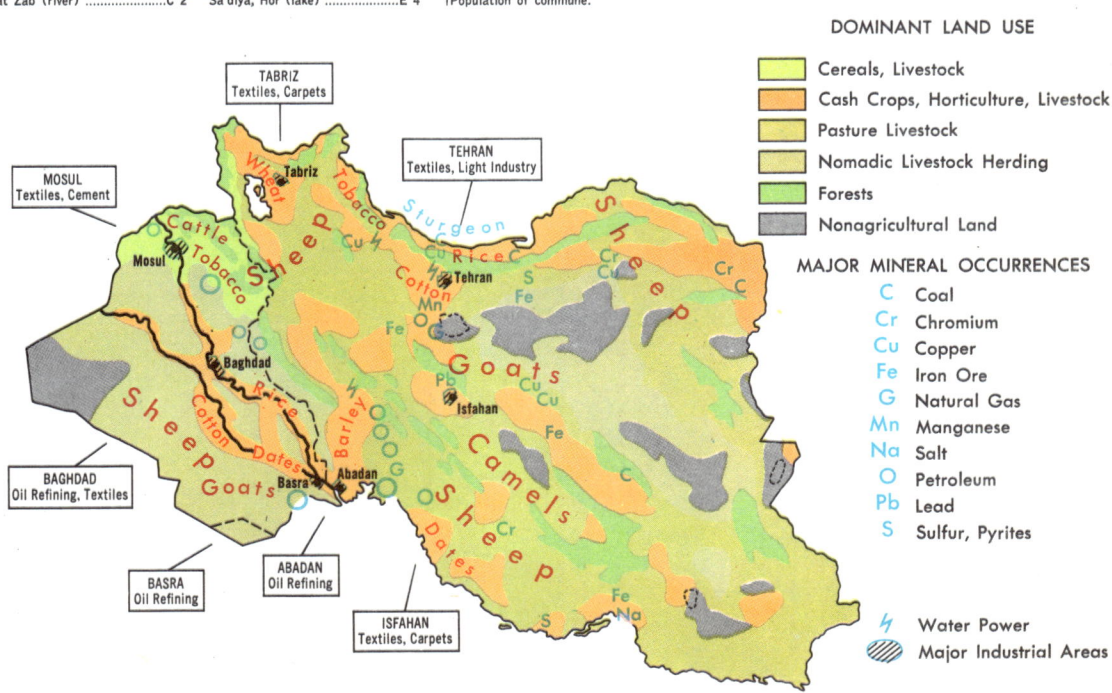

DOMINANT LAND USE
- Cereals, Livestock
- Cash Crops, Horticulture, Livestock
- Pasture Livestock
- Nomadic Livestock Herding
- Forests
- Nonagricultural Land

MAJOR MINERAL OCCURRENCES
- C Coal
- Cr Chromium
- Cu Copper
- Fe Iron Ore
- G Natural Gas
- Mn Manganese
- Na Salt
- O Petroleum
- Pb Lead
- S Sulfur, Pyrites

⚡ Water Power
▨ Major Industrial Areas

*City and suburbs.
†Population of commune.

INDIAN SUBCONTINENT and AFGHANISTAN

CONIC PROJECTION

SCALE OF MILES
0 50 100 200 300

SCALE OF KILOMETRES
0 50 100 200 300

Capitals of Countries .... ☆
Provincial and State Capitals .... ●
International Boundaries .... ———
Provincial and State Boundaries ..... — · —
Canals ....

Copyright by C.S. Hammond & Co., N.Y.

INDIAN SUBCONTINENT and AFGHANISTAN

	INDIA	PAKISTAN	CEYLON
AREA	1,196,995 sq. mi.	364,218 sq. mi.	25,332 sq. mi.
POPULATION	476,278,000	100,762,000	10,965,000
CAPITAL	New Delhi	Islamabad, Ayubnagar	Colombo
LARGEST CITY	Calcutta (greater) 6,117,171	Karachi (greater) 3,360,017	Colombo 510,947
HIGHEST POINT	K2 (Godwin Austen) 28,250 ft.	Tirich Mir 25,263 ft.	Pidurutalagala 8,291 ft.
MONETARY UNIT	Indian rupee	Pakistani rupee	Celanese rupee
MAJOR LANGUAGES	Indo-Aryan (Hindi, Bengali, Urdu, Gujarati, Punjabi, etc.), Dravidian (Tamil, Kanarese, Telugan), English	Indo-Aryan (Urdu, Bengali, Punjabi, etc.)	Singhalese, Tamil
MAJOR RELIGIONS	Hindu, Buddhist, Mohammedan, Animist, Sikh, Jain, Parsi, Christian	Mohammedan, Hindu, Sikh, Christian	Buddhist, Hindu

	AFGHANISTAN	NEPAL	MALDIVE ISLANDS
AREA	250,000 sq. mi.	54,000 sq. mi.	115 sq. mi.
POPULATION	15,227,000	9,900,000	94,527
CAPITAL	Kabul	Katmandu	Malé
LARGEST CITY	Kabul (greater) 480,000	Katmandu 122,507	Malé (greater) 8,515
HIGHEST POINT	Hindu Kush 24,556 ft.	Mt. Everest 29,028 ft.	20 ft.
MONETARY UNIT	afghani	Nepalese rupee	Indian & Celanese rupees
MAJOR LANGUAGES	Afghan (Pushtu), Persian	Indo-Aryan languages, Tibetan	Maldivian, English
MAJOR RELIGIONS	Mohammedan	Hindu, Buddhist, Lamaist	Mohammedan

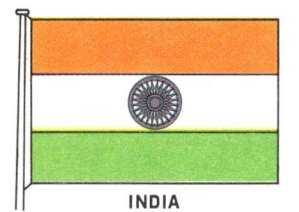

INDIA 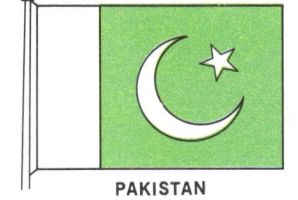 — PAKISTAN  — CEYLON  — AFGHANISTAN  — NEPAL 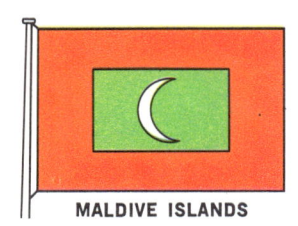 — MALDIVE ISLANDS

TOPOGRAPHY

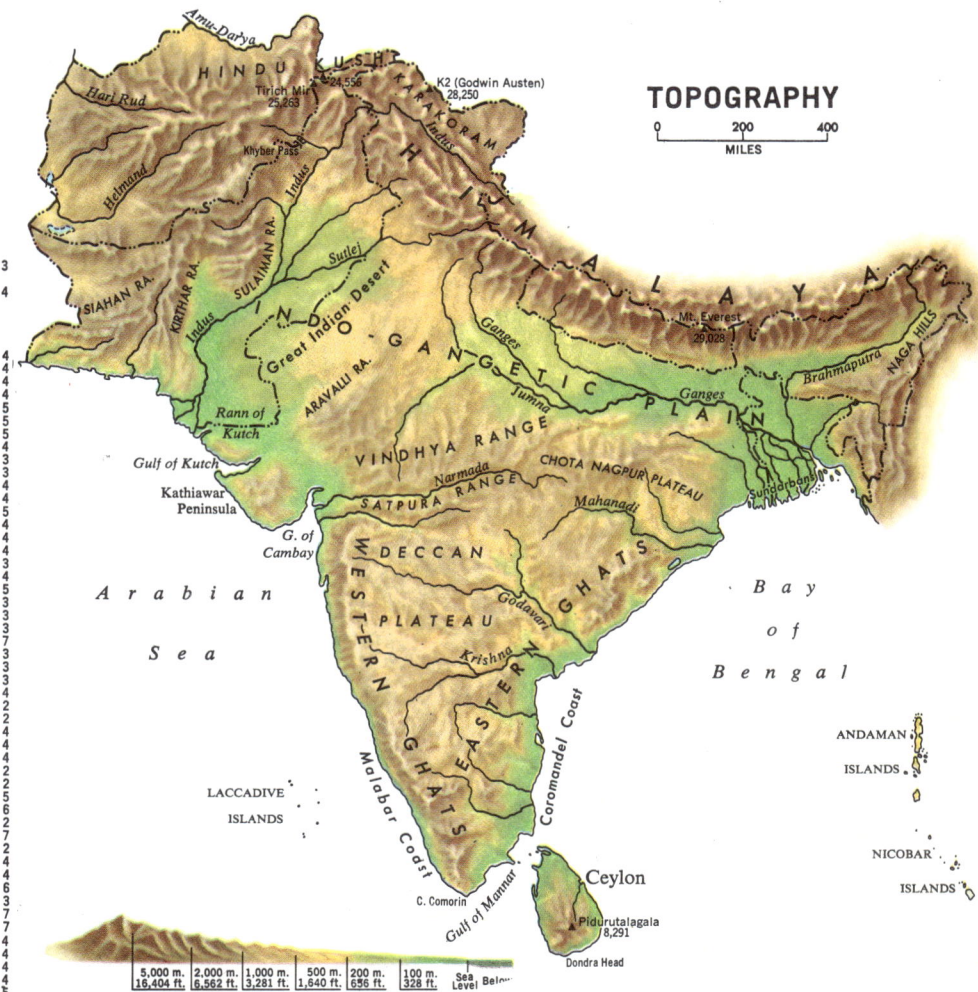

PHYSICAL FEATURES

Adam's Bridge (shoals) .... D 7
Arabian (sea) .... B 8
Baroghil (pass) .... C 1
Bengal (bay) .... F 5
Brahmaputra (river) .... G 3
Chagai (hills) .... A 3
Chenab (river) .... C 2
Ganges (river) .... F 3
Ganges, Mouths of the (delta) .... F 4
Great Indian (des.) .... C 3
Himalaya (mts.) .... D 2
Hindu Kush (range) .... B 1
Indian Ocean .... C 7
Indus (river) .... B 3
Jhelum (river) .... C 2
Kabul (river) .... B 2
Kanchenjunga (mt.) .... F 3
Karakoram (mts.) .... D 1
Kula Kangri (mt.) .... G 3
Kunar (river) .... C 1
Kunlun (range) .... D 1
Kutch, Rann of (salt marsh) .... B 4
Mannar (gulf) .... D 7
Palk (strait) .... D 7
Shipki (pass) .... D 2
Sundarbans (swamp) .... F 4
Sutlej (river) .... C 3

Uttar Pradesh (state), 73,746,401 .... D 3
West Bengal (state), 34,926,279 .... F 4

CITIES and TOWNS

Abu, 8,076 .... C 4
Abu Road, 17,728 .... C 4
Achalpur, 36,538 .... D 4
Achalpur, *54,028 .... D 4
Addanki, 7,438 .... D 5
Adilabad, 20,970 .... D 5
Adoni, 69,951 .... D 5
Agartala, 54,878 .... G 4
Agra, 504,850 .... D 3
Agra, *553,020 .... D 3
Ahmadabad, 1,254,171 .... C 4
Ahmadabad, *1,315,558 .... C 4
Ahmadnagar, 123,603 .... C 5
Ahwa, 3,620 .... C 4
Aijal, 14,257 .... G 4
Ajanta .... C 4
Ajmer, 242,777 .... C 3
Akola, 124,477 .... D 4
Alibag, 9,909 .... C 5
Aligarh, 199,487 .... D 3
Allahabad, 445,188 .... E 3
Allahabad, *463,543 .... E 3
Alleppey, 146,354 .... D 7
Almora, 16,040 .... D 3
Almora, *16,602 .... D 3
Alwar, 72,707 .... D 3
Amalner, 46,963 .... C 4
Ambala, 82,281 .... D 2
Ambala, *191,657 .... D 2
Ambikapur, 15,240 .... E 4
Amravati, 149,565 .... D 4
Amreli, 34,699 .... C 4
Amritsar, 393,145 .... C 2
Amritsar, *418,690 .... C 2
Anakapalle, 46,402 .... E 5
Anantapur, 52,280 .... D 6
Anantnag, 21,087 .... C 2
Andheri, 122,401 .... B 7
Andul, 4,690 .... F 1
Angul, 15,738 .... F 4
Arang, 8,469 .... E 4
Arcot, 25,029 .... D 6
Arrah, 76,766 .... E 3
Aruppukkottai, 50,200 .... D 7
Aruppukkottai, *55,977 .... D 7
Arvi, 21,478 .... D 4
Asansol, 112,448 .... F 4
Asansol, *193,332 .... F 4
Aurangabad, 14,154 .... D 5
Aurangabad, 87,579 .... D 5
Aurangabad, *97,701 .... D 5
Azamgarh, 42,391 .... E 3
Badagara, 43,908 .... D 6
Bagalkot, 39,934 .... C 5

INDIA
INTERNAL DIVISIONS

Andaman and Nicobar Islands (terr.), 63,548 .... G 6
Andhra Pradesh (state), 35,983,447 .... D 5
Assam (state), 11,872,772 .... G 3
Bhutan (state), 400,000 .... G 3
Bihar (state), 46,455,610 .... F 4
Chandigarh (terr.), 99,262 .... D 2
Dadra and Nagar-Haveli (terr.), 57,963 .... C 4
Delhi (terr.), 2,658,612 .... D 3
Goa, Daman and Diu (terr.), 626,667 .... C 5
Gujarat (state), 20,633,350 .... C 4
Haryana (state), 7,547,309 .... D 3
Himachal Pradesh (terr.), 2,970,107 .... D 2
Jammu and Kashmir (state), 3,560,976 .... D 2
Kerala (state), 16,903,715 .... D 6
Laccadive, Minicoy and Amindivi Islands (terr.), 24,108 .... C 6
Madhya Pradesh (state), 32,372,408 .... D 4
Madras (state), 33,686,953 .... D 6
Maharashtra (state), 39,553,718 .... C 5
Manipur (terr.), 780,037 .... G 4
Mysore (state), 23,586,772 .... D 6
Nagaland (state), 369,200 .... G 3
North East Frontier Agency, 336,558 .... G 3
Orissa (state), 17,548,846 .... E 5
Pondicherry (terr.), 369,079 .... D 6
Punjab (state), 10,860,853 .... D 2
Rajasthan (state), 20,155,602 .... C 3
Sikkim (state), 162,189 .... F 3
Tripura (terr.), 1,142,005 .... G 4

| Baltit, ... C 1 | Banda, 37,744 .... D 3 | Bandra, 38,099 .... B 7 | Bangalore, 947,181 .... D 6 | Bangalore, *1,206,961 .. D 6 | Bankura, 62,833 ...... F 4 | Bansberia, 45,463 .... F 1 | Baripada, 20,301 ..... F 4 | Barmer, 27,600 .... B 3 | Barnagore, 118,074 ... F 1 | Baroda, 323,057 ...... C 4 | Baramati, 21,118 ..... C 5 | Baramula, 19,854 ..... D 2 | Barasat, 29,281 ...... F 1 | Barasat, *61,621 ..... F 1 | Bareilly, 274,319 .... D 3 | Bareilly, *294,411 ... D 3 | Barsi, 50,389 .... C 5 | Barwani, 17,446 ...... D 4 | Basirhat, 53,943 ..... F 1 | Bassein, 22,598 ...... C 5 | Bassein, *28,238 ..... C 5 | Bastar, 5,609 .... E 5 | Barpeta, 22,207 ...... G 3 | Barrackpore, 63,778 .. F 1 | Barrackpore, *158,244 F 1 | Belgaum, 135,975 ..... C 5 | Belgaum, *155,610 .... C 5 | Beliary, 85,673 ...... D 5 | Belur, 29,737 .... F 1 | Benares (Varanasi), 514,371 .. E 3 | Berhampore, 62,317 ... F 4 | Batala, 51,300 .... D 2 | Baudh, 6,088 .... E 4 | Beawar, 53,931 .... C 3 |

(continued on following page)

Indian Subcontinent and Afghanistan

(continued)

INDIA (continued)

Berhampur, 76,931 ... F 5
Bettiah, 39,990 ... E 3
Betul, 19,860 ... D 4
Bhadrak, 25,285 ... F 4
Bhadravati, 24,495 ... D 6
Bhadravati, *65,776 ... D 6
Bhadreswar, 35,489 ... F 1
Bhagalpur, 153,623 ... F 4
Bhandara, 27,710 ... E 4
Bhandup, 33,020 ... B 7
Bharatpur, 49,776 ... D 3
Bhatinda, 52,253 ... C 2
Bhatkal, 15,070 ... C 6
Bhatpara, 151,867 ... F 1
Bhaujanagar, 9,952 ... E 4
Bhavnagar, 184,166 ... C 4
Bhawanipatna, 14,300 ... E 5
Bhilai, 86,116 ... E 4
Bhilwara, 43,499 ... C 3
Bhimavaram, 43,281 ... E 5
Bhir (Bir), 33,066 ... D 5
Bhiwandi, 47,630 ... C 5
Bhiwani, 58,194 ... D 3
Bhopal, 213,054 ... D 4
Bhopal, *263,155 ... D 4
Bhor, 8,627 ... C 5
Bhubaneswar, 38,211 ... F 4
Bhuj, 38,953 ... B 4
Bhuj, *40,180 ... B 4
Bhusawal, 73,994 ... D 4
Bhusawal, *79,121 ... D 4
Bidar, 32,420 ... D 5
Bihar, 78,581 ... F 3
Bijapur, 78,854 ... D 5
Bijapur, 3,101 ... E 5
Bijawar, 7,079 ... D 4
Bijnor, 33,821 ... D 3
Bikaner, 161,807 ... C 3
Bilaspur, 86,706 ... E 4
Bimlipatam ... E 5
Bina, 27,476 ... D 4
Bir, 33,066 ... D 5
Birmitrapur, 20,301 ... E 4
Bobbili, 25,592 ... E 5
Bodhan, 30,929 ... D 5
Bodinayakkanur, 44,914 ... D 6
Bolangir, 18,663 ... E 4
Bombay, 2,771,933 ... B 9
Bombay, *4,537,926 ... B 7
Broach, 73,639 ... C 4
Budaun, 58,770 ... D 3
Budge-Budge, 39,824 ... F 2
Bulsar, 35,028 ... C 4
Bulsar, *37,586 ... C 4
Bundi, 26,478 ... D 3
Burdwan, 119,174 ... F 4
Burhanpur, 82,090 ... D 4
Calcutta, 3,003,556 ... F 2
Calcutta, *6,117,171 ... F 2
Calicut (Kozhikode), 203,788 ... D 6
Cambay, 51,291 ... C 4
Cannanore, 46,101 ... C 6
Cannanore, *48,960 ... C 6
Cawnpore (Kanpur), 962,754 ... E 3
Chaibasa, 22,019 ... F 4
Chamba, 8,609 ... D 2
Champdani, 42,129 ... F 1
Chanda, 51,484 ... D 5
Chanderi, 8,268 ... D 4
Chandernagore, 67,105 ... F 1
Chandigarh, 89,321 ... D 2
Chandigarh, *99,262 ... D 2
Chapra, 75,580 ... F 3
Chembur, 85,582 ... B 7
Cherrapunji ... G 3
Chhatarpur, 22,146 ... D 4
Chhindwara, 37,244 ... D 4
Chidambaram, 40,694 ... E 6
Chik Ballapur, 23,025 ... D 6
Chikmagalur, 30,253 ... D 6
Chilas ... C 1
Chingleput, 25,977 ... E 6
Chinnur, 9,645 ... D 5
Chiplun, 17,355 ... C 5
Chiplun, *22,760 ... C 5
Chirala, 45,410 ... E 5
Chirmiri, 6,563 ... E 4
Chitorgarh, 16,888 ... C 4
Chitradurga, 33,336 ... D 6
Chittoor, 47,876 ... D 6
Churu, 41,727 ... D 3
Chushul ... D 2
Cocanada (Kakinada), 130,502 ... E 5
Cochin, 35,076 ... D 6
Coimbatore, 315,822 ... D 6
Colachel, 15,673 ... D 7
Cooch Behar, 41,922 ... F 3
Coondapoor, 17,538 ... C 6
Cuddalore, 79,168 ... E 6
Cuddapah, 49,027 ... D 6
Cumbum, 9,305 ... D 5
Cuttack, 160,908 ... F 4
Dabhoi, 30,841 ... C 4
Daltonganj, 25,270 ... E 4
Damoh, 46,656 ... D 4
Dankhar Gömpa, ‡5,276 ... D 2
Dapoli, 5,002 ... C 5
Darbhanga, 109,083 ... F 3
Darjeeling, 40,651 ... F 3
Datia, 29,430 ... D 3
Davangere, 78,124 ... D 6
Deesa, 18,891 ... C 4
Dehra Dun, 130,421 ... D 2
Dehra Dun, *160,384 ... D 2
Delhi, 2,298,455 ... D 3
Delhi, *2,630,485 ... D 3
Demchok ... D 2
Deogarh, 6,839 ... E 4
Deoghar, 35,105 ... F 4
Deolali, 37,264 ... C 5
Deoria, 28,407 ... E 3
Dewas, 34,577 ... D 4
Dhamtari, 31,552 ... E 4
Dhar, 28,325 ... C 4
Dharmsala, 10,255 ... D 2
Dharwar, 77,163 ... C 5
Dholpur, 27,412 ... D 3
Dhond, 12,912 ... C 5
Dhond, *27,168 ... C 5
Dhoraji, 48,951 ... C 4
Dhubri, 28,355 ... G 3
Dhulia, 98,893 ... C 4
Dibrugarh, 58,480 ... G 3
Dindigul, 92,947 ... D 6
Dohad, 35,483 ... C 4
Dohad, *50,434 ... C 4
Domjor, 8,670 ... F 1
Domjor, *30,843 ... F 1
Dudhi, 5,656 ... E 4
Dum Dum, 20,041 ... F 1
Dum Dum, *174,177 ... F 1
Dungarpur, 12,755 ... C 4
Durg, 56,071 ... E 4
Durg, *170,890 ... E 4
Durgapur, *41,696 ... F 4
Dwarka, 11,912 ... B 4
Dwarka, *14,314 ... B 4
Eluru, 115,358 ... E 5
Ernakulam, 123,793 ... D 6
Erode, 73,762 ... D 6
Erode, *96,528 ... D 6
Etawah, 69,681 ... D 3
Faizabad, 83,717 ... E 3
Faizabad, *88,296 ... E 3
Fatehgarh, 87,793 ... D 3
Fatehgarh, *94,591 ... D 3
Fatehpur, 27,039 ... C 3
Fatehpur, 28,323 ... E 3
Ferozepore, 47,060 ... C 2
Ferozepore, *97,932 ... C 2
Firozabad, 98,611 ... D 3
Gadag, 76,614 ... D 5
Gadwal, 16,375 ... D 5
Ganganagar, 63,854 ... C 3
Gangtok, 6,848 ... F 3
Garden Reach, 137,973 ... F 2
Garulia, 29,041 ... F 1
Gauhati, 119,737 ... G 3
Gaya, 156,908 ... F 4
Ghat Kopar, 34,256 ... B 7
Ghaziabad, 63,190 ... D 3
Ghaziabad, *70,438 ... D 3
Ghazipur, 37,147 ... E 3
Gilgit ... C 1
Giridih, 36,881 ... F 4
Goalpara, 13,692 ... G 3
Godhra, 52,167 ... C 4
Gonda, 43,496 ... E 3
Gondal, 45,069 ... C 4
Gopalpur, 3,536 ... F 5
Gorakhpur, 196,195 ... E 3
Goregaon, 3,901 ... B 7
Gudur, 25,618 ... D 6
Gulbarga, 97,069 ... D 5
Guna, 31,031 ... D 4
Guntakal, 48,083 ... D 5
Guntur, 207,745 ... D 5
Gwalior, 320,257 ... D 3
Haflong, 3,265 ... G 3
Harda, 22,279 ... D 4
Hardoi, 36,725 ... E 3
Hardwar, 58,513 ... D 2
Hardwar, *59,960 ... D 2
Hassan, 32,172 ... D 6
Hathras, 64,045 ... D 3
Hazaribagh, 40,958 ... F 4
Hindupur, 32,445 ... D 6
Hinganghat, 36,890 ... D 4
Hingoli, 23,407 ... D 5
Hissar, 60,222 ... D 3
Honavar, 10,453 ... C 6
Hooghly-Chinsura, 83,104 ... F 1
Hoshangabad, 19,284 ... D 4
Hospet, 53,242 ... D 5
Howrah, 538,921 ... F 2
Hubli, 185,233 ... C 5
Hunza (Baltit) ... C 1
Hyderabad, 1,155,234 ... D 5
Hyderabad, *1,292,966 ... D 5
Ichchapuram, 12,961 ... F 5
Ichhapur, 12,382 ... F 1
Imphal, 67,717 ... G 4
Indore, 422,968 ... D 4
Itarsi, 33,611 ... D 4
Jabalpur, 325,948 ... D 4
Jabalpur, *403,687 ... D 4
Jagdalpur, 20,412 ... E 5
Jagtial, 20,941 ... D 5
Jaipur, 440,881 ... D 3
Jaisalmer, 8,362 ... C 3
Jajpur, 13,802 ... F 4
Jalgaon, 80,351 ... D 4
Jalna, 67,158 ... D 4
Jalor, 12,882 ... C 3
Jalpaiguri, 48,738 ... F 3
Jamalpur, 57,039 ... F 3
Jammu, 102,738 ... D 2
Jammu, *108,257 ... D 2
Jamnagar, 151,805 ... B 4
Jamnagar, *163,289 ... B 4
Jamshedpur, 338,063 ... F 4
Jamshedpur, *364,671 ... F 4
Jaora, 31,140 ... D 4
Jaunpur, 61,851 ... E 3
Jeypore, 25,291 ... E 5
Jhalawar, 14,643 ... D 4
Jhansi, 151,510 ... D 3
Jhansi, *183,829 ... D 3
Jhunjhunu, 24,962 ... D 3
Jind, 24,216 ... D 3
Jodhpur, 239,440 ... C 3
Jorhat, 24,953 ... G 3
Jubbulpore (Jabalpur), 325,948 ... D 4
Juhu, 9,990 ... B 7
Jullundur, 240,486 ... D 2
Jullundur, *286,043 ... D 2
Junagadh, 74,298 ... B 4
Kadayanallur, 41,249 ... D 7
Kadiri, 24,307 ... D 6
Kakinada, 130,502 ... E 5
Kalyan, 73,482 ... C 5
Kalyan, *194,334 ... C 5
Kamarhati, 141,527 ... F 1
Kamptee, 40,859 ... D 4
Kamptee, *46,643 ... D 4
Kanchipuram, 92,714 ... E 6
Kandla, 9,617 ... C 4
Kandukur, 12,436 ... E 5
Kangra, 5,775 ... D 2
Kanker, 6,487 ... E 4
Kannauj, 24,646 ... D 3
Kanpur, 962,754 ... E 3
Kanpur, *1,059,622 ... E 3
Karad, 33,772 ... C 5
Karaikudi, 43,698 ... D 7
Karanja, 26,440 ... D 4
Karauli, 23,696 ... D 3
Kargil ... D 2
Karikal, 22,252 ... E 6
Karkal, 15,535 ... C 6
Karnal, 72,109 ... D 3
Karur, 50,564 ... D 6
Karwar, 23,906 ... C 6
Kasaragod, 27,635 ... C 6
Kasganj, 37,559 ... D 3
Katarnian Ghat ... E 3
Katihar, 46,837 ... F 3
Katihar, *59,344 ... F 3
Katni (Murwara), 46,169 ... E 4
Kavali, 20,544 ... E 6
Kavaratti, 2,828 ... C 6
Kawardha, 10,117 ... E 4
Kendrapara, 15,830 ... F 4
Keonjhar, 12,624 ... F 4
Khamgaon, 44,432 ... D 4
Khamman, 35,888 ... D 5
Khandwa, 63,505 ... D 4
Kharagpur, 153,126 ... F 4
Khardah, 28,362 ... F 1
Khurda, 12,497 ... F 4
Kirkee, 58,496 ... C 5
Kishangarh, 25,244 ... D 3
Kishtwar, 4,140 ... D 2
Kohima, 7,246 ... G 3
Kolar, 32,587 ... D 6
Kolar Gold Fields, 146,811 ... D 6
Kolhapur, 204,312 ... C 5
Kolhapur, *211,969 ... C 5
Konnagar, 29,443 ... F 1
Koppal, 19,530 ... D 5
Koraput, 7,461 ... E 5
Kota, 138,758 ... D 3
Kotrung, 31,031 ... F 1
Kottayam, 52,685 ... D 7
Kotturu, 11,493 ... D 6
Kovur, 14,580 ... E 6
Kozhikode, 203,788 ... D 6
Kozhikode, *278,488 ... D 6
Krishnanagar, 70,440 ... F 4
Kulu, 4,886 ... D 2
Kumbakonam, 92,581 ... D 6
Kumbakonam, *96,746 ... D 6
Kumta, 16,223 ... C 6
Kurla, 98,018 ... B 7
Kurnool, 114,345 ... D 5
Lansdowne, 6,381 ... D 3
Latur, 40,913 ... D 5
Ledo ... H 3
Leh, 3,720 ... D 2
Lohardaga, 13,203 ... E 4
Lucknow, 645,683 ... E 3
Lucknow, *708,610 ... E 3
Ludhiana, 274,112 ... D 2
Lumding, 23,186 ... G 3
Madh, 3,307 ... B 7
Madhubani, 28,229 ... F 3
Madras, 1,833,504 ... E 6
Madras, *1,944,502 ... E 6
Madugula, 7,688 ... E 5
Madurai, 445,820 ... D 7
Mahabaleshwar, 6,029 ... C 5
Mahbubnagar, 35,588 ... D 5
Mahe, 7,951 ... D 6
Mahoba, 24,878 ... D 3
Mahuva, 31,668 ... C 4
Mahuva, *32,732 ... C 4
Malad, 88,287 ... B 6
Malakanagiri, 2,510 ... E 5
Malegaon, 143,538 ... C 4
Maler-Kotla, 39,543 ... D 2
Malkapur, 29,687 ... D 4
Malvan, 17,828 ... C 5
Mandi, 13,034 ... D 2
Mandla, 19,416 ... E 4
Mandsaur, 41,876 ... C 4
Mandvi, 26,609 ... B 4
Mangalore, 151,119 ... C 6
Mangalore, *187,976 ... C 6
Mangrol, 21,089 ... B 4
Manmad, 23,570 ... C 4
Manmad, *31,551 ... C 4
Mannargudi, 33,558 ... E 6
Manori, 2,492 ... B 6
Marmagao, 14,140 ... C 5
Masulipatnam, 109,237 ... E 5
Mathura, 123,096 ... D 3
Mathura, *131,755 ... D 3
Mattancheri, 83,896 ... D 7
Mau, 48,785 ... E 3
Mayuram, 51,393 ... D 6
Meerut, 214,490 ... D 3
Meerut, *300,934 ... D 3
Mehsana, 32,577 ... C 4
Mercara, 14,453 ... D 6
Mhow, 48,032 ... D 4
Midnapore, 59,532 ... F 4
Miraj, 53,345 ... D 5
Mirzapur, 104,620 ... E 4
Modasa, 16,084 ... C 4
Mominabad, 17,443 ... D 5
Monghyr, 89,768 ... F 3
Moradabad, 188,793 ... D 3
Moradabad, *201,818 ... D 3
Morvi, 50,192 ... C 4
Mulund, 56,430 ... B 6
Murud, 10,055 ... C 5
Murwara, 46,169 ... E 4
Murwara, *60,472 ... E 4
Muzaffarabad ... B 2
Muzaffarnagar, 87,622 ... D 3
Muzaffarpur, 120,865 ... E 3
Mysore, 257,045 ... D 6
Nadiad, 78,952 ... C 4
Nagapattinam, 59,063 ... E 6
Nagapattinam, *61,305 ... E 6
Nagaur, 24,296 ... C 3
Nagercoil, 115,180 ... D 7
Nagina, 30,247 ... D 3
Nagpur, 697,442 ... D 4
Nagpur, *758,649 ... D 4
Nahan, 12,439 ... D 2
Naihati, 58,457 ... F 1
Naini Tal, 14,995 ... D 3
Naini Tal, *16,080 ... D 3
Nainpur, 13,728 ... E 4
Nalgonda, 24,383 ... D 5
Nander, 81,087 ... D 5
Nandurbar, 41,055 ... C 4
Nandyal, 42,927 ... D 5
Narayanpet, 20,504 ... D 5
Narnaul, 23,959 ... D 3
Narsinghgarh, 11,558 ... D 4
Narsinghpur, 17,940 ... D 4
Nasik, 142,456 ... C 4
Nasik, *235,139 ... C 4
Nasirabad, 24,148 ... C 3
Navsari, 51,300 ... C 4
Navsari, *53,600 ... C 4
Nellore, 115,209 ... E 6
New Delhi (cap.), 294,565 ... D 3
Nimach, 36,287 ... D 4
Nirmal, 19,896 ... D 5
Nizamabad, 79,093 ... D 5
North Lakhimpur, 6,576 ... G 3
Nova Goa (Panjim), †79,437 ... C 5
Nowgong, 8,604 ... G 3
Nowgong, *38,600 ... G 3
Okha Port, 8,909 ... B 4
Okha Port, *9,630 ... B 4
Ongole, 35,804 ... E 5
Ootacamund, 50,140 ... D 6
Orai, 29,587 ... D 3
Osmanabad, 18,868 ... D 5
Pachmarhi, 653 ... D 4
Pachmarhi, *6,142 ... D 4
Palanpur, 29,139 ... C 4
Palayankottai, 51,002 ... D 7
Palghat, 77,620 ... D 6
Pali, 33,303 ... C 3
Palni, 39,832 ... D 6
Palni, *56,909 ... D 6
Panchur, 25,131 ... F 2
Pandharpur, 45,421 ... D 5
Panihati, 93,749 ... F 1
Panipat, 67,026 ... D 3
Panjim, †79,437 ... C 5
Panna, 16,737 ... E 4
Panruti, 18,754 ... D 6
Parbhani, 36,795 ... D 5
Parlakhemundi, 22,708 ... E 5
Paro Dzong ... F 3
Partapgarh, 14,573 ... C 4
Parvatipuram, 25,281 ... E 5
Patan, 50,264 ... C 4
Patiala, 134,357 ... D 2
Patna, 390,440 ... F 3
Phalodi, 15,722 ... C 3
Pilibhit, 57,527 ... D 3
Point Calimère ... E 6
Pondicherry, 40,421 ... E 6
Ponnani, 22,977 ... D 6
Poona, 636,422 ... C 5
Poona, *783,119 ... C 5
Porbandar, 74,476 ... B 4
Porbandar, *75,081 ... B 4
Port Blair, 14,075 ... G 6
Porto Novo, 15,139 ... E 6
Proddatur, 50,616 ... D 6
Pudukkottai, 50,488 ... D 6
Punakha ... G 3
Punch, 10,196 ... C 2
Puri, 60,815 ... F 5
Purnea, 40,602 ... F 3
Purulia, 48,134 ... F 4
Puttur, 12,498 ... D 6
Quilon, 91,018 ... D 7
Radhanpur, 15,058 ... C 4
Raichur, 63,329 ... D 5
Raigarh, 36,933 ... E 4
Raipur, 156,455 ... E 4
Rairakhol, 2,441 ... E 4
Rajahmundry, 138,245 ... E 5
Rajapalaiyam, 71,203 ... D 7
Rajapur, 8,270 ... C 5
Rajgarh, 9,095 ... D 4
Rajkot, 214,838 ... C 4
Rajnandgaon, 44,678 ... E 4
Rajpipla, 21,426 ... C 4
Rajpur, 24,812 ... F 2
Rajpura, 11,211 ... D 2
Rajpura, *27,925 ... D 2
Rameswaram, 6,801 ... D 7
Rampur, 135,784 ... D 3
Rampur, 2,079 ... D 2
Ranchi, 122,416 ... F 4
Ranchi, *151,386 ... F 4
Ratangarh, 26,631 ... C 3
Ratlam, 87,472 ... C 4
Ratnagiri, 31,091 ... C 5
Raurkela, 90,287 ... F 4
Raxaul, 9,699 ... E 3
Rayagada, 14,537 ... E 5
Renigunta, 5,942 ... E 6
Rewa, 43,065 ... E 4
Rewari, 36,994 ... D 3
Rishra, 38,535 ... F 1
Robertsganj, 6,584 ... E 4
Sadiya ... H 3
Sagar, 91,841 ... D 4
Sagar, *112,879 ... D 4
Saharanpur, 197,473 ... D 3
Salem, 264,748 ... D 6
Samalkot, 31,924 ... E 5
Sambalpur, 38,915 ... E 4
Sambhal, 68,940 ... D 3
Sangamner, 21,729 ... C 5
Sangli, 81,688 ... C 5
Sangli, *139,406 ... C 5
Santa Cruz, 101,232 ... B 7
Santipur, 51,190 ... F 4
Sardarshahr, 32,072 ... C 3
Sarnath ... E 3
Sasaram, 37,782 ... E 4
Satara, 44,353 ... C 5
Satara, *48,709 ... C 5
Satna, 38,046 ... E 4
Savantvadi, 15,120 ... C 5
Savanur, 16,930 ... D 6
Secunderabad, 187,471 ... D 5
Sehore, 28,489 ... D 4
Seoni, 30,274 ... D 4
Serampore, 91,521 ... F 1
Seringapatam, 11,423 ... D 6
Shahdol, 22,196 ... E 4
Shahjahanpur, 114,259 ... E 3
Shahjahanpur, *121,992 ... E 3
Shajapur, 17,317 ... D 4
Sheo, †56,033 ... C 3
Sheopur, 14,591 ... D 3
Shillong, 78,665 ... G 3
Shillong, *117,028 ... G 3
Shimoga, 63,764 ... D 6
Shivpuri, 28,681 ... D 3
Sholapur, 357,750 ... D 5
Shorapur, 17,689 ... D 5
Sibsagar, 15,106 ... H 3
Sidhi, 5,021 ... E 4
Sidhpur, 33,850 ... C 4
Sikar, 50,636 ... D 3
Silchar, 41,062 ... G 4
Siliguri, 65,471 ... F 3
Simla, 42,597 ... D 2
Singur, 7,915 ... F 1
Sirohi, 14,451 ... C 4
Sironj, 17,288 ... D 4
Sirsa, 33,363 ... D 3
Sirsi, 21,240 ... D 6
Sitapur, 53,884 ... E 3
Skardu ... D 1
Sonepur, 7,108 ... E 4
South Suburban, 213,064 ... F 2
South Suburban, *384,545 ... F 2
Srikakulam, 35,071 ... E 5
Srinagar, 285,257 ... D 2
Sundargarh, 11,329 ... E 4
Surada, 8,703 ... E 5
Surat, 309,639 ... C 4
Suratgarh, 8,330 ... C 3
Surendranagar, 48,602 ... C 4
Tanda, 32,687 ... E 3
Tehri, 4,508 ... D 2
Tellicherry, 44,763 ... C 6
Tenali, 78,525 ... E 5
Tezpur, 24,159 ... G 3
Thana, 114,220 ... B 6
Thana, *123,035 ... B 6
Thanjavur, 114,572 ... D 6
Thimphu ... G 3
Tinsukia, 28,468 ... H 3
Tiruchendur, 15,182 ... D 7
Tiruchendur, *22,752 ... D 7
Tiruchirapalli, 260,175 ... D 6
Tirunelveli, 87,988 ... D 7
Tirupati, 35,845 ... D 6
Tiruppattur, 30,799 ... D 6
Tiruvannamalai, 46,441 ... D 6
Titagarh, 76,429 ... F 1
Titlagarh, 7,433 ... E 4
Tollygunge ... F 2
Tongsa Dzong ... G 3
Tonk, 43,413 ... D 3
Tranquebar, 14,754 ... E 6
Trichur, 73,038 ... D 6
Trivandrum, 257,442 ... D 7
Trivandrum, *337,087 ... D 7
Trombay, 17,258 ... B 7
Tuensang ... G 3
Tumkur, 47,277 ... D 6
Tuni, 22,452 ... E 5
Tura, 8,888 ... G 3
Tuticorin, 132,683 ... D 7
Tuticorin, *136,853 ... D 7
Udaipur, 118,312 ... C 4
Udhampur, 10,263 ... D 2
Udipi, 24,610 ... C 6
Ujjain, 148,941 ... D 4
Ulhasnagar, 116,727 ... C 5
Ulhasnagar, *212,524 ... C 5
Umrer, 22,682 ... D 4
Unnao, 29,780 ... E 3
Uran, 10,229 ... B 7
Uttarpara, 21,132 ... F 1
Vaniyambadi, 42,048 ... D 6
Vaniyambadi, *47,918 ... D 6
Varanasi, 514,371 ... E 3
Varanasi, *534,561 ... E 3

BRITISH INDIA
U.S.S.R.
GILGIT AGENCY
AFGHANISTAN
KASHMIR & JAMMU
N.W. FRONTIER PROV.
PUNJAB
PUNJAB STATES
BALUCHISTAN
IRAN
Indus
BAHAWALPUR (PUNJ. ST.)
DELHI
RAMPUR
TIBET
CHINA
UNITED PROVINCES
NEPAL
SIKKIM
BHUTAN
Brahmaputra
ASSAM
PUNJ. ST.
RAJPUTANA
AJMER-MERWARA
SIND
Gwadar (Oman)
GWALIOR
Ganges
E. ST.
KHASI HILLS
MANIPUR
BENARES
BIHAR
TRIPURA (E. ST.)
BENGAL
CENTRAL INDIA
WESTERN INDIA
EASTERN STATES
Arabian Sea
GUJARAT ST.
Chandernagore (Fr.)
BURMA
CENTRAL PROVINCES
BERAR
ORISSA
BOMBAY
Diu (Port.)
Damão (Port.)
EASTERN STATES
HYDERABAD
Bay of Bengal
DECCAN STATES
Yanaon (Fr.)
Goa (Port.)
MADRAS
MYSORE
Bangalore (Br.)
COORG
Mahé (Fr.)
Pondichéry (Fr.)
Karikal (Fr.)
M. ST.
Cochin (Br.)
MADRAS STATES
Laccadive Islands (Madras)
CEYLON
Andaman Islands (Br.)
Nicobar Islands (Br.)
British India. The provinces of British India were directly administered by Britain. A few areas were leased from the Indian princes.
Indian States. The Indian States, sometimes referred to as the "Native" or "Princely States," were under the nominal control of maharajas or other hereditary princes.
Possessions of Other Countries in India
State or Provincial Boundaries
Other Internal Boundaries

Indian Subcontinent and Afghanistan
(continued)

Vellore, 116,315 ....D 6
Vellore, *128,341 ....D 6
Vengurla, 12,061 ....C 5
Venkatagiri, 17,114 ....D 6
Veraval, 46,637 ....C 4
Veraval, *60,857 ....C 4
Vesava, 14,580 ....B 7
Vidisha, 27,718 ....D 4
Vijayavada, 253,464 ....D 5
Villupuram, 43,496 ....D 6
Vinukonda, 11,374 ....D 5
Virajpet, 8,138 ....D 6
Viramgam, 38,955 ....C 4
Visakhapatnam, 206,657 ....E 5
Visnagar, 25,982 ....C 4
Vizagapatam (Visakhapatnam), 206,657 ....E 5
Vizianagaram, 76,808 ....E 5
Waltair ....E 5
Warangal, 163,766 ....D 5
Wardha, 49,113 ....D 4
Wun, 18,176 ....D 5
Yanam, 7,032 ....E 5
Yellamanchili, 13,556 ....E 5
Yellandlapad ....E 5
Yeola, 21,039 ....C 4
Yeotmal, 45,587 ....D 4

PHYSICAL FEATURES

Abor (hills) ....G 3
Agatti (isl.), 2,411 ....C 6
Amindivi (isls.), 7,854 ....C 6
Amini (isl.), 3,530 ....C 6
Anai Mudi (mt.) ....D 6
Andaman (isls.) ....G 6
Andaman (sea) ....G 6
Androth (isl.), 4,183 ....C 6
Back (bay) ....B 7
Baltistan (region) ....D 1
Banas (river) ....D 3
Berar (region), 4,580,302 ....D 4
Betwa (river) ....D 4
Bhima (river) ....D 5
Bidyadhari (river) ....F 2
Bombay (harb.) ....B 7
Cambay (gulf) ....C 4
Camorta (isl.) ....G 7
Car Nicobar (isl.) ....G 7
Chambal (river) ....D 3
Cherial (river) ....F 2
Chetlat (isl.), 953 ....C 6
Chilka (lake) ....F 5
Chomo Lhari (mt.) ....F 3
Coco (channel) ....G 6
Colaba (pt.) ....B 7
Colair (lake) ....E 5
Comorin (cape) ....D 7
Coromandel Coast (reg.) ....E 6
Daman (dist.), 22,390 ....C 4
Damodar (river) ....F 4
Deccan (plateau) ....D 6
Diu (dist.), 14,280 ....C 4
Duncan (passage) ....G 6
Eastern Ghats (mts.) ....D 6
Elephanta (isl.) ....B 7
False (pt.) ....F 4
False Divi (pt.) ....E 5
Ghaghra (river) ....E 3
Ghea (river) ....F 1
Goa (dist.), 589,997 ....C 5
Godavari (river) ....D 5
Godwin Austen (K2) (mt.) ....D 1
Golconda (ruins) ....D 5
Great (channel) ....G 7
Great Nicobar (isl.) ....G 7
Hagari (river) ....D 6
Hooghly (river) ....F 2
Indravati (river) ....E 5
Interview (isl.) ....G 6
Jumna (river) ....E 3
K2 (mt.) ....D 1
Kadmat (isl.), 1,851 ....C 6
Kalpeni (isl.), 2,613 ....C 7
Kamet (mt.) ....D 2
Kaveri (riv.) ....D 6
Khasi (hills) ....G 3
Kiltan (isl.), 1,520 ....C 6
Krishna (river) ....D 5
Kutch (gulf) ....B 4
Laccadive (isls.), 12,115 ....C 6
Ladakh (region), 88,651 ....D 2
Landfall (isl.) ....G 6
Little Andaman (isl.) ....G 6
Little Nicobar (isl.) ....G 7
Luni (river) ....C 3
Lushai (hills) ....G 4
Mahanadi (river) ....E 4
Mahim (bay) ....B 7
Malabar Coast (reg.) ....C 6
Malabar (hill) ....B 7
Malabar (pt.) ....B 7
Malad (creek) ....B 7
Manori (creek) ....B 7
Middle Andaman (isl.) ....G 6
Minicoy (isl.), 4,139 ....C 7
Miri (hills) ....G 3
Mishmi (hills) ....H 3
Nancowry (isl.) ....G 7
Nanda Devi (mt.) ....D 2
Nanga Parbat (mt.) ....D 1
Narcondam (isl.) ....G 6
Narmada (river) ....D 4
Nicobar (isls.) ....G 7
Nine Degree (chan.) ....C 7
North Andaman (isl.) ....G 6
North Sentinel (isl.) ....G 6
Palmyras (pt.) ....F 4
Pangong Tso (lake) ....D 2
Penganga (river) ....D 5
Penner (river) ....D 6
Periyar (lake) ....D 7
Pitti (isl.), 80 ....C 6
Pulicat (lake) ....E 6
Rakaposhi (mt.) ....C 1
Ritchies (arch.) ....G 6
Rutland (isl.) ....G 6
Salsette (isl.), 1,566,572 ....B 7
Sambhar (lake) ....C 3
Saraswati (river) ....F 1
Sarsati (river) ....F 1
Satpura (range) ....D 4
Soda (plains) ....D 1
Sombrero (channel) ....G 7
Son (river) ....E 3
South Andaman (isl.) ....G 6
Suheli Par (isl.) ....C 6
Tapti (river) ....D 4
Tel (river) ....E 4
Ten Degree (chan.) ....G 6
Thana (creek) ....B 7
Tillanchong (isl.) ....G 7
Tolly's Nullah (river) ....F 2
Towers of Silence ....B 7
Tranvancore (region) ....D 7
Tulsi (lake) ....B 6
Tungabhadra (river) ....D 5
Vehar (lake) ....B 7
Vindhya (range) ....D 4
Wardha (river) ....D 4
Western Ghats (mts.) ....C 5
Zaskar (mts.) ....D 2

PAKISTAN

PROVINCES

East Pakistan, 50,840,235 ....G 4
West Pakistan, 42,880,378 ....B 2

CITIES and TOWNS

Abbottabad, 31,036 ....C 2
Ahmadpur East, 20,423 ....C 3
Attock ....C 2
Ayubnagar (cap.) ....F 3
Bahawalnagar, 36,290 ....C 2
Bahawalpur, 84,377 ....C 3
Bannu, 31,623 ....C 2
Barisal, 69,936 ....G 4
Barkhan ....B 3
Bela, 3,139 ....B 3
Bhag ....B 3
Bogra, 33,784 ....F 4
Bostan ....B 2
Campbellpore, 19,041 ....C 2
Chachro ....C 3
Chagai, ‡41,263 ....A 3
Chaman ....B 2
Chiniot ....C 2
Chitral ....C 1
Chittagong, 364,205 ....G 4
Comilla, 54,504 ....G 4
Cox's Bazar (Maheshkhali) ....G 4
Dacca, 556,712 ....G 4
Dacca, *918,718 ....G 4
Dadu, 19,142 ....B 3
Dalbandin ....A 3
Dera Bugti ....B 3
Dera Ghazi Khan, 47,105 ....C 3
Dera Ismail Khan, 46,140 ....C 2
Dinajpur, 37,711 ....F 3
Dir ....C 1
Duki ....B 2
English Bazar ....F 3
Faridpur, 28,333 ....F 4
Fort Sandeman, 8,058 ....B 2
Gandava ....B 3
Gujranwala, 196,154 ....C 2
Gujrat, 59,608 ....C 2
Gwadar ....A 4
Habiganj ....G 4
Hindubagh ....B 2
Hyderabad, 434,537 ....B 3
Hyderabad, *850,978 ....B 3
Islamabad (cap.) ....C 2
Jacobabad, 35,278 ....B 3
Jamalpur ....F 4
Jessore, 46,366 ....F 4
Jhal Jhao ....B 3
Jhang-Maghiana, 94,971 ....C 2
Jhelum, 52,585 ....C 2
Jhudo ....B 3
Kalam ....C 1
Kalat, 5,321 ....B 3
Kanrach ....A 3
Karachi, 1,912,598 ....B 4
Karachi, *3,360,017 ....B 4
Kashmor ....C 3
Kasur ....C 2
Khairpur, 34,144 ....B 3
Khanewal ....C 2
Khanpur ....C 3
Kharan Kalat, 2,692 ....A 3
Khulna, 127,970 ....F 4
Khulna, *208,887 ....F 4
Khushab ....C 2
Khuzdar ....B 3
Kishorganj ....G 4
Kohat, 49,854 ....C 2
Ladgasht ....A 3
Lahore, 1,296,477 ....C 2
Lahore, *2,524,473 ....C 2
Lahri ....B 3
Landhi ....B 4
Larkana, 48,008 ....B 3
Leiah ....C 2
Loralai, 5,519 ....B 2
Lyallpur, 425,248 ....C 2
Mach ....B 3
Madaripur ....G 4
Maheshkhali ....G 4
Malakand ....C 2
Mardan, 77,932 ....C 2
Mastung ....B 3
Mianwali, 31,398 ....C 2
Miram Shah ....C 2
Mirpur Khas, 60,861 ....B 3
Montgomery, 15,180 ....C 2
Multan, 358,201 ....C 2
Multan, *698,600 ....C 2
Mungla Anchorage ....G 4
Murree ....C 2
Musa Khel Bazar ....B 2
Mymensingh, 53,256 ....G 4
Nagar Parkar ....C 4
Narayanganj, 162,054 ....G 4
Narayanganj, *287,846 ....G 4
Nawabganj ....F 4
Nawabshah, 45,651 ....B 3
Nazimabad ....B 3
Noakhali, 19,874 ....G 4
Nok Kundi ....A 3
Nowshera ....C 2
Nushki, 3,153 ....B 3
Ormara ....A 3
Pabna, 40,792 ....F 4
Parachinar, 22,953 ....B 2
Peshawar, 218,691 ....C 2
Peshawar, *384,964 ....C 2
Pindi Gheb ....C 2
Pishin ....B 2
Quetta, 106,633 ....B 2
Quetta, *186,126 ....B 2
Rahimyar Khan, 43,548 ....C 3
Rajshahi, 56,885 ....F 4
Rangamati, 6,416 ....G 4
Rangpur, 40,634 ....F 3
Rawalpindi, 340,175 ....C 2
Rawalpindi, *537,545 ....C 2
Risalpur ....C 2
Rohri ....B 3
Saidu, 15,920 ....C 2
Sargodha, 129,291 ....C 2
Sehwan ....B 3
Shahbandar ....B 4
Shikarpur ....B 3
Sialkot, 164,346 ....C 2
Sialkot, *308,235 ....C 2
Sibi, 13,327 ....B 3
Sirajganj ....F 4
Sonmiani ....B 3
Sui ....B 3
Sukkur, 103,216 ....B 3
Surab ....B 3
Sylhet, 37,740 ....G 4
Tando Adam ....B 3
Tatta, 12,786 ....B 4
Teknaf ....G 4
Tump ....A 3
Turbat, 4,578 ....A 3
Uch ....B 3
Umarkot ....B 3
Uthal ....B 3
Wana ....C 2

PHYSICAL FEATURES

Baluchistan (reg.), 1,251,837 ....B 3
Beji (river) ....B 3
Bolan (pass) ....B 3
Dasht (river) ....A 3
Hab (river) ....B 3
Indus, Mouths of the (delta) ....B 4
Jaddi, Ras (cape) ....A 4
Khyber (pass) ....C 2
Lora, Hamun-i- (swamp) ....B 3
Mashkel (river) ....A 3
Mashkel, Hamun-i- (swamp) ....A 3
Mohenjo Daro (ruins) ....B 3
Muari, Ras (cape) ....B 4
Nal (river) ....B 3
Punjab (reg.), 18,251,818 ....C 2
Ravi (river) ....C 2
Siahan (range) ....A 3
Sind (reg.), 5,952,531 ....B 3
Sulaiman (range) ....C 3
Talab (river) ....A 3
Taxila (ruins) ....C 2
Tirich Mir (mt.) ....C 1
Zhob (river) ....B 2

NEPAL

CITIES and TOWNS

Baitadi ....E 3
Bhaktapur, 33,075 ....F 3
Bhojpur ....F 3
Biratnagar, 33,293 ....F 3
Birganj, 10,759 ....F 3
Dailekh ....E 3
Dhangarhi ....E 3
Dhankuta ....F 3
Doti ....E 3
Ilam ....F 3
Jaleswar ....F 3
Janakpur, 7,037 ....F 3
Jumla ....E 3
Katmandu (cap.), 122,507 ....E 3
Laga ....E 3
Lalitpur, 48,577 ....E 3
Mukhtinath ....E 3
Mustang ....E 3
Nepalganj, 15,817 ....E 3
Palpa ....E 3
Pokhara ....E 3
Pyuthan ....E 3
Ramechhap ....F 3
Ridi ....E 3
Sallyana ....E 3

PHYSICAL FEATURES

Annapurna (mt.) ....E 3
Bheri (river) ....E 3
Dhaulagiri (mt.) ....E 3
Everest (mt.) ....F 3

AFGHANISTAN

CITIES and TOWNS

Anardarra ....A 2
Andkhui, 30,000 ....B 1
Baghlan, 20,000 ....B 1
Bala Murghab, 10,000 ....A 1
Balkh, 15,000 ....B 1
Bamian, 10,000 ....B 2
Belchiragh ....B 1
Chahar Burjak, 500 ....A 2
Chahardeh ....B 2
Charikar, 15,000 ....B 1
Daulatabad, 15,000 ....A 2
Daulat Yar, 2,000 ....B 2
Dilaram ....A 2
Faizabad, 25,000 ....C 1
Farah, 10,000 ....A 2
Farsi ....A 2
Gardez, 20,000 ....B 2
Ghazni, 25,000 ....B 2
Ghizao ....B 2
Ghurian, 10,000 ....A 2
Girishk, 10,000 ....A 2
Haibak, 10,000 ....B 1
Herat, 61,760 ....A 2
Jalalabad, 44,290 ....B 2
Jurm, 10,000 ....C 1
Juwain, 2,000 ....A 2
Kabul (cap.), 400,000 ....B 2
Kabul, *480,000 ....B 2
Kala Bist, 500 ....A 2
Kalat-i-Ghilzai, 10,000 ....B 2
Kandahar, 119,000 ....B 2
Kandahar, *142,000 ....B 2
Khanabad, 30,000 ....B 1
Khash ....A 2
Kuhsan ....A 2
Kushk, 10,000 ....A 1
Landi Muhammad Amin Khan, 1,000 ....A 2
Maimana, 30,000 ....A 1
Matun, 15,000 ....B 2
Mazar-i-Sharif, 39,695 ....B 1
Mukur, 10,000 ....B 2
Obeh, 5,000 ....A 2
Panjao, 3,000 ....B 2
Qala Panja, 1,000 ....C 1
Qaleh-i-Kang, 1,000 ....A 2
Rudbar, 1,000 ....A 2
Rustak, 10,000 ....B 1
Sabzawar, 5,000 ....A 2
Sar-i-Pul, 5,000 ....B 1
Shahjui, 5,000 ....B 2
Shibarghan, 20,000 ....B 1
Shindand (Sabzawar), 5,000 ....A 2
Taiwara, 5,000 ....A 2
Tashkurghan, 30,000 ....B 1
Zebak, 3,000 ....C 1

PHYSICAL FEATURES

Farah Rud (river) ....A 2
Hari Rud (river) ....A 1
Helmand (river) ....B 2
Kunduz (river) ....B 1
Lora (river) ....B 2
Margo, Dasht-i- (des.) ....A 2
Namaksar (salt lake) ....A 2
Paropamisus (range) ....A 2
Registan (desert) ....B 2
Tarnak (river) ....B 2
Wala, Kuh-i- (mt.) ....A 2
Zirreh, Gaud-i- (marsh) ....A 3

CEYLON

CITIES and TOWNS

Anuradhapura, 29,397 ....E 7
Badulla, 27,088 ....E 7
Batticaloa, 22,957 ....E 7
Colombo (cap.), 510,947 ....D 7
Galle, 64,942 ....D 7
Hambantota, 5,387 ....E 7
Jaffna, 94,248 ....E 7
Kalmunai, 16,488 ....E 7
Kalutara, 25,286 ....D 7
Kandy, 67,768 ....E 7
Kurunegala, 21,293 ....E 7
Mannar, 8,988 ....E 7
Matara, 32,284 ....E 7
Moratuwa, 77,632 ....D 7
Mullaittivu, 4,025 ....E 7
Negombo, 47,026 ....D 7
Nuwara Eliya, 19,988 ....E 7
Polgahawela, 5,293 ....D 7
Polonnaruwa, 5,921 ....E 7
Puttalam, 13,250 ....E 7
Ratnapura, 21,582 ....D 7
Tangalla, 7,920 ....E 7
Trincomalee, 34,872 ....E 7
Vavuniya, 7,176 ....E 7

PHYSICAL FEATURES

Adams (peak) ....E 7
Dondra (head) ....E 7
Kirigalpota (mt.) ....E 7
Pedro (pt.) ....E 6
Pidurutalagala (mt.) ....E 7

*City and suburbs.
†Population of sub-division.
‡Population of district.

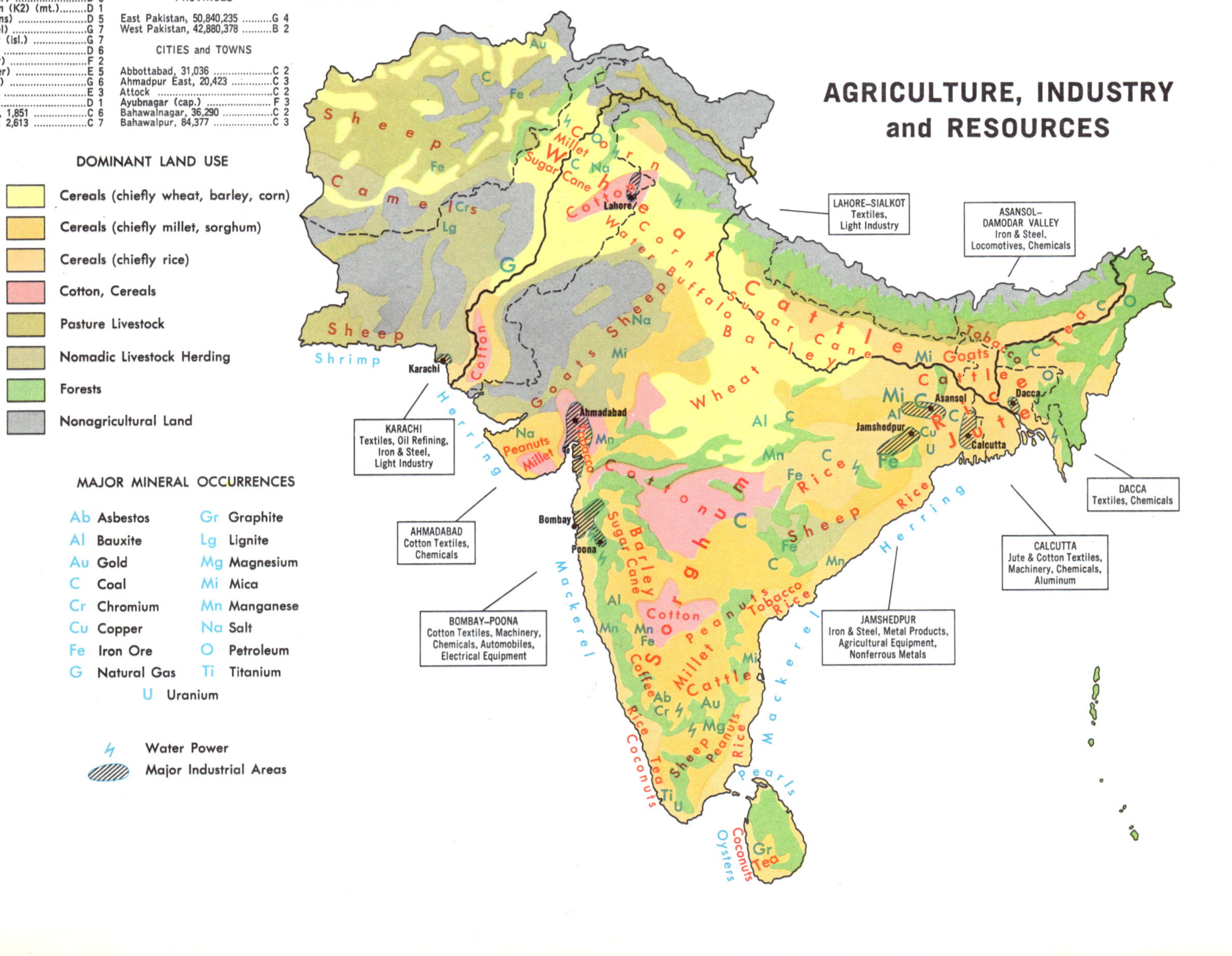

AGRICULTURE, INDUSTRY and RESOURCES
DOMINANT LAND USE
Cereals (chiefly wheat, barley, corn)
Cereals (chiefly millet, sorghum)
Cereals (chiefly rice)
Cotton, Cereals
Pasture Livestock
Nomadic Livestock Herding
Forests
Nonagricultural Land
MAJOR MINERAL OCCURRENCES
Ab Asbestos
Al Bauxite
Au Gold
C Coal
Cr Chromium
Cu Copper
Fe Iron Ore
G Natural Gas
Gr Graphite
Lg Lignite
Mg Magnesium
Mi Mica
Mn Manganese
Na Salt
O Petroleum
Ti Titanium
U Uranium
Water Power
Major Industrial Areas
LAHORE–SIALKOT Textiles, Light Industry
ASANSOL–DAMODAR VALLEY Iron & Steel, Locomotives, Chemicals
KARACHI Textiles, Oil Refining, Iron & Steel, Light Industry
AHMADABAD Cotton Textiles, Chemicals
BOMBAY–POONA Cotton Textiles, Machinery, Chemicals, Automobiles, Electrical Equipment
JAMSHEDPUR Iron & Steel, Metal Products, Agricultural Equipment, Nonferrous Metals
CALCUTTA Jute & Cotton Textiles, Machinery, Chemicals, Aluminum
DACCA Textiles, Chemicals
Lahore
Karachi
Ahmadabad
Bombay
Poona
Asansol
Jamshedpur
Calcutta
Dacca
Sheep
Camels
Goats
Wheat
Millet
Sugar Cane
Cotton
Corn
Water Buffalo
Barley
Cattle
Tobacco
Tea
Jute
Rice
Peanuts
Sorghum
Coffee
Coconuts
Shrimp
Herring
Mackerel
Pearls
Oysters

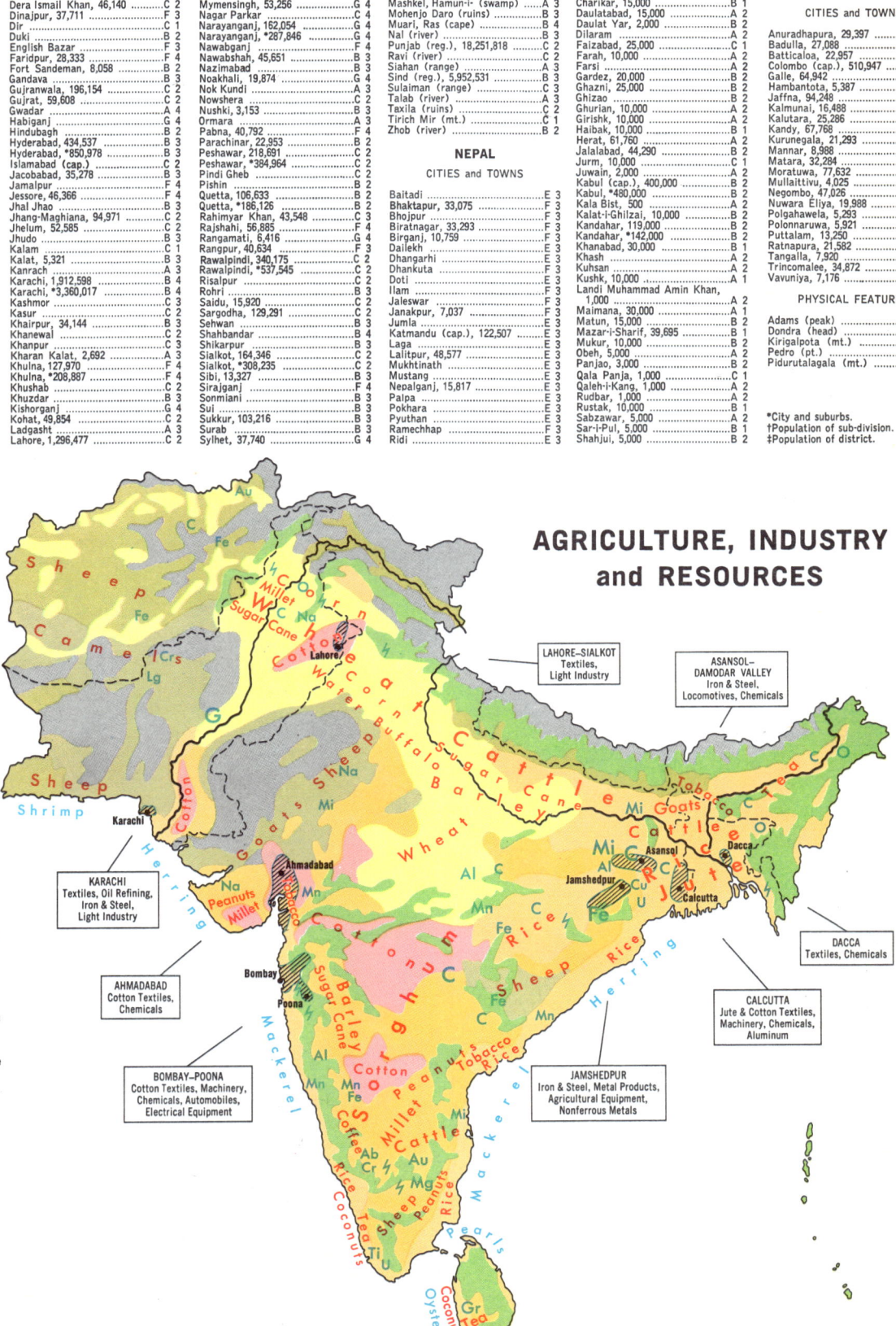

BURMA, THAILAND, INDOCHINA and MALAYA
CONIC PROJECTION
SCALE OF MILES
SCALE OF KILOMETRES
International Boundaries
Provincial and State Boundaries
Capitals of Countries
Provincial and State Capitals
Copyright by C.S. HAMMOND & Co., N.Y.
Longitude East of Greenwich
BHUTAN
INDIA
PAKISTAN
CHINA
BURMA
THAILAND (SIAM)
LAOS
NORTH VIETNAM
SOUTH VIETNAM
CAMBODIA
MALAYA
FEDERATION OF MALAYSIA
SUMATRA
INDONESIA
BAY OF BENGAL
ANDAMAN SEA
GULF OF TONKIN
GULF OF SIAM
SOUTH CHINA SEA
HAINAN
SINGAPORE
JOHORE
Strait of Malacca
Tropic of Cancer
RANGOON
BANGKOK
Hanoi
Vientiane
Phnom Penh
SAIGON
Kuala Lumpur
Mandalay
Kunming

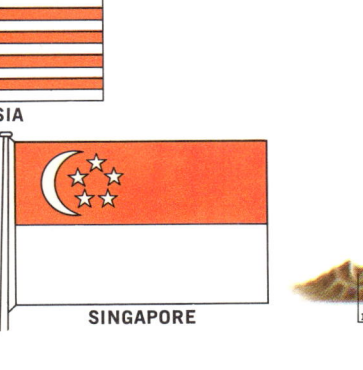

BURMA, THAILAND, INDOCHINA and MALAYA

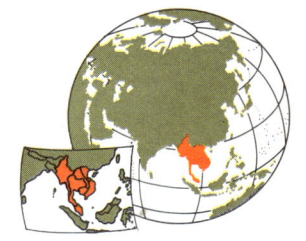

BURMA
- AREA: 261,610 sq. mi.
- POPULATION: 24,229,000
- CAPITAL: Rangoon
- LARGEST CITY: Rangoon 821,800
- HIGHEST POINT: Hkakabo Razi 19,296 ft.
- MONETARY UNIT: kyat
- MAJOR LANGUAGES: Burmese, Karen, Shan
- MAJOR RELIGIONS: Buddhist, Tribal religions

THAILAND
- 200,148 sq. mi.
- 30,591,000
- Bangkok
- Bangkok (greater) 1,608,305
- Doi Inthanon 8,452 ft.
- baht
- Thai, Khmer
- Buddhist, Tribal religions

LAOS
- 89,343 sq. mi.
- 1,960,000
- Vientiane
- Vientiane (greater) 162,297
- Phu Bia 9,252 ft.
- kip
- Lao, Khmer (Annamese), French
- Buddhist

CAMBODIA
- AREA: 69,884 sq. mi.
- POPULATION: 6,200,000
- CAPITAL: Phnom Penh
- LARGEST CITY: Phnom Penh (greater) 403,500
- HIGHEST POINT: 5,948 ft.
- MONETARY UNIT: riel
- MAJOR LANGUAGES: Khmer (Cambodian), Lao
- MAJOR RELIGIONS: Buddhist

NORTH VIETNAM
- 63,370 sq. mi.
- 17,900,000
- Hanoi
- Hanoi (greater) 643,576
- Fan Si Pan 10,308 ft.
- dong
- Vietnamese, Lao
- Buddhist, Taoist, Confucianist

SOUTH VIETNAM
- 65,726 sq. mi.
- 15,715,000
- Saigon
- Saigon 1,431,000
- Ngoc Linh 8,524 ft.
- piaster
- Vietnamese, Lao
- Buddhist, Taoist, Roman Catholic

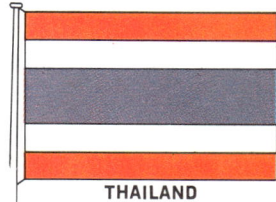

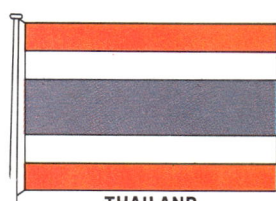

MALAYSIA
- AREA: 127,467 sq. mi.
- POPULATION: 9,148,000
- CAPITAL: Kuala Lumpur
- LARGEST CITY: Kuala Lumpur 316,230
- HIGHEST POINT: Mt. Kinabalu 13,455 ft.
- MONETARY UNIT: Malayan dollar
- MAJOR LANGUAGES: Malay, Chinese, English, Indonesian, Hindi
- MAJOR RELIGIONS: Mohammedan, Confucianist, Buddhist, Tribal religions, Hindu, Taoist

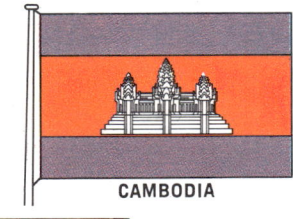

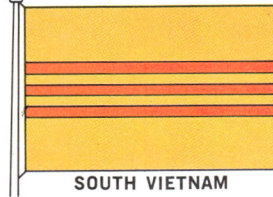

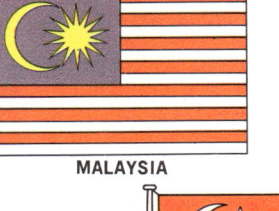

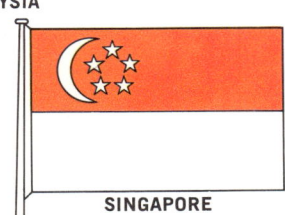

SINGAPORE
- 224 sq. mi.
- 1,844,000
- Singapore
- Singapore (greater) 1,820,000
- Bukit Timah 581 ft.
- Malayan dollar
- Malay, Chinese, Tamil, English
- Confucianist, Buddhist, Taoist, Hindu, Mohammedan, Christian

TOPOGRAPHY

BURMA

INTERNAL DIVISIONS
- Arakan (div.) .... B 3
- Chin Hills (special div.) .... B 2
- Irrawaddy (div.) .... B 3
- Kachin (state) .... C 1
- Kawthoolei (state) .... C 3
- Kayah (state) .... C 3
- Magwe (div.) .... B 2
- Mandalay (div.) .... B 2
- Pegu (div.) .... C 3
- Sagaing (div.) .... B 1
- Shan (state) .... C 2
- Tenasserim (div.) .... C 4

CITIES and TOWNS
- Akyab, 42,329 .... B 2
- Allanmyo, 15,580 .... B 3
- Amarapura, 11,268 .... B 2
- Amherst, 6,000 .... C 3
- Athok, 4,819 .... B 3
- Bassein, 77,905 .... B 3
- Bhamo, 9,821 .... C 1
- Bilin, 5,248 .... C 3
- Chauk, 24,466 .... B 2
- Danubyu, 9,833 .... B 3
- Falam .... B 2
- Fort Hertz (Putao) .... C 1
- Gangaw, 3,800 .... B 2
- Gyobingauk, 9,922 .... C 3
- Henzada, 61,972 .... B 3
- Insein, 27,030 .... C 3
- Kalemyo, 1,086 .... B 2
- Kalewa, 2,230 .... B 2
- Kama, 3,523 .... B 3
- Kamayut, 23,032 .... C 3
- Kanbalu, 3,281 .... B 2
- Kani, 2,600 .... B 2
- Katha, 7,648 .... C 1
- Kawlin, 3,735 .... B 2
- Kyaikto, 13,154 .... C 3
- Kyangin, 6,073 .... B 3
- Kyaukpadaung, 5,480 .... B 2
- Kyaukpyu, 7,335 .... B 3
- Kyaukse, 8,659 .... C 2
- Kyebwe, 3,150 .... C 3
- Labutta, 12,982 .... B 3
- Lashio, ... C 2
- Letpadan, 15,896 .... C 3
- Loi-kaw, ... C 3
- Madauk, 4,618 .... C 3
- Magwe, 13,270 .... B 2
- Mahlaing, 5,362 .... B 2
- Mandalay, 195,348 .... C 2
- Martaban, 5,661 .... C 3
- Ma-ubin, 23,362 .... B 3
- Maungdaw, 3,772 .... B 2
- Mawlaik, 2,993 .... B 2
- Maymyo, 22,287 .... C 2
- Meiktila, 19,474 .... B 2
- Mergui, 33,697 .... C 4
- Minbu, 9,096 .... B 2
- Minbya, 5,783 .... B 2
- Minhla, 6,470 .... B 3
- Mogaung, 2,920 .... C 1
- Mogok, 8,334 .... C 2
- Monywa, 26,279 .... B 2
- Moulmein, 108,020 .... C 3
- Mudon, 20,136 .... C 3
- Myanaung, 11,155 .... B 3
- Myaungmya, 24,532 .... B 3
- Myebon, 3,499 .... B 3
- Myingyan, 36,439 .... B 2
- Myitkyina, 12,382 .... C 1
- Myitnge, 3,888 .... C 2
- Myohaung, 6,534 .... B 2
- Nyaunglebin, 12,155 .... C 3
- Pa-an, 4,139 .... C 3
- Pagan, 2,824 .... B 2
- Pakokku, 30,943 .... B 2
- Palaw, 5,596 .... C 4
- Papun .... C 3
- Paungde, 17,286 .... B 3
- Pegu, 47,378 .... C 3
- Prome, 36,997 .... B 3
- Putao .... C 1
- Pyapon, 19,174 .... B 3
- Pyinmana, 22,025 .... C 3
- Pyu, 10,443 .... C 3
- Rangoon (cap.), 821,800 .... C 3
- Rathedaung, 2,969 .... B 2
- Sagaing, 15,382 .... B 2
- Sandoway, 5,172 .... B 3
- Shwebo, 17,827 .... B 2
- Shwegyin, 5,439 .... C 3
- Shwenyaung .... C 2
- Singkaling Hkamti .... B 1
- Singu, 4,027 .... C 2
- Syriam, 15,296 .... C 3
- Taungdwingyi, 16,233 .... B 2
- Taunggyi .... C 2
- Taungup, 4,065 .... B 3
- Tavoy, 40,312 .... C 4
- Tenasserim, 1,086 .... C 5
- Tharrawaddy, 8,977 .... C 3
- Thaton, 38,047 .... C 3
- Thayetmyo, 11,649 .... B 3
- Thazi, 7,531 .... C 2
- Thonze, 14,443 .... B 3
- Toungoo, 31,589 .... C 3
- Victoria Point, 1,520 .... C 5
- Wakema, 20,716 .... B 3
- Yamethin, 11,167 .... C 2
- Yandoon, 15,245 .... B 3
- Ye, 12,852 .... C 4
- Yenangyaung, 24,416 .... B 2
- Yesagyo, 7,880 .... B 2
- Ye-u, 5,307 .... B 2

PHYSICAL FEATURES
- Amya (pass) .... C 4
- Andaman (sea) .... B 4
- Arakan Yoma (mts.) .... B 3
- Bengal (bay) .... B 3
- Bilauktaung (range) .... C 4
- Chaukan (pass) .... C 1
- Cheduba (isl.), 2,621 .... B 3
- Chin (hills) .... B 2
- Chindwin (river) .... B 2
- Coco (chan.) .... B 4
- Combermere (bay) .... B 3
- Dawna (range) .... C 3
- Great Coco (isl.) .... B 4
- Great Tenasserim (river) .... C 4
- Hkakabo Razi (mt.) .... C 1
- Indawgyi (lake) .... C 1
- Inle (lake) .... C 2
- Irrawaddy (river) .... B 3
- Irrawaddy, Mouths of the (delta) .... B 4
- Kaladan (river) .... B 3
- Khao Luang (mt.) .... C 2
- Loi Leng (mt.) .... C 2
- Manipur (river) .... B 2
- Martaban (gulf) .... C 4
- Mekong (river) .... D 2
- Mergui (arch.) .... C 5
- Mon (river) .... B 2
- Mu (river) .... B 2
- Nam Hka (river) .... C 2
- Nam Pawn (river) .... C 2
- Nam Teng (river) .... C 2
- Negrais (cape) .... B 3
- Pakchan (river) .... C 5
- Pangsau (pass) .... B 1
- Pegu Yoma (mts.) .... B 3
- Preparis (isl.) .... B 4
- Ramree (isl.), 11,133 .... B 3
- Salween (river) .... C 2
- Shan (plateau) .... C 2
- Sittang (river) .... C 3
- Taungthonton (mt.) .... B 1
- Tavoy (point) .... C 4
- Tenasserim (isl.) .... C 4
- Three Pagodas (pass) .... C 3
- Victoria (mt.) .... B 2

CAMBODIA

CITIES and TOWNS
- Banam, †87,048 .... E 5
- Battambang, 38,846 .... D 4
- Cheom Ksan .... E 4
- Chhlong, †46,108 .... E 4
- Chong Kal, †16,918 .... D 4
- Kampot, 12,558 .... E 5

(continued on following page)

Burma, Thailand, Indochina and Malaya
(continued)

CAMBODIA (continued)

Kep, 7,565 ....E 5
Khemarak Phouinville ....D 5
Kohnieh ....E 4
Kompong Cham, 28,534 ....E 4
Kompong Chhnang, 12,847 ....D 4
Kompong Kleang ....E 4
Kompong Speu, 7,453 ....E 5
Kompong Thom, 9,682 ....E 4
Kompong Trabek, †108,227 ....E 5
Koulen ....E 4
Kratie, 11,908 ....E 4
Krauchmar, †63,262 ....E 4
Melouprey ....E 4
Moung, †88,321 ....D 4
Pailin, †15,536 ....D 4
Phnom Penh (cap.), *403,500 ....E 5
Phsar Babau ....D 4
Phsar Oudong, †50,456 ....E 5
Phum Rovieng, †21,151 ....E 4
Poipet ....D 4
Prek Po ....E 5
Prey Veng, 8,792 ....E 5
Pursat, 14,329 ....D 4
Ream ....D 5
Sambor, †11,213 ....E 4
Siem Pang, †8,959 ....E 4
Siem Reap, 10,230 ....D 4
Sihanoukville, 6,578 ....D 5
Sisophon, †29,581 ....D 4
Sre Khtum ....E 4
Stung Treng, 3,369 ....E 4
Suong ....E 5
Svay Rieng, 11,184 ....E 5
Takeo, 11,312 ....E 5
Voeune Sai, †16,912 ....E 4

PHYSICAL FEATURES

Angkor Wat (ruins) ....E 4
Dang Raek, Phanom (mts.) ....D 4
Joncs (plain) ....E 5
Kas Kong (isl.) ....D 5
Kas Rong (isl.) ....D 5
Kas Tang (isl.) ....D 5
Kong, Kas (isl.) ....D 5
Mekong (river) ....E 4
Phanom Dang Raek (mts.) ....D 4
Preapatang (rapids) ....E 4
Rong, Kas (isl.) ....D 5
Samit (point) ....D 5
Se Khong (river) ....E 4
Se San (river) ....E 4
Siam (gulf) ....D 5
Srepok (river) ....E 4
Stung Sen (river) ....E 4
Tang, Kas (isl.) ....D 5
Tonle Sap (lake) ....D 4

LAOS

CITIES and TOWNS

Attopeu, 2,750 ....E 4
Ban Bung Sai ....E 4
Borikhane ....D 3
Botene ....D 3
Boun Neua, 2,500 ....D 2
Boun Tai, †1,681 ....D 2
Champassak, 3,500 ....E 4
Houei Sai, 1,500 ....D 2
Hua Muong ....D 2
Keng Kok, 2,000 ....E 3
Kham Keut, †31,206 ....E 3
Khone ....E 4
Khong, 1,750 ....E 4
Khong Sédone, 2,000 ....E 4
Luang Prabang, 7,596 ....D 3
Mahaxay, 2,000 ....E 3
Muong Beng, †2,305 ....D 2
Muong Bo ....D 3
Muong Hai, †476 ....D 2
Muong Hôm ....D 3
Muong Lan, †836 ....D 3
Muong May ....E 4
Muong Phalane ....E 3
Muong Phine ....E 3
Muong Phong ....D 3
Muong Sai, 2,000 ....D 2
Muong Sing, 1,091 ....D 2
Muong Son ....D 2
Muong Song Khone, 2,000 ....E 3
Muong Wapi ....E 4
Muong Yo ....D 2
Nam Tha, 1,459 ....D 2
Napé ....E 3
Nong Het ....D 3
Ou Neua, †4,300 ....D 2
Pak Beng, †2,964 ....D 3
Pak Hin Boun, 1,750 ....E 3
Pak Sane, 2,500 ....D 3
Paklay, 2,000 ....D 3
Pakse, 8,000 ....E 4
Phiafay, †17,216 ....E 4
Phon Tiou ....E 3
Phong Saly, 2,500 ....D 2
Sam Neua, 3,000 ....E 2
Saravane, 2,350 ....E 4
Savannakhet, 8,500 ....E 3
Sayaboury, 2,500 ....D 3
Tchepone, 1,250 ....E 3
Tha-deua ....D 3
Thakhek, 5,500 ....E 3
Tourakom ....D 3
Vang Vieng, 1,250 ....D 3
Vien Phou Kha ....D 2
Vientiane (cap.), 68,206 ....D 3
Vientiane, *162,297 ....D 3
Xieng Khouang, 3,500 ....D 3

PHYSICAL FEATURES

Bolovens (plateau) ....E 4
Hou, Nam (river) ....D 2
Jars (plain) ....D 3
Mekong (river) ....D 3
Nam Hou (river) ....D 2
Nam Tha (river) ....D 2
Phu Bia (mt.) ....D 3
Phu Co Pi (mt.) ....E 3
Phu Loi (mt.) ....D 2
Rao Co (mt.) ....E 3
Se Khong (river) ....E 4
Tha, Nam (river) ....D 2
Tran Ninh (plateau) ....D 3

MALAYSIA, FEDERATION OF

STATES

Johore, 926,850 ....D 7
Kedah, 701,964 ....D 6
Kelantan, 505,522 ....D 6
Malacca, 291,211 ....D 7
Negri Sembilan, 364,524 ....D 7
Pahang, 313,058 ....D 7
Penang, 572,100 ....D 6
Perak, 1,221,446 ....D 6
Perlis, 90,885 ....D 6
Selangor, 1,012,929 ....D 7
Trengganu, 278,269 ....D 6

CITIES and TOWNS

Alor Gajah, 2,135 ....D 7
Alor Star, 52,915 ....D 6
Baling, 4,121 ....D 6
Bandar Maharani, 39,046 ....D 7
Bandar Penggaram, 39,294 ....D 7
Batu Gajah, 10,143 ....D 6
Bentong, 18,845 ....D 7
Butterworth, 42,504 ....D 6
Chukai, 10,803 ....D 6
Gemas, 4,873 ....D 7
George Town (Penang), 234,903 ....C 6
Ipoh, 125,770 ....D 6
Johore Bahru, 74,909 ....F 5
Kajang, 9,630 ....D 7
Kampar, 24,602 ....D 6
Kangar, 6,064 ....D 6
Klang, 75,649 ....D 7
Kluang, 31,181 ....D 7
Kota Bharu, 38,103 ....D 6
Kota Tinggi, 7,475 ....F 5
Kuala Dungun, 12,515 ....D 6
Kuala Lipis, 8,753 ....D 6
Kuala Lumpur (cap.), 316,230 ....D 7
Kuala Pilah, 12,024 ....D 7
Kuala Selangor, 2,285 ....D 7
Kuala Trengganu, 29,446 ....D 6
Kuantan, 23,034 ....D 7
Kulai, 7,759 ....F 5
Lumut, 2,947 ....D 6
Malacca, 69,848 ....D 7
Mentakab, 12,296 ....D 7
Mersing, 7,228 ....E 7
Pekan, 2,070 ....D 7
Pekan Nenas, 7,129 ....E 5
Penang, 234,903 ....C 6
Pontian Kechil, 8,459 ....E 5
Port Dickson, 4,416 ....D 7
Port Swettenham, 16,925 ....D 7
Port Weld, 2,260 ....D 6
Raub, 15,363 ....D 7
Segamat, 18,445 ....D 7
Seremban, 52,091 ....D 7
Sungei Patani, 22,916 ....C 6
Taiping, 48,206 ....D 6
Tanah Merah, 775 ....D 6
Teluk Anson, 37,042 ....D 6
Tumpat, 8,946 ....D 6

PHYSICAL FEATURES

Aur, Pulau (isl.), 415 ....E 7
Blumut, Gunong (mt.) ....D 7
Gelang, Tanjong (point) ....D 6
Johore (river) ....F 5
Johore (str.) ....E 6
Kelantan (river) ....D 6
Langkawi, Pulau (isl.), 16,535 ....C 6
Lima, Pulau (isl.) ....F 6
Malacca (str.) ....D 7
Malaya (reg.), 7,810,000 ....E 6
Ophir (mt.) ....D 7
Pahang (river) ....D 7
Pangkor, Pulau (isl.), 2,580 ....D 6
Penang (isl.), 338,898 ....C 6
Perak, Gunong (mt.) ....D 6
Perhentian (isls.), 447 ....D 6
Pulai (river) ....E 5
Ramunia, Tanjong (point) ....F 6
Redang, Pulau (isl.), 470 ....D 6
Sedili Kechil, Tanjong (point) ....F 5
Tahan, Gunong (mt.) ....D 6
Temiang, Bukit (mt.) ....D 6
Tenggol, Pulau (isl.), 2,386 ....D 6
Tinggi, Pulau (isl.), 440 ....E 7

SINGAPORE

CITIES and TOWNS

Nee Soon, 6,043 ....F 6
Paya Lebar, 45,440 ....F 6
Serangoon, 3,798 ....F 6
Singapore (cap.), 1,775,200 ....F 6
Singapore, *1,820,000 ....F 6
Woodlands, 737 ....F 6

PHYSICAL FEATURES

Keppel (harb.) ....F 6
Main (str.) ....F 6
Singapore (str.) ....F 6
Tekong Besar, Pulau (isl.), 4,074 ....F 6

THAILAND (SIAM)

CITIES and TOWNS

Amnat, 11,335 ....E 4
Ang Thong, 6,458 ....C 4
Ayutthaya, 24,597 ....D 4
Ban Aranyaprathet, 11,112 ....D 4
Ban Hat Yai, 35,504 ....C 6
Ban Kantang, 5,076 ....C 6
Ban Khlong Yai, 3,815 ....D 5
Ban Pak Phanang, 11,963 ....D 5
Ban Pua, 12,317 ....D 3
Ban Sattahip, 22,942 ....D 4
Ban Tha Uthen, 7,297 ....D 3
Bang Lamung, 9,087 ....D 4
Bang Saphan, 6,959 ....C 5
Bangkok (cap.), 1,299,528 ....D 4
Bangkok, *1,608,305 ....D 4
Banphot Phisai, 6,036 ....C 3
Buriram, 12,579 ....D 4
Chachoengsao, 19,809 ....D 4
Chai Badan, 6,158 ....D 4
Chai Buri, †31,135 ....D 3
Chainat, 4,652 ....D 4
Chaiya, 3,607 ....C 5
Chaiyaphum, 9,633 ....D 4
Chang Khoeng, 6,037 ....C 3
Chanthaburi, 10,780 ....D 4
Chiang Dao, 8,017 ....C 3
Chiang Khan, 5,810 ....D 3
Chiang Rai, 11,663 ....C 3
Chiang Saen, 5,443 ....C 2
Chiengmai, 65,600 ....C 3
Chon Buri, 32,496 ....D 4
Chumphon, 9,342 ....C 5
Dan Sai, 6,710 ....D 3
Den Chai, 12,732 ....C 3
Hua Hin, 17,078 ....D 4
Kabin Buri, 3,703 ....D 4
Kalasin, 11,043 ....D 3
Kamphaeng Phet, 7,171 ....C 3
Kanchanaburi, 12,957 ....C 4
Khemmarat, 5,426 ....E 4
Khon Kaen, 19,591 ....D 3
Khorat (Nakhon Ratchasima), 41,037 ....D 4
Khu Khan, †122,206 ....E 4
Kra Buri, 3,717 ....C 5
Krung Thep (Bangkok) (cap.), 1,299,528 ....D 4
Kumphawapi, 20,759 ....D 3
Lae, 5,743 ....D 3
Lampang, 36,488 ....C 3
Lamphun, 10,602 ....C 3
Lang Suan, 4,108 ....C 5
Loei, 7,301 ....D 3
Lom Sak, 8,386 ....D 3
Lop Buri, 21,244 ....D 4
Maha Sarakham, 15,680 ....D 3
Mukdahan, 17,738 ....E 3
Nakhon Nayok, 8,048 ....D 4
Nakhon Pathom, 28,426 ....C 4
Nakhon Phanom, 14,799 ....D 3
Nakhon Ratchasima, 41,037 ....D 4
Nakhon Sawan, 34,947 ....D 4
Nakhon Si Thammarat, 25,919 ....D 5
Nan, 13,843 ....D 3
Nang Rong, 15,623 ....D 4
Narathiwat, 17,508 ....D 6
Ngao, †32,643 ....D 3
Nong Khai, 21,120 ....D 3
Pattani, 16,804 ....D 6
Phanat Nikhom, 9,307 ....D 4
Phangnga, 4,782 ....C 5
Phatthalung, 10,420 ....D 6
Phayao, 17,959 ....C 3
Phet Buri, 24,654 ....C 4
Phetchabun, 5,947 ....D 3
Phichai, 5,258 ....D 3
Phichit, 9,258 ....D 3
Phitsanulok, 30,364 ....D 3
Phon Phisai, 6,745 ....D 3
Phrae, 16,005 ....D 3
Phuket, 28,163 ....C 6
Phutthaisong, 9,315 ....D 4
Prachin Buri, 13,420 ....D 4
Prachuap Khiri Khan, 6,303 ....D 5
Pran Buri, 7,795 ....D 4
Rahaeng (Tak), 13,274 ....C 3
Ranong, 5,993 ....C 5
Rat Buri, 20,383 ....C 4
Rayong, 9,680 ....D 4
Roi Et, 12,930 ....D 4
Rong Kwang, †39,375 ....D 3
Sakon Nakhon, 16,457 ....E 3
Samut Prakan, 21,769 ....D 4
Samut Sakhon, 27,802 ....D 4
Samut Songkhram, 12,801 ....C 4
Sara Buri, 17,572 ....D 4
Satun, 4,369 ....C 6
Sawankhalok, 7,880 ....C 3
Selaphum, 10,395 ....E 3
Sing Buri, 8,384 ....D 4
Singora (Songkhla), 31,014 ....D 6
Sisaket, 9,519 ....E 4
Songkhla, 31,014 ....D 6
Sukhothai, 8,627 ....D 3
Suphan Buri, 13,859 ....C 4
Surat Thani, 19,738 ....C 5
Surin, 13,860 ....D 4
Suwannaphum, 15,731 ....D 4
Tak, 13,274 ....C 3
Takua Pa, 6,308 ....C 5
Thoen, 17,283 ....C 3
Thonburi, 402,818 ....D 4
Thonburi, *459,555 ....D 4
Trang, 17,158 ....C 6
Trat, 3,813 ....D 4
Ubon, 27,092 ....E 4
Udon Thani, 29,965 ....D 3
Uthai Thani, 10,729 ....C 4
Uttaradit, 9,120 ....D 3
Warin Chamrap, 7,067 ....E 4
Yala, 18,083 ....D 6
Yasothon, 9,717 ....D 4

PHYSICAL FEATURES

Amya (pass) ....C 4
Bilauktaung (range) ....C 4
Chao Phraya, Mae Nam (river) ....D 4
Chi, Mae Nam (river) ....D 3
Chong Pak Phra (cape) ....C 5
Dang Raek, Phanom (mts.) ....D 4
Doi Inthanon (mt.) ....C 3
Doi Pha Hom Pok (mt.) ....C 2
Doi Pia Fai (mt.) ....D 4
Kao Prawa (mt.) ....C 3
Khao Luang (mt.) ....C 5
Khwae Noi, Mae Nam (river) ....C 4
Ko Chang (isl.) ....D 4
Ko Kut (isl.) ....D 5
Ko Lanta (isl.), 9,486 ....C 6
Ko Phangan (isl.) ....D 5
Ko Phuket (isl.), 75,652 ....C 5
Ko Samui (isl.), 30,818 ....D 5
Ko Tao (isl.) ....D 5
Ko Terutao (isl.) ....C 6
Ko Thalu (isls.) ....C 5
Kra (isthmus) ....C 5
Laem Pho (cape) ....D 6
Laem Talumphuk (cape) ....D 5
Luang (mt.) ....C 5
Mae Klong, Mae Nam (river) ....C 4
Mekong (river) ....E 3
Mulayit Taung (mt.) ....C 3
Mun, Mae Nam (river) ....D 4
Nan, Mae Nam (river) ....D 3
Nong Lahan (lake) ....D 3
Pa Sak, Mae Nam (river) ....D 4
Pakchan (river) ....C 5
Phanom Dang Raek (mts.) ....D 4
Ping, Mae Nam (river) ....C 3
Samui (str.) ....D 5
Siam (gulf) ....D 5
Tapi, Mae Nam (river) ....C 5
Tha Chin, Mae Nam (river) ....C 4
Thale Luang (lagoon) ....D 6
Three Pagodas (pass) ....C 4
Wang, Mae Nam (river) ....C 3

VIETNAM (NORTH)

CITIES and TOWNS

Ba Don ....E 3
Bac Can ....E 2
Bac Ninh, 22,560 ....E 2
Bai Thuong ....E 3
Bao Ha ....D 2
Bao Lac ....E 2
Ben Thuy ....E 3
Cao Bang ....E 2
Co Lieu ....E 3
Con Cuong ....E 3
Cua Rao ....E 3
Dien Bien Phu ....D 2
Dong Hoi ....E 3
Ha Giang ....E 2
Ha Tinh ....E 3
Haiphong, 182,496 ....E 2
Haiphong, *369,248 ....E 2
Hanoi (cap.), 414,620 ....E 2
Hanoi, *643,576 ....E 2

AGRICULTURE, INDUSTRY and RESOURCES

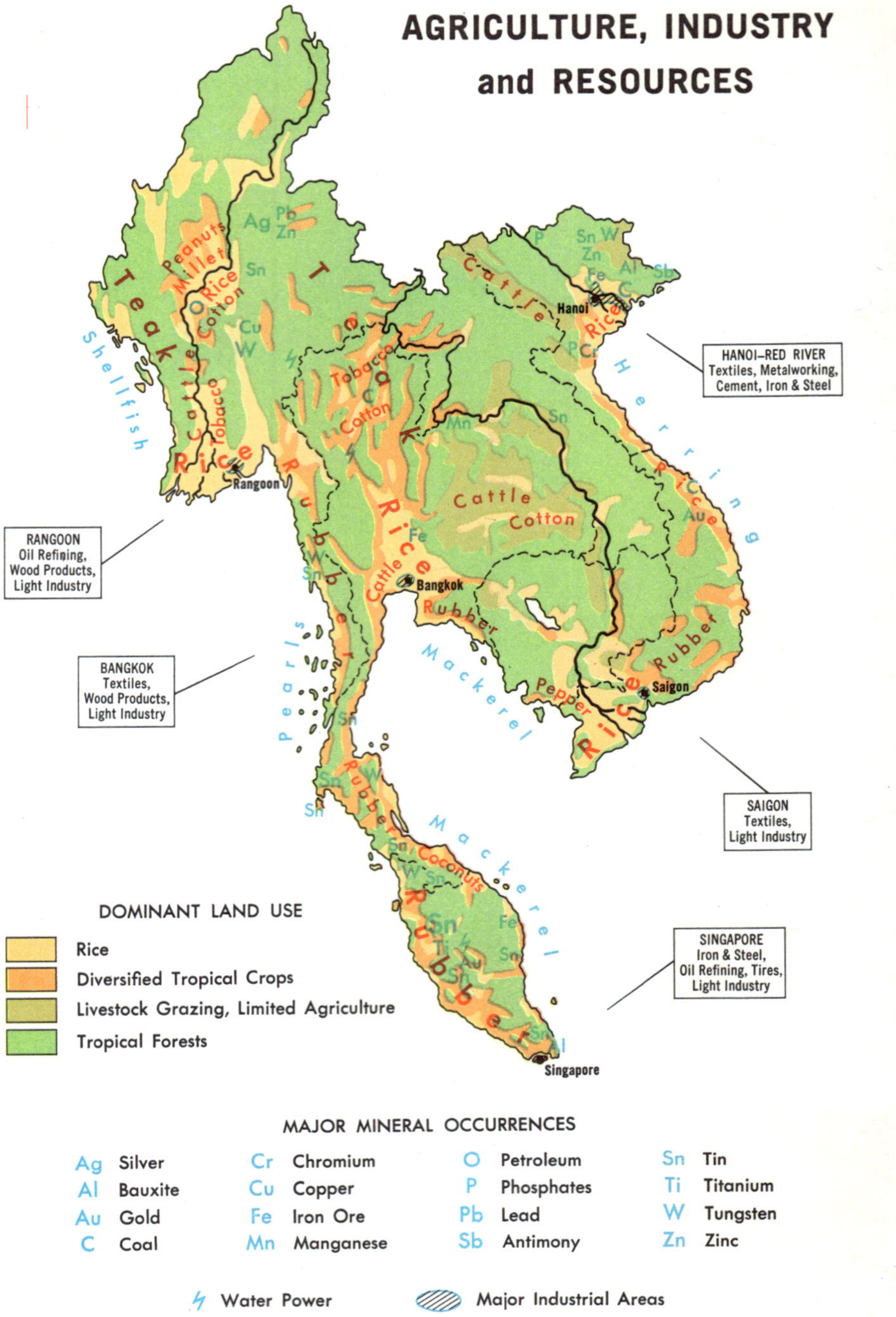
Teak
Peanuts
Millet
Rice
Cotton
Ag
Pb
Zn
Sn
Cu
W
Cattle
Tobacco
Teak
Shellfish
Tobacco
Cotton
Rice
Rangoon
Rubber
Hanoi
Rice
Cattle
Herring
Cattle
Cotton
Rice
Fe
Bangkok
Rubber
Mackerel
Pearls
Pepper
Rubber
Rice
Saigon
Rubber
Mackerel
Coconuts
Singapore
HANOI–RED RIVER
Textiles, Metalworking,
Cement, Iron & Steel
RANGOON
Oil Refining,
Wood Products,
Light Industry
BANGKOK
Textiles,
Wood Products,
Light Industry
SAIGON
Textiles,
Light Industry
SINGAPORE
Iron & Steel,
Oil Refining, Tires,
Light Industry
DOMINANT LAND USE
Rice
Diversified Tropical Crops
Livestock Grazing, Limited Agriculture
Tropical Forests
MAJOR MINERAL OCCURRENCES
Ag Silver
Al Bauxite
Au Gold
C Coal
Cr Chromium
Cu Copper
Fe Iron Ore
Mn Manganese
O Petroleum
P Phosphates
Pb Lead
Sb Antimony
Sn Tin
Ti Titanium
W Tungsten
Zn Zinc
Water Power
Major Industrial Areas

Hoa Binh ....E 2
Hoi Xuan ....E 2
Hon Gay, 35,412 ....E 2
Huong Khe ....E 3
Ke Bao ....E 2
Lai Chau ....D 2
Lang Mo ....E 3
Lang Son, 15,071 ....E 2
Lao Cai ....E 2
Luc An Chau ....E 2
Mon Cay ....E 2
Muong Khuong ....E 2
Nam Dinh, 86,132 ....E 2
Nghia Lo ....D 2
Ninh Binh ....E 2
Phu Dien ....E 3
Phu Lang Thuong ....E 2
Phuly ....E 2
Phu Qui ....E 3
Phu Tho, 10,888 ....E 2
Phu Tinh Gia ....E 3
Quang Khe ....E 3
Quang Yen ....E 2
Ron ....E 3
Son La ....D 2
Son Tay, 19,213 ....E 2
Thai Binh, 14,739 ....E 2
Thai Nguyen, 21,846 ....E 2
Thanh Hoa, 31,211 ....E 3
That Khe ....E 2
Tien Yen ....E 2
Trung Khanh Phu ....E 2
Tuyen Quang ....E 2
Van Hoa ....E 2
Van Yen ....E 2
Vinh, 43,954 ....E 3
Vinh Yen ....E 2
Vu Liet ....E 3
Yen Bai ....E 2
Yen Minh ....E 2

PHYSICAL FEATURES

Bach Long Vi, Dao (isl.) ....F 2
Black (river) ....D 2
Cat Ba, Dao (isl.) ....E 2
Dao Bach Long Vi (isl.) ....F 2
Fan Si Pan (mt.) ....D 2
Lay (cape) ....E 3
Mui Duong (cape) ....E 3
Nightingale (Bach Long Vi) (isl.) ....F 2
Rao Co (mt.) ....E 3
Red (river) ....E 2
Sip Song Chau Thai (mts.) ....D 2
Song Bo (Black) (river) ....D 2
Song Ca (river) ....E 3
Song Coi (Red) (river) ....E 2
Tigre (isl.) ....E 3
Tonkin (gulf) ....E 3

VIETNAM (SOUTH)

CITIES and TOWNS

An Khe ....F 4
An Loc, 5,600 ....E 5
Ba Ngoi ....F 5
Bac Lieu (Vinh Loi), 29,520 ....E 5
Ban Me Thuot, 29,610 ....F 4
Baria (Phuo Cle), 4,770 ....E 5
Bien Hoa, 37,810 ....E 5
Binh Dinh, 18,350 ....F 4
Binh Son ....F 4
Bong Son ....F 4
Bu Dop ....E 4
Can Tho, 49,310 ....E 5
Cao Lanh, 2,560 ....E 5
Cap Saint-Jacques (Vung Tau), 5,800 ....E 5
Chaudoc, 51,600 ....E 5
Cheo Reo ....E 4
Chu Lai ....F 4
Da Lat, 48,840 ....F 5
Da Nang, 110,784 ....E 3
Dak Bla ....E 4
Dam Doi ....E 5
Di Linh, 4,500 ....F 5
Duong Dong ....D 5
Go Cong, 7,570 ....E 5
Go Quao ....E 5
Ha Tien, 5,200 ....E 5
Ham Tan, 9,810 ....E 5
Hoa Da ....F 5
Hoi An, 16,590 ....F 4
Hon Chong ....E 5
Hue, 105,784 ....E 3
Khanh Hoa ....F 4
Khanh Hung, 39,690 ....E 5
Kontum, 8,760 ....E 4
Loc Ninh ....E 5
Long Xuyen, 23,300 ....E 5
Mo Duc ....F 4
Moc Hoa, 5,000 ....E 5
My Tho, 40,070 ....E 5
Nha Trang, 49,150 ....F 4
Phan Rang, 21,940 ....F 5
Phan Ri ....F 5
Phan Thiet, 55,180 ....F 5
Phu Cuong, 22,840 ....E 5
Phu Loc ....E 5
Phu My ....F 4
Phu Rieng ....E 5
Phu Vinh (Tra Vinh), 12,520 ....E 5
Phuoc Le, 4,770 ....E 5
Pleiku, 7,240 ....E 4
Pleime ....E 4
Quan Long, 17,980 ....E 5
Quang Nam ....E 4
Quang Ngai, 8,640 ....F 4
Quang Tri, 10,740 ....E 3
Qui Nhon, 30,900 ....F 4
Rach Gia, 36,960 ....E 5
Sa Dec, 35,410 ....E 5
Saigon (cap.), 1,431,000 ....E 5
Son Ha ....F 4
Song Cau ....F 4
Tam Ky ....F 4
Tam Quan, 3,820 ....F 4
Tan An, 12,840 ....E 5
Tay Ninh, 14,670 ....E 5
Tra Vinh, 12,520 ....E 5
Truc Giang, 15,610 ....E 5
Tuy Hoa, 17,210 ....F 4
Van Gia ....F 4
Vinh Loi, 29,520 ....E 5
Vinh Long, 26,920 ....E 5
Vo Dat ....E 5
Vung Tau, 5,800 ....E 5

PHYSICAL FEATURES

Batangan (cape) ....F 4
Bên Gôi (bay) ....F 4
Ca Mau (Mui Bai Bung) (pt.) ....E 5
Cam Ranh (bay) ....F 5
Chon May (bay) ....F 3
Chu Yang Sin (mt.) ....F 4
Con Son (isls.), 1,200 ....E 5
Cu Lao Hon (isls.), 7,070 ....F 5
Dama, Poulo (isls.) ....D 5
Dao Phu Quoc (isl.) ....D 5
Darlac (plateau) ....F 4
Dent du Tigre (mt.) ....E 3
Deux Frères, Les (isls.) ....E 5
Hon Khoai (isl.) ....E 5
Hon Panjang (isl.) ....D 5
Ia Drang (riv.) ....E 4
Joncs (plain) ....E 5
Ke Ga (point) ....F 5
Kontum (plateau) ....E 4
Lang Bian (mts.) ....E 4
Mekong, Mouths of the (delta) ....E 5
Mui Bai Bung (pt.) ....E 5
Mui Dinh (cape) ....F 5
Nam Tram (cape) ....F 4
Nui Ba Den (mt.) ....E 5
Phu Quoc, Dao (isl.) ....D 5
Poulo Dama (isls.) ....D 5
Poulo Way (isls.) ....D 5
Se San (river) ....E 4
Siam (gulf) ....D 5
Song Ba (river) ....F 4
Song Cai (river) ....E 4
South China (sea) ....F 4
Varella (cape) ....F 4
Way, Poulo (isls.) ....D 5

*City and suburbs.
†Population of district.

CHINA and MONGOLIA

CHINA (MAINLAND)
- AREA 3,745,296 sq. mi.
- POPULATION 700,000,000
- CAPITAL Peking
- LARGEST CITY Shanghai 6,977,000
- HIGHEST POINT Mt. Everest 29,028 ft.
- MONETARY UNIT yüan
- MAJOR LANGUAGES Chinese, Mongol, Turki
- MAJOR RELIGIONS Confucianist, Buddhist, Taoist, Mohammedan

CHINA (TAIWAN)
- 22,440 sq. mi.
- 12,429,000
- Taipei
- Taipei 1,027,648
- Sinkao Shan 13,064 ft.
- new Taiwan dollar
- Chinese, Formosan
- Confucianist, Buddhist, Taoist, Christian, Tribal religions

MONGOLIA
- 625,946 sq. mi.
- 1,044,000
- Ulan Bator
- Ulan Bator 203,000
- Tabun Bogdo 15,266 ft.
- tugrik
- Mongolian, Russian
- Lamaist, Tribal religions

HONG KONG
- AREA 391 sq. mi.
- POPULATION 3,982,100
- CAPITAL Victoria
- MONETARY UNIT Hong Kong dollar
- MAJOR LANGUAGES Chinese, English
- MAJOR RELIGIONS Confucianist, Buddhist, Christian

MACAO
- 6 sq. mi.
- 174,000
- Macao
- pataca
- Chinese, Portuguese
- Confucianist, Buddhist, Taoist, Christian

CHINA (MAINLAND) CHINA (TAIWAN) MONGOLIA

CHINA
PROVINCES
Anhwei, 33,560,000	J 5
Chekiang, 25,280,000	J 6
Fukien, 14,650,000	J 6
Heilungkiang, 14,860,000	L 2
Honan, 48,670,000	H 5
Hopei, 44,720,000	H 4
Hunan, 36,220,000	H 6
Hupei, 30,790,000	H 5
Inner Mongolian Autonomous Region, 9,200,000	G 3
Kansu, 12,800,000	F 4
Kiangsi, 18,610,000	J 6
Kiangsu, 45,230,000	K 5
Kirin, 12,550,000	L 3
Kwangsi Chuang Autonomous Region, 19,390,000	G 7
Kwangtung, 37,960,000	H 7
Kweichow, 16,890,000	G 6
Liaoning, 24,090,000	K 3
Ningsia Hui Autonomous Region, 1,810,000	G 4
Shansi, 15,960,000	H 4
Shantung, 54,030,000	J 4
Shensi, 18,130,000	G 5
Sinkiang-Uigur Autonomous Region, 5,640,000	B 3
Szechwan, 72,160,000	F 5
Taiwan, 12,429,000	K 7
Tibet Aut. Reg., 1,270,000	C 5
Tsinghai, 2,050,000	E 4
Yünnan, 19,100,000	F 7

CITIES and TOWNS
Ahpa	F 5
Aigun	L 1
Aihsien	G 8
Altai	C 2
Amoy, 308,000	J 7
Angangchi	K 2
Ankang	G 5
Anking	J 5
Anshan, 833,000	K 3
Anshun, 40,000	G 6
Ansi	E 3
Anta	L 2
Antung, 370,000	K 3
Anyang, 153,000	H 4
Aqsu	B 3
Arshan	J 2
Awati	B 3
Baba Hatim	B 4
Bai	B 3
Barkha	B 5
Barkhatu	B 4
Barkol	D 3
Batang	E 6
Bayinhot	F 4
Bulak	B 2
Burchun	C 2
Canton, 1,867,000	H 7
Chalainor	J 2
Chamdo	E 5
Changchih, 180,000	H 4
Changfeng, 49,000	J 3
Changchow, 300,000	J 6
Changchow, 81,200	J 7
Changchun, 988,000	K 3
Changpeh	H 3
Changsha, 709,000	H 6
Changteh, 94,800	H 6
Changting	J 6
Changyeh, 45,000	F 4
Chanyi	F 6
Chaochow, 101,000	J 7
Chaotung, 50,000	F 6
Chaoyang, 30,000	J 3
Charkhliq	C 4
Chefoo, 140,000	K 4
Chendo	E 5
Chengan	H 6
Chengchow, 785,000	H 5
Chengkiang	F 7
Chengteh, 120,000	J 3
Chengtu, 1,135,000	F 5
Chenhsien	H 6
Chenpa	G 5
Chenyüan	F 7
Chenyüeh	C 4
Cherchen	C 4
Chiai, 191,074	K 7
Chiehmo (Cherchen)	C 4
Chifeng, 49,000	J 3
Chihshui	G 6
Chihtan	G 4
Chikien	K 1
Chimai	F 5
Chimunai	C 2
Chinchow, 400,000	J 3
Chinkiang, 190,000	J 5
Chinsi, 45,000	K 3
Chinwangtao, 210,000	K 4
Chira	B 4
Chomo Dzong	D 6
Chowkow, 85,500	J 5
Chüanchow, 110,000	J 7
Chüanhsien	G 6
Chucheng	J 4
Chuchow, 190,000	H 6
Chuguchak	B 2
Chühsien	J 6
Chumatien, 45,000	H 5
Chunghsin	K 7
Chungking, 2,165,000	G 6
Chungning	G 4
Chungtien	E 6
Chushul	K 4
Dairen, 766,400	K 4
Denchin	E 5
Draya	D 6
Drepung	D 6
Durbuljin	B 2
Ed Dzong	D 5
Erhlien	H 3
Erhchiang (Charkhliq)	C 4
Fatshan, 120,000	H 7
Fengfeng, 45,000	H 4
Fenghsien	G 5
Fengkieh	G 5
Fengning	J 3
Fenyang, 25,000	H 4
Foochow, 623,000	J 6
Fowyang, 75,000	J 5
Fuchin	M 2
Fuchow, 45,000	J 3
Fuhai	C 2
Fukang	C 2
Fularki	K 2
Fushun, 1,019,000	K 3
Fusin, 290,000	K 3
Fuyü, 62,969	L 2
Fuyüan	M 2
Gartok	B 5
Glamda Dzong (Taichao)	D 5
Golmo	D 4
Gulo Gomba	A 5
Guma	B 4
Gyangtse	C 6
Gyatsa Dzong	D 6
Hailar, 60,000	J 2
Hailun	L 2
Hailung, 20,000	L 3
Hami	D 3
Hanchung, 70,000	G 5
Hangchow, 794,000	J 5
Hankow, 749,952	H 5
Hanku, 75,000	J 4
Hantan, 380,000	H 4

(continued on following page)

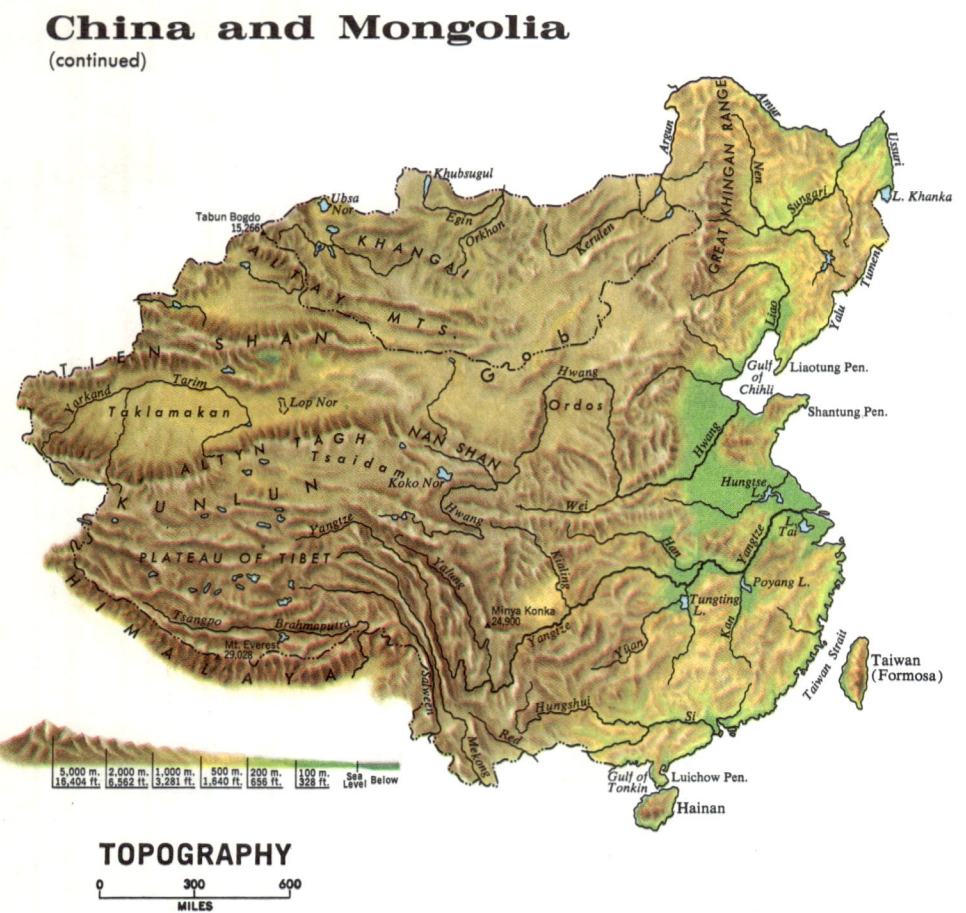

China and Mongolia
(continued)

TOPOGRAPHY

Soochow, 651,000	K 5	Taklakot	B 5
Süchow, 710,000	J 5	Talai, 20,000	K 2
Suhsien	H 5	Tali	E 6
Suihsien, 36,000	H 5	Talien (Dairen), 766,400	K 4
Suihing, 75,000	G 7	Tangshan, 812,000	J 4
Suiteh	G 4	Tanhsien	G 8
Suiting	F 6	Taocheng	F 6
Sungpan	F 5	Taofu	F 5
Sutsien	J 5	Taonan, 75,000	K 2
Swatow, 250,000	J 7	Tapanshang	J 2
Szemao, 20,000	F 7	Tardin	D 4
Szeping, 130,000	K 3	Tash Qurghan	A 5
Tahcheng (Chuguchak)	B 2	Tashigong	E 4
Tahsien	H 5	Tatsaitan	E 4
Taian, 20,000	J 4	Tatung, 243,000	H 3
Taichao	D 5	Tayü	H 6
Taichung, 249,946	H 6	Tehchow, 45,000	J 4
Tainan, 287,797	H 7	Tehko	E 5
Taipei (cap.), 1,027,648	K 7	Telingha	D 4
Taitung	K 7	Tengchung	E 7
Taiyüan, 1,053,000	H 4	Tengkow	F 3
		Thok Daurakpa	C 5
		Thok Jalung	B 5

Tiehling, 52,945	K 3		
Tienpao	G 7		
Tienshui, 63,000	G 5		
Tientsin, 3,278,000	J 4		
Tinghai	K 5		
Tingri Dzong	C 5		
Tingsin	F 3		
Tokoto	G 3		
Töling	B 4		
Tolun	J 3		
Toqsun	D 3		
Tradom	C 5		
Tsagan Usu	H 2		
Tsamkong, 170,000	G 7		
Tsanghsien, 75,000	J 4		
Tselo (Chira)	B 4		
Tsinan, 882,000	J 4		
Tsingkiang	J 5		
Tsinghsien, 75,000	H 6		
Tsingtao, 1,144,000	K 4		
Tsining, 100,000	J 3		
Tsining, 86,200	J 4		
Tsitsihar, 704,000	K 2		

CHINA (continued)

Hanyang	H 5	Kikiang	G 6	Lüshun (Port Arthur), 126,000	K 4	Pingliang, 60,000	G 4
Harbin, 1,595,000	L 2	Kingku	F 7	Lüta, 1,590,000	K 4	Pinglo	G 7
Heiho	D 5	Kingpeng	J 2	Mahai	D 4	Pingsiang, 7,000	G 7
Heitso	F 5	Kingtehchen, 266,000	J 6	Manass	C 3	Pingtung	K 7
Hengyang, 240,000	H 6	Kingyang	G 4	Manchouli, 30,000	J 2	Pingwu	F 5
Hingi	G 6	Kinhwa, 46,200	J 6	Mangyai	D 4	Pingyao	H 4
Hochih	G 7	Kinta	E 3	Mani	M 5	Pinyang	J 5
Hochwan, 75,000	G 5	Kirin, 583,000	L 3	Manikengo	E 5	Pishan (Guma)	A 4
Hofei, 360,000	J 5	Kishow	C 3	Manning	H 8	Pohsien, 75,000	J 5
Hofeng	C 7	Kitai	C 3	Maralbashi	A 4	Pokotu	K 2
Hoifung	J 7	Kiuchüan, 50,000	E 3	Markham Dzong	E 6	Poli	M 2
Hoihong	H 7	Kiukiang, 64,600	H 6	Meihsien	J 7	Port Arthur, 126,000	K 4
Hoihow, 402,000	H 7	Kiungchow	H 8	Mendong Gomba	C 5	Poseh	G 7
Hokang, 200,000	M 2	Kiungchwan		Mengtsz, 193,004	F 7	Potow, 45,000	J 4
Hoppo, 80,000	G 7	Kokiu, 180,000	F 7	Merket	A 4	Pucheng	J 6
Hotien (Khotan)	A 4	Kokonor		Mienning	C 6	Putien	J 6
Hsüchang, 58,000	H 5	Kongmoon, 110,000	H 7	Mienning	F 6	Qara Qash	B 4
Huaiyin	J 5	Kucha	B 3	Mienyang	G 5	Qara Shahr	C 3
Huchow, 120,000	J 5	Kulang	F 4	Mintsin	F 4	Qaraqum	C 3
Hwainan, 280,000	J 5	Kuldja, 85,000	B 3	Mishan	M 2	Qarghaliq	A 4
Hwangchung	F 4	Kumyan	C 3	Moho	K 1	Rima	E 6
Hwanghoyen	E 4	Kungchuling, 60,000	K 3	Mowhsien	F 5	Rudok	B 4
Hwangling	E 4	Kunglu		Mowming, 15,000	H 7	Rungmar Thok	B 5
Hwangshih, 135,000	J 5	Kunming, 900,000	F 7	Moyü (Qara Qash)	B 4	Saka	C 5
Hwangyüan	F 4	Kurla	C 3	Mukden, 2,424,000	K 3	Sanga Cho Dzong	E 6
Hweili	F 6	Kütsing	F 6	Muli	F 6	Santai	F 5
Hweitseh	F 6	Kuyang	G 3	Mutankiang, 251,000	M 3	Shahsien	J 6
Hwohsien	H 4	Kuyüan	G 4	Nanchang, 520,000	J 6	Shahyar	B 3
Ichang, 81,000	H 5	Kwanghwa	H 5	Nanchang, 50,000	J 6	Shangchih	C 5
Ichun	H 6	Kwangnan	G 7	Nanchung, 206,000	G 5	Shanghai, 6,977,000	K 5
Ichun, 200,000	L 2	Kweilin, 170,000	G 6	Nangtsien	E 5	Shanghang	H 7
Iliang		Kweiping	H 7	Nanhsiung	H 7	Shanghsien	H 5
Ining (Kuldja), 85,000	B 3	Kweisui (Huhehot), 320,000	H 3	Nanking, 1,455,000	J 5	Shangiao, 75,000	J 6
Ipin, 190,000	F 6	Kweiyang, 530,000	G 6	Nanning, 260,000	G 7	Shangkiu, 165,000	H 5
Ishan	G 7	Kweiyang	H 6	Nanning, 53,445	H 5	Shangnan	H 5
Julan	F 5	Laiyang	K 4	Nanyang, 75,000	H 5	Shanhaikwan	K 3
Juikin	J 6	Lanchow, 732,000	F 4	Neikiang, 180,000	F 6	Shanshan	D 3
Jyekundo	E 5	Lantsang	E 7	Ningan	L 3	Shantan	F 4
Kaifeng, 318,000	H 5	Leiyang	H 6	Ningerh	F 7	Shaohing, 160,000	K 6
Kailu	K 3	Liaoyang, 169,000	K 3	Ningpo, 280,000	K 6	Shaoyang, 170,000	H 6
Kaitung	K 3	Liaoyüan, 177,000	K 3	Ningsia (Yinchwan), 91,000	F 4	Sharasume (Altai)	D 2
Kalgan, 480,000	J 3	Lhsien	J 6	Ningteh	J 6	Shasi, 113,500	H 5
Kanchow, 98,600	J 6	Liakiang	F 6	Ningtu	J 6	Shekki, 93,000	H 7
Kangting	F 6	Linfen	H 4	Ningwu	H 4	Shentsa Dzong	C 5
Kantse	F 5	Lingling	H 6	Niya	B 4	Shenyang (Mukden), 2,424,000	K 3
Kaohsiung, 371,225	K 7	Linho	G 3	Noh	B 5	Shigatse, 26,000	C 6
Kaotai	E 4	Linhsien	H 5	Noho	K 2	Shihchiachwang, 623,000	J 4
Karamai, 43,000	C 2	Lini, 45,000	J 4	Nunkiang	L 2	Shihchüan	G 5
Kashgar, 100,000	A 4	Linkiang	L 2	Nura	B 4	Shihkiachwang, 623,000	J 4
Kashing, 132,000	K 5	Linkow	L 3	Omin (Durbuljin)	B 2	Shihwei	K 1
Keelung, 197,029	K 6	Linping	H 3	Owpu	L 1	Shiukwan, 81,700	H 7
Kelpin	A 3	Linsi	J 3	Pachen	D 5	Shobando	E 5
Keriya	B 4	Linsia, 75,000	F 4	Pachu (Maralbashi)	A 4	Shohsien	H 4
Khabakhe	D 2	Linting, 45,000	J 5	Pachung	G 5	Shwangcheng	K 2
Khana Abasa	H 3	Lishui	J 6	Paicheng (Bai)	B 3	Shwangliao	K 3
Khetinsiring	D 5	Litang	F 6	Paicheng, 75,000	K 2	Shwangyashan, 110,000	M 2
Khobuk-Saur (Hofeng)	C 2	Liuchow, 190,000	G 7	Pailingmiao	H 3	Siaho	F 4
Khotan	A 4	Loho, 55,000	H 5	Paiyin, 50,000	F 4	Siakwan, 26,200	F 6
Kiamusze, 232,000	M 2	Loyang, 500,000	H 5	Paiyü	E 5	Sian, 1,368,000	G 5
Kian, 52,800	J 6	Luchow, 130,000	G 6	Pakhoi, 80,000	G 7	Siangfan, 73,300	H 5
Kiangling	H 5	Luchun		Pangkiang	H 3	Siangtan, 247,000	H 6
Kiaoho	L 3	Lukchun	D 3	Pao-chang	H 3	Siangyin	H 6
Kiaohsien		Lungchen, 14,000	E 7	Paoki	E 5	Siapu	J 6
Kienko	G 5	Lungling		Paoki, 180,000	G 5	Sichang	F 6
Kienow	J 6	Lungsi		Paoshan		Sienyang, 70,000	G 5
Kienshui	F 7	Lupeh	K 3	Paoting, 250,000	J 4	Sillnhot, 20,000	J 3
				Paoting, 490,000	G 3	Silung	K 7
				Pehan	A 4	Sinchu	K 7
				Pehpei, 150,000	G 6	Singi Obo	J 5
				Peiping (Peking) (cap.), 4,148,000	J 3	Singsingsia	D 3
				Peking (cap.), 4,148,000	J 3	Singtai, 75,000	H 4
				Penglai	K 4	Sinhsien, 210,000	H 4
				Pengpu, 330,000	J 5	Sinhsien	
				Penki, 449,000	K 3	Sining, 150,000	F 4
				Phongdo Dzong	D 5	Sinsiang, 203,000	H 4
				Pichieh		Siushui	
				Pikiang	E 6	Soche (Yarkand), 80,000	A 4
				Pingchuan	J 3	Solun	K 2

China and Mongolia
(continued)

Tsunyi, 200,000	G 6	Ulughchat	A 4	Wuyüan	G 3	Yungan	J 6	Erh Hai (lake)	F 6	Hulun Nor (lake)	J 2
Tsuyung	F 6	Uniket	L 2	Wuyün	F 6	Yurfgkia (Wenchow), 210,000	J 6	Everest (mt.)	C 6	Hungshui Ho (river)	G 7
Tuhshan	F 5	Urumchi, 320,000	C 3	Yaan, 55,200	F 6	Yungteng	F 4	Fen Ho (river)	H 4	Hungtow (isl.)	K 7
Tulan	E 4	Wanhsien, 75,000	G 5	Yangchow, 160,000	K 5	Yühsien	H 5	Formosa (Taiwan) (isl.)	J 7	Hungtse (lake)	J 5
Tulin	K 1	Weifang, 190,000	K 4	Yangchüan, 200,000	H 4	Yünkiangho	E 7	Formosa (Taiwan) (str.)	J 7	Hwang Ho (river)	H 5
Tumen	M 3	Weihai, 50,000	K 4	Yangi Hissar	A 4	Yüshashan	E 5	Chang Tang (plat.)	B 5	Indus (river)	A 5
Tungchwan, 45,000	F 6	Weining	E 6	Yarkand, 80,000	A 4	Yüshu (Jyekundo)	E 5	Chao (lake)	J 5	Inner Mongolia (reg.)	F 3
Tungho	L 2	Weisi	E 6	Yehsien	K 4	Yütien (Keriya)	B 4	Cherchen (river)	C 4	Jiggilat Tso (lake)	B 5
Tunghwa, 158,000	L 3	WeiyÜan	A 4	Yenki (Qara Shahr)	C 3	Yütze, 100,000	H 4	Chihli (gulf)	J 4	Kailas (mt.)	B 5
Tungjen	H 6	Wenchow, 210,000	J 6	Yenki, 80,000	L 3			Chumar (river)	D 5	Kaoyu (lake)	J 5
Tungkiang, 96,652	M 2	Wenhsien	G 4	Yenyüan	E 6	PHYSICAL FEATURES		Chushan (arch.)	K 5	Kara Nor (lake)	E 4
Tungkwan	H 5	Wompo	H 6	Yinchwan, 91,000	F 4			Dre Chu (river)	E 5	Karakhoto (ruins)	F 3
Tungliao, 40,000	K 3	Wuchang, 199,000	H 5	Yingkow, 161,000	K 3	Achchik Kol (lake)	C 4	Dza Chu (river)	E 5	Karakoram (mts.)	A 4
Tunhwa, 90,000	M 3	Wuchow, 120,000	H 7	Yingtak	H 7	Alashan (desert)	F 4	Dzungaria (region)	C 3	Kashum Tso (lake)	C 5
Tunhwang	D 3	Wuchung, 45,000	F 4	Yiyang, 75,000	H 6	Altay (mts.)	C 2	East China (sea)	L 6	
Tunki, 75,000	J 6	Wuchwan	H 6	YÜanling	G 6	Altyn Tagh (range)	C 4	Ebi Nor (lake)	C 3	(continued on following page)
Tuyün, 60,000	G 6	Wuhan, 2,226,000	H 5	Yüehsi	F 6	Amne Machin (mts.)	E 5	Himalaya (mts.)	B-D 6	
Tzekiang, 280,000	H 5	Wuhu, 240,000	J 5	Yühsien	H 4	Amur (river)	L 2			
Tzekwel	H 5	Wusih, 616,000	K 5	Yülin	G 4	Argun (river)	J 1	Grand (canal)	J 4	
Tzepo, 875,000	J 4	Wusu	F 3	Yülin	H 7	Ayagh Kum Kol (lake)	C 3	Great Khingan (range)	K 2	
Tzeyang	J 4	Wutungkiao, 140,000	F 6	Yümen	E 3	Bagrach Kol (lake)	C 3	Great Wall (ruins)	E 4	
Uch Turfan	A 3	Wuwei	F 4	Yümen, 200,000	E 4	Bam Tso (lake)	D 5	Gurla Mandhata (mt.)	B 5	
Ulanhot, 51,400	K 2					Bashi (channel)	K 7	Hainan (isl.)	G 8	
						Bayan Kara Shan (range)	E 5	Han Kiang (river)	H 5	
						Black (river)	F 7	Hangchow (bay)	K 5	
						Bogdo Ula (mts.)	C 3			
						Bor Nor (lake)	J 2			
						Chamdo Area (region)	E 5			

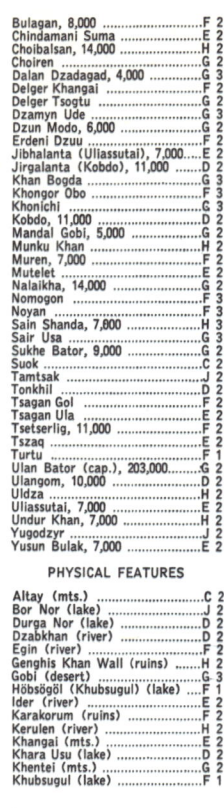

China and Mongolia
(continued)

CHINA (continued)

Kerulen (river)	H 2
Khanka (lake)	M 3
Khotan (river)	B 4
Kialing Kiang (river)	G 5
Kiungchow (str.)	G 7
Koko Nor (lake)	E 4
Kumara (river)	K 1
Kunlun (mts.)	C 4
Kyaring Tso (lake)	C 5
Kyaring Tso (lake)	E 4
Liao Ho (river)	J 3
Liaotung (pen.)	K 3
Lighten Tso (lake)	B 5
Lo Ho (river)	G 5
Lop Nor (dry lake)	D 3
Luichow (pen.)	G 7
Ma Chu (river)	E 5
Manasarowar (lake)	B 5
Manass (river)	C 3
Manchuria (reg.)	K 2
Matsu (isl.)	K 6
Mekong (river)	F 7
Min Kiang (river)	F 5
Min Shan (range)	F 5
Minya Konka (mt.)	F 6
Montcalm (lake)	C 5
Muztagh (mt.)	B 4
Muztagh Ata (mt.)	A 4
Nam Tso (lake)	D 5
Namcha Barwa (mt.)	E 6
Nan Ling (mts.)	H 7
Nan Shan (range)	E 4
Nen (river)	K 2
Nganglaring Tso (lake)	B 5
Ngangtse Tso (lake)	C 5
Ngoring Tso (lake)	E 5
Nyenchen Tanglha (range)	C 6
Olwanpi (cape)	K 7
Ordos (desert)	G 4
Pangong Tso (lake)	A 5
Penghu (isls.)	J 7
Pescadores (Penghu) (isls.)	J 7
Pobeda (peak)	B 3
Po Hai (Chihli) (gulf)	K 4
Poyang (lake)	J 6
Pratas (isl.)	J 7
Quemoy (isl.)	J 7
Red (river)	F 7
Salween (river)	E 6
Shamo (Gobi) (desert)	G 3
Si Kiang (river)	H 7
Siang Kiang (river)	H 6
Sinkao Shan (mt.)	K 7
South China (sea)	H 7
Sungari (res.)	L 3
Sungari (river)	M 2
Sutlej (river)	A 5
Tachen (isls.)	K 6
Tahsüeh Shan (range)	F 6
Tai (lake)	J 5
Taiwan (isl.)	K 7
Taiwan (str.)	J 7
Taklamakan (desert)	B 4
Tanglha (range)	C 5
Tangra Tso (lake)	C 5
Tapa Shan (range)	G 5
Tarbagatay (range)	B 2
Tarim (river)	C 3
Tarok Tso (lake)	B 5
Telli Nor (lake)	G 2
Tien Chih (lake)	F 7
Tien Shan (range)	B 3
Tonkin (gulf)	G 8
Trans-Himalayas (range)	C 5
Tsaidam (swamp)	E 4
Tsangpo (river)	C 6
Tsing Hai (Koko Nor) (lake)	E 4
Tsinling Shan (range)	G 5
Tumen (river)	L 3
Tungsha (Pratas) (isl.)	J 7
Tungting (lake)	H 6
Turfan (depr.)	D 3
Ulan Muren (river)	D 5
Ulugh Muztagh (mt.)	C 4
Ulyungur Nor (lake)	C 2
Urungu (river)	C 2
Ussuri (river)	M 2
Wei Ho (river)	G 5
West Korea (bay)	K 4
Wu Kiang (river)	G 6
Wuyi Shan (range)	J 6
Yalu (river)	L 3
Yalung Kiang (river)	E 5
Yamdrok Tso (lake)	D 6
Yangtze Kiang (river)	K 5
Yarkand (river)	A 4
Yellow (Hwang Ho) (river)	J 4
Yellow (sea)	K 4
Yü Kiang (river)	G 7
Yüan Kiang (river)	G 6
Yühwan (isl.)	K 6
Zilling Tso (lake)	C 5

HONG KONG
CITIES and TOWNS

Kowloon, 726,976	H 7
Victoria (cap.), 633,138	H 7
Victoria, *1,005,041	H 7

MACAO
CITIES and TOWNS

Macao (cap.), 153,630	H 7
Macao, *161,252	H 7

MONGOLIA
PROVINCES

Bayan Khongor, 43,600	F 2
Bayan Ulegei, 45,100	C 2
Bulagan, 31,200	F 2
Central, 50,400	G 2
Dzabkhan, 56,800	E 2
Eastern, 34,300	H 2
East Gobi, 26,300	G 3
Gobi-Altay, 40,500	E 2
Khentei, 35,400	G 2
Khubsugul, 61,100	E 1
Kobdo, 44,800	D 2
Middle Gobi, 27,500	G 2
North Khangai, 60,300	F 2
Selenga, 43,800	G 2
South Gobi, 21,900	F 3
South Khangai, 53,800	F 2
Sukh-Bator, 30,400	H 2
Ubsa Nor, 49,000	D 1

CITIES and TOWNS

Arbai Khere, 6,000	F 2
Baishintu	H 2
Baruun Urta, 6,000	H 2
Bayan Khongor, 4,400	F 2
Bayan Tumen (Choibalsan), 14,000	H 2
Bayan Ulegei, 8,000	D 2
Bulagan, 8,000	F 2
Chindamani Suma	E 2
Choibalsan, 14,000	H 2
Choiren	G 2
Dalan Dzadagad, 4,000	G 3
Delger Khangai	F 2
Delger Tsogtu	G 3
Dzamyn Ude	G 3
Dzun Modo, 6,000	G 2
Erdeni Dzuu	F 2
Jibhalanta (Uliassutai), 7,000	E 2
Jirgalanta (Kobdo), 11,000	D 2
Khan Bogda	F 3
Khongor Obo	G 3
Khonichi	G 2
Kobdo, 11,000	D 2
Mandal Gobi, 5,000	G 2
Munku Khan	H 2
Muren, 7,000	F 2
Mutelet	G 2
Nalaikha, 14,000	G 2
Nomogon	F 3
Noyan	G 3
Sain Shanda, 7,000	H 3
Sair Usa	G 2
Sukhe Bator, 9,000	G 2
Suok	J 2
Tamtsak	J 2
Tonkhil	E 2
Tsagan Ula	F 2
Tseterlig, 11,000	F 2
Tszaq	E 2
Turtu	G 2
Ulan Bator (cap.), 203,000	G 2
Ulangom, 10,000	D 2
Uldza	H 2
Uliassutai, 7,000	E 2
Undur Khan, 7,000	H 2
Yugodzyr	H 2
Yusun Bulak, 7,000	E 2

PHYSICAL FEATURES

Altay (mts.)	C 2
Bor Nor (lake)	J 2
Durga Nor (lake)	D 2
Dzabkhan (river)	E 2
Egin (river)	F 2
Genghis Khan Wall (ruins)	H 2
Gobi (desert)	G 3
Höbsögöl (Khubsugul) (lake)	F 1
Ider (river)	E 2
Karakorum (ruins)	F 2
Kerulen (river)	H 2
Khangai (mts.)	F 2
Khara Usu (lake)	D 2
Khentei (mts.)	G 2
Khubsugul (lake)	F 1
Kirgis Nor (lake)	D 2
Kobdo (river)	D 2
Munku-Sardyk (mt.)	F 1
Onon (river)	H 2
Orkhon (river)	F 2
Selenga (river)	F 2
Shamo (Gobi) (desert)	G 3
Tabun Bogdo (mt.)	C 2
Tannu-Ola (range)	D 1
Tesin (river)	E 2
Ubsa Nor (lake)	D 2

*City and suburbs.

HONG KONG and the NEW TERRITORIES

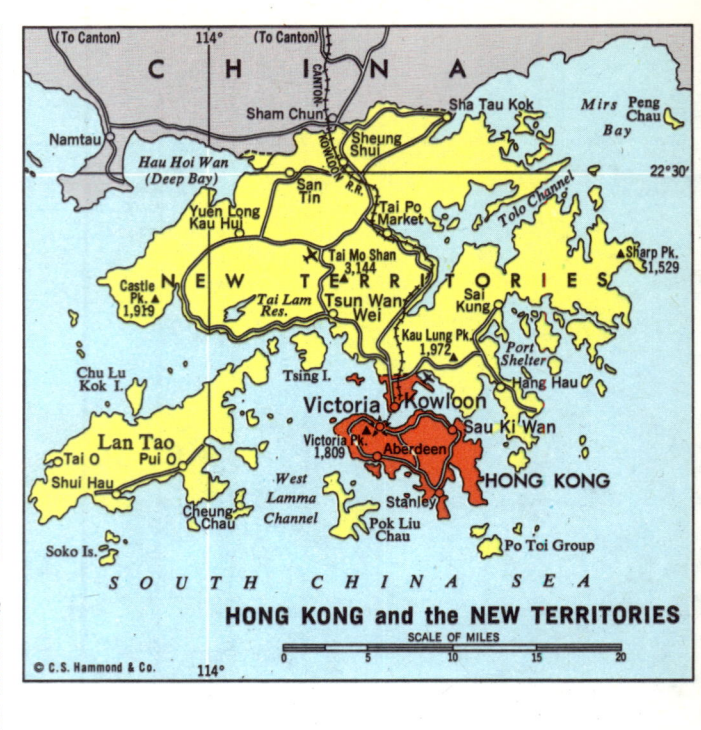

AGRICULTURE, INDUSTRY and RESOURCES

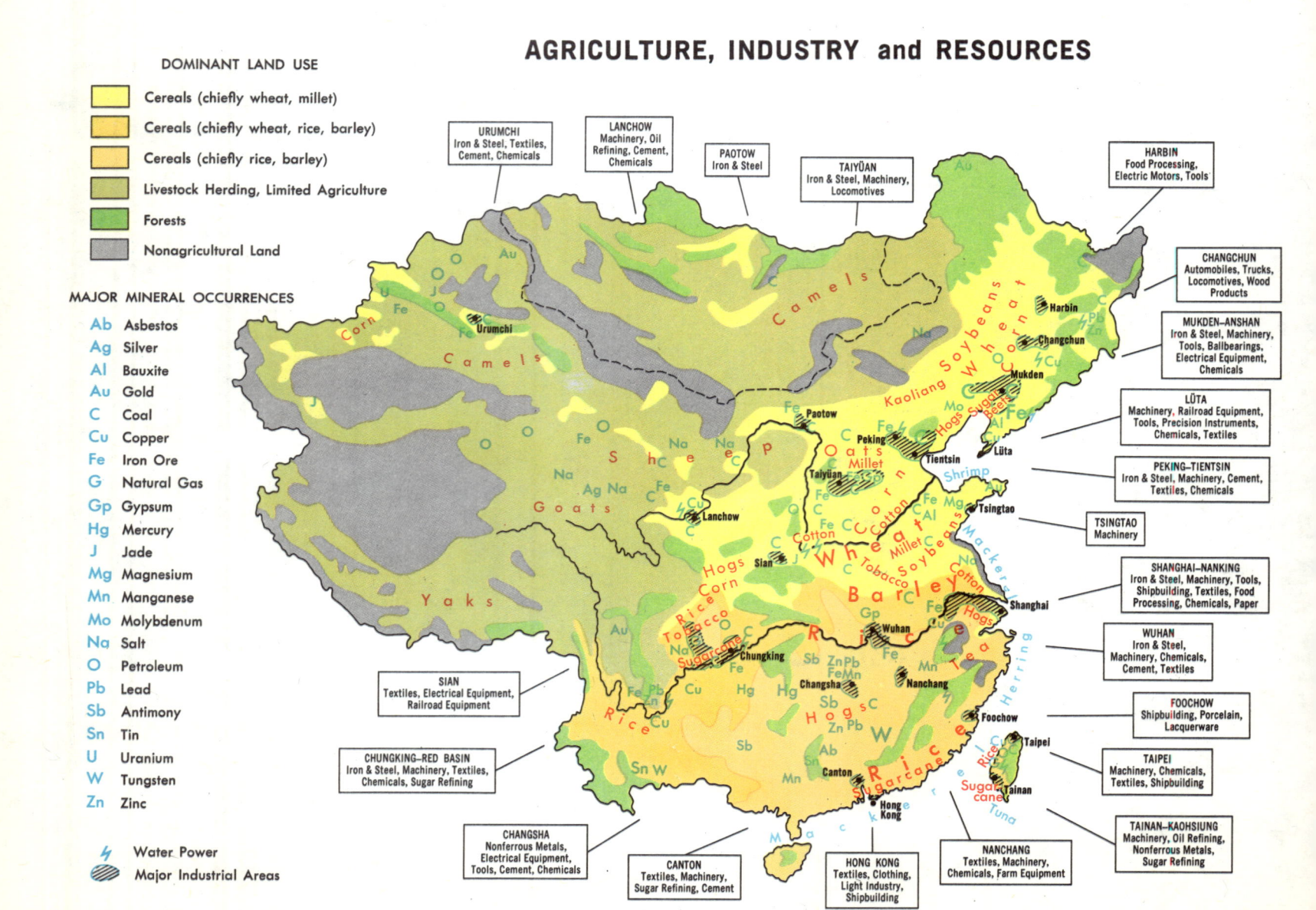

DOMINANT LAND USE
- Cereals (chiefly wheat, millet)
- Cereals (chiefly wheat, rice, barley)
- Cereals (chiefly rice, barley)
- Livestock Herding, Limited Agriculture
- Forests
- Nonagricultural Land

MAJOR MINERAL OCCURRENCES
- Ab Asbestos
- Ag Silver
- Al Bauxite
- Au Gold
- C Coal
- Cu Copper
- Fe Iron Ore
- G Natural Gas
- Gp Gypsum
- Hg Mercury
- J Jade
- Mg Magnesium
- Mn Manganese
- Mo Molybdenum
- Na Salt
- O Petroleum
- Pb Lead
- Sb Antimony
- Sn Tin
- U Uranium
- W Tungsten
- Zn Zinc

⚡ Water Power
▓ Major Industrial Areas

URUMCHI — Iron & Steel, Textiles, Cement, Chemicals
LANCHOW — Machinery, Oil Refining, Cement, Chemicals
PAOTOW — Iron & Steel
TAIYÜAN — Iron & Steel, Machinery, Locomotives
HARBIN — Food Processing, Electric Motors, Tools
CHANGCHUN — Automobiles, Trucks, Locomotives, Wood Products
MUKDEN-ANSHAN — Iron & Steel, Machinery, Tools, Ballbearings, Electrical Equipment, Chemicals
LÜTA — Machinery, Railroad Equipment, Tools, Precision Instruments, Chemicals, Textiles
PEKING-TIENTSIN — Iron & Steel, Machinery, Cement, Textiles, Chemicals
TSINGTAO — Machinery
SHANGHAI-NANKING — Iron & Steel, Machinery, Tools, Shipbuilding, Textiles, Food Processing, Chemicals, Paper
WUHAN — Iron & Steel, Machinery, Chemicals, Cement, Textiles
FOOCHOW — Shipbuilding, Porcelain, Lacquerware
TAIPEI — Machinery, Chemicals, Textiles, Shipbuilding
TAINAN-KAOHSIUNG — Machinery, Oil Refining, Nonferrous Metals, Sugar Refining
SIAN — Textiles, Electrical Equipment, Railroad Equipment
CHUNGKING–RED BASIN — Iron & Steel, Machinery, Textiles, Chemicals, Sugar Refining
CHANGSHA — Nonferrous Metals, Electrical Equipment, Tools, Cement, Chemicals
CANTON — Textiles, Machinery, Sugar Refining, Cement
HONG KONG — Textiles, Clothing, Light Industry, Shipbuilding
NANCHANG — Textiles, Machinery, Chemicals, Farm Equipment

JAPAN and KOREA

JAPAN
- AREA: 142,743 sq. mi.
- POPULATION: 98,399,074
- CAPITAL: Tokyo
- LARGEST CITY: Tokyo (greater) 10,428,000
- HIGHEST POINT: Fuji 12,389 ft.
- MONETARY UNIT: yen
- MAJOR LANGUAGE: Japanese
- MAJOR RELIGIONS: Buddhist, Shinto

NORTH KOREA
- 49,096 sq. mi.
- 10,930,000
- P'yŏngyang
- P'yŏngyang 653,100
- Paektu 9,003 ft.
- won
- Korean
- Confucianist, Buddhist, Christian

SOUTH KOREA
- 36,152 sq. mi.
- 28,155,000
- Seoul
- Seoul 3,108,894
- Halla 6,398 ft.
- hwan
- Korean
- Confucianist, Buddhist, Christian

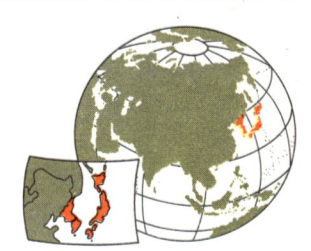

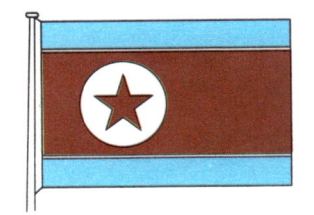

JAPAN
PREFECTURES
- Aichi, 4,649,054 .... H 6
- Akita, 1,356,288 .... J 4
- Aomori, 1,507,020 .... K 3
- Chiba, 2,591,600 .... P 2
- Ehime, 1,516,210 .... F 7
- Fukui, 760,179 .... G 5
- Fukuoka, 4,119,350 .... D 7
- Fukushima, 2,049,212 .... K 5
- Gifu, 1,724,558 .... J 5
- Gumma, 1,613,078 .... J 5
- Hiroshima, 2,322,288 .... F 6
- Hokkaido, 5,316,586 .... K 2
- Hyogo, 4,251,560 .... H 7
- Ibaraki, 2,110,911 .... K 5
- Ishikawa, 990,832 .... H 5
- Iwate, 1,488,136 .... K 4
- Kagawa, 939,255 .... G 6
- Kagoshima, 1,958,346 .... E 8
- Kanagawa, 4,028,999 .... O 2
- Kochi, 878,360 .... F 7
- Kumamoto, 1,850,012 .... E 7
- Kyoto, 2,104,097 .... J 7
- Mie, 1,561,395 .... H 6
- Miyagi, 1,814,749 .... F 4
- Miyazaki, 1,151,293 .... E 8
- Nagano, 2,000,616 .... J 5
- Nagasaki, 1,768,818 .... D 7
- Nara, 817,531 .... J 5
- Niigata, 2,456,551 .... J 5
- Oita, 1,290,711 .... E 7
- Okayama, 1,720,380 .... F 6
- Osaka, 6,258,251 .... J 8
- Saga, 921,832 .... E 7
- Saitama, 2,788,670 .... O 2
- Shiga, 861,500 .... J 7
- Shimane, 874,098 .... F 6
- Shizuoka, 2,890,094 .... H 6
- Tochigi, 1,540,440 .... K 5
- Tokushima, 857,822 .... G 7
- Tokyo, 10,293,193 .... O 2
- Tottori, 604,669 .... G 6
- Toyama, 1,040,430 .... H 5
- Wakayama, 1,059,214 .... G 6
- Yamagata, 1,301,464 .... K 4
- Yamaguchi, 1,609,488 .... E 6
- Yamanashi, 789,954 .... J 6

CITIES and TOWNS
- Abashiri, 44,052 .... M 1
- Ageo, 38,889 .... O 2
- Aikawa, 19,057 .... H 4
- Aizuwakamatsu, 102,000 .... J 5
- Ajigasawa, 22,123 .... J 3
- Akabiri, 54,635 .... K 2
- Akashi, 149,000 .... H 8
- Aki, 30,370 .... F 7
- Akita, 217,000 .... J 4
- Akkeshi, 20,185 .... M 2
- Akune, 38,908 .... E 7
- Amagasaki, 484,000 .... H 8
- Amami, 13,593 .... O 3
- Anamizu, 18,179 .... H 5
- Anan, 60,110 .... G 7
- Anegasaki, 11,307 .... P 3
- Anjo, 56,787 .... H 6
- Aomori, 232,000 .... K 3
- Asahi, 31,493 .... K 5
- Ashikawa, 243,000 .... L 2
- Ashibetsu, 67,137 .... L 2
- Ashikaga, 150,000 .... J 5
- Ashiya, 57,050 .... H 8
- Atami, 52,163 .... J 6
- Atsugi, 46,239 .... O 2
- Awaji, 20,327 .... H 8
- Ayabe, 51,258 .... G 6
- Bekkai .... M 2
- Beppu, 129,000 .... E 7
- Bibai, 87,345 .... L 2
- Biratori, 13,387 .... P 2
- Chiba, 291,000 .... P 2
- Chichibu, 59,796 .... J 6
- Chigasaki, 68,054 .... O 3
- Chitose, 44,522 .... K 2
- Chofu, 68,621 .... O 2
- Choshi, 91,470 .... K 6
- Daito, 20,513 .... J 8
- Ebetsu, 37,396 .... K 2
- Esashi, Hokkaido, 15,366 .... J 3
- Esashi, Hokkaido, 11,913 .... L 1
- Esashi, Iwate, 47,363 .... K 4
- Fuchu, Hiroshima, 40,691 .... F 6
- Fuchu, Tokyo, 104,000 .... O 2
- Fujisawa, 146,000 .... O 2
- Fukagawa, 44,153 .... L 2
- Fukue, 38,860 .... D 7
- Fukui, 160,000 .... H 5
- Fukuoka, 717,000 .... D 7
- Fukushima, Fukushima, 149,000 .... K 5
- Fukushima, Nagano, 9,217 .... H 5
- Fukuyama, 161,000 .... F 6
- Funabashi, 186,000 .... P 2
- Furukawa, 53,953 .... K 4
- Fuse, 230,000 .... J 8
- Futtsu, 16,567 .... O 3
- Gifu, 353,000 .... H 6
- Gobo, 30,700 .... G 7
- Goi, 21,560 .... P 2
- Gose, 35,549 .... J 5
- Goshogawara, 48,033 .... K 3
- Gotsu, 33,485 .... F 6
- Habikino, 36,982 .... J 8
- Haboro, 28,168 .... K 1
- Hachinohe, 188,000 .... K 3
- Hachioji, 178,000 .... O 2
- Hagi, 56,831 .... E 6
- Hakodate, 251,000 .... K 3
- Hakui, 29,556 .... H 5
- Hamada, 46,626 .... E 6
- Hamamatsu, 368,000 .... H 6
- Hamasaka, 15,643 .... G 6
- Hanamaki, 62,385 .... K 4
- Hanno, 46,230 .... O 2
- Haramachi, 41,006 .... K 5
- Hayama, 15,762 .... O 3
- Hikone, 60,864 .... H 6
- Himeji, 360,000 .... H 7
- Himi, 45,962 .... H 5
- Hirakata, 107,000 .... J 7
- Hiraoka, 50,115 .... J 8
- Hirata, 34,799 .... F 6
- Hiratsuka, 121,000 .... O 3
- Hiroo, 12,592 .... L 2
- Hirosaki, 157,000 .... K 3
- Hiroshima, 485,000 .... E 6
- Hitachi, 180,000 .... K 5
- Hitachiota, 38,541 .... K 5
- Hitoyoshi, 47,259 .... E 7
- Hofu, 94,513 .... E 6
- Hokota, 28,657 .... K 5
- Hondo, 41,893 .... E 7
- Honjo, 38,738 .... J 4
- Hyuga, 40,685 .... E 7
- Ibaraki, 71,859 .... J 7
- Ibusuki, 33,623 .... E 8
- Ichikawa, 181,000 .... P 2
- Ichinohe, 26,228 .... K 3
- Ichinomiya, 192,000 .... H 6
- Ichinoseki, 57,585 .... K 4
- Iida, 67,555 .... H 6
- Iizuka, 60,431 .... E 7
- Ikeda, Hokkaido, 16,731 .... L 2
- Ikeda, Osaka, 59,688 .... H 7
- Ikuno, 10,564 .... G 6
- Imabari, 104,000 .... F 6
- Imaichi, 13,369 .... E 8
- Imari, 78,397 .... D 7
- Imazu, 11,347 .... H 6
- Ina, 46,179 .... H 6
- Isahaya, 64,506 .... D 7
- Ise, 104,000 .... H 6
- Ishige, 19,304 .... P 2
- Ishinomaki, 83,947 .... K 4
- Itami, 117,000 .... H 7
- Ito, 54,564 .... J 6
- Itoigawa, 41,910 .... H 5
- Iwaki, 58,080 .... K 5
- Iwakuni, 103,000 .... E 6
- Iwamisawa, 60,650 .... L 2
- Iwanai, 25,093 .... K 2
- Iwasaki, 5,329 .... J 3
- Iwatsuki, 35,169 .... O 2
- Iyo, 30,047 .... F 7
- Izuhara, 23,472 .... D 6
- Izumi, 70,701 .... J 8
- Izumiotsu, 42,304 .... J 8
- Izumisano, 56,827 .... J 8
- Izumo, 69,219 .... F 6
- Kaga, 54,548 .... H 5
- Kagoshima, 322,000 .... E 8
- Kaizuka, 61,067 .... H 8
- Kakogawa, 89,539 .... G 6
- Kamaishi, 87,511 .... L 4
- Kamakura, 144,000 .... O 3
- Kameoka, 42,355 .... J 7
- Kaminoyama, 40,383 .... J 4
- Kamiyaku, 13,369 .... E 8
- Kamo, 39,292 .... J 5
- Kanazawa, 322,000 .... H 5
- Kanonji, 46,731 .... F 6
- Kanoya, 72,498 .... E 8
- Kanuma, 77,927 .... J 5
- Karatsu, 77,825 .... D 7
- Kashima, 63,745 .... P 2
- Kashiwazaki, 74,139 .... J 5
- Kasukabe, 34,280 .... O 2
- Katsuura, 31,141 .... K 6
- Kawachi, 55,132 .... J 8
- Kawachinagano, 34,399 .... J 8
- Kawagoe, 116,000 .... O 2
- Kawaguchi, 213,000 .... O 2
- Kawanishi, 41,916 .... H 7
- Kawasaki, 764,000 .... O 2
- Kazusa, 14,215 .... P 3
- Kembuchi, 9,047 .... L 1
- Kesennuma, 57,016 .... K 4
- Kikonai, 11,914 .... K 3
- Kiryu, 127,000 .... J 5
- Kisarazu, 52,689 .... P 3
- Kishiwada, 134,000 .... J 8
- Kitaibaraki, 60,567 .... K 5
- Kitakata, 42,338 .... J 5
- Kitakyushu, 1,052,000 .... D 7
- Kitami, 66,922 .... L 2
- Kizu, 10,628 .... J 7
- Kobayashi, 43,894 .... E 8
- Kobe, 1,181,000 .... H 7
- Kochi, 217,000 .... F 7
- Kofu, 172,000 .... J 6
- Kojima, 75,256 .... G 6
- Kokubu, 34,256 .... E 8
- Komatsu, 89,085 .... H 5
- Komoro, 39,283 .... J 5
- Koriyama, 112,000 .... K 5
- Kosaka, 15,676 .... K 3
- Kuji, 37,714 .... K 3
- Kuki, 23,114 .... O 2
- Kumagaya, 105,000 .... J 5
- Kumamoto, 397,000 .... E 7
- Kunashiri, 144,000 .... F 2
- Kurayoshi, 51,528 .... F 6
- Kure, 224,000 .... F 6
- Kuroiso, 30,413 .... K 5
- Kurume, 158,000 .... E 7
- Kusatsu, 7,933 .... J 5
- Kushikino, 33,104 .... E 8
- Kushima, 41,143 .... E 8
- Kushimoto, 22,000 .... G 8
- Kushira, 17,495 .... E 8
- Kushiro, 166,000 .... M 2
- Kyoto, 1,324,000 .... J 7
- Machida, 71,269 .... O 2
- Maebashi, 190,000 .... J 5
- Maibara, 13,936 .... G 6
- Makurazaki, 33,511 .... D 8
- Marugame, 61,403 .... G 6
- Mashike, 14,657 .... K 1
- Masuda, 56,053 .... E 6
- Matsubara, 47,037 .... H 8
- Matsudo, 131,000 .... P 2
- Matsue, 108,000 .... F 6
- Matsumae, 19,534 .... J 3
- Matsumoto, 150,000 .... H 5
- Matsusaka, 104,000 .... H 6
- Matsuyama, 276,000 .... F 7
- Mihara, 80,395 .... H 7
- Miki, 38,264 .... H 7
- Mikuni, 22,530 .... H 5
- Minamata, 48,342 .... E 7
- Minobu, 13,805 .... J 6
- Minoo, 34,249 .... J 7
- Mishima, 62,966 .... K 3
- Mitaka, 119,000 .... O 2
- Mito, 158,000 .... K 5
- Mitsukaido, 37,577 .... P 2
- Miura, 39,811 .... O 3
- Miwa, 6,941 .... H 7
- Miyako, 55,385 .... L 4
- Miyakonojo, 92,230 .... E 8
- Miyazaki, 185,000 .... E 8
- Miyazu, 34,799 .... H 6
- Miyoshi, 42,163 .... F 6
- Mizusawa, 44,187 .... K 4
- Mobara, 39,378 .... K 6
- Mombetsu, 40,281 .... L 1
- Mori, 20,010 .... J 3
- Moriguchi, 121,000 .... J 7
- Morioka, 171,000 .... K 4
- Motegi, 26,786 .... K 5
- Murakami, 32,878 .... J 4
- Murayama, 39,057 .... J 4
- Muroran, 170,000 .... K 2
- Muroto, 30,498 .... G 7
- Musashino, 129,000 .... O 2
- Mutsu, 38,312 .... K 3
- Nachikatsuura, 25,775 .... H 7
- Nagahama, Ehime, 18,246 .... F 7
- Nagahama, Shiga, 47,700 .... H 6
- Nagano, 167,000 .... J 5
- Nagaoka, 151,000 .... J 5
- Nagareyama, 25,672 .... P 2
- Nagasaki, 404,000 .... D 7
- Nagato, 30,903 .... E 6
- Nagoya, 1,859,000 .... H 6
- Nakamura, 38,951 .... F 7
- Nakasato, 61,667 .... E 7
- Nakatsu, 61,667 .... E 7
- Nakoso, 48,117 .... K 5
- Nanao, 50,121 .... H 5
- Nangoku, 41,798 .... F 7
- Naoetsu, 43,304 .... J 5
- Nara, 150,000 .... J 8
- Nayoro, 35,859 .... L 1
- Naze, 42,539 .... M 2
- Nemuro, 42,740 .... M 2
- Neyagawa, 45,633 .... J 7
- Nichinan, 61,974 .... E 8
- Niigata, 341,000 .... J 5
- Niihama, 136,000 .... F 7
- Niimi, 37,437 .... F 6
- Niitsu, 56,110 .... J 5
- Nikko, 33,348 .... J 5
- Nishinomiya, 314,000 .... H 8
- Nishinoomote, 32,645 .... E 8
- Nobeoka, 130,000 .... E 7
- Noda, 54,150 .... P 2
- Noshiro, 63,002 .... J 3
- Numata, 42,919 .... J 5
- Numazu, 155,000 .... J 6
- Obama, 36,236 .... G 6

(continued on following page)

AGRICULTURE, INDUSTRY and RESOURCES

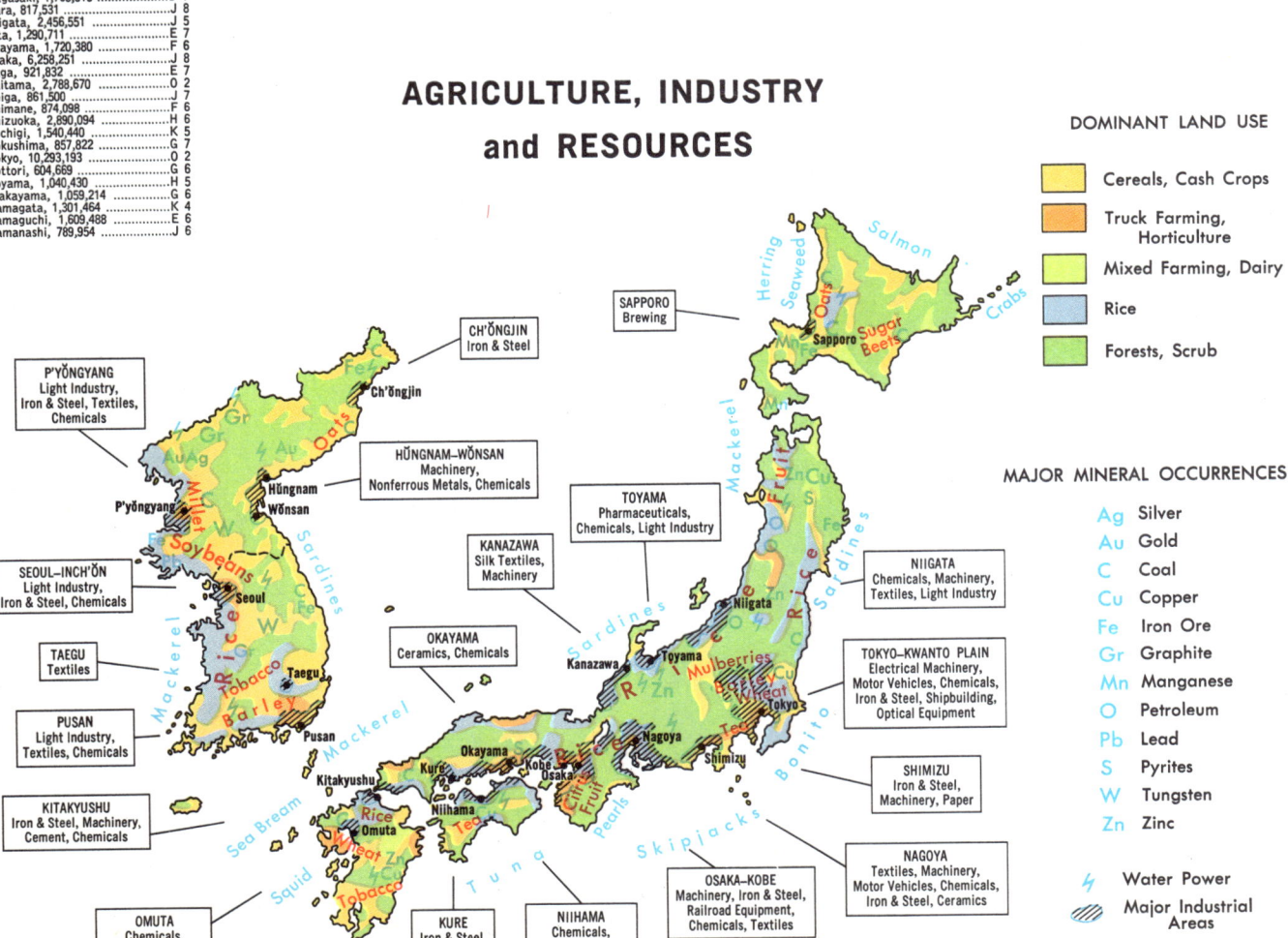

DOMINANT LAND USE
- Cereals, Cash Crops
- Truck Farming, Horticulture
- Mixed Farming, Dairy
- Rice
- Forests, Scrub

MAJOR MINERAL OCCURRENCES
- Ag Silver
- Au Gold
- C   Coal
- Cu Copper
- Fe Iron Ore
- Gr Graphite
- Mn Manganese
- O   Petroleum
- Pb Lead
- S   Pyrites
- W   Tungsten
- Zn Zinc

- Water Power
- Major Industrial Areas

Industrial Centers
- **P'YŎNGYANG**: Light Industry, Iron & Steel, Textiles, Chemicals
- **CH'ŎNGJIN**: Iron & Steel
- **HŬNGNAM-WŎNSAN**: Machinery, Nonferrous Metals, Chemicals
- **SEOUL-INCH'ŎN**: Light Industry, Iron & Steel, Chemicals
- **TAEGU**: Textiles
- **PUSAN**: Light Industry, Textiles, Chemicals
- **KITAKYUSHU**: Iron & Steel, Machinery, Cement, Chemicals
- **OMUTA**: Chemicals, Nonferrous Metals
- **KURE**: Iron & Steel, Shipbuilding, Machinery
- **NIIHAMA**: Chemicals, Nonferrous Metals
- **OKAYAMA**: Ceramics, Chemicals
- **OSAKA-KOBE**: Machinery, Motor Vehicles, Iron & Steel, Railroad Equipment, Chemicals, Textiles
- **NAGOYA**: Textiles, Machinery, Motor Vehicles, Chemicals, Ceramics
- **KANAZAWA**: Silk Textiles, Machinery
- **TOYAMA**: Pharmaceuticals, Chemicals, Light Industry
- **NIIGATA**: Chemicals, Machinery, Textiles, Light Industry
- **SHIMIZU**: Iron & Steel, Machinery, Paper
- **TOKYO-KWANTO PLAIN**: Electrical Machinery, Motor Vehicles, Chemicals, Iron & Steel, Shipbuilding, Optical Equipment
- **SAPPORO**: Brewing

Japan and Korea
(continued)

TOPOGRAPHY

Unzen (mt.)	D 7
Unzen-Amakusa Nat'l Park	D 7
Wakasa (bay)	G 6
Yadaijin (mt.)	K 3
Yaku (isl.), 24,010	E 8
Yariga (mt.)	H 5
Yodo (river)	J 7
Yoron (isl.), 7,792	N 6
Yoshino (river)	G 6
Yoshino-Kumano Nat'l Park	H 7
Zao (mt.)	K 5

KOREA
CITIES and TOWNS

P'anmunjŏm	C 5

PHYSICAL FEATURES

Kanghwa (bay)	B 5
Yellow (sea)	B 6

NORTH KOREA
CITIES and TOWNS

Anak	B 4	Hwangju	C 4
Anju	B 4	Hyesanjin	D 3
Aoji-dong	E 2	Iwon	D 3
Changjin	B 3	Kaesŏng, 139,900	C 5
Ch'angsŏng	B 3	Kanggye	C 3
Chasŏng	B 3	Kapsan	D 3
Chinnamp'o	B 5	Kilchu	E 3
Ch'ŏngjin	E 3	Koksan	C 4
Chŏngju	B 4	Kosŏng	D 4
Cho'san	B 3	Kŏmip'o	C 5
Chŭngsan	B 5	Kŭup-tong	D 3
Chuŭronjang	E 3	Kunu-ri	C 4
Haeju	C 5	Kusŏng	B 4
Hamhŭng	C 4	Kyŏmip'o	C 5
Hapsu	D 3	Manp'ojin	C 3
Hoeryong	E 2	Mup'yŏng-ni	C 3
Hongwŏn	D 4	Musan	D 2
Hŭich'ang	C 4	Najin	E 2
Hŭich'ŏn	C 4	Namch'ŏnjŏm	C 4
Hŭngnam	D 4	Nanam	E 3
		Ongjin	B 5
		Onsong	E 2
		Pak'chŏn	B 4
		Pukch'ŏng	D 3
		P'ungsan	D 3

JAPAN (continued)

Obihiro, 111,000	L 2	Takaishi, 34,104	H 7	Yonago, 94,808	F 6	Kitakami (river)	K 3
Oda, 47,211	F 6	Takamatsu, 242,000	G 6	Yonezawa, 96,991	K 5	Kita-Ura (lake)	K 5
Odate, 57,775	K 3	Takaoka, 139,000	H 5	Yono, 40,840	O 2	Komaga (mt.)	J 6
Odawara, 134,000	J 6	Takarazuka, 66,491	H 7	Yubari, 102,000	L 2	Koshiki (isls.), 20,496	D 8
Ofunato, 35,946	K 4	Takasaki, 157,000	J 5	Yubetsu, 12,192	L 1	Kuchino (isl.), 55,198	O 4
Oga, 46,099	J 4	Takatsuki, 108,000	J 7	Yukuhashi, 47,188	E 7	Kuju (mt.)	E 7
Ogaki, 115,000	H 6	Takawa, 101,000	E 7	Yuzawa, 41,228	K 4	Kutcharo (lake)	M 2
Ogi, 5,948	J 5	Takayama, 50,588	H 5	Zushi, 39,571	O 3	Kyushu (isl.), 13,060,362	E 7
Oita, 228,000	E 7	Takefu, 62,610	G 6			Meakan (mt.)	L 2
Ojiya, 49,445	J 5	Tanabe, Kyoto, 15,793	J 7	*City and suburbs.		Mikuni (mt.)	F 6
Okaya, 74,256	J 6	Tanabe, Wakayama, 48,673	J 7			Mogami (river)	K 4
Okayama, 300,000	F 6	Tateyama, 57,643	K 6			Motsutano (cape)	L 1
Okazaki, 185,000	H 6	Tawaramoto, 19,769	J 8	PHYSICAL FEATURES		Muroto (point)	G 7
Omagari, 41,090	K 4	Tenri, 50,438	J 7			Mutsu (bay)	K 3
Ominato	K 3	Teradomari, 16,291	J 5	Abashiri (river)	M 1	Nantai (mt.)	J 5
Omiya, 198,000	O 2	Teshio, 9,365	K 1	Abukuma (river)	K 4	Nasu (mt.)	J 5
Omu, 10,518	L 1	Toba, 30,521	H 6	Agano (river)	J 5	Nemuto (strait)	M 1
Omura, 59,498	D 7	Tobetsu, 19,391	K 2	Akan Nat'l Park	M 2	Nii (isl.), 4,438	J 6
Omuta, 221,000	E 7	Tochigi, 73,436	J 5	Amakusa (isl.), 248,103	D 7	Nikko Nat'l Park	J 5
Onagawa, 18,002	K 4	Toi, 9,180	J 6	Amami (isls.), 157,909	N 5	Nojima (cape)	J 6
Ono, 44,666	H 6	Tojo, 20,017	F 6	Amami-O-Shima (isl.), 61,673	N 5	Noshappu (cape)	L 1
Onoda, 55,192	E 6	Toki, 55,198	H 6	Ara (river)	J 6	Noto (pen.)	H 5
Onomichi, 91,003	F 6	Tokikawa, 3,886	L 1	Asama (mt.)	J 5	Nyudo (cape)	J 4
Osaka, 3,197,000	J 7	Tokorosawa, 65,903	O 2	Ashizuri (point)	F 7	Oani (river)	K 3
Otaru, 207,000	K 2	Tokushima, 190,000	G 6	Aso (mt.)	E 7	Obitsu (river)	P 3
Otsu, 116,000	J 7	Tokuyama, 77,246	E 6	Aso Nat'l Park	E 7	Oki (isls.), 41,639	F 5
Owase, 34,534	H 6	Tokyo, *10,428,000	O 2	Atsumi (bay)	H 6	Okushiri (isl.), 7,908	J 2
Ozu, 43,583	F 7	Tomakomai, 62,384	K 2	Awa (bay)	J 6	Oma (cape)	K 2
Rausu, 7,558	M 1	Tomiyama, 8,463	O 3	Awaji (isl.), 198,808	H 6	Omine (mt.)	H 7
Rikuzentakata, 31,839	K 4	Tomo	F 6	Bandai (mt.)	K 5	Omono (river)	J 4
Rumoi, 35,818	K 2	Toride, 22,582	P 2	Bandai-Asahi Nat'l Park	K 5	Ono (river)	E 7
Ryotsu, 28,892	J 4	Tosashimizu, 29,944	F 7	Biwa (lake)	J 6	Ontake (mt.)	H 6
Sabae, 49,045	H 5	Tosu, 41,870	E 7	Bungo (strait)	F 7	Osaka (bay)	H 7
Saga, 140,000	E 7	Tottori, 113,000	G 6	Chichibu-Tama Nat'l Park	J 6	O-Shima (isl.), 12,090	H 6
Sagamihara, 131,000	O 2	Towada, 45,362	K 3	Chokai (mt.)	J 4	Osumi (isls.), 88,542	E 8
Saigo, 15,865	F 5	Toyama, 217,000	H 5	Chubu Sangaku Nat'l Park	H 5	Osumi (strait)	E 8
Saiki, 51,369	E 7	Toyohashi, 233,000	H 6	Daio (cape)	H 6	Rebun (isl.), 6,795	K 1
Saito, 37,661	E 7	Toyonaka, 245,000	J 7	Daisen-Oki National Park	F 6	Rikuchu-Kaigan Nat'l Park	K 4
Sakado, 23,569	O 2	Toyooka, 42,569	G 6	Daisetsu (mt.)	L 2	Rishiri (isl.), 19,093	K 1
Sakai, Ibaraki, 22,587	O 2	Tsu, 118,000	H 7	Daisetsu-Zan Nat'l Park	L 2	Sado (isl.), 113,296	J 4
Sakai, Osaka, 426,000	J 7	Tsubata, 21,836	H 5	Dogo (isl.), 26,846	F 5	Sagami (bay)	O 3
Sakaiminato, 32,714	F 6	Tsuchiura, 11,474	O 2	Dozen (isl.), 14,793	F 5	Sagami (river)	O 2
Sakata, 97,671	J 4	Tsuruga, 53,493	H 6	East China (sea)	P 2	San'in Kaigan Nat'l Park	G 6
Sakurai, 35,924	J 8	Tsurugi	H 5	Edo (river)	O 2	Sata (cape)	E 8
Sanda, 32,528	H 7	Tsuruoka, 83,149	J 4	Erabu (isl.), 25,062	N 5	Shikoku (isl.), 4,191,647	F 7
Sanjo, 71,594	J 5	Tsuyama, 78,549	F 6	Erimo (cape)	L 3	Shikotan (isl.)	N 2
Sapporo, 690,000	K 2	Ube, 168,000	E 6	Esan (point)	K 3	Shikotsu (lake)	K 2
Sarufutsu, 8,319	L 1	Ueda, 70,186	J 5	Fuji (mt.)	J 6	Shikotsu-Toya Nat'l Park	K 2
Sasebo, 284,000	D 7	Ueno, 17,702	J 7	Fuji (river)	J 6	Shimano (river)	J 5
Satte, 23,378	O 1	Uji, 47,336	J 7	Fuji-Hakone-Izu Nat'l Park	H 6	Shirakami (cape)	J 5
Sawara, 49,564	P 2	Umi, 20,374	E 7	Gas (mt.)	J 4	Shirane (mt.)	J 5
Sayama, 32,785	O 2	Uozu, 47,309	H 5	Goto (isls.), 302,244	D 7	Shirane (mt.)	H 6
Sendai, Kagoshima, 61,322	E 8	Uraga	J 6	Habomai (isls.)	N 2	Shiretoko (cape)	M 2
Sendai, Miyagi, 464,000	K 4	Urakawa, 21,915	L 2	Hachiro-Gata (lake)	J 4	Shiriya (cape)	K 3
Seto, 82,101	H 6	Urawa, 198,000	O 2	Hakken (mt.)	H 7	Soya (point)	L 1
Shari, 18,371	M 2	Urayasu	O 2	Haku (mt.)	H 5	Suo (sea)	E 7
Shibata, 73,886	J 5	Ushibuka, 34,700	D 7	Hakusan Nat'l Park	H 5	Suruga (bay)	J 6
Shibetsu, 38,951	M 2	Utsukushi, 45,421	K 5	Harima (sea)	G 6	Suwanose (isl.)	O 4
Shimabara, 45,205	E 7	Utsunomiya, 254,000	K 5	Hida (river)	H 6	Suzu (pt.)	H 5
Shimada, 53,900	J 6	Uwajima, 68,106	F 7	Hokkaido (isl.), 5,316,586	L 2	Takeshima (isls.)	D 4
Shimizu, 208,000	J 6	Wajima, 38,754	H 5	Honshu (isl.), 75,830,479	J 5	Tama (river)	O 2
Shimoda, 27,387	J 6	Wakasa, 9,616	H 6	Iki (isl.), 50,497	D 7	Tanega (isl.), 64,532	E 8
Shimonoseki, 255,000	E 6	Wakayama, 312,000	H 7	Inawashiro (lake)	K 5	Tappi (point)	K 3
Shinjuku, 39,114	K 4	Wakkanai, 51,113	K 1	Inubo (cape)	P 3	Tazawa (lake)	K 4
Shinjo, 43,550	K 4	Warabi, 50,952	O 2	Iro (point)	J 6	Tenryu (river)	J 6
Shiogama, 55,325	K 4	Yagi, 11,042	J 7	Ise-Shima Nat'l Park	H 6	Teshio (mt.)	L 1
Shirakawa, 41,196	K 5	Yaizu, 72,118	J 6	Ishikari (bay)	K 2	Teshio (river)	K 1
Shiroishi, 43,911	K 4	Yakumo, 25,111	K 2	Ishikari (river)	K 2	Tobi (isl.)	J 4
Shizuoka, 355,000	N 5	Yamagata, 188,000	K 4	Ishizuchi (mt.)	F 7	Tokachi (river)	L 2
Shobara, 30,663	F 6	Yamaguchi, 104,000	E 6	Iwaki (mt.)	K 3	Tokachi (river)	L 2
Soka, 38,533	O 2	Yamato, 16,322	H 5	Iwate (mt.)	K 4	Tokara (arch.)	O 5
Soma, 41,352	K 5	Yamatokoriyama, 43,093	J 7	Iyo (sea)	F 7	Tokuno (isl.), 19,804	O 5
Suita, 154,000	J 7	Yamatotakada, 41,705	J 7	Izu (isls.), 38,681	J 7	Tone (river)	J 6
Sukumo, 30,016	F 7	Yanagawa, 48,691	E 7	Japan (sea)	G 4	Tosa (bay)	F 7
Sumoto, 48,497	G 6	Yao, 142,000	J 7	Joshinetsu-Kogen Nat'l Park	J 5	Towada (lake)	K 3
Sunagawa, 31,750	K 2	Yatabe, 20,570	P 2	Kagoshima (bay)	E 8	Towada-Hachimantai Nat'l Park	K 3
Susaki, 32,976	F 7	Yatsushiro, 107,000	E 7	Kamui (cape)	K 2	Toya (lake)	K 2
Sutsu, 9,121	K 2	Yawata, 16,322	H 6	Kariba (mt.)	K 2	Toyama (bay)	H 5
Suwa, 44,035	H 5	Yawatahama, 42,527	F 7	Kasumiga-Ura (inlet)	K 5	Tsu (isls.), 69,556	D 6
Suzu, 20,650	H 5	Yoichi, 28,659	K 2	Kii (channel)	H 7	Tsugaru (strait)	J 3
Tachikawa, 67,949	O 2	Yokkaichi, 218,000	H 6	Kikai (isl.), 14,738	O 5	Tsurugi (mt.)	G 7
Taira, 71,115	K 5	Yokohama, 1,590,000	O 2	Kino (river)	J 7	Tsushima (strait)	D 6
Takada, 73,238	J 5	Yokosuka, 297,000	O 3	Kirishima Nat'l Park	E 8	Uchiura (bay)	K 2
		Yokote, 46,950	K 4				

JAPAN is divided into prefectures bearing the same names as their capitals except:

Prefecture	Capital	Ref.
AICHI	NAGOYA	H 6
EHIME	MATSUYAMA	F 7
GUMMA	MAEBASHI	J 5
HOKKAIDO	SAPPORO	K 2
HYOGO	KOBE	H 7
IBARAKI	MITO	K 5
ISHIKAWA	KANAZAWA	H 5
IWATE	MORIOKA	K 4
KAGAWA	TAKAMATSU	G 6
KANAGAWA	YOKOHAMA	O 3
MIE	TSU	H 6
MIYAGI	SENDAI	K 4
SAITAMA	URAWA	O 2
SHIGA	OTSU	J 7
SHIMANE	MATSUE	F 6
TOCHIGI	UTSUNOMIYA	K 5
YAMANASHI	KOFU	J 6

Japan and Korea
(continued)

P'yonggang	C 4	East Korea (bay)	D 4	Chech'on, 38,924	D 5	Masan, 145,585	D 6
P'yongyang (cap.), 653,100	B 4	Kömdök (mt.)	D 3	Cheju, 72,327	C 7	Miryang, 36,021	D 6
Sariwon	B 4	Kwanmo (mt.)	D 3	Chinhae, 69,880	D 6	Mokp'o, 145,008	C 6
Sinch'on	B 4	Myohyang (mt.)	C 3	Chinju, 92,550	D 6	Muju, 17,014	C 5
Sinmak	B 4	Nangnim-Sanmaek (range)	C 3	Choch'iwon, 23,143	C 5	Namwŏn, 39,362	C 5
Sinp'o	D 3	Paektu (mt.)	D 2	Ch'ōnan, 64,107	C 5	P'ohang, 60,715	D 5
Siniuiju	B 3	Puksubaek (mt.)	D 2	Ch'ŏngju, 112,014	C 5	Posŏng, 18,900	C 6
Sönch'ön	B 4	Piro (mt.)	D 4	Ch'ŏngjin, 41,437	D 3	Pusan, 1,292,802	D 6
Söngch'on	C 4	Sasu (mt.)	C 3	Chōnju, 195,859	C 5	Samch'ok, 30,169	D 5
Songjin	D 3	Taedong (river)	C 4	Ch'unch'ŏn, 86,432	D 5	Samnangjin, 20,022	D 6
Sunan	B 4	Tumen (river)	D 2	Ch'ungju, 72,016	C 5	Sangju, 46,925	C 5
Sunch'ŏn	C 4	Tuun (mt.)	C 3	Hongch'ŏn, 19,966	D 5	Seoul (cap.), 3,108,894	C 5
Tanch'ŏn	D 3	West Korea (bay)	B 4	Hongsŏng, 20,395	C 5	Sōsan, 27,607	C 5
T'ongch'ŏn	D 4	Yalu (river)	B 3	Inch'ŏn, 430,134	C 5	Sunch'ŏn, 72,552	C 6
Uiju	B 3			Iri, 68,479	C 5	Suwŏn, 115,147	C 5
Unggi	E 2			Kanggyŏng, 24,554	C 5	Taegu, 737,997	D 5
Wonsan	C 4	SOUTH KOREA		Kangnüng, 59,108	D 5	Taejon, 270,566	C 5
Yangdŏk	C 4	CITIES and TOWNS		Koch'ang, 31,895	C 6	Tamyang, 13,372	C 6
Yongamp'o	B 4			Kongju, 27,071	C 5	Tongyŏng, 22,853	D 6
Yonghüng	C 4	Andong, 55,849	D 5	Kumch'ŏn, 53,258	B 5	Ulchin, 23,424	D 5
		Ansŏng, 22,995	C 5	Kunsan, 91,706	C 5	Ulsan, 85,731	D 6
PHYSICAL FEATURES		Changhüng, 26,844	C 6	Kwangju, 312,645	C 6	Wŏnju, 81,326	C 5
		Changsŏng, 24,868	C 6	Kyŏngju, 79,480	D 6	Yangyang, 9,863	D 5
Chang Pai Shan (range)	D 2			Kyŏngsŏng (Seoul) (cap.),		Yŏngch'ŏn, 39,192	D 5
Changjin (res.)	C 3			3,108,894	C 5	Yŏngdŏk, 18,509	D 5

Yŏngju, 32,409	D 5	So (isl.)	C 6
Yŏsu, 90,575	C 6	Taebaek (mt.)	D 5
		Ullŭng (isl.), 19,054	E 5
PHYSICAL FEATURES			
		RYUKYU ISLANDS	
Cheju (isl.), 288,879	C 7		
Cheju (strait)	C 7	CITIES and TOWNS	
Dagelet (Ullŭng) (isl.), 19,054	E 5		
Halla (mt.)	C 7	Hiara, 32,506	L 7
Han (river)	C 5	Ishigaki, 25,943	L 7
Kōje (isl.), 114,286	D 6	Itoman, 33,580	N 6
Korea (strait)	D 6	Koza, 46,695	N 6
Kŭm (river)	C 5	Motobu, 16,365	N 6
Kyebang (mt.)	D 5	Nago, 18,288	N 6
Naktong (river)	D 6	Naha (cap.), 246,049	N 6
Port Hamilton (So) (isl.)	C 7	Shuri	N 6
Quelpart (Cheju) (isl.), 288,879	C 7		

PHYSICAL FEATURES	
Ie (isl.), 7,492	N 6
Iheya (isl.), 3,233	N 6
Iriomote (isl.), 3,494	K 7
Ishigaki (isl.), 38,481	L 7
Kerama (isls.), 3,062	M 6
Kume (isl.), 15,143	M 6
Miyako (isl.), 72,339	L 7
Miyako (isls.), 55,442	L 7
Okinawa (arch.), 759,341	N 6
Okinawa (isl.), 698,590	N 6
Sakishima (isls.), 123,781	K 7
Tarama (isl.), 2,706	L 7
Yaeyama (isls.), 51,442	K 7
Yonaguni (isl.), 4,701	K 7

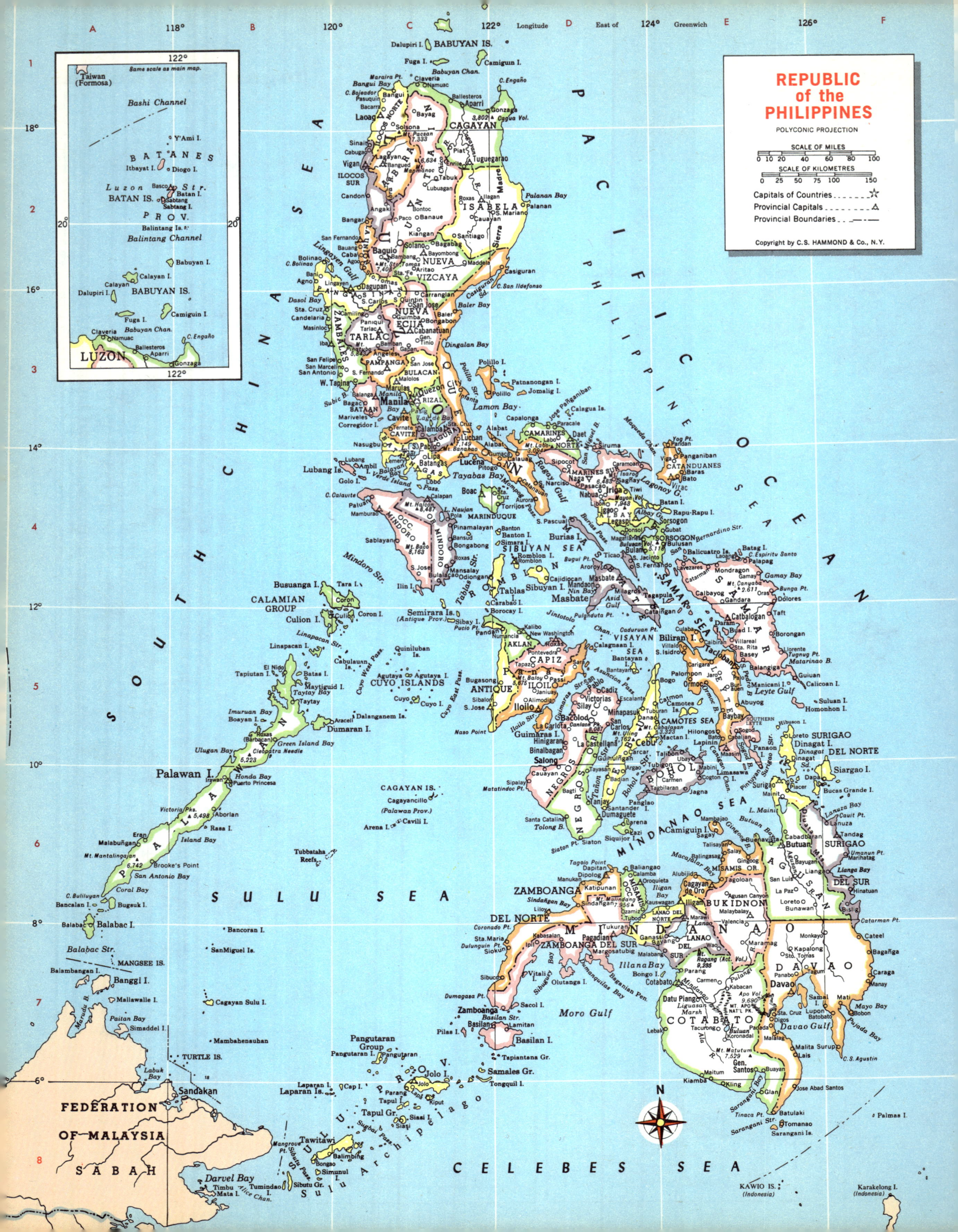
REPUBLIC of the PHILIPPINES
POLYCONIC PROJECTION
SCALE OF MILES
0 10 20 40 60 80 100
SCALE OF KILOMETRES
0 25 50 75 100 150
Capitals of Countries
Provincial Capitals
Provincial Boundaries
Copyright by C.S. HAMMOND & Co., N.Y.
Longitude East of Greenwich
118° 120° 122° 124° 126°
18° 16° 14° 12° 10° 8° 6°
Same scale as main map.
Taiwan (Formosa)
Bashi Channel
BATANES
Itbayat I.
Y'Ami I.
Basco
Diogo I.
Luzon Str.
BATAN IS.
Batan I.
Sabtang I.
PROV.
Balintang Is.
Balintang Channel
Babuyan I.
Calayan I.
Calayan
BABUYAN IS.
Dalupiri I.
Camiguin I.
Fuga I.
Babuyan Chan.
Claveria
Namac
C. Engaño
Ballesteros
Aparri
LUZON
Gonzaga
SOUTH CHINA SEA
PACIFIC OCEAN
PHILIPPINE SEA
SULU SEA
CELEBES SEA
MINDANAO SEA
VISAYAN SEA
SIBUYAN SEA
CAMOTES SEA
SAMAR SEA
Moro Gulf
Davao Gulf
Leyte Gulf
Lingayen Gulf
Manila Bay
Tayabas Bay
Lamon Bay
Baler Bay
Dingalan Bay
Palanan Bay
Honda Bay
Ulugan Bay
Imuruan Bay
Illana Bay
Mindoro Str.
Tablas Str.
Basilan Str.
Surigao Str.
San Bernardino Str.
Balabac Str.
Sulu Archipelago
CAGAYAN
ISABELA
ILOCOS NORTE
ILOCOS SUR
NUEVA VIZCAYA
NUEVA ECIJA
TARLAC
PAMPANGA
BULACAN
BATAAN
CAVITE
LAGUNA
RIZAL
QUEZON
BATANGAS
CAMARINES NORTE
CAMARINES SUR
ALBAY
SORSOGON
CATANDUANES
MARINDUQUE
OCC. MINDORO
MINDORO
ROMBLON
MASBATE
SAMAR
LEYTE
SOUTHERN LEYTE
BILIRAN
CAPIZ
AKLAN
ANTIQUE
ILOILO
NEGROS
CEBU
BOHOL
SURIGAO DEL NORTE
SURIGAO DEL SUR
AGUSAN
MISAMIS OR.
BUKIDNON
LANAO DEL NORTE
LANAO DEL SUR
ZAMBOANGA DEL NORTE
ZAMBOANGA DEL SUR
COTABATO
DAVAO
SULU PROV.
PALAWAN
Palawan I.
Puerto Princesa
CALAMIAN GROUP
Busuanga I.
Culion I.
CUYO ISLANDS
CAGAYAN IS.
Cagayancillo (Palawan Prov.)
Tubbataha Reefs
Balabac I.
Bugsuk I.
Pangutaran Group
Jolo I.
Jolo
Tapul Gr.
Tawitawi
Samales Gr.
Basilan I.
Basilan
Zamboanga
Laoag
Vigan
Baguio
Dagupan
Manila
Quezon
Cavite
Batangas
Lucena
Legaspi
Naga
Masbate
Iloilo
Bacolod
Cebu
Tacloban
Catbalogan
Dumaguete
Cagayan de Oro
Iligan
Butuan
Surigao
Davao
Cotabato
Dipolog
Pagadian
Malaybalay
Tuguegarao
Aparri
Siargao I.
Dinagat I.
Camiguin I.
Siquijor I.
Guimaras I.
Polillo I.
Catanduanes
Biliran I.
Semirara Is.
Sibuyan I.
Tablas
Mt. Apo
Sarangani Is.
FEDERATION OF MALAYSIA
SABAH
Sandakan
Darvel Bay
Labuk Bay
TURTLE IS.
MANGSEE IS.
Banggi I.
Balambangan I.
KAWIO IS. (Indonesia)
Karakelong I. (Indonesia)
Palmas I.
N

PHILIPPINES

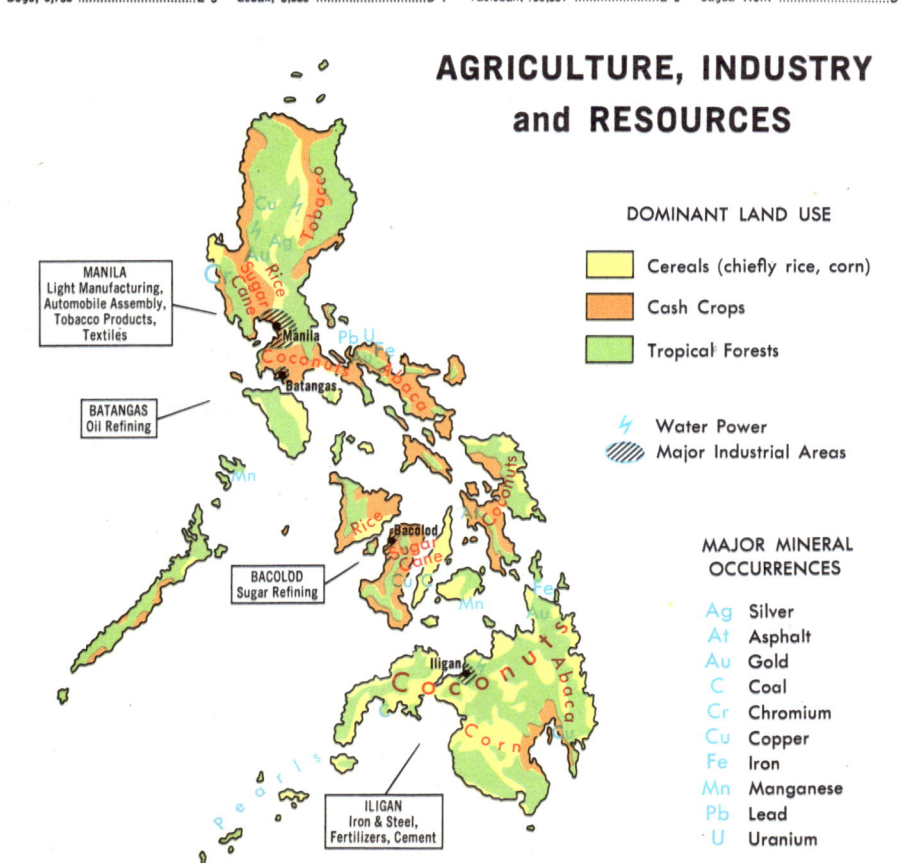

AREA	115,600 sq. mi.
POPULATION	32,345,000
CAPITAL	Quezon City
LARGEST CITY	Manila 1,138,611
HIGHEST POINT	Apo 9,690 ft.
MONETARY UNIT	Philippine peso
MAJOR LANGUAGES	Malayan languages (Tagalog, etc.), English, Spanish
MAJOR RELIGIONS	Roman Catholic, Mohammedan, Tribal religions

PROVINCES

Abra, 115,193 ....C 2
Agusan, 271,010 ....E 6
Aklan, 226,232 ....D 5
Albay, 514,980 ....D 4
Antique, 238,405 ....D 5
Bataan, 145,323 ....C 3
Batanes, 10,309 ....A 2
Batangas, 681,414 ....C 4
Bohol, 592,194 ....E 6
Bukidnon, 194,368 ....E 6
Bulacan, 555,819 ....C 3
Cagayan, 445,289 ....C 1
Camarines Norte, 188,091 ....D 3
Camarines Sur, 819,565 ....D 4
Capiz, 315,079 ....D 5
Catanduanes, 156,329 ....E 4
Cavite, 378,138 ....C 3
Cebu, 1,332,847 ....D 5
Cotabato, 1,029,119 ....E 7
Davao, 893,023 ....E 7
Ilocos Norte, 287,333 ....C 1
Ilocos Sur, 338,058 ....C 2
Iloilo, 966,266 ....D 5
Isabela, 442,062 ....C 2
Laguna, 472,064 ....C 3
Lanao del Norte, 270,603 ....E 6
Lanao del Sur, 378,327 ....E 7
La Union, 293,330 ....C 2
Leyte, 963,364 ....E 5
Manila (city), 1,138,611 ....C 3
Marinduque, 114,586 ....C 4
Masbate, 335,971 ....D 4
Misamis Occidental, 248,371 ....D 6
Misamis Oriental, 388,615 ....E 6
Mountain, 435,839 ....C 2
Negros Occidental, 1,332,323 ....D 6
Negros Oriental, 597,761 ....D 6
Nueva Ecija, 608,362 ....C 3
Nueva Vizcaya, 138,090 ....C 2
Occidental Mindoro, 84,316 ....C 4
Oriental Mindoro, 228,998 ....C 4
Palawan, 162,669 ....B 6
Pampanga, 617,259 ....C 3
Pangasinan, 1,124,144 ....C 3
Quezon, 653,426 ....C 3
Rizal, 1,456,362 ....C 3
Romblon, 131,658 ....D 4
Samar, 867,994 ....E 5
Sorsogon, 347,771 ....E 4
Southern Leyte, 209,608 ....E 5
Sulu, 326,898 ....B 8
Surigao del Norte, 194,981 ....F 5
Surigao del Sur, 165,016 ....F 6
Tarlac, 426,647 ....C 3
Zambales, 213,442 ....C 3
Zamboanga del Norte, 281,429 ....D 6
Zamboanga del Sur, 742,204 ....D 7

CITIES and TOWNS

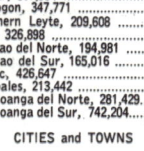

Abuyog, 7,018 ....E 5
Agoo, 6,511 ....C 2
Alimodian, 6,732 ....D 5
Alubijid, 5,105 ....E 6
Angeles, 6,470 ....C 3
Aparri, 13,167 ....C 1
Bacarra, 7,268 ....C 1
Bacolod, 88,854 ....D 5
Bacolod, †119,315 ....D 5
Bagtic, 6,932 ....D 6
Baguio, 27,251 ....C 2
Baguio, †50,436 ....C 2
Balangiga, 5,343 ....E 5
Balingasag, 5,502 ....E 6
Bambang, 6,166 ....C 2
Bangued, 7,602 ....C 2
Bantayan, 7,920 ....D 5
Basey, 6,240 ....E 5
Basilan, 11,715 ....C 7
Basilan, *48,175 ....C 4
Basilan, †155,712 ....C 4
Batangas, 14,182 ....C 4
Baybay, 10,021 ....E 5
Bayombong, 8,312 ....C 2
Bayugan, 7,522 ....E 6
Binalbagan, 13,545 ....D 5
Bogo, 6,786 ....E 5
Bongabon, 8,358 ....C 3
Bontoc, 5,472 ....C 2
Buenavista, 5,770 ....E 6
Bulan, 16,042 ....D 4
Bulusan, 5,394 ....E 4
Burauen, 8,677 ....E 5
Butuan, 25,354 ....E 6
Butuan, †82,485 ....E 6
Cabadbaran, 5,954 ....E 6
Cabanatuan, 23,634 ....C 3
Cabanatuan, †69,580 ....C 3
Cadiz, 15,514 ....D 5
Cagayan de Oro, 23,707 ....E 6
Cagayan de Oro, †68,274 ....E 6
Caibiran, 7,213 ....E 5
Calamba, Laguna, 12,142 ....C 3
Calbayog, 6,409 ....E 4
Calbayog, *40,330 ....E 4
Calbayog, †77,832 ....E 4
Camiling, 9,799 ....C 3
Carcar, 6,657 ....D 5
Carigara, 8,299 ....E 5
Catarman, 8,248 ....E 4
Catbalogan, 14,274 ....E 5
Cavite (city), 54,891 ....C 3
Cebu, 90,078 ....D 5
Cebu, †251,146 ....D 5
Cotabato, 23,794 ....D 7
Cotabato, †37,499 ....D 7
Daet, 19,726 ....D 3
Dagupan, 14,613 ....C 2
Dagupan, †63,191 ....C 2
Dapitan, 7,956 ....D 6
Datu Piang, 21,951 ....E 7
Davao, 82,720 ....E 7
Davao, †225,712 ....E 7
Digos, 8,725 ....E 7
Dipolog, 15,102 ....D 6
Donsol, 5,509 ....D 4
Dumaguete, 10,528 ....D 6
Dumaguete, †35,282 ....D 6
Enrile, 5,570 ....C 2
Escalante, 5,304 ....D 5
Gapan, 6,741 ....C 3
General Santos, 13,329 ....E 7
General Tinio, 9,772 ....C 3
Gingoog, 9,152 ....E 6
Gingoog, †52,677 ....E 6
Gubat, 8,392 ....E 4
Guihulñgan, 6,401 ....D 5
Guimba, 8,280 ....C 3
Guiuan, 5,865 ....E 5
Gumaca, 9,175 ....D 4
Hinigaran, 10,231 ....D 5
Ilagan, 6,375 ....C 2
Iligan, 14,281 ....E 6
Iligan, †58,423 ....E 6
Iloilo, 56,649 ....D 5
Iloilo, †151,266 ....D 5
Iriga, 27,469 ....D 4
Janiuay, 5,840 ....D 5
Jaro, 7,243 ....E 5
Jose Pañganiban, 5,291 ....D 3
Kalibo, 6,025 ....D 5
Koronadal, 9,515 ....E 7
La Carlota, 15,286 ....D 5
La Castellana, 14,011 ....D 5
Lais, 7,752 ....E 7
Laoag, 25,105 ....C 1
Laoang, 8,557 ....E 4
Lebak, 5,626 ....D 7
Legaspi, 21,877 ....D 4
Legaspi, †60,593 ....D 4
Lemery, 8,617 ....C 4
Lianga, 5,772 ....E 6
Ligao, 10,547 ....D 4
Lingayen, 8,221 ....C 2
Lipa, 12,521 ....C 4
Lipa, †69,036 ....C 4
Lucban, 14,292 ....C 3
Lucena, 24,955 ....C 4
Lucena, †49,264 ....C 4
Maasin, 7,968 ....E 5
Magallanes, 6,002 ....D 4
Malabang, 7,884 ....D 7
Malaybalay, 7,624 ....E 6
Malita, 5,947 ....E 7
Malolos, 2,240 ....C 3
Mandaon, 11,419 ....D 4
Manila, 1,138,611 ....C 3
Marawi, 7,787 ....E 6
Marulas, 12,245 ....C 3
Masbate, 11,647 ....D 4
Mati, 7,870 ....F 7
Minapasuk, 10,497 ....D 5
Nabua, 14,146 ....D 4
Naga, 13,554 ....D 4
Naga, †55,506 ....D 4
Nasugbu, 8,468 ....C 3
Ormoc, 10,226 ....E 5
Ormoc, †62,764 ....E 5
Oroquieta, 5,331 ....D 6
Ozamiz, 8,664 ....D 6
Ozamiz, †44,091 ....D 6
Paco, 5,475 ....C 2
Pagadian, 17,865 ....D 7
Palanan, 5,599 ....D 2
Palo, 8,916 ....E 5
Palompon, 6,399 ....E 5
Panabo, 5,539 ....E 7
Paniqui, 6,492 ....C 3
Parang, Cotabato, 5,894 ....E 7
Pinamalayan, 6,236 ....C 4
Puerto Princesa, 7,551 ....B 6
Quezon City (cap.), 397,990 ....C 3
Roxas, Capiz, 14,167 ....D 5
Roxas, Capiz, †49,326 ....D 5
Roxas, Isabela, 5,612 ....C 2
Salong, 28,743 ....D 5
San Antonio, 8,717 ....B 3
San Carlos, Negros Occ., 21,145 ....D 5
San Carlos, Negros Occ., †124,756 ....D 5
San Carlos, Pangasinan, 9,779 ....C 3
San Felipe, 5,900 ....B 3
San Jacinto, 5,120 ....D 4
San Jose, Antique, 6,364 ....C 5
San Jose, Bulacan, 5,326 ....C 3
San Jose, Nueva Ecija, 13,444 ....C 3
San Marcelino, 6,841 ....B 3
San Pablo, Laguna, 29,990 ....C 3
San Pablo, Laguna, †70,680 ....C 3
San Pablo, Negros Occ., 13,725 ....D 5
Santa Cruz, Davao, 6,456 ....E 7
Santa Cruz, Laguna, 5,248 ....C 3
Santo Tomas, Davao, 9,450 ....E 7
Silay, 19,569 ....D 5
Silay, †60,324 ....D 5
Sindañgan, 5,867 ....D 6
Sipocot, 5,914 ....D 4
Tacloban, 35,974 ....E 5
Tacloban, †53,551 ....E 5
Tacurong, 6,413 ....E 7
Tagbilaran, 7,206 ....E 6
Tagum, 5,263 ....E 7
Tanjay, 12,355 ....D 6
Tuguegarao, 10,497 ....C 2
Victorias, 12,446 ....D 5
Vigan, 10,498 ....C 2
Villalon, 7,003 ....E 5
Virac, 9,143 ....E 4
Wao, 6,131 ....E 7
West Tapinac, 11,326 ....C 3
Zamboanga, 29,186 ....C 7
Zamboanga, †131,489 ....C 7

PHYSICAL FEATURES

Abra (riv.) ....C 2
Agusan (riv.) ....E 6
Agutaya (isl.), 2,541 ....C 5
Alabat (isl.), 21,365 ....D 3
Albay (gulf) ....D 4
Alice (chan.) ....B 8
Ambil (isl.), 296 ....C 4
Apo (vol.) ....E 7
Asid (gulf) ....D 4
Asuncion (passg.) ....D 5
Babuyan (chan.) ....C 1
Babuyan (isls.), 5,388 ....A 2
Baganian (pen.) ....D 7
Balabac (isl.), 2,870 ....A 7
Balayan (bay) ....C 4
Balicuatro (isls.), 8,044 ....E 4
Balintang (chan.) ....A 2
Bancalan (isl.), 231 ....A 6
Bantayan (isl.), 46,593 ....D 5
Banton (isl.), 6,155 ....D 4
Bashi (chan.) ....A 1
Basilan (isl.), 134,435 ....D 7
Batag (isl.), 4,561 ....E 4
Batan (isl.), Albay, 10,000 ....E 4
Batan (isl.), Batanes, 6,178 ....B 2
Batan (isls.), 10,309 ....A 2
Batas (isl.), 147 ....B 5
Bay (lag.) ....C 3
Biliran (isl.), 78,707 ....E 5
Bohol (isl.), 531,707 ....E 6
Bohol (str.) ....D 6
Bojeador (cape) ....C 1
Bolinao (cape) ....B 2
Bongo (isl.), 2,446 ....D 7
Borocay (isl.), 2,378 ....D 5
Buad (isl.), 11,549 ....E 5
Bucas Grande (isl.), 4,883 ....F 6
Bugsuk (isl.), 482 ....A 6
Buluan (lake) ....E 7
Bulusan (vol.) ....D 4
Burias (isl.), 15,494 ....D 4
Busuanga (isl.), 13,190 ....B 4
Butuan (bay) ....E 6
Cabalasan (mt.) ....E 5
Cabulauan (isls.), 469 ....C 5
Cagayan (isls.), 3,880 ....C 6
Cagayan (riv.) ....C 2
Cagayan Sulu (isl.), 10,789 ....B 7
Cagua (vol.) ....D 1
Calagnaan (isl.), 2,197 ....D 5
Calagua (isls.), 1,509 ....D 3
Calamian Group (isls.), 21,975 ....B 4
Calayan (isl.), 3,409 ....A 2
Calicoan (isl.), 2,557 ....E 5
Camiguin (isl.), Cagayan, 1,177 ....B 3
Camiguin (isl.), Misamis Or., 44,717 ....E 6
Camotes (isls.), 50,826 ....E 5
Camotes (sea) ....E 5
Carabao (isl.), 2,697 ....D 4
Casiguran (sound) ....C 2
Catanduanes (isl.), 154,698 ....E 4
Catarman (pt.) ....F 7
Cebu (isl.), 1,163,756 ....D 6
Cleopatra Needle (mt.) ....B 5
Coral (bay) ....A 6
Coron (isl.), 409 ....C 5
Coronado (pt.) ....C 7
Corregidor (isl.), 65 ....C 3
Culion (isl.), 4,785 ....B 5
Cuyo (isl.), 15,541 ....C 5
Cuyo (isls.), 24,728 ....C 5
Cuyo East (passg.) ....C 5
Cuyo West (passg.) ....C 5
Dalanganem (isls.), 499 ....C 5
Daram (isl.), 23,310 ....E 5
Davao (gulf) ....E 7
Dinagat (isl.), 19,543 ....E 5
Dingalan (bay) ....C 3
Diuata (mts.) ....E 6
Dumaran (isl.), 4,453 ....C 5
Engaño (cape) ....D 1
Espiritu Santo (cape) ....E 4
Fuga (isl.), 802 ....C 1
Golo (isl.), 1,191 ....C 4
Green Island (bay) ....B 5
Guimaras (isl.), 56,137 ....D 5
Hibuson (isl.), 880 ....E 5
Homonhon (isl.), 2,315 ....E 5
Ilin (isl.), 5,379 ....C 4
Illana (bay) ....D 7
Iloilo (str.) ....D 5
Island (bay) ....B 6
Itbayat (isl.), 2,365 ....A 2
Jintotolo (chan.) ....D 5
Jolo (isl.), 165,607 ....C 7
Jomalig (isl.), 1,284 ....D 3
Lagonoy (gulf) ....E 4
Lamon (bay) ....C 3
Lanao (lake) ....E 7
Lapinin (isl.), 9,618 ....E 5
Leyte (gulf) ....E 5
Leyte (isl.), 1,053,782 ....E 5
Liguasan (marsh) ....E 7
Limasawa (isl.), 1,874 ....E 6
Linapacan (isl.), 922 ....B 5
Lingayen (gulf) ....C 2
Lubang (isls.), 16,748 ....B 4
Luzon (isl.), 12,702,731 ....C 3
Luzon (str.) ....A 2
Macajalar (bay) ....E 6
Mactan (isl.), 50,014 ....E 5
Mainit (lake) ....E 6
Mangsee (isls.), 143 ....A 7
Manicani (isl.), 1,341 ....E 5
Manila (bay) ....C 3
Mantalingajan (mt.) ....A 6
Maqueda (chan.) ....D 3
Marinduque (isl.), 112,048 ....C 4
Masbate (isl.), 264,273 ....D 4
Mayon (vol.) ....D 4
Maytiguid (isl.), 456 ....B 5
Mindanao (isl.), 4,699,475 ....D 7
Mindanao (riv.) ....E 7
Mindanao (sea) ....D 6
Mindoro (isl.), 290,394 ....C 4
Mindoro (str.) ....C 4
Mompog (passg.) ....D 4
Moro (gulf) ....D 7
Mount Apo Nat'l Park ....E 7
Naujan (lake) ....C 4
Negros (isl.), 1,862,115 ....D 6
Olutanga (isl.), 16,616 ....D 7
Palawan (isl.), 100,664 ....B 6
Panaon (isl.), 28,933 ....E 5
Panay (isl.), 1,659,832 ....D 5
Panglao (isl.), 24,631 ....D 6
Pangutaran (isl.), 8,153 ....C 7
Pangutaran Group (isls.), 10,235 ....C 7
Patnanongan (isl.), 2,760 ....D 3
Pilas (isl.), 7,882 ....C 7
Polillo (isl.), 18,766 ....C 3
Quiniluban (isls.), 673 ....C 5
Ragang (vol.) ....E 7
Ragay (gulf) ....D 4
Rapu-Rapu (isl.), 6,799 ....E 4
Romblon (isl.), 15,178 ....D 4
Sabtang (isl.), 1,766 ....B 2
Sacol (isl.), 4,385 ....D 7
Samal (isl.), 33,103 ....E 7
Samales Group (isls.), 5,816 ....D 7
Samar (isl.), 733,809 ....E 4
Samar (sea) ....E 4
San Agustin (cape) ....F 7
San Bernardino (str.) ....E 4
Sarangani (isls.) 4,701 ....E 8
Semirara (isls.), 5,993 ....C 5
Siargao (isl.), 38,388 ....F 6
Siasi (isl.), 18,353 ....C 8
Sibay (isl.), 1,167 ....C 5
Sibutu (passg.) ....B 8
Sibutu Group (isls.), 10,624 ....B 8
Sibuyan (isl.), 25,161 ....D 4
Sibuyan (sea) ....D 4
Sierra Madre (mts.) ....D 2
Simara (isl.), 6,510 ....D 4
Simunul (isl.), 6,040 ....B 8
Siquijor (isl.), 59,555 ....D 6
Subic (bay) ....C 3
Sulu (arch.), 315,573 ....B 8
Sulu (sea) ....B 6
Suluan (isl.), 834 ....F 5
Taal (lake) ....C 4
Tablas (isl.), 71,429 ....D 4
Tagapula (isl.), 4,592 ....E 4
Tapiantana Group (isls.), 6,081 ....D 7
Tapul (isl.), 7,927 ....C 8
Tapul Group (isls.), 57,856 ....C 8
Tara (isl.), 385 ....C 4
Tawitawi (isl.), 8,257 ....B 8
Ticao (isl.), 47,403 ....D 4
Tinaca (pt.) ....E 8
Tongquil (isl.), 1,662 ....D 8
Tubbataha (reefs) ....B 6
Tugnug (pt.) ....E 5
Tumindao (isl.), 1,847 ....B 8
Turtle (isls.), 536 ....B 7
Uling (mt.) ....D 5
Ulugan (bay) ....B 5
Umanun (pt.) ....F 6
Verde Island (passg.) ....C 4
Victoria (peaks) ....B 6
Visayan (sea) ....D 5
Vitali (isl.), 3,297 ....D 7
Yog (pt.) ....E 3

*City and suburbs.
†Population of municipality.

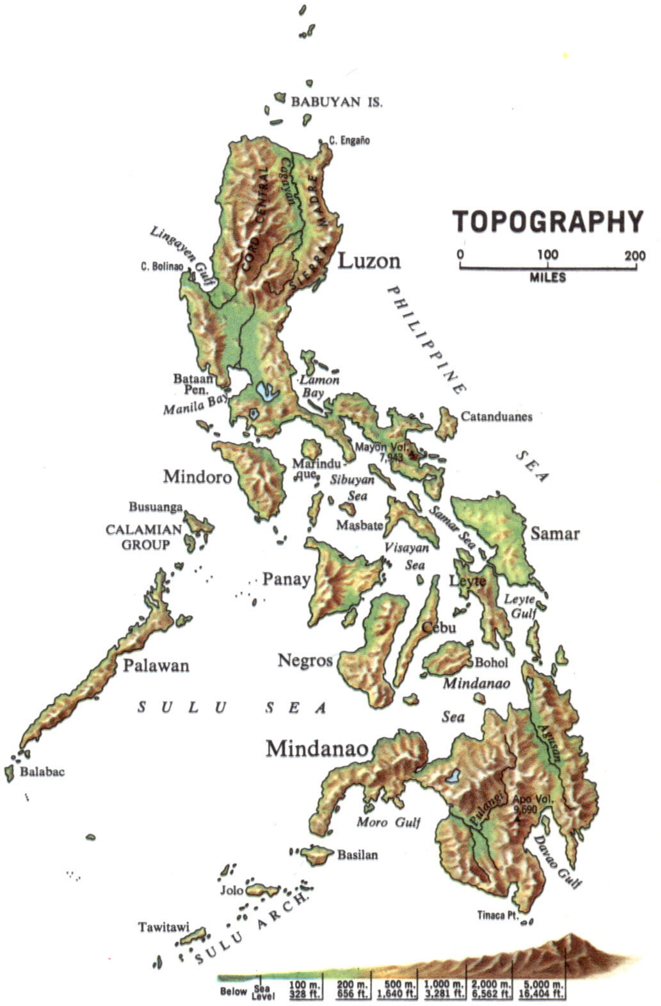

TOPOGRAPHY
0 100 200
MILES
BABUYAN IS.
C. Engaño
Luzon
C. Bolinao
Lingayen Gulf
SIERRA MADRE
PHILIPPINE SEA
Bataan Pen.
Manila Bay
Lamon Bay
Catanduanes
Mayon Vol.
Mindoro
Marinduque
Sibuyan Sea
Busuanga
CALAMIAN GROUP
Masbate
Samar Sea
Samar
Visayan Sea
Panay
Leyte
Leyte Gulf
Cebu
Negros
Palawan
Bohol
Mindanao Sea
SULU SEA
Mindanao
Balabac
Moro Gulf
Apo Vol.
Davao Gulf
Basilan
Jolo
SULU ARCH.
Tawitawi
Tinaca Pt.
Below Sea Level
100 m. 328 ft.
200 m. 656 ft.
500 m. 1,640 ft.
1,000 m. 3,281 ft.
2,000 m. 6,562 ft.
5,000 m. 16,404 ft.

AGRICULTURE, INDUSTRY and RESOURCES

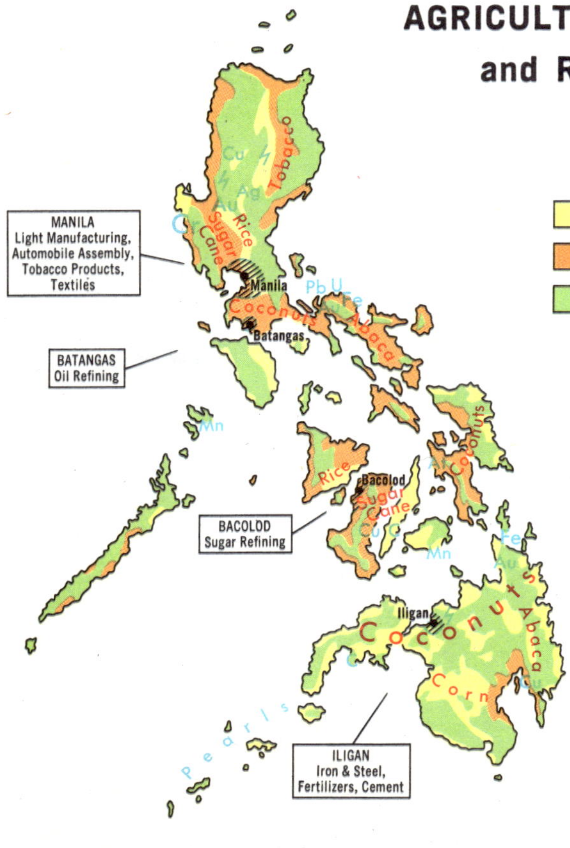

MANILA
Light Manufacturing, Automobile Assembly, Tobacco Products, Textiles
BATANGAS
Oil Refining
BACOLOD
Sugar Refining
ILIGAN
Iron & Steel, Fertilizers, Cement
Tobacco
Rice
Sugar Cane
Coconuts
Abaca
Manila
Batangas
Bacolod
Iligan
Corn
Pearls

DOMINANT LAND USE

- Cereals (chiefly rice, corn)
- Cash Crops
- Tropical Forests

- Water Power
- Major Industrial Areas

MAJOR MINERAL OCCURRENCES

Ag	Silver
At	Asphalt
Au	Gold
C	Coal
Cr	Chromium
Cu	Copper
Fe	Iron
Mn	Manganese
Pb	Lead
U	Uranium

Southeast Asia

TOPOGRAPHY

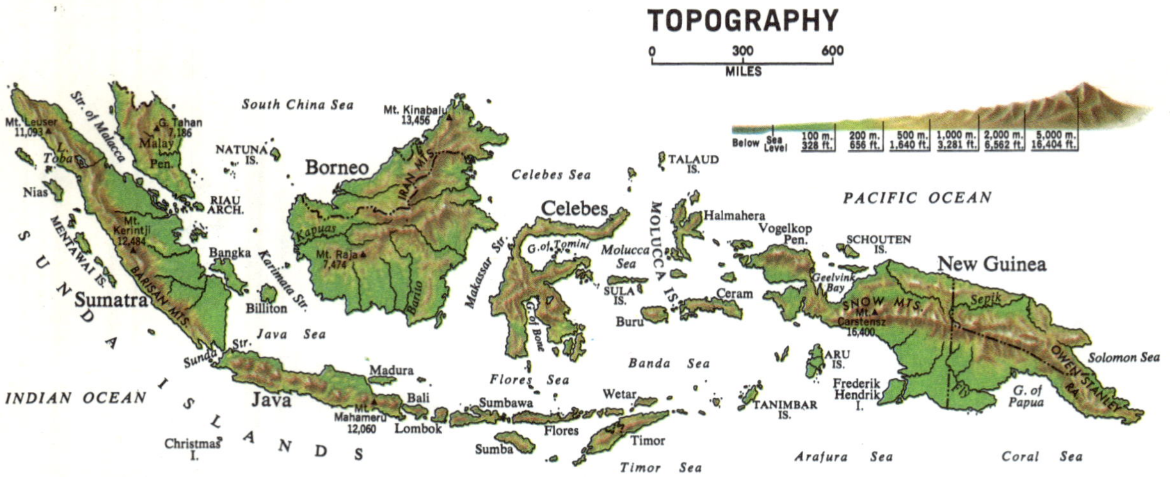

0 300 600
MILES

Below Sea Level | 100 m. 328 ft. | 200 m. 656 ft. | 500 m. 1,640 ft. | 1,000 m. 3,281 ft. | 2,000 m. 6,562 ft. | 5,000 m. 16,404 ft.

BRUNEI
CITIES and TOWNS
Brunei (cap.), 9,702 .... E 4

INDONESIA
CITIES and TOWNS
Amahai, 18,017 .... H 6
Ambarawa, 148,768 .... J 2
Amboina, 56,037 .... H 6
Ambon (Amboina),
  56,037 .... H 6
Balikpapan, 91,706 .... F 6
Bandanaira, 13,686 .... H 6
Bandjarmasin, 214,096 .... F 6
Bandung, 972,566 .... H 2
Bangli, 34,112 .... K 2
Bangkahulu, 25,330 .... C 6
Bangkalan, 129,536 .... K 2
Banjuwangi, 53,576 .... L 2
Barus, 135,716 .... B 5
Batang, 57,561 .... J 2
Batavia (Djakarta),
  2,973,052 .... H 1
Baturadja, 126,706 .... C 6
Bengkajang, 117,029 .... E 5
Bengkalis, 136,433 .... C 5
Bindjai, 45,235 .... B 5
Blitar, 62,972 .... K 2
Blora, 49,296 .... K 2
Bodjonegoro, 161,749 .... K 2
Bogor, 154,092 .... H 2
Bondowoso, 144,215 .... L 2
Bonthain, 140,289 .... F 7
Brebes, 172,971 .... J 2
Bukittinggi, 51,456 .... B 6
Bula, 3,116 .... J 6
Bumiaju, 152,790 .... J 2
Demak, 142,915 .... K 2
Denpasar, 152,000 .... F 7
Djailolo, 110,170 .... H 5
Djakarta (cap.), 2,973,052 .... H 1
Djambi, 113,080 .... C 6
Djapara, 154,025 .... J 2
Djatinegara, 312,698 .... H 2
Djokjakarta, 312,698 .... J 2
Djombang, 157,370 .... K 2
Fort de Kock (Bukittinggi),
  51,456 .... B 6
Galela, 17,384 .... H 5
Garut, 167,542 .... H 2
Gorontalo, 71,378 .... G 5
Gresik, 36,790 .... K 2
Gunungsitoli, 144,712 .... B 5
Indramaju, 156,117 .... H 2
Kadjang, 130,304 .... C 7
Kalianda, 131,073 .... D 7
Kampung Baru (Tolitoli),
  8,333 .... G 5
Kau, 17,497 .... H 5
Kebumen, 164,874 .... J 2
Kediri, 158,918 .... K 2
Kendal, 23,129 .... J 2
Kendari, 191,065 .... G 6
Kendawangan, 6,845 .... D 6
Ketapang, Madura, 146,245 ... J 2
Kolaka, 118,671 .... K 2
Kotaagung, 125,314 .... C 7
Kragan, 23,786 .... K 2
Kraksaan, 129,466 .... K 2
Kualakurun, 111,489 .... E 6
Kuandang, 115,379 .... G 5
Kudus, 62,130 .... J 2
Kumai, 8,835 .... E 6
Kuningan, 177,181 .... H 2
Kupang, 17,171 .... G 8
Kutaradja, 40,067 .... A 4
Kutoardjo, 44,962 .... J 2
Labuhan, 122,259 .... G 2
Lahat, 125,781 .... C 6
Lais, 113,201 .... C 6
Lamongan, 134,825 .... K 2
Langsa, 147,044 .... B 5
Lawang, 140,239 .... K 2
Longiram, 7,776 .... F 5
Longnawan, 116,234 .... F 5
Lumadjang, 145,700 .... K 2
Madiun, 123,373 .... K 2
Madjalengka, 147,055 .... H 2
Madjene, 137,727 .... F 6
Magelang, 96,454 .... J 2
Magetan, 67,171 .... K 2
Makassar, 384,159 .... F 7
Malang, 341,452 .... K 2
Malili, 5,735 .... G 6
Malinau, 9,677 .... F 5
Malingping, 141,284 .... G 2
Mamudju, 167,418 .... F 6
Manado, 129,912 .... G 5
Martapura, 153,216 .... E 6
Masamba, 115,152 .... G 6
Medan, 479,098 .... B 5
Menggala, 20,343 .... D 7
Meulaboh, 6,544 .... B 5
Merak, 136,293 .... G 1
Modjokerto, 51,732 .... K 2
Muaratewe, 6,135 .... F 6
Muntok, 125,883 .... D 6
Namlea, 16,018 .... H 6
Nggapinoh, 124,836 .... E 6
Nangatajap, 18,285 .... E 6
Natal, 116,478 .... B 5
Ngabang, 124,516 .... D 5
Padang, 4,050 .... B 6
Padangsidempuan, 171,704 . B 5
Pajakumbuh, 174,393 .... C 5
Pakanbaru, 70,821 .... C 5
Paleleh, 5,466 .... G 5
Palembang, 474,971 .... D 6
Pamangkat, 151,871 .... D 5
Pamekasan, 142,650 .... L 2
Pameungpeuk, 124,662 .... H 2
Pandeglang, 124,823 .... G 1
Pangkalanbrandan, 123,806 . B 5
Pangkalpinang, 60,283 .... D 6
Pare, 185,528 .... K 2
Parepare, 67,992 .... F 6
Pariaman, 145,812 .... B 6
Pasuruan, 63,408 .... K 2
Pati, 156,749 .... J 2
Patjitan, 44,383 .... J 2
Pekalongan, 102,380 .... J 2
Pemalang, 193,608 .... J 2
Pematangsiantar, 114,870 ... B 5
Piru, 123,633 .... H 6
Ponorogo, 49,993 .... J 2
Pontianak, 150,220 .... D 6
Poso, 141,292 .... G 6
Prapat, 5,552 .... B 5
Probolinggo, 68,828 .... K 2
Purbolinggo, 31,719 .... J 2
Purwakarta, 188,680 .... H 2
Purwodadi, 154,648 .... J 2
Purwokerto, 22,623 .... J 2
Purworedjo, 23,209 .... J 2
Putussibau, 18,357 .... E 5
Rambipudji, 145,521 .... K 2
Rangkasbitung, 151,176 ...... G 2
Rapang, 54,996 .... F 6
Rembang, 39,939 .... K 2
Rengat, 122,982 .... C 6
Sabang, We, 6,747 .... B 4
Salatiga, 56,135 .... J 2
Samarinda, 89,715 .... F 6
Sambas, 153,290 .... D 5
Sampang, 47,596 .... K 2
Sanana, 23,388 .... H 6
Sanggau, 105,108 .... E 5
Sangkulirang, 6,108 .... F 5
Saparua, 53,390 .... H 6
Saumlaki, 122,732 .... J 7
Sawahlunto, 12,276 .... B 6
Semarang, 503,153 .... J 2
Semitau, 19,255 .... E 5
Serang, 146,018 .... G 1
Siborongborong, 130,143 .... B 5
Sidoardjo, 140,591 .... K 2
Sindangbarang, 41,223 ...... H 2
Singaradja, 117,948 .... F 7
Singkang, 117,948 .... F 7
Singkawang, 161,107 .... D 5
Sintang, 125,067 .... E 5
Situbondo, 30,000 .... L 2
Sragen, 32,310 .... J 2
Subang, 122,825 .... H 2
Sukabumi, 80,438 .... H 2
Sukadana, 6,899 .... D 6
Sumbawa, 122,308 .... F 7
Sumedang, 174,062 .... H 2
Sumenep, 33,628 .... L 2
Surabaja, 1,007,945 .... K 2
Surakarta, 367,626 .... J 2
Tandjungbalai, 29,152 .... C 5
Tandjungkarang, 133,901 .... C 7
Tandjungpandan, 139,253 ... D 6
Tandjungpriok, 1140,573 .... H 1
Tandjungredeb, 120,726 ..... F 5
Tangerang, 181,042 .... G 1
Tarakan, 24,807 .... F 5
Tarutung, 141,041 .... B 5
Tasikmalaja, 1101,466 .... H 2
Tegal, 89,016 .... J 2
Telukbetung, 101,591 .... D 7
Tenggarong, 115,516 .... F 6
Ternate, 23,500 .... H 5
Tjepu, 41,748 .... J 2
Tjiamis, 180,018 .... H 2
Tjiandjur, 177,927 .... H 2
Tjidulang, 132,475 .... H 2
Tjilatjap, 78,619 .... H 2
Tjimahi, 190,718 .... H 2
Tjirebon, 158,299 .... H 2
Tobelo, 114,430 .... H 5
Tolitoli, 8,333 .... G 5
Tondano, 129,584 .... G 5
Trenggalek, 137,762 .... K 2
Tulungagung, 43,115 .... K 2
Turen, 48,123 .... K 2
Wahai, 18,781 .... H 6
Wates, 133,514 .... J 2
Wonogiri, 145,704 .... J 2
Wonosobo, 33,917 .... J 2

PHYSICAL FEATURES
Alas (str.) .... F 7
Anambas (isls.), 15,700 ...... D 5
Arafura (sea) .... J 8
Aru (isls.), 27,006 .... K 5
Asahan (river) .... B 5
Babar (isls.), 14,133 .... H 7
Bali (isls.), 1,782,529 .... F 7
Bali (sea) .... F 7
Banda (sea) .... H 7
Bangka (isl.), 311,922 .... D 6
Banjak (isls.), 1,696 .... B 5
Barisan (mts.) .... B 6
Barito (river) .... E 6
Batjan (isl.), 21,861 .... H 6
Batu (isls.), 60,806 .... B 6
Bawean (isl.), 47,589 .... K 1
Belitung (Billiton) (isl.),
  102,375 .... D 6
Bengalen (passage) .... D 4
Bilitton (isls.), 102,375 .... D 6
Binongko (isl.), 10,580 .... G 7
Bintan (isl.), 65,301 .... C 5
Blackwood (Ngundju) (cape) F 8
Bone (gulf) .... G 6
Borneo (isl.) .... E 5
Borneo (Kalimantan) (reg.),
  4,101,475 .... E 5
Bunguran (Natuna) (isls.),
  15,261 .... D 5
Buru (isl.), 16,018 .... H 6
Butung (isl.), 253,262 .... G 6
Celebes (isl.), 6,288,043 ..... G 6
Celebes (sea) .... G 5
Ceram (isl.), 73,453 .... H 6
Damar (isls.) .... H 7
Diamond (point) .... B 4
Djemadja (isl.), 3,874 .... C 5
Enggano (isl.), 686 .... C 7
Ewab (isls.), 76,606 .... J 7
Flores (isl.), 901,772 .... G 7
Flores (sea) .... F 7
Gebe (isl.), 5,410 .... J 5
Gorong (isls.), 33,241 .... J 6
Indramaju (point) .... H 1
Indramaju (isl.), 97,133 ..... H 5
Java (head) .... G 2
Java (isl.), 60,909,381 .... J 2
Kabaena (isl.), 14,380 .... G 6
Kai (Ewab) (isls.), 76,606 ... J 7
Kalao (isl.), 670 .... G 7
Kalaotoa (isl.), 2,031 .... G 7
Kalimantan (isl.), 4,101,475 E 5
Kangean (isls.), 52,893 ...... F 2
Kapuas (river) .... D 6
Karakelong (isl.), 15,276 ..... H 5
Karimata (arch.), 1,623 ...... D 6
Karimundjawa (isls.), 1,611 . J 1
Kerintji (mt.) .... B 6
Kisar (isl.), 16,569 .... H 7
Komodo (isl.) .... F 7
Krakatau (isl.) .... C 7
Laut (isl.), 42,099 .... F 6
Leuser (mt.) .... B 5
Lingga (isl.), 39,307 .... D 5
Lingga (arch.), 14,309 .... D 6
Lombok (isl.), 1,300,234 ..... F 7
Madura (isl.), 2,150,194 ..... K 2
Mahakam (river) .... F 6
Makassar (str.) .... F 6
Malacca (str.) .... C 5
Mentawai (isls.), 23,649 ..... B 6
Molucca (sea) .... H 5
Moluccas (isls.), 847,930 .... H 6
Morotai (isl.), 19,523 .... H 5
Müller (mts.) .... E 5
Muna (isl.), 111,766 .... G 6
Musi (river) .... C 6
Natuna (isls.), 15,261 .... D 5
Ngundju (cape) .... F 8
Obi (isls.), 6,358 .... H 6
Ombai (str.) .... H 7
Puting (cape), Borneo .... E 6
Puting (cape), Sumatra .... C 7
Raja (mt.) .... F 6
Rantekombola (mt.) .... F 6
Riau (arch.), 278,966 .... C 5
Rokan (river) .... C 5
Roti (isl.), 68,330 .... G 7
Salajar (isl.), 87,278 .... G 7
Sandalwood (Sumba) (isl.),
  251,126 .... F 7
Sangihe (isl.), 83,585 .... H 5
Sangihe (isls.), 126,931 ...... H 5
Sawu (isls.), 78,785 .... G 7
Sawu (sea) .... G 7
Schwaner (mts.) .... E 6
Seaflower (channel) .... B 6
Sebuko (bay) .... F 5
Selatan (cape) .... E 6
Semeru (mt.) .... K 2
Siau (isl.), 29,762 .... H 5
Siberut (str.) .... B 6
Simeulue (isl.), 25,951 .... A 5
Sipora (isl.), 17,712 .... B 6
Sipora (isl.), 5,671 .... B 6
Slamet (mt.) .... J 2
Sorik Merapi (mt.) .... B 5
South Natuna (isls.), 3,318 ... D 5
Sula (isls.), 30,779 .... H 6
Sulawesi (Celebes) (isl.),
  6,288,043 .... G 6
Sumatra (isl.), 14,982,910 .... B 6
Sumba (isl.), 251,126 .... F 7
Sumba (str.) .... F 7
Sumbawa (isl.), 507,596 .... F 7
Sunda (str.) .... G 2
Tahulandang (isl.), 13,584 .... H 5
Talaud (isls.), 28,738 .... H 5
Taliabu (isl.), 7,391 .... G 6
Tambelan (isls.), 3,551 .... D 5
Tanimbar (isls.), 41,233 .... J 7
Tidore (isl.), 24,064 .... H 5
Timor (sea) .... H 7
Timor, Indonesian (reg.),
  702,638 .... H 7
Toba (lake) .... B 5
Tolo (gulf) .... G 6
Tomini (gulf) .... G 6
Tukangbesi (isls.), 59,775 ..... G 7
Wangiwangi (isl.), 19,719 ..... G 7
We (isl.) .... B 4
Wetar (isl.), 11,383 .... H 7

FEDERATION OF MALAYSIA
STATES
North Borneo (Sabah), 518,000 .. F 5
Sabah, 518,000 .... F 4
Sarawak, 820,000 .... E 5

CITIES and TOWNS
Beaufort, ‡25,408 .... F 4
Bintulu, 5,307 .... F 4
Jesselton, 21,719 .... F 4
Keningau, ‡14,645 .... F 4
Kuching, 50,579 .... E 5
Kudat, 3,660 .... F 4
Lahad Datu, ‡19,534 .... F 5
Marudi, 2,663 .... E 5
Miri, 13,350 .... F 5
Papar, 128,210 .... F 4
Ranau, 117,033 .... F 4
Sandakan, 28,806 .... F 5
Semporna, ‡16,895 .... F 5
Sibu, 29,630 .... E 5
Simanggang, 5,648 .... E 5
Tawau, 10,276 .... F 4
Victoria, 3,213 .... E 4

PHYSICAL FEATURES
Balambangan (isl.) .... F 4
Banggi (isl.) .... F 4
Iran (mts.) .... E 5
Kinabalu (mt.) .... F 4
Labuan (isl.), 14,904 .... F 4
Labuk (bay) .... F 4
Rajang (river) .... E 5
Sirik (cape) .... E 4

TERRITORY OF NEW GUINEA
Total Population 1,575,966

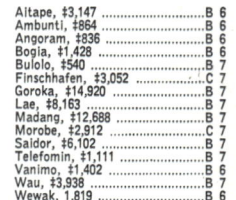

CITIES and TOWNS
Aitape, ‡3,147 .... B 6
Ambunti, ‡864 .... B 6
Angoram, ‡836 .... B 6
Bogia, ‡1,428 .... B 6
Bulolo, ‡540 .... B 7
Finschhafen, ‡3,052 .... B 7
Goroka, ‡14,920 .... B 7
Lae, ‡8,163 .... B 7
Madang, ‡12,688 .... B 7
Morobe, ‡2,912 .... B 7
Saidor, ‡6,102 .... B 7
Telefomin, ‡1,111 .... B 7
Vanimo, ‡1,402 .... B 7
Wau, ‡3,938 .... B 7
Wewak, 1,819 .... B 6

AGRICULTURE, INDUSTRY and RESOURCES

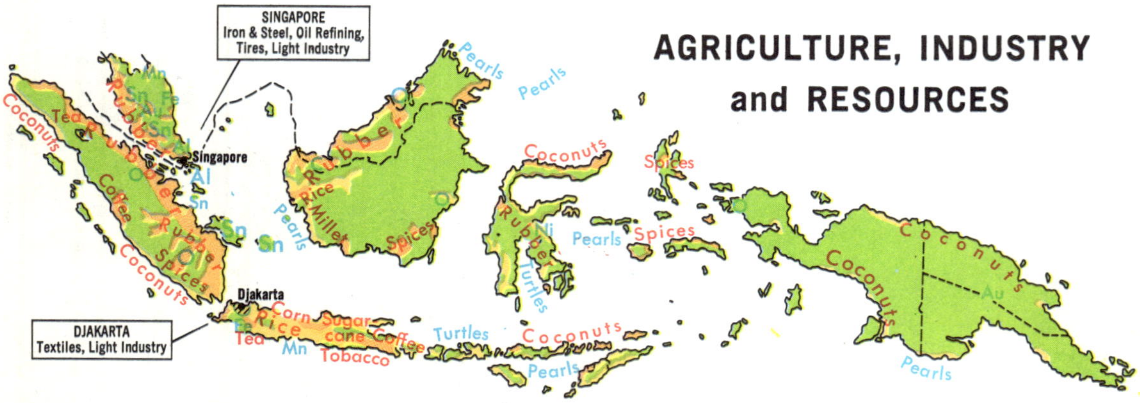

DOMINANT LAND USE
- Cereals (chiefly rice, corn)
- Diversified Tropical Crops
- Forests

MAJOR MINERAL OCCURRENCES
- Al Bauxite
- Au Gold
- C Coal
- Fe Iron Ore
- Mn Manganese
- Ni Nickel
- O Petroleum
- Sn Tin

Major Industrial Areas

SINGAPORE — Iron & Steel, Oil Refining, Tires, Light Industry

DJAKARTA — Textiles, Light Industry

EASTERN NEW GUINEA
0 50 100 200 MILES

SOUTHEAST ASIA

PHYSICAL FEATURES

Dampier (str.) .... C 7
Huon (gulf) .... C 7
Karkar (isl.), 13,804 .... B 6
Long (isl.), 506 .... C 7
New Britain (isl.), 116,588 ...... C 7
Ramu (river) .... B 7
Schouten (isls.), 6,221 .... B 6
Sepik (river) .... B 6
Solomon (sea) .... C 7
Torres (str.) .... A 7

PAPUA
Total Population 573,411

CITIES and TOWNS

Abau, ‡3,598 .... C 7
Baniara, 14,269 .... C 7
Buna, 307 .... B 7
Daru, ‡8,283 .... B 7
Ioma, ‡3,552 .... C 7
Kairuku, ‡4,112 .... B 7
Kerema, ‡3,821 .... B 7
Kiunga, ‡1,611 .... C 7
Kokoda, ‡1,480 .... C 7
Mendi, ‡6,996 .... B 7
Popondetta, 1,637 .... C 7
Port Moresby (cap.), 30,183 ..... B 7
Rigo, ‡2,537 .... C 7
Samarai, ‡4,017 .... C 8
Tufi, ‡3,426 .... C 7

PHYSICAL FEATURES

D'Entrecasteaux (isls.), 31,298 .. C 7
Fly (river) .... A 7

Kiriwina (isl.), ‡10,452 .... C 7
Louisiade (arch.), 8,398 .... D 8
Milne (bay) .... D 8
Misima (isl.), 4,984 .... D 8
Papua (gulf) .... B 7
Rossel (isl.), 1,784 .... D 8
Tagula (isl.), 1,630 .... D 8
Trobriand (isls.), 11,720 .... C 7
Woodlark (isl.), 1,268 .... C 7

PORTUGUESE TIMOR

CITIES and TOWNS

Dili (cap.), 9,753 .... H 7
Vila Salazar, 1,598 .... H 7
Viqueque, 240 .... H 7

PHYSICAL FEATURES

Oe-Cusse (reg.), 21,398 .... G 7

WEST IRIAN
Total Population 800,000

CITIES and TOWNS

Agats, 300 .... K 7
Bosnek .... K 6
Demta .... L 6
Fakfak, 2,430 .... K 6
Hollandia (Sukarnapura) (cap.), 15,153 . K 6
Kaimana, 1,128 .... K 6
Kepi, 617 .... L 7
Manokwari, 10,461 .... J 6
Merauke, 5,989 .... L 7
Mindiptanah, 1,577 .... L 7

Sarmi, 565 .... K 6
Seroei, 2,743 .... K 6
Sorong, 9,151 .... J 6
Sukarnapura (cap.), 15,153 ...... L 6
Tanahmerah, 678 .... K 7

PHYSICAL FEATURES

Biak (isl.), 31,139 .... K 6
Bosch, van den (cape) .... K 6
Carstensz (mt.) .... K 6
Dampier (str.) .... J 6
Digoel (river) .... K 7
Frederik Hendrik (isl.) .... K 7
Geelvink (bay) .... K 6
Good Hope (cape) .... J 5
Idenburg (river) .... K 6
Japen (isl.), 23,701 .... K 6
Maccluer (gulf) .... J 6
Mamberamo (river) .... K 6
Misoöl (isl.), 3,022 .... J 6
Nassau (range) .... K 6
Orange (range) .... K 6
Prinses Marianne (str.) .... K 6
Radja Ampat (isls.), 17,158 ..... J 6
Rouffaer (river) .... K 6
Saint David (Mapia) (isls.) ..... J 5
Salawati (isl.), 5,125 .... J 6
Schouten (isls.), 41,647 .... K 6
Snow (mts.) .... K 6
Urville, d' (cape) .... K 6
Valsch (cape) .... K 7
Vogelkop (pen.) .... J 6
Waigeo (isl.), 9,011 .... J 5

† Population of district.
‡ Population of sub-district.

INDONESIA

AREA	735,268 sq. mi.
POPULATION	102,200,000
CAPITAL	Djakarta
LARGEST CITY	Djakarta 2,973,052
HIGHEST POINT	Mt. Kerintji 12,484 ft.
MONETARY UNIT	rupiah
MAJOR LANGUAGES	Indonesian (Malay, Javanese, etc.)
MAJOR RELIGIONS	Mohammedan, Tribal religions, Christian, Hindu

PORTUGUESE TIMOR / BRUNEI

	PORTUGUESE TIMOR	BRUNEI
AREA	7,332 sq. mi.	2,226 sq. mi.
POPULATION	543,000	97,000
CAPITAL	Dili	Brunei

INDONESIA

Pacific Ocean

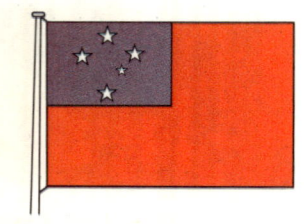

WESTERN SAMOA

AREA	1,133 sq. mi.
POPULATION	122,000
CAPITAL	Apia
LARGEST CITY	Apia 21,699
HIGHEST POINT	Mt. Silisili 6,094 ft.
MONETARY UNIT	West Samoan pound
MAJOR LANGUAGES	Samoan, English
MAJOR RELIGIONS	Protestant, Catholic

Name	Ref
Abaiang (atoll), 3,370	H 5
Abemama (atoll), 2,060	H 5
Adamstown, 91	N 8
Adelaide, 1600,200	D 9
Admiralty (isls.), 19,017	E 6
Agaña, 1,642	E 4
Agrihan (isl.), 127	E 3
Ahau, 436	H 7
Ahurei	M 8
Ailinglapalap (atoll), 1,183	G 5
Ailuk (atoll), 410	H 4
Aitape, 13,147	E 6
Aitutaki (atoll), 2,726	K 7
Alamagan (isl.), 41	E 3
Albany, 10,526	B 9
Albury, 22,983	E 9
Alice Springs, 4,648	D 8
Alofi, 1,026	K 7
Amadeus (lake)	D 8
Amanu (atoll), 146	N 7
Ambrym (isl.), 3,670	G 7
American Samoa, 26,000	J 7
Anaa (atoll), 420	M 7
Anatahan (isl.), 246	E 4
Aneityum (isl.), 246	H 8
Apataki (atoll), 459	D 5
Apataki (atoll), 137	M 7
Apia, 21,699	J 7
Arafura (sea)	D 6
Armidale, 12,875	F 9
Arnhem (cape)	D 7
Arnhem Land (reg.)	D 7
Arno (atoll), 1,408	H 5
Arorae (atoll), 1,760	H 6
Asuncion (isl.)	E 4
Ashburton (riv.)	B 8
Atafu (atoll), 539	J 6
Atiu (isl.), 1,212	L 8
Atuona, 867	M 7
Auckland, 149,400	H 9
Auki	G 6
Austral (isls.), 4,371	L 8
Australia, 11,359,510	—
Australian Capital Terr., 85,676	F 9
Avarua, 321	L 8
Babelthuap (isl.), 4,404	D 5
Bairiki, 979	H 6
Baker (isl.)	J 5
Ballarat, 41,037	E 9
Banks (isls.), 3,059	G 7
Barkly Tableland (plat.)	D 7
Barlee (lake)	B 8
Barrow (isl.)	B 8
Bass (isls.)	M 8
Bass (strait)	E 9
Bathurst (isl.)	D 6
Belep (isls.), 573	G 7
Bellona (reefs)	G 7
Bendigo, 30,195	E 9
Beru (atoll), 2,337	H 6
Bikar (atoll)	H 4
Bikini (atoll)	G 4
Bismarck (arch.), 163,634	E 6
Blackall, 2,217	E 8
Blue Mountains, 28,119	F 9
Bonin and Volcano (isls.), 205	E 3
Borabora (isl.), 1,723	L 7
Bougainville (isl.), 49,559	F 6
Boulder, 5,773	C 8
Bounty (isls.)	G 10
Bourail, 1,504	G 8
Bowen, 5,160	F 7
Brisbane, †649,500	F 8
Broken Hill, 31,267	E 9
Broome, 1,222	C 7
Bruce (mt.)	B 8
Bunbury, 13,186	B 9
Bundaberg, 22,799	F 8
Butaritari (atoll), 2,611	H 5
Cairns, 25,204	E 7
Canberra, 85,676	F 9
Canton (isl.), 525	J 6
Cape York (pen.)	E 7
Carnarvon, 1,249	B 8
Caroline (isl.)	M 7
Caroline (isls.), 49,107	E 5
Carpentaria (gulf)	D 7
Cato (isls.)	F 7
Charleville, 5,154	E 8
Charters Towers, 7,633	E 7
Chatham (isls.), 510	H 10
Chesterfield (isls.)	F 7
Chichi (isl.), 205	E 3
Choiseul (isl.), 6,600	F 6
Christchurch, 158,800	G 10
Christmas (isl.), 477	L 5
Cloncurry, 2,438	E 7
Collie, 7,547	B 9
Cook (atoll), 20,000	K 7
Cook (mt.)	G 10
Cook (strait)	G 10
Cooktown, 429	E 7
Cooper (creek)	D 8
Coral (sea)	F 7
Coringa (isls.)	F 7
Cunnamulla, 2,234	E 8
Daly Waters	D 7
Danger (Pukapuka) (atoll), 746	K 7
Darling (riv.)	E 8
Daru, †8,283	E 6
D'Entrecasteaux (isls.), 31,298	F 7
Derby, 894	C 7
Devonport, 13,068	E 10
Dirk Hartogs (isl.)	B 8
Disappointment (isls.)	M 7
Disappointment (lake)	C 8
Ducie (isl.)	O 8
Duke of Gloucester (isls.)	M 8
Dunedin, 77,500	H 10
East (cape)	H 9
Easter (isl.), 1,135	O 8
Eauripik (atoll), 101	E 5
Ebon (atoll), 953	G 5
Efate (isl.), 5,000	G 7
Eiao (isl.)	M 6
Elato (atoll), 36	E 5
Ellice (isls.), 5,444	H 6
Enderbury (isl.)	J 6
Eniwetok (atoll)	G 4
Erromanga (isl.), 975	H 7
Esperance, 5,111	C 9
Espíritu Santo (isl.), 5,124	G 7
Eyre (lake)	D 8
Fais (isl.), 216	E 5
Fakaofo (atoll), 807	J 6
Fanning (isl.), 286	M 7
Farallon de Pajaros (isl.)	E 3
Farauleep (atoll), 125	E 5
Fatuhiva (isl.), 348	N 7
Fiji (isls.), 464,000	H 7
Fitzroy (riv.)	C 7
Flinders (isl.)	E 9
Flint (isl.)	L 7
Fly (riv.)	E 6
Fongafale, 669	H 6
Foveaux (strait)	G 10
Fraser (isl.)	F 8
Fremantle, 24,343	B 9
French Frigate (shoal)	K 3
French Polynesia, 96,000	L 6
Frome (lake)	D 9
Funafuti (atoll), 687	H 6
Furneaux (isls.), 1,407	E 3
Gaferut (isl.)	E 5
Gairdner (lake)	D 9
Gambier (isls.), 563	N 8
Garapan	E 4
Gardner (isl.), 230	J 6
Gardner Pinnacles (isl.)	K 3
Gascoyne (riv.)	B 8
Geelong, 18,019	E 9
Geraldton, 10,894	B 8
Gibson (desert)	C 8
Gilbert (isls.), 37,973	H 5
Gilbert & Ellice Islands, 49,879	J 6
Gisborne, 24,100	H 9
Grafton, 15,526	F 8
Great Australian (bight)	C 9
Great Barrier (reef)	E 7
Great Sandy (desert)	C 7
Great Victoria (desert)	C 8
Greenwich (Kapingamarangi) (atoll), 491	F 5
Greymouth, 8,920	H 10
Groote Eylandt (isl.)	D 7
Guadalcanal (isl.), 20,000	F 7
Guam (isl.), 72,000	E 4
Gympie, 11,094	F 8
Ha'apai Group (isls.), 9,918	J 8
Haha (isl.)	E 3
Hall (isls.), 491	F 5
Halls Creek, 161	C 7
Hamilton, 59,500	H 9
Hao (atoll), 194	N 7
Hastings, 26,300	H 9
Hawaii (state), 711,000	K 4
Hawaii (isl.), 61,332	L 3
Hawaiian (isls.), 713,355	L 3
Henderson (isl.)	O 8
Hikueru (atoll), 187	M 7
Hilo, 25,966	L 3
Hivaoa (isl.), 1,004	N 6
Hobart, 121,275	E 10
Honiara, 6,431	F 7
Honolulu, 294,194	L 3
Honolulu, *351,336	L 3
Hoorn (isls.), 2,900	J 7
Howe (cape)	F 9
Howland (isl.)	J 5
Huahine (isl.), 3,214	L 7
Hughenden, 2,329	E 7
Hull (isl.), 583	J 6
Huon (gulf)	E 6
Huon (isls.)	G 7
Ifalik (atoll), 323	E 5
Invercargill, 43,800	G 10
Ipswich, 48,679	F 8
Iwo (isl.)	E 3
Jaluit (atoll), 1,124	G 5
Jarvis (isl.)	K 6
Johnston (atoll), 156	K 4
Joseph Bonaparte (gulf)	C 7
Kahoolawe (isl.)	L 3
Kalgoorlie, 9,696	C 9
Kandavu (isl.), 6,846	H 8
Kangaroo (isl.), 3,285	D 9
Kapingamarangi (atoll), 491	F 5
Katherine, 606	D 7
Kauai (isl.), 27,922	K 3
Kaviena, 12,466	E 6
Kermadec (isls.)	J 8
Kieta, 11,528	F 6
Kili (atoll), 289	G 5
King (isl.), 2,784	E 10
Kingman Reef (isl.)	K 4
Kingston	G 8
Kita Iwo (isl.)	D 3
Koror, 4,296	D 5
Kosciusko (mt.)	F 9
Kure (isl.)	J 3
Kusaie (isl.), 3,060	G 5
Kwajalein (atoll), 2,388	G 5
La Grange	C 7
Lae, 48,163	E 6
Lamotrek (atoll), 194	E 5
Lanai (isl.), 2,115	L 3
Lau Group (isls.), 12,954	J 7
Launceston, 38,118	E 10
Laverton, 57	C 8
Laysan (isl.)	K 3
Leeuwin (cape)	B 9
Leveque (cape)	C 7
Levuka, 1,535	H 7
Lifu (isl.), 6,082	G 7
Line (isls.), 1,691	K 5
Lisianski (isl.)	K 3
Lismore, 18,935	F 8
Lithgow, 14,229	F 9
Little Makin (isl.), 1,292	H 5
Longreach, 3,806	E 8
Lord Howe (isl.), 249	G 8
Lord Howe (Ontong Java) (isl.), 900	G 6
Louisiade (archipelago), 8,398	F 7
Loyalty (isls.), 11,409	G 7
Luganville, 3,500	G 7
Macdonnell (ranges)	D 8
Mackay, 16,809	F 8
Mackay (lake)	D 8
Madang, †12,688	E 6
Maitland, 27,353	F 9
Majuro (atoll), 3,940	H 5
Makatea (isl.), 2,273	L 7
Makin (Butaritari) (atoll), 2,611	H 5
Malaita (isl.), 54,000	G 6
Malden (isl.)	L 7
Malekula (isl.), 9,207	G 7
Maloelap (atoll), 505	H 5
Mangaia (isl.), 1,817	L 8
Mangareva (isl.), 563	N 8
Manihiki (atoll), 756	K 7
Manra (Sydney) (isl.)	K 6
Manua (isls.), 2,695	K 7
Manuae (atoll), 18	K 7
Manus (isl.), 11,088	E 6
Marble Bar, 201	C 8
Marcus (isl.)	F 3
Maré (isl.), 3,240	G 7
Maria (isl.)	L 8
Mariana (isls.), 10,275	E 4
Mariana Trench	E 4
Marquesas (isls.), 4,837	N 6
Marshall (isls.), 18,205	H 4
Marutea (atoll)	N 8
Maryborough, 19,126	F 8
Matautu	J 7
Maui (isl.), 35,717	L 3
Mauke (isl.), 722	L 8
Mauna Kea (volcano)	L 4
Meekatharra, 640	B 8
Mehetia (isl.)	M 7
Melanesia (reg.)	F 6
Melbourne, ‡2,003,100	E 9
Melville (isl.)	D 6
Merir (isl.)	D 5
Micronesia (reg.)	E 4
Midway (isls.), 2,355	J 3
Mili (atoll), 612	H 5
Minami Iwo (isl.)	D 3
Mitiaro (isl.), 267	L 7
Moen (isl.), 3,829	F 5
Moerai, 811	L 8
Mokil (atoll), 608	G 5
Molokai (isl.), 5,023	L 3
Monte Bello (isls.)	B 8
Moorea (isl.), 4,147	L 7
Morane (isl.)	N 8
Morobe, 2,912	E 6
Mount Gambier, 15,388	D 9
Murray (riv.)	E 9
Mururoa (isl.)	M 8
Musgrave (ranges)	D 8
Nabari, 209	E 6
Namatanai, †3,053	F 6
Namonuito (isl.)	E 5
Namorik (atoll), 490	H 5
Nanumea (atoll), 1,051	H 6
Napier, 28,000	H 9
Nassau (isl.), 113	K 7
Nauru (isl.), 5,000	G 6
Ndeni (isl.)	G 7
Necker (isl.)	K 3
Neiafu, 2,873	J 7
Nelson, 26,800	H 10
New Britain (isl.), 116,588	F 6
New Caledonia (isl.), 73,886	G 8
New Georgia	F 6
New Guinea (isl.)	E 6
New Guinea, Terr. of, 1,539,849	F 6
New Hanover (isl.), 7,201	F 6
New Hebrides (isls.), 66,000	G 7

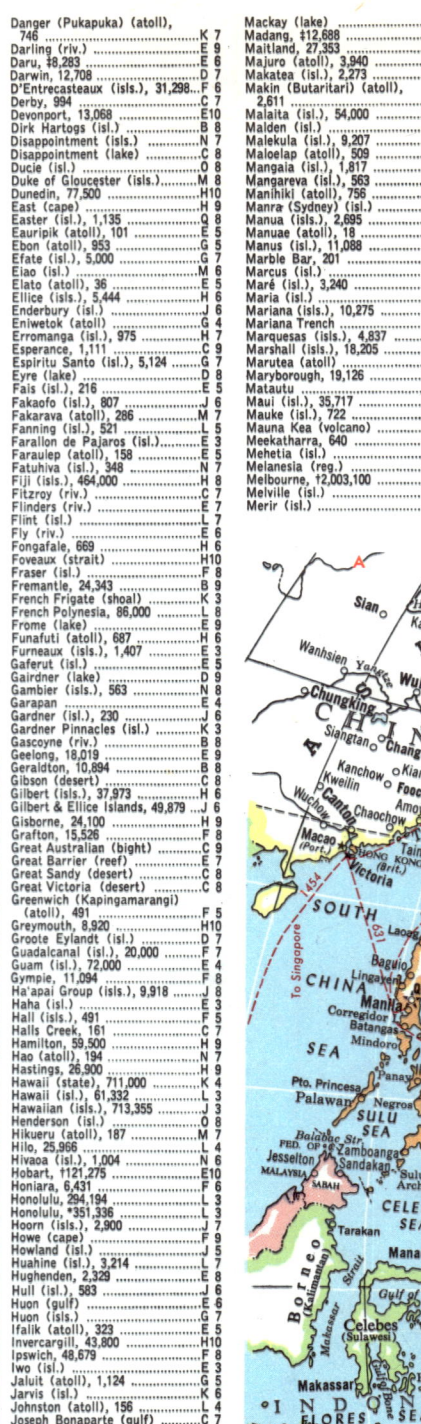

MAJOR ISLANDS OF THE PACIFIC OCEAN

Capitals of Countries ☆
Capitals of Colonies, Dependencies and Territories ⊙
International Boundaries

Copyright by C.S. Hammond & Co., N.Y.

PACIFIC OCEAN

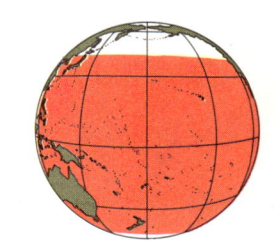

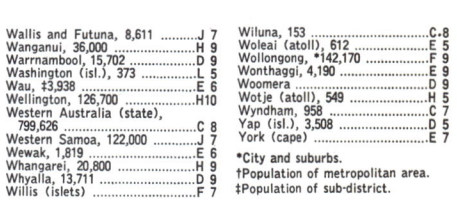

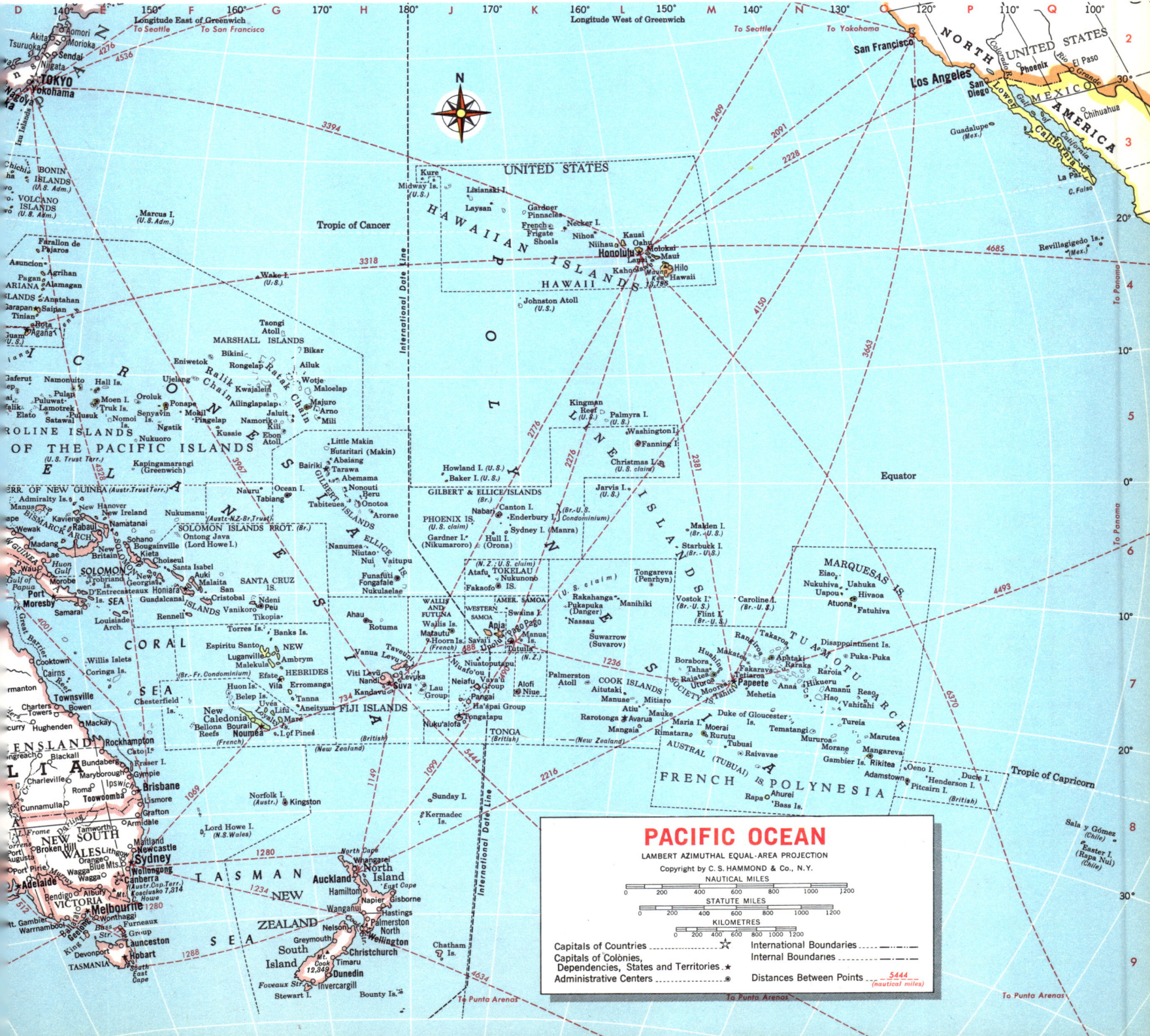

Name	Ref
New Ireland (isl.), 26,674	F 6
New South Wales (state), 4,159,926	E 9
New Zealand, 2,640,117	G 9
Newcastle, *215,950	F 9
Ngatik (atoll), 464	F 5
Nihoa (isl.), 797	K 3
Niihau (isl.), 254	K 3
Nikumaroro (Gardner) (isl.), 230	J 6
Ninigo Group (isls.), 1,051,	E 6
Niuafo'ou (isl.)	J 7
Niuatoputapu (isl.), 1,194	J 7
Niue (isl.), 5,044	K 7
Niutao (isl.), 1,450	H 6
Nomoi (atoll), 2,229	H 6
Norfolk (isl.), 853	G 8
Normanton, 334	E 7
North (cape)	H 9
North, 1,854,597	H 9
North East New Guinea (reg.), 246,731	F 6
North West (cape)	B 8
Northern Territory (terr.), 30,946	D 7
Nouméa, 34,817	G 8
Nui (atoll), 528	H 6
Nuku'alofa, 9,202	J 8
Nukuhiva (isl.), 1,090	M 6
Nukulaelae (atoll), 317	H 6
Nukunono (atoll), 675	J 6
Nukunono (atoll), 553	J 6
Nukuoro (atoll), 371	F 5
Nullarbor (plain)	C 8
Oahu (isl.), 500,394	L 3
Ocean (isl.), 2,706	G 6
Oeno (isl.)	O 8
Onotoa (atoll), 1,993	H 6
Onslow, 291	B 8
Ontong Java (atoll), 900	G 6
Oodnadatta, 137	D 8
Orange, 18,977	F 9
Ord (riv.)	C 7
Oroluk (atoll)	F 5
Orona (Hull) (isl.), 583	J 6
Pacific Islands, Terr. of, 88,215	F 5
Pagan (isl.), 70	E 4
Pago Pago, 1,251	J 7
Palau (isls.), 10,628	D 5
Palmerston (atoll), 106	K 7
Palmerston North, 45,900	H10
Palmyra (isl.)	L 5
Pangai, 1,838	J 7
Papeete, 24,000	M 7
Papua, 563,464	E 6
Papua (gulf)	E 6
Parece Vela (isl.)	D 3
Pelelui (isl.), 722	D 5
Penrhyn (Tongareva) (atoll), 650	L 6
Perth, *445,000	B 9
Peu	E 6
Phoenix (isls.), 1,018	J 6
Pines, Isle of (isl.), 930	G 8
Pingelap (atoll), 840	G 5
Pitcairn (isl.), 91	O 8
Polynesia (reg.)	L 6
Ponape (isl.), 11,873	F 5
Port Augusta, 9,711	D 9
Port Hedland, 965	B 8
Port Lincoln, 7,508	D 9
Port Moresby, 30,183	E 6
Port Pirie, 14,003	D 9
Puka-Puka (atoll), 118	N 7
Pukapuka (atoll), 746	K 7
Pulap (atoll), 258	E 5
Pulo Anna (isl.), 16	D 5
Pulusuk (atoll), 270	E 5
Puluwat (atoll), 347	E 5
Queensland (state), 1,595,057	E 8
Rabaul, ‡14,097	F 6
Raiatea (isl.), 6,210	L 7
Raivavae (isl.), 958	M 8
Rakahanga (atoll), 304	K 6
Ralik Chain (isls.), 8,506	G 5
Rangiroa (atoll), 616	M 7
Rapa (isl.), 342	M 8
Rapa Nui (Easter) (isl.), 1,135	Q 8
Raraka (atoll)	M 7
Raroia (atoll), 172	M 7
Rarotonga (isl.), 9,768	K 8
Ratak Chain (isls.), 8,857	G 5
Reao (atoll), 272	N 7
Recherche (arch.)	C 9
Rennell (isl.), 1,100	G 7
Rikitea (isl.)	N 8
Rimatara (isl.), 685	L 8
Rockhampton, 44,128	F 8
Roma, 5,571	E 8
Rongelap (atoll), 225	G 4
Rota (isl.), 1,080	E 4
Rotuma (isl.), 5,492	H 7
Rurutu (isl.), 1,375	L 8
Saipan (isl.), 8,151	E 4
Sala y Gómez (isl.)	P 8
Samarai, ‡4,017	E 7
San Cristobal (isl.), 8,500	G 7
Santa Cruz (isls.), 2,800	G 6
Santa Isabel (isl.), 8,400	G 6
Satawal (isl.), 303	E 5
Savai'i (isl.), 31,948	J 7
Senyavin (isls.), 11,877	F 5
Simpson (desert)	D 8
Society (isls.), 68,245	L 7
Sohano, ‡8,115	F 6
Solomon (isls.), 197,280	F 6
Solomon (sea)	F 6
Solomon Islands Prot., 139,730	F 6
Sonsorol (isl.), 75	D 5
Sorol (atoll), 11	D 5
South, 785,520	G10
South Australia (state), 1,044,662	E10
South East (cape)	E10
Spencer (gulf)	D 9
Starbuck (isl.)	L 6
Stewart (isl.), 540	G10
Sunday (isl.)	H 9
Suvarrow (Suvarov) (atoll), 9	K 7
Swains (isl.), 106	K 7
Sydney, 12,256,110	F 9
Sydney (isl.)	J 6
Tabiang, 129	G 6
Tabiteuea (atoll), 4,082	H 6
Tahaa (isl.), 4,330	L 7
Tahiti (isl.), 45,430	M 7
Takaroa (atoll), 250	M 7
Tamworth, 18,984	F 9
Tanna (isl.), 8,241	H 7
Taongi (atoll)	G 4
Tarawa (atoll), 7,914	H 6
Tasman (sea)	G 9
Tasmania (state), 375,268	E10
Taveuni (isl.), 5,575	J 7
Tematangi (isl.)	M 8
Tennant Creek, 837	D 7
Tetiaroa (atoll)	M 7
Tikopia (isl.), 1,400	G 7
Timaru, 26,400	H10
Timor (sea)	C 7
Tinian (isl.), 486	E 4
Tobi (isl.), 81	D 5
Tokelau (isls.), 2,000	J 6
Tonga, 78,000	J 8
Tongareva (isls.), 650	L 6
Tongatapu (isl.), 31,052	J 8
Toowoomba, 50,134	F 8
Torrens (lake)	D 9
Torres (isls.), 213	G 7
Torres (strait)	E 7
Townsville, 51,143	F 7
Trobriand (isls.), 11,720	F 6
Truk (isls.), 15,980	F 5
Tuamotu (archipelago), 7,097	M 7
Tubuai (isl.), 1,011	M 8
Tubuai (Austral) (isls.), 4,371	L 8
Tureia (atoll), 68	N 8
Tutuila (isl.), 16,814	J 7
Uahuka (isl.), 327	N 6
Uapou (isl.), 1,048	M 6
Ujelang (atoll), 391	F 5
Ulithi (atoll), 529	D 5
Upolu (isl.), 82,479	J 7
Uturoa, 2,135	L 7
Uvéa (isl.), 2,087	J 7
Vahitahi (atoll), 110	N 7
Vaitupu (atoll), 823	H 6
Vanikoro (isl.)	G 7
Vanua Levu (isl.), 39,558	H 7
Vava'u Group (isls.), 12,477	J 7
Victoria (state), 3,161,537	E 9
Vila, 3,800	G 7
Viti Levu (isl.), 176,822	H 7
Vostok (isl.)	L 7
Wagga Wagga, 32,092	E 9
Wake (isl.), 1,097	G 4
Wallis (isls.), 5,711	J 7
Wallis and Futuna, 8,611	J 7
Wanganui, 36,000	H 9
Warrnambool, 15,702	D 9
Washington (isl.), 373	L 5
Wau, ‡3,938	E 6
Wellington, 126,700	H10
Western Australia (state), 799,626	C 8
Western Samoa, 122,000	J 7
Wewak, 1,819	E 6
Whangarei, 20,800	H 9
Whyalla, 13,711	D 9
Willis (islets)	F 7
Wiluna, 153	C 8
Woleai (atoll), 612	E 5
Wollongong, *142,170	F 9
Wonthaggi, 4,190	E 9
Woomera	D 8
Wotje (atoll), 549	H 5
Wyndham, 958	C 7
Yap (isl.), 3,508	D 5
York (cape)	E 7

*City and suburbs.
†Population of metropolitan area.
‡Population of sub-district.

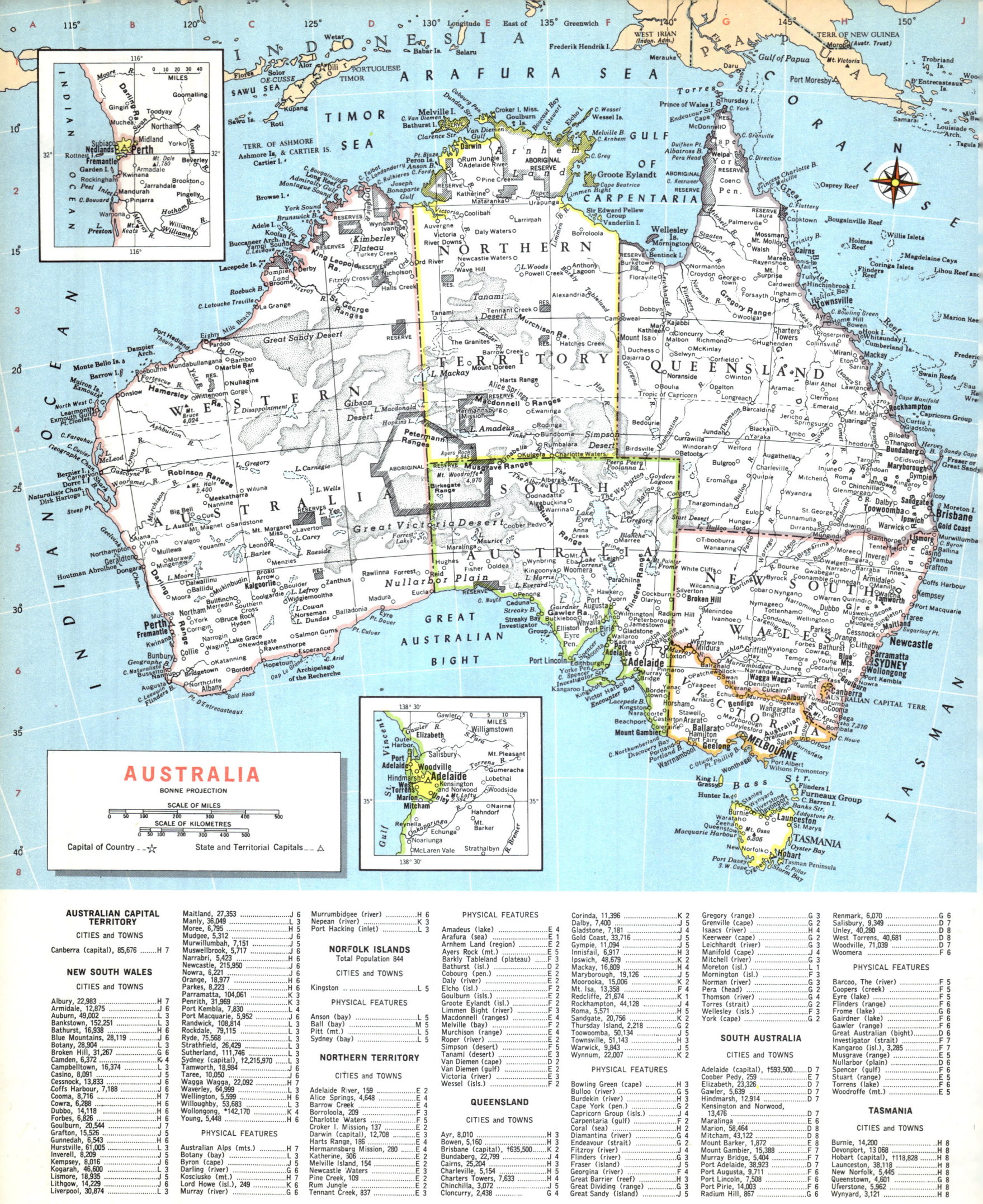

AUSTRALIA
BONNE PROJECTION

SCALE OF MILES
SCALE OF KILOMETRES

Capital of Country ☆   State and Territorial Capitals △

AUSTRALIAN CAPITAL TERRITORY

CITIES and TOWNS
Canberra (capital), 85,676 .... H 7

NEW SOUTH WALES

CITIES and TOWNS
Albury, 22,983 .... H 7
Armidale, 12,875 .... J 6
Auburn, 49,002 .... L 3
Bankstown, 152,251 .... L 3
Bathurst, 16,938 .... H 6
Blue Mountains, 28,119 ...... L 3
Botany, 28,904 .... L 3
Broken Hill, 31,267 .... G 6
Camden, 6,372 .... K 4
Campbelltown, 16,374 .... L 3
Casino, 8,091 .... J 5
Cessnock, 13,833 .... J 6
Coffs Harbour, 7,188 .... J 6
Cooma, 8,716 .... H 7
Cowra, 6,288 .... H 6
Dubbo, 14,118 .... H 6
Forbes, 6,826 .... H 6
Goulburn, 20,544 .... J 7
Grafton, 15,526 .... J 6
Gunnedah, 6,543 .... J 6
Hurstville, 61,005 .... L 3
Inverell, 8,209 .... H 5
Kempsey, 8,016 .... J 6
Kogarah, 46,600 .... L 3
Lismore, 18,935 .... J 6
Lithgow, 14,229 .... J 6
Liverpool, 30,874 .... L 3
Maitland, 27,353 .... J 6
Manly, 36,049 .... L 3
Moree, 6,795 .... H 5
Mudgee, 5,312 .... J 6
Murwillumbah, 7,151 .... J 5
Muswellbrook, 5,717 .... J 6
Narrabri, 5,423 .... H 6
Newcastle, 215,950 .... J 6
Nowra, 6,217 .... J 7
Orange, 18,977 .... H 6
Parkes, 8,223 .... H 6
Parramatta, 104,061 .... K 3
Penrith, 31,969 .... L 3
Port Kembla, 7,830 .... L 4
Port Macquarie, 5,952 .... J 6
Randwick, 108,814 .... L 3
Rockdale, 79,115 .... L 3
Ryde, 75,568 .... L 3
Strathfield, 26,429 .... L 3
Sutherland, 111,746 .... L 3
Sydney (capital), 2,215,970 .. L 3
Tamworth, 18,984 .... J 6
Taree, 10,050 .... J 6
Wagga Wagga, 22,092 .... H 7
Waverley, 64,999 .... L 3
Wellington, 5,599 .... H 6
Willoughby, 53,683 .... L 3
Wollongong, *142,170 .... K 4
Young, 5,448 .... H 7

PHYSICAL FEATURES
Australian Alps (mts.) .... H 7
Botany (bay) .... L 3
Byron (cape) .... J 5
Darling (river) .... G 6
Kosciusko (mt.) .... H 7
Lord Howe (isl.), 249 .... K 6
Murray (river) .... G 7
Murrumbidgee (river) .... H 6
Nepean (river) .... K 3
Port Hacking (inlet) .... L 3

NORFOLK ISLANDS
Total Population 844

CITIES and TOWNS
Kingston .... L 5

PHYSICAL FEATURES
Anson (bay) .... L 5
Ball (bay) .... M 5
Pitt (mt.) .... L 5
Sydney (bay) .... L 5

NORTHERN TERRITORY

CITIES and TOWNS
Adelaide River, 159 .... E 2
Alice Springs, 4,648 .... E 4
Barrow Creek .... E 4
Borroloola, 209 .... F 3
Charlotte Waters .... F 5
Croker I. Mission, 137 .... E 2
Darwin (capital), 12,708 ..... E 2
Harts Range, 186 .... E 4
Hermannsburg Mission, 280 .... E 4
Katherine, 506 .... E 2
Melville Island, 154 .... E 2
Newcastle Waters .... E 3
Pine Creek, 109 .... E 2
Rum Jungle .... E 2
Tennant Creek, 837 .... E 3

QUEENSLAND

CITIES and TOWNS
Ayr, 8,010 .... H 3
Bowen, 5,160 .... H 3
Brisbane (capital), 1,635,500. K 2
Bundaberg, 22,799 .... J 4
Cairns, 25,204 .... H 3
Charleville, 5,154 .... H 5
Charters Towers, 7,633 .... H 4
Chinchilla, 3,072 .... J 5
Cloncurry, 2,438 .... G 4

PHYSICAL FEATURES
Amadeus (lake) .... E 4
Arafura (sea) .... E 1
Arnhem Land (region) .... E 2
Ayers Rock (mt.) .... E 5
Barkly Tableland (plateau) ... F 3
Bathurst (isl.) .... D 2
Cobourg (pen.) .... E 2
Daly (river) .... E 2
Elcho (isl.) .... F 2
Goulburn (isls.) .... E 2
Groote Eylandt (isl.) .... F 2
Limmen Bight (river) .... F 3
Macdonnell (ranges) .... E 4
Melville (bay) .... E 2
Murchison (range) .... E 3
Roper (river) .... E 2
Simpson (desert) .... F 5
Tanami (desert) .... E 3
Van Diemen (cape) .... D 2
Van Diemen (gulf) .... E 2
Victoria (river) .... E 3
Wessel (isls.) .... F 2

Corinda, 11,396 .... K 2
Dalby, 7,400 .... J 5
Gladstone, 7,181 .... J 4
Gold Coast, 33,716 .... K 5
Gympie, 11,094 .... J 5
Innisfail, 6,917 .... H 3
Ipswich, 48,679 .... K 2
Mackay, 16,809 .... H 4
Maryborough, 19,126 .... J 4
Mooroola, 15,006 .... K 2
Mt. Isa, 13,358 .... F 4
Redcliffe, 21,674 .... K 1
Rockhampton, 44,128 .... J 4
Roma, 5,571 .... H 5
Sandgate, 20,756 .... K 2
Thursday Island, 2,218 .... G 1
Toowoomba, 50,134 .... J 5
Townsville, 51,143 .... H 3
Warwick, 9,843 .... J 5
Wynnum, 22,007 .... K 2

PHYSICAL FEATURES
Bowling Green (cape) .... H 3
Bulloo (river) .... H 5
Burdekin (river) .... H 3
Cape York (pen.) .... G 2
Capricorn Group (isls.) ...... J 4
Carpentaria (gulf) .... G 2
Coral (sea) .... J 3
Diamantina (river) .... G 4
Endeavour (strait) .... G 1
Fitzroy (river) .... J 4
Flinders (river) .... G 3
Fraser (island) .... J 4
Georgina (river) .... F 4
Great Barrier (reef) .... H 2
Great Dividing (range) .... H 3
Great Sandy (island) .... J 4

SOUTH AUSTRALIA

CITIES and TOWNS
Adelaide (capital), 1,593,500. D 7
Coober Pedy, 259 .... E 7
Elizabeth, 23,326 .... D 7
Gawler, 5,639 .... D 7
Hindmarsh, 12,914 .... D 7
Kensington and Norwood, 13,476 D 7
Maralinga .... E 6
Marion, 58,464 .... D 8
Mitcham, 43,122 .... D 8
Mount Barker, 1,872 .... E 8
Mount Gambier, 15,388 .... F 7
Murray Bridge, 5,404 .... F 7
Port Adelaide, 38,923 .... D 7
Port Augusta, 9,711 .... D 7
Port Lincoln, 7,508 .... D 7
Port Pirie, 14,003 .... F 6
Radium Hill, 867 .... G 6

Gregory (range) .... G 3
Grenville (cape) .... G 2
Isaacs (river) .... H 4
Keerweer (cape) .... G 2
Leichhardt (river) .... G 3
Manifold (cape) .... J 4
Mitchell (river) .... G 3
Moreton (isl.) .... L 1
Mornington (isl.) .... F 3
Norman (river) .... G 3
Pera (head) .... G 2
Thomson (river) .... G 4
Torres (strait) .... G 1
Wellesley (isls.) .... F 3
York (cape) .... G 2

Renmark, 6,070 .... G 6
Salisbury, 9,349 .... D 7
Unley, 40,280 .... D 8
West Torrens, 40,681 .... D 7
Woodville, 71,039 .... D 7
Woomera .... F 6

PHYSICAL FEATURES
Barcoo, The (river) .... F 5
Coopers (creek) .... F 5
Eyre (lake) .... F 5
Flinders (range) .... F 6
Frome (lake) .... F 6
Gairdner (lake) .... E 6
Gawler (range) .... E 6
Great Australian (bight) ..... E 7
Investigator (strait) .... F 7
Kangaroo (isl.), 3,285 .... F 7
Musgrave (ranges) .... E 5
Nullarbor (plain) .... D 6
Spencer (gulf) .... F 6
Stuart (range) .... E 5
Torrens (lake) .... F 6
Woodroffe (mt.) .... E 5

TASMANIA

CITIES and TOWNS
Burnie, 14,200 .... H 8
Devonport, 13,068 .... H 8
Hobart (capital), 118,828 .... H 8
Launceston, 38,118 .... H 8
New Norfolk, 5,445 .... H 8
Queenstown, 4,601 .... H 8
Ulverstone, 5,962 .... H 8
Wynyard, 3,121 .... H 8

AUSTRALIA

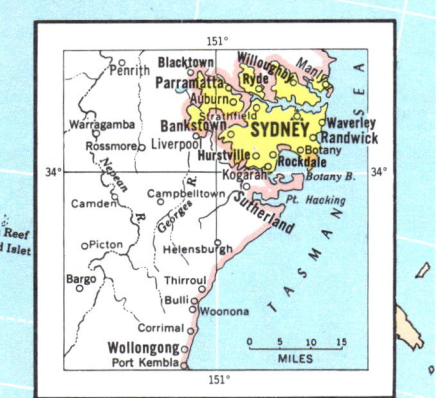

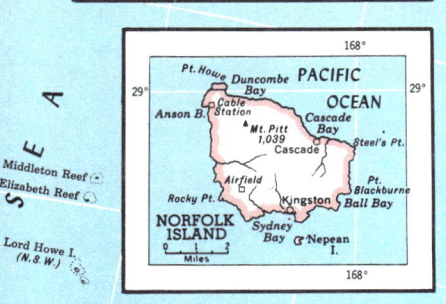

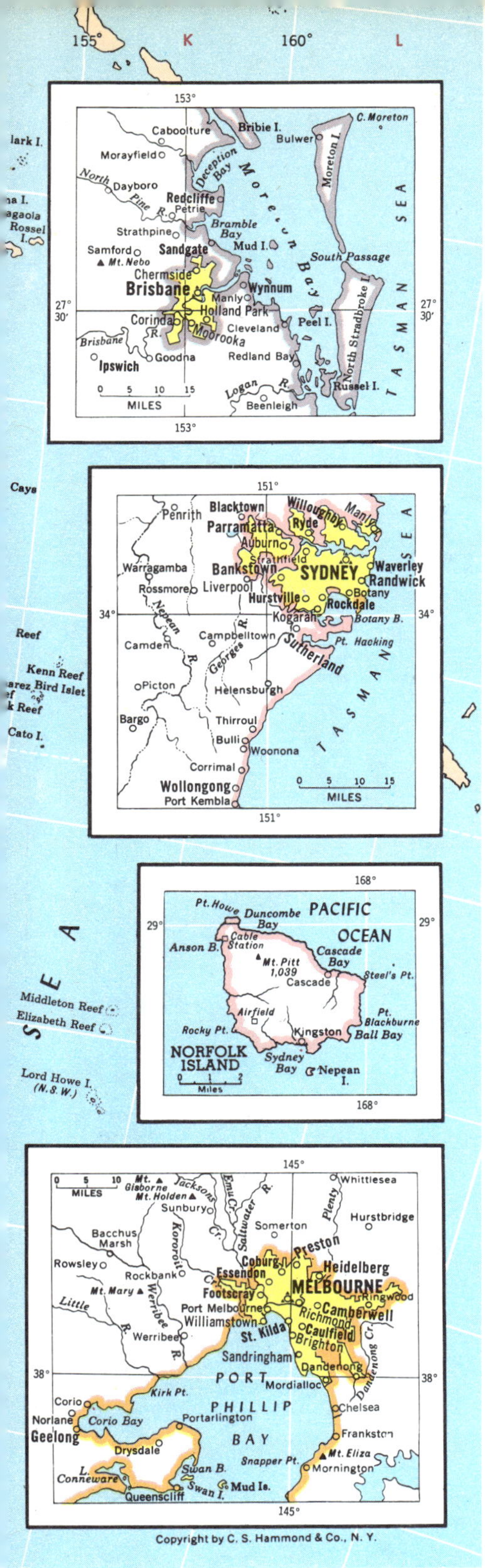

AREA	2,974,581 sq. mi
POPULATION	11,002,811
CAPITAL	Canberra
LARGEST CITY	Sydney (greater) 2,215,970
HIGHEST POINT	Mt. Kosciusko 7,316 ft.
LOWEST POINT	Lake Eyre —39 ft.
MONETARY UNIT	Australian dollar
MAJOR LANGUAGE	English
MAJOR RELIGIONS	Protestant, Roman Catholic

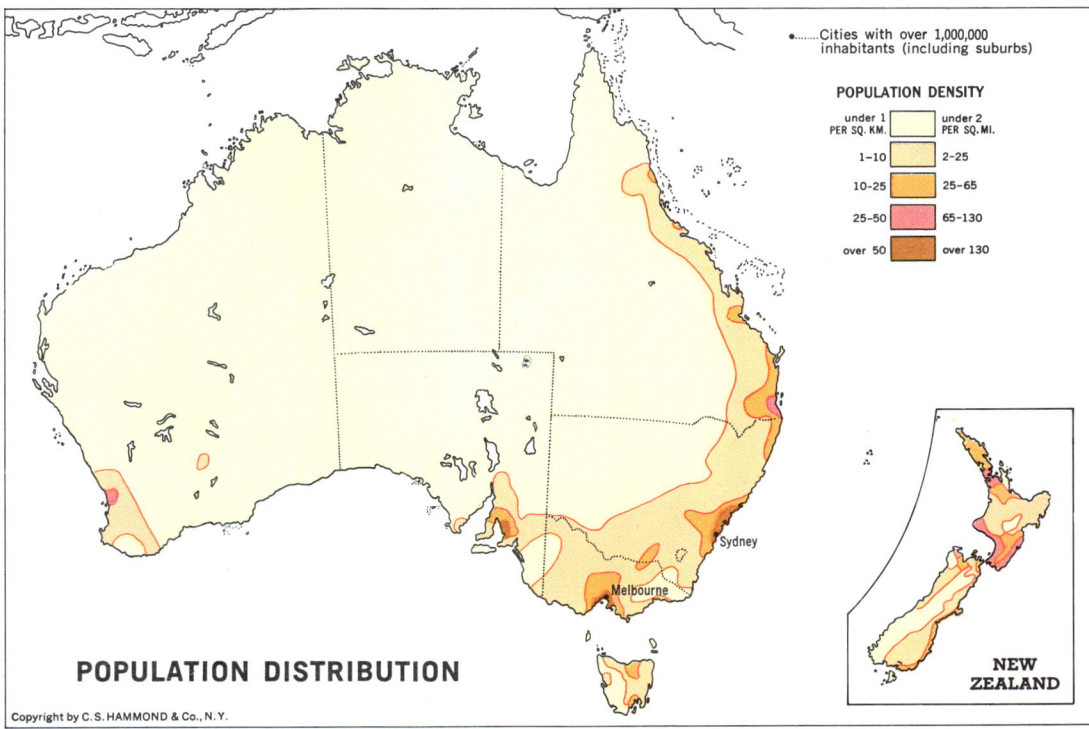

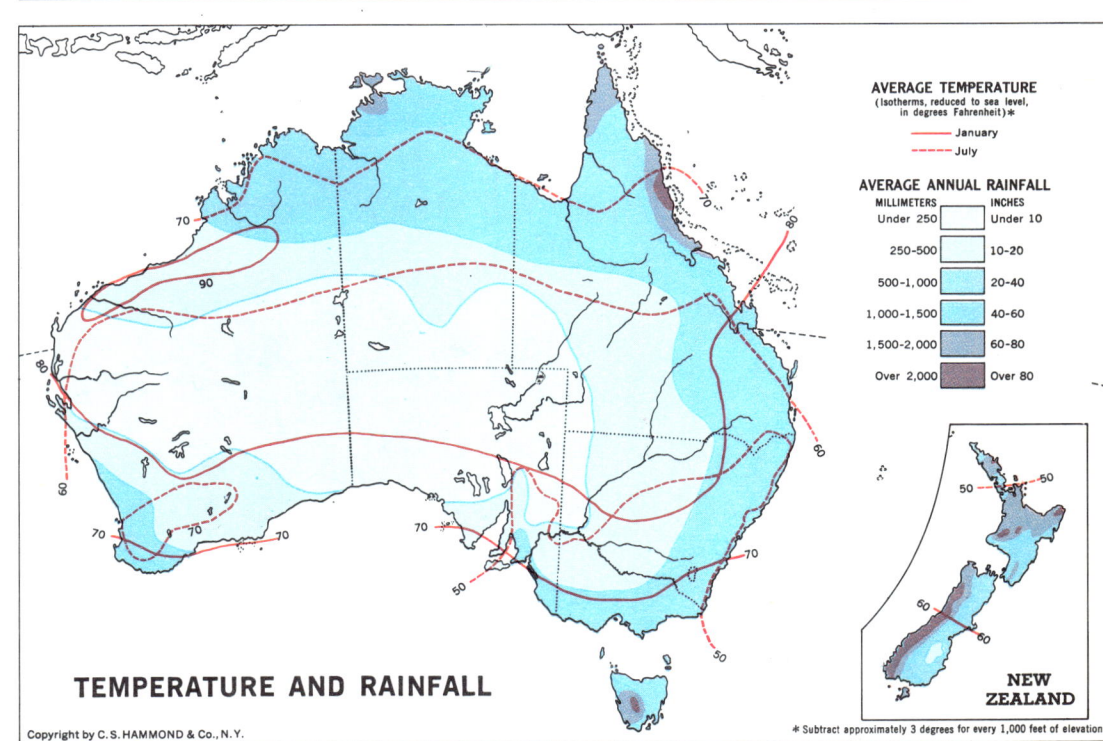

POPULATION DISTRIBUTION

Cities with over 1,000,000 inhabitants (including suburbs)

POPULATION DENSITY

PER SQ. KM.	PER SQ. MI.
under 1	under 2
1–10	2–25
10–25	25–65
25–50	65–130
over 50	over 130

TEMPERATURE AND RAINFALL

AVERAGE TEMPERATURE
(Isotherms, reduced to sea level, in degrees Fahrenheit)*
- January
- July

AVERAGE ANNUAL RAINFALL

MILLIMETERS	INCHES
Under 250	Under 10
250–500	10–20
500–1,000	20–40
1,000–1,500	40–60
1,500–2,000	60–80
Over 2,000	Over 80

*Subtract approximately 3 degrees for every 1,000 feet of elevation.

PHYSICAL FEATURES

- Banks (strait) .... H 8
- Flinders (isl.), 1,312 .... H 7
- Furneaux Group (isls.), 1,407 ... H 8
- King (isl.), 2,784 .... G 8
- Macquarie (harb.) .... G 7
- Tasman (pen.) .... H 8

VICTORIA
CITIES and TOWNS

- Ararat, 7,934 .... G 7
- Ballarat, 41,037 .... G 7
- Bendigo, 30,195 .... G 7
- Brighton, 41,302 .... M 7
- Camberwell, 99,353 .... M 7
- Caulfield, 74,859 .... M 7
- Chelsea, 22,355 .... M 7
- Coburg, 70,771 .... M 6
- Echuca, 6,443 .... G 7
- Essendon, 58,987 .... L 6
- Footscray, 60,734 .... L 7
- Geelong, 18,019 .... G 7
- Hamilton, 9,495 .... G 7
- Heidelberg, 86,430 .... M 6
- Horsham, 9,240 .... G 7
- Maryborough, 7,235 .... G 7
- Melbourne (capital), †1,956,400 .. H 7
- Mildura, 12,279 .... G 6
- Mordialloc, 26,526 .... M 7
- Port Melbourne, 12,370 .... L 7
- Portland, 6,014 .... G 7
- Preston, 84,146 .... M 7
- Richmond, 33,863 .... M 7
- Ringwood, 24,427 .... M 6
- St. Kilda, 52,205 .... M 7
- Sale, 7,899 .... H 7
- Sandringham, 37,001 .... M 7
- Wangaratta, 13,784 .... H 7
- Warrnambool, 15,702 .... G 7
- Williamstown, 30,606 .... L 7

PHYSICAL FEATURES

- Australian Alps (mts.) .... H 7
- Bass (strait) .... H 7
- Howe (cape) .... J 7
- Port Phillip (bay) .... M 7
- Wilsons (promontory) .... H 7

WESTERN AUSTRALIA
CITIES and TOWNS

- Albany, 10,526 .... B 6
- Big Bell, 854 .... B 5
- Boulder, 5,773 .... C 6
- Broome, 1,222 .... C 3
- Bunbury, 13,186 .... A 6
- Busselton, 3,495 .... A 6
- Carnarvon, 1,809 .... A 4
- Collie, 7,547 .... B 6
- Coolgardie, 625 .... C 6
- Derby, 994 .... C 3
- Esperance, 1,111 .... C 6
- Fremantle, 24,343 .... A 2
- Geraldton, 10,894 .... A 5
- Halls Creek, 161 .... D 3
- Kalgoorlie, 9,696 .... C 6
- Katanning, 3,360 .... B 6
- Kwinana, 3,269 .... A 2
- Learmonth, 148 .... A 4
- Mandurah, 2,132 .... B 2
- Marble Bar, 201 .... C 4
- Merredin, 3,029 .... B 6
- Midland, 9,256 .... B 2
- Mt. Magnet, 908 .... B 5
- Nedlands, 23,218 .... B 2
- Norseman, 2,104 .... C 6
- Northam, 7,200 .... B 2
- Onslow, 291 .... B 4
- Perth (capital), 1431,000 .... B 2
- Port Hedland, 965 .... B 3
- Rockingham, 1,301 .... B 2
- Roebourne, 397 .... B 4
- Southern Cross, 779 .... B 6
- Subiaco, 16,033 .... B 2
- Wagin, 1,608 .... B 6
- Wittenoom Gorge, 881 .... B 4
- Wyndham, 958 .... D 3
- Yampi Sound .... C 3
- York, 1,524 .... B 6

PHYSICAL FEATURES

- Admiralty (gulf) .... C 2
- Ashburton (river) .... B 4
- Barlee (lake) .... B 5
- Barrow (isl.) .... A 4
- Bougainville (cape) .... D 2
- Bruce (mt.) .... B 4
- Carey (lake) .... C 5
- Carnegie (lake) .... C 5
- Cowan (lake) .... C 6
- Dampier Archipelago (isls.) ...... B 4
- D'Entrecasteaux (point) .... A 5
- Dirk Hartogs (isl.) .... A 5
- Exmouth (gulf) .... A 4
- Fitzroy (river) .... C 3
- Fortescue (river) .... B 4
- Garden (isl.), 9 .... A 2
- Geelvink (channel) .... A 5
- Geographe (bay) .... A 6
- Gibson (desert) .... C 4
- Great Sandy (desert) .... C 4
- Great Victoria (desert) .... D 5
- Hamersley (range) .... B 4
- Houtman Abrolhos (isls.) .... A 5
- Joseph Bonaparte (gulf) .... D 2
- Kimberley (plateau) .... D 3
- Koolan (isl.), 395 .... C 3
- Lacepede (isls.) .... C 3
- Leeuwin (cape) .... A 6
- Lévêque (cape) .... C 3
- Londonderry (cape) .... D 2
- Mackay (lake) .... D 4
- Monte Bello (isls.) .... A 4
- Murchison (river) .... B 5
- Naturaliste (channel) .... A 5
- Ord (river) .... D 3
- Recherche (arch.) .... C 6
- Rottnest (isl.), 171 .... A 2
- Talbot (cape) .... D 2
- Timor (sea) .... D 2
- York (sound) .... C 2
- Yule (river) .... B 4

*City and suburbs.
†Population of metropolitan area.

Australia
(continued)

AGRICULTURE, INDUSTRY and RESOURCES

DOMINANT LAND USE

- Cereals (chiefly wheat), Livestock
- Dairy, Truck Farming
- Cash Crops, Horticulture, Fruit
- Pasture Livestock
- Range Livestock
- Forests
- Nonagricultural Land

MAJOR MINERAL OCCURRENCES

Ab	Asbestos	Na	Salt
Ag	Silver	O	Petroleum
Al	Bauxite	Op	Opals
Au	Gold	Pb	Lead
C	Coal	S	Sulfur, Pyrites
Cu	Copper	Sb	Antimony
Fe	Iron Ore	Sn	Tin
Gp	Gypsum	Ti	Titanium
Lg	Lignite	U	Uranium
Mi	Mica	W	Tungsten
Mn	Manganese	Zn	Zinc

- Water Power
- Major Industrial Areas

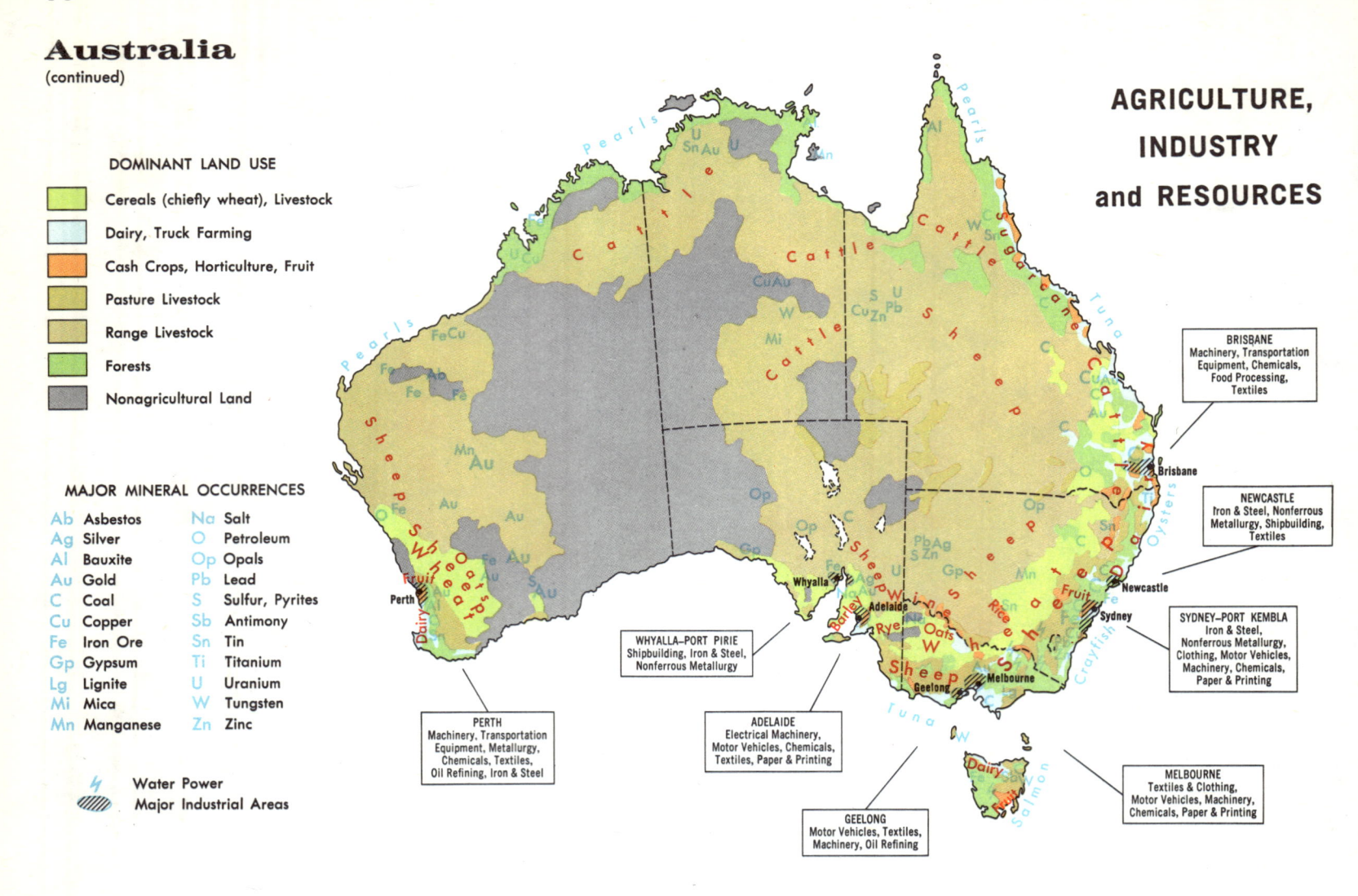

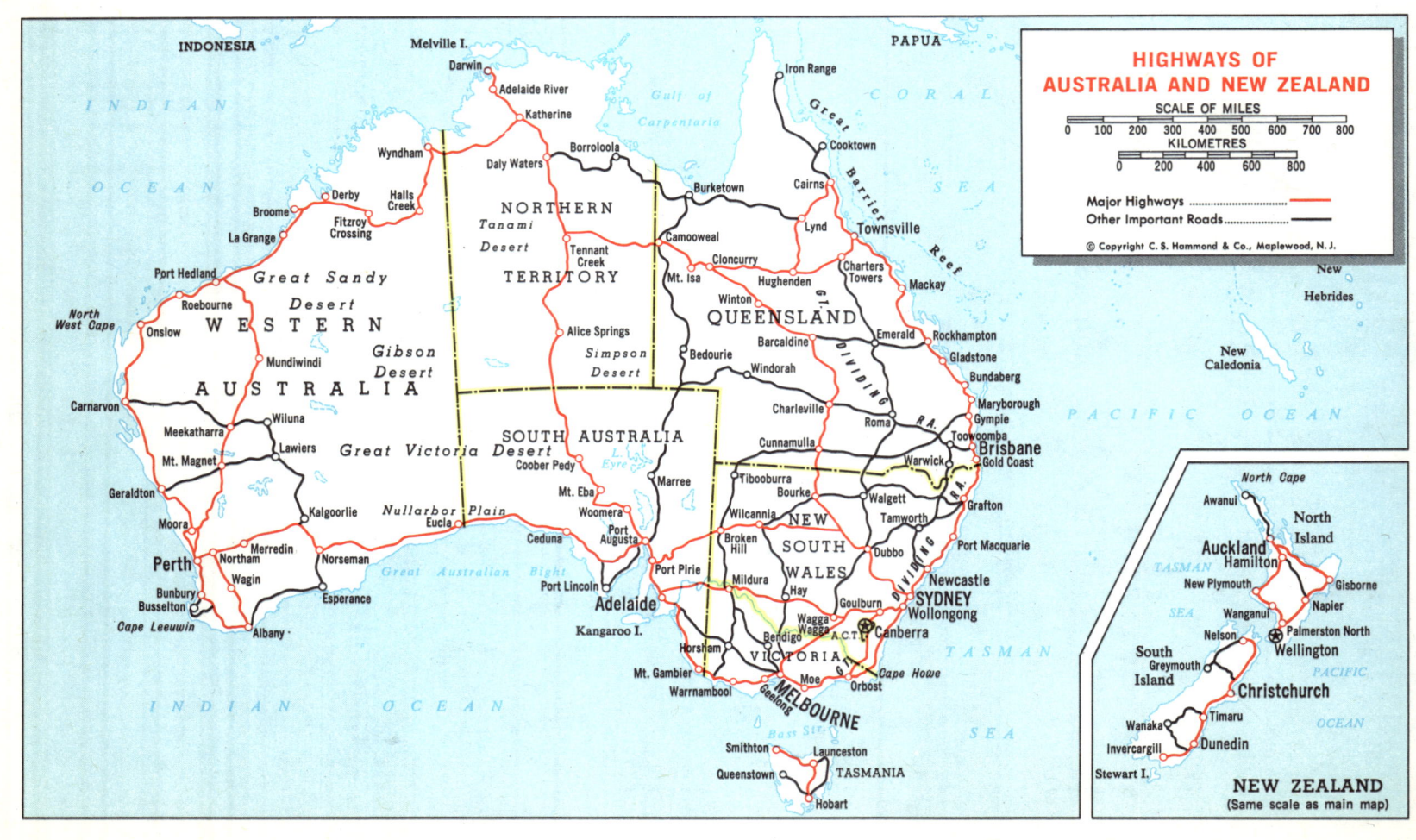

BRISBANE
Machinery, Transportation Equipment, Chemicals, Food Processing, Textiles

NEWCASTLE
Iron & Steel, Nonferrous Metallurgy, Shipbuilding, Textiles

SYDNEY–PORT KEMBLA
Iron & Steel, Nonferrous Metallurgy, Clothing, Motor Vehicles, Machinery, Chemicals, Paper & Printing

WHYALLA–PORT PIRIE
Shipbuilding, Iron & Steel, Nonferrous Metallurgy

PERTH
Machinery, Transportation Equipment, Metallurgy, Chemicals, Textiles, Oil Refining, Iron & Steel

ADELAIDE
Electrical Machinery, Motor Vehicles, Chemicals, Textiles, Paper & Printing

GEELONG
Motor Vehicles, Textiles, Machinery, Oil Refining

MELBOURNE
Textiles & Clothing, Motor Vehicles, Machinery, Chemicals, Paper & Printing

---

HIGHWAYS OF AUSTRALIA AND NEW ZEALAND

SCALE OF MILES
0 100 200 300 400 500 600 700 800
KILOMETRES
0 200 400 600 800

- Major Highways
- Other Important Roads

© Copyright C. S. Hammond & Co., Maplewood, N.J.

NEW ZEALAND
(Same scale as main map)

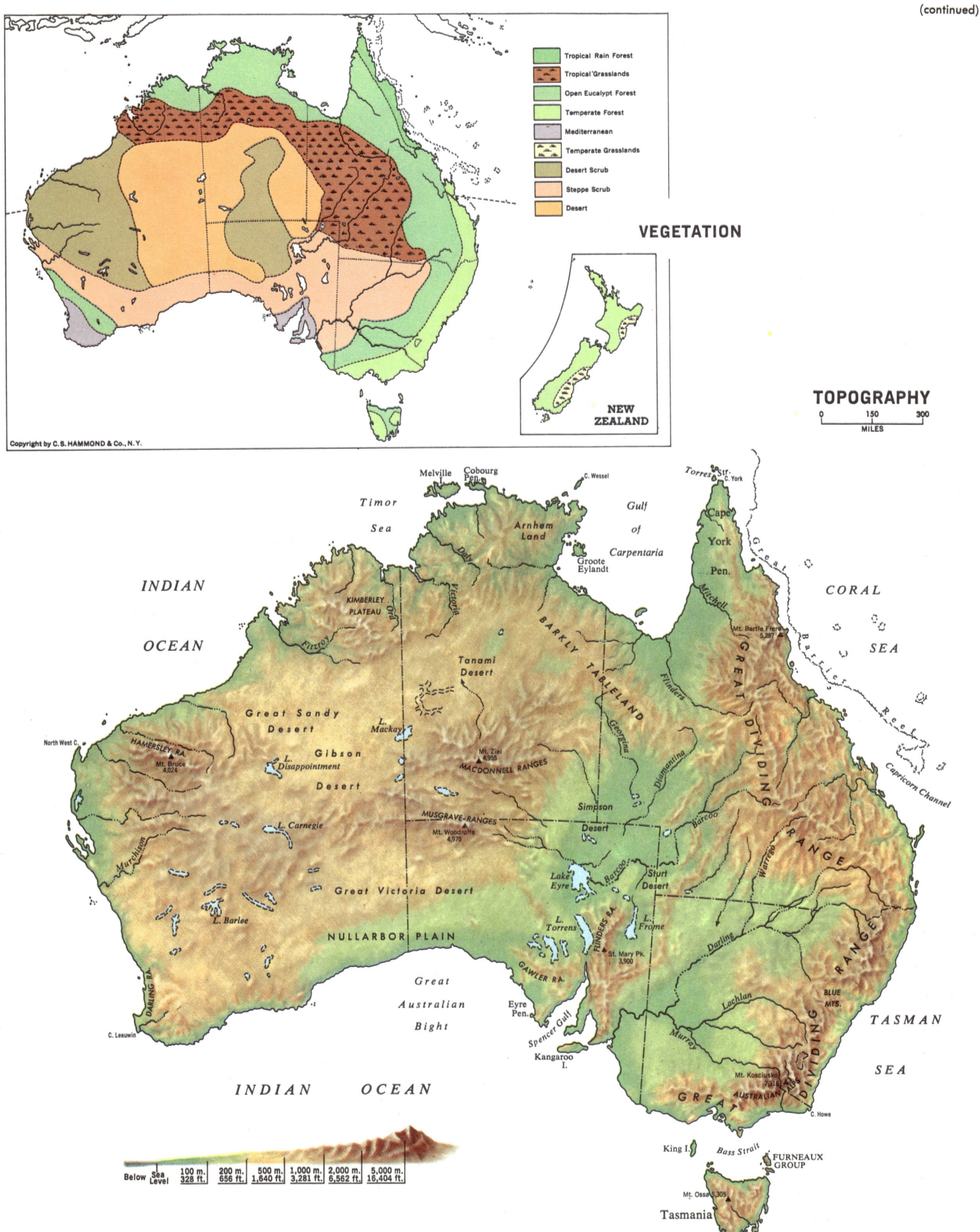

Australia
(continued)

VEGETATION

- Tropical Rain Forest
- Tropical Grasslands
- Open Eucalypt Forest
- Temperate Forest
- Mediterranean
- Temperate Grasslands
- Desert Scrub
- Steppe Scrub
- Desert

Copyright by C.S. Hammond & Co., N.Y.

NEW ZEALAND

TOPOGRAPHY

0 — 150 — 300 MILES

WESTERN AUSTRALIA

AREA 975,920 sq. mi.
POPULATION 784,107
CAPITAL Perth
LARGEST CITY Perth (greater) 431,000
HIGHEST POINT Mt. Bruce 4,024 ft.

TOPOGRAPHY

CITIES and TOWNS

Name	Pop.
Ajana (A5)	126
Albany (B6)	10,526
Anna Plains (C2)	
Argyle Downs (E2)	
Armadale (A1)	1,970
Ashburton Downs (B3)	
Augusta (A6)	280
Balladonia (D6)	
Ballidu (A2)	482
Balmoral (B3)	
Bamboo (C3)	
Bandya (C4)	
Beagle Bay Mission (C2)	72
Bencubbin (B5)	414
Beverley (B1)	851
Big Bell (B4)	854
Bindoon (B1)	352
Boddington (B2)	497
Boolaloo (B3)	
Borden (B6)	518
Boulder (C5)	5,773
Boyanup (A2)	631
Braeside (C3)	
Bridgetown (B6)	1,877
Broad Arrow (C5)	82
Brookton (B2)	557
Broome (C2)	1,222
Bruce Rock (B5)	794
Brunswick Jct. (A2)	870
Bullfinch (B5)	727
Busselton (A6)	13,186
Busselton (A6)	3,495
Capel (A2)	522
Carnamah (A5)	743
Carnarvon (A4)	1,809
Christmas Creek (D2)	
Collie (B2)	7,547
Coolgardie (C5)	625
Coorow (B5)	308
Copperfield (B5)	132
Corrigin (B6)	681
Cowaramup (A6)	580
Cranbrook (B6)	697
Cuballing (B2)	325
Cue (B4)	299
Cunderdin (B5)	738
Dale West (B2)	511
Dalwallinu (B5)	442
Dalyup (C6)	113
Dampier Downs (C2)	
Dandaragan (A5)	324
Darkan (B2)	525
De Grey (B3)	58
Denham (A4)	274
Denmark (B6)	845
Derby (C2)	994
Dongara (A5)	368
Donnybrook (A2)	1,011
Duranillin (B2)	199
Dwellingup (B2)	489
Ellendale (D2)	
Esperance (C6)	1,111
Ethel Creek (C3)	
Eucla (E5)	
Exmouth Gulf (A3)	3,000
Eyre (D6)	
Fitzroy Crossing (D2)	54
Forrest (D5)	50
Forrest River Mission (D1)	
Fremantle (A1)	24,343
Gascoyne Junction (A4)	
Geraldton (A5)	10,894
Gibb River (D2)	
Gibson (C6)	156
Gingin (A1)	465
Gnowangerup (B6)	740
Goomalling (B1)	619
Gordon Downs (E2)	
Gosnells (A1)	1,987
Grass Patch (C6)	88
Gwalia and Leonora (C5)	970
Halls Creek (D2)	161
Hamelin Pool (A4)	51
Harvey (A6)	1,898
Highbury (B2)	211
Hopetoun (C6)	65
Hyden (C5)	302
Ivanhoe (E1)	
Jarrahdale (B2)	559
Kalamunda-Gooseberry Hill (B1)	2,488
Kalbarri (A4)	75
Kalgoorlie (C5)	9,696
Kalgoorlie (C5) ⊙	21,773
Kalumburu Mission (D1)	
Karunjie (D2)	
Katanning (B6)	3,360
Kellerberrin (B5)	1,191
Kimberley Research Station (E1)	52
Kojonup (B6)	863
Kwinana (A1)	3,269
La Grange (C2)	
Lake Grace (B6)	462
Lake Way (C4)	153
Laverton (C5)	57
Lawlers (C5)	
Learmonth (A3)	148
Leonora and Gwalia (C5)	970
Liveringa (D2)	114
Lyndon (A3)	
Madura (D5)	
Mandurah (A2)	2,132
Manjimup (B2)	2,978
Marble Bar (C3)	201
Margaret River (D2)	
Margaret River (A6)	657
Meekatharra (B4)	640
Menzies (C5)	137
Merredin (B5)	3,029
Midland† (A1)	9,256
Millrose (C4)	
Milly Milly (B4)	
Mingenew (A5)	668
Minilya (A4)	
Mooloo Downs (B4)	
Moora (B5)	1,145
Morawa (B5)	469
Mount Barker (B6)	1,632
Mount Magnet (B5)	908
Mount Margaret Mission (C5)	34
Mount Vernon (B4)	
Muchea (A1)	210
Mukinbudin (B5)	594
Mullewa (B5)	799
Mundabullangana (B3)	
Mundijong (A2)	540
Mundiwindi (B3)	
Mundrabilla (E5)	
Murgoo (B4)	
Nannine (B4)	
Nannup (B6)	909
Narrogin (B2)	4,620
Nedlands† (A1)	23,218
New Norcia (A5)	731
Newdegate (B6)	316
Nicholson (E2)	
Norseman (C6)	2,104
Northam (B1)	7,200
Northampton (A5)	714
Northcliffe (B6)	578
Nullagine (C3)	104
Nungarin (B5)	538
Onslow (A3)	291
Oobagooma (D2)	
Ord River (E2)	
Pardoo (B3)	
Paynes Find (B5)	
Peak Hill (B4)	
Pemberton (A6)	1,201
Perenjori (B5)	577
Perth (cap.) (A1)*	431,000
Pingelly (B2)	939
Pingelly West (B2)	387
Pinjarra (A2)	950
Port Hedland (B3)	965
Quairading (B1)	642
Ravensthorpe (B6)	509
Rawlinna (D5)	142
Reid (E5)	
Rockingham (A2)	1,581
Roebourne (B3)	397
Roebuck Plains (C2)	
Roy Hill (B3)	
Safety Bay (A2)	807
Salmon Gums (C6)	188
Sandstone (B4)	72
South Perth† (A1)	29,341
Southern Cross (B5)	779
Subiaco† (A1)	16,033
Tableland (B1)	
Three Rivers (B4)	
Three Springs (A5)	701
Toodyay (B1)	663
Turkey Creek (E2)	
Waggrakine (A5)	342
Wagin (B2)	1,608
Wallal Downs (C2)	
Wandering (B2)	283
Wanneroo (B2)	714
Waroona (A2)	980
Watheroo (A5)	345
Wickepin (B2)	577
Widgiemooltha (C5)	117
Williams (B2)	490
Wiluna (C4)	153
Winning Pool (A3)	
Wittenoom Gorge (B3)	881
Wongan Hills (B5)	601
Wooramel (A4)	
Wooroloo (A1)	705
Wundowie (B1)	1,102
Wyalkatchem (B5)	760
Wyndham (E1)	958
Yalgoo (B5)	162
Yampi Sound (C2)	
Yanrey (A3)	
Yeeda River (C2)	
York (B1)	1,524
Youanmi (C5)	
Yuna (A5)	140
Zanthus (C5)	

PHYSICAL FEATURES

Feature	Grid
Adele (isl.)	C 1
Admiralty (gulf)	D 1
Aloysius (mt.)	E 4
Amherst (mt.)	C 4
Arid (cape)	C 6
Arthur (river)	B 2
Ashburton (river)	A 3
Augustus (isl.)	D 1
Augustus (mt.)	B 4
Austin (lake)	B 4
Avon (river)	B 1
Bald (head)	B 6
Barlee (lake)	B 5
Barrow (isl.)	A 3
Bernier (isl.)	A 4
Bigge (isl.)	D 1
Bluff Knoll (mt.)	B 6
Bonaparte (arch.)	D 1
Bougainville (cape)	D 1
Bouvard (cape)	A 2
Brassey (range)	C 4
Browse (isl.)	C 1
Bruce (mt.)	B 3
Brunswick (bay)	D 1
Buccaneer (arch.)	C 2
Carey (lake)	C 5
Churchman (mt.)	B 5
Cheyne (bay)	B 6
Cloates (point)	A 3
Collier (bay)	C 1
Cowan (lake)	C 5
Culver (point)	D 6
Culver (cape)	A 1
Dale (mt.)	B 1
Dampier (arch.)	B 3
Dampier Land (reg.)	C 2
Darling (river)	A 1
De Grey (river)	B 3
D'Entrecasteaux (point)	B 6
Dirk Hartogs (isl.)	A 4
Disappointment (lake)	C 3
Dora (lake)	C 3
Dorre (isl.)	A 4
Dover (point)	D 6
Drysdale (river)	D 1
Dundas (lake)	C 6
Egerton (mt.)	B 4
Eighty Mile (beach)	B 3
Esperance (bay)	C 6
Exmouth (gulf)	A 3
Farquhar (cape)	A 4
Fitzroy (river)	D 2
Flinders (bay)	A 6
Fortescue (river)	A 3
Garden (isl.)	A 1
Geelvink (chan.)	A 5
Geographe (bay)	A 6
Geographe (chan.)	A 4
Gibson (desert)	D 3
Goldsworthy (mt.)	C 3
Great Australian (bight)	E 6
Great Sandy (desert)	C 3
Great Victoria (desert)	D 5
Gregory (lake)	C 4
Hale (mt.)	B 4
Hamersley (range)	B 3
Hann (mt.)	D 1
Hopkins (lake)	E 4
Houtman Abrolhos (isls.)	A 5
Indian Ocean	A 5
Johnston, The (lake)	C 6
Joseph Bonaparte (gulf)	E 1
Keats (mt.)	A 2
Kimberley (plateau)	D 1
King (sound)	C 2
King Leopold (range)	D 2
Koolan (isl.)	261 C 1
Lacepede (isls.)	C 2
Latouche Treville (cape)	C 2
Le Grand (cape)	C 6
Leeuwin (cape)	A 6
Lefroy (lake)	C 5
Lévêque (cape)	C 2
Londonderry (cape)	D 1
Long (reef)	D 1
Lyons (river)	A 4
Macdonald (lake)	E 3
Mackay (lake)	E 3
Madley (mt.)	D 4
McLeod (lake)	A 4
Minigwal (lake)	C 5
Montague (sound)	D 1
Monte Bello (isls.)	A 3
Moore (lake)	B 5
Muiron (isls.)	A 3
Murchison (mt.)	B 4
Murchison (river)	A 4
Murray (river)	A 2
Naturaliste (cape)	A 2
Naturaliste (channel)	A 4
North West (cape)	A 3
Nullarbor (plain)	D 5
Oakover (river)	C 3
Ord (mt.)	D 2
Ord (river)	E 2
Peel (inlet)	A 2
Percival (lakes)	D 3
Peron (pen.)	A 4
Petermann (ranges)	E 4
Raeside (lake)	C 5
Rason (lake)	C 5
Rebecca (lake)	C 5
Recherche (arch.)	C 6
Robinson (ranges)	B 4
Roebuck (ranges)	C 2
Rottnest (isl.) 171	A 1
Rowley (shoals)	B 2
Rulhieres (cape)	D 1
Saint George (ranges)	D 2
Salt (lake)	A 2
Shark (bay)	A 4
Southesk Tablelands	D 2
Steep (point)	A 4
Sturt (creek)	D 2
Swan (river)	A 1
Talbot (lake)	C 4
The Johnston (lake)	C 6
Thouin (point)	B 3
Timor (sea)	C 1
Tomkinson (ranges)	E 4
Wanna (lake)	C 5
Way (lake)	C 4
Weld (range)	B 4
Wells (lake)	C 4
Wooramel (river)	A 4
Yeo (lake)	D 5
York (range)	B 3
Yule (river)	B 3

*Population of metropolitan area.
⊙ Population of urban area.
† In Perth metropolitan area.

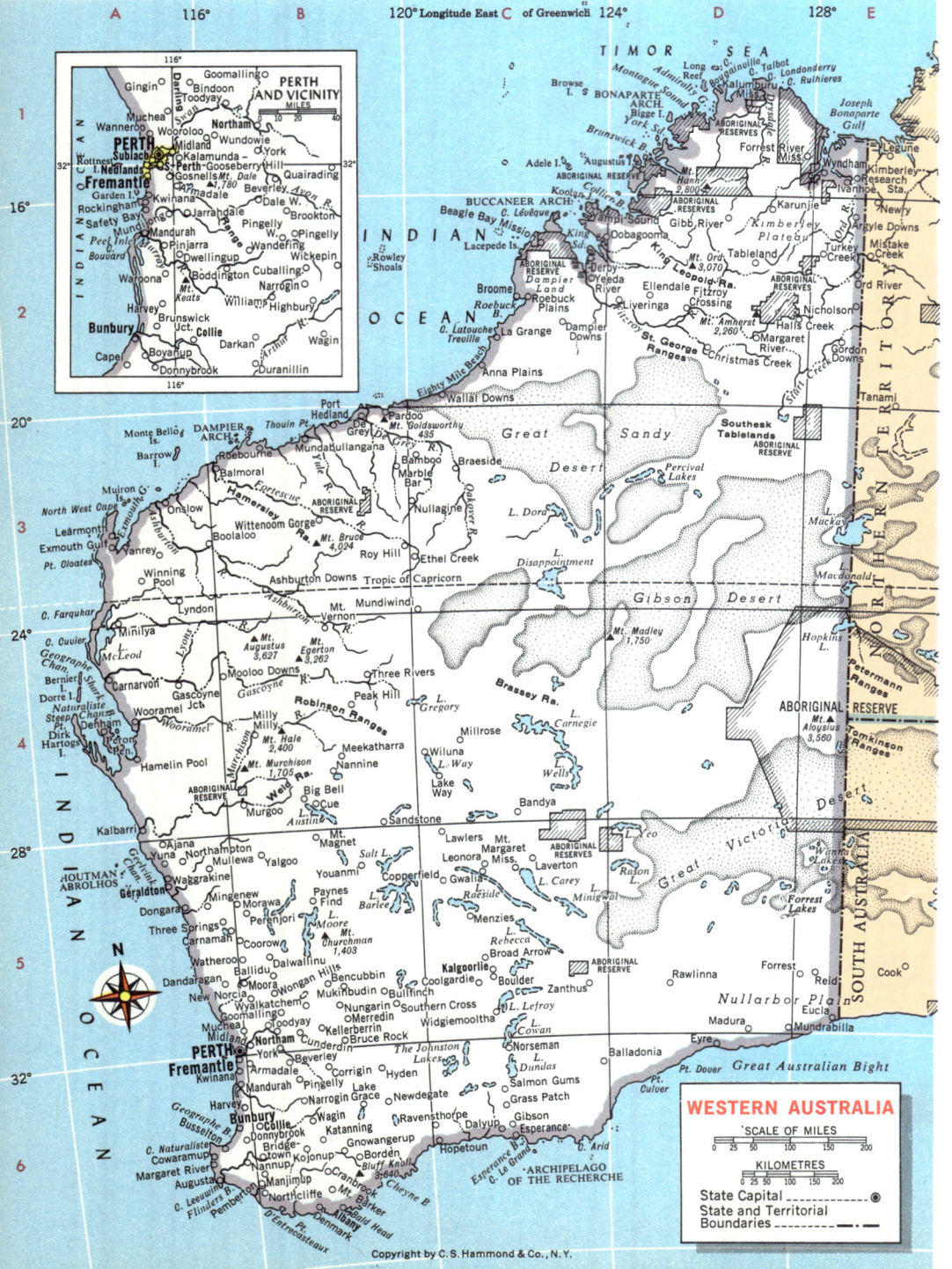

NORTHERN TERRITORY

AREA 523,620 sq. mi.
POPULATION 28,822
CAPITAL Darwin
LARGEST CITY Darwin 12,708
HIGHEST POINT Mt. Ziel 4,955 ft.

CITIES and TOWNS

Adelaide River (B2)...... 159
Aileron (C7)
Alexandria (E5)
Alice Springs (D7).... 4,648
Alroy Downs (E5)
Andado (D8)
Angas Downs (C8)
Anthony Lagoon (C8)
Areyonga (C8)........ 273
Argadargada (E6)
Aritunga (D7)
Auvergne (B3)
Avon Downs (E5)
Banka Banka (C5)
Barrow Creek (D6)
Batchelor (B2)........ 800
Bathurst Island Mission (B1)........ 869
Birdum (C3)
Birrimbah (C3)
Birrindudu (A5)
Borroloola (E4)........ 209
Bundooma (D8)
Burramurra (E6)
Calvert Hills (E4)
Charlotte Waters (D8)
Claravale (B3)
Coniston (C7)
Coolibah (B3)
Creswell Downs (E4)
Croker Island Mission (C1)........ 137
Daly River (B2)........ 140
Daly Waters (C4)
Darwin (cap.) (B2).. 12,708
Douglas (B2)
Elcho Island Mission (D1)........ 579
Elliott (C4)
Epenarra (D6)
Erldunda (C8)
Eva Downs (D5)
Ewaninga (D8)
Fitzroy (B4)
Frewena (D5)
Gribbles Settlement (B1)........ 239
Haasts Bluff (B7)...... 617
Harts Range (D7)...... 186
Hatches Creek (D6).... 7
Helen Springs (C5)
Henbury (C8)
Hermannsburg Mission (C7)........ 280
Hooker Creek (B5).... 277
Humpty Doo (B2)
Inverway (A4)
Katherine (B3)........ 606
Kildurk (A4)
Killarney (B4)
Koolpinyah (B2)
Kulgera (C8)
Kurundi (D6)
Lake Nash (E6)
Legune (A3)
Limbunya (B4)
Litchfield (B2)
Lucy Creek (E7)
Mainoru (C3)
Mataranka (C3)........ 70
Milingimbi Mission (D2).. 481
Mistake Creek (A4)
Montejinni (C4)
Mount Cavanagh (C8)
Mount Doreen (B7)
Murray Downs (D6)
Napperby (C7)
Newcastle Waters (C4)
Newry (A3)
Numbulwar (D3)........ 223
Nutwood Downs (D3)
Oenpelli Mission (C2).. 299
O. T. Downs (D4)
Pine Creek (C2)........ 109
Plenty River Mine (D7)
Port Keats Mission (A3).. 452
Powell Creek (C5)
Rankine Store (E5)
Ringwood (D7)
Robinson River (E4)
Rockhampton Downs (D5)
Rodinga (D8)
Roper River Mission (D3)........ 228
Roper Valley (D3)
Rosewood (A4)
Rum Jungle (B2)
Rumbalara (D8)
Soudan (E6)
Stirling (C6)
Tanami (A5)
Tarlton Downs (E7)
Tea Tree Well Store (C7)
Tempe Downs (C8)
Tennant Creek (C5)...... 837
The Granites (B6)
Top Springs (C4)
Ucharonidge (D4)
Umbeara (C8)
Urapunga (D3)
Utopia (D7)
Victoria River Downs (B4)
Waterloo (A4)
Wave Hill (B4)
White Quartz Hill (D7)
Willeroo (B3)
Willowra (C6)
Wollogorang (F4)
Yambah (C7)
Yirrkala Mission (E2).. 501
Yuendumu (B7)........ 649

PHYSICAL FEATURES

Amadeus (lake)..........B 8
Arafura (sea)..........D 1
Arnhem (cape)..........E 2
Arnhem Land (reg.), 3,231..........D 2
Arnold (river)..........D 3
Barkly Tableland..........D 4
Bathurst (isl.), 869..........A 1
Beagle (gulf)..........A 2
Beatrice (cape)..........E 3
Bennett (lake)..........B 7
Bickerton (isl.)..........E 2
Blaze (point)..........B 1
Boucaut (bay)..........D 1
Carpentaria (gulf)..........E 3
Central Wedge (mt.)..........C 7
Clarence (str.)..........B 2
Cobourg (pen.)..........C 1
Conner (mt.)..........B 8
Corker (cape)..........C 1
Daly (river)..........B 2
Davenport (mt.)..........B 7
Dobbie (mt.)..........E 7
Drummond (mt.)..........E 5
Dry (river)..........C 3
Dundas (str.)..........B 1
East Alligator (river)..........C 2
Ehrenberg (range)..........B 7
Elcho (isl.), 579..........D 1
Ewing (mt.)..........E 7
Finke (river)..........C 8
Fitzmaurice (river)..........B 3
Flora (river)..........B 3
Ford (cape)..........A 2
Georgina (river)..........E 5
Goulburn (isls.), 212..........C 1
Goyder (river)..........D 2
Grey (cape)..........E 2
Groote Eylandt (isl.), 637..........E 2
Hale (river)..........D 8
Hanson (river)..........C 6
Hay (cape)..........A 3
Hay (dry river)..........E 7
Hogarth (mt.)..........E 6
Hopkins (lake)..........A 8
Joseph Bonaparte (gulf)..A 3
Katherine (river)..........C 3
Lander (river)..........C 6
Leisler (mt.)..........A 7
Limmen (bight)..........D 3
Limmen Bight (river)..........D 4
Macdonald (lake)..........A 7
Macdonnell (ranges)..........C 7
Mackay (lake)..........A 7
Mann (river)..........D 2
Marshall (river)..........D 7
Melville (bay)..........E 2
Melville (isl.), 343..........B 1
Murchison (range)..........D 6
Napier (mt.)..........A 4
Neale (lake)..........A 8
Newcastle (creek)..........C 4
Nicholson (river)..........E 5
Old Marsh Bed..........B 6
Olga (mt.)..........B 8
Peron (isls.)..........A 2
Petermann (ranges)..........A 8
Port Darwin (inlet)..........B 2
Ranken (river)..........E 6
Robinson (river)..........E 4
Roper (river)..........C 3
Rose (river)..........D 2
Sandover (river)..........D 6
Simpson (desert)..........E 8
Singleton (mt.)..........B 6
Sir Edward Pellew Group (isls.)..........E 3
South Alligator (river)..........C 2
Stanley (mt.)..........B 7
Stewart (river)..........D 1
Sturt (plain)..........C 4
Sylvester (lake)..........D 5
Tanami (desert)..........C 5
Timor (sea)..........A 2
Todd (river)..........D 8
Van Diemen (cape)..........B 1
Van Diemen (gulf)..........B 1
Vanderlin (isl.)..........E 3
Victoria (river)..........B 3
Warwick (chan.)..........E 2
Wessel (cape)..........E 1
Wessel (isls.)..........E 1
West Baines (river)..........A 4
White (lake)..........A 6
Winnecke (creek)..........B 5
Woods (lake)..........C 4
Young (mt.)..........D 3
Ziel (mt.)..........C 7

TOPOGRAPHY

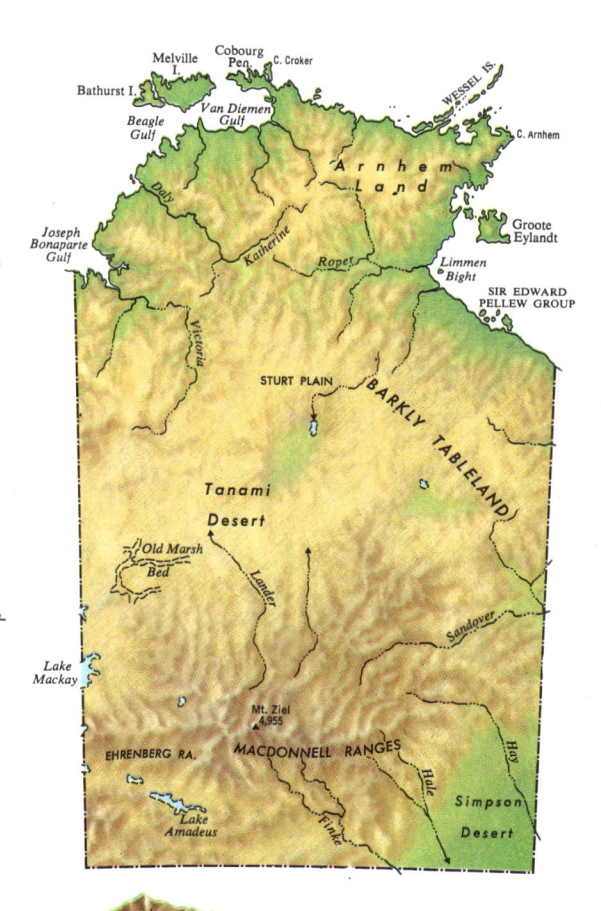

SOUTH AUSTRALIA

AREA 380,070 sq. mi.
POPULATION 1,020,174
CAPITAL Adelaide
LARGEST CITY Adelaide (greater) 593,500
HIGHEST POINT Mt. Woodroffe 4,970 ft.

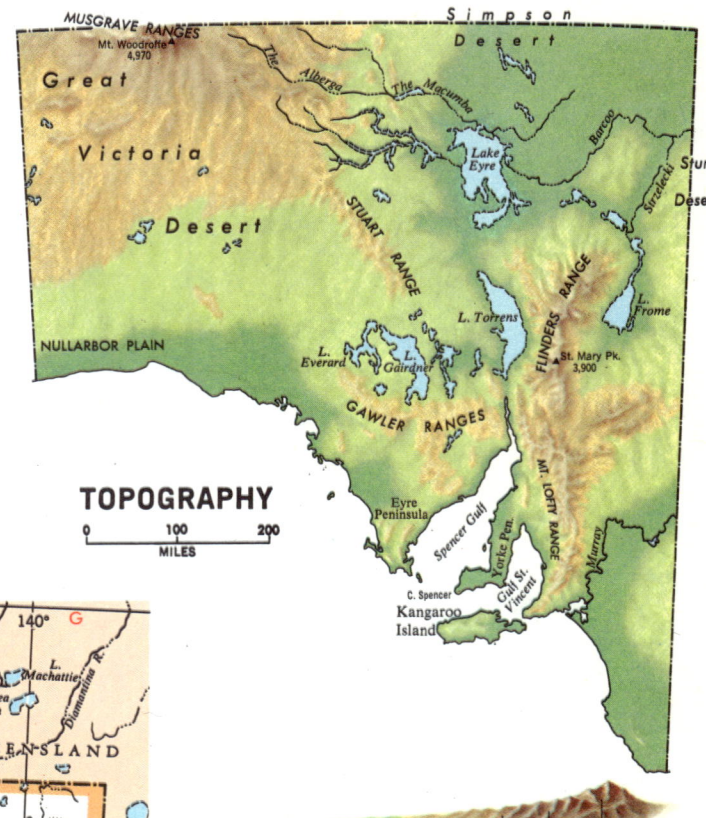

CITIES and TOWNS

Abminga (D2)	Brighton* (A8) 20,337	Cowarie (F2)	Hawker (F4) 538
Adelaide (cap.) (B6) †593,500	Burnside (B8) 36,266	Cowell (E5) 682	Hindmarsh* (A7) 12,914
Alberga (D2)	Burra (F5) 1,382	Crystal Brook (E5) 1,144	Hope Valley-Teatree Gully (B7) 4,755
Alton Downs (F2)	Campbelltown* (B7) 20,945	Cummins (D6) 768	Hughes (A4)
Andamooka (E4) 380	Ceduna (D5) 1,292	Curnamona (F4)	Innamincka (G2)
Angaston (F6) 1,913	Clare (F5) 1,622	Edithburgh (E6) 510	Iron Knob (E5) 650
Anna Creek (D3)	Cleve (E5) 674	Elliston (D5) 121	Jamestown (F5) 1,304
Balaklava (F6) 1,301	Clifton Hills (F2)	Enfield* (B7) 72,427	Kadina (F5) 1,866
Barmera (G6) 1,179	Cockburn (G5) 131	Ernabella (C2)	Kangarilla (B8) 495
Beachport (F7) 495	Colonel Light Gardens* (A8) 3,671	Etadunna (F3)	Kapunda (F6) 1,164
Berri (G6) 1,680	Coober Pedy (D3) 259	Fisher (B4)	Keith (G7) 951
Birdwood (C7) 394	Cook (B4) 128	Gawler (B6) 5,639	Kensington and Norwood* (B8) 13,476
Blinman (F4) 66	Coorabie (B4) 76	Gladstone (E5) 1,063	Kimba (E5) 648
Bordertown (G7) 1,546	Copley (F4) 95	Glenelg* (A8) 14,492	Kingoonya (D4) 112
	Cordillo Downs (G2)	Gumeracha (C7) 467	Kingscote (E6) 949
	Coward Springs (E3)	Hahndorf (C8) 705	

Kingston (G7) 963	Streaky Bay (D5) 766	Hack (mt.) F4
Koonibba (C4) 178	Tailem Bend (F6) 2,049	Hamilton, The (river) D2
Kyancutta (D5) 159	Tanunda (C6) 1,863	Harris (lake) D4
Lameroo (G6) 568	Tarcoola (D4) 129	Head of Bight (bay) B4
Laura (F5) 598	Terowie (F5) 616	Indian Ocean E7
Leigh Creek (F4) 1,020	Thebarton* (A7) 12,884	Investigator (str.) E6
Lenswood (C8) 495	Tieyon (C2)	Investigator Group (isls.) D5
Lobethal (C7) 1,085	Tilcha (G3)	Island (lagoon) E4
Lock (D5) 186	Tumby Bay (E6) 834	Jaffa (cape) F7
Loxton (G6) 2,057	Unley* (B8) 40,280	Kangaroo (isl.) 3,285 E7
Loxton North (G6) 1,189	Uraidla (B8) 587	Lacepede (bay) F7
Lyndhurst (E4) 57	Victor Harbor (F6) 2,036	Little Para (river) B7
Lyndoch (C6) 562	Virginia (B7) 803	Lofty (mt.) C8
Maitland (E6) 989	Waikerie (F6) 916	Macfarlane (lake) E5
Mannahill (F5) 112	Wallaroo (E5) 2,237	Macumba, The (river) E2
Mannum (F6) 1,841	Wanilla (D6) 176	Maurice (lake) B3
Maralinga (and Woomera) (F3)	Warrina (D3)	Meramangye (lake) C3
	West Torrens* (A8) 40,681	Morris (mt.) C3
Marion* (A8) 58,464	Whyalla (E5) 13,711	Mount Bold (res.) B8
Marree (E3) 278	William Creek (E3)	Murray (river) G6
Meadows (B8) 487	Williamstown (C7) 647	Musgrave (ranges) B2
Meningie (F6) 589	Willunga (F6) 569	Neales, The (river) E3
Millicent (G7) 3,401	Wilmington (F5) 365	Neptune (isls.) E6
Minlaton (E6) 860	Wirrulla (D5) 183	Northumberland (cape) F7
Minnipa (D5) 261	Woodside (C8) 519	Nukey Bluff (mt.) D5
Mitcham* (B8) 43,122	Woodville* (A7) 71,039	Nullarbor (plain) A4
Moonta (E5) 1,151	Wooltana (F4) 58	Nurrari (lakes) C3
Morphett Vale (A8) 815	Woomera (and Maralinga) (E4) 4,808	Nuyts (arch.) C5
Mount Barker (C8) 1,872	Wudinna (D5) 343	Nuyts (cape) C5
Mount Eba (D4)	Wynbring (C4)	Onkaparinga (river) B8
Mount Gambier (G7) 15,388	Yorketown (E6) 769	Peera Peera Poolanna (lake) F2
Murray Bridge (F6) 5,404	Yunta (F5) 179	Saint Mary (peak) F4
Nairne (C8) 553		Saint Vincent (gulf) F6
Nangwarry (G7) 1,156	**PHYSICAL FEATURES**	Serpentine (lakes) A3
Naracoorte (G7) 4,410		Simpson (desert) E1
Noarlunga (A8) 323	Acraman (lake) D5	Sir Joseph Banks Group (isls.) E6
Nullarbor (B4)	Alberga, The (river) D2	South Para (river) C7
Nuriootpa (F6) 1,761	Alexandrina (lake) F6	Spencer (cape) E6
Olary (G5) 107	Anxious (bay) D5	Spencer (gulf) E5
Oodnadatta (D2) 137	Arckaringa (creek) D3	Stevenson, The (river) D2
Ooldea (B4)	Barcoo (creek) F3	Streaky (bay) D5
Orroroo (F5) 687	Barossa (res.) C7	Strzelecki (creek) G3
Outer Harbor (A7)	Birksgate (range) A2	Stuart (range) D3
Pandie Pandie (F2)	Blanche (lake) F3	Sturt (desert) G2
Parachilna (F4) 51	Brady (mt.) D3	Sturt (river) B7
Parndana (E6)	Cadibarrawirracanna (lake) D3	The Alberga (river) D2
Payneham* (C8) 14,930	Callabonna (lake) F3	The Coorong (lag.) F6
Pedrika (D2)	Catastrophe (cape) D6	The Hamilton (river) D2
Penola (G7) 1,355	Coffin (bay) D6	The Macumba (river) E2
Penong (C4) 212	Coffin Bay (pen.) D6	The Neales (river) E3
Peterborough (F5) 3,430	Coopers (Barcoo) (creek) F3	The Stevenson (river) D2
Pinnaroo (G6) 904	Coorong, The (lag.) F6	The Warburton (river) F2
Port Adelaide* (A7) 38,923	Dey Dey (lake) B3	Thistle (isl.) E6
Port Augusta (E5) 9,711	Encounter (bay) F7	Torrens (lake) E4
Port Kenny (D5) 170	Everard (lake) D4	Torrens (river) B7
Port Lincoln (E6) 7,508	Everard (ranges) C2	Warburton, The (river) F2
Port Noarlunga-Christies Beach (A8) 2,509	Eyre (pen.) D5	Warren (res.) C7
Port Pirie (E5) 14,003	Eyre (lake) E3	Whidbey (isls.) D6
Prospect* (B7) 22,184	Eyre North (lake) E3	Wilkinson (lakes) C3
Quorn (F5) 566	Eyre South (lake) E3	Wilson Bluff (prom.) A4
Radium Hill (G5) 867	Finke (river) C1	Woodroffe (mt.) A2
Renmark (G5) 6,070	Flinders (range) F4	Wright (lake) A2
Reynella (A8) 680	Frome (lake) G4	Yarle (lake) B3
Robe (F7) 424	Gairdner (lake) D4	Yorke (pen.) E6
Roseworthy (B6) 174	Gawler (ranges) D5	
Salisbury (B7) 9,349	Gilles (lake) E5	
Smoky Bay (D5) 146	Goyders (lagoon) F2	†Population of metropolitan area.
Snowtown (E5) 642	Great Australian (bight) A5	
Stirling-Bridgewater (B8) 4,084	Great Victoria (des.) B3	*In Adelaide metropolitan area.
Stirling North (E5) 685	Gregory (lake) F3	
Strathalbyn (F6) 1,465		

Copyright by C.S. Hammond & Co., N.Y.

QUEENSLAND

AREA	667,000 sq. mi.
POPULATION	1,571,982
CAPITAL	Brisbane
LARGEST CITY	Brisbane (greater) 635,500
HIGHEST POINT	Mt. Bartle Frere 5,287 ft.

CITIES and TOWNS

Abingdon (B3)	Eton (D4) 270	Mount Morgan (D4) 4,000
Adavale (C5) 77	Eulo (C6) 83	Mount Surprise (C3) 68
Aramac (C4) 654	Floraville (B3)	Munbura (C2) 93
Ascot* (E2) 16,617	Forsayth (B3) 95	Mungindi (C6) 88
Atherton (C3) 2,982	Gatton (E5) 2,623	Murgon (D5) 2,099
Augathella (C5) 636	Gayndah (D5) 1,805	Murra Murra (C6) 51
Ayr (C3) 8,010	Geebung* (E2) 13,358	Musgrave (C2)
Balmoral* (E2) 15,627	Georgetown (B3) 167	Muttaburra (C4) 304
Barcaldine (C4) 1,738	Gladstone (D4) 7,181	Nambour (E5) 5,336
Barkly Downs (A4)	Glenmorgan (D5) 234	Nappamerry (B5)
Beaudesert (E6) 2,930	Glenormiston (A4)	Newmarket* (D2) 12,464
Bedourie (A5) 60	Gold Coast (E6) 33,716	Noccundra (B5)
Betoota (B5)	Goondiwindi (D6) 3,274	Noranside (A4)
Biloela (D5) 2,048	Gordonvale (D3) 2,234	Normanton (B3) 334
Birdsville (A5) 52	Greenslopes* (E3) 13,411	Nundah* (E2) 15,615
Blackall (C5) 2,217	Gympie (E5) 11,094	Opalton (B4)
Blair Athol (C4) 405	Hebel (C6) 94	Palmerville (B3)
Bogantungan (C4) 136	Holland Park* (E3) 19,852	Pelham (B3)
Bollon (C6) 244	Home Hill (C3) 3,217	Pialba (E5) 4,191
Boulia (A4) 300	Homestead (C4) 123	Prairie (C4) 120
Bowen (D3) 5,160	Hughenden (B4) 2,329	Proserpine (D4) 2,523
Brisbane (cap.) (D2) 593,663	Hungerford (B6) 20	Quilpie (C5) 1,086
Brisbane (D2) .... †635,500	Inala (E5) 12,278	Ravenshoe (C3) 1,086
Bulgroo (B5) 62	Indooroopilly* (D3) 14,032	Redcliffe* (E5) 21,674
Bundaberg (D5) 22,799	Ingham (C3) 4,790	Richmond (B4) 1,065
Burketown (A3) 120	Injune (D5) 504	Rockhampton (D4) 44,128
Cairns (D3) 25,204	Innisfail (D3) 6,917	Roma (D5) 5,571
Caloundra (E5) 2,807	Ipswich (E5) 48,679	Rutland Plains (B2)
Camooweal (A3) 251	Iron Range (B2)	Saint George (D5) 2,209
Camp Hill* (E3) 12,481	Isisford (C5) 293	Saint Lawrence (D4) 232
Cape York (B1)	Jandowae (D5) 1,020	Sandgate* (D2) 20,756
Capella (C4) 265	Jericho (C4) 291	Sarina (D4) 2,119
Carandotta (A4)	Julia Creek (B4) 905	Scottsville (C4) 2,122
Cardwell (C3) 412	Jundah (B5) 137	Selwyn (B4)
Carmila (C4) 165	Kajabbi (A4) 70	Springfield (B5) 92
Charleville (C5) 5,154	Karumba (B3) 50	Springsure (D5) 814
Charters Towers (C4) 7,633	Kilcoy (E5) 1,033	Stafford* (D2) 12,467
Chermside* (D2) 19,972	Kingaroy (D5) 4,914	Stanthorpe (D6) 3,234
Chinchilla (D5) 3,072	Koumala (D4) 228	Stonehenge (B5) 53
Clermont (C4) 1,737	Kynuna (B4) 51	Tambo (C5) 586
Cloncurry (B4) 2,438	Laura (C2) 116	Tara (D5) 990
Coen (B2) 75	Lawn Hill (A3)	Taroom (D5) 628
Collinsville (C4) 2,122	Longreach (B4) 3,806	Tewantin (E5) 2,015
Cooktown (C2) 429	Lynd (C3)	Thangool (D5) 198
Cooladdi (C5) 97	Mackay (D4) 16,809	Thargomindah (C5) 163
Coopers Plains* (D3) 11,243	Mackay North (D4) 4,602	Theodore (D4) 714
Corfield (B4) 170	Malbon (B4) 56	Thursday Island (B1) ... 2,218
Corinda (A3)	Mapoon Mission Station	Toowoomba (D5) 50,134
Corinda* (D3) 11,396	(B1) 103	Townsville (C3) 51,143
Croydon (B3) 122	Mareeba (D3) 4,585	Tully (C3) 2,678
Cunnamulla (C5) 2,234	Marlborough (D4) 142	Uanda (C4)
Currawilla (B5)	Maryborough (E5) 19,126	Vanrook (B3)
Dajarra (A4) 184	Mary Kathleen (A4) 982	Vena Park (B3)
Dalby (D5) 7,400	Maryvale (C3) 171	Walsh (B3)
Diamantina Lakes (B4)	McDonnell (B1)	Wandoan (D5) 500
Dirranbandi (D6) 889	McKinlay (B4) 71	Warenda (B4)
Donbar (B3)	Millmerran (D5) 1,060	Warwick (D6) 9,843
Donnybrook (D5) 68	Millungera (B3)	Weipa (B2) 110
Duaringa (D4) 297	Mirani (D4) 443	Welford (D4)
Duchess (A4) 67	Mitchell (C5) 1,822	Westmoreland (A3)
Durham Downs (B5)	Mitchelton* (D2) 13,183	Windoran (B5) 99
East Brisbane* (E3) 10,958	Monto (D5) 1,795	Windsor* (D2) 14,017
Eidsvold (D5) 576	Mooroolka* (D3) 15,006	Winton (B4) 1,784
Ekibin* (E3) 13,019	Morella (B4) 329	Wooloar (B3)
Emerald (C4) 2,029	Morven (C5) 382	Wurong (B3)
Emmet (C5) 100	Mossman (C3) 1,491	Wyandra (C5) 160
Eromanga (B5) 121	Mount Douglas (C4)	Wynnum* (E5) 22,007
Esk (E5) 826	Mount Isa (A4) 13,358	Yaraka (C5) 87
	Mount Margaret (A3)	Yeppoon (D4) 2,869
	Mount Molloy (C3) 252	Yeronga* (D3) 11,112

†Population of metropolitan area.
*In Brisbane area.

TOPOGRAPHY

PHYSICAL FEATURES

Albatross (bay) .... B 2	Caryapundy (swamp) ... B 6	Gregory (river) .... A 3	Norman (river) .... B 3
Alice (river) .... C 4	Clarke (range) .... C 4	Grenville (cape) .... B 1	Normanby (river) .... C 2
Archer (river) .... B 2	Cloncurry (river) .... B 4	Grey (range) .... B 5	Northumberland (isls.) . D 4
Balonne (river) .... D 6	Coleman (river) .... B 2	Halifax (bay) .... C 3	Osprey (reef) .... C 2
Banks (isl.), 299 .... B 1	Comet (river) .... D 5	Hamilton (river) .... B 4	Oxley (creek) .... D 2
Barcoo (river) .... B 5	Condamine (river) ..... D 5	Heralds (cays) .... D 3	Peak (range) .... C 4
Barkly Tableland .... A 4	Coral (sea) .... D 1	Hervey (bay) .... E 5	Pera (head) .... B 2
Bartle Frere (mt.) ...... D 3	Cumberland (isls.) .... D 4	Hinchinbrook (isl.) .... C 3	Prince of Wales (isl.) ... B 1
Beal (range) .... B 5	Curtis (isl.) .... D 5	Holmes (reef) .... D 3	Princess Charlotte (bay) C 2
Belyando (river) .... C 4	Dawson (river) .... D 5	Holroyd (river) .... B 2	Sandy (cape) .... E 5
Bentinck (isl.) .... A 3	Diamantina (river) .... A 4	Hook (isl.) .... D 4	Saumarez (reef) .... E 4
Bigge (range) .... D 5	Direction (cape) .... C 2	Isaacs (river) .... D 4	Selwyn (range) .... B 4
Bougainville (reef) .... C 3	Downfall (creek) .... D 2	Kedron (brook) .... D 2	Sidmouth (cape) .... C 2
Bowling Green (cape) . C 3	Drummond (range) ... C 4	Keerweer (cape) .... B 2	Simpson (desert) .... A 5
Bramble (bay) .... E 2	Duifken (point) .... B 2	Leichhardt (range) .... B 4	Staaten (river) .... B 3
Brisbane (river) .... E 2	Endeavour (str.) .... C 1	Leichhardt (river) ...... A 3	Sturt (desert) .... B 6
Brisbane Airport .... E 2	Enoggera (creek) .... D 2	Machattie (lake) .... A 5	Suttor (river) .... C 4
Broad (sound) .... D 4	Fitzroy (river) .... D 4	Macintyre (river) .... D 6	Swain (reefs) .... E 4
Bulimba (creek) .... E 2	Flattery (cape) .... C 2	Manifold (cape) .... D 4	Thompson (river) .... B 5
Bulloo (lake) .... B 6	Flinders (reefs) .... D 3	Maranoa (river) .... C 5	Torres (str.) .... B 1
Bulloo (river) .... B 6	Flinders (river) .... B 3	Marion (reef) .... E 3	Trinity (bay) .... C 3
Bunker Group (isls.) .. E 4	Fraser (isl.) .... E 5	Mary (river) .... E 5	Tully (falls) .... C 3
Burdekin (river) .... C 3	Galilee (lake) .... C 4	McIlwraith (range) ..... B 2	Warrego (range) .... C 5
Cabbage Tree (creek) . D 2	Georgina (river) .... A 4	Mitchell (river) .... B 3	Warrego (river) .... C 5
Cape York (pen.) .... B 2	Gilbert (river) .... B 3	Moreton (bay) .... E 5	Wellesley (isls.) .... A 3
Capricorn (chan.) ...... D 4	Great Barrier (reef) .... D 3	Moreton (isl.) .... E 5	Whitsunday (isl.) .... D 4
Capricorn Group (isls.) E 4	Great Dividing (range) C 4	Mornington (isl.), 53 ... A 3	Wide (bay) .... E 5
Carnarvon (range) ..... D 5	Great Sandy (Fraser)	Nicholson (river) .... A 3	Willies (range) .... C 6
Carpentaria (gulf) ..... A 2	(isl.) .... E 5	Nogoa (river) .... C 5	Wilson (river) .... C 5
	Gregory (range) .... B 3	Norman (creek) .... D 3	Yamma Yamma (lake) . B 5
			York (cape) .... B 1

New South Wales and Victoria

Blue Mountains	(F3)	28,119	Braidwood	(E4)	1,052	Byron Bay	(G1)	2,172
Bobadah	(D3)	72	Branxton★	(F3)	1,144	Camden	(F4)	6,372
Bodalla	(F5)	242	Bredbo	(E4)	183	Campbelltown	(F4)	16,374
Bogan Gate	(D3)	218	Brewarrina	(D1)	1,225	Canbelego	(D2)	143
Boggabilla	(F1)	472	Bribbaree	(D3)	159	Canowindra	(E3)	1,747
Boggabri	(F2)	1,256	Broken Hill	(A3)	31,267	Canterbury	(J3)	113,820
Bomaderry	(F4)	2,210	Browning	(E4)	...	Captains Flat	(E4)	1,548
Bombala	(E5)	1,389	Brunswick Heads	(G1)	975	Caragabal	(D3)	381
Bonalbo	(G1)	539	Bugaldie	(E2)	201	Carinda	(D2)	397
Bondi	(K3)	...	Bulahdelah	(G3)	978	Carrathool	(C4)	132
Bonnyrigg	(H3)	...	Bundanoon	(E4)	727	Carroll	(F2)	180
Bourke	(D2)	3,001	Bundarra	(F2)	478	Casino	(G1)	8,091
Bowral	(F4)	4,922	Bungendore	(E4)	508	Cassilis	(E3)	120
Bowraville	(G2)	1,003	Burcher	(D3)	157	Central Tilba	(F5)	180
Blacktown	(H3)	86,295	Burns	(A3)	...	Cessnock	(F3)	13,833
Blayney	(E3)	1,852	Burren Jct.	(E2)	235	Cessnock	⊙ (F3)	35,281
Bermagui	(F5)	331	Botany■	(J4)	28,904	Clare	(B3)	...
Berrigan	(C4)	914	Burwood■	(J3)	31,089	Cobar	(C2)	2,178
Berry	(F4)	869	Burta	(A3)	...	Cobargo	(E5)	373
Bibbenluke	(E5)	118	Byrock	(D2)	96	Cobbadah	(F2)	104
Bigga	(E4)	259						
Binda	(E4)	151						
Bingara	(F1)	1,485						
Binnalong	(E4)	734						
Binnaway	(E2)	734						
Birriwa	(E3)	166						

NEW SOUTH WALES
CITIES and TOWNS

Aberdeen	(F3)	1,056	Ariah Park	(D4)	456	Bankstown■	(J3)	152,251	Bathurst	(E3)	16,938
Abermain★	(F3)	2,006	Armidale	(F2)	12,875	Baradine	(E2)	992	Batlow	(E4)	1,403
Adaminaby	(E5)	460	Ashfield■	(J3)	39,723	Bareilan	(D4)	394	Baulkham Hills	(H3)	16,604
Adelong	(D4)	800	Ashford	(F1)	681	Bargo	(F4)	813	Bega	(E5)	3,858
Albert	(D3)	108	Ashley	(E1)	82	Barham	(C4)	969	Bellata	(E1)	370
Albury	(D5)	22,983	Attunga	(F2)	187	Barmedman	(D4)	382	Bellbird★	(F3)	1,475
Alstonville	(G1)	790	Auburn■	(J3)	49,002	Barooga	(C4)	234	Bellingen	(G2)	1,418
Ardlethan	(D4)	504	Baan Baa	(E2)	157	Barraba	(F2)	1,469	Belmont	(K3)	...
			Ballina	(G1)	4,129	Barringun	(C1)	...	Belmore■	(J3)	...
			Balpunga	(A3)	...	Baryulgil	(G1)	121	Bemboka	(E5)	292
			Balranald	(B4)	1,331	Batemans Bay-Batehaven			Benanee	(B4)	...
			Bangalow	(G1)	626	(F4)		1,183	Bendemeer	(F2)	476

NEW SOUTH WALES and VICTORIA

	NEW SOUTH WALES	VICTORIA
AREA	309,433 sq. mi.	87,884 sq. mi.
POPULATION	4,086,293	3,080,215
CAPITAL	Sydney	Melbourne
LARGEST CITY	Sydney (greater) 2,215,970	Melbourne (greater) 1,956,400
HIGHEST POINT	Mt. Kosciusko 7,316 ft.	Mt. Bogong 6,508 ft.

Coffs Harbour (G2)	7,188
Collarenebri (E1)	599
Collie (E2)	76
Comboyne (G2)	321
Come-by-Chance (E2)	128
Conargo (E5)	235
Concord■ (J3)	27,428
Condobolin (D3)	3,150
Conoble (C3)	50
Coogee (K3)	
Coolabah (D2)	111
Coolah (E2)	911
Coolamon (D4)	988
Coolatai (F1)	82
Cooma (E5)	8,716
Coonabarabran (E2)	2,547
Coonamble (E2)	3,235
Cootamundra (D4)	5,939
Copmanhurst (G1)	150
Coraki (G1)	905
Coree South (C4)	68
Corowa (D4)	2,593
Cowra (E3)	6,288
Cronulla (J4)	
Crookwell (E4)	2,340
Culcairn (D4)	932
Cumnock (E3)	355
Curlewis (F2)	438
Darlington Point (C4)	622
Darnick (B3)	165
Deepwater (F1)	334
Deewhy (K3)	
Delegate (E5)	477
Deniliquin (C4)	5,575
Denman (F3)	743
Dorrigo (G2)	1,027
Drummoyne■ (J3)	30,197
Dubbo (E3)	14,118
Dunedoo (E3)	766
Dungalear Station (D1)	
Dungog (F3)	2,211
Dungowan (F2)	357
Duri (F2)	405
Eden (E5)	1,245
Emmaville (F1)	604
Emngonia (C1)	90
Ermeran Station (D3)	
Euabalong (D3)	196
Eugowra (E3)	669
Eumungerie (E2)	367
Euston (B4)	323
Evans Head (G1)	969
Fairfield■ (H3)	80,707
Fifield (D3)	122
Finley (C4)	1,505
Forbes (E3)	6,826
Fords Bridge (C1)	139
Forster (G3)	1,466
Frederickton (G2)	616

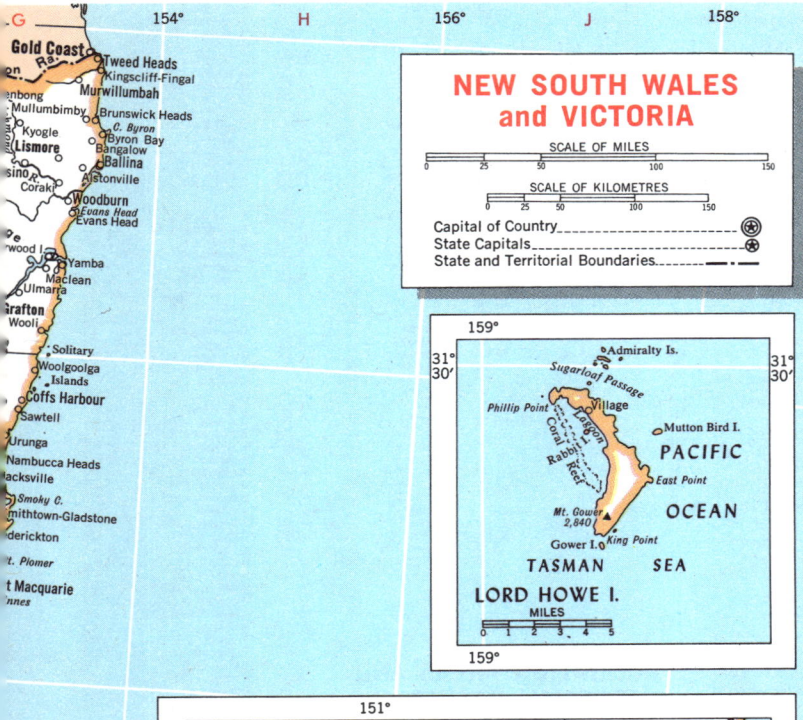

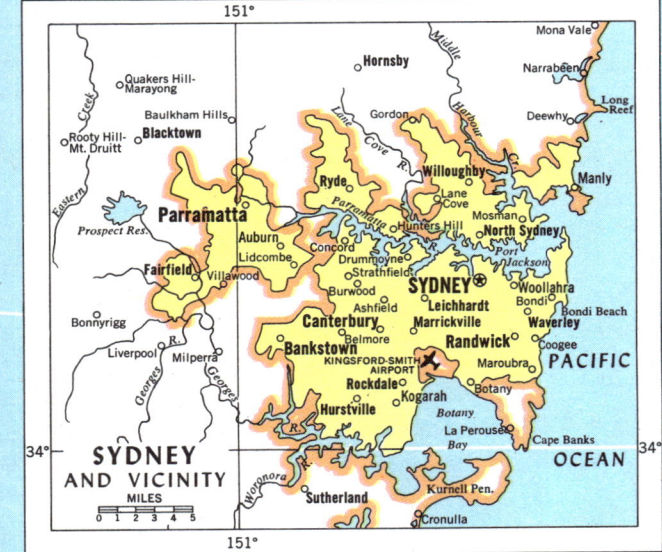

NEW SOUTH WALES and VICTORIA

Capital of Country ⊛
State Capitals ✪
State and Territorial Boundaries

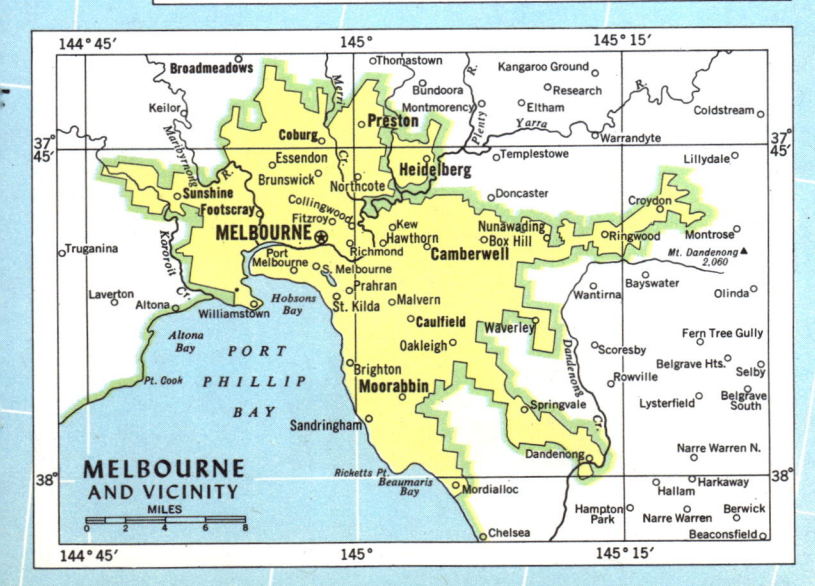

TOPOGRAPHY

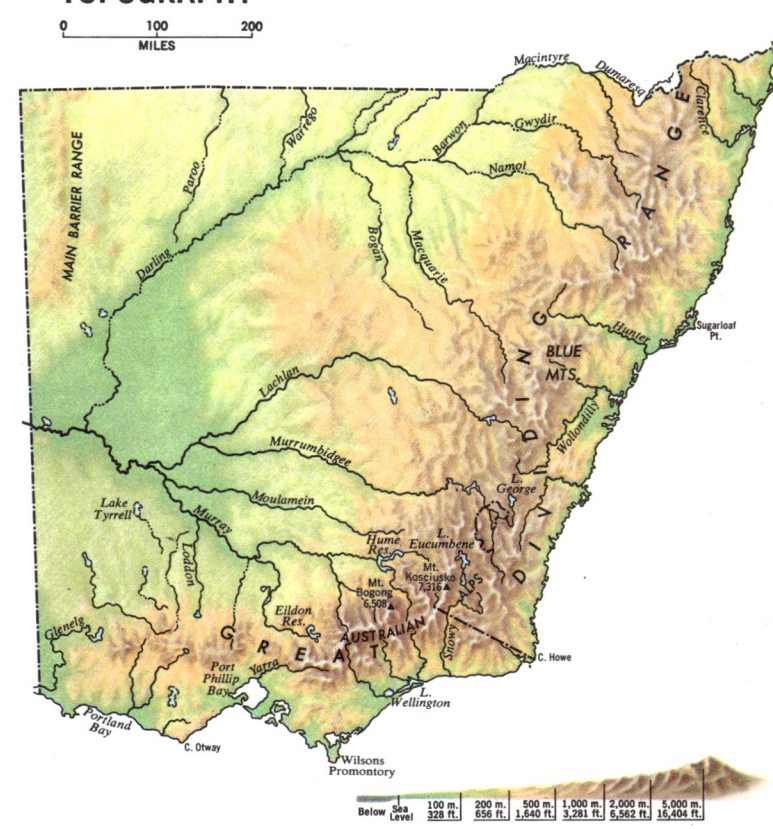

Ganmain (D4)	769
Garah (E1)	210
Geurie (E3)	381
Gilgandra (E2)	2,245
Gilgunnia (C3)	
Gilrambone (D2)	134
Glen Innes (F1)	5,771
Glenreagh (G2)	390
Gloucester (F2)	2,012
Gol Gol (B4)	446
Gongolgon (D2)	82
Goodooga (D1)	214
Goolgowi (C3)	205
Gooloogong (E3)	341
Goombalie (C1)	
Gordon (J3)	
Gosford (F3)	7,318
Goulburn (E4)	20,544
Grafton (G1)	15,526
Grenfell (E3)	2,360
Greta★ (F3)	1,454
Griffith (C4)	7,696
Grong Grong (D4)	247
Gulargambone (E2)	559
Gulgong (E3)	1,396
Gundagai (D4)	2,167
Gunnedah (F2)	6,543
Gunning (E4)	598
Gurley (E1)	307
Guyra (F2)	1,628
Gwabegar (E2)	381
Hanwood (C4)	424
Harwood Island (G1)	488
Hatfield (B3)	
Hay (C4)	3,134
Henty (D4)	894
Hermidale (D2)	105
Hill End (E3)	220
Hillston (C3)	966
Holbrook (D4)	1,158
Hornsby■ (J3)	54,267
Howlong (D4)	410
Hunters Hill■ (J3)	13,520
Hurstville■ (J4)	61,005
Huskisson (F4)	677
Ilford (E3)	193
Illabo (D4)	167
Inverell (F1)	8,209
Ivanhoe (C3)	473
Jenolan Caves (E3)	
Jerilderie (C4)	931
Jerrys Plains (F3)	288
Jindabyne (E5)	343
Jindalee (D4)	57
Jingellic (D4)	214
Junee (D4)	3,980
Kandos (F3)	2,195
Karpakora (B3)	
Keewong (C3)	
Kempsey (G2)	8,016
Kendall (G2)	672
Kiama (G4)	5,239
Kiandra (E4)	
Kikoira (D3)	90
Kinalung (B3)	
Kingscliff-Fingal (G1)	1,877
Kingstown (F2)	137
Kooparah (J4)	46,600
Koorawatha (E4)	319
Kurrajong (F3)	520
Kurri Kurri-Weston★ (F3)	9,720
Kyalite (B4)	147
Kyogle (G1)	2,985
La Perouse (J4)	
Laggan (E4)	308
Lake Cargelligo (D3)	1,118
Lane Cove■ (J3)	23,723
Laurieton (G2)	662
Leeton (D4)	5,354
Leichhardt■ (J3)	61,951
Lette (B4)	
Lidcombe (J3)	
Lightning Ridge (E1)	261
Lismore (G1)	18,935
Lithgow (F3)	14,229
Liverpool (H4)	30,874
Lockhart (D4)	1,018
Louth (C2)	213
Lue (C4)	297
Lyndhurst (E3)	304
Macksville (G2)	2,114
Maclean (G1)	1,804
Maitland (F3)	27,353
Mallanganee (G1)	396
Manildra (E3)	591
Manilla (F2)	1,914
Manly■ (K3)	36,049
Marfield (C3)	
Marrickville■ (J3)	75,348
Marsden (D3)	
Marulan (E4)	481
Mathoura (C4)	570
Maude (C4)	73
Melrose (D3)	
Mendooran (E2)	477
Menindee (B3)	629
Merimbula (F5)	704
Merriwa (F3)	1,075
Merriwagga (C3)	99
Michelago (E4)	179
Millthorpe (E3)	752
Milpa (C4)	
Milparinka (A1)	149
Milperra (H4)	
Milton (F4)	764
Mittagong (F4)	2,621
Moama (C5)	885
Mogil Mogil (E1)	
Molong (E3)	1,655
Mona Vale (K2)	
Moree (E1)	6,795
Morundah (D4)	101
Moruya (F4)	1,181
Mosman■ (K3)	26,145
Moss Vale (F4)	3,040
Mossgiel (C4)	
Moulamein (C4)	502
Mount Arrowsmith (A2)	
Mount Drysdale (C2)	
Mount Hope (C3)	138
Mudgee (E3)	5,312
Mullaley (E2)	94
Mullumbimby (G1)	1,966
Mungindi (E1)	773
Murringo (E4)	186
Murrumburrah (E4)	2,634
Murrurundi (F2)	1,041
Murwillumbah (G1)	7,151
Muswellbrook (F3)	5,717
Nabiac (G3)	359
Nambucca Heads (G2)	2,252
Naradhan (D3)	131
Narooma (F5)	1,185
Narrabeen (K3)	
Narrabri (E2)	5,423
Narrandera (D4)	4,718
Narromine (E3)	2,282
Nerriga (F4)	125
Nevertire (D2)	158
New Angledool (E1)	
Newcastle (F3)	142,574
Newcastle ⊛ (F3)	208,630
Newport (F3)	
Nimmitabel (E5)	342
North Bourke (C2)	116
North Sydney■ (J3)	53,024
Nowendoc (F2)	149
Nowra (F4)	6,221
Nundle (F2)	319
Nymagee (D3)	75
Nymboida (G1)	241
Nyngan (D2)	2,414
Oaklands (D4)	399
Oberon (E3)	1,489
Orange (E3)	18,977
Oxley (C4)	158
Pallamallawa (F1)	309
Pambula (E5)	319
Para Station (B3)	
Parkes (E3)	8,223
Parramatta■ (H3)	104,061
Peak Hill (E3)	1,451
Penrith (F3)	31,969
Perthville (E3)	423
Picton (F4)	1,314
Pilliga (E2)	289
Pokataroo (E2)	172
Pooncarie (B3)	97
Popilla (A3)	
Port Kembla (F4)	7,830
Port Macquarie (G2)	5,952
Portland (E3)	2,442
Quakers Hill-Marayong (H3)	2,702
Quambone (E2)	214
Quandialla (D4)	237
Queanbeyan (E4)	9,448
Quirindi (F2)	2,790
Randwick■ (J3)	108,814
Rankins Springs (D3)	155
Raymond Terrace (F3)	3,962
Rockdale■ (J4)	79,115
Rooty Hill-Mount Druitt (H3)	7,486
Roto (C3)	68
Rowena (E1)	66
Ryde■ (J3)	75,568
Rylstone (E3)	799
Salisbury Downs (B1)	
Sawtell (G2)	1,596
Scone (F3)	2,680
Shellharbour (F4)	13,394
Silverton (A2)	137
Singleton (F3)	4,519
Smithtown-Gladstone (G2)	1,148
Stephens Creek (A2)	
Strathfield■ (J3)	26,429
Stroud (E3)	655
Stuart Town (E3)	264
Sutherland■ (J4)	111,746
Swansea (F3)	
Sydney (cap.) (J3)	*2,215,970
Tambar Springs (E2)	241
Tamworth (F2)	18,984
Taralga (E4)	408
Tarcutta (D4)	365
Taree (G2)	10,050
Tathra (F5)	435
Taylors Arm (G2)	475
Temora (D4)	4,469
Tenterfield (G1)	3,105
Teralba (F3)	2,721
Terrigal-Avoca (F3)	2,384
The Entrance-Long Jetty (F3)	6,006
The Gap (A2)	86
The Rock (D4)	766
Thurloo Downs (B1)	
Tia (F2)	132
Tibbita (C4)	
Tibooburra (B1)	154
Tilpa (C2)	182
Tiltagera (C2)	
Tingha (F1)	1,063
Tocumwal (C4)	1,288
Tomingley (E3)	264
Tongo (B2)	
Tooraweenah (E2)	223
Toronto (F3)	8,515
Torrowangee (A2)	
Tottenham (E3)	411
Trangie (D3)	914
Trentham Cliffs (B4)	141
Trida (C3)	70
Trundle (D3)	772
Tuena (D3)	150
Tullamore (D3)	337
Tullibigeal (D3)	206

(continued on following page)

New South Wales and Victoria
(continued)

NEW SOUTH WALES
(continued)

Tumbarumba (D4) 1,511
Tumblong (E4) 257
Tumut (E4) 3,489
Tuncurry (G3) 936
Tweed Heads (G1)........3,291
Ulladulla (F4) 1,458
Ulmarra (G1) 532
Ungarie (D3) 497
Upper Horton (F2) 139
Uralla (F2) 1,658
Urana (D4) 544
Urbenville (G1) 420
Urunga (G2) 787
Village (J2) ....
Villawood (H3) ....
Wagga Wagga (D4)....22,092
Wakool (C4) 258
Walbundrie (D4) 224
Walcha (F2) 1,585
Walgett (E2) 1,726
Walla Walla (D4) 547
Wallendbeen (E4)......... 284
Wallerawang (F3) 1,930
Wanaaring (B1) 81
Wanganella (C4) 172
Warialda (F1) 1,294
Warragamba (F3) 1,777
Warren (D2) 1,505
Wauchope (G2) 3,038
Waverley■ (K3) 64,999
Waverley Downs (B1)..
Wee Waa (E2) 1,099
Wellington (E3) 5,599
Wentworth (B4) 1,154
Werris Creek (F2)........2,299
West Wyalong (D3)......2,399
Wetuppa (B4) ....
White Cliffs (B2) 248
Whitton (D4) 306
Whyjonta (B1) ....
Wilcannia (B2) 839
Willoughby■ (J3) 53,683
Willow Tree (F2) 352
Windsor (F3) 12,047
Wingham (G2) 2,887
Wollomombi (G2) 299
Wollongong (F4)....◉131,754
Womboota (C4) 135
Woodburn (G1) 510
Woodenbong (G1) 469
Woodstock (E3) 381
Woolbrook (F2) 298
Woolgoolga (G2) 1,109
Wooli (G1) 160
Woollahra■ (K3) 47,977
Woy Woy-Ettalong
(F3) 12,206
Wyalong (D3) 578
Wyong (F3) 1,907
Yallock (C3) ....
Yalpunga (A1) ....
Yamba (G1) 853
Yancannia (B2) ....
Yanco (D4) 738
Yantabulla (C1) 69
Yantara (B1) ....
Yarrowyck (F2) 160
Yass (E4) 3,909
Yenda (D4) 666
Yeoval (E3) 574
Yetman (F1) 218
Yoogali (D4) 523
Young (E4) 5,448

PHYSICAL FEATURES

Admiralty (isls.) ....J 1
Ana Branch, Darling
(river) ....A 3
Australian Alps (mts.)...D 5
Bancannia (lake) ....A 2
Banks (cape) ....K 4
Baradine (creek) ....E 2
Barrington Tops (mt.)....F 2
Barwon (river) ....D 2
Birrie (river) ....D 1
Blue (mts.) ....F 3
Bogan (river) ....D 2
Bokhara (river) ....D 1
Bondi (beach) ....K 3
Botany (bay) ....J 4
Brewster (lake) ....D 3
Broken (bay) ....F 3
Burrinjuck (res.) ....E 4
Byron (cape) ....G 1
Capertee (river) ....F 3
Caryapundy (swamp) .....B 1
Castlereagh (river) ....E 2
Cawndilla (lake) ....A 3
Clarence (river) ....G 1
Colo (river) ....F 3
Cowal (lake) ....D 3
Crowdy (head) ....G 2
Crowl (creek) ....C 2
Culgoa (river) ....D 1
Cuttaburra (creek) ....C 1
Darling (river) ....B 3
Dumaresq (river) ....F 1
East (point) ....J 2
Eastern (creek) ....H 3
Eucumbene (lake) ....E 5
Evans (head) ....G 1
George (lake) ....E 4
Georges (river) ....H 4
Gower (isl.) ....J 2
Gower (mt.) ....J 2
Great Dividing (range)...E 3
Green (cape) ....F 5
Gunderbooka (ranges)....C 2
Gwydir (river) ....E 1
Horton (river) ....F 2
Howe (cape) ....F 5
Hume (res.) ....D 4
Hunter (river) ....F 3
Innes (lake) ....G 2
Irrara (creek) ....C 1
Jindabyne (res.) ....E 5
King (point) ....J 2
Kingsford-Smith Airport..J 4
Kosciusko (mt.) ....E 5
Kulkyne (creek) ....C 1
Kurnell (pen.) ....J 4
Lachlan (range) ....C 3
Lachlan (river) ....C 3
Lane Cove (river) ....J 3
Liverpool (range) ....F 2
Long Reef (point) ....K 3
Lord Howe (isl.), 249......J 2
Macintrye (river) ....E 1
Macquarie (lake) ....F 3
Macquarie (river) ....D 2
Main Barrier (range) ....A 2
Manning (river) ....F 2
Marra (creek) ....D 2
Marrowie (creek) ....C 3
Marthaguy (creek) ....D 2
McPherson (range) ....G 1
Medgun (creek) ....E 1
Menindee (lake) ....B 3
Middle Harbour (creek)..J 3
Monaro (range) ....E 5
Moomin (creek) ....E 1
Moonie (river) ....E 1
Moulamein (creek) ....C 4
Mount Royal (range) ....F 2
Murray (river) ....A 4
Murrumbidgee (river) ....C 4
Mutton Bird (isl.) ....J 2
Myall (lake) ....G 3
Namoi (river) ....E 2
Narran (lake) ....D 1
Narran (river) ....D 1
Nedgera (creek) ....E 2
New England (range).....F 1
Nymboida (river) ....G 1
Ottleys (creek) ....F 1
Paroo (chan.) ....B 2
Paroo (river) ....C 1
Parramatta (river) ....J 3
Peery (lake) ....B 2
Phillip (point) ....J 2
Pian (creek) ....E 1
Pitarpunga (lake) ....B 4
Plomer (point) ....G 2
Poopeloe (lake) ....C 2
Popilta (lake) ....A 3
Port Jackson (inlet) ....J 3
Port Stephens (inlet)......G 3
Prospect (res.) ....H 3
Rabbit (isl.) ....J 2
Richmond (range) ....G 1
Richmond (river) ....G 1
Riverina (reg.) ....C 4
Robe (mt.) ....A 2
Round, The (mt.) ....G 2
Salt, The (lake) ....B 2
Severn (river) ....F 1
Shoalhaven (river) ....E 4
Smoky (cape) ....G 2
Snowy (mts.) ....E 5
Snowy (river) ....E 5
Solitary (isls.) ....G 1
Stony (ranges) ....B 2
Sturt (mt.) ....A 1
Sugarloaf (passage) ....J 1
Sugarloaf (point) ....G 3
Talyawalka (creek) ....B 2
Talyawalka Ana Branch,
Darling (river) ....B 3
Tandou (lake) ....A 3
Tasman (sea) ....F 5
The Round (mt.) ....G 2
The Salt (lake) ....B 2
Timbarra (river) ....G 1
Tongo (lake) ....B 2
Travellers (lake) ....B 3
Tuggerah (lake) ....F 3
Tumut (res.) ....E 4
Twofold (bay) ....F 5
Urana (lake) ....D 4
Victoria (lake) ....A 3
Wallis (lake) ....G 3
Warrego (river) ....C 1
Whalan (creek) ....E 1
Willandra Billabong
(creek) ....C 3
Wollondilly (river) ....F 4
Wongallarra (lake) ....C 2
Woronora (river) ....J 4
Wyangala (res.) ....E 3
Yanko (creek) ....C 4
Yantara (lake) ....B 1

VICTORIA

CITIES and TOWNS

Alexandra (C5) 1,945
Altona‡ (H5) 16,167
Apollo Bay (B6) 982
Apsley (A5) 337
Ararat (B5) 7,934
Avoca (B5) 971
Bacchus Marsh (C5).....3,288
Bairnsdale (D5) 7,427
Ballarat☆ (C5) 41,037
Ballarat (C5) ....†54,880
Balmoral (A5) 304
Bayswater (K5) ....
Beaconsfield (K6) 592
Beaufort (B5) 1,240
Beechworth (D5) 3,508
Belgrave Heights (J5)...
Belgrave South (K5).....
Benalla (D5) 8,260
Bendigo• (C5) 30,195
Bendigo (C5) ....†40,327
Bendoc (E5) 111
Berwick‡ (K6) 10,884
Beulah (B4) 401
Birchip (B4) 1,058
Birregurra (B6) 489
Boort (B6) 836
Boundary Bend (B4)..... 170
Box Hill‡ (J5) 50,420
Branxholme (A5) 270
Bright (D5) 845
Brighton‡ (J5) 41,302
Broadford (C5) 1,678
Broadmeadows‡ (H4)..66,306
Brunswick‡ (H5) 53,093
Bruthen (D5) 767
Bundoora (J4) ....
Camberwell‡ (J5) 99,353
Camperdown (C6) 3,446
Cann River (E5) 315
Casterton (A5) 2,442
Castlemaine (C5) 7,216
Caulfield‡ (J5) 74,859
Charlton (B5) 1,527
Chelsea‡ (J6) 22,355
Clunes (B5) 836
Cobden (B6) 929
Cobram (C4) 2,538
Coburg‡ (H5) 70,771
Cohuna (C4) 1,815
Colac (B6) 9,252
Coldstream (K4) ....
Coleraine (A5) 1,503
Colignan (B4) 222
Collingwood‡ (J5) 25,413
Cororooke (B6) 517
Corryong (D5) 1,129
Cowangie (A4) 194
Creswick (B5) 1,730
Croydon‡ (K5) 15,694
Cudgewa (D5) 380
Dandenong‡ (K5) 24,909
Darby (D6) ....
Dartmoor (A5) 447
Daylesford (C5) 2,776
Derrinallum (B5) 662
Dimboola (B5) 1,923
Donald (B5) 1,517
Doncaster and Temple-
stowe‡ (J5) 19,061
Drouin (C6) 2,511
Dunkeld (B5) 442
Dunolly (B5) 753
Eaglehawk• (C5) 4,926
Echuca (C5) 6,443
Edenhope (A5) 863
Eildon (C5) 965
Eltham‡ (J4) 12,745
Erica (D5) 298
Essendon‡ (H5) 58,987
Euroa (C5) 3,040
Fern Tree Gully‡
(K5) 35,927
Fitzroy‡ (H5) 29,399
Footscray‡ (H5) 60,734
Geelong△ (C6) 18,019
Geelong (C6) ....†91,777
Geelong West△ (C6)....17,681
Goroke (A5) 522
Gunbower (C4) 902
Hallam (K5) ....
Hamilton (B5) 9,495
Hampton Park (K6)..... 380
Harkaway (K5) ....
Harrow (A5) 225
Hawthorn‡ (J5) 36,707
Healesville (C5) 2,687
Heathcote (C5) 1,287
Heidelberg‡ (J5) 86,430
Heyfield (D6) 1,917
Heywood (A6) 865
Hopetoun (B4) 973
Horsham (B5) 9,240
Inglewood (B5) 860
Kangaroo Ground (J4) 307
Kaniva (A5) 993
Keilor‡ (H5) 29,519
Kerang (B4) 3,727
Kew‡ (J5) 33,341
Kilmore (C5) 1,363
Koondrook (B4) 889
Koroit (B6) 1,466
Korumburra (D6) 3,237
Kyabram (C5) 3,936
Kyneton (C5) 3,366
Lake Boga (B4) 535
Lake Bolac (B5) 647
Lakes Entrance (E5)....1,602
Laverton (H5) 4,152
Leongatha (C6) 2,755
Lillydale‡ (J4) 12,894
Lysterfield (K5) ....
Macarthur (A6) 560
Maffra (D5) 3,404
Maldon (C5) 1,071
Mallacoota (E5) 215
Malvern‡ (J5) 47,870
Mansfield (D5) 1,944
Maryborough (B5) 7,235
Melbourne (cap.),
(H5) *1,956,400
Merbein (A4) 1,737
Merino (A5) 476
Mildura (A4) 12,279
Minyip (B5) 710
Moe□ (D6) 15,463
Mnotmorency (J4) ......
Montrose (K5) ....
Moorabbin‡ (J5) 95,669
Mooroopna (C5) 2,505
Mordialloc‡ (J6) 26,526
Morea (A5) ....
Mornington (C6) 4,886
Mortlake (B6) 1,297
Morwell□ (D5) 14,833
Mount Beauty (D5)......1,509
Murrayville (A4) 367
Murtoa (B5) 1,135
Myrtleford (D5) 2,123
Narre Warren (K6) ......
Narre Warren North
(K5) ....
Nathalia (C5) 1,276
Natimuk (A5) 490
Newmerella (E5) 283
Newton and Chilwell△
(C6) 11,783
Nhill (A5) 2,233
Northcote‡ (J5) 44,746
Nowa Nowa (E5) 365
Numurkah (C5) 2,687
Nunawading‡ (J5) 53,246
Nyah (B4) 459
Nyah West (B4) 755
Oakleigh‡ (J5) 48,017
Olinda (K5) ....
Omeo (D5) 417
Orbost (E5) 2,613
Ouyen (B4) 1,695
Patchewollock (A4) 174
Penshurst (B5) 657
Port Albert (D6) 283
Port Fairy (B6) 2,426
Port Melbourne‡
(H5) 12,370
Portland (A6) 6,014
Prahran‡ (J5) 52,554
Preston‡ (J4) 84,146
Quambatook (B4) 457
Rainbow (A4) 896
Red Cliffs (B4) 2,440
Research (J4) 732
Richmond‡ (J5) 33,863
Ringwood‡ (K5) 24,427
Robinvale (B4) 1,700
Rochester (C5) 1,965
Rosebud (C6) 3,726
Rowville (K5) ....
Rushworth (C5) 1,077
Rutherglen (D5) 1,292
Saint Arnaud (B5) 3,150
Saint Kilda‡ (J5)........52,205
Sale (D6) 7,899
Sandringham‡ (J5) 37,001
Scoresby (K5) ....
Sea Lake (B4) 948
Sebastopol☆ (B5) 4,663
Selby (K5) ....
Serviceton (A5) 355
Seymour (C5) 5,104
Shepparton (C5) 13,580
South Melbourne‡
(J5) 32,523
Springvale‡ (J5) 28,525
Stawell (B5) 5,505
Sunbury (C5) 3,131
Sunshine‡ (H5) 62,321
Swan Hill (B4) 6,185
Swifts Creek (D5) 355
Tallangatta (D5) 1,025
Tatura (C5) 2,166
Templestowe and Don-
caster‡ (J5) 19,061
Terang (B6) 2,380
Thomastown (J4) ....
Tongala (C5) 865
Traralgon□ (D6) 12,300
Truganina (H5) 69
Tyntynder Central (B4) 268
Underbool (A4) 340
Wangaratta (D5) 13,784
Wantirna (K5) ....
Warburton (C5) 1,630
Warracknabeal (B5) 3,061
Warragul (D6) 6,405
Warrandyte (J4) ....
Warrnambool (B6) 15,702
Waverley‡ (J5) 44,987
Wedderburn (B5) 958
Werribee (C5) 5,398
Werribee South (C5).....2,158
Werrimull (A4) 110
Whittlesea (C5) 535
Willaura (B5) 525
Williamstown‡ (H5)....30,606
Winchelsea (B6) 1,057
Wodonga (D5) 7,498
Wonthaggi (C6) 4,190
Woodend (C5) 1,224
Woods Point (D5) 229
Wycheproof (B5) 995
Yaapeet (B4) 168
Yallourn□ (D6) 5,010
Yanac (A5) 235
Yarram (D6) 2,053
Yarrawonga (C5) 3,022
Yea (C5) 1,113

PHYSICAL FEATURES

Altona (bay) ....H 5
Australian Alps (mts.)....D 5
Avoca (river) ....B 5
Barry (mts.) ....D 5
Beaumaris (bay) ....J 6
Bogong (mt.) ....D 5
Bridgewater (cape) ......A 6
Buller (mt.) ....D 5
Campaspe (river) ....C 5
Cook (point) ....H 5
Corangamite (lake) ....B 6
Corner (inlet) ....D 6
Dandenong (creek) ....K 5
Dandenong (mt.) . ...K 5
Difficult (mt.) ....B 5
Discovery (bay) ....A 6
Eildon (res.) ....C 5
French (isl.), 228 ....C 6
Gippsland (reg.) ....D 6
Glenelg (river) ....A 5
Goulburn (river) ....C 5
Hindmarsh (lake) ....A 5
Hobsons (bay) ....H 5
Hopkins (river) ....B 5
Hume (res.) ....D 4
Indian Ocean ....B 6
Kororoit (creek) ....H 5
Loddon (river) ....B 5
Maribyrnong (river) ......H 5
Mitchell (river) ....D 5
Mitta Mitta (river) ....D 5
Mornington (pen.) ....C 6
Mount Emu (creek) ....B 5
Murray (river) ....A 4
Nelson (cape) ....A 6
Ninety Mile (beach) ......D 6
Otway (cape) ....B 6
Ovens (river) ....D 5
Phillip (isl.) ....C 6
Plenty (riyer) ....J 4
Port Phillip (bay) ....C 6
Portland (bay) ....A 6
Ricketts (point) ....J 6
Rocklands (res.) ....B 5
Snake (isl.) ....D 6
South East (point) ......D 6
Tamboritha (mt.) ....D 5
Tasman (sea) ....F 5
Tyrrell (lake) ....B 4
Venus (bay) ....C 6
Waranga (res). ....C 5
Waratah (bay) ....C 6
Wellington (lake) ....D 6
Western Port (inlet)......C 6
Wilsons (prom.) ....D 6
Wimmera (river) ....A 5
Yarra (river) ....C 5

AUSTRALIAN CAPITAL TERRITORY
Total Population 77,578

CITIES and TOWNS

Canberra (cap.), Australia
(E4) *56,449
Jervis Bay (F4) 527

PHYSICAL FEATURES

Saint George (head)(F4)

*Population of metropolitan area. †Population of urban area. ◉City and suburbs. ■In Sydney metropolitan area. ★In Greater Cessnock municipality.
‡In Melbourne metropolitan area, ☆In Ballarat urban area. •In Bendigo urban area. △In Geelong urban area. □In Latrobe Valley urban area.

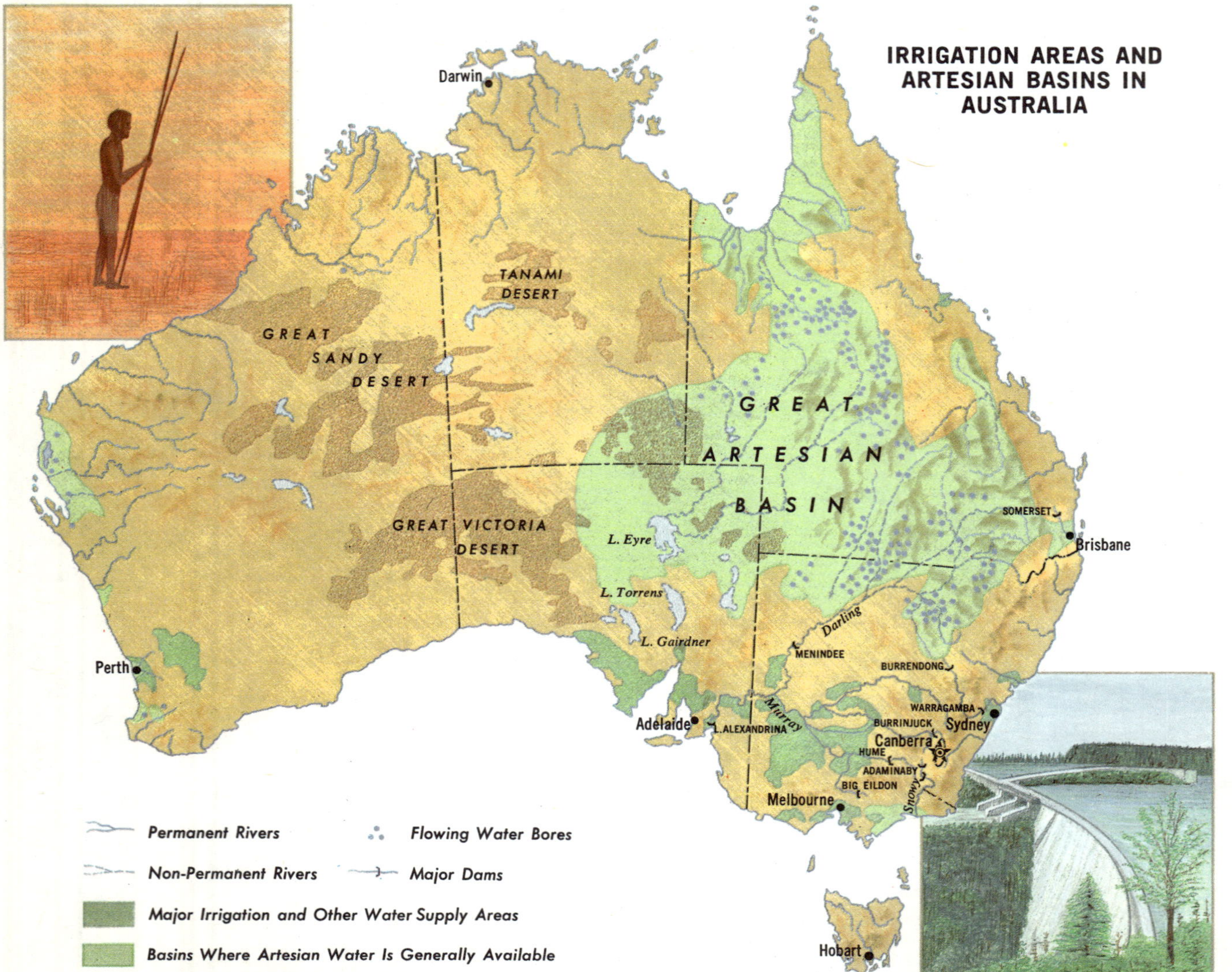

Prepared from Atlas of Australian Resources.

TASMANIA

AREA	26,215 sq. mi.
POPULATION	373,640
CAPITAL	Hobart
LARGEST CITY	Hobart (greater) 118,828
HIGHEST POINT	Mt. Ossa 5,305 ft.

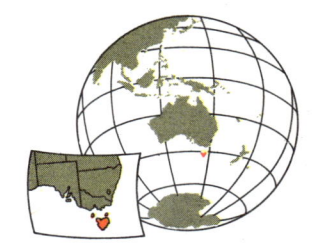

Grim (cape)	A 2
Hartz Mts. (mt.)	C 5
Hibbs (point)	B 4
High Rocky (point)	B 4
Hogan Group (isls.)	D 1
Hummock (isl.)	D 2
Hunter (isl.)	A 2
Hunter (isls.)	B 2
Huon (river)	C 5
Indian Ocean	A 4
Kent Group (isls.)	D 1
King (isl.), 2,784	A 1
King (river)	B 4
King William (lake)	C 4
Lake (river)	D 3
Legge (peak)	D 3
Leven (river)	B 3
Lodi (cape)	E 3
Lofty (range)	B 3
Long (point)	E 3
Low Rocky (point)	A 4
Maatsuyker (isls.)	C 5
Macquarie (harb.)	B 4
Macquarie (river)	D 3
Maria (isl.)	E 4
Marion (bay)	E 4
Mersey (river)	C 3
Naturaliste (cape)	E 2
Nive (river)	C 4
Norfolk (bay)	D 4
North (point)	D 4
North Bruny (isl.)	D 5
North Esk (river)	D 3
Ossa (mt.)	C 3
Ouse (river)	C 4
Oyster (bay)	E 4
Peron (cape)	E 4
Phoques (bay)	A 1
Picton (mt.)	C 5
Pieman (river)	B 3
Pillar (cape)	E 5
Port Davey (inlet)	B 5
Portland (cape)	D 2
Ramsay (mt.)	B 3
Raoul (cape)	D 5
Reid (rocks)	B 1
Ringarooma (bay)	D 2
Robbin (isl.)	B 2
Rocky (cape)	B 2
Saint Clair (lake)	C 4
Saint Helens (point)	E 3
Saint Vincent (cape)	B 5
Sandy (cape)	A 3
Schouten (isl.)	E 4
Sorell (cape)	B 4
Sorell (lake)	D 4
South (cape)	C 5
South Bruny (isl.)	D 5
South East (cape)	C 5
South Esk (river)	D 3
South West (cape)	B 5
Stokes (point)	A 1
Stony (head)	C 2
Storm (bay)	D 5
Strzelecki (peaks)	D 2
Swan (isl.)	E 2
Tamar (river)	D 3
Tasman (head)	D 5
Tasman (pen.)	E 5
Tasman (sea)	E 4
Three Hummock (isl.)	B 2
Tooms (lake)	D 4
Vansittart (isl.)	E 2
Walker (isl.)	B 2
Waterhouse (isl.)	D 2
West (point)	A 2
West Sister (isl.)	D 1
Wickham (cape)	A 1

†Population of metropolitan area.

*In Hobart metropolitan area.

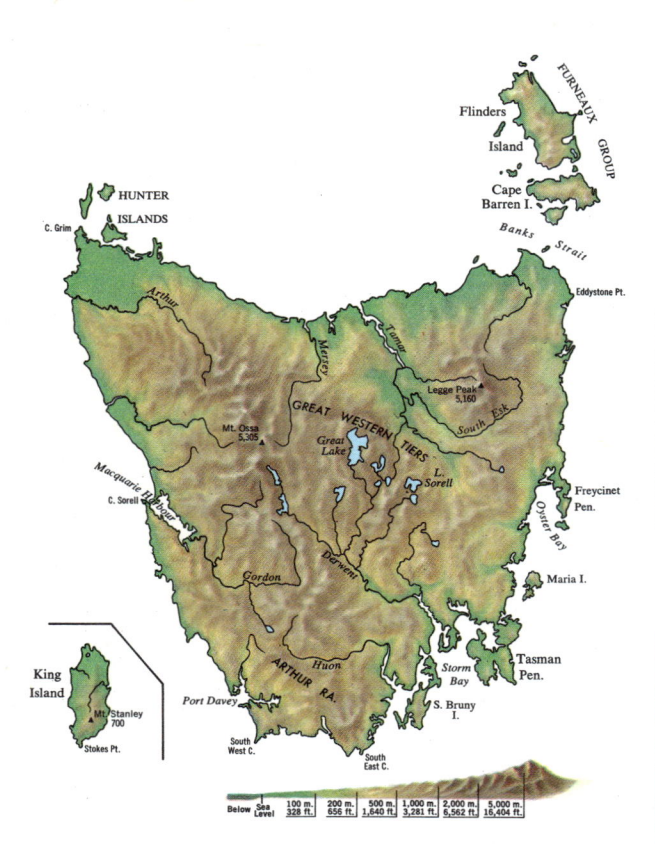

TOPOGRAPHY

CITIES and TOWNS

Adventure Bay (D5)	130
Avoca (D3)	323
Bagdad (D4)	338
Barrington (C3)	213
Beaconsfield (C3)	997
Bicheno (E3)	245
Boat Harbour (B2)	280
Bothwell (C4)	455
Bracknell (C3)	375
Branxholm (D3)	350
Bridgewater (D4)	396
Bridport (D3)	513
Brighton (D4)	463
Burnie (B3)	14,201
Bushy Park (C4)	504
Cambridge (D4)	553
Campbell Town (D3)	1,040
Chudleigh (C3)	262
Colebrook (D4)	330
Conara Junction (D3)	202
Cornwall (E3)	219
Cranbrook (D4)	104
Cressy (C3)	702
Cygnet (C5)	830
Deloraine (C3)	1,931
Derby (D3)	463
Derwent Bridge (C4)	79
Devonport (C3)	13,068
Dover (C5)	305
Dunalley (D4)	307
Egg Lagoon (A1)	117
Ellendale (C4)	368
Elliott (B3)	356
Emita (D2)	148
Evandale (D3)	482
Fingal (E3)	653
Flowerdale (B2)	242
Forest (B2)	437
Forth (C3)	608
Franklin (C5)	712
Geeveston (C5)	578
George Town (C3)	2,820
Gladstone (D2)	198
Glen Huon (C5)	526
Glenorchy* (D4)	35,682
Gordon (G5)	201
Gormanston (B4)	410
Grassy (B1)	455
Gravelly Beach (C3)	414
Gretna (D4)	330
Guildford Junction (B3)	96
Hadspen (C3)	302
Hagley (C3)	423
Hamilton (C4)	234
Herrick (D3)	104
Heybridge (C3)	346
Hobart (cap.) (D4)	54,021
Hobart (D4)	1118,828
Huonville-Ranelagh (C4)	1,491
Hythe (C5)	169
Ilfraville (C3)	436
Irish Town (B2)	401
Kempton (D4)	313
Kettering (D5)	387
Lady Barron (E2)	181
Latrobe (C3)	2,126
Lauderdale (D4)	651
Launceston (C3)	38,118
Launceston (C3)	156,721
Legana (C3)	454
Legerwood (D3)	323
Lileah (B2)	194
Lillydale (D3)	638
Longford (C3)	1,767
Margate (C5)	742
Marrawah (A2)	178
Mathinna (E3)	235
Mawbanna (B2)	185
Maydena (C4)	711
Meander (C3)	302
Mole Creek (C3)	581
Naracoopa (B1)	29
New Norfolk (C4)	5,445
North Motton (C3)	380
Nubeena (D5)	305
Oatlands (D4)	696
Orford (D4)	224
Ouse (C4)	217
Paratta (D4)	271
Pegarah (B1)	370
Penguin (C3)	2,085
Perth (D3)	992
Poatina (C3)	1,708
Pyengana (E3)	185
Queenstown (B4)	4,601
Railton (C3)	901
Redpa (A2)	229
Richmond (D4)	557
Ridgley (B3)	526
Ringarooma (D3)	593
Rosebery (B3)	1,923
Ross (D4)	171
Rossarden (D3)	825
Saint Helens (E3)	681
Saint Leonards (D3)	
Saint Marys (E3)	719
Sassafras (C3)	364
Scottsdale (C3)	1,628
Sheffield (C3)	586
Smithton (A2)	2,671
Snug (D5)	603
Somerset (B3)	1,783
Sorell (D4)	779
Sprent (C3)	271
Stanley (B2)	818
Storeys Creek (D3)	332
Stowport (B3)	393
Strahan (B4)	474
Sulphur Creek (C3)	419
Swansea (D4)	551
Taranna (D5)	126
Tarraleah (D4)	562
Tatana (C3)	496
Temma (A3)	
Triabunna (D4)	492
Trowutta (B3)	193
Tullah (B3)	172
Tunnack (D4)	207
Ulverstone (C3)	5,962
Waddamana (C4)	146
Waratah (B3)	227
Wayatinah (C4)	1,171
Wesley Vale (C3)	403
Westbury (C3)	1,068
Whitemark (D2)	329
Williamsford (B3)	180
Wilmot (C3)	440
Winnaleah (D3)	410
Woodbridge (D5)	411
Wynyard (B3)	3,121
Yolla (B3)	445
Zeehan (B3)	780

PHYSICAL FEATURES

Anderson (bay)	D 2
Anne (mt.)	C 4
Anser Group (isls.)	C 1
Arthur (lakes)	D 4
Arthur (range)	C 5
Arthur (river)	B 3
Babel (isls.)	E 1
Banks (str.)	D 2
Barn Bluff (mt.)	B 3
Barren (cape)	E 2
Bass (str.)	C 1
Bathurst (harb.)	C 5
Cape Barren (isl.), 95	E 2
Chappell (isls.)	D 2
Circular (head)	B 2
Clarke (isl.)	E 2
Clyde (river)	D 4
Cox Bight (bay)	C 5
Cradle (mt.)	B 3
Crescent (lake)	D 4
Curtis Group (isls.)	C 1
D'Aguilar (range)	B 4
Davey (river)	B 4
Deal (isl.)	D 1
Dee (river)	C 4
Denison (range)	C 4
D'Entrecasteaux (chan.)	D 5
Derwent (river)	C 4
Donaldson (river)	B 3
East Sister (isl.)	E 1
Echo (lake)	C 4
Eddystone (point)	E 2
Elliott (bay)	B 5
Fires (bay)	B 2
Flinders (isl.), 1,312	D 1
Florence (river)	C 4
Forestier (cape)	E 4
Forestier (pen.)	E 4
Forth (river)	C 3
Frankland (cape)	D 1
Frankland (range)	B 4
Franklin (river)	B 4
Frenchmans Cap (mt.)	B 4
Freycinet (pen.)	E 4
Furneaux Group (isls.), 1,407	E 1
Gordon (river)	B 4
Great (lake)	C 3
Great Western Tiers (mts.)	C 3

Copyright by C.S. Hammond & Co., N.Y.

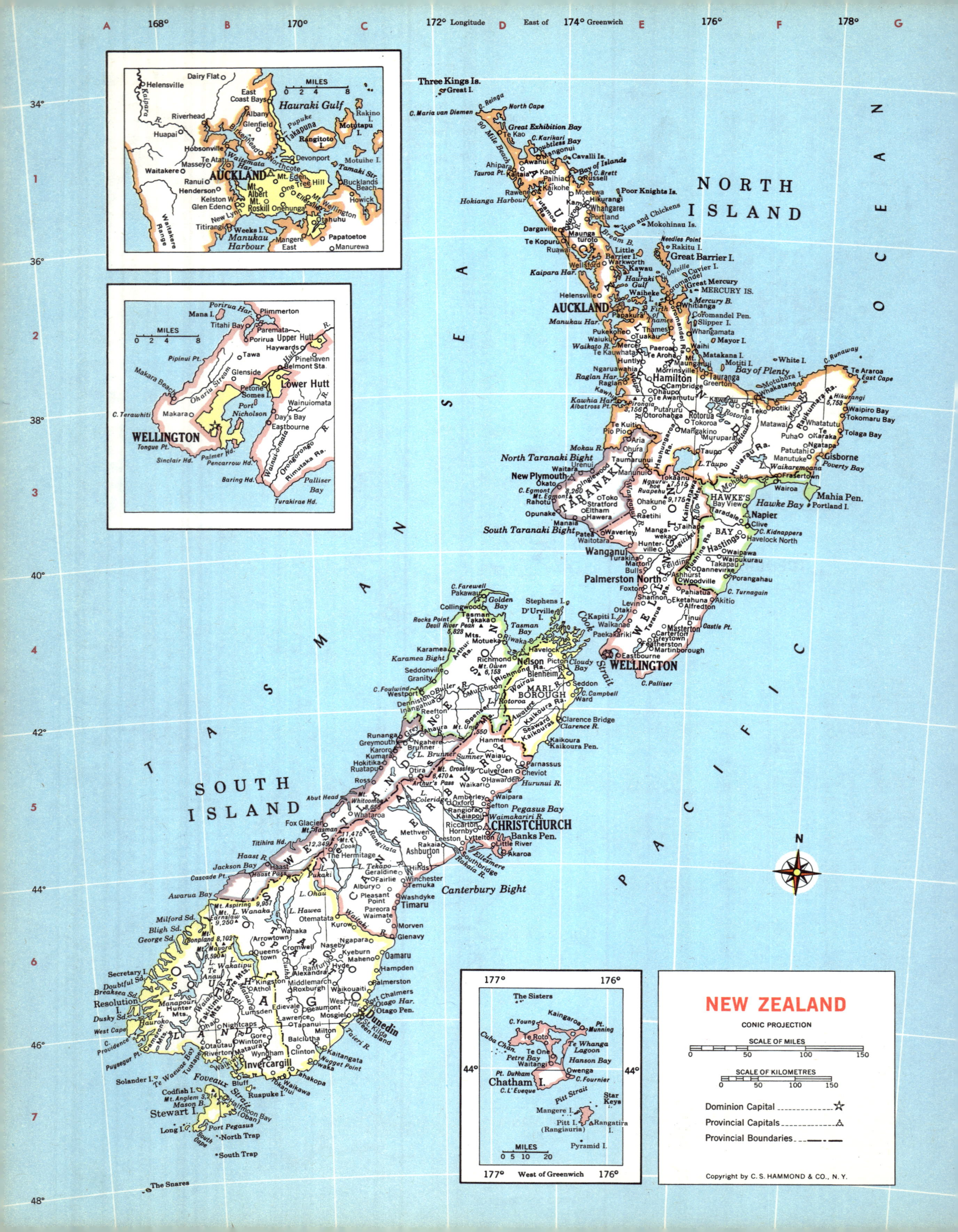

NEW ZEALAND
CONIC PROJECTION
SCALE OF MILES
0 50 100 150
SCALE OF KILOMETRES
0 50 100 150
Dominion Capital
Provincial Capitals
Provincial Boundaries
Copyright by C. S. HAMMOND & CO., N. Y.
168° 170° 172° Longitude East of 174° Greenwich 176° 178°
A B C D E F G
34° 36° 38° 40° 42° 44° 46° 48°
NORTH ISLAND
SOUTH ISLAND
TASMAN SEA
PACIFIC OCEAN
Cook Strait
Foveaux Strait
AUCKLAND
WELLINGTON
CHRISTCHURCH
Dunedin
Invercargill
Hamilton
Napier
Hastings
Palmerston North
Wanganui
New Plymouth
Gisborne
Nelson
Blenheim
Timaru
Oamaru
Three Kings Is.
North Cape
C. Reinga
Bay of Islands
Whangarei
Great Barrier I.
Hauraki Gulf
Bay of Plenty
Rotorua
L. Taupo
Hawke Bay
Mahia Pen.
Taranaki
Mt. Egmont 8,260
Ruapehu 9,175
North Taranaki Bight
South Taranaki Bight
Stephens I.
D'Urville I.
Golden Bay
Tasman Bay
Marlborough
Kaikoura Pen.
Banks Pen.
Pegasus Bay
Canterbury Bight
Mt. Cook 12,349
Southern Alps
Westland
Otago
Southland
Fiordland
L. Te Anau
L. Manapouri
L. Wakatipu
L. Wanaka
L. Hawea
L. Ohau
L. Pukaki
L. Tekapo
Milford Sd.
Stewart I.
Solander I.
The Snares
South Trap
North Trap
177° 176°
The Sisters
Chatham I.
Pitt I. (Rangiauria)
Pitt Strait
Star Keys
Mangere I.
Rangatira I.
Pyramid I.
44° 44°
MILES 0 5 10 20
177° West of Greenwich 176°
Helensville
Dairy Flat
Hauraki Gulf
Riverhead
Huapai
Hobsonville
Waitakere
Henderson
Glen Eden
Titirangi
Manukau Harbour
Mt. Eden
One Tree Hill
Devonport
Takapuna
Rangitoto I.
Motutapu I.
Rakino I.
Motuihe I.
Howick
Onehunga
Otahuhu
Papatoetoe
Manurewa
Mangere East
Porirua Har.
Plimmerton
Mana I.
Titahi Bay
Porirua
Upper Hutt
Lower Hutt
Petone
Port Nicholson
Eastbourne
Makara
C. Terawhiti
Sinclair Hd.
Palmer Hd.
Pencarrow Hd.
Baring Hd.
Palliser Bay
Turakirae Hd.
Rimutaka Ra.
Orongorongo R.
MILES 0 2 4 8

NEW ZEALAND

AREA	103,934 sq. mi.
POPULATION	2,640,117
CAPITAL	Wellington
LARGEST CITY	Auckland (greater) 515,100
HIGHEST POINT	Mt. Cook 12,349 ft.
MONETARY UNIT	New Zealand pound
MAJOR LANGUAGES	English, Maori
MAJOR RELIGION	Protestant

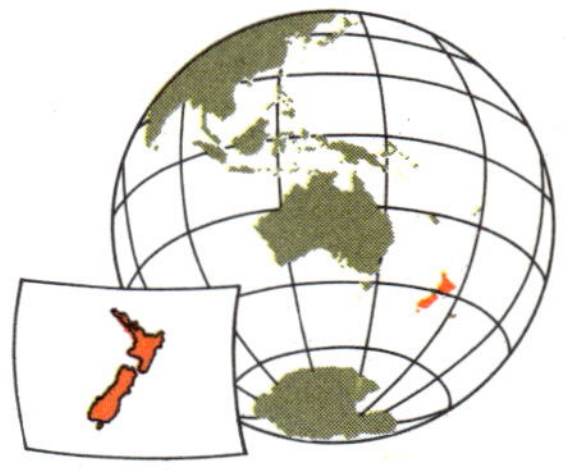

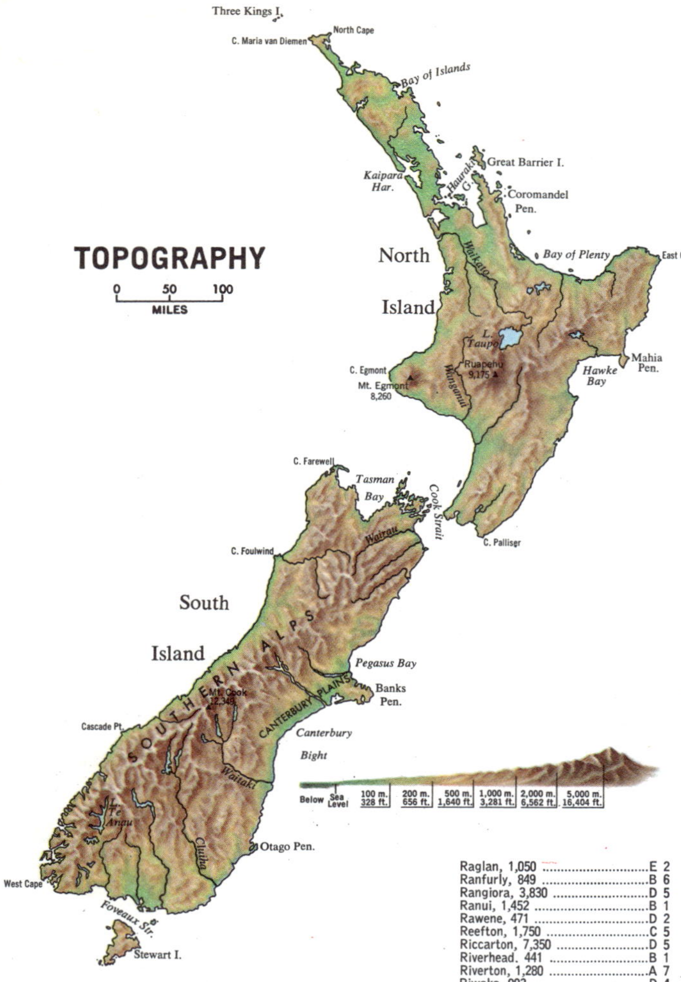

TOPOGRAPHY
0 50 100
MILES
Three Kings I.
C. Maria van Diemen
North Cape
Bay of Islands
Great Barrier I.
Kaipara Har.
Hauraki G.
Coromandel Pen.
Bay of Plenty
East Cape
North
Island
L. Taupo
Ruapehu 9,175
C. Egmont
Mt. Egmont 8,260
Mahia Pen.
Hawke Bay
C. Farewell
Tasman Bay
Cook Strait
C. Palliser
C. Foulwind
South
Island
SOUTHERN ALPS
Pegasus Bay
Banks Pen.
CANTERBURY PLAINS
Mt. Cook 12,349
Cascade Pt.
Canterbury Bight
Otago Pen.
West Cape
Foveaux Str.
Stewart I.
Below Sea Level
100 m. 328 ft.
200 m. 656 ft.
500 m. 1,640 ft.
1,000 m. 3,281 ft.
2,000 m. 6,562 ft.
5,000 m. 16,404 ft.

DISTRICTS

Auckland (prov. dist.), 1,061,497 ....E 2
Canterbury (prov. dist.), 373,720..C 5
Hawke's Bay (prov. dist.), 124,600 ....F 3
Marlborough (prov. dist.), 29,700 ....D 4
Nelson (prov. dist.), 67,700....D 4
Otago (prov. dist.), 289,300 ....A 6
Otago (land dist.), 186,400 ....B 6
Southland (land dist.), 102,900 ....A 6
Taranaki (prov. dist.), 104,100 ....E 3
Wellington (prov. dist.), 516,700 ....E 4
Westland (prov. dist.), 25,100....C 5

CITIES and TOWNS

Ahipara, 570 ....D 1
Akaroa, 632 ....D 5
Akitio, 280 ....F 4
Albany, 608 ....B 1
Alexandra, 2,890 ....B 6
Arrowtown, 190 ....B 6
Ashburton, 12,750 ....C 5
Ashhurst, 641 ....E 4
Auckland, 149,400 ....E 2
Auckland, †515,100 ....E 2
Balclutha, 4,440 ....B 7
Bay View, 704 ....F 3
Blenheim, 13,500 ....D 4
Bluff, 3,400 ....B 7
Brunner, 1,050 ....C 5
Bucklands Beach, 2,220 ....C 1
Bulls, 1,560 ....E 4
Cambridge, 5,660 ....E 2
Carterton, 3,390 ....E 4
Cheviot, 491 ....D 5
Christchurch, 158,800 ....D 5
Christchurch, †243,900 ....D 5
Clarence Bridge, 174 ....E 5
Collingwood, 145 ....D 4
Coromandel, 713 ....E 2
Culverden, 397 ....D 5
Dairy Flat, 383 ....B 1
Dannevirke, 5,630 ....F 4
Dargaville, 3,900 ....D 1
Day's Bay, 640 ....B 3
Devonport, 11,100 ....C 1
Dunedin, 77,500 ....C 6
Dunedin, †109,300 ....C 6
East Coast Bays, 11,450 ....B 1
Eltham, 2,340 ....E 3
Feilding, 8,950 ....E 4
Fox Glacier, 146 ....B 5
Foxton, 2,690 ....E 4
Geraldine, 1,930 ....C 6
Gisborne, 24,100 ....G 3
Gisborne, †26,800 ....G 3
Glenfield, 9,960 ....B 1
Glenside, 214 ....B 2
Gore, 7,920 ....B 7
Granity, 549 ....C 4
Greerton, 4,681 ....F 2
Greymouth, 8,920 ....C 5
Haast, 102 ....B 5
Hamilton, 59,500 ....E 2
Hamilton, †59,900 ....E 2
Hampden, 290 ....C 6
Hastings, 26,900 ....F 3
Hastings, †37,100 ....F 3
Havelock North, 4,850 ....F 3
Hawarden, 311 ....D 5
Hawera, 7,990 ....E 3
Helensville, 1,240 ....B 1
Hokitika, 3,060 ....C 5
Hornby, 6,420 ....D 5
Huapai, 545 ....B 1
Hutt (Upper & Lower), †111,400 ....B, C 2
Invercargill, 43,800 ....B 7
Invercargill, †46,300 ....B 7
Kaeo, 446 ....D 1
Kaiapoi, 3,380 ....D 5
Kaikohe, 3,250 ....D 1
Kaikoura, 1,420 ....D 5
Karoro, 428 ....C 5
Kawerau, 5,250 ....F 3
Kelston West, 4,450 ....B 1
Kingston, 45 ....B 6
Kumara, 420 ....C 5
Kurow, 512 ....C 6
Lawrence, 650 ....B 6
Leeston, 791 ....D 5
Levin, 10,850 ....E 4
Lower Hutt, 56,600 ....C 2
Lyttelton, 3,390 ....D 5
Mangere East, 7,070 ....B 1
Mangonui, 214 ....D 1
Manunui, 970 ....E 3
Manurewa, 16,050 ....C 2
Manutuke, 822 ....F 3
Marton, 4,630 ....E 4
Massey, 1,719 ....B 1
Masterton, 17,000 ....E 4
Matawai, 280 ....F 3
Middlemarch, 240 ....B 6
Milton, 1,890 ....C 7
Moerewa, 757 ....E 1
Motueka, 3,700 ....D 4
Mount Maunganui, 6,690 ....F 2
Mount Roskill, 33,400 ....B 1
Mount Wellington, 18,450 ....C 1
Murupara, 2,370 ....F 3
Napier, 28,000 ....F 3
Napier, †37,100 ....F 3
Naseby, 110 ....C 6
Nelson, 26,800 ....D 4
Nelson, †29,200 ....D 4
New Plymouth, 31,900 ....D 3
New Plymouth, †35,300 ....D 3
Nightcaps, 720 ....B 6
Oamaru, 13,550 ....C 6
Oban (Halfmoon Bay), 281 ....B 7
Ohakune, 1,510 ....E 3
Ohura, 670 ....E 3
One Tree Hill, 12,950 ....B 1
Onehunga, 16,350 ....B 1
Opotiki, 2,720 ....F 3
Otautau, 840 ....A 7
Otemetata, 2,838 ....B 6
Oxford, 871 ....D 5
Paekakariki, 1,920 ....E 4
Paihia, 448 ....D 1
Pakawau, 106 ....D 4
Palmerston, 910 ....C 6
Palmerston North, 45,900 ....E 4
Palmerston North, †48,500 ....E 4
Pareora, 605 ....C 6
Patea, 2,040 ....E 3
Petone, 9,880 ....B 2
Picton, 2,440 ....D 4
Pinehaven, 847 ....C 2
Pio Pio, 457 ....E 3
Plimmerton-Paremata, 3,600....B 2
Port Chalmers (Otago Harbour), 3,120 ....C 6
Portland, 656 ....E 1
Puha, 319 ....F 3
Putaruru, 4,030 ....E 3
Raglan, 1,050 ....E 2
Ranfurly, 849 ....B 6
Rangiora, 3,830 ....D 5
Ranui, 1,452 ....B 1
Rawene, 471 ....D 2
Reefton, 1,750 ....C 5
Riccarton, 7,350 ....D 5
Riverhead. 441 ....B 1
Riverton, 1,280 ....A 7
Riwaka, 993 ....D 4
Ross, 490 ....C 5
Rotorua, 23,400 ....F 3
Rotorua, †30,400 ....F 3
Roxburgh, 820 ....B 6
Ruatapu, 113 ....C 5
Ruawai, 590 ....D 2
Russell, 570 ....E 1
Saint Kilda, 6,650 ....C 7
Southbridge, 476 ....D 5
Stratford, 5,550 ....E 3
Takapau, 558 ....F 4
Taumarunui, 5,430 ....E 3
Taupo, 6,420 ....F 3
Tauranga, 22,300 ....F 2
Tauranga, †30,500 ....F 2
Tawa, 9,150 ....B 2
Te Aroha, 3,190 ....E 2
Te Atatu, 5,910 ....B 1
Te Kao, 355 ....D 1
Te Kauwhata, 780 ....E 2
Te Kuiti, 4,960 ....E 3
Te Roto, 20 ....D 7
The Hermitage, 201 ....C 5
Timaru, 26,400 ....C 6
Timaru, †27,700 ....C 6
Titahi Bay, 5,876 ....B 2
Titirangi, 4,950 ....B 1
Tokanui, 227 ....B 7
Tokoroa, 9,300 ....F 3
Tolaga Bay, 515 ....G 3
Upper Hutt, 19,800 ....B 2
Urenui, 265 ....E 3
Waiau, 386 ....D 5
Waihi, 3,240 ....F 2
Waikanae, 1,340 ....E 4
Waikawa, 82 ....B 7
Waikiwi, 1,961 ....B 7
Waimate, 3,460 ....C 6
Wainuiomata, 12,000 ....B 3
Waipawa, 1,750 ....F 3
Wairoa, 4,630 ....F 3
Waitara, 4,720 ....E 3
Waitotara, 149 ....E 3
Wanganui, 36,000 ....E 3
Wanganui, †38,500 ....E 3
Wellington (cap.), 126,700 ....A 3
Wellington, †161,600 ....A 3
Wellsford, 1,270 ....E 2
West Harbour, 2,292 ....C 6
Westport, 5,480 ....C 4
Whangamata, 393 ....F 2
Whangarei, 20,800 ....E 1
Whangarei, †25,900 ....E 1
Wharanui, 34 ....E 4
Whataroa, 236 ....C 5
Whatatutu, 203 ....F 3
Winchester, 247 ....C 6
Winton, 1,720 ....B 7
Woodville, 1,550 ....F 4
Wyndham, 720 ....B 7

PHYSICAL FEATURES

Abut (head) ....B 5
Aldermen, The (isls.) ....F 2
Arthur (range) ....D 4
Arthur's (pass) ....C 5
Aspiring (mt.) ....B 6
Awarua (bay) ....A 6
Banks (pen.) ....D 5
Bligh (sound) ....A 6
Breaksea (sound) ....A 6
Bream (bay) ....E 1
Brett (cape) ....E 1
Brunner (lake) ....C 5
Buller (river) ....D 4
Cameron (mts.) ....A 7
Campbell (cape) ....E 4
Canterbury (bight) ....D 6
Cascade (point) ....A 6
Castle (point) ....F 4
Chatham (isl.), 482 ....D 7
Chatham (isls.), 510 ....D 7
Christina (mt.) ....B 6
Clarence (river) ....E 5
Cloudy (bay) ....E 4
Clutha (river) ....B 6
Codfish (isl.) ....A 7
Coleridge (lake) ....C 5
Colville (cape) ....E 2
Cook (mt.) ....C 5
Cook (strait) ....E 4
Coromandel (pen.) ....E 2
Coromandel (range) ....E 2
Crossley (mt.) ....C 5
Cuvier (isl.) ....E 2
D'Urville (isl.), 84 ....D 4
Devil River (peak) ....D 4
Durham (pt.) ....D 7
Dusky (sound) ....A 6
Earnslaw (mt.) ....B 6
East (cape) ....G 2
Egmont (mt.) ....D 3
Ellesmere (lake) ....D 6
Eyre (mts.) ....B 6
Farewell (cape) ....D 4
Foulwind (cape) ....C 4
Foveaux (strait) ....A 7
George (sound) ....A 6
Golden (bay) ....D 4
Great Barrier (isl.), 220 ....F 2
Grey (river) ....C 5
Hauhangaroa (range) ....E 3
Hauraki (gulf) ....C 1
Hawea (lake) ....B 6
Hawke's (bay) ....F 3
Hen and Chickens (isls.) ....E 1
Hikurangi (mt.) ....G 2
Hokianga (harb.) ....D 1
Hunter (mts.) ....A 6
Hurunui (river) ....D 5
Hutt (river) ....C 2
Islands, Bay of (bay)....E 1
Jackson (bay) ....B 5
Kaikoura (pen.) ....D 5
Kaikoura (range) ....D 4
Kaimanawa (mts.) ....E 3
Kaipara (harb.) ....D 2
Kapiti (isl.), 7 ....E 4
Karamea (bight) ....C 4
Karikari (cape) ....D 1
Kawau (isl.), 79 ....E 2
Kawhia (harb.) ....E 3
Kidnappers (cape) ....F 3
Little Barrier (isl.), 6 ....E 2
Mahia (pen.) ....G 3
Manapouri (lake) ....A 6
Mangere (isl.) ....E 7
Manukau (harb.) ....D 2
Maria van Diemen (cape) ....D 1
Mason (bay) ....A 7
Mataura (river) ....B 6
Mayor (isl.), 7 ....F 2
Mercury (bay) ....F 2
Mercury (isls.), 8 ....F 2
Milford (sound) ....A 6
Mokau (river) ....E 3
Mokohinau (isl.), 10 ....E 1
Motuhora (isl.), 4 ....F 2
Motuihe (isl.), 161 ....C 1
Munning (point) ....E 7
Needles (point) ....E 2
Ninety-Mile (beach) ....D 1
North (isl.), 1,854,597 ....F 1
North Taranaki (bight) ....D 3
Nugget (point) ....C 7
Ohariu (stream) ....B 2
Owen (mt.) ....D 4
Palliser (bay) ....C 3
Palliser (cape) ....E 4
Pegasus (bay) ....D 5
Pitt (isl.) ....E 7
Plenty (bay) ....F 2
Poor Knights (isls.) ....E 1
Port Nicholson (inlet)....B 3
Port Pegasus (inlet) ....B 7
Portland (isl.) ....G 3
Poverty (bay) ....G 3
Pukaki (lake) ....B 6
Pupuke (lake) ....B 1
Puysegur (point) ....A 7
Pyramid (isl.) ....E 7
Rakitu (isl.), 2 ....E 2
Rangatira (isl.) ....E 7
Rangiauria (Pitt) (isl.), 28 ....E 7
Raukumara (range) ....F 3
Reinga (cape) ....D 1
Resolution (isl.) ....A 6
Richmond (range) ....D 4
Rimutaka (range) ....B 3
Rocks (point) ....C 4
Rotorua (lake) ....E 3
Ruahine (range) ....E 4
Ruapehu (mt.) ....E 3
Ruapuke (isl.) ....B 7
Runaway (cape) ....G 2
Secretary (isl.) ....A 6
Slipper (isl.), 4 ....E 2
Solander (isl.) ....A 7
South (isl.), 785,520 ....B 5
South Taranaki (bight) ....D 3
Southern Alps (range) ....C 5
Spenser (mts.) ....D 5
Stephen (isl.) ....D 4
Stewart (isl.), 380 ....A 7
Sumner (lake) ....D 5
Taieri (river) ....C 7
Tasman (bay) ....D 4
Tasman (mt.) ....C 5
Tasman (sea) ....B 3
Taupo (lake) ....E 3
Tauroa (point) ....D 1
Te Anau (lake) ....A 6
Tekapo (lake) ....C 5
Three Kings (isls.) ....C 1
Titihiri (head) ....B 5
Tongue (point) ....A 3
Turnagain (cape) ....F 4
Tutumoe (range) ....D 1
Una (mt.) ....D 5
Waiau (river) ....A 6
Waikato (river) ....E 2
Waimakariri (river) ....D 5
Wairau (river) ....D 4
Wairoa (river) ....E 1
Waitaki (river) ....C 6
Wakatipu (lake) ....B 6
Wanaka (lake) ....B 6
Wanganui (river) ....E 3
West (cape) ....A 6
Whitcombe (mt.) ....C 5
White (isl.) ....F 2

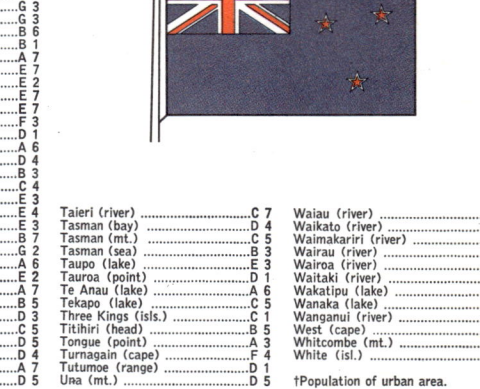

†Population of urban area.

AGRICULTURE, INDUSTRY and RESOURCES

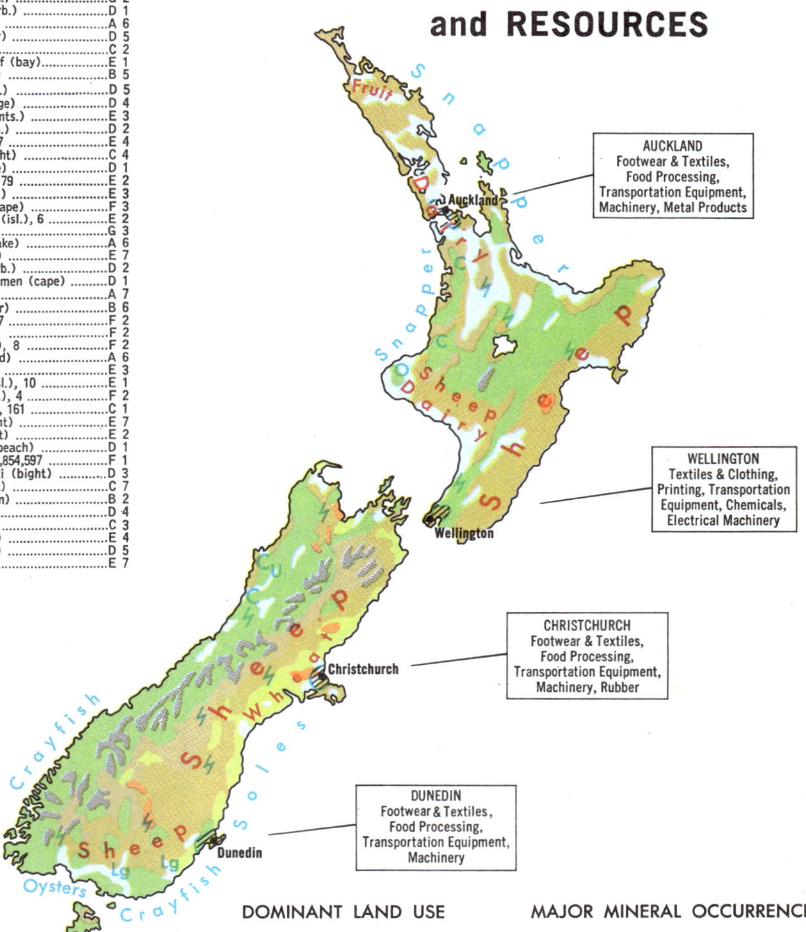

Fruit
Snapper
Auckland
Dairy
Sheep
P
AUCKLAND
Footwear & Textiles,
Food Processing,
Transportation Equipment,
Machinery, Metal Products
Wellington
WELLINGTON
Textiles & Clothing,
Printing, Transportation
Equipment, Chemicals,
Electrical Machinery
Christchurch
CHRISTCHURCH
Footwear & Textiles,
Food Processing,
Transportation Equipment,
Machinery, Rubber
Wheat
Soles
Crayfish
Dunedin
DUNEDIN
Footwear & Textiles,
Food Processing,
Transportation Equipment,
Machinery
Lg
Oysters

DOMINANT LAND USE

- Mixed Farming, Livestock
- Dairy
- Truck Farming, Horticulture
- Pasture Livestock (chiefly sheep)
- Livestock Herding
- Forests
- Nonagricultural Land

MAJOR MINERAL OCCURRENCES

- C Coal
- Lg Lignite
- O Petroleum
- U Uranium
- Water Power
- Major Industrial Areas

AFRICA
LAMBERT AZIMUTHAL EQUAL-AREA PROJECTION
SCALE OF MILES
0 100 200 400 600 800
SCALE OF KILOMETRES
0 200 400 600 800
Capitals
Canals
International Boundaries
Mountain Peaks
Copyright by C. S. Hammond & Co., N. Y.
AFRICA 1939
British
French
Italian
Portuguese
Spanish
Belgian
Mandates
CAPE VERDE IS.
(ILHAS DO CABO VERDE)
Santo Antão
Santa Luzia
São Vicente
São Nicolau
Sal
Boa Vista
São Tiago
Maio
Fogo
Brava
Praia
ATLANTIC
OCEAN
INDIAN
OCEAN
MEDITERRANEAN SEA
BLACK SEA
CASPIAN SEA
RED SEA
Gulf of Guinea
Gulf of Aden
Mozambique Channel
Tropic of Cancer
Tropic of Capricorn
Equator
EUROPE
ASIA
U. S. S. R.
SPAIN
PORTUGAL
FRANCE
ITALY
YUGOSLAVIA
RUMANIA
BULGARIA
ALBANIA
GREECE
TURKEY
CYPRUS
SYRIA
LEBANON
ISRAEL
JORDAN
IRAQ
IRAN
KUWAIT
SAUDI ARABIA
YEMEN
SOUTH YEMEN
MOROCCO
ALGERIA
TUNISIA
LIBYA
UNITED ARAB REPUBLIC
EGYPT
SPANISH SAHARA
IFNI
MAURITANIA
MALI
NIGER
CHAD
SUDAN
SENEGAL
GAMBIA
PORT. GUINEA
GUINEA
SIERRA LEONE
LIBERIA
IVORY COAST
UPPER VOLTA
GHANA
TOGO
DAHOMEY
NIGERIA
CAMEROON
CENTRAL AFRICAN REPUBLIC
ETHIOPIA
TERR. OF THE AFARS & ISSAS (Fr.)
SOMALI REP.
KENYA
UGANDA
RWANDA
BURUNDI
TANZANIA
EQUATORIAL GUINEA
GABON
REP. OF CONGO
DEM. REP. OF THE CONGO
ANGOLA
ZAMBIA
MALAWI
MOZAMBIQUE
RHODESIA
SOUTH-WEST AFRICA
BOTSWANA
SWAZI.
LESOTHO
SOUTH AFRICA
TRANSVAAL
ORANGE FREE STATE
NATAL
CAPE OF GOOD HOPE
TRANSKEI
MALAGASY REP.
Madagascar
Cairo
Khartoum
Addis Ababa
Nairobi
Dakar
Lagos
Kinshasa
Luanda
Lusaka
Salisbury
Pretoria
Cape Town
Tananarive

AFRICA

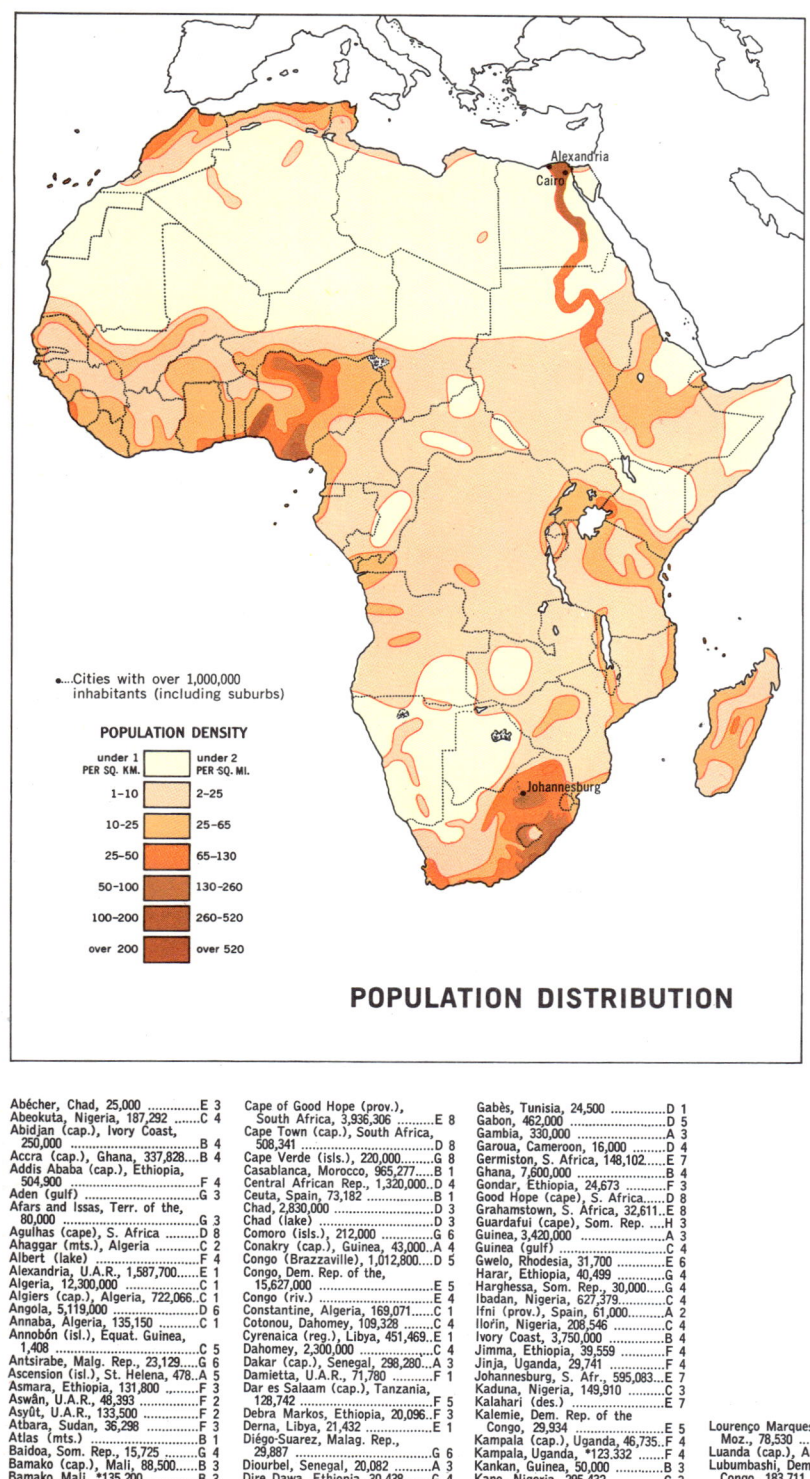

AREA 11,850,000 sq. mi.
POPULATION 304,000,000
LARGEST CITY Cairo 3,518,200
HIGHEST POINT Kilimanjaro 19,340 ft.
LOWEST POINT Qattara Depression —436 ft.

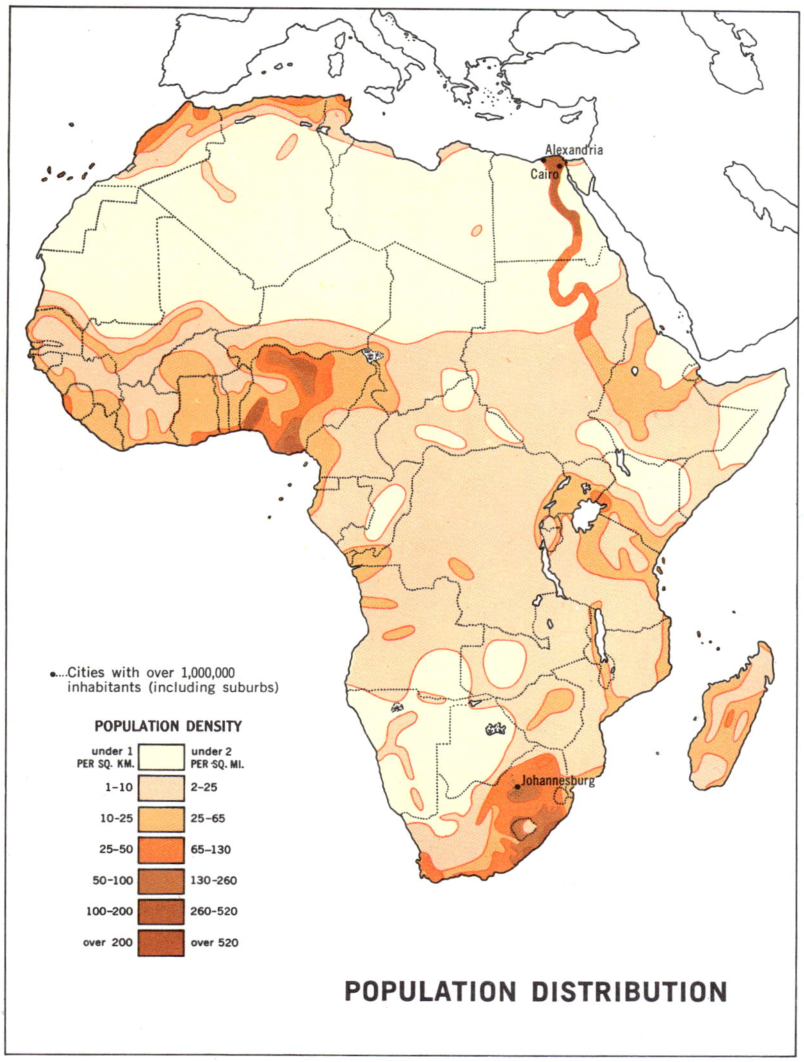
Alexandria
Cairo
Johannesburg
•...Cities with over 1,000,000 inhabitants (including suburbs)
POPULATION DENSITY
under 1 PER SQ. KM.
under 2 PER SQ. MI.
1-10
2-25
10-25
25-65
25-50
65-130
50-100
130-260
100-200
260-520
over 200
over 520

POPULATION DISTRIBUTION

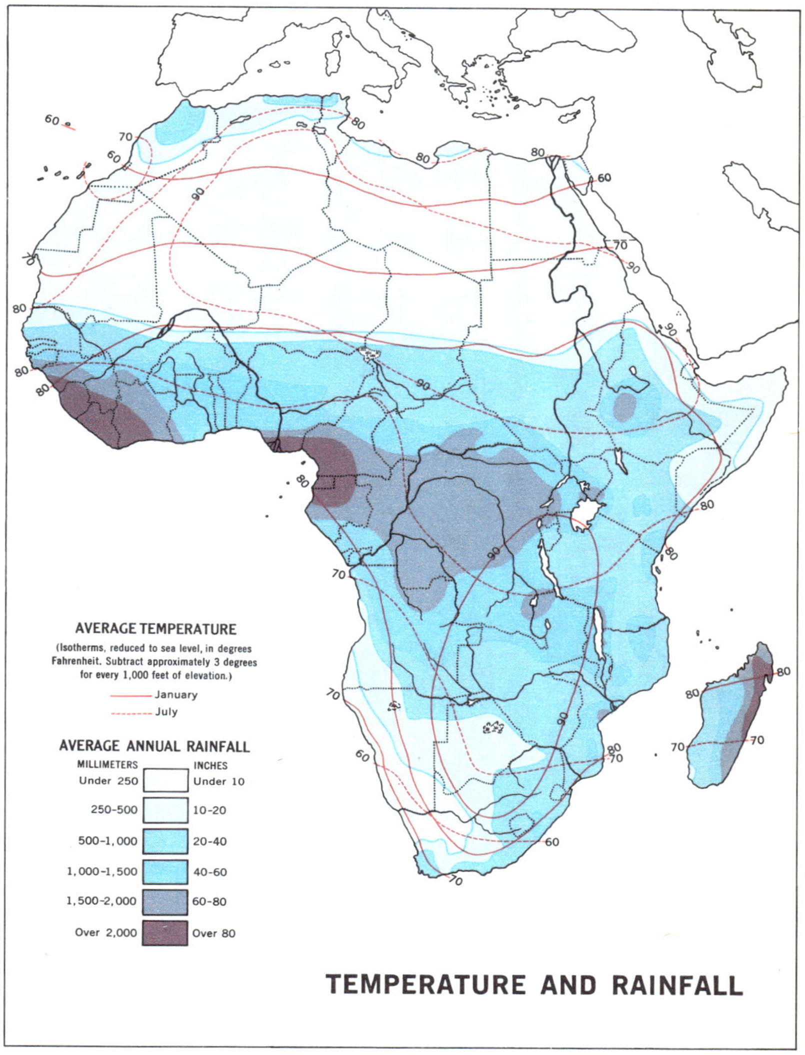
AVERAGE TEMPERATURE
(Isotherms, reduced to sea level, in degrees Fahrenheit. Subtract approximately 3 degrees for every 1,000 feet of elevation.)
January
July
AVERAGE ANNUAL RAINFALL
MILLIMETERS
INCHES
Under 250
Under 10
250-500
10-20
500-1,000
20-40
1,000-1,500
40-60
1,500-2,000
60-80
Over 2,000
Over 80

TEMPERATURE AND RAINFALL

Abécher, Chad, 25,000 ....E 3
Abeokuta, Nigeria, 187,292 ....C 4
Abidjan (cap.), Ivory Coast, 250,000 ....B 4
Accra (cap.), Ghana, 337,828....B 4
Addis Ababa (cap.), Ethiopia, 504,900 ....F 4
Aden (gulf) ....G 3
Afars and Issas, Terr. of the, 80,000 ....G 3
Agulhas (cape), S. Africa ....D 8
Ahaggar (mts.), Algeria ....C 2
Albert (lake) ....F 4
Alexandria, U.A.R., 1,587,700......E 1
Algeria, 12,300,000 ....C 1
Algiers (cap.), Algeria, 722,066..C 1
Angola, 5,119,000 ....D 6
Annaba, Algeria, 135,150 ....C 1
Annobón (isl.), Equat. Guinea, 1,408 ....C 5
Antsirabe, Malg. Rep., 23,129.....G 6
Ascension (isl.), St. Helena, 478..A 5
Asmara, Ethiopia, 131,800 ....F 3
Aswân, U.A.R., 48,393 ....F 2
Asyût, U.A.R., 133,500 ....F 2
Atbara, Sudan, 36,298 ....F 3
Atlas (mts.) ....B 1
Baidoa, Som. Rep., 15,725 ....G 4
Bamako (cap.), Mali, 88,500......B 3
Bamako, Mali, *135,200 ....B 3
Bangui (cap.), C. Afr. Rep., 111,266 ....D 4
Bata, Equat. Guinea, †27,024......D 4
Bathurst (cap.), Gamb., 28,896..A 3
Béchar, Algeria, 19,227 ....B 1
Beira, Mozambique, *59,329........F 6
Benghazi (cap.), Libya, 136,641 ....D 1
Benguela, Angola, 23,256 ....D 6
Beni Suef, U.A.R., 78,829 ....F 2
Benin City, Nigeria, 100,694.......C 4
Berbera, Som. Rep., 20,000........G 3
Bethlehem, S. Africa, 24,125......E 7
Biskra, Algeria, 55,073 ....C 1
Bissau (cap.), P. Guin., 20,000...A 3
Bizerte, Tunisia, 45,800..............C 1
Blanc (cape) ....A 2
Blantyre, Malawi, 35,000 ....F 6
Bloemfontein (cap.), O.F.S., S. Africa, 112,606 ....E 7
Blue Nile (riv.) ....F 3
Bobo-Dioulasso, Up. Volta, 56,100 ....B 3
Boma, Dem. Rep. of the Congo, 33,143 ....D 5
Bon (cape), Tunisia ....D 1
Botswana, 599,000 ....E 7
Bouaké, Ivory Coast, 45,340........B 4
Brazzaville (cap.), Congo (Braz.), 94,000 ....D 5
Broken Hill, Zambia, 21,470 ......E 6
Buea, Cameroon, 31,000 ....C 4
Bujumbura (cap.), Burundi, *47,036 ....F 5
Bukavu, Dem. Rep. of the Congo 60,575 ....E 5
Bulawayo, Rhodesia, 173,000.......E 7
Burundi, 2,780,000 ....F 5
Cairo (cap.), U.A.R., 3,518,200...E 2
Cameroon, 5,150,000 ....D 4
Canary (isls.), Spain, 944,448.....A 2
Cape Coast, Ghana, 41,230 ....B 4
Cape of Good Hope (prov.), South Africa, 3,936,306 ....E 8
Cape Town (cap.), South Africa, 508,341 ....D 8
Cape Verde (isls.), 220,000.........G 8
Casablanca, Morocco, 965,277.....B 1
Central African Rep., 1,320,000..D 4
Ceuta, Spain, 73,182 ....B 1
Chad, 2,830,000 ....D 3
Chad (lake) ....D 3
Comoro (isls.), 212,000 ....G 6
Conakry (cap.), Guinea, 43,000...A 4
Congo (Brazzaville), 1,012,800....D 5
Congo, Dem. Rep. of the, 15,627,000 ....E 5
Congo (riv.) ....E 4
Constantine, Algeria, 169,071......C 1
Cotonou, Dahomey, 109,328 ....C 4
Cyrenaica (reg.), Libya, 451,469..E 1
Dahomey, 2,300,000 ....C 4
Dakar (cap.), Senegal, 298,280...A 3
Damietta, U.A.R., 71,780 ....F 1
Dar es Salaam (cap.), Tanzania, 128,742 ....F 5
Debra Markos, Ethiopia, 20,096..F 3
Derna, Libya, 21,432 ....E 1
Diégo-Suarez, Malag. Rep., 29,887 ....G 6
Diourbel, Senegal, 20,082 ....A 3
Dire Dawa, Ethiopia, 30,438 ......G 4
Djibouti (cap.), Terr. of the Afars & Issas, 40,000 ....G 3
Douala, Cameroon, 127,816 ....D 4
Durban, S. Africa, 560,010 ....F 8
East London, S. Africa, 113,746..E 8
Ebolowa, Cameroon, 16,000 ....D 4
Edward (lake) ....E 5
Egypt (U.A.R.), 28,900,000 ....E 2
El Aaiúm (cap.), Sp. Sahara, 5,500 ....A 2
El Fasher, Sudan, 26,161 ....E 3
El Faiyûm, U.A.R., 117,800 ....E 2
El Jadida, Morocco, 40,302 ....B 1
El Minya, U.A.R., 104,800 ....E 2
El Obeid, Sudan, 52,372 ....E 3
Elgon (mt.) ....F 4
Entebbe, Uganda, 10,941 ....F 5
Enugu, Nigeria, 138,457 ....C 4
Equatorial Guinea (prov.), Spain, 267,000 ....C 4
Eritrea (reg.), Eth., 1,422,300....F 3
Essaouira, Morocco, 26,392 ......A 1
Ethiopia, 22,200,000 ....F 4
Etosha Pan (salt dep.), S.W. Africa ....D 6
Fernando Po (isl.), Equat. Guinea, 72,000 ....C 4
Fez, Morocco, 216,133 ....B 1
Fezzan (reg.), Libya, 78,714......D 2
Fianarantsoa, Malag. Rep., 36,184 ....G 7
Fifth Cataract, Sudan ....F 3
Fort-Archambault, Chad, 22,500..E 4
Fort-Lamy (cap.), Chad, 20,500..D 3
Fourth Cataract, Sudan ....F 3
Freetown (cap.), Sierra Leone, 127,917 ....A 4
Fria (cape), S.W. Africa ....D 6
Funchal (cap.), Madeira, Port. 43,301 ....A 1
Gaberones (cap.), Botswana, 5,000 ....E 7
Gabès, Tunisia, 24,500 ....D 1
Gabon, 462,000 ....D 5
Gambia, 330,000 ....A 3
Garoua, Cameroon, 16,000 ....D 4
Germiston, S. Africa, 148,102.....E 7
Ghana, 7,600,000 ....B 4
Gondar, Ethiopia, 24,673 ....F 3
Good Hope (cape), S. Africa......D 8
Grahamstown, S. Africa, 32,611..E 8
Guardafui (cape), Som. Rep. ....H 3
Guinea, 3,420,000 ....A 3
Guinea (gulf) ....C 4
Gwelo, Rhodesia, 31,700 ....E 6
Harar, Ethiopia, 40,499 ....G 4
Harghessa, Som. Rep., 30,000.....G 4
Ibadan, Nigeria, 627,379............C 4
Ifni (prov.), Spain, 61,000..........A 2
Ilorin, Nigeria, 208,546 ....C 4
Ivory Coast, 3,750,000 ....B 4
Jimma, Ethiopia, 39,559 ....F 4
Jinja, Uganda, 29,741 ....F 4
Johannesburg, S. Afr., 595,083...E 7
Kaduna, Nigeria, 149,910 ....C 3
Kalahari (des.) ....E 7
Kalemie, Dem. Rep. of the Congo, 29,934 ....E 5
Kampala (cap.), Uganda, 46,735..F 4
Kampala, Uganda, *123.332 ....F 4
Kankan, Guinea, 50,000 ....B 3
Kano, Nigeria, 295,432 ....C 3
Kaolack, Senegal, 81,631 ....A 3
Kariba (lake) ....E 6
Kasai (riv.) ....E 5
Kassala, Sudan, 40,612 ....F 3
Katanga (reg.), Dem. Rep. of the Congo, 1,743,733 ....E 5
Kayes, Mali, 24,218 ....A 3
Kénitra, Morocco, 86,775 ....B 1
Kenya, 9,376,000 ....F 4
Kenya (mt.), Kenya ....F 5
Khartoum (cap.), Sud., 138,000..F 3
Khartoum North, Sudan, 39,082..F 3
Kigali (cap.), Rwanda, *4,173....E 5
Kilimanjaro (mt.), Tanzania......F 5
Kimberley, S. Africa, 75,376 ......E 7
Kinshasa (cap.), Dem. Rep. of the Congo, 402,492 ....D 5
Kioga (lake), Uganda ....F 4
Kisangani, Dem. Rep. of the Congo, 126,533 ....E 4
Kisumu, Kenya, 23,526 ....F 5
Kivu (lake) ....E 5
Koforidua, Ghana, 34,856 ....C 4
Kumasi, Ghana, 180,642 ....B 4
Lagos (cap.), Nigeria, 665,246....C 4
Las Palmas (cap.), Canary Is., Spain, 166,236 ....A 2
Léopoldville (Kinshasa) (cap.), Dem. Rep. of the Congo, 402,492 ....D 5
Lesotho, 745,000 ....E 7
Liberia, 1,066,000 ....B 4
Libreville (cap.), Gabon, 46,000..C 4
Libya, 1,559,399 ....D 2
Libyan (des.) ....E 2
Likasi, Dem. Rep. of the Congo, 80,075 ....E 6
Limpopo (riv.) ....E 7
Livingstone (Maramba), Zambia, ‡33,440 ....E 6
Lobito, Angola, 50,164 ....D 6
Lomé (cap.), Togo, 80,000 ....C 4
Lourenço Marques (cap.), Moz., 78,530 ....F 7
Luanda (cap.), Angola, 224,540..D 5
Lubumbashi, Dem. Rep. of the Congo, 183,711 ....E 6
Luluabourg, Dem. Rep. of the Congo, 115,049 ....E 5
Lusaka (cap.), Zambia, 94,560...E 6
Madagascar (isl.), 5,831,661.......G 7
Madeira (isls.), Port., 268,937....A 1
Maiduguri, Nigeria, 139,965 ....D 3
Majunga, Malag. Rep., 34,119.....G 6
Malagasy Republic, 6,180,000......G 6
Malawi, 3,900,000 ....F 6
Mali, 4,430,000 ....B 3
Maramba, Zambia, ‡33,440 ....E 6
Marrakech, Morocco, 243,134......A 1
Maseru (cap.), Lesotho, 10,000...E 8
Matadi, Dem. Rep. of the Congo, 60,295 ....D 5
Mauritania, 1,000,000 ....A 3
Mbabane (cap.), Swaz., 8,390....F 7
Mbandaka, Dem. Rep. of the Congo, 51,359 ....E 4
Meknès, Morocco, 175,943 ....B 1
Melilla, Spain, 79,056 ....B 1
Misurata, Libya, †36,850 ....D 1
Mogadishu (Mogadiscio) (cap.), Som. Rep., 120,649 ....G 4
Mombasa, Kenya, 179,575 ....G 5
Monrovia (cap.), Liberia, 80,992..A 4
Morocco, 12,959,000 ....B 1
Moroni (cap.), Com. Is., 7,910....G 6
Mostaganem, Algeria, 64,786......B 1
Mozambique, 6,914,000 ....F 6
Mozambique (channel) ....G 6
Nairobi (cap.), Kenya, 266,794...F 5
Nairobi, Kenya, *343,500 ....F 5
Nampula, Moz., *104,777 ....G 6
Nasser (lake) ....F 2
Natal (prov.), S. Afr.. 2.979,920..F 7
Ndola, Zambia, 72,790 ....E 6
N'Gaoundéré, Cam., 19,000 ....D 4
Niamey (cap.), Niger, 41,975......C 3
Niger, 3,193,000 ....C, D 3
Niger (river) ....C 3
Nigeria, 56,400,000 ....C 4
Nile (river) ....F 2
Nouakchott (cap.), Maur., 12,500A 3
Nova Lisboa, Angola, 38,745.......D 6
Nubian (des.), Sudan ....F 2
Nyasa (lake) ....F 6
Omdurman, Sudan, 171,000 ....F 3
Oran, Algeria, 350,087 ....B 1
Orange (river) ....D 7
Orange Free State (prov.), South Africa, 1,386,547 ....E 7
Ouagadougou (cap.), Up. Volta, 63,000 ....B 3
Oudtshoorn, S. Africa, 22,229......E 8
Oujda, Morocco, 128,645 ....B 1
Oyo, Nigeria, 112,349 ....C 4
Paarl, S. Africa, 41,540 ....D 8
Palmas (cape) ....B 4
Pemba (isl.), Tanz., 133,858.......G 5
Pietermaritzburg (cap.), Natal, S. Africa, 91,988 ....F 7
Pietersburg, S. Africa, 28,071.....E 7
Pointe-Noire, Congo (Braz.), 54,643 ....D 5
Port Elizabeth, S. Afr., 249,211..E 8
Port-Gentil, Gabon, 20,732 ....C 5
Port Harcourt, Nigeria, 179,563..C 4
Port-Lyautey (Kénitra), Morocco, 86,775 ....B 1
Port Said, U.A.R., 256,100 ....F 1
Port Sudan, Sudan, 47,562 ....F 3
Porto-Novo (cap.), Dah., 69,500..C 4
Portuguese Guinea, 525,000 ......A 3
Praia (cap.), C. Verde Is., 3,628..G 8
Pretoria (cap.), S. Afr., 303,684E 7
Qena, U.A.R., 57,417 ....F 2
Queenstown, S. Africa, 33,182.....E 8
Quelimane, Moz., *64,183 ....F 6
Rabat (cap.), Morocco, 227,445..B 1
Red (sea) ....F 2
Rhodesia, 4,260,000 ....E 6
Río de Oro (reg.), Sp. Sahara....A 2
Río Muni (terr.), Equat. Guinea, 195,000 ....C 4
Rudolf (lake), Kenya ....F 4
Rufisque, Senegal, 50,000 ....A 3
Rwanda, 3,018,000 ....F 5
Ruwenzori (mts.) ....E 4
Sahara (desert) ....C 2
Saint Helena (isl.), 4,613 ....B 6
Saint-Louis, Senegal, 58,000 .....A 3
Salisbury (cap.), Rhod., 217,040..F 6
Santa Cruz (cap.), Canary Is., Spain, 82,620 ....A 2
Santa Isabel (cap.), Equat. Guinea, †37,237 ....C 4
Sekondi, Ghana, 34,513 ....B 4
Senegal. 3,400,000 ....A 3
Senegal (river) ....A 3
Serowe, Botswana, 34,182 ....E 7
Sétif, Algeria, 82,340 ....C 1
Sfax, Tunisia, 75,500 ....D 1
Sidi-bel-Abbès, Algeria, 96,608....C 1
Sidi Ifni (cap.), Ifni, 12,751 ......B 2
Sierra Leone, 2,200,000 ....A 4
Sinai (pen.), U.A.R., 49,769 ......F 2
Sixth Cataract, Sudan ....F 3
Skikda, Algeria, 80,281 ....C 1
Sohâg, U.A.R., 61,944 ....F 2
Somali Republic, 2,350,000 ....G 4
Sousse, Tunisia, 48,172 ....D 1
South Africa, 17,487,000 ....E 7
South-West Africa, 551,000 ....D 7
Spanish Sahara (prov.), Spain, 42,000 ....A 2
Stanley (falls), Dem. Rep. of the Congo ....E 4
Sudan, 13,540,000 ....E 3
Suez, U.A.R., 219,000 ....F 2
Suez (canal), U.A.R. ....F 1
Swaziland, 292,000 ....F 7
Takoradi, Ghana, 40,937 ....B 4
Tamale, Ghana, 40,443 ....B 4
Tamatave, Malag. Rep., 39,627...G 6
Tana (lake), Ethiopia ....F 3
Tananarive (cap.), Malag. Rep., 270,268 ....G 6
Tanga, Tanzania, 38,053 ....F 5
Tanganyika (lake) ....F 5
Tangier, Morocco, 141,714 ....B 1
Tanzania, 10,514,000 ....F 5
Thiès, Senegal, 69,000 ....A 3
Third Cataract, Sudan ....E 3
Tibesti (mts.) ....D 2
Timbuktu, Mali, 8,735 ....B 3
Tlemcen, Algeria, 70,930 ....B 1
Togo, 1,642,000 ....C 4
Transkei (prov.), S. Africa, 1,439,195 ....E 8
Transvaal (prov.), S. Africa, 6,273,477 ....E 7
Tripoli (cap.), Libya, 212,577.....D 1
Tripolitania (reg.), Libya, 1,029,216 ....D 1
Tuléar, Malag. Rep., 33,850........G 7
Tunis (cap.), Tunisia, 480,500....D 1
Tunisia, 4,565,000 ....C 1
Ubangi (river) ....E 3
Uganda, 7,551,000 ....F 4
Uitenhage, S. Africa, 48,755 ......E 8
Umtali, Rhodesia, 39,370 ....F 6
Umtata (cap.), Transkei, South Africa, 12,221 ....E 8
United Arab Rep., 28,900,000.......E 2
Upper Volta, 4,763,000 ....B 3
Vaal (riv.), S. Africa ....E 7
Verde (cape), Senegal ....A 3
Victoria (falls) ....E 6
Victoria (lake) ....F 5
Vila de João Belo, Moz., *48,891..F 7
Volta (lake), Ghana ....B 4
Volta (river) ....C 4
Wad Medani, Sudan, 47,677 ......F 3
Walvis Bay, S. Africa, 12,234......D 7
White Nile (river) ....F 4
Windhoek (cap.), S.W. Africa, 36,050 ....D 7
Worcester, S. Africa, 32,274.......D 8
Yaoundé (cap.), Cam., 93,269......D 4
Zambezi (river) ....E 6
Zambia, 3,710,000 ....E 6
Zanzibar, Tanzania, 57,923 ....G 5
Zanzibar (isl.), Tanz., 165,253...G 5
Zomba (cap.), Malawi, 7,200......F 6

*City and suburbs.
†Population of sub-district.
‡Population of urban or met. area.

AFRICA TRANSPORTATION

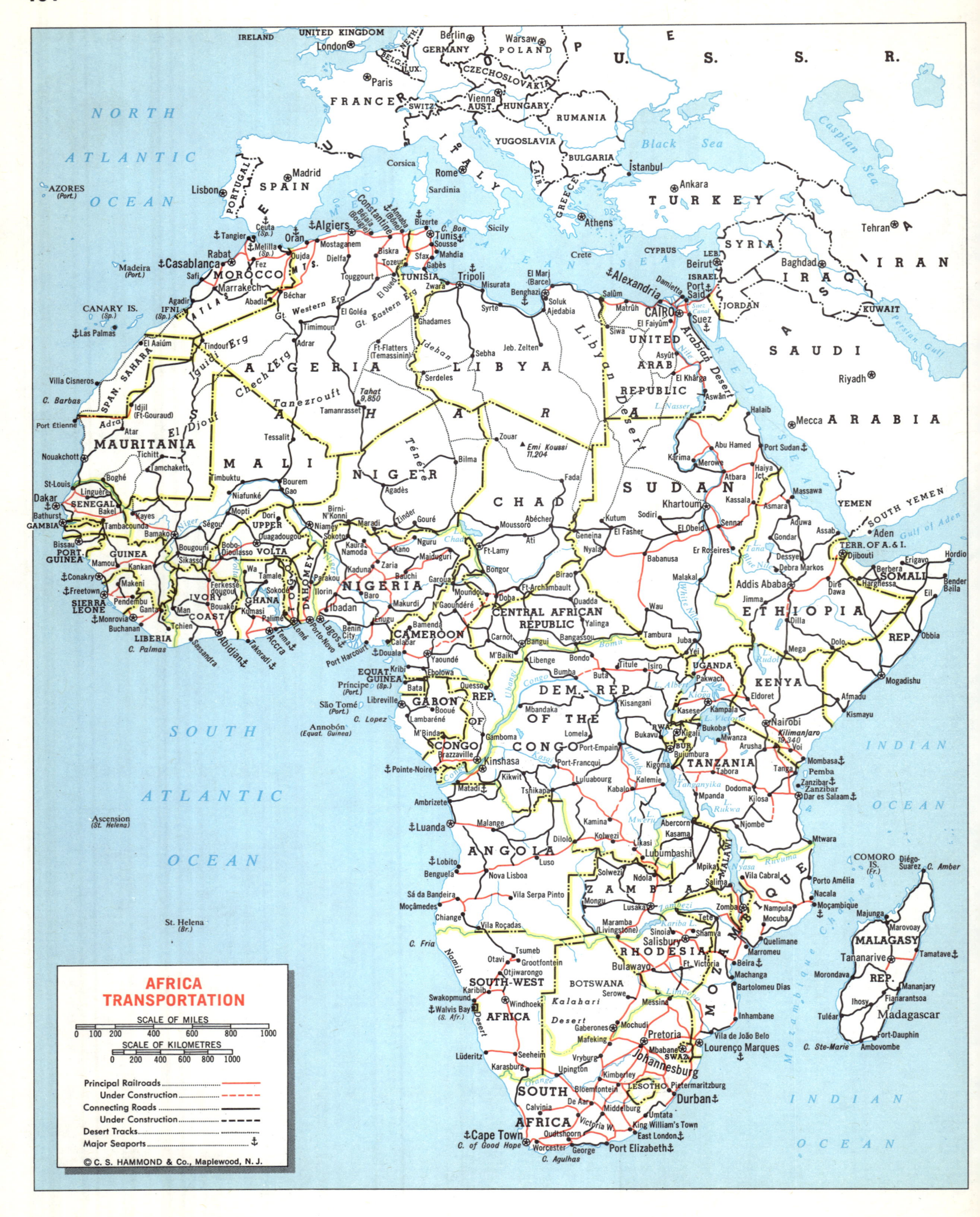

Africa
(continued)

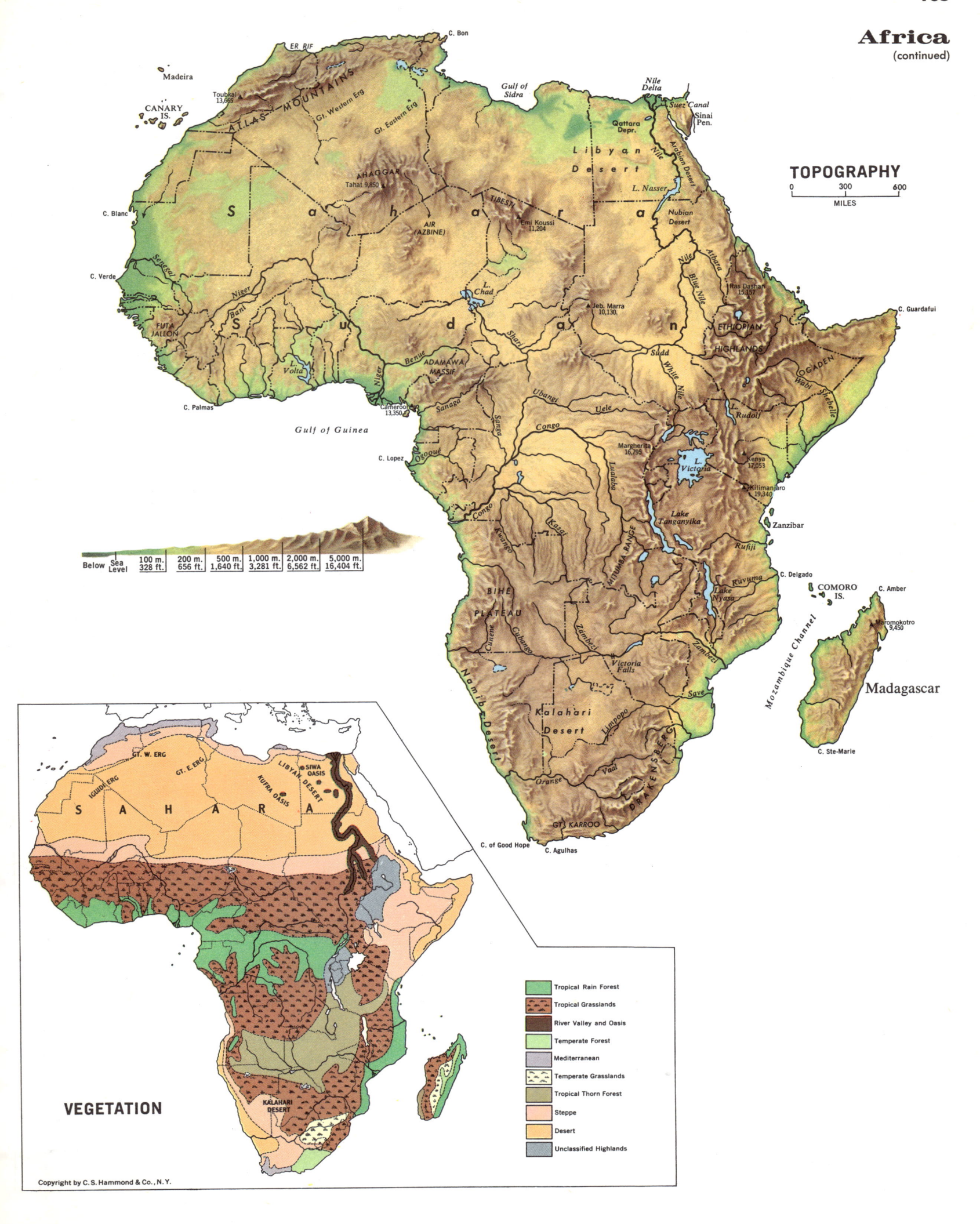

WESTERN AFRICA

CONIC EQUAL AREA PROJECTION

SCALE OF MILES
0   100   200   400

SCALE OF KILOMETERS
0   100   200   400

Capitals of Countries ★
Other Capitals ⊙
International Boundaries ———
Internal Boundaries — — —

© C. S. HAMMOND & Co., Maplewood, N.J.

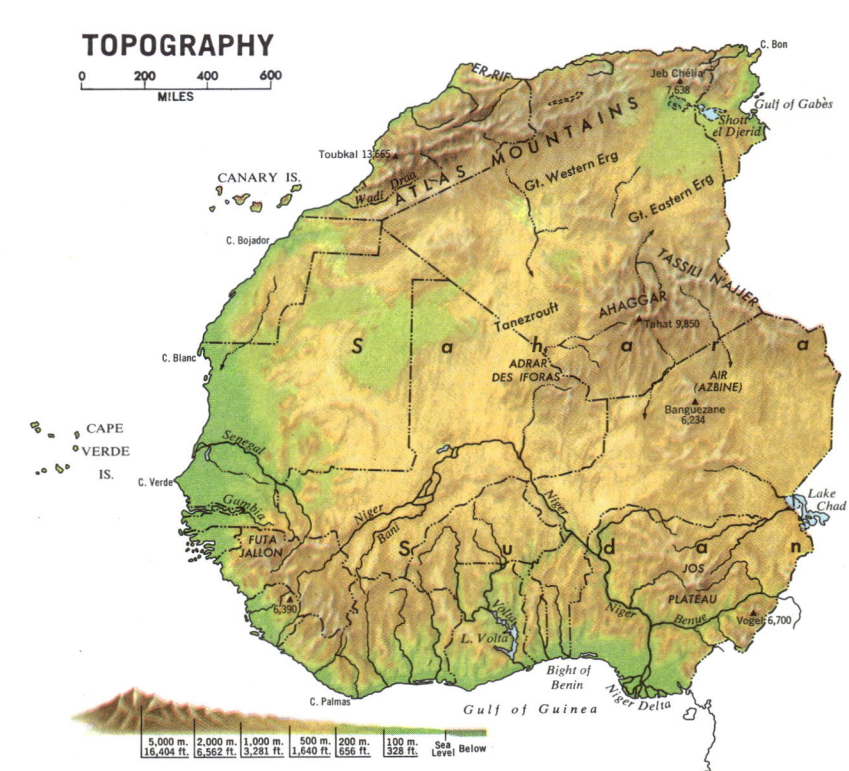

WESTERN AFRICA

MOROCCO
- AREA: 171,583 sq. mi.
- POPULATION: 12,959,000
- CAPITAL: Rabat
- LARGEST CITY: Casablanca 965,277
- HIGHEST POINT: Jeb. Toubkal 13,665 ft.
- MONETARY UNIT: dirham
- MAJOR LANGUAGES: Arabic, Berber, French
- MAJOR RELIGIONS: Mohammedan, Christian, Jewish

ALGERIA
- AREA: 919,353 sq. mi.
- POPULATION: 12,300,000
- CAPITAL: Algiers
- LARGEST CITY: Algiers (greater) 883,879
- HIGHEST POINT: Tahat 9,850 ft.
- MONETARY UNIT: Algerian franc
- MAJOR LANGUAGES: Arabic, French, Berber
- MAJOR RELIGIONS: Mohammedan, Roman Catholic

TUNISIA
- AREA: 48,300 sq. mi.
- POPULATION: 4,565,000
- CAPITAL: Tunis
- LARGEST CITY: Tunis (greater) 632,100
- HIGHEST POINT: Jeb. Chambi 5,066 ft.
- MONETARY UNIT: Tunisian dinar
- MAJOR LANGUAGES: Arabic, French
- MAJOR RELIGIONS: Mohammedan, Roman Catholic

SPANISH SAHARA
- AREA: 103,243 sq. mi.
- POPULATION: 42,000
- CAPITAL: El Aaiúm
- LARGEST CITY: El Aaiúm 5,500
- HIGHEST POINT: 2,700 ft.
- MONETARY UNIT: Spanish peseta
- MAJOR LANGUAGES: Arabic, Spanish
- MAJOR RELIGIONS: Mohammedan

MAURITANIA
- AREA: 328,185 sq. mi.
- POPULATION: 1,000,000
- CAPITAL: Nouakchott
- LARGEST CITY: Nouakchott 12,500
- HIGHEST POINT: 2,972 ft.
- MONETARY UNIT: CFA franc
- MAJOR LANGUAGES: Arabic, French
- MAJOR RELIGIONS: Mohammedan

MALI
- AREA: 584,942 sq. mi.
- POPULATION: 4,430,000
- CAPITAL: Bamako
- LARGEST CITY: Bamako (greater) 135,200
- HIGHEST POINT: Hombori Mts. 3,789 ft.
- MONETARY UNIT: Malian franc
- MAJOR LANGUAGES: Sudanese, Hamitic, Arabic, French
- MAJOR RELIGIONS: Mohammedan, Tribal religions

NIGER
- AREA: 501,930 sq. mi.
- POPULATION: 3,193,000
- CAPITAL: Niamey
- LARGEST CITY: Niamey 41,975
- HIGHEST POINT: Banguezane 6,234 ft.
- MONETARY UNIT: CFA franc
- MAJOR LANGUAGES: Sudanese, Hamitic, Arabic, French
- MAJOR RELIGIONS: Mohammedan, Tribal religions

SENEGAL
- AREA: 77,401 sq. mi.
- POPULATION: 3,400,000
- CAPITAL: Dakar
- LARGEST CITY: Dakar (greater) 382,980
- HIGHEST POINT: Futa Jallon 1,640 ft.
- MONETARY UNIT: CFA franc
- MAJOR LANGUAGES: Sudanese, Arabic, French
- MAJOR RELIGIONS: Mohammedan, Tribal religions, Roman Catholic

GAMBIA
- AREA: 4,033 sq. mi.
- POPULATION: 330,000
- CAPITAL: Bathurst
- LARGEST CITY: Bathurst 28,896
- HIGHEST POINT: 100 ft.
- MONETARY UNIT: West African pound
- MAJOR LANGUAGES: Sudanese, English
- MAJOR RELIGIONS: Mohammedan, Tribal religions, Christian

PORTUGUESE GUINEA
- AREA: 13,948 sq. mi.
- POPULATION: 525,000
- CAPITAL: Bissau
- LARGEST CITY: Bissau 20,000
- HIGHEST POINT: 689 ft.
- MONETARY UNIT: Portuguese escudo
- MAJOR LANGUAGES: Sudanese, Portuguese
- MAJOR RELIGIONS: Mohammedan, Tribal religions, Roman Catholic

GUINEA
- AREA: 96,525 sq. mi.
- POPULATION: 3,420,000
- CAPITAL: Conakry
- LARGEST CITY: Conakry (greater) 150,000
- HIGHEST POINT: Nimba Mts. 6,070 ft.
- MONETARY UNIT: Guinean franc
- MAJOR LANGUAGES: Sudanese, French, English
- MAJOR RELIGIONS: Mohammedan, Tribal religions

SIERRA LEONE
- AREA: 27,925 sq. mi.
- POPULATION: 2,200,000
- CAPITAL: Freetown
- LARGEST CITY: Freetown 127,917
- HIGHEST POINT: Loma Mts. 6,390 ft.
- MONETARY UNIT: leone
- MAJOR LANGUAGES: Sudanese, English
- MAJOR RELIGIONS: Tribal religions, Mohammedan, Christian

LIBERIA
- AREA: 43,000 sq. mi.
- POPULATION: 1,066,000
- CAPITAL: Monrovia
- LARGEST CITY: Monrovia 80,992
- HIGHEST POINT: Wutivi 5,584 ft.
- MONETARY UNIT: Liberian dollar
- MAJOR LANGUAGES: Sudanese, English
- MAJOR RELIGIONS: Christian, Tribal religions

IVORY COAST
- AREA: 183,397 sq. mi.
- POPULATION: 3,750,000
- CAPITAL: Abidjan
- LARGEST CITY: Abidjan (greater) 250,000
- HIGHEST POINT: Nimba Mts. 5,745 ft.
- MONETARY UNIT: CFA franc
- MAJOR LANGUAGES: Sudanese, French
- MAJOR RELIGIONS: Tribal religions, Mohammedan

UPPER VOLTA
- AREA: 105,841 sq. mi.
- POPULATION: 4,763,000
- CAPITAL: Ouagadougou
- LARGEST CITY: Ouagadougou (greater) 100,000
- HIGHEST POINT: 2,352 ft.
- MONETARY UNIT: CFA franc
- MAJOR LANGUAGES: Sudanese, French
- MAJOR RELIGIONS: Mohammedan, Tribal religions, Roman Catholic

GHANA
- AREA: 91,844 sq. mi.
- POPULATION: 7,600,000
- CAPITAL: Accra
- LARGEST CITY: Accra (greater) 388,396
- HIGHEST POINT: Togo Hills 2,900 ft.
- MONETARY UNIT: cedi
- MAJOR LANGUAGES: Sudanese, English
- MAJOR RELIGIONS: Tribal religions, Christian

TOGO
- AREA: 20,733 sq. mi.
- POPULATION: 1,642,000
- CAPITAL: Lomé
- LARGEST CITY: Lomé (greater) 90,000
- HIGHEST POINT: Agou 3,445 ft.
- MONETARY UNIT: CFA franc
- MAJOR LANGUAGES: Sudanese, French
- MAJOR RELIGIONS: Tribal religions, Roman Catholic, Mohammedan

DAHOMEY
- AREA: 42,471 sq. mi.
- POPULATION: 2,300,000
- CAPITAL: Porto-Novo
- LARGEST CITY: Cotonou 109,328
- HIGHEST POINT: Atakora Mts. 2,083 ft.
- MONETARY UNIT: CFA franc
- MAJOR LANGUAGES: French, Sudanese
- MAJOR RELIGIONS: Tribal religions, Mohammedan, Roman Catholic

NIGERIA
- AREA: 356,093 sq. mi.
- POPULATION: 56,400,000
- CAPITAL: Lagos
- LARGEST CITY: Lagos 665,246
- HIGHEST POINT: Vogel 6,700 ft.
- MONETARY UNIT: Nigerian pound
- MAJOR LANGUAGES: Sudanese, Arabic, English
- MAJOR RELIGIONS: Mohammedan, Christian

TOPOGRAPHY

(continued on following page)

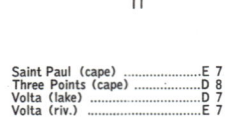

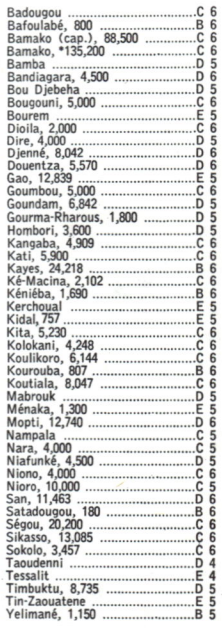

Western Africa
(continued)

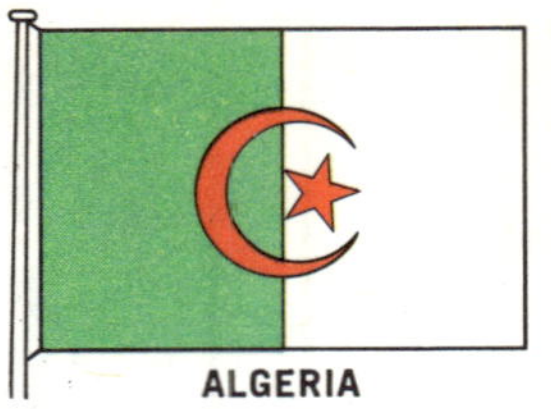
ALGERIA

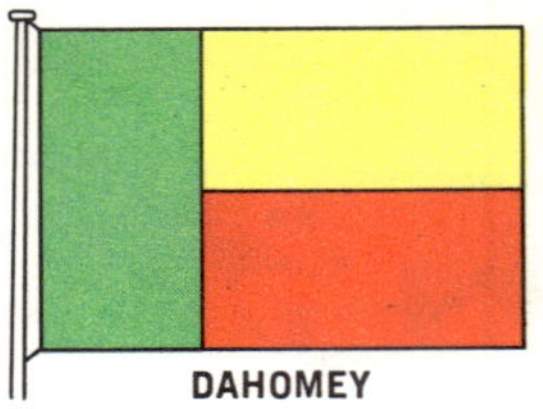
DAHOMEY

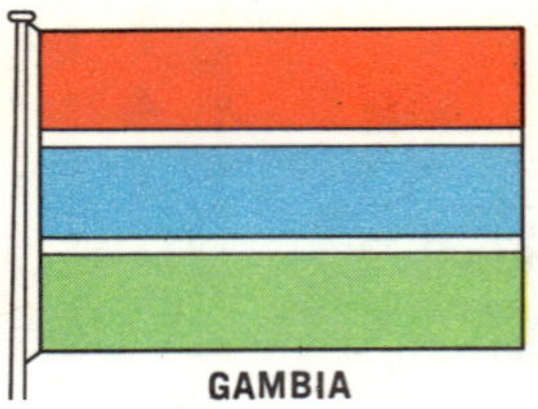
GAMBIA

GHANA

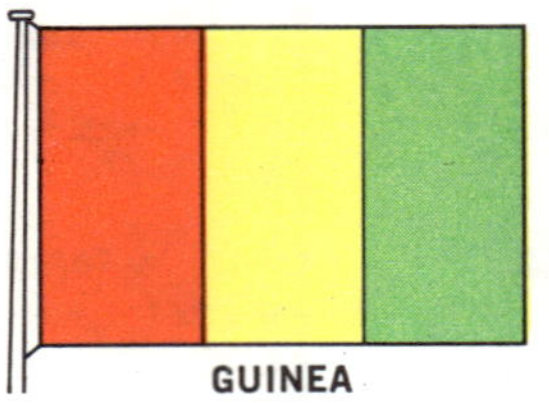
GUINEA

IVORY COAST

LIBERIA

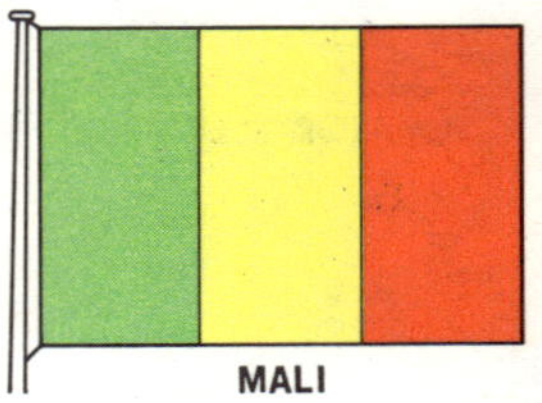
MALI

MAURITANIA

MOROCCO

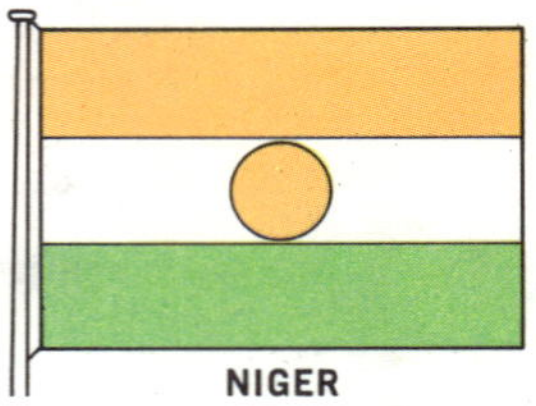
NIGER

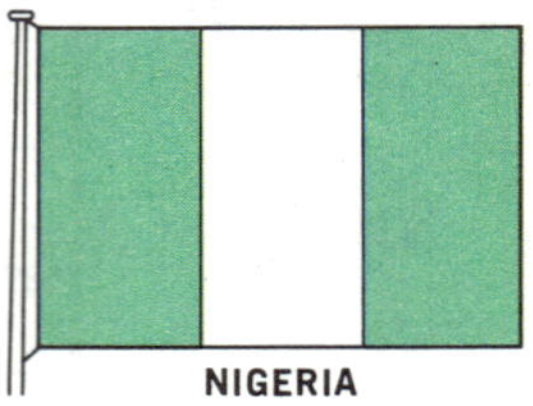
NIGERIA

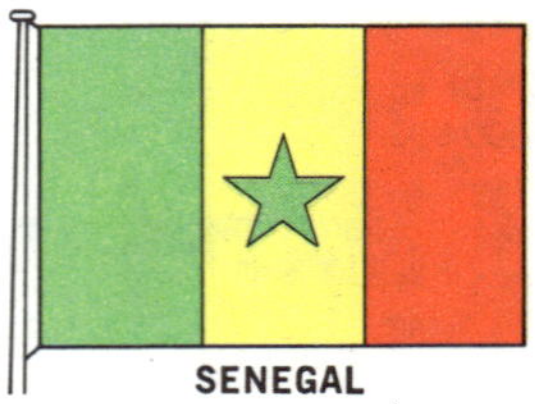
SENEGAL

SIERRA LEONE

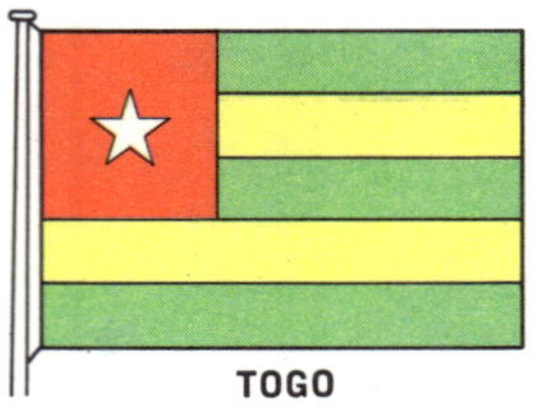
TOGO

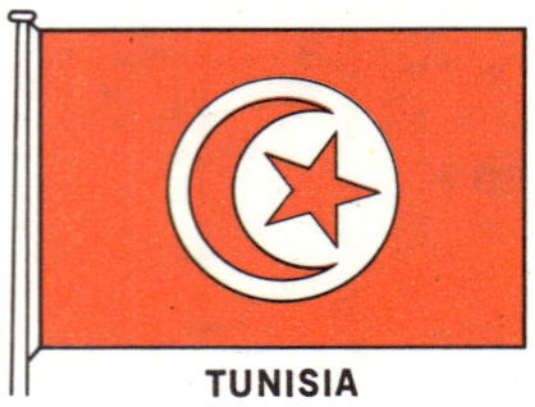
TUNISIA

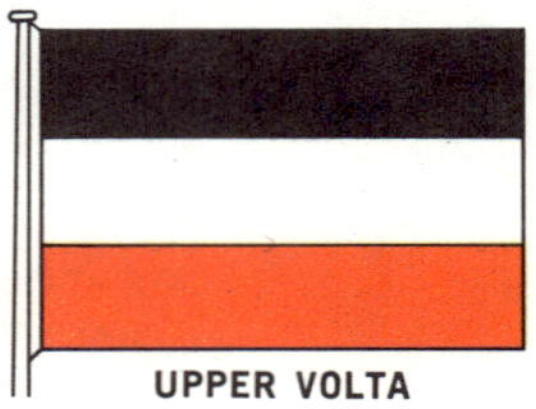
UPPER VOLTA

ALGERIA

CITIES and TOWNS

Abadla, 2,567 .... D 2
Adrar, 2,107 .... D 3
Aïn-Béïda, 26,976 .... F 1
Aïn-Salah, 5,374 .... E 3
Aïn-Sefra, 7,068 .... D 2
Aïn-Témouchent, 23,252 .... D 1
Algiers (cap.), 722,066 .... E 1
Algiers, *883,879 .... E 1
Amguid .... F 3
Annaba, 135,150 .... F 1
Annaba, *164,844 .... F 1
Aoulef, 3,406 .... E 3
Arak .... E 3
Batna, 18,114 .... F 1
Béchar, 19,227 .... D 2
Béjaïa, 57,572 .... F 1
Beni-Abbès, 1,900 .... D 2
Beni-Ounif, 3,336 .... D 2
Beni-Saf, 17,521 .... D 1
Berga .... E 3
Bidon 5 (Poste Maurice Cordier) .... E 4
Biskra, 55,073 .... F 2
Blida, 73,618 .... E 1
Boghari, 14,294 .... E 1
Bône (Annaba), 135,150 .... F 1
Bordj-Bou-Arréridj, 35,238 .... E 1
Bordj Fly Sainte-Marie .... D 3
Boufarik, 21,901 .... E 1
Bougie (Béjaïa), 57,572 .... F 1
Bou-Saâda, 21,059 .... E 1
Brézina, 896 .... E 2
Charouïn, 746 .... D 3
Cherchell, 10,943 .... E 1
Constantine, 169,071 .... F 1
Constantine, *223,259 .... F 1
Deldoul, 758 .... F 3
Dellys, 7,506 .... E 1
Djamaâ, 4,191 .... F 2
Djanet, 509 .... F 4
Djelfa, 27,067 .... E 2
Djidjelli, 26,570 .... F 1
Edjeleh .... F 3
El Abiod-Sidi-Cheikh, 2,292 .... E 2
El Asnam, 38,607 .... E 1
El Bayadh, 15,932 .... E 2
El Djezair (Algiers) (cap.), 722,066 .... E 1
El Goléa, 11,527 .... E 2
El Oued, 36,494 .... F 2
Fort-Flatters, 362 .... F 3
Fort-Lallemand .... F 2
Fort-Mac-Mahon .... E 3
Fort-Miribel .... E 3
Fort-Polignac, 645 .... F 3
Ghardaïa, 15,076 .... E 2
Ghazaouet, 12,625 .... D 2
Guelma, 33,312 .... F 1
Guémar, 4,170 .... F 2
Guerrara, 11,849 .... E 2
Guerzim, 936 .... D 3
Hassi-Messaoud .... F 2
Hassi-R'Mel .... E 2
Idelès .... F 4
Ighil Izane, 32,889 .... E 1
Igli, 1,497 .... D 2
In-Amenas, 34 .... F 3
In-Amguel .... E 4
In-Eker .... F 4
In-Rhar, 1,598 .... E 3
Kenadsa, 9,631 .... D 2
Kerzaz, 1,494 .... D 3
Khemis Miliana, 21,319 .... E 1
Laghouat, 20,594 .... E 2
Mascara, 44,839 .... D 1
Méchéria, 10,460 .... D 2
Médéa, 13,348 .... E 1
Metlili, 1,702 .... E 2
Miliana, 7,425 .... E 1
Mohammadia, 11,817 .... D 1
Mostaganem, 64,786 .... D 1
M'Sila, 17,521 .... E 1
Oran, 350,087 .... D 1
Oran, *392,637 .... D 1
Orléansville (El Asnam), 38,607 .... E 1
Ouallene .... E 4
Ouargla, 7,931 .... F 2
Ouled-Djellal, 11,971 .... F 2
Philippeville (Skikda), 80,281 .... F 1
Poste Maurice Cordier .... E 4
Poste Weygand .... D 4
Reggan, 508 .... D 3
Saïda, 21,396 .... E 2
Sba, 627 .... D 3
Sétif, 82,340 .... F 1
Sidi-bel-Abbès, 96,608 .... D 1
Sidi-bel-Abbès, *105,357 .... D 1
Silet .... E 4
Skikda, 80,281 .... F 1
Souk-Ahras, 23,210 .... F 1
Tabelbala, 447 .... D 3
Tamanrasset, 2,760 .... F 4
Tamentit, 931 .... D 3
Taourirt .... E 3
Tarat .... F 3
Tarhit, 555 .... D 2
Tébessa, 26,622 .... F 1
Temacine, 2,999 .... F 2
Temassinin (Fort-Flatters), 362 .... F 3
Ténès, 8,386 .... E 1
Tiaret, 36,322 .... E 1
Tiguentourine .... F 3
Timimoun, 4,345 .... E 3
Tindouf, 1,872 .... C 3
Tizi-Ouzou, 25,367 .... E 1
Tlemcen, 70,930 .... D 2
Touggourt, 18,353 .... F 2
Zaouïet-Kounta, 854 .... D 3

PHYSICAL FEATURES

Ahaggar (range) .... F 4
Aouïnet Legraa (well) .... C 3
Atlas (mts.) .... E 2
Aurès (mts.) .... F 1
Azzel Mati, Sebkra (lake) .... E 3
Bougaroun (cape) .... F 1
Chélia (mt.) .... F 1
Chéliff (riv.) .... E 1
Chenachane (well) .... D 3
Chergui, Shott Ech (salt lake) .... E 2
Gourara (oasis), 28,893 .... E 3
Great Western Erg (des.) .... E 2
In-Ezzane (well) .... G 4
In-Guezzam (well) .... F 5
Irharhar, Wadi (dry riv.) .... F 3
Issaouane Erg (des.) .... F 3
Kabylia (reg.) .... E 1
Mekerhane, Sebkra (salt lake) .... E 3
Melrhir, Shott (salt lake) .... F 2
Mouydir (mts.) .... E 3
Mya, Wadi (dry riv.) .... E 2
Mzab (oasis), 52,500 .... E 2
Raoui Erg (des.) .... D 3
Rhir, Wadi (dry riv.) .... F 2
Saoura, Wadi (dry riv.) .... D 3
Souf (oasis), 92,014 .... F 2
Tademait (plat.) .... E 3
Tahat (mt.) .... F 4
Tamanrasset, Wadi (dry riv.) .... E 4
Tassili n'Ahaggar (plat.) .... E 4
Tassili n'Ajjer (plat.) .... F 3
Tidikelt (oasis), 17,280 .... E 3
Timgad (ruins) .... F 1
Timmissao (well) .... E 4
Tindouf, Sebkra de (salt lake) .... C 3
Tinrhert Hamada (des.) .... F 3
Tni Haïa (well) .... D 4
Touat (oasis), 35,537 .... E 3

CAPE VERDE ISLANDS
Total Population 220,000

CITIES and TOWNS

Mindelo, 7,312 .... A 7
Praia (cap.), 3,628 .... B 8
Ribeira Grande, †17,573 .... B 7
Sal Rei, †3,309 .... B 8
Santa Maria, †2,626 .... B 8

PHYSICAL FEATURES

Boa Vista (isl.), 3,309 .... B 8
Brava (isl.), 8,646 .... B 8
Fogo (isl.), 25,457 .... B 8
Maio (isl.), 2,718 .... B 8
Sal (isl.), 2,626 .... B 7
Santa Luzia (isl.) .... B 8
Santo Antão (isl.), 36,703 .... A 7
São Nicolau (isl.), 13,894 .... B 8
São Tiago (isl.), 86,835 .... B 8
São Vicente (isl.), 21,361 .... B 7

DAHOMEY

CITIES and TOWNS

Abomey, 19,000 .... E 7
Athiémé, 1,782 .... E 7
Cotonou, 109,328 .... E 7
Djougou, 7,000 .... E 7
Grand-Popo, 2,545 .... E 7
Kandi, 5,100 .... E 6
Malanville, 1,900 .... E 6
Natitingou, 2,260 .... E 6
Nikki .... E 7
Ouidah, 18,915 .... E 7
Parakou, 10,600 .... E 7
Porto-Novo (cap.), 69,500 .... E 7
Savalou, 5,000 .... E 7
Savé, 6,262 .... E 7

PHYSICAL FEATURES

Atakora (mts.) .... E 6
Ouémé (riv.) .... E 7

GAMBIA

CITIES and TOWNS

Basse, 1,639 .... B 6
Bathurst (cap.), 28,896 .... A 6
Brikama, 4,195 .... A 6
Georgetown, 1,592 .... A 6

GHANA

CITIES and TOWNS

Accra (cap.), 337,828 .... D 7
Accra, *388,396 .... D 7
Ada Foah, 3,332 .... E 7
Akim Oda, 19,666 .... D 7
Amedika Akuse, 3,638 .... E 7
Attebubu, 4,216 .... D 7
Axim, 5,619 .... D 8
Bawku, 12,719 .... D 6
Bekwai, 9,093 .... D 7
Berekum, 11,148 .... D 7
Bole, 3,118 .... D 7
Bolgatanga, 5,515 .... D 6
Cape Coast, 41,230 .... D 7
Daboya, 1,579 .... D 7
Damongo, 6,575 .... D 7
Dunkwa, 12,689 .... D 7
Elmina, 8,534 .... D 8
Enkyi, 4,007 .... D 7
Gambaga, 2,936 .... D 6
Gyasikan, 4,989 .... D 7
Half Assini, 4,575 .... D 8
Ho, 14,519 .... E 7
Keta, 16,719 .... E 7
Kete Krakye, 3,928 .... E 7
Kintampo, 4,678 .... D 7
Koforidua, 34,856 .... D 7
Kpandu, 8,070 .... D 7
Kumasi, 180,642 .... D 7
Kumasi, *218,172 .... D 7
Lawra, 3,237 .... D 6
Mampong, 7,943 .... D 7
Mpraeso, 5,193 .... D 7
Navrongo, 5,274 .... D 6
Obuasi, 22,818 .... D 7
Prestea, 13,246 .... D 7
Salaga, 4,199 .... D 7
Sehwi Wiawso, 4,430 .... D 7
Sekondi, 34,513 .... D 8
Sekondi-Takoradi, *123,313 .... D 8
Sunyani, 12,160 .... D 7
Takoradi, 40,937 .... D 8
Tamale, 40,443 .... D 7
Tarkwa, 13,545 .... D 7
Tema, 14,937 .... E 7
Tumu, 2,773 .... D 6
Wa, 14,342 .... D 6
Wenchi, 10,672 .... D 7
Winneba, 25,376 .... D 7
Yapei, 515 .... D 7
Yendi, 16,096 .... D 7
Zuarungu, 1,278 .... D 6

PHYSICAL FEATURES

Ashanti (reg.), 1,109,133 .... D 7
Gold Coast (reg.) .... D 8
Saint Paul (cape) .... E 7
Three Points (cape) .... D 8
Volta (lake) .... D 7
Volta (riv.) .... E 7

GUINEA

CITIES and TOWNS

Beyla, 6,035 .... C 7
Boffa, 1,014 .... B 6
Boké, 6,000 .... B 6
Conakry (cap.), 43,000 .... B 7
Conakry, *150,000 .... B 7
Dabola, 5,600 .... B 6
Dalaba, 5,450 .... B 6
Dinguiraye, 2,600 .... B 6
Dubréka, 740 .... B 7
Faranah, 4,000 .... B 6
Forécariah, 5,250 .... B 7
Gaoual, 3,208 .... B 6
Guéckédou, 1,421 .... B 7
Kankan, 50,000 .... C 6
Kérouané .... C 7
Kindia, 25,000 .... B 6
Kissidougou, 12,000 .... B 7
Kouroussa, 6,100 .... C 6
Labé, 11,609 .... B 6
Macenta, 22,500 .... C 7
Mamou, 9,000 .... B 6
N'Zérékoré, 11,000 .... C 7
Siguiri, 12,000 .... C 6
Tougué, 9,810 .... B 6
Victoria, 1,913 .... B 6

PHYSICAL FEATURES

Los (isls.) .... B 7
Milo (riv.) .... C 7
Verga (cape) .... B 6

IFNI
Total Population 61,000

CITIES and TOWNS

Sidi Ifni (cap.), 12,751 .... B 3

IVORY COAST

CITIES and TOWNS

Abengourou, 18,000 .... D 7
Abidjan (cap.), 250,000 .... D 7
Aboisso, 3,310 .... D 7
Agboville, 15,475 .... D 7
Bingerville, 2,500 .... D 7
Bondoukou, 5,216 .... D 7
Bouaflé, 5,000 .... C 7
Bouaké, 45,340 .... D 7
Bouna, 3,410 .... D 7
Boundiali, 3,608 .... C 7
Dabakala, 1,500 .... D 7
Dabou, 4,500 .... D 7
Daloa, 20,000 .... C 7
Danané, 5,200 .... C 7
Dimbokro, 10,260 .... D 7
Ferkessédougou, 9,110 .... D 7
Fresco, 719 .... C 7
Gagnoa, 18,000 .... C 7
Grand-Bassam, 12,330 .... D 7
Grand-Lahou, 4,040 .... C 8
Guiglo, 3,867 .... C 7
Katiola, 7,778 .... C 7
Kong, 4,073 .... D 7
Korhogo, 10,139 .... C 7
Man, 24,000 .... C 7
Odienné, 6,000 .... C 7
Port-Bouet .... D 7
Sassandra, 5,300 .... D 7
Séguéla, 7,598 .... C 7
Sinfra, 5,965 .... C 7
Tabou, 3,030 .... C 8
Touba, 1,217 .... C 7
Toumodi, 3,000 .... D 7

PHYSICAL FEATURES

Aby (lag.) .... D 8
Bandama (riv.) .... C 7
Ebrié (lag.) .... D 8
Ivory Coast (reg.) .... C 8
Sassandra (riv.) .... C 7

LIBERIA

CITIES and TOWNS

Bomi Hills .... B 7
Buchanan .... B 7
Gbarnga .... C 7
Grand Bassa (Buchanan) .... B 7
Grand Cess .... C 8
Greenville, 3,628 .... C 8
Harper .... C 8
Kolahun .... C 7
Marshall .... B 7
Monrovia (cap.), 80,992 .... B 7
River Cess .... C 7
Roberts Field .... B 7
Robertsport .... B 7
Salala .... B 7
Sass Town .... C 8
Sinoe (Greenville), 3,628 .... C 8
Tappita .... C 7
Tchien .... C 7
Zwedru (Tchien) .... C 7

PHYSICAL FEATURES

Bong (mts.) .... B 7
Grain Coast (reg.) .... B 8
Kru Coast (reg.) .... C 8
Mount (cape) .... B 7
Palmas (cape) .... C 8

MALI

CITIES and TOWNS

Anéfis .... E 5
Ansongo .... E 5
Araouane .... D 5
Badougou .... C 6
Bafoulabé, 800 .... B 6
Bamako (cap.), 88,500 .... C 6
Bamako, *135,200 .... C 6
Bamba .... D 5
Bandiagara, 4,500 .... D 6
Bou Djebeha .... D 5
Bougouni, 5,000 .... C 6
Bourem .... E 5
Dioila, 2,000 .... C 6
Dire, 4,000 .... D 5
Djenné, 8,042 .... D 6
Douentza, 5,570 .... D 6
Gao, 12,839 .... E 5
Goumbou, 5,000 .... C 6
Goundam, 6,842 .... D 5
Gourma-Rharous, 1,800 .... D 5
Hombori, 3,600 .... D 5
Kangaba, 4,909 .... C 6
Kati, 5,900 .... C 6
Kayes, 24,218 .... B 6
Ké-Macina, 2,102 .... C 6
Kéniéba, 1,690 .... B 6
Kerchoual .... E 5
Kidal, 757 .... E 5
Kita, 5,230 .... C 6
Kolokani, 4,248 .... C 6
Koulikoro, 6,144 .... C 6
Kourouba, 807 .... B 6
Koutiala, 8,047 .... C 6
Mabrouk .... D 5
Ménaka, 1,300 .... E 5
Mopti, 12,740 .... D 6
Nampala .... C 5
Nara, 4,000 .... C 5
Niafunké, 4,500 .... D 5
Niono, 4,000 .... C 6
Nioro, 10,000 .... C 5
San, 11,463 .... D 6
Satadougou, 180 .... B 6
Ségou, 20,200 .... C 6
Sikasso, 13,085 .... C 6
Sokolo, 3,457 .... C 6
Taoudenni .... D 4
Tessalit .... E 4
Timbuktu, 8,735 .... D 5
Tin-Zaouatene .... E 5
Yelimané, 1,150 .... B 5

PHYSICAL FEATURES

Achourat (well) .... D 4
Asselar (well) .... D 5
Azaouad (reg.) .... D 5
Azaouak (dry riv.) .... E 5
Bani (riv.) .... C 6
Baoulé (dry riv.) .... C 6
Bir Ounane (well) .... D 4
Debo (lake) .... D 5
El-Mraiti (well) .... D 5
Faguibine (lake) .... D 5
Haricha Hamada (des.) .... D 4
Hombori (mts.) .... D 5
In Dagouber (well) .... D 4
Macina (depr.) .... D 6
Mina (mt.) .... C 6
Oum el Asel (well) .... D 4
Sekkane (des.) .... D 4
Tadjnout Hagguerete (well) .... D 4
Terhazza (ruins) .... C 4
Tilemsi (valley) .... E 5
Toufourine (well) .... C 4

MAURITANIA

CITIES and TOWNS

Aïoun el Atrous, 3,054 .... C 5
Akjoujt, 2,360 .... B 5
Akreïjit .... C 5
Aleg, 1,000 .... B 5
Atar, 7,120 .... B 4
Bassikounou .... C 5
Boutilimit, 3,000 .... B 5
Boghé, 2,316 .... B 5
Chinguetti, 600 .... B 4
Fort-Gouraud (Idjil), †900 .... B 4
Idjil, †900 .... B 4
Kaédi, 8,037 .... B 5
Kankossa, †13,000 .... B 5
Kiffa, 2,600 .... B 5
Maghama, 3,157 .... B 5
Mal .... B 5
M'Bout, 1,400 .... B 5
Méderdra, 1,473 .... A 5
Moudjéria, 753 .... B 5
Néma, 2,946 .... C 5
Nouakchott (cap.), 12,500 .... A 5
Nuadibu, 7,680 .... A 4
Ouadane .... B 4
Oualata, 1,285 .... C 5
Oujaf .... C 5
Oujeft .... B 4
Port-Étienne, 7,680 .... A 4
Rosso, 3,923 .... A 5
Sélibaby, 1,206 .... B 5
Tamchakett, 641 .... B 5
Tamsagout .... C 4
Tichitt, 1,000 .... C 5
Tidjikja, 5,900 .... B 5
Timbédra, 1,200 .... C 5

PHYSICAL FEATURES

Adafer (reg.) .... B 5
Adrar (reg.), 50,920 .... B 4
Affolé (reg.) .... B 5
Agmar (well) .... B 3
Aïn ben Tili (well) .... C 3
Arguin (bay) .... A 4
Assaba (reg.), 100,000 .... B 5
Ben Guerdane (well) .... B 3
Bir el Khzaim (well) .... C 4
Bir Moghrein (oasis), 1,052 .... B 4
Brakna (reg.), 82,020 .... B 5
Chegga (well) .... C 3
Djouf, El (des.) .... C 4
El Mrayer (well) .... C 4
El Mreïti (well) .... C 4
Fort-Trinquet (Bir Moghrein) (oasis), 1,052 .... B 4
Gorgol (reg.), 54,037 .... B 5
Hodh (reg.), 183,945 .... C 5
Inchiri (reg.), 15,443 .... A 5
Kumbi Saleh (ruins) .... C 5
Lévrier (bay) .... A 4
Makteïr (des.) .... B 4
Meraia (reg.) .... C 5
Mirik (Timiris) (cape) .... A 5
Ouarane (reg.) .... B 4
Tagant (reg.), 52,703 .... B 5
Tidra (isl.) .... A 5
Timiris (cape) .... A 5
Trarza (reg.), 105,737 .... A 5

MOROCCO

CITIES and TOWNS

Agadir, 16,695 .... C 2
Al Hoceima, 11,262 .... D 1
Asilah, 10,839 .... C 1
Azemmour, 12,449 .... C 2
Azrou, 14,143 .... C 2
Beni-Mellal, 28,933 .... C 2
Berguent, 2,607 .... D 2
Bouârfa, 8,775 .... D 2
Bou-Izakarn, 661 .... C 3
Boujad, 14,728 .... C 2
Casablanca, 965,277 .... C 2
Chechaouen, 13,712 .... D 1
Dar-el-Beida (Casablanca), 965,277 .... C 2
El Jadida, 40,302 .... C 2
El Kelâa des Srarhna, 10,187 .... C 2
Erfoud, 4,491 .... D 2
Essaouira, 26,392 .... B 2
Fédala (Mohammedia), 35,010 .... C 2
Fez, 216,133 .... D 2
Figuig, 12,108 .... D 2
Goulmima, 1,804 .... C 2
Inezgane, 6,917 .... C 2
Jerada, 18,872 .... D 2
Kénitra, 86,775 .... C 2
Khenifra, 18,503 .... C 2
Khouribga, 40,838 .... C 2
Ksar-el-Kebir, 34,035 .... C 2
Ksar-es-Souk, 6,554 .... D 2
Larache, 30,763 .... C 1
Marrakech, 243,134 .... C 2
Mazagan (El Jadida), 40,302 .... C 2
Meknès, 175,943 .... C 2
Mogador (Essaouira), 26,392 .... B 2
Mohammedia, 35,010 .... C 2
Nador, 17,583 .... D 1
Ouarzazate, 4,200 .... C 2
Oued-Zem, 18,640 .... C 2
Ouezzane, 26,203 .... C 2
Oujda, 128,645 .... D 2
Petitjean (Sidi-Kacem), 19,478 .... C 2
Port-Lyautey (Kénitra), 86,775 .... C 2
Rabat (cap.), 227,445 .... C 2
Safi, 81,072 .... C 2
Saïdia, 1,102 .... D 2
Salé, 75,799 .... C 2
Sefrou, 21,478 .... D 2
Settat, 29,617 .... C 2
Sidi-Kacem, 19,478 .... C 2
Tagounite, 354 .... C 3
Tangier (Tanger), 141,714 .... C 1
Tantan, 2,153 .... B 3
Taourirt, 7,343 .... D 2
Taouz, 641 .... D 2
Tarfaya, 1,521 .... B 3
Taroudant, 17,141 .... C 2
Taza, 31,667 .... D 2
Tendrara, 1,563 .... D 2
Tétouan (Tetuán), 101,352 .... C 1
Tinjoub .... C 3
Tiznit, 7,694 .... B 3
Youssoufia, 8,302 .... C 2
Zagora, 2,200 .... C 2

Western Africa
(continued)

109

NIGER
CITIES and TOWNS

Agadès, 6,600	F 5
Bilma, 1,300	G 5
Birni-N'Konni, 7,930	E 6
Bosso, 509	G 6
Chirfa	G 4
Dakoro, 2,380	F 6
Dessa	G 4
Djado	G 4
Dogondoutchi, 7,456	E 6
Dosso, 3,530	E 6
Fachi, 1,060	G 5
Filingué, 5,215	E 6
Gangara	F 6
Gaya, 3,500	E 6
Gouré, 1,500	F 6
Iférouane, 2,000	F 5
In-Gall, 1,555	F 6
Kabi	G 5
Madama	G 4
Madaoua	F 6
Magaria, 2,949	F 6
Maïné-Soroa, 1,490	G 6
Maradi, 11,653	F 6
N'Guigmi, 3,300	G 6
Niamey (cap.), 41,975	E 6
Say, 2,665	E 6
Tahoua, 13,000	F 6
Tanout, 1,587	F 6
Téra, 5,277	E 6
Tessaoua, 5,860	F 6
Tillabéry, 1,632	E 6
Zinder, 16,271	F 6

PHYSICAL FEATURES

Achégour (well)	G 5
Agadem (well)	G 5
Air (mts.)	G 5
Anaye (well)	G 5
Assakarai (dry riv.)	F 5
Azaoua (reg.)	F 5
Azbine (Aïr) (mts.)	F 5
Bagam (well)	F 5
Banguezane (mt.)	F 5
Bedouaram (well)	G 6
Dallol Bosso (dry riv.)	E 6
Dillia (dry riv.)	G 5
Djado (plat.)	G 4
In-Azaoua (well)	F 4
Mantas (well)	E 5
Talak (reg.)	F 5
Ténéré (des.)	F 5
Timboulaga (well)	G 5
Zoo Baba (well)	G 5

NIGERIA
REGIONS

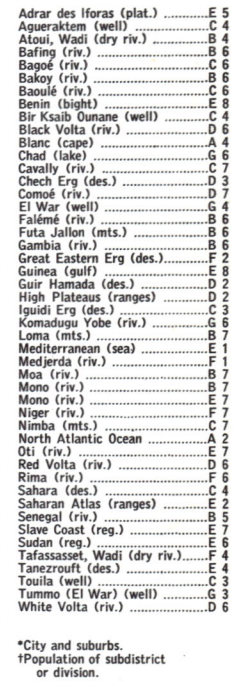

Eastern, 12,394,462	F 7
Lagos (fed. cap.), 665,246	E 7
Mid-West, 2,535,839	F 7
Northern, 29,739,764	F 6
Western, 10,265,992	E 7

CITIES and TOWNS

Aba, 131,003	F 7
Abeokuta, 187,292	E 7
Abuja	F 7
Ado, 157,519	E 7
Afikpo	F 7
Aku, 20,809	F 7
Akure, 38,853	E 7
Argungu	E 6
Asaba, 17,387	F 7
Azare	G 6
Baga	G 6
Bama	G 6
Baro	F 7
Bauchi	F 6
Benin City, 100,694	F 7
Bida	E 7
Birnin Kebbi	E 6
Biu	G 6
Bonny	F 8
Brass	F 8
Burutu, 6,784	F 7
Bussa	E 6
Calabar, 46,705	F 7
Deba Habe	G 6
Degema	F 7
Dikwa	G 6
Donga	G 7
Ede, 134,550	E 7
Eha Amufu, 29,434	F 7
Enugu, 138,457	F 7
Forcados	F 7
Funtua	F 6
Gashaka	G 7
Gbogo	G 6
Geidam	G 6
Gombe	G 6
Gumel	F 6
Gummi	E 6
Gusau, 40,202	F 6
Gwadabawa	E 6
Hadejia	G 6
Ibadan, 627,379	E 7
Ibi	F 7
Ife, 130,050	E 7
Ijebu-Ode, 27,585	E 7
Ikom	F 7
Ilesha, 165,822	E 7
Ilorin, 208,546	E 7
Isa	F 6
Iseyin, 49,680	E 7
Iwo, 158,583	E 7
Jalingo	G 7
Jebba	E 6
Jega	E 6
Jos, 38,527	F 7
Kabba, 7,305	F 7
Kaduna, 149,910	F 6
Kaiama	E 7
Kalmalo	F 6
Kano, 295,432	F 6
Katsina, 52,672	F 6
Katsina Ala	F 7
Kaura Namoda	F 6
Keffi	F 7
Kontagora	F 6
Kukawa	F 6
Kumo	G 6
Kuta	E 7
Lafia	F 7
Lafiagi	E 7
Lagos (cap.), 665,246	E 7
Lere	F 7
Lokoja, 13,103	F 7
Maiduguri, 139,965	G 6
Maigatari	F 6
Makurdi	F 7
Minna	F 7
Mubi	G 6
Mushin, 189,755	E 7
Nasarawa	F 7
Nguru, 23,084	G 6
Nnewi, 28,777	F 7
Nsukka	F 7
Numan	G 7
Offa, 20,668	E 7
Ogbomosho, 319,881	E 7
Ogoja	F 7
Ondo, 36,233	E 7
Onitsha, 163,032	F 7
Oron	F 8
Oshogbo, 210,384	E 7
Oyo, 112,349	E 7
Pankshin	F 7
Panyam	F 7
Port Harcourt, 179,563	F 8
Ringim	F 6
Sapele, 33,638	F 7
Shaki, 22,983	E 7
Shendam	F 7
Sokoto, 47,643	E 6
Toungo	G 7
Uromi, 22,339	F 7
Vom	F 7
Wamba	F 7
Warri, 19,526	F 7
Wukari	F 7
Yan	F 6
Yelwa	E 6
Yola	G 7
Zaria, 166,170	F 6
Zungeru	F 7

PHYSICAL FEATURES

Adamawa (reg.)	G 7
Benue (riv.)	F 7
Biafra (bight)	F 8
Bornu (reg.)	G 6
Cross (riv.)	F 7
Donga (riv.)	G 7
Foge (isl.)	F 8
Gongola (riv.)	G 6
Hadejia (riv.)	F 6
Kaduna (riv.)	F 7

PORTUGAL—Madeira
CITIES and TOWNS

Funchal, 43,301	A 2

PHYSICAL FEATURES

Desertas (isls.)	A 2
Madeira (isls.), 268,937	A 2
Madeira (isl.), 265,432	A 2
Pôrto Santo (isl.), 3,505	A 2
Salvage (isls.)	A 2

PORTUGUESE GUINEA
CITIES and TOWNS

Bissau (cap.), †55,625	A 6
Bolama, 14,642	A 6
Buba	B 6
Bubaque	A 6
Cacheu, 170,233	A 6

PHYSICAL FEATURES

Bissagos (isls.), 9,332	A 6

SÃO TOMÉ E PRÍNCIPE
Total Population 64,406

CITIES and TOWNS

Santo António, 882	F 8
São Tomé (cap.), 5,714	F 8

PHYSICAL FEATURES

Príncipe (isl.), 4,605	F 8
São Tomé (isl.), 58,880	F 8

SENEGAL
CITIES and TOWNS

Bakel, 2,400	B 6
Bignona, 5,432	A 6
Dagana, 4,156	A 5
Dakar, 298,280	A 6
Dakar, *382,980	A 6
Diourbel, 20,082	A 6
Kaolack, 81,631	A 6
Kédougou, 1,938	B 6
Kebbi (riv.)	E 6
Niger (delta)	F 8
Osse (riv.)	F 7
Sokoto (riv.)	E 6
Vogel (peak)	G 7
Louga, 15,000	A 5
Matam, 6,000	B 5
M'Bour, 15,000	A 6
Nioro-du-Rip, 2,788	A 6
Podor, 4,521	B 5
Richard Toll, 894	A 5
Rufisque, 50,000	A 6
Saint-Louis, 58,000	A 5
Sedhiou, 2,419	A 6
Tambacounda, 10,027	B 6
Thiès, 69,000	A 6
Tivaouane, 8,000	A 5
Touba, 2,575	A 6
Yarboutenda	B 6
Ziguinchor, 23,495	A 6

PHYSICAL FEATURES

Ferlo (reg.)	B 6
Verde (cape)	A 6

SIERRA LEONE
CITIES and TOWNS

Bo, 26,613	B 7
Bonthe, 6,230	B 7
Freetown (cap.), 127,917	B 7
Kabala, 4,610	B 7
Kambia, 3,700	B 7
Kenema, 13,246	B 7
Lungi, 2,170	B 7
Makeni, 12,304	B 7
Moyamba, 4,564	B 7
Pendembu, 2,696	B 7
Port Loko, 5,809	B 7
Pujehun, 2,034	B 7

PHYSICAL FEATURES

Sherbro (isl.), 6,894	B 7
Yawri (bay)	B 7

SPAIN—Canary Islands, Ceuta and Melilla
CITIES and TOWNS

Arrecife, 12,748	B 3
Ceuta, 73,182	C 1
La Laguna, 15,899	A 3
Las Palmas de Gran Canaria, 166,236	B 3
Melilla, 79,056	D 1
Santa Cruz de la Palma, 9,928	A 3
Santa Cruz de Tenerife, 82,620	A 3

PHYSICAL FEATURES

Canary (isls.), 944,448	A 3
Fuerteventura (isl.), 18,138	A 3
Gomera (isl.), 27,790	A 3
Grand Canary (isl.), 400,837	A 3
Hierro (isl.), 7,957	A 3
Lanzarote (isl.), 34,805	B 3
La Palma (isl.), 67,141	A 3
Tenerife (isl.), 387,767	A 3

SPANISH SAHARA
CITIES and TOWNS

El Aaiún (cap.), 5,500	A 4
Güera	A 4
Semara	A 4
Villa Cisneros, †1,961	A 4

PHYSICAL FEATURES

Ausert (well)	B 4
Barbas (cape)	A 4
Bir Ganduz (well)	A 4
Bir Nzaran (well)	A 4
Bojador (cape)	B 3
Durnford (pt.)	A 4
Guelta de Zemmur (well)	B 3
Río de Oro (reg.)	B 4
Saguia el Hamra (dry riv.)	B 3
Saguia el Hamra (reg.)	B 3
Tichlá (well)	B 4

TOGO
CITIES and TOWNS

Anécho, 10,487	E 7
Atakpamé, 9,672	E 7
Lama-Kara, †13,017	E 7
Lomé (cap.), 80,000	E 7
Lomé, *90,000	E 7
Palimé, 11,925	E 7
Sansanné-Mango, 6,000	E 6
Sokodé, 14,756	E 7

TUNISIA
CITIES and TOWNS

Beja, 22,700	F 1
Ben Gardane, 2,138	G 2
Bizerte, 45,800	F 1
El Djem, 6,800	G 1
Fort-Saint	G 1
Gabès, 24,500	F 2
Gafsa, 24,345	F 2
Kairouan, 35,000	F 1
Kalaa-Kebira, 16,800	F 1
Kasserine, 2,800	F 1
La Goulette, 27,500	G 1
La Skhirra, 1,500	G 2
Le Kef, 17,000	F 1
Mahdia, 10,900	G 1
Mareth, 153	F 2
Mateur, 15,600	F 1
Médenine, 5,500	F 2
Menzel Bourguiba, 36,700	F 1
Menzel-Temime, 12,500	G 1
Moknine, 18,500	G 1
Monastir, 16,500	G 1
Msaken, 27,500	G 1
Nabeul, 15,500	G 1
Nefta, 15,000	F 2
Remada, 1,866	F 2
Sbeitla, 4,000	F 1
Sfax, 75,500	G 1
Souk-el-Arba, 13,000	F 1
Sousse, 48,172	G 1
Tabarka, 356	F 1
Tatahouine, 3,100	G 2
Tozeur, 11,820	F 2
Tunis (cap.), 480,500	F 1
Tunis, *632,100	F 1
Zarzis, 30,080	G 2

PHYSICAL FEATURES

Blanc (cape)	G 1
Bon (cape)	G 1
Chambi, Jebel (mt.)	F 2
Djerba (isl.), 62,445	F 2
Djerid, Shott el (salt lake)	F 2
Gabès (gulf)	G 2
Hammamet (gulf)	G 1
Jefara (reg.)	G 2
Kerkennah (isls.), 13,704	G 2
Tunis (gulf)	G 1

UPPER VOLTA
CITIES and TOWNS

Aribinda, 3,150	D 6
Banfora, 4,511	D 6
Batié, 1,335	D 6
Bobo-Dioulasso, 56,100	D 6
Bogandé, 3,125	E 6
Dédougou, 3,680	D 6
Diapaga, 3,050	E 6
Djibo	D 6
Dori, 3,500	E 6
Fada-N'Gourma, 4,867	E 6
Gaoua, 5,907	D 6
Houndé, 1,153	D 6
Kaya, 10,304	D 6
Koudougou, 7,940	D 6
Koupela, 3,800	D 6
Léo, 2,138	D 6
Ouagadougou (cap.), 63,000	D 6
Ouagadougou, *100,000	D 6
Ouahigouya, 12,960	D 6
Pama, 1,411	E 6
Po, 4,000	D 6
Tenkodogo, 6,561	E 6
Tougan, 5,000	D 6
Yako, 5,110	D 6

WESTERN AFRICA
PHYSICAL FEATURES

Adrar des Iforas (plat.)	E 5
Aguerakteim (well)	C 4
Atoui, Wadi (dry riv.)	B 4
Bafing (riv.)	B 6
Bagoé (riv.)	C 6
Bakoy (riv.)	B 6
Baoulé (riv.)	C 6
Benin (bight)	E 8
Bir Ksaib Ounane (well)	D 4
Black Volta (riv.)	D 6
Blanc (cape)	A 4
Cavally (riv.)	C 7
Chad (lake)	G 6
Chech Erg (des.)	D 3
Comoé (riv.)	D 7
El War (well)	G 4
Falémé (riv.)	B 6
Futa Jallon (mts.)	B 6
Gambia (riv.)	B 6
Great Eastern Erg (des.)	E 2
Guinea (gulf)	E 8
Guir Hamada (des.)	D 2
High Plateaus (ranges)	D 2
Iguidi Erg (des.)	C 3
Komadugu Yobe (riv.)	G 6
Loma (mts.)	B 7
Mediterranean (sea)	E 1
Medjerda (riv.)	F 1
Moa (riv.)	B 7
Mono (mts.)	B 7
Mono (riv.)	E 7
Niger (riv.)	F 7
Nimba (mts.)	C 7
North Atlantic Ocean	A 2
Oti (riv.)	E 7
Red Volta (riv.)	D 6
Rima (riv.)	E 6
Sahara (des.)	C 4
Saharan Atlas (ranges)	E 2
Senegal (riv.)	B 5
Slave Coast (reg.)	E 7
Sudan (reg.)	E 6
Tafassasset, Wadi (dry riv.)	F 4
Tanezrouft (des.)	C 3
Tummo (El War) (well)	G 3
Touila (well)	C 3
White Volta (riv.)	D 6

*City and suburbs.
†Population of subdistrict or division.

AGRICULTURE, INDUSTRY and RESOURCES

DOMINANT LAND USE
- Cereals, Horticulture, Livestock
- Market Gardening, Diversified Tropical Crops
- Plantation Agriculture
- Oases
- Pasture Livestock
- Nomadic Livestock Herding
- Forests
- Nonagricultural Land

MAJOR MINERAL OCCURRENCES
Al	Bauxite		Gp	Gypsum
Au	Gold		Mn	Manganese
C	Coal		Na	Salt
Co	Cobalt		O	Petroleum
Cr	Chromium		P	Phosphates
Cu	Copper		Pb	Lead
D	Diamonds		Sn	Tin
Fe	Iron Ore		Ti	Titanium
G	Natural Gas		Zn	Zinc

⚡ Water Power

▨ Major Industrial Areas

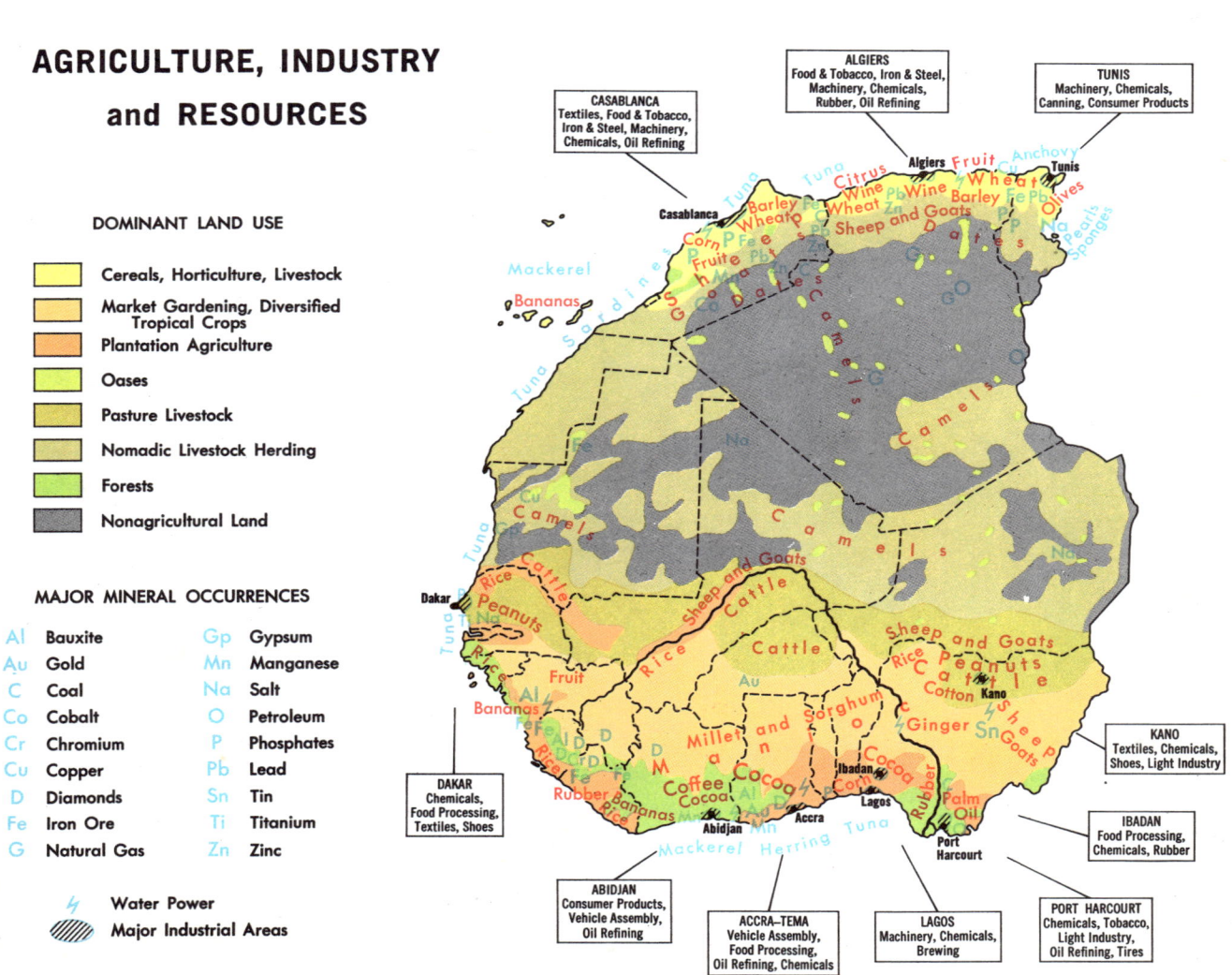

CASABLANCA — Textiles, Food & Tobacco, Iron & Steel, Machinery, Chemicals, Oil Refining

ALGIERS — Food & Tobacco, Iron & Steel, Machinery, Chemicals, Rubber, Oil Refining

TUNIS — Machinery, Chemicals, Canning, Consumer Products

DAKAR — Chemicals, Food Processing, Textiles, Shoes

ABIDJAN — Consumer Products, Vehicle Assembly, Oil Refining

ACCRA-TEMA — Vehicle Assembly, Food Processing, Oil Refining, Chemicals

LAGOS — Machinery, Chemicals, Brewing

KANO — Textiles, Chemicals, Shoes, Light Industry

IBADAN — Food Processing, Chemicals, Rubber

PORT HARCOURT — Chemicals, Tobacco, Light Industry, Oil Refining, Tires

Northeastern Africa

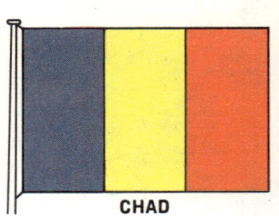

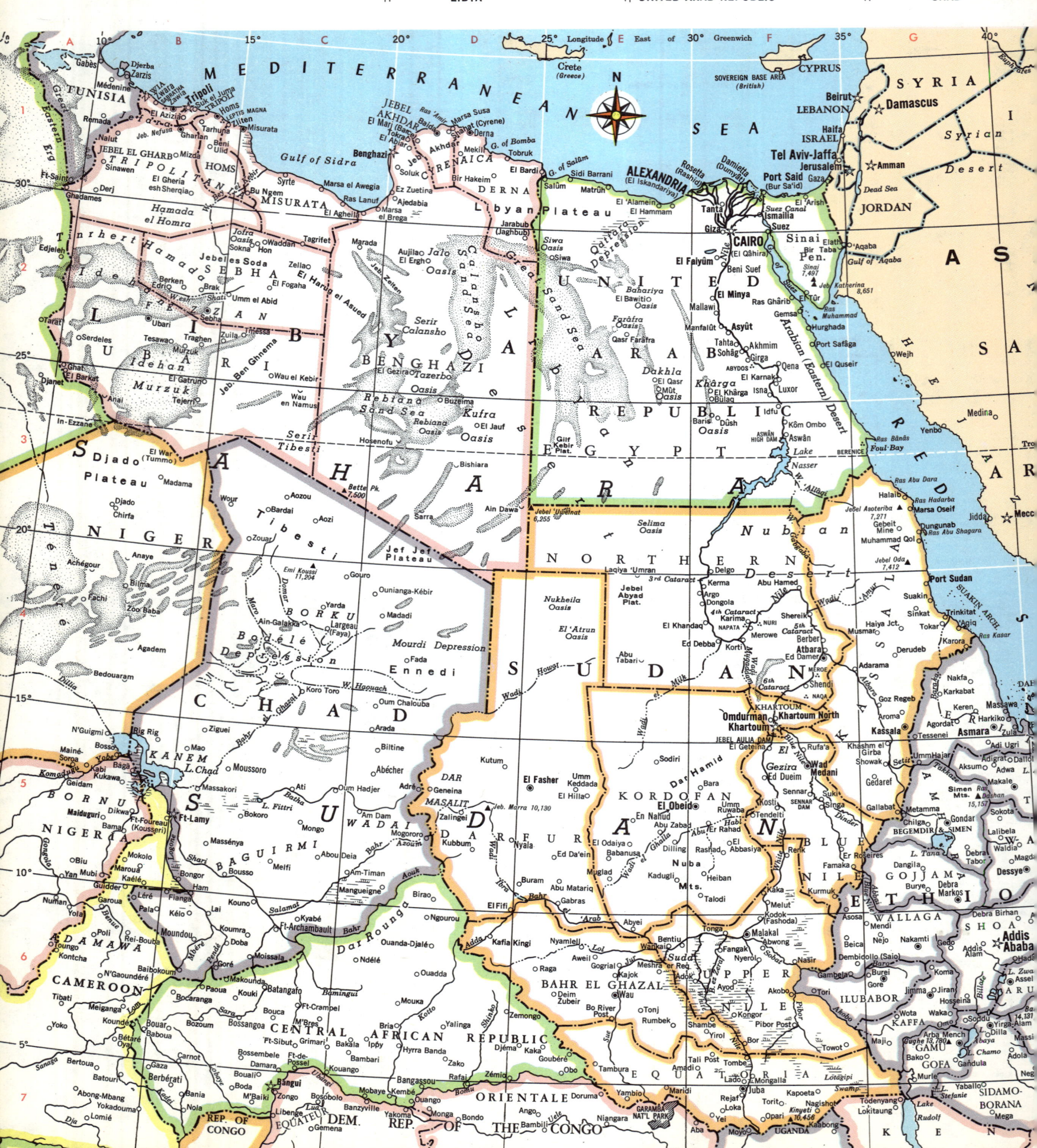

LIBYA | **UNITED ARAB REPUBLIC** | **CHAD**

NORTHEASTERN AFRICA

LIBYA
AREA	679,358 sq. mi.
POPULATION	1,559,399
CAPITAL	Tripoli, Benghazi
LARGEST CITY	Tripoli 212,577
HIGHEST POINT	Bette Pk. 7,500 ft.
MONETARY UNIT	Libyan pound
MAJOR LANGUAGES	Arabic
MAJOR RELIGIONS	Mohammedan

UNITED ARAB REPUBLIC
AREA	386,000 sq. mi.
POPULATION	28,900,000
CAPITAL	Cairo
LARGEST CITY	Cairo 3,518,200
HIGHEST POINT	Jeb. Katherina 8,651 ft.
MONETARY UNIT	Egyptian pound
MAJOR LANGUAGES	Arabic
MAJOR RELIGIONS	Mohammedan, Christian

SUDAN
AREA	967,500 sq. mi.
POPULATION	13,540,000
CAPITAL	Khartoum
LARGEST CITY	Omdurman 171,000
HIGHEST POINT	Jeb. Marra 10,130 ft.
MONETARY UNIT	Sudanese pound
MAJOR LANGUAGES	Arabic, Sudanese
MAJOR RELIGIONS	Mohammedan, Tribal religions

CHAD
AREA	455,598 sq. mi.
POPULATION	2,830,000
CAPITAL	Fort-Lamy
LARGEST CITY	Fort-Lamy (greater) 91,688
HIGHEST POINT	Emi Koussi 11,204 ft.
MONETARY UNIT	CFA franc
MAJOR LANGUAGES	Bantu, Sudanese, Arabic, French
MAJOR RELIGIONS	Mohammedan, Tribal religions

ETHIOPIA
AREA	457,148 sq. mi.
POPULATION	22,200,000
CAPITAL	Addis Ababa
LARGEST CITY	Addis Ababa 504,900
HIGHEST POINT	Ras Dashan 15,157 ft.
MONETARY UNIT	Ethiopian dollar
MAJOR LANGUAGES	Amharic, Hamitic, Arabic
MAJOR RELIGIONS	Coptic Christian, Mohammedan

TERRITORY OF THE AFARS & ISSAS
AREA	8,492 sq. mi.
POPULATION	80,000
CAPITAL	Djibouti

AFARS & ISSAS, TERR.
CITIES and TOWNS

Ali Sabieh, 2,000 .... H 5
Dikhil, 1,000 .... H 5
Djibouti (cap.), 40,000 .... H 5
Obock, 582 .... H 5
Tadjoura, 2,000 .... H 5

CHAD
CITIES and TOWNS

Abécher, 25,000 .... D 5
Abou Deia, 1,100 .... C 5
Adré .... D 5
Ain-Galakka .... C 4
Am-Dam, 1,002 .... D 5
Am-Timan, 1,314 .... D 5
Aozi .... C 3
Aozou .... C 3
Arada .... D 4
Ati, 4,000 .... C 5
Baibokoum, 3,138 .... C 6
Bardai .... C 3
Biltine, 4,000 .... D 5
Bokoro, 4,700 .... C 5
Bongor, 4,397 .... C 5
Bousso, 1,800 .... C 5
Doba, 7,375 .... C 6
Fada, 206 .... D 4
Faya (Largeau), 5,385 .... C 4
Fianga, 923 .... C 6
Fort-Archambault, 22,500 .... C 6
Fort-Lamy (cap.), 84,907 .... C 5
Fort-Lamy, *91,688 .... C 5
Goré .... C 6
Gouro .... C 4
Ham .... C 5
Kélo, 6,067 .... C 6
Koro Toro .... C 4
Koumra, 6,351 .... C 6
Kouno .... C 6
Kyabé, 3,000 .... C 6
Lai, 5,021 .... C 6
Largeau, 5,385 .... C 4
Léré, 3,332 .... B 6
Madadi .... D 4
Mangueigne .... D 5
Mao, 4,015 .... C 5
Massakori, 1,590 .... C 5
Masséyna, 1,700 .... C 5
Melfi, 2,008 .... C 5
Mogororo .... D 5
Moissala, 3,000 .... C 6
Mongo, 2,038 .... C 5
Moundou, 25,000 .... C 6
Moussoro, 5,000 .... C 5
Oum Chalouba .... D 4
Oum Hadjer, 1,209 .... D 5
Ounianga-Kébir .... D 4
Pala, 4,351 .... B 6
Rig Rig, 286 .... B 5
Wour .... C 3
Yarda .... C 4
Ziguei .... C 5
Zouar .... C 3

PHYSICAL FEATURES

Baguirmi (reg.), 81,666 .... C 5
Bahr el Ghazal (dry riv.) .... C 5
Batha (riv.) .... C 5
Bodélé (depr.) .... C 4
Borku (reg.), 21,962 .... C 4
Chad (lake) .... B 5
Domar (dry riv.) .... C 4
Emi Koussi (mt.) .... C 4
Ennedi (plat.) .... D 4
Fittri (lake) .... C 5
Haouach, Wadi (dry riv.) .... C 4
Jef Jef (plat.) .... D 3
Kanem (reg.), 261,108 .... C 5
Logone (riv.) .... C 6
Maro (dry riv.) .... C 4
Mbéré (riv.) .... C 6
Mourdi (depr.) .... D 4
Pendé (riv.) .... C 6
Salamat (riv.) .... C 6
Sara (riv.) .... C 6
Shari (riv.) .... C 5
Tibesti (mts.) .... C 3
Wadai (reg.), 314,775 .... D 5

ETHIOPIA
PROVINCES

Arusi, 1,013,100 .... G 6
Bale, 145,700 .... H 6
Begemdir & Simen, 1,229,900 .... G 5
Eritrea, 1,422,300 .... G 4
Gamu-Gofa, 766,700 .... G 6
Gojjam, 1,437,400 .... G 5
Harar, 3,052,900 .... H 6
Ilubabor, 598,400 .... F 6
Kaffa, 623,000 .... G 6
Sidamo-Borana, 1,438,400 .... G 6
Shoa, 3,486,400 .... G 7
Tigre, 2,104,100 .... H 5
Wallaga, 1,298,300 .... G 6
Wallo, 2,845,100 .... H 5

NORTHEASTERN AFRICA
CONIC EQUAL-AREA PROJECTION
SCALE OF MILES: 0 50 100 200 300
SCALE OF KILOMETERS: 0 50 100 200 300

Capitals of Countries ★
Other Capitals ⊙
International Boundaries
Internal Boundaries

© C. S. HAMMOND & Co., Maplewood, N.J.

TOPOGRAPHY
0 200 400 600 MILES

5,000 m. / 2,000 m. / 1,000 m. / 500 m. / 200 m. / 100 m. / Sea Level / Below
16,404 ft. / 6,562 ft. / 3,281 ft. / 1,640 ft. / 656 ft. / 328 ft.

(continued on following page)

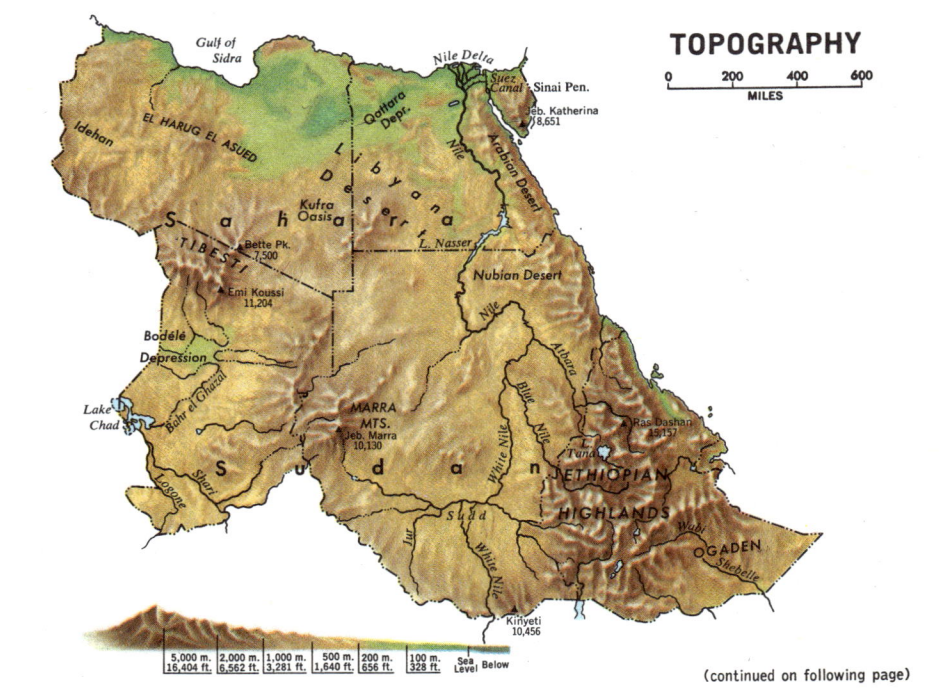

111

Northeastern Africa
(continued)

ETHIOPIA (continued)

CITIES and TOWNS

Addis Ababa (cap.), 504,900 G 6
Addis Alam, 7,789 G 6
Adigrat G 5
Adi Ugri G 5
Adola G 6
Adwa G 5
Agordat G 4
Aksum, 11,596 G 5
Ankober, 12,871 H 6
Arba Mench G 6
Asmara, 131,800 G 4
Asosa F 5
Assab H 5
Asselle, 9,523 G 6
Awareh H 6
Awash H 6
Bako G 6
Bedessa H 6
Beica F 6
Burei G 6
Burye, 18,139 G 5
Callafo H 6
Chilga G 5
Dagabur H 6
Dallol G 5
Dangila, 2,351 G 5
Debra Birhan G 6
Debra Markos, 20,096 G 5
Debra Tabor G 5
Dembidollo F 6
Dessye, 43,145 G 5
Dilla G 6
Dire Dawa, 30,438 H 6
Dolo H 7
Domo J 6
Edd H 5
El Carre H 6
El Der H 6
Filtu H 6
Gabredarre H 6
Galadi J 6
Gambela, 9,955 F 6
Gardula G 6
Gedo G 6
Gerlogubi H 6
Ginir H 6
Goba, 6,389 H 6
Gondar, 24,673 G 5
Gore G 6
Gorrahei H 6
Hadama, 7,293 G 6
Harar, 40,499 H 6
Harkiko G 4
Hosseina, 5,803 G 6
Imi H 6
Jijiga H 6
Jimma, 39,559 G 6
Jiran G 6
Karkabat G 4
Keren G 4
Koma G 6
Lalibela G 5
Magdala G 5
Maji G 6
Makale, 16,873 G 5
Massawa G 4
Masslo G 6
Mega G 7
Mendi G 6
Mersa Fatma H 5
Metamma G 5
Miesso, 32,960 H 6
Murle G 6
Mustahil H 6
Nakamti, 5,889 G 6
Nakta G 4
Negelli G 6
Nejo G 6
Saio (Dembidollo) F 6
Soddu, 5,595 G 6
Sokota G 5
Tessenei G 4
Thio H 5
Tori F 6
Umm Hajar G 5
Waka G 6
Waldia G 5
Wardere J 6
Wota G 6
Yaballo G 6
Yirga Alam G 6
Zula G 4

PHYSICAL FEATURES

Abaya (lake) G 6
Abbai (riv.) G 5
Amhara (reg.) G 5
Assale (lake) H 5
Awash (riv.) H 5
Bale (mt.) G 6
Billate (riv.) G 6
Buri (pen.) H 4
Chamo (lake) G 6
Dahlak (arch.) H 4
Dahlak (isl.) H 4
Danakil (reg.) H 5
Dawa (riv.) H 7
Fafan (riv.) H 6
Ganale Dorya (riv.) H 6
Gughe (mt.) G 6
Haud (reg.) J 6
Ogaden (reg.) H 6
Omo (riv.) G 6
Ras Dashan (mt.) G 5
Simen (mts.) G 5
Stefanie (lake) G 7
Takkaze (riv.) G 5
Tana (lake) G 5
Wabi (riv.) H 6
Wabi Shebelle (riv.) H 6
Zwai G 6

LIBYA

PROVINCES

Benghazi, 279,665 D 2
Derna, 84,001 D 1
Homs, 137,205 B 1
Jebel el Akhdar, 87,803 D 1
Jebel el Gharb, 181,334 B 1
Misurata, 145,468 C 1
Sebha, 46,700 B 2
Tripoli, 376,177 B 1
Ubari, 32,014 B 2
Zawia, 189,032 B 1

CITIES and TOWNS

Ajedabia, 15,430 D 1
Aujila, †2,993 D 2
Baida, 12,799 D 1
Barce (El Marj), 10,645 D 1
Benghazi (cap.), 136,641 C 1
Beni Ulid, †4,293 B 1
Berken, †3,114 B 2
Bir Hakeim D 1
Brak, †7,042 B 2
Bu Ngem C 1
Buzeima D 3
Cyrene (Shahat), †6,266 D 1
Derj, †2,272 B 1
Derna, 21,432 D 1
Edri, †4,271 B 2
El Abiar, †14,260 D 1
El Agheila, †852 C 1
El Azizia B 1
El Bardi, †3,755 D 1
El Barkat, †1,476 B 3
El Ergh D 2
El Fogaha, †607 C 2
El Gatrun, †1,660 B 3
El Gezira D 2
El Gheria esh Sherqia B 1
El Jauf, †4,330 D 3
El Marj, 10,645 D 1
Ez Zuetina, †2,430 D 1
Ghadames, †2,636 A 2
Gharian, †10,807 B 1
Ghat, †1,639 B 3
Homs, †13,864 B 1
Hon, †3,435 C 2
Jaghbub (Jarabub), †1,101 D 2
Jarabub, †1,101 D 2
Marada, †1,858 C 2
Marsa el Awegia C 1
Marsa el Brega, †2,797 D 1
Marsa Susa, †2,062 D 1
Mekili D 1
Misurata, †36,850 C 1
Mizda, †2,508 B 1
Murzuk, †3,863 B 2
Nalut, †9,010 B 1
Ras Lanuf C 1
Sebha, †9,804 B 2
Serdeles B 2
Shahat, †6,266 D 1
Sinawen, †715 B 1
Sokna, †1,873 C 2
Soluk, †12,395 D 1
Suk el Juma, †81,123 B 1
Syrte, 7,093 C 1
Tagrifet C 2
Tarhuna, †25,502 B 1
Tejerri B 3
Tesawa B 2
Tmessa C 2
Tobruk, 15,867 D 1
Tokra, †5,900 D 1
Traghen, †2,952 B 2
Tripoli (cap.), 212,577 B 1
Ubari, †1,711 B 2
Umm el Abid C 2
Waddan, †3,519 C 2
Wau el Kebir C 2
Zawia, †28,349 B 1
Zella, †2,560 C 2
Zliten, †17,950 C 1
Zuila, †1,839 C 2
Zwara, †14,578 B 1

PHYSICAL FEATURES

Ain Dawa (well) D 3
Akhdar, Jebel (mts.) D 1
'Amir, Ras (cape) D 1
Anai (well) B 3
Ben Ghnema, Jebel (mts.) C 2
Bette (peak) C 3
Bey el Kebir, Wadi (dry riv.) B 1
Bishiara (well) D 3
Bomba (gulf) D 1
Calansho Sand Sea (des.) D 2
Calansho, Serir (des.) D 2
Cyrenaica (reg.), 451,469 D 1
Fezzan (reg.), 78,714 B 2
Harug el Asued, El (mts.) C 2
Homra, Hamada el (des.) B 2
Hosenofu (well) D 3
Idehan (des.) B 2
Idehan Murzuk (des.) B 2
Jalo (oasis), 3,910 D 2
Jefara (reg.) B 1
Jofra (oasis), 8,827 C 2
Kufra (oasis), 5,509 D 3
Leptis Magna (ruins) B 1
Nefusa, Jebel (mts.) B 1
Rebiana (oasis), †666 D 3
Rebiana Sand Sea (des.) D 3
Sabratha (ruins) B 1
Sarra (well) D 3
Shati, Wadi esh (dry riv.) B 2
Sidra (gulf) C 1
Soda, Jebel es (mts.) C 2
Tazerbo (oasis), †1,307 D 2
Tinrhert Hamada (des.) B 2
Tripolitania (reg.), 1,029,216 B 1
Wau en Namus (well) C 3
Zelten, Jebel (mts.) D 2

SUDAN

PROVINCES

Bahr el Ghazal, 991,022 E 6
Blue Nile, 2,069,646 F 5
Darfur, 1,328,765 D 5
Equatoria, 903,503 E 6
Kassala, 941,039 G 4
Khartoum, 504,923 F 4
Kordofan, 1,761,968 E 5
Northern, 873,059 E 3
Upper Nile, 888,611 F 6

CITIES and TOWNS

'Abri F 3
Abu Hamed F 4
Abu Matariq E 5
Abu Zabad E 5
Abwong F 6
Abyei E 6
Adarama G 4
Adok F 6
Akasha F 3
Akobo F 6
Amadi F 6
'Aqiq G 4
Argo, 2,329 F 4
Aroma, 3,451 G 4
Atbara, 36,298 F 4
Aweil, 2,438 E 6
Ayod F 6
Babanusa E 5
Bara, 4,885 F 5
Bentiu E 6
Berber, 10,977 F 4
Bor F 6
Bo River Post E 6
Buram E 5
Deim Zubeir E 6
Delgo F 3
Derudeb G 4
Dilling, 5,596 E 5
Dongola, 3,350 F 4
Dungunab G 3
Ed Da'ein E 5
Ed Damer, 5,458 F 4
Ed Debba F 4
Ed Dueim, 12,319 F 5
El Abbasiya, 2,846 F 5
El Fasher, 26,161 E 5
El Fifi D 5
El Geteina F 5
El Hilla E 5
El Khandaq E 4
El Obeid, 52,372 E 5
El Odaiya E 5
En Nahud, 16,499 E 5
Er Rahad, 6,706 F 5
Er Roseires, 3,927 F 5
Famaka F 5
Fangak F 6
Faras F 3
Fashoda (Kodok), 9,100 F 6
Gabras E 5
Gallabat G 5
Gebeit Mine G 3
Gedaref, 17,537 G 5
Geneina, 11,817 D 5
Gogrial E 6
Goz Regeb G 4
Haiya Junction G 4
Halaib G 3
Heiban F 5
Juba, 10,660 F 7
Kadugli, 4,716 E 5
Kafia Kingi D 6
Kajok E 6
Kaka F 5
Kapoeta F 7
Karima, 5,989 F 4
Karora G 4
Kassala, 40,612 G 4
Kerma F 4
Khartoum (cap.), 138,000 F 4
Khartoum North, 39,082 F 4
Khashm el Girba G 5
Kodok, 9,100 F 6
Kongor F 6
Korti F 4
Kosti, 22,688 F 5
Kubbum D 5
Kurmuk, 1,647 F 5
Kutum D 5
Lado F 6
Loka F 7
Malakal, 9,680 F 6
Maridi, 839 E 7
Marsa Oseif G 3
Melut, 334 F 5
Merowe, 1,620 F 4
Meshra' er Req E 6
Mongalla F 6
Muglad, 3,735 E 5
Muhammad Qol G 3
Musmar G 4
Nagishot F 7
Nasir F 6
Nimule F 7
Nyala, 12,278 E 5
Nyamlell E 6
Nyerol F 6
Omdurman, 171,000 F 4
Opari F 7
Pibor Post F 6
Port Sudan, 47,562 G 4
Raga E 6
Rashad, 1,683 F 5
Rejaf F 7
Renk F 5
Rufa'a, 9,137 F 5
Rumbek, 2,944 E 6
Sennar, 8,093 F 5
Shambe F 6
Shendi, 11,031 F 4
Shereik F 4
Showak, 2,171 G 5
Singa, 9,436 F 5
Sinkat, 5,175 G 4
Sodiri, 1,804 E 5
Suakin, 4,228 G 4
Suki, 7,388 F 5
Tali Post F 6
Talodi, 2,736 F 5
Tambura E 6
Tendelti, 7,555 F 5
Tokar, 16,802 G 4
Tombe F 6
Tonga F 6
Tonj, 2,071 E 6
Torit, 2,353 F 7
Towot F 6
Trinkitat G 4
Umm Keddada E 5
Umm Ruwaba, 7,805 F 5
Wadi Halfa, 11,006 F 3
Wad Medani, 47,677 F 5
Wankai E 6
Wau, 8,009 E 6
Yambio, 3,890 E 7
Yei, 739 F 7
Yirol, 1,895 F 6
Zalingei, 3,314 D 5

PHYSICAL FEATURES

Abu Dara, Ras (cape) G 3
Abu Habl, Wadi (dry riv.) F 5
Abu Shagara, Ras (cape) G 3
Abu Tabari (well) E 4
Adda (riv.) D 6
'Amur, Wadi (dry riv.) G 4
Asoteriba, Jebel (mt.) G 3
Bahr Azoum (riv.) D 5
Bahr el 'Arab (riv.) E 6
Bahr ez Zeraf (riv.) F 6
Dar Hamid (reg.) F 5
Dar Masalit (reg.), 323,616 D 5
El 'Atrun (oasis) E 4
Fifth Cataract (rapids) F 4
Fourth Cataract (rapids) F 4
Gezira, El (reg.) F 5
Ghalla, Wadi el (dry riv.) E 5
Hadarba, Ras (cape) G 3
Howar, Wadi (dry riv.) E 4
Ibra, Wadi (dry riv.) D 5
Jebel Abyad (plat.) E 4
Jebel Aulia (dam) F 4
Jur (riv.) E 6
Kinyeti (mt.) F 7
Laqiya 'Umran (well) E 3
Lol (dry riv.) E 6
Lotagipi (swamp) F 6
Marra, Jebel (mt.) D 5
Meroe (ruins) F 4
Milk, Wadi el (dry riv.) E 4
Muqaddam, Wadi (dry riv.) F 4
Napata (ruins) F 4
Naqa (ruins) F 4
Nuba (mts.) E 5
Nubian (des.) E 5
Nukheila (oasis) E 4
Nuri (ruins) F 4
Oda, Jebel (mt.) G 3
Pibor (riv.) F 6
Second Cataract (rapids) F 3
Selima (oasis) E 3
Sennar (dam) F 5
Setit (riv.) G 5
Sixth Cataract (rapids) F 4
Sobat (riv.) F 6
Suakin (arch.) G 4
Sudd (swamp) F 6
Sue (riv.) E 6
Third Cataract (rapids) E 4
White Nile (riv.) F 5

UNITED ARAB REPUBLIC (Egypt)

CITIES and TOWNS

Abnûb, 27,751 J 4
Abu Qurqâs, 19,318 J 4
Abu Simbil, 2,630 F 3
Akhmin, 41,580 F 2
Alexandria, 1,587,700 J 2
Arminna, 1,321 F 3
Aswân, 43,393 F 3
Asyût, 133,500 J 4
Bâris, 1,347 F 3
Benha, 52,686 J 3
Beni Mazar, 30,583 J 4
Beni Suef, 78,829 J 3
Biba, 20,773 J 4
Bûlaq, 928 F 2
Bur Sa'id (Port Said), 256,100 K 2
Cairo (cap.), 3,518,200 J 3
Dairût, 24,364 J 4
Damanhur, 133,200 J 3
Damietta, 71,780 J 3
Disûq, 39,473 J 3
Dumyât (Damietta), 71,780 J 3
Dûsh, 794 F 3
El 'Alamein, 593 E 1
El 'Allâqi F 3
El 'Arish, 26,669 F 1
El Bawiti, 2,478 E 2
El Diwân, 966 F 3
El Fashn, 25,961 J 4
El Faiyûm, 117,800 J 3
El Hammam, 3,664 E 1
El Iskandariya (Alexandria), 1,587,700 J 2
El Karnak, 14,121 F 2
El Khârga, 9,277 F 2
El Madiq F 3
El Mahalla el Kubra, 198,900 J 3
El Mansûra, 172,600 K 3
El Minya, 104,800 J 4
El Qâhira (Cairo) (cap.), 3,518,200 J 3
El Qantara, 11,201 K 3
El Qasr, 1,789 E 2
El Quseir, 4,336 F 2
El Tûr, 418 F 2
El Wasta, 11,283 J 3
Gaza F 1
Gemsa, 225 F 2
Girga, 42,017 F 2
Giza, 276,200 J 3
Heliopolis, 124,774 J 3
Helwân, 943,385 J 3
Hurghada, 2,012 F 2
Idfu, 25,105 F 3
Ismailia, 156,300 K 3
Isna, 25,342 F 2
Kalabsha, 707 F 3
Kôm Ombo, 21,783 F 3
Kurusku, 599 F 3
Luxor, 35,074 F 2
Maghâgha, 28,650 J 4
Mallawi, 52,614 J 4
Manfalût, 28,540 J 4
Matrûh, 9,254 E 1
Minûf, 41,914 J 3
Mût, 3,496 E 2
Port Fuad, 12,881 K 3
Port Safâga, 1,448 F 2
Port Sa'id, 256,100 K 2
Port Taufiq, 26,075 K 3
Qalyub, 43,202 J 3
Qasr Farâfra, 747 E 2
Qena, 57,417 F 2
Ras Ghârib, 5,857 F 2
Rashid (Rosetta), 32,368 J 2
Rosetta, 32,368 J 2
Salûm, 1,348 E 1
Samalût, 17,368 J 4
Shibin el Kom, 54,910 J 3
Sidi Barrani, 1,583 E 1
Sinnûris, 31,831 J 3
Siwa, 3,839 E 2
Sohâg, 61,944 F 2
Suez, 219,000 K 3
Tahta, 36,165 F 2
Tanta, 209,500 J 3
Zagazig, 131,200 K 3
Zifta, 31,421 J 3

PHYSICAL FEATURES

Abu Qir (bay) J 2
Abydos (ruins) F 2
'Aqaba (gulf) G 2
Arabian (des.) F 2
Aswân (dam) F 3
Aswân High (dam) F 3
Bahariya (oasis), 6,779 E 2
Bahr Yusef (stream) J 4
Bânâs, Ras (cape) G 3
Berenice (ruins) F 3
Birket Qârûn (lake) J 3
Bir Taba (well) F 2
Bitter (lakes) K 3
Dakhla (oasis), 21,586 E 2
Eastern (Arabian) (des.) F 2
Farâfra (oasis), 747 E 2
Foul (bay) G 3
Ghard Abu Muharik (des.) J 4
Gilf Kebir (plat.) E 3
Katherina, Jebel (mt.) F 2
Khârga (oasis), 12,346 F 2
Memphis (ruins) J 3
Muhammad, Ras (cape) F 2
Pyramids (ruins) J 3
Qattâra (depr.) E 2
Salûm (gulf) E 1
Sinai (mt.) F 2
Sinai (pen.), 49,769 F 2
Siwa (oasis), 3,839 E 2
Suez (canal) K 3
Suez (gulf) F 2

NORTHEASTERN AFRICA

PHYSICAL FEATURES

Abbe (lake) H 5
Aden (gulf) K 5
Akobo (riv.) F 6
'Allaqi, Wadi (dry riv.) F 3
Atbara (riv.) G 4
Bab el Mandeb (str.) H 5
Baraka (dry riv.) G 4
Baro (riv.) G 6
Blue Nile (riv.) G 5
Dinder (riv.) G 5
Gabgaba, Wadi (dry riv.) F 3
Great Sand Sea (des.) D 2
Kasar, Ras (cape) G 4
Libyan (des.) D 2
Libyan (plat.) D 1
Mediterranean (sea) C 1
Nasser (lake) F 3
Nile (riv.) F 2
Red (sea) G 3
Sahara (des.) C 3
Sudan (reg.) C 5
Tibesti, Serir (des.) C 3
'Uweinat, Jebel (mt.) E 3

*City and suburbs.
†Population of sub-district or division.

AGRICULTURE, INDUSTRY and RESOURCES

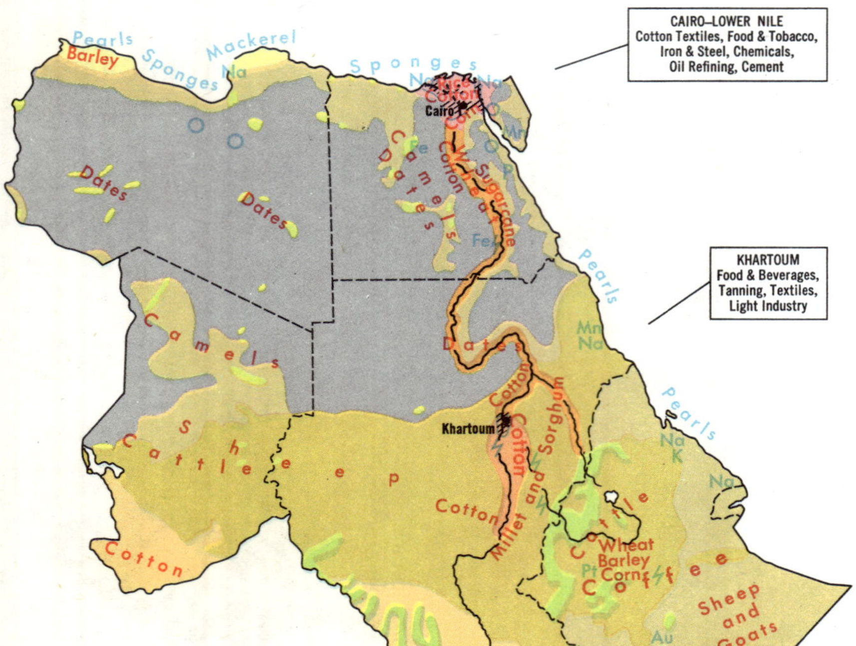
CAIRO–LOWER NILE
Cotton Textiles, Food & Tobacco, Iron & Steel, Chemicals, Oil Refining, Cement
KHARTOUM
Food & Beverages, Tanning, Textiles, Light Industry
Pearls
Mackerel
Barley
Sponges
Na
Cairo
Dates
Camels
Cotton
Sugarcane
Fe
Mn
Khartoum
Cotton and Sorghum
Millet and Sorghum
Sheep
Cattle
Wheat
Barley
Corn
Coffee
Sheep and Goats
K
Pt
Au

DOMINANT LAND USE

- Cereals, Horticulture, Livestock
- Cash Crops, Mixed Cereals
- Cotton, Cereals
- Market Gardening, Diversified Tropical Crops
- Plantation Agriculture
- Oases
- Pasture Livestock
- Nomadic Livestock Herding
- Forests
- Nonagricultural Land

MAJOR MINERAL OCCURRENCES

- Au Gold
- Fe Iron Ore
- K Potash
- Mn Manganese
- Na Salt
- O Petroleum
- P Phosphates
- Pt Platinum

- Water Power
- Major Industrial Areas

CENTRAL AFRICA

CAMEROON
- AREA: 178,368 sq. mi.
- POPULATION: 5,150,000
- CAPITAL: Yaoundé
- LARGEST CITY: Douala (greater) 187,000
- HIGHEST POINT: Cameroon 13,350 ft.
- MONETARY UNIT: CFA franc
- MAJOR LANGUAGES: Sudanese, Bantu, Arabic, French
- MAJOR RELIGIONS: Tribal religions, Christian, Mohammedan

CENTRAL AFRICAN REP.
- AREA: 239,382 sq. mi.
- POPULATION: 1,320,000
- CAPITAL: Bangui
- LARGEST CITY: Bangui 111,266
- HIGHEST POINT: Gao 4,659 ft.
- MONETARY UNIT: CFA franc
- MAJOR LANGUAGES: Bantu, Sudanese, Arabic, French
- MAJOR RELIGIONS: Tribal religions, Christian, Mohammedan

SOMALI REP.
- AREA: 262,000 sq. mi.
- POPULATION: 2,350,000
- CAPITAL: Mogadishu
- LARGEST CITY: Mogadishu 120,649
- HIGHEST POINT: Surud Ad 7,900 ft.
- MONETARY UNIT: somalo
- MAJOR LANGUAGES: Somali, Arabic, Italian, English
- MAJOR RELIGIONS: Mohammedan, Roman Catholic

GABON
- AREA: 90,733 sq. mi.
- POPULATION: 462,000
- CAPITAL: Libreville
- LARGEST CITY: Libreville 46,000
- HIGHEST POINT: Ibounzi 5,165 ft.
- MONETARY UNIT: CFA franc
- MAJOR LANGUAGES: Bantu, Sudanese, Arabic, French
- MAJOR RELIGIONS: Tribal religions, Christian

REPUBLIC OF CONGO
- AREA: 175,676 sq. mi.
- POPULATION: 1,012,800
- CAPITAL: Brazzaville
- LARGEST CITY: Brazzaville (greater) 139,734
- HIGHEST POINT: Leketi Mts. 3,412 ft.
- MONETARY UNIT: CFA franc
- MAJOR LANGUAGES: Bantu, Sudanese, Arabic, French
- MAJOR RELIGIONS: Christian, Tribal religions

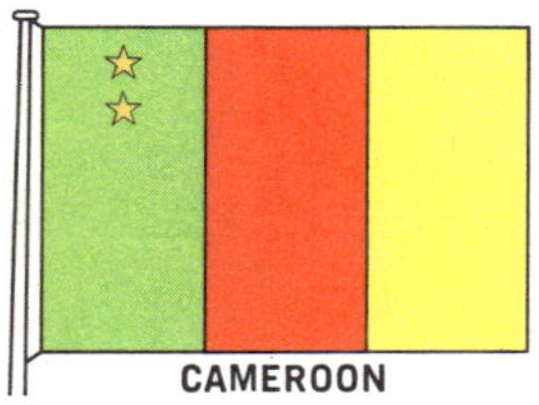

DEM. REP. OF THE CONGO
- AREA: 902,274 sq. mi.
- POPULATION: 15,627,000
- CAPITAL: Léopoldville
- LARGEST CITY: Léopoldville 402,492
- HIGHEST POINT: Margherita 16,795 ft.
- MONETARY UNIT: Congo franc
- MAJOR LANGUAGES: Bantu, French, Flemish
- MAJOR RELIGIONS: Tribal religions, Christian

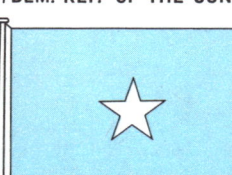

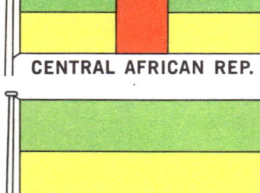

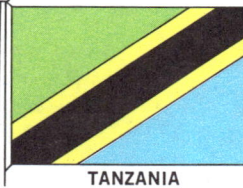

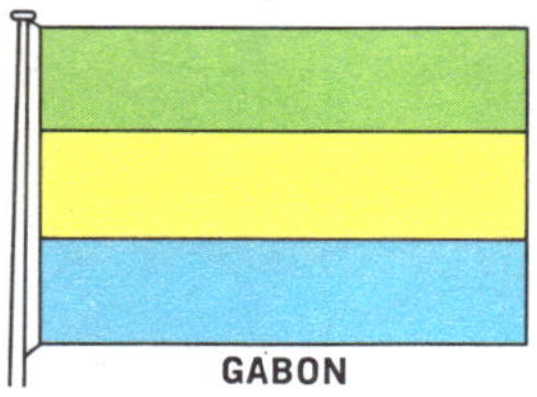

UGANDA
- AREA: 80,301 sq. mi.
- POPULATION: 7,551,000
- CAPITAL: Kampala
- LARGEST CITY: Kampala (greater) 123,332
- HIGHEST POINT: Margherita 16,795 ft.
- MONETARY UNIT: East African shilling
- MAJOR LANGUAGES: Bantu, Sudanese, English
- MAJOR RELIGIONS: Tribal religions, Christian

KENYA
- AREA: 219,730 sq. mi.
- POPULATION: 9,376,000
- CAPITAL: Nairobi
- LARGEST CITY: Nairobi (greater) 343,500
- HIGHEST POINT: Kenya 17,058 ft.
- MONETARY UNIT: East African shilling
- MAJOR LANGUAGES: Swahili, English
- MAJOR RELIGIONS: Tribal religions, Christian

TANZANIA
- AREA: 343,726 sq. mi.
- POPULATION: 10,514,000
- CAPITAL: Dar es Salaam
- LARGEST CITY: Dar es Salaam 128,742
- HIGHEST POINT: Kilimanjaro 19,340 ft.
- MONETARY UNIT: East African shilling
- MAJOR LANGUAGES: Bantu, Swahili, English
- MAJOR RELIGIONS: Tribal religions, Christian, Mohammedan

RWANDA
- AREA: 10,169 sq. mi.
- POPULATION: 3,018,000
- CAPITAL: Kigali
- LARGEST CITY: Kigali (greater) 4,173
- HIGHEST POINT: Karisimbi 14,780 ft.
- MONETARY UNIT: Rwanda-Burundi franc
- MAJOR LANGUAGES: Kinyarwanda, French
- MAJOR RELIGIONS: Tribal religions, Roman Catholic

BURUNDI
- AREA: 10,747 sq. mi.
- POPULATION: 2,780,000
- CAPITAL: Bujumbura
- LARGEST CITY: Bujumbura (greater) 47,036
- HIGHEST POINT: 8,858 ft.
- MONETARY UNIT: Rwanda-Burundi franc
- MAJOR LANGUAGES: Kirundi, French
- MAJOR RELIGIONS: Tribal religions, Roman Catholic

ANGOLA
- AREA: 481,351 sq. mi.
- POPULATION: 5,119,000
- CAPITAL: Luanda
- LARGEST CITY: Luanda 224,540
- HIGHEST POINT: 8,597 ft.
- MONETARY UNIT: Portuguese escudo
- MAJOR LANGUAGES: Bantu, Portuguese
- MAJOR RELIGIONS: Tribal religions

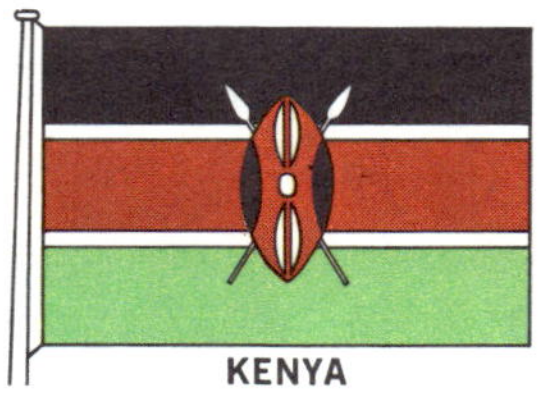

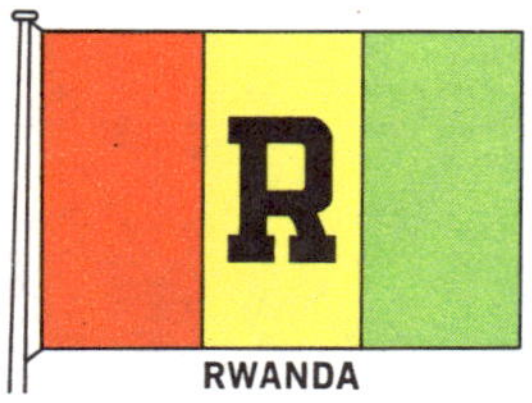

MALAWI
- AREA: 36,829 sq. mi.
- POPULATION: 3,900,000
- CAPITAL: Zomba
- LARGEST CITY: Blantyre-Limbe (greater) 40,498
- HIGHEST POINT: Mlanje 9,843 ft.
- MONETARY UNIT: Malawi pound
- MAJOR LANGUAGES: Bantu, English
- MAJOR RELIGIONS: Christian, Mohammedan

ZAMBIA
- AREA: 290,320 sq. mi.
- POPULATION: 3,710,000
- CAPITAL: Lusaka
- LARGEST CITY: Lusaka (greater) 122,300
- HIGHEST POINT: Sunzu 6,782 ft.
- MONETARY UNIT: Zambian pound
- MAJOR LANGUAGES: Bantu, English
- MAJOR RELIGIONS: Tribal religions

EQUATORIAL GUINEA
- AREA: 10,836 sq. mi.
- POPULATION: 267,000
- CAPITAL: Santa Isabel

ANGOLA

DISTRICTS

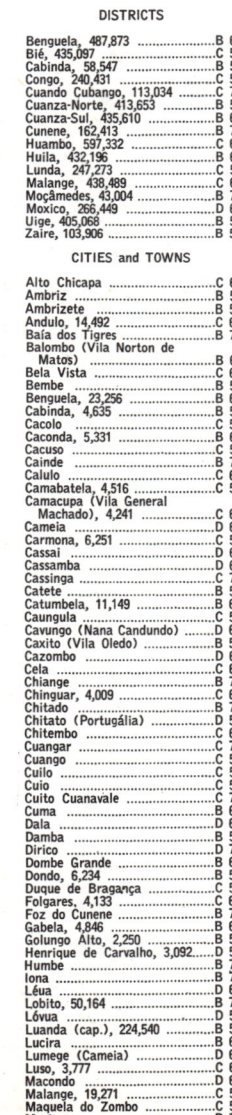

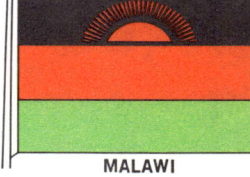

Benguela, 487,873 .... B 6
Bié, 435,097 .... C 5
Cabinda, 58,547 .... B 5
Congo, 240,431 .... C 5
Cuando Cubango, 113,034 .... C 7
Cuanza-Norte, 413,653 .... B 5
Cuanza-Sul, 435,610 .... B 6
Cunene, 162,413 .... B 7
Huambo, 597,332 .... C 6
Huíla, 432,196 .... B 6
Lunda, 247,273 .... C 5
Malange, 438,889 .... C 6
Moçâmedes, 43,004 .... B 7
Moxico, 266,449 .... D 6
Uíge, 405,068 .... C 5
Zaire, 103,906 .... B 5

CITIES and TOWNS

Alto Chicapa .... C 6
Ambriz .... B 5
Ambrizete .... B 5
Andulo, 14,492 .... C 6
Baía dos Tigres .... B 7
Balombo (Vila Norton de Matos) .... B 6
Bela Vista .... C 6
Bembe .... B 5
Benguela, 23,256 .... B 6
Cabinda, 4,635 .... B 5
Cacolo .... C 5
Caconda, 5,331 .... B 6
Cacuso .... C 5
Cainde .... B 7
Calulo .... C 6
Camabatela, 4,516 .... C 5
Camacupa (Vila General Machado), 4,241 .... C 6
Cameia .... D 6
Carmona, 6,251 .... C 5
Cassai .... D 6
Cassamba .... D 6
Cassinga .... C 7
Catete .... B 5
Catumbela, 11,149 .... B 6
Caungula .... C 5
Cavungo (Nana Candundo) .... D 6
Caxito (Vila Oledo) .... B 5
Cazombo .... D 6
Cela .... C 6
Chiange .... B 7
Chinguar, 4,009 .... C 6
Chitado .... B 7
Chitato (Portugália) .... D 5
Chitembo .... C 7
Cuangar .... C 7
Cuango .... C 5
Cuilo .... C 5
Cuio .... B 6
Cuito Cuanavale .... C 7
Cuma .... B 6
Dala .... D 6
Damba .... B 5
Dirico .... D 7
Dombe Grande .... B 6
Dondo, 6,234 .... B 5
Duque de Bragança .... C 5
Folgares, 4,133 .... C 6
Foz do Cunene .... B 7
Gabela, 4,846 .... B 6
Golungo Alto, 2,250 .... B 5
Henrique de Carvalho, 3,092 .... D 5
Humbe .... B 7
Iona .... B 7
Léua .... D 6
Lobito, 50,164 .... B 6
Lóvua .... D 5
Luanda (cap.), 224,540 .... B 5
Lucira .... B 6
Lumege (Cameia) .... D 6
Luso, 3,777 .... C 6
Macondo .... D 6
Malange, 19,271 .... C 5
Maquela do Zombo .... C 5
Mavinga .... D 7
Moçâmedes, 7,963 .... B 7
Monteverde .... C 5
Mossâmedes (Moçâmedes), 7,963 .... B 7
Mucusso .... D 7
Munhango .... C 6
Mupa .... B 7
Muxima .... B 5
Nana Candundo .... D 6
Néqui .... B 5
Nova Chaves .... D 6
Nova Gaia .... C 5
Nova Lisboa, 38,745 .... C 6
Nova Redondo, 12,324 .... B 6
N'riquinha .... D 7
Oncócua .... B 7
Porto Alexandre, 5,943 .... B 7
Porto Amboim, 10,711 .... B 6
Portugália .... D 5
Quela .... C 5
Quibala .... B 5
Quibaxe .... B 5
Quilengues .... B 6
Quimbele .... C 5
Quinzau .... B 5
Sá da Bandeira, 15,086 .... B 7
Salazar, 5,571 .... B 5
Santo Antônio do Zaire .... B 5
Sanza Pombo .... C 5
São Nicolau .... B 6
São Salvador do Congo, 3,525 .... B 5
Saurimo (Henrique de Carvalho), 3,092 .... D 5
Silva Porto, 5,606 .... C 5
Uíge (Carmona), 6,251 .... C 5
Vila Arriaga .... B 6
Vila Artur de Paiva, 2,861 .... C 6
Vila Cangamba .... C 6
Vila Gago Coutinho .... D 6
Vila General Machado, 4,241 .... C 6
Vila Guilherme Capelo .... B 5
Vila João de Almeida .... B 7
Vila Mariano Machado, 8,021 .... B 6
Vila Norton de Matos .... B 6
Vila Nova do Seles .... B 6
Vila Oledo .... B 5
Vila Paiva Couceiro .... C 6
Vila Pereira d'Eça .... C 7
Vila Robert Williams .... C 6
Vila Roçadas .... B 7
Vila Serpa Pinto .... C 6
Vila Teixeira da Silva .... C 6
Vila Teixeira de Sousa .... D 6
Vila Veríssimo Sarmento .... D 5

PHYSICAL FEATURES

Bero (riv.) .... B 7
Cambo (riv.) .... C 5
Coporolo (riv.) .... B 6
Cuango (riv.) .... C 6
Cuanza (riv.) .... C 5
Cubango (riv.) .... C 7
Cuito (riv.) .... C 7
Cunene (riv.) .... B 7
Cuvo (riv.) .... B 6
Loge (riv.) .... B 5
M'Bridge (riv.) .... B 5
Negro (cape) .... B 6
Palmeirinhas (pt.) .... B 5
Santa Maria (cape) .... B 6

BURUNDI

CITIES and TOWNS

Bujumbura (cap.), *47,036 .... E 4
Gitega, 3,579 .... F 4
Rutana .... F 4

CAMEROON

CITIES and TOWNS

Abong-Mbang, 2,037 .... B 3
Bafia .... B 3
Bafoussam, 8,000 .... B 3
Bamenda, 1,455 .... B 2
Banyo, 3,000 .... B 2
Batouri, 5,120 .... B 3
Bertoua, 2,500 .... B 3
Bétaré-Oya, 1,400 .... B 2
Bonabéri .... A 3
Buea, 31,000 .... B 3
Campo, 2,159 .... A 3
Djoum .... B 3
Douala, 127,816 .... B 3
Douala, *187,000 .... B 3
Dschang, 6,000 .... A 2
Ebolowa, 16,000 .... B 3
Edéa, 12,000 .... B 3
Fort-Foureau, 2,000 .... B 1
Foumban, 20,000 .... B 2
Garoua, 16,000 .... B 2
Guidder, 4,500 .... B 2
Kaélé .... B 2
Kontcha .... B 2
Kousséri, 2,000 .... B 1
Kribi, 7,000 .... A 3
Kumba, 10,000 .... A 3
Kumbo .... B 2
Lomié, 10,127 .... B 3
Mamfé, 10,000 .... A 3
Maroua, 24,979 .... B 1
M'Balmayo, 5,500 .... B 3
Meiganga, 2,000 .... B 2
Mokolo, 3,000 .... B 1
Mora, 3,000 .... B 1
Mouloundou, 8,575 .... B 3
N'Gaoundéré, 19,000 .... B 2
N'Kambe, 2,145 .... B 2
N'Kongsamba, 31,991 .... B 3
Poli, 700 .... B 2
Rei-Bouba .... B 2
Sangmélima, 5,700 .... B 3
Tibati, 3,000 .... B 2
Tiko, 15,000 .... A 3
Victoria, 15,000 .... A 3
Wum, 9,710 .... A 2
Yabassi .... B 3
Yaoundé (cap.), 93,269 .... B 3
Yokadouma .... B 3
Yoko .... B 2

PHYSICAL FEATURES

Adamawa (reg.) .... B 2
Benue (riv.) .... A 2
Cameroon (mt.) .... A 3
Cross (riv.) .... A 3
Donga (riv.) .... B 2
Logone (riv.) .... B 2
Lom (riv.) .... B 2
Sanaga (riv.) .... B 3

CENTRAL AFRICAN REPUBLIC

CITIES and TOWNS

Baboua, 2,000 .... C 2
Bakala, 1,000 .... D 2
Bambari, 19,700 .... D 3
Bangassou, 7,300 .... D 3
Bangui (cap.), 111,266 .... C 3
Bania .... C 3
Batangafo, 7,500 .... C 2
Berbérati, 13,100 .... C 3
Birao .... D 1
Bocaranga, 4,000 .... C 2
Boda .... C 3
Bossangoa, 19,000 .... C 2
Bossembele, 1,700 .... C 2
Bouali .... C 3
Bouar, 20,700 .... C 2
Bouca, 3,000 .... C 2
Bozoum, 4,700 .... C 2
Bria, 2,596 .... D 2
Carnot, 4,000 .... C 3
Damara, 800 .... C 3
Djéma .... E 2
Fort-Crampel, 5,000 .... C 2
Fort-de-Possel, 500 .... C 2
Fort-Sibut, 526 .... C 2
Gaza .... C 3
Goubéré .... E 2
Grimari, 1,400 .... D 2
Hyrra Banda .... D 2
Ippy, 6,000 .... D 2
Kaka .... E 2
Kembé .... D 3
Kouango .... D 3
Kouki .... C 2
Koundé .... B 2
Makounda .... B 2
M'Baïki, 3,000 .... C 3
M'Bres, 7,000 .... D 2
Mobaye .... D 3
Mouka .... D 2
Ndélé, 2,500 .... D 2
Ngourou .... D 2
Nola, 500 .... C 3
Obo, 3,000 .... E 2
Ouadda .... D 2
Ouanda-Djalé .... D 2
Ouango, 2,000 .... D 3
Paoua, 3,500 .... C 2
Rafaï, 8,891 .... D 3
Yalinga, 1,500 .... D 2
Zako .... D 2
Zémio, 1,500 .... E 2
Zemongo .... E 2

PHYSICAL FEATURES

Bamingui (riv.) .... C 2
Dar Rounga (region), 25,000 .... D 2
Gao (mt.) .... C 2
Kotto (riv.) .... D 2
Lobaye (riv.) .... C 3
Pendé (riv.) .... C 2
Sara (riv.) .... C 2
Shari (riv.) .... C 2
Shinko (riv.) .... D 2

CONGO, REP. OF (Brazzaville)

CITIES and TOWNS

Boko, 800 .... B 4
Brazzaville (capital), 94,000 .... C 4
Brazzaville, *139,734 .... C 4
Djambala, 1,433 .... B 4
Dolisie, 12,487 .... B 4
Dongou, 2,190 .... C 3
Epéna, 8,446 .... C 3
Etoumbi .... B 3
Ewo, 700 .... B 4
Fort-Rousset, 5,082 .... C 3
Gamboma, 1,700 .... B 4
Ikelemba, 400 .... B 4
Impfondo, 2,000 .... C 3
Kayes, 1,500 .... B 4
Kellé, 1,282 .... B 4
Kibangou, 1,000 .... B 4
Kinkala, 1,000 .... B 4
Komono, 750 .... B 4
Lopi .... C 3

(continued on following page)

Central Africa
(continued)

CONGO, REP. OF (continued)

Loudima, 400	B 4
Madingo, 1,900	B 4
Makoua, 2,000	C 3
M'Binda	B 4
Mindouli, 1,600	B 4
Mossaka, 2,128	C 4
Mossendjo, 2,000	B 4
M'Pouya	C 4
M'Vouti	B 4
Okoyo	C 4
Ouesso, 4,464	C 3
Pangala	B 4
Pointe-Noire, 54,643	B 4
Sembé	B 3
Sibiti, 1,000	B 4
Souanké, 280	C 3
Zanaga, 800	B 4

PHYSICAL FEATURES

Alima (riv.)	B 4
Kouilou (riv.)	B 4
Niari (riv.)	B 4

CONGO, DEM. REP. OF THE (Kinshasa)

PROVINCES

Bandundu, 1,923,533	C 4
Congo-Central, 897,774	B 4
Equateur, 1,801,532	D 3
Kasai-Occidental, 1,502,007	D 4
Kasai-Oriental, 656,626	D 5
Katanga, 1,654,176	E 5
Kinshasa (city), 402,492	B 4
Kivu, 2,261,822	E 4
Orientale, 2,474,633	E 3

CITIES and TOWNS

Aba	F 3
Abumombazi	D 3
Aketi, 15,339	D 3
Amamula	E 4
Ango, 159,021	E 3
Bagata	D 4
Balangala	C 4
Bambesa, 178,549	E 3
Bambili	E 3
Banalia, 163,935	E 3
Banana	B 5
Bandundu, 9,227	C 4
Banzyville, 197,936	D 3
Baraka	E 4
Basankusu, 154,108	D 3
Basoko, 177,863	D 3
Basongo	D 4
Batama	E 3
Baudouinville, 1103,783	E 5
Befale, 142,228	D 3
Bena-Dibele	D 4
Beni, 1,188,793	E 3
Bikoro, 170,425	C 4
Boende, 391	D 4
Bokote	D 4
Bokungu, 181,747	D 4
Bolobo	C 4
Bolomba, 155,806	D 3
Boma, 33,143	B 5
Bombomo	C 4
Bomongo, 126,393	C 3
Bondo, 1109,686	E 3
Bosobolo, 169,490	D 3
Budjala, 1108,216	D 3
Bukama, 169,974	E 5
Bukavu, 60,575	E 4
Bumba, 10,838	D 3
Bunia, 12,410	F 3

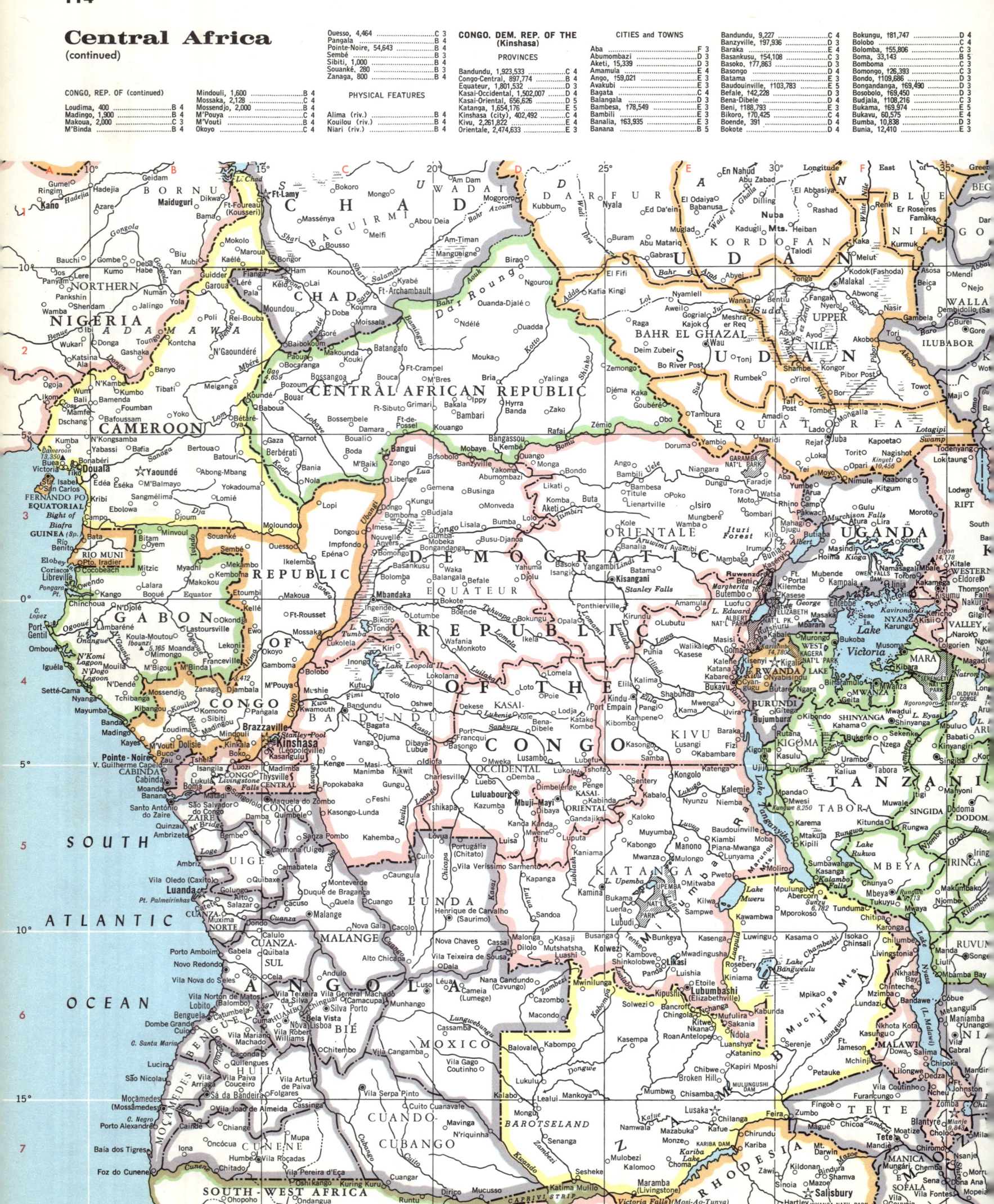

Central Africa
(continued)

Name	Ref
Bunkeya	E 6
Busanga	D 6
Businga, 197,508	D 3
Busu-Djanoa	D 3
Buta, 10,845	D 3
Butembo, 9,980	E 3
Charlesville	D 5
Dekese, 132,416	D 4
Demba, 195,516	D 5
Dibaya, 1157,404	D 5
Dilolo, 101,718	D 6
Dimbelenge, 182,196	D 5
Djolu, 162,468	D 3
Djugu, 1229,631	E 3
Djuma	C 4
Dongo	C 3
Doruma	E 3
Elisabethville (Lubumbashi), 183,711	E 6
Equateur	C 4
Etoile	E 6
Faradje, 188,238	E 3
Feshi, 176,791	C 5
Fizi, 181,856	E 4
Gandajika, 188,170	D 5
Gemena, 11,551	D 3
Goma, 14,115	E 4
Gombari	E 3
Gumba-Mobeka	C 3
Gungu, 1232,236	C 5
Idiofa, 1287,841	C 4
Ikela, 195,810	D 4
Ilela	E 4
Imese	C 3
Ingende, 158,101	C 4
Inongo, 150,897	C 4
Irumu	E 3
Isangi, 1143,721	D 3
Isangila	B 5
Isiro, 17,430	E 3
Kabalo, 143,704	E 5
Kabambare, 170,704	E 4
Kabare, 1336,995	E 4
Kabinda, 191,482	D 5
Kabongo, 189,217	E 5
Kabunda	E 6
Kahemba, 155,873	C 5
Kalehe, 1116,877	E 4
Kalemie, 29,934	E 5
Kalima	E 4
Kaloko	E 5
Kama	E 4
Kambove (with Shinkolobwe), 14,517	E 6
Kamina, 20,915	D 5
Kampene	E 4
Kanda Kanda	D 5
Kaniama, 130,421	D 5
Kapanga, 147,767	D 5
Kasaji	D 6
Kasangulu, 141,176	C 4
Kasenga, 147,320	E 6
Kasenyi	E 3
Kasongo, 1119,708	E 4
Kasongo-Lunda, 1124,105	C 5
Katako-Kombe, 183,068	D 4
Katana	E 4
Katenga	E 4
Kazumba, 1170,714	D 5
Kenge, 1133,567	C 4
Kiambi	E 5
Kibombo, 139,248	D 4
Kikwit, 16,101	C 5
Kilo	E 3
Kilwa	E 5
Kindu-Port Empain, 19,385	E 4
Kiniama	E 6
Kinshasa (cap.), 402,492	C 4
Kipushi, 22,602	E 6
Kiri, 150,239	C 4
Kirundu	E 4
Kisangani, 126,533	D 3
Kole, Kasai-Occidental, 149,407	D 4
Kole, Orientale	E 3
Kolwezi, 45,192	E 6
Komba	D 3
Kongolo, 10,434	E 5
Kungu, 165,538	C 3
Kutu, 173,782	C 4
Kwamouth	C 4
Léopoldville (Kinshasa), 402,492	C 4
Libenge, 186,072	C 3
Lienartville	E 3
Likasi, 80,075	E 6
Likati	D 3
Lisala, 191,581	D 3
Lodja, 7,227	D 4
Lokolama	C 4
Lolo	D 4
Lomela, 145,874	D 4
Loto	D 4
Lotumbe	C 4
Luashi	D 6
Lubefu, 147,363	D 4
Lubudi, 5,915	E 5
Lubumbashi, 183,711	E 6
Lubutu, 128,214	E 4
Luebo, 165,638	D 5
Luena	E 5
Luisa, 1136,181	D 5
Luishia	E 6
Lukolela, Equateur	C 4
Lukolela, Kasai-Oriental	D 4
Lukula, 184,948	B 4
Luluabourg, 115,049	D 5
Lunyama	E 5
Luofu	E 4
Luozi, 193,123	B 5
Luputa	D 5
Lusambo, 9,395	D 4
Lusangi	E 4
Madimba, 1139,517	C 5
Mahagi, 1166,280	F 3
Malonga	D 6
Mambasa, 154,432	E 3
Manono, 12,234	E 5
Masi-Manimba, 1239,870	C 4
Masisi, 1219,314	E 4
Matadi, 60,295	B 5
Mbandaka, 51,359	C 3
Mbuji-Mayi, 39,024	D 5
Mitwaba, 137,414	E 5
Moanda	B 5
Moba	E 5
Moliro	E 5
Monga	D 3
Monkoto, 131,485	D 4
Monveda	D 3
Moto	E 3
Mulongo	E 5
Mungbere	E 3
Mushie, 12,118	C 4
Mutshatsha	D 6
Muyumbe	E 6
Mwadingusha	E 6
Mwanza	D 4
Mweka, 1134,011	D 4
Mwene Ditu, 1103,423	D 5
Mwenga, 1108,800	E 4
Niangara, 167,964	E 3
Niemba	E 5
Nouvelle-Anvers	C 3
Nyunzu, 136,228	E 5
Opala, 193,553	D 4
Oshwe, 146,689	C 4
Panda	E 6
Pangi, 199,225	E 4
Penge	D 5
Piana-Mwanga	E 5
Poie	D 3
Poko, 1109,032	E 3
Ponthierville, 188,623	D 4
Popokabaka, 183,485	C 5
Port-Francqui, 172,387	D 4
Punia, 141,078	E 4
Pweto, 154,419	E 5
Rutshuru, 1151,381	E 4
Sakania, 135,333	E 6
Samba	D 4
Sampwe	E 5
Sandoa, 172,010	D 5
Sentery, 180,037	E 7
Shabunda, 188,963	E 4
Shinkolobwe (with Kambove), 14,517	E 6
Songololo, 135,576	B 5
Tenke	E 6
Thysville, 16,369	C 5
Titule	D 3
Tolo	C 4
Tondo	C 4
Tora	B 4
Tshela, 1147,288	B 4
Tshikapa, 1192,646	D 5
Tshofa	D 5
Uvira, 1127,295	E 4
Vanga	C 4
Wafania	D 4
Waka	D 3
Walikale, 156,345	E 4
Wamba, 1137,455	E 3
Watsa, 6,077	E 3
Yahuma, 135,771	D 3
Yakoma	D 3
Yangambi, 18,849	D 3
Zongo	C 3

PHYSICAL FEATURES

Name	Ref
Albert Nat'l Park	E 4
Aruwimi (riv.)	E 3
Elila (riv.)	E 4
Fimi (riv.)	C 4
Garamba Nat'l Park	E 3
Giri (riv.)	C 3
Itimbiri (riv.)	D 3
Ituri (for.)	E 3
Kwa (riv.)	C 4
Kwango (riv.)	C 5
Lindi (riv.)	E 3
Léopold II (lake)	C 4
Livingstone (falls)	B 5
Lokoro (riv.)	C 4
Lomami (riv.)	D 4
Lomela (riv.)	D 4
Lowa (riv.)	E 4
Lua (riv.)	C 3
Lualaba (riv.)	E 5
Lubilash (riv.)	D 5
Lufira (riv.)	E 5
Luilaka (riv.)	C 4
Lukenie (riv.)	D 4
Lukuga (riv.)	E 5
Lulua (riv.)	D 5
Luvua (riv.)	E 5
Marungu (mts.)	E 5
Mitumba (range)	E 5
Sankuru (riv.)	D 4
Stanley (falls)	E 3
Stanley Pool (lake)	B 4
Tshuapa (riv.)	C 4
Tumba (lake)	C 4
Uele (riv.)	E 3
Ulindi (riv.)	E 4
Upemba (lake)	E 5
Upemba Nat'l Park	E 5

EQUATORIAL GUINEA

TERRITORIES

Name	Ref
Fernando Po, 72,000	A 3
Río Muni, 195,000	B 3

CITIES and TOWNS

Name	Ref
Bata, 27,024	B 3
Puerto Iradier	A 3
Río Benito, 14,503	A 3
San Carlos, 19,933	A 3
Santa Isabel (capital) 37,237	A 3

PHYSICAL FEATURES

Name	Ref
Corisco (isl.)	A 3
Elobey (isls.)	A 3
Fernando Po (isl.), 72,000	A 3

GABON

CITIES and TOWNS

Name	Ref
Banda	B 4
Bitam, 2,080	B 3
Booué, 114	B 3
Chinchoua	A 4
Cocobeach, 100	A 3
Franceville, 2,790	B 4
Iguéla	A 4
Kango, 300	B 3
Kemboma	B 3
Koula-Moutou, 3,170	B 4
Lalara, 1,333	B 3
Lambaréné, 3,750	B 4
Lastoursville, 1,207	B 4
Lekoni, 3,020	B 4
Libreville (cap.), 46,000	A 3
Makokou, 1,150	B 3
Mayumba, 1,000	A 4
M'Bigou, 1,600	B 4
Mekambo, 800	B 3
Mimongo, 350	B 4
Minvoul, 200	B 3
Mitzic, 1,180	B 3
Moanda, 2,700	B 4
Mouila, 4,240	B 4
Myadhi	B 3
N'Dendé, 1,560	B 4
N'Djolé, 500	B 4
Nyanga	A 4
Okondja, 2,470	B 4
Omboué	A 4
Owendo	A 3
Oyem, 3,050	B 3
Port-Gentil, 20,752	A 4
Setté-Cama, 1,609	A 4
Tchibanga, 2,080	B 4

PHYSICAL FEATURES

Name	Ref
Ibounzi (mt.)	B 4
Lopez (cape)	A 4
N'Dogo (lag.)	A 4
N'Komi (lag.)	A 4
Onangué (lake)	A 4
Pongara (pt.)	A 3

KENYA

PROVINCES

Name	Ref
Central, 1,323,600	G 4
Coast, 741,100	G 4
Eastern, 1,557,500	G 4
Nairobi (dist.), 343,500	G 4
North Eastern, 268,900	G 3
Nyanza, 1,634,100	F 4
Rift Valley, 1,750,500	G 4
Western, 1,014,500	G 4

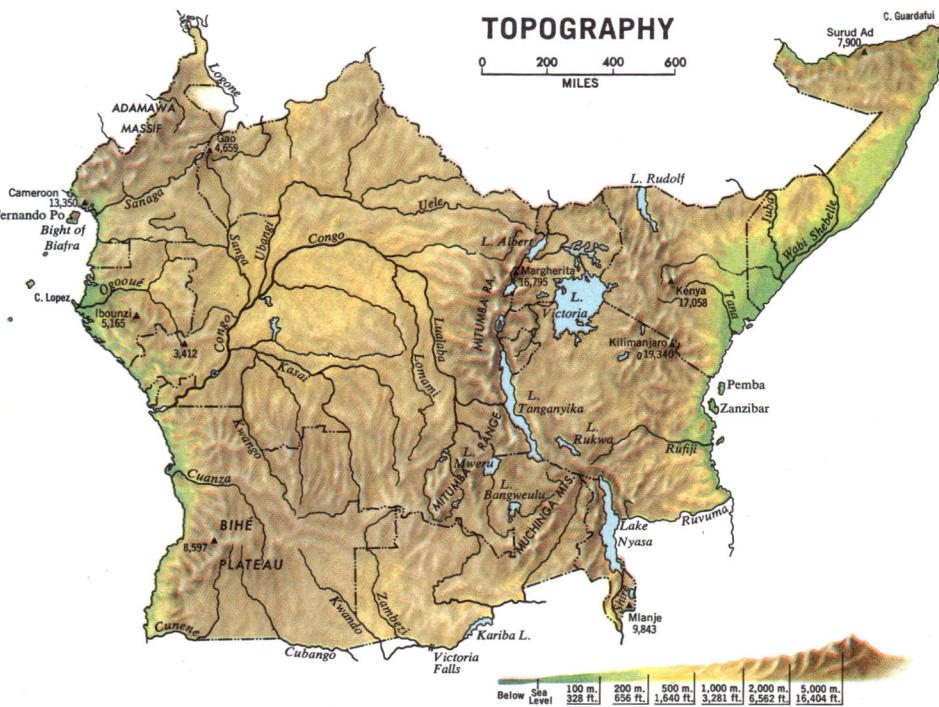

TOPOGRAPHY

(continued on following page)

Central Africa
(continued)

CITIES and TOWNS

Baragoi G 3
Buna G 3
Bura H 4
Eldoret, 19,605 G 3
El Wak H 3
Embu, 5,213 G 4
Fort Hall, 5,389 G 4
Garba Tula G 3
Garissa G 4
Garsen G 4
Gazi, 6,452 G 4
Gilgil G 4
Hadu G 4
Isiolo, 5,445 G 3
Kajiado G 4
Kakamega F 3
Kaningo G 4
Karungu F 4
Kericho, 7,692 F 4
Kiambu G 4
Kibwezi G 4
Kilifi G 4
Kipini H 4
Kisii F 4
Kisumu, 23,526 F 4
Kitale, 9,342 G 3
Kitui G 4
Kolbio H 4
Konza G 4
Kwale G 4
Laisamis G 3
Lamu, 5,828 H 4
Lodwar G 3
Lokitaung G 3
Lolgorien G 4
Machakos G 4
Magadi G 4
Malindi, 5,818 H 4
Mambrui H 4
Mandera H 3
Mararal G 3
Marsabit G 3
Meru G 3
Mombasa, 179,575 G 4
Moyale G 3
Muddo Gashi G 3
Nairobi (cap.), 266,794 G 4
Nairobi, *343,500 G 4
Naivasha G 4
Nakuru, 38,181 G 4
Namanga G 4
Nanyuki, 10,448 G 3
Narok G 4
Ngong G 4
North Horr G 3
Nyeri, 7,857 G 4
Port Victoria F 3
Rumuruti G 3
South Horr G 3
Toveta G 4
Thika, 13,952 G 4
Thomson's Falls, 5,316 G 3
Todenyang G 3
Tsavo G 4
Vanga G 4
Voi G 4
Wajir H 3
Witu H 4

PHYSICAL FEATURES

Dawa (riv.) H 3
Formosa (bay) H 4
Galana (riv.) G 4
Gedi (ruins) G 4
Kavirondo (gulf) F 4
Kenya (mt.) G 4
Lorian (swamp) G 3
Lotagipi (swamp) F 2
Nyira (mt.) G 3
Patta (isl.) H 4
Royal Tsavo Nat'l Park G 4
Rudolf (lake) G 3
Tana (riv.) G 4

MALAWI

CITIES and TOWNS

Bandawe F 6
Blantyre, 35,000 F 7
Blantyre, *40,498 F 7
Chilumbe F 6
Chinteche F 6
Chipoka F 6
Chiromo F 7
Chitipa F 5
Cholo F 7
Dedza, 1,630 F 6
Dowa, 750 F 6
Fort Johnston, 680 G 6
Karonga, 2,310 F 5
Kasungu F 6
Lilongwe, 8,100 F 6
Livingstonia F 6
Mchinji F 6
Mzimba, 940 F 6
Ncheu F 6
Nkhata Bay F 6
Nkhota Kota, 2,240 F 6
Nsanje, 3,790 G 7
Salima, 1,030 F 6
Zomba (cap.), 7,200 G 7
Zomba, *22,000 G 7

PHYSICAL FEATURES

Chilwa (lake) G 7
Mlanje (mt.) G 7
Shire (riv.) G 7

RWANDA

CITIES and TOWNS

Butare, 3,714 E 4
Cyangugu, 284 E 4
Kigali (cap.), *4,173 F 4
Kisenyi, 3,956 E 4
Nyabisindu, 1,010 F 4

PHYSICAL FEATURES

Kagera Nat'l Park F 4

SOMALI REPUBLIC

PROVINCES

Benadir, 392,189 H 3
Burao J 2
Harghessa H 2
Hiran, 176,603 J 3
Lower Juba, 113,774 H 3
Mijirtein, 82,710 J 2
Mudugh, 141,197 J 2
Upper Juba, 362,397 H 3

CITIES and TOWNS

Adadle H 2
Afgoi, ◉14,798 J 3
Afmadu, ◉2,051 H 3
Ainabo J 2
Alula, ◉2,175 K 1
Ankhor J 1
Audegle, ◉7,881 J 3
Baduen J 2
Baidoa, 15,725 H 3
Balad, ◉1,198 J 3
Barawa (Brava), ◉7,160 H 3
Bardera, ◉7,134 H 3
Bargal, ◉2,148 K 1
Beira J 2
Belet Uen, 8,515 J 3
Bender Beila, ◉1,975 K 2
Bender Kassim (Bosaso), 6,359 J 1
Berbera, 20,000 J 2
Bereda, ◉2,011 K 1
Birikao (Bur Gavo) H 4
Bohotleh J 2
Borama, 4,000 H 2
Bosaso, 6,359 J 1
Brava, ◉7,160 H 3
Bulhar H 2
Bulo Burti, ◉3,852 J 3
Bur Acaba, ◉10,657 H 3
Burao, 12,000 J 2
Bur Gavo H 4
Callis J 2
Candala, ◉2,771 J 1
Dante (Hafun) K 1
Dif H 3
Dinsor, ◉3,589 H 3
Dusa Mareb, ◉2,337 J 2
Eil, ◉2,067 J 2
El Athale (Itala), ◉844 J 3
El Bur, ◉2,371 J 3
El Dere, ◉565 J 3
El Hamurre J 2
Erigavo, 2,500 J 1
Ferfer J 2
Galkayu, 8,550 J 2
Garad J 2
Gardo, ◉4,076 J 2
Garoe, ◉3,462 J 2
Gobwen H 4
Hafun K 1
Halin J 2
Harardera, ◉508 J 3
Harghessa, 30,000 H 2
Hodur, ◉2,820 H 3
Hordio K 1
Iddan J 2
Iet H 3
Itala, ◉844 J 3
Jamama, ◉19,209 H 3
Jelib, ◉10,200 H 3
Johar, ◉16,014 H 3
Karin J 1
Kismayu, 10,386 H 4
Las Anod, 3,000 J 2
Las Dureh J 1
Lugh, ◉2,810 H 3
Marek J 3
Margherita (Jamama), ◉19,209 H 3
Merka, ◉60,371 H 3
Mogadishu (cap.), 120,649 J 3
Obbia, ◉1,989 J 2
Odweina J 2
Skushuban, ◉1,184 J 1
Taleh J 2
Tijeglo, ◉1,204 H 3
Uanle Uen, ◉6,098 H 3
Upper Sheikh J 2
Villabruzzi (Johar), ◉16,014 J 3
Vittorio d'Africa H 3
Zeila H 1

PHYSICAL FEATURES

Aden (gulf) J 1
Guardafui (cape) K 1
Guban (reg.) H 1
Hafun, Ras (cape) K 1
Haud (plat.) J 2
Juba (riv.) H 3
Negro (bay) J 2
Nogal (reg.) J 2
Surud Ad (mt.) J 1
Wabi Shebelle (riv.) H 3

TANZANIA

PROVINCES

Arusha, 407,483 G 4
Coast, 537,012 G 5
Dodoma, 514,425 G 5
Iringa, 489,291 G 5
Kigoma, 382,505 F 4
Kilimanjaro, 473,859 G 4
Mara, 347,587 F 4
Mbeya, 686,261 F 5
Morogoro, 547,558 G 5
Mtwara, 747,232 G 5
Mwanza, 836,341 F 4
Pemba, 133,858 H 5
Ruvuma, 267,033 G 6
Shinyanga, 660,441 F 4
Singida, 372,537 F 5
Tabora, 422,235 F 5
Tanga, 579,382 G 5
West Lake, 514,431 F 4
Zanzibar (city), 77,325 F 4
Zanzibar (rural), 87,928 G 5

CITIES and TOWNS

Arusha, 10,038 G 4
Bahati G 4
Bagamoyo, 3,445 G 5
Biharamulo F 4
Bukene F 4
Bukoba, 3,760 F 4
Chake Chake, 7,167 G 5
Chunya, †2,663 F 5
Dar es Salaam (capital), 128,742 G 5
Dodoma, 13,435 G 5
Geita, 1,663 F 4
Handeni G 5
Ifakara G 5
Iringa, 9,587 G 5
Itigi, †7,513 F 5
Kahama, 1,478 F 4
Kaliua, †7,657 F 5
Kanga G 5
Karema, †4,210 F 5
Kasanga, †19,451 F 5
Kasulu F 4
Kibara F 4
Kibaya, †15,662 G 5
Kibondo F 4
Kigoma, 3,466 E 4
Kilosa, 3,209 G 5
Kilwa Kisiwani G 5
Kilwa Kivinje, 2,790 G 5
Kinyangiri, †8,724 G 4
Kipili, †2,964 F 5
Kisiju, †17,710 G 5
Kitunda F 5
Kizimkazi, 992 G 5
Koani, 1,102 G 5
Kondoa, 2,816 G 4
Kongwa, 1,364 G 5
Korogwe, 3,536 G 5
Lindi, 10,315 G 5
Liuli F 6
Liwale, †23,192 G 5
Longido, †11,486 G 4
Lushoto, 995 G 4
Mahenge, †5,884 G 5
Makumbako G 5
Manda F 6
Manyoni, 1,388 G 5
Masasi G 6
Mbamba Bay G 6
Mbeya, 6,932 F 5
Mbulu G 4
Mchinga, †16,169 H 5
Mikindani, 4,807 G 6
Mohoro, †9,325 G 5
Mombo, †27,767 G 4
Morogoro, 14,507 G 5
Moshi, 13,726 G 4
Mpanda, †21,248 F 5
Mpwapwa, 1,612 G 5
Mtakuja F 5
Mtwara, 10,459 H 6
Murongo, †4,624 F 4
Musoma, 6,057 F 4
Muwale F 5
Mwadui, †11,636 F 4
Mwanza, 19,877 F 4
Mwaya, †15,940 F 5
Mwesi, 3,000 F 5
Nachingwea, 3,792 G 6
Newala, †36,622 G 6
Ngara F 4
Njombe F 5
Nzega F 4
Pangani, 2,052 G 5
Rungwa, †2,812 F 5
Sadani G 5
Same, †4,428 G 4
Sekenke F 4
Shinyanga, 2,113 F 4
Singida, 2,943 F 4
Songea, 1,033 G 6
Sumbawanga, †32,146 F 5
Tabora, 15,361 F 5
Tanga, 38,053 G 4
Tukuyu F 5
Tunduru G 6
Ujiji, 11,739 E 5
Urambo, †4,133 F 4
Utete, 1,622 G 5
Uvinza, †3,792 F 5
Wete, 7,507 G 4
Zanzibar, 57,923 G 5
Zanzibar, *62,636 G 5

PHYSICAL FEATURES

Eyasi (lake) F 4
Gombe (riv.) F 4
Great Ruaha (riv.) G 5
Juani (isl.) G 5
Kanzi (cape) G 5
Kilimanjaro (mt.) G 4
Kilombero (riv.) G 5
Kungwe (mt.) F 5
Mafia (isl.), 12,199 H 5
Manyara (lake) G 4
Masai (steppe) G 4
Mbarangandu (riv.) G 5
Mbemkuru (riv.) G 5
Meru (mt.) G 4
Ngorongoro (crater) F 4
Njombe (riv.) F 5
Olduvai Gorge (canyon) G 4
Pangani (riv.) G 4
Pemba (isl.), 133,858 H 5
Rufiji (riv.) G 5
Rukwa (lake) F 5
Rungwa (riv.) F 5
Rungwe (mt.) F 5
Ruvuma (riv.) G 4
Serengeti Nat'l Park F 4
Wami (riv.) G 5
Wembere (riv.) F 4
Zanzibar (isl.), 165,253 G 5

UGANDA

CITIES and TOWNS

Arua, 4,645 F 3
Atura, 119 F 3
Butiaba, 1,216 F 3
Entebbe, 10,941 F 4
Fort Portal, 8,317 F 3
Gulu, 4,770 F 3
Hoima, 1,056 F 3
Jinja, 29,741 F 3
Kaabong F 3
Kabale, 10,919 E 4
Kampala (cap.), 44,735 F 3
Kampala, *123,332 F 3
Kasese, 1,564 F 3
Katwe, 2,057 F 4
Kilembe F 3
Kitgum, 3,454 F 3
Lira, 2,929 F 3
Masaka, 4,785 F 4
Masindi, 1,571 F 3
Mbale, 13,569 F 3
Mbarara, 3,844 F 4
Moroto, 2,082 F 3
Moyo, 2,009 F 3
Mubende, 1,878 F 3
Namasagali F 3
Pakwach, 1,467 F 3
Rhino Camp, 3,478 F 3
Soroti, 6,645 F 3
Tororo, 6,365 F 3
Yumbe, 949 F 3

PHYSICAL FEATURES

George (lake) F 4
Kioga (lake) F 3
Murchison (falls) F 3
Owen Falls (dam) F 3
Queen Elizabeth Nat'l Park F 4
Sese (isls.) F 4

ZAMBIA

CITIES and TOWNS

Abercorn, 3,660 F 5
Balovale, 2,260 D 6
Bancroft, ‡28,170 E 6
Broken Hill, 21,470 E 6
Broken Hill, ‡44,730 E 6
Chibwe E 6
Chilanga, 2,510 E 7
Chingola, 16,890 E 6
Chingola, ‡52,350 E 6
Chinsali, 1,110 F 6
Chisamba, 790 E 6
Choma, 6,940 E 7
Feira, 310 E 7
Fort Jameson, 8,520 F 6
Fort Rosebery, 5,180 E 6
Isoka, 1,370 F 6
Kabompo, 990 D 6
Kafue, 2,490 E 7
Kalabo, 2,420 D 6
Kalomo, 2,560 E 7
Kapiri Mposhi, 440 E 6
Kasama, 6,720 F 6
Kasempa, 670 E 6
Katanino E 6
Kawambwa, 1,430 E 5
Kitwe, 54,590 E 6
Lealui D 6
Livingstone (Maramba), ‡33,440 E 7
Luanshya, 19,950 E 6
Luanshya, ‡72,070 E 6
Lukulu D 6
Lundazi, 1,750 F 6
Lusaka (cap.), 94,560 E 7
Lusaka, ‡122,300 E 7
Luwingu, 850 E 6
Mankoya, 1,600 D 6
Maramba, ‡33,440 E 7
Mazabuka, 5,510 E 7
Mongu, 4,950 D 7
Monze, 3,230 E 7
Mpika, 660 F 6
Mporokoso, 790 F 5
Mpulungu, 1,830 F 5
Mufulira, 20,740 E 6
Mufulira, ‡76,150 E 6
Mulobezi E 7
Mumbwa, 1,400 E 6
Mwinilunga, 700 D 6
Namwala, 880 E 7
Nchanga, 35,030 E 6
Ndola, 72,790 E 6
Ndola, ‡88,370 E 6
Nkana, 54,500 E 6
Nkana-Kitwe, ‡111,450 E 6
Petauke, 1,640 F 6
Roan Antelope, 36,300 E 6
Senanga, 1,500 D 7
Serenje, 1,650 F 6
Sesheke, 910 D 7
Solwezi, 1,930 E 6
Tunduma F 5

PHYSICAL FEATURES

Bangweulu (lake) F 6
Barotseland (reg.), 364,060 D 7
Chambeshi (riv.) F 6
Dongwe (riv.) D 6
Kabompa (riv.) D 6
Kafue (riv.) E 7
Kariba (dam) E 7
Kariba (lake) E 7
Luangwa (riv.) F 6
Mosi-Ao-Tunya (Victoria) (falls) E 7
Muchinga (mts.) F 6
Mulungushi (dam) E 6
Sunzu (mt.) F 5
Victoria (falls) E 7

CENTRAL AFRICA

PHYSICAL FEATURES

Albert (lake) F 3
Biafra (bight) A 3
Bomu (riv.) D 3
Chiamboni, Ras (cape) H 4
Chicapa (riv.) D 5
Congo (riv.) C 4
Dick's Head (Chiamboni) (cape) H 4
Dja (riv.) B 3
Edward (lake) E 4
Elgon (mt.) F 3
Indian Ocean H 4
Ivindo (riv.) B 3
Kadei (riv.) C 3
Kalambo (falls) F 5
Karisimbi (mt.) E 4
Kasai (riv.) C 4
Kivu (lake) E 4
Kwando (riv.) D 7
Kwilu (riv.) C 5
Lak Dera (dry riv.) H 3
Loange (riv.) C 5
Luapula (riv.) E 6
Lungwebungu (riv.) D 6
Malawi (Nyasa)(lake) F 6
Margherita (mt.) E 3
Mbéré (riv.) B 2
Mweru (lake) E 5
Natron (lake) G 4
N'Gounié (riv.) B 4
Nyasa (lake) F 6
Ogooué (riv.) A 4
Ruwenzori (range) E 3
Ruzizi (riv.) E 4
Sanga (riv.) C 3
South Atlantic Ocean B 5
Tanganyika (lake) E 5
Ubangi (riv.) C 3
Victoria (lake) F 4
Virunga (range) E 3
Zambezi (riv.) F 7

*City and suburbs.

†Population of sub-district or division.

‡Population of urban area.

◉Population of municipality

AGRICULTURE, INDUSTRY and RESOURCES

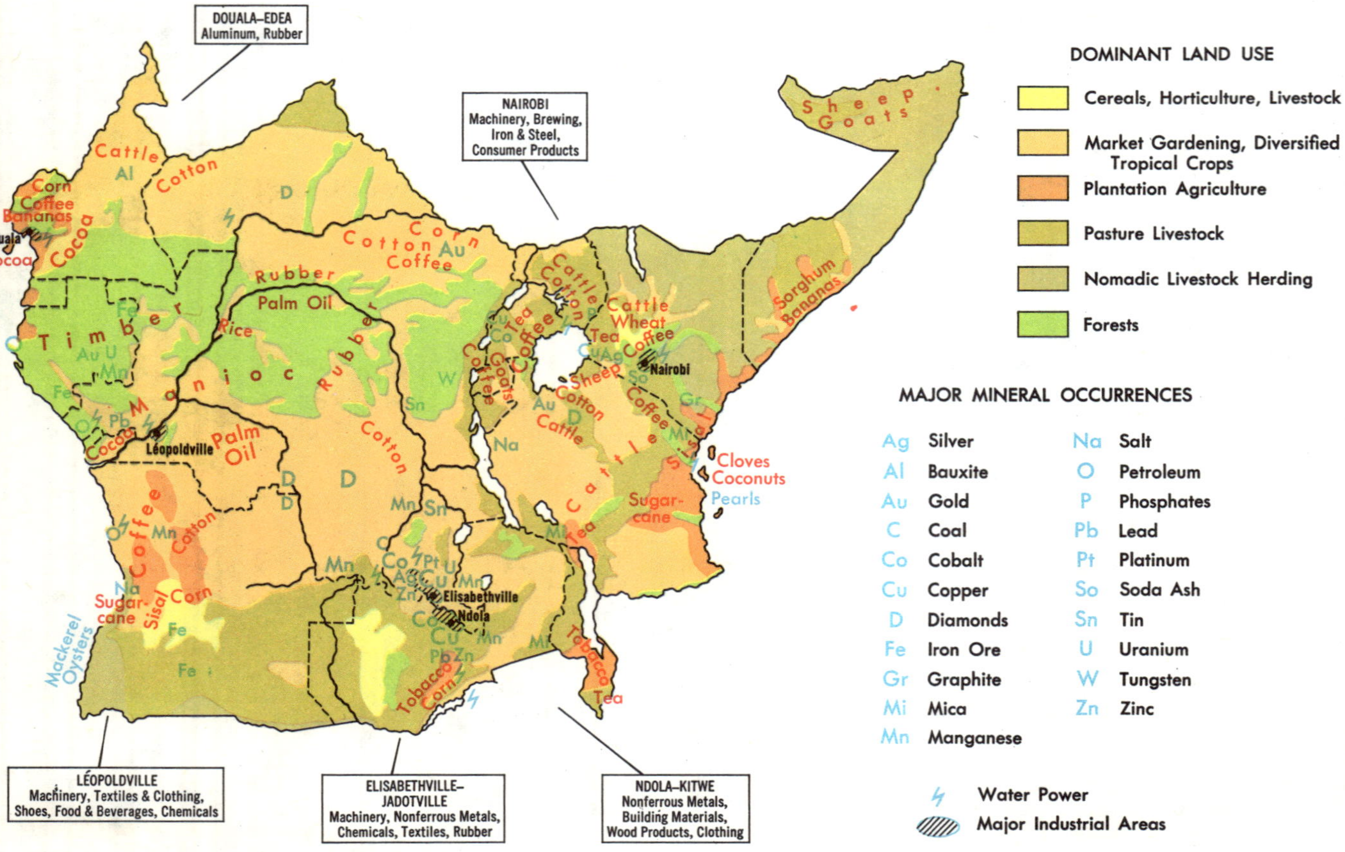
DOUALA–EDEA
Aluminum, Rubber
NAIROBI
Machinery, Brewing, Iron & Steel, Consumer Products
LÉOPOLDVILLE
Machinery, Textiles & Clothing, Shoes, Food & Beverages, Chemicals
ELISABETHVILLE–JADOTVILLE
Machinery, Nonferrous Metals, Chemicals, Textiles, Rubber
NDOLA–KITWE
Nonferrous Metals, Building Materials, Wood Products, Clothing
Douala
Léopoldville
Elisabethville
Ndola
Nairobi
Cattle
Cotton
Corn
Coffee
Bananas
Cocoa
Timber
Rubber
Palm Oil
Rice
Manioc
Tea
Wheat
Sheep
Goats
Sorghum
Cloves
Coconuts
Pearls
Sugar-cane
Sisal
Tobacco
Mackerel
Oysters
DOMINANT LAND USE
Cereals, Horticulture, Livestock
Market Gardening, Diversified Tropical Crops
Plantation Agriculture
Pasture Livestock
Nomadic Livestock Herding
Forests
MAJOR MINERAL OCCURRENCES
Ag Silver
Al Bauxite
Au Gold
C Coal
Co Cobalt
Cu Copper
D Diamonds
Fe Iron Ore
Gr Graphite
Mi Mica
Mn Manganese
Na Salt
O Petroleum
P Phosphates
Pb Lead
Pt Platinum
So Soda Ash
Sn Tin
U Uranium
W Tungsten
Zn Zinc
Water Power
Major Industrial Areas

SOUTHERN AFRICA

SOUTH-WEST AFRICA
- AREA: 317,725 sq. mi.
- POPULATION: 551,000
- CAPITAL: Windhoek
- LARGEST CITY: Windhoek 36,050
- HIGHEST POINT: Brandberg 8,550 ft.
- MONETARY UNIT: rand
- MAJOR LANGUAGES: Bantu, Afrikaans
- MAJOR RELIGIONS: Tribal religions, Protestant

BOTSWANA
- 222,000 sq. mi.
- 559,000
- Gaberones
- Serowe 34,182
- Tsodilo Hill 5,922 ft.
- rand
- Bantu, Bushman, English
- Tribal religions, Protestant

RHODESIA
- 150,333 sq. mi.
- 4,260,000
- Salisbury
- Salisbury (greater) 314,800
- Mt. Inyangani 8,517 ft.
- Rhodesian pound
- Bantu, English
- Tribal religions, Protestant

LESOTHO
- 11,716 sq. mi.
- 745,000
- Maseru
- Maseru 10,000
- 11,425
- rand
- Bantu, Afrikaans, English
- Tribal religions, Christian

MOZAMBIQUE
- AREA: 297,731 sq. mi.
- POPULATION: 6,914,000
- CAPITAL: Lourenço Marques
- LARGEST CITY: Lourenço Marques (greater) 183,798
- HIGHEST POINT: Mt. Binga 7,992 ft.
- MONETARY UNIT: Portuguese escudo
- MAJOR LANGUAGES: Bantu, Portuguese
- MAJOR RELIGIONS: Tribal religions, Roman Catholic

SOUTH AFRICA
- 472,733 sq. mi.
- 17,487,000
- Cape Town, Pretoria
- Johannesburg (greater) 1,152,525
- Mont-aux-Sources 10,822 ft.
- rand
- Afrikaans, English, Bantu
- Protestant, Roman Catholic, Mohammedan, Hindu, Buddhist

MALAGASY REPUBLIC
- 241,094 sq. mi.
- 6,180,000
- Tananarive
- Tananarive (greater) 392,153
- Maromokotro 9,450 ft.
- CFA franc
- French, Malagasy
- Tribal religions, Roman Catholic, Protestant

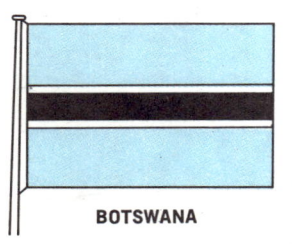

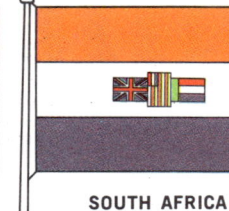

COMORO ISLANDS
- AREA: 849 sq. mi.
- POPULATION: 212,000
- CAPITAL: Moroni

MAURITIUS
- 720 sq. mi.
- 734,000
- Port Louis

RÉUNION
- 970 sq. mi.
- 387,000
- St-Denis

SEYCHELLES
- 157 sq. mi.
- 46,000
- Victoria

SWAZILAND
- 6,704 sq. mi.
- 292,000
- Mbabane

AGRICULTURE, INDUSTRY and RESOURCES

DOMINANT LAND USE
- Cereals, Horticulture, Livestock
- Market Gardening, Diversified Tropical Crops
- Plantation Agriculture
- Pasture Livestock
- Nomadic Livestock Herding
- Forests
- Nonagricultural Land

MAJOR MINERAL OCCURRENCES
- Ab Asbestos
- Ag Silver
- Au Gold
- Be Beryl
- C   Coal
- Cr Chromium
- Cu Copper
- D   Diamonds
- Fe Iron Ore
- Gr Graphite
- Mi Mica
- Mn Manganese
- Na Salt
- Ni Nickel
- P   Phosphates
- Pb Lead
- Pt Platinum
- Sb Antimony
- Sn Tin
- U   Uranium
- V   Vanadium
- W   Tungsten
- Zn Zinc

Water Power
Major Industrial Areas

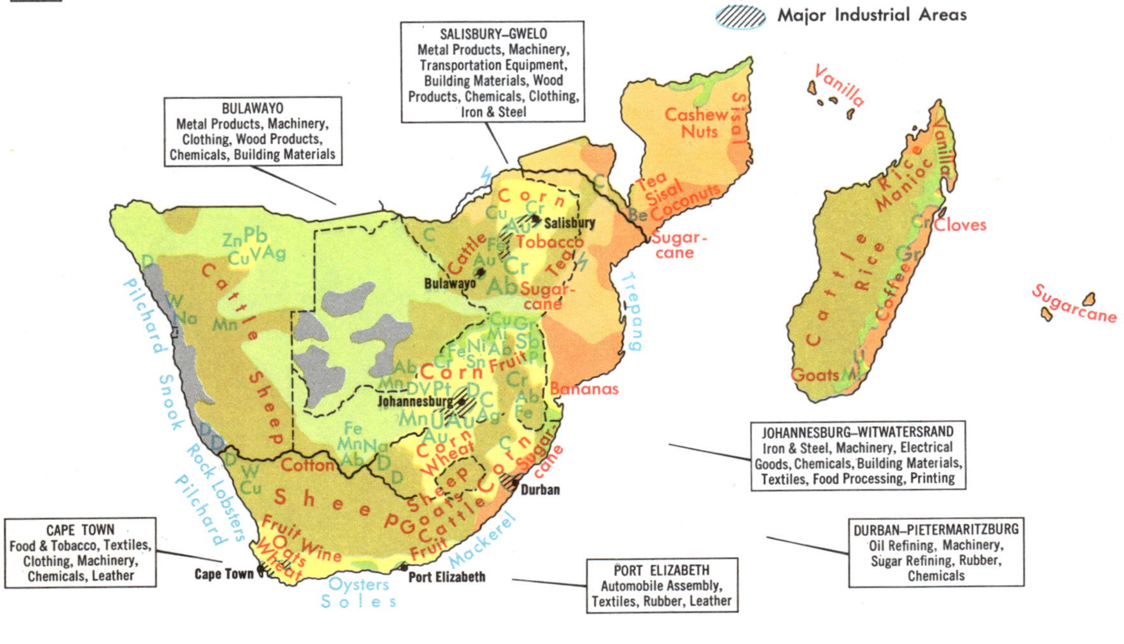

SALISBURY–GWELO
Metal Products, Machinery, Transportation Equipment, Building Materials, Wood Products, Chemicals, Clothing, Iron & Steel

BULAWAYO
Metal Products, Machinery, Clothing, Wood Products, Chemicals, Building Materials

JOHANNESBURG–WITWATERSRAND
Iron & Steel, Machinery, Electrical Goods, Chemicals, Building Materials, Textiles, Food Processing, Printing

DURBAN–PIETERMARITZBURG
Oil Refining, Machinery, Sugar Refining, Rubber, Chemicals

CAPE TOWN
Food & Tobacco, Textiles, Clothing, Machinery, Chemicals, Leather

PORT ELIZABETH
Automobile Assembly, Textiles, Rubber, Leather

BOTSWANA
CITIES and TOWNS
- Bobonong, 7,490 .... D 4
- Debeete, 75 .... D 4
- Francistown, 9,479 ...... D 4
- Gaberones (cap.), 5,000 . D 4
- Ghanzi, 889 .... C 4
- Kalkfontein, 1,470 ...... C 4
- Kanye, 34,045 .... C 5
- Khuis, 615 .... C 5
- Lehututu, 1,350 .... C 4
- Lephepe, 2,770 .... D 4
- Lobatsi, 1,639 .... D 5
- Mahalapye, 3,199 .... D 4
- Maun, 4,591 .... C 4
- Mochudi, 17,712 .... D 5
- Molepolole, 29,625 ...... C 4
- Palapye, 5,137 .... D 4
- Palla Road, 1,422 .... D 4
- Ramoutsa, 10,549 .... C 5
- Serowe, 34,182 .... D 4
- Seruli, 1,507 .... D 4
- Shashi, 294 .... D 4
- Shoshong, 7,022 .... D 4
- Tsabong, 978 .... C 5
- Tsane, 630 .... C 4
- Tsau, 2,963 .... C 4

PHYSICAL FEATURES
- Dow (lake) .... D 4
- Mababe (depr.) .... C 3
- Makarikari (salt pan) ... D 3
- Ngami .... C 4
- Ngamiland (reg.), 42,395 C 4
- Okovanggo (basin) .... C 3
- Tati (riv.) .... D 4
- Tsodilo Hill (mt.) ...... C 3

COMORO ISLANDS
CITIES and TOWNS
- Dzaoudzi, 304 .... H 2
- Fomboni, 1,541 .... G 2
- Mitsamiouli, 2,480 ...... G 2
- Moroni (cap.), 7,910 .... G 2
- Mutsamudu, 4,819 .... G 2

PHYSICAL FEATURES
- Anjouan (isl.), 63,000 .. G 2
- Grand Comoro (isl.), 89,000 G 2
- Mayotte (isl.), 20,000 .. G 2
- Mohéli (isl.), 8,000 .... G 2

FRENCH ISLANDS (Misc.)
PHYSICAL FEATURES
- Bassas da India (isl.) .. F 4
- Europa (isl.) .... G 4
- Glorioso (isls.) .... H 2
- Juan de Nova (isl.) ..... G 3

LESOTHO
CITIES and TOWNS
- Leribe, 2,308 .... D 5
- Mafeteng, 1,692 .... D 5
- Maseru (cap.), 10,000 ... D 5
- Mohaleshoek, 1,699 ...... D 6

MALAGASY REPUBLIC
PROVINCES
- Diégo Suarez, 462,956 ... H 2
- Fianarantsoa, 1,498,560 . H 3
- Majunga, 705,158 .... H 3
- Tamatave, 923,195 .... H 3
- Tananarive, 1,378,295 ... H 3
- Tuléar, 894,094 .... G 4

CITIES and TOWNS
- Ambalavao, 5,283 .... H 4
- Ambanja, 4,515 .... H 2
- Ambato-Boéni, 2,853 ..... H 3
- Ambatofinandrahana, 1,857 H 4
- Ambatolampy, 9,165 ...... H 3
- Ambatomainty, 1,040 ..... H 3
- Ambatondrazaka, 8,570 ... H 3
- Ambilobe, 6,175 .... H 2
- Amboasary, 1,608 .... H 4
- Ambodifototra, 1,019 .... H 3
- Ambohimahasoa, 4,536 .... H 4
- Ambositra, 12,956 .... H 4
- Ambovombe, 2,277 .... H 5
- Ampanihy, 1,765 .... G 4
- Analalava, 1,987 .... H 2
- Andapa, 3,065 .... H 2
- Andilamena, 2,301 .... H 3
- Androka, 600 .... G 5
- Ankazoabo, 2,258 .... G 4
- Anororo, 2,445 .... H 3
- Antalaha, 10,913 .... J 2
- Antsalova, 1,720 .... G 3
- Antsirabe, 23,129 .... H 4
- Antsohihy, 5,090 .... H 2
- Arivonimamo, 6,712 ...... H 3
- Bealanana, 1,838 .... H 2
- Befandriana, 2,140 ...... H 2
- Bekily, 1,354 .... H 4
- Belo-sur-Tsiribihina, 3,650 G 3
- Benenitra, 398 .... H 4
- Beroroha, 1,340 .... G 4
- Besalampy, 1,428 .... G 3
- Betioky, 1,710 .... G 4
- Betroka, 1,906 .... H 4
- Brickaville, 2,518 ...... H 3
- Diégo-Suarez, 29,887 .... H 2
- Fandriana, 2,810 .... H 4
- Farafangana, 9,955 ...... H 4
- Fénérive, 6,578 .... H 3
- Fenoarivo, 2,608 .... H 4
- Fianarantsoa, 36,184 .... H 4
- Fort-Dauphin, 10,480 .... H 5
- Foulpointe, 200 .... H 3
- Hell-Ville, 7,497 .... H 2
- Ifanadiana, 852 .... H 4
- Ihosy, 4,365 .... H 4
- Ivohibe, 876 .... H 4
- Madirovalo, 3,361 .... H 3
- Maevatanana, 2,948 ...... H 3
- Mahabo, 2,206 .... G 4
- Mahanoro, 3,499 .... H 3
- Maintirano, 3,200 .... G 3
- Majunga, 34,119 .... H 3
- Manakara, 13,590 .... H 4
- Mananara, 2,606 .... H 3
- Mananjary, 12,202 .... H 4
- Manantenina, 747 .... H 4
- Mandabe, 1,289 .... G 4
- Mandritsara, 4,169 ...... H 3
- Manja, 5,240 .... G 4
- Manombo, 1,585 .... H 4
- Maroantsetra, 5,304 ..... J 3
- Marolambo, 857 .... H 4
- Marovoay, 11,244 .... H 3
- Miandrivazo, 1,502 ...... H 3
- Midongy Sud, 825 .... H 4
- Mitsinjo, 939 .... H 3
- Morafenobe, 605 .... G 3
- Moramanga, 8,840 .... H 3
- Morombe, 4,049 .... G 4
- Morondava, 9,125 .... G 4
- Nosy-Varika, 984 .... H 4
- Port-Bergé, 3,403 .... H 3
- Sambava, 5,007 .... J 2
- Soalala, 706 .... H 3
- Soalara, 625 .... G 4
- Soanierana-Ivongo, 2,204 H 3
- Tamatave, 39,627 .... H 3
- Tambohorano, 1,222 ...... G 3
- Tananarive (cap.), 270,268 H 3
- Tananarive, *392,153 .... H 3
- Tangainony, 5,072 .... H 4
- Tsihombe, 946 .... H 5
- Tsiroanomandidy, 2,238 .. H 3
- Tsivory, 847 .... H 4
- Tuléar, 33,850 .... G 4
- Vangaindrano, 4,467 ..... H 4
- Vatomandry, 3,341 .... H 3
- Vohémar, 3,539 .... J 2
- Vohipeno, 3,209 .... H 4

PHYSICAL FEATURES
- Alaotra (lake) .... H 3
- Amber (cape) .... H 2
- Antongil (bay) .... J 3
- Barren (isls.) .... G 3
- Betsiboka (riv.) .... H 3
- Boby, Pic (mt.) .... H 4
- Chesterfield (isl.) ..... F 3
- Ikopa (riv.) .... H 3
- Itasy (lake) .... H 3
- Madagascar (isl.), 5,831,661 G 4
- Mahajamba (bay) .... H 2
- Mananara (riv.) .... H 3
- Manambao (riv.) .... G 3
- Mangoky (riv.) .... H 3
- Mangoro (riv.) .... H 3
- Maromokotro (mt.) .... H 2
- Masoala (pen.) .... J 3
- Menarandra (riv.) .... H 4
- Nossi-Bé (isl.), 21,288 . H 2
- Onilahy (riv.) .... H 4
- Radama (isls.) .... H 2
- Saint-André (cape) ...... G 3
- Sainte-Marie (cape) ..... J 3
- Sainte-Marie (isl.), 8,509 J 3
- Saint-Sébastien (cape) .. H 2
- Sofia (riv.) .... H 3
- Tsiafajavona (mt.) ...... H 3
- Tsiribihina (riv.) ...... G 3

MAURITIUS
CITIES and TOWNS
- Curepipe, 35,275 .... G 5
- Mahébourg, 13,005 .... G 5
- Port Louis (cap.), 124,992 G 5
- Poudre d'Or, 1,208 ...... G 5
- Quatre Bornes, 28,389 ... G 5
- Souillac, 2,606 .... G 5

(continued on following page)

Southern Africa
(continued)

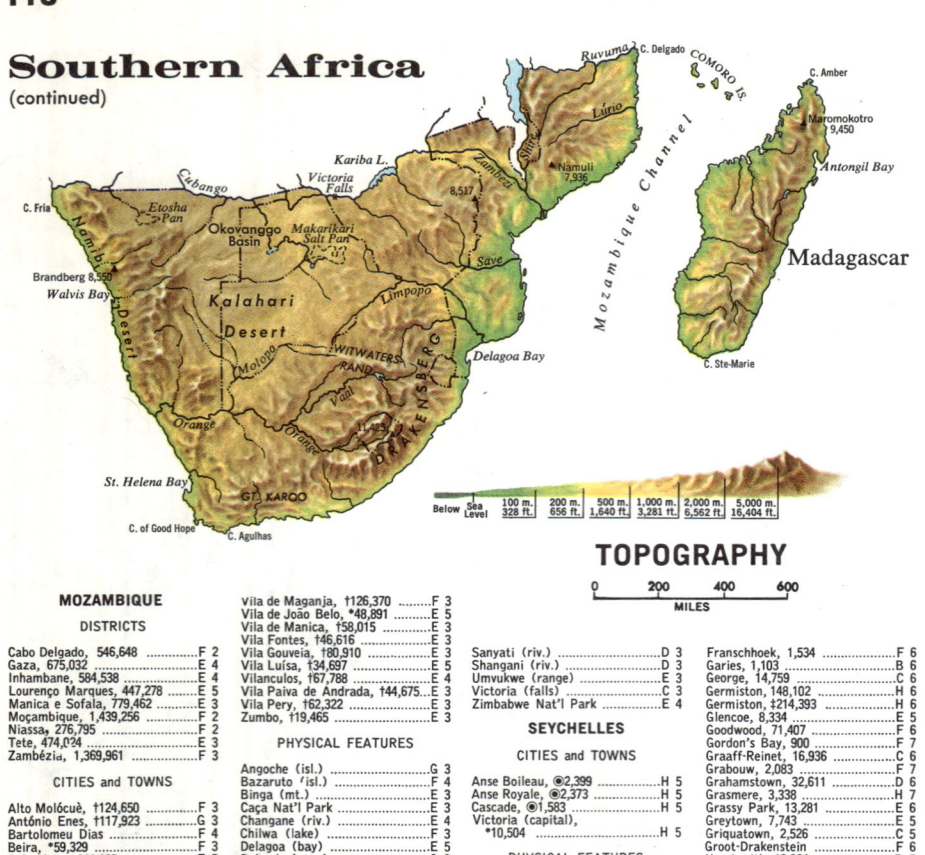

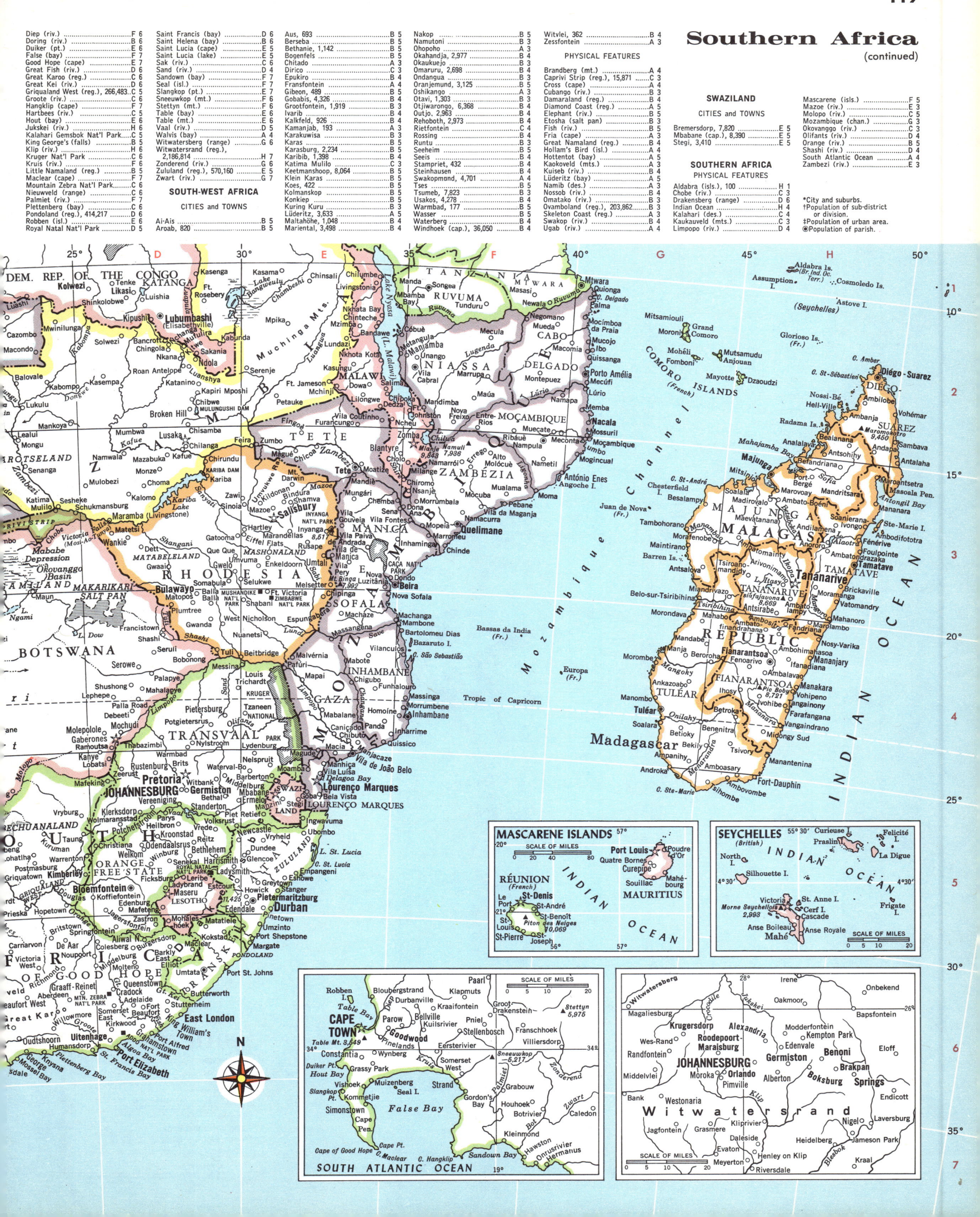

Name	Ref
Diep (riv.)	F 6
Doring (riv.)	C 6
Duiker (pt.)	E 6
False (bay)	F 7
Good Hope (cape)	F 7
Great Fish (riv.)	D 6
Great Karoo (reg.)	D 6
Great Kei (riv.)	E 6
Griqualand West (reg.), 266,483	C 5
Groote (riv.)	D 6
Hangklip (cape)	F 7
Hartbees (riv.)	C 5
Hout (riv.)	E 5
Jukskei (riv.)	H 6
Kalahari Gemsbok Nat'l Park	C 5
King George's (falls)	C 4
Klip (riv.)	H 6
Kruger Nat'l Park	E 4
Kruis (riv.)	F 6
Little Namaland (reg.)	B 5
Maclear (cape)	E 6
Mountain Zebra Nat'l Park	D 6
Nieuweveld (range)	C 6
Palmiet (riv.)	F 7
Plettenberg (bay)	D 6
Pondoland (reg.), 414,217	D 6
Robben (isl.)	F 7
Royal Natal Nat'l Park	D 5

Name	Ref
Saint Francis (bay)	D 6
Saint Helena (bay)	F 7
Saint Lucia (cape)	E 5
Saint Lucia (lake)	D 5
Sak (riv.)	C 5
Sand (riv.)	D 6
Sandown (bay)	F 7
Seal (riv.)	F 6
Slangkop (pt.)	F 6
Sneeuwkop (riv.)	F 6
Stettyn (mt.)	F 6
Table (bay)	F 6
Table (mt.)	F 6
Vaal (riv.)	D 6
Walvis (bay)	A 3
Witwatersberg (range)	G 6
Witwatersrand (reg.), 2,186,814	H 7
Zululand (reg.), 570,160	E 5
Zonderend (riv.)	F 6
Zwart (riv.)	G 7

SOUTH-WEST AFRICA

CITIES and TOWNS

Name	Ref
Ai-Ais	B 5
Aroab, 820	B 5

Name	Ref
Aus, 693	B 5
Berseba	B 5
Bethanie, 1,142	B 5
Bogenfels	B 5
Chitado	C 3
Dirico	C 3
Epukiro	B 4
Fransfontein	B 4
Gibeon, 489	B 5
Gobabis, 4,326	B 4
Grootfontein, 1,919	B 3
Kalkfeld, 926	B 4
Kamanjab, 193	A 3
Karakuwisa	B 3
Karas	B 5
Karasburg, 2,234	B 5
Karibib, 1,398	B 4
Katima Mulilo	C 3
Keetmanshoop, 8,064	B 5
Khorixas	B 4
Klein Karas	B 5
Koes, 422	B 5
Kolmanskop	B 5
Konkiep	B 5
Kuring Kuru	B 3
Lüderitz, 3,633	B 5
Maltahöhe, 1,048	B 4
Mariental, 3,498	B 4

Name	Ref
Nakop	B 5
Namutoni	A 3
Ohopoho	A 3
Okahandja, 2,977	B 4
Okaukuejo	A 3
Omaruru, 2,698	B 4
Ondangua	A 3
Oranjemund, 3,125	B 5
Oshikango	A 3
Otavi, 1,303	B 3
Otjiwarongo, 6,368	B 4
Outjo, 2,963	B 4
Rehoboth, 2,973	B 4
Rietfontein	C 4
Rossing	B 4
Runtu	B 3
Seeis	B 4
Seeheim	B 5
Stampriet, 432	B 5
Steinhausen	B 4
Swakopmund, 4,701	B 4
Tses	B 5
Tsumeb, 7,823	B 3
Usakos, 4,278	B 4
Warmbad, 177	B 5
Wasser	B 5
Waterberg	B 4
Windhoek (cap.), 36,050	B 4

Name	Ref
Witvlei, 362	B 4
Zessfontein	A 3

PHYSICAL FEATURES

Name	Ref
Brandberg (mt.)	A 4
Caprivi Strip (reg.), 15,871	C 3
Cross (cape)	B 3
Damaraland (reg.)	A 4
Diamond Coast (reg.)	A 5
Elephant (riv.)	B 3
Fish (riv.)	B 5
Fria (cape)	A 3
Great Namaland (reg.)	B 5
Hollam's Bird (isl.)	A 4
Hottentot (bay)	B 5
Kaokoveld (mts.)	A 3
Kuiseb (riv.)	B 4
Lüderitz (bay)	B 5
Namib (des.)	B 5
Nossob (riv.)	B 4
Omatako (riv.)	B 3
Ovamboland (reg.), 203,862	A 3
Skeleton Coast (reg.)	A 3
Swakop (riv.)	B 4
Ugab (riv.)	A 4

Southern Africa
(continued)

SWAZILAND

CITIES and TOWNS

Name	Ref
Bremersdorp, 7,820	E 5
Mbabane (cap.), 8,390	E 5
Stegi, 3,410	E 5

SOUTHERN AFRICA

PHYSICAL FEATURES

Name	Ref
Aldabra (isls.), 100	H 1
Chobe (riv.)	C 3
Drakensberg (range)	D 6
Indian Ocean	H 4
Kalahari (des.)	C 4
Kaukauveld (mts.)	B 4
Limpopo (riv.)	D 4

Name	Ref
Mascarene (isls.)	F 5
Mazoe (riv.)	E 3
Molopo (riv.)	C 5
Mozambique (chan.)	F 4
Okovanggo (riv.)	C 3
Olifants (riv.)	D 4
Orange (riv.)	B 5
Shashi (riv.)	D 4
South Atlantic Ocean	A 4
Zambezi (riv.)	E 3

*City and suburbs.
†Population of sub-district or division.
‡Population of urban area.
⊕Population of parish.

SOUTH AMERICA
LAMBERT AZIMUTHAL EQUAL-AREA PROJECTION
SCALE OF MILES
0 100 200 400 600
SCALE OF KILOMETRES
0 100 200 400 600
Capitals of Countries
International Boundaries
Canals
© C.S. HAMMOND & Co., N.Y.
Longitude 70° West of Greenwich
GALAPAGOS ISLANDS
(ARCHIPIELAGO DE COLON)
(ECUADOR)
PACIFIC OCEAN
Equator
I. Pinta
I. Marchena
I. Santiago
I. Fernandina
Isla Isabela
I. Chaves
I. San Cristóbal
I. Floreana
I. Española
CARIBBEAN SEA
ATLANTIC OCEAN
PACIFIC OCEAN
WEST INDIES
NETH. ANTILLES
TRINIDAD & TOBAGO
Port of Spain
BARBADOS
CANAL ZONE (U.S.)
PANAMA
Panamá
COLOMBIA
Bogotá
VENEZUELA
Caracas
GUYANA
Georgetown
SURINAM (DUTCH GUIANA)
Paramaribo
FR. GUIANA
Cayenne
ECUADOR
Quito
PERU
Lima
BOLIVIA
La Paz
Sucre
BRAZIL
Brasília
FEDERAL DISTRICT
PARAGUAY
Asunción
CHACO
URUGUAY
Montevideo
ARGENTINA
BUENOS AIRES
CHILE
Santiago
PATAGONIA
PAMPAS
CAMPOS
CAATINGAS
SELVAS
ANDES
Planalto de Mato Grosso
Amazon
Rio de la Plata
Tropic of Capricorn
Equator
RIO DE JANEIRO
SÃO PAULO
JUAN FERNÁNDEZ IS. (Chile)
FALKLAND ISLANDS (Br.)
West Falkland
East Falkland
Stanley
Tierra del Fuego
Strait of Magellan
Cape Horn (Cabo de Hornos)
ARCHIPIÉLAGO de los CHONOS
Isla de Chiloé
Golfo San Matías
Golfo San Jorge

SOUTH AMERICA

AREA	6,894,000 sq. mi.
POPULATION	162,000,000
LARGEST CITY	Buenos Aires (greater) 6,762,629
HIGHEST POINT	Cerro Aconcagua 22,834 ft.
LOWEST POINT	Salina Grande — 131 ft.

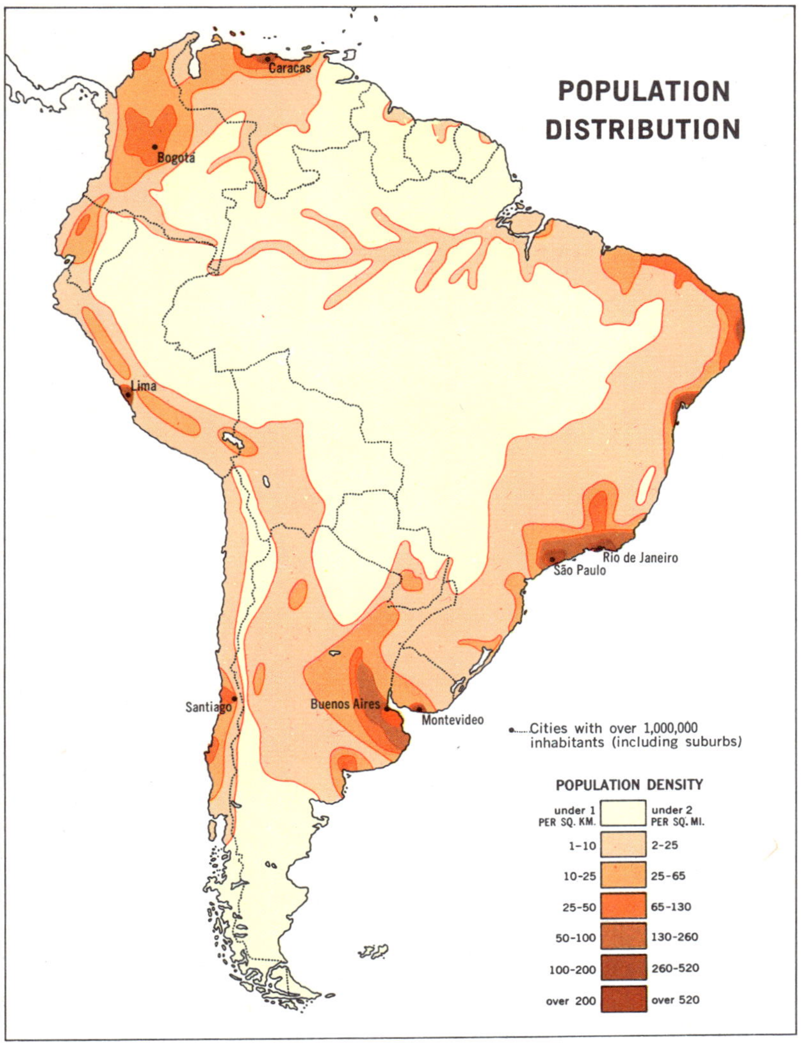
POPULATION DISTRIBUTION
Caracas
Bogotá
Lima
Rio de Janeiro
São Paulo
Santiago
Buenos Aires
Montevideo
Cities with over 1,000,000 inhabitants (including suburbs)
POPULATION DENSITY
under 1 PER SQ. KM.
under 2 PER SQ. MI.
1-10
2-25
10-25
25-65
25-50
65-130
50-100
130-260
100-200
260-520
over 200
over 520

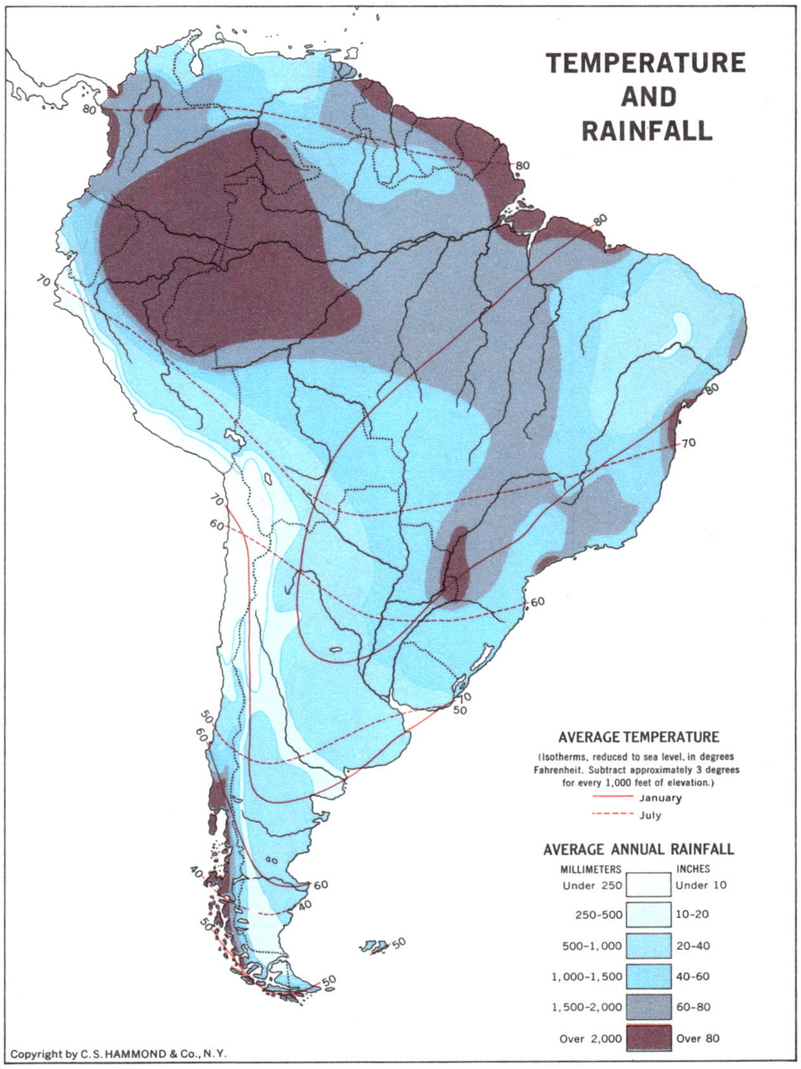
TEMPERATURE AND RAINFALL
80
70
60
50
40
AVERAGE TEMPERATURE
(Isotherms, reduced to sea level, in degrees Fahrenheit. Subtract approximately 3 degrees for every 1,000 feet of elevation.)
January
July
AVERAGE ANNUAL RAINFALL
MILLIMETERS
INCHES
Under 250
Under 10
250-500
10-20
500-1,000
20-40
1,000-1,500
40-60
1,500-2,000
60-80
Over 2,000
Over 80
Copyright by C. S. HAMMOND & Co., N. Y.

Abunã (river) ....D 4
Acaraí (mts.) ....E 2
Aconcagua (mt.) ....D 6
Aguja (pt.), Peru ....B 3
Alagoinhas, Brazil, 38,246 ....G 4
Amazon (river), Brazil ....D, E 3
Anápolis, Brazil, 48,847 ....F 4
Andes (range) ....C 2-6
Antofagasta, Chile, 104,559 ....C 5
Apaporis (river), Colombia....C 3
Apurímac (river), Peru....C 4
Aracaju, Brazil, 112,516 ....G 4
Araguaia (river), Brazil....F 3
Araguari, Brazil, 35,520 ....F 4
Araraquara, Brazil, 58,076 ....F 5
Arauca (river) ....D 2
Arequipa, Peru, 90,014 ....C 4
Argentina, 22,352,000 ....D 6
Arica, Chile, 43,344 ....C 4
Arinos (river), Brazil ....E 4
Aripuanã (river), Brazil....E 3
Asunción (cap.), Paraguay, 350,000 ....E 5
Avellaneda, Argentina, †329,626 ....E 6
Ayacucho, Peru, 21,465 ....C 4
Bagé, Brazil, 47,930 ....E 6
Bahia (Salvador), Brazil, 630,878 ....G 4
Bahía Blanca, Argentina, †150,354 ....D 6
Barbacena, Brazil, 41,931....F 5
Barcelona, Venezuela, 42,267....D 2
Barquisimeto, Venezuela, 227,357 ....D 2
Barranquilla, Colombia, 521,070..C 1
Belém, Brazil, 359,988....F 3
Belo Horizonte, Brazil, 642,912 ....F 4
Blanca (bay), Argentina....E 6
Bogotá (cap.), Colombia, 1,325,080 ....C 2
Bolivia, 3,702,000 ....D 4
Brasília (cap.), Brazil, 130,968 ....F 4
Brazil, 82,222,000 ....E 4
British Guiana, 628,000 ....E 2
Bucaramanga, Colombia, 250,550 ....C 2
Buenaventura, Colombia, 35,087..C 2
Buenos Aires (cap.), Argentina, 2,966,816 ....D 6
Buenos Aires, Argentina, *6,762,629 ....D 6
Buenos Aires (lake) ....C 7
Caatingas (region), Brazil....F 3
Cajamarca, Peru, 22,705 ....C 3
Calama, Chile, 26,166 ....D 5
Cali, Colombia, 813,240 ....C 2
Callao, Peru, 155,953 ....C 4
Campinas, Brazil, 179,797 ....F 5
Campo Grande, Brazil, 64,477 ....E 5
Campos, Brazil, 90,601 ....F 5
Campos (region), Brazil ....F 4
Caquetá (river), Colombia....C 3
Caracas (cap.), Venezuela, 786,863 ....D 2
Cartagena, Colombia, 197,590 ....C 1
Carúpano, Venezuela, 38,197 ....D 1
Catamarca, Argentina, †49,291...D 5
Caxias do Sul, Brazil, 60,607 ....E 5
Cayenne (cap.), Fr. Guiana, 18,010 ....E 2
Ceará (Fortaleza), Brazil, 354,942 ....G 3
Cerro de Pasco, Peru, 19,982 ....C 4
Chaco, Gran (region) ....D 5
Chiclayo, Peru, 95,669....B 3
Chile, 8,567,000 ....C 6
Chillán, Chile, 59,054 ....C 6
Chiloé (isl.), Chile, 68,710 ....C 7
Chimborazo (mt.), Ecuador....B 3
Chimbote, Peru, 59,990 ....B 3
Chiquinquirá, Colombia, 10,143....C 2
Chiquita (lake), Argentina....D 6
Chivilcoy, Argentina, 23,386....D 6
Chonos (arch.), Chile ....C 7
Chubut (river), Argentina ....D 7
Ciénaga, Colombia, 24,358....C 1
Ciudad Bolívar, Venezuela, 63,266 ....D 2
Cochabamba, Bolivia, 92,008....D 4
Colombia, 17,787,000 ....C 2
Colorado (river), Argentina....D 6
Comodoro Rivadavia, Argentina, 25,651 ....D 7
Concepción, Chile, 167,946 ....C 6
Concepción, Paraguay, 33,500 ....E 5
Concordia, Argentina, 52,213....E 6
Copiapó, Chile, 30,123 ....C 5
Coquimbo, Chile, 33,749 ....C 6
Corcovado (gulf), Chile ....C 7
Córdoba, Argentina, †589,153....D 6
Coro, Venezuela, 45,368 ....D 1
Corrientes, Argentina, †112,725....E 5
Corrientes (cape), Colombia ....C 2
Corumbá, Brazil, 36,744 ....E 4
Cotopaxi (mt.), Ecuador....C 3
Courantyne (river) ....E 2
Cruz Alta, Brazil, 33,190....E 5
Cúcuta, Colombia, 147,250 ....C 2
Cuenca, Ecuador, 60,402 ....C 3
Cuiabá, Brazil, 43,112 ....E 4
Cumaná, Venezuela, 69,937....D 2
Curaçao (isl.), Neth. Antilles, 129,676 ....D 1
Curitiba, Brazil, 344,560 ....F 5
Cuzco, Peru, 59,971 ....C 4
Darién (gulf), Colombia....C 2
Deseado (river), Argentina....D 7
Devils (isl.), Fr. Guiana ....E 2
Ecuador, 5,084,000 ....C 3
Encarnación, Paraguay, 35,000....E 5
Esmeraldas, Ecuador, 33,403 ....B 2
Essequibo (river), Br. Guiana....E 2
Estados, Los (Staten) (isl.), Argentina ....D 8
Falkland (Malvinas) (isls.), *2,132 ....E 8
Florianópolis, Brazil, 74,323....F 5
Fortaleza, Brazil, 354,942 ....G 3
França, Brazil, 47,244....F 4
French Guiana, 36,000 ....E 2
Frio (cape), Brazil ....F 5
Georgetown (cap.), Br. Guiana, 78,000 ....E 2
Goiânia, Brazil, 132,577 ....E 4
Gran Chaco (region) ....D 5
Grande (bay), Argentina ....D 8
Grande (river), Brazil ....F 5
Guajira (pen.) ....C 1
Guaporé (river) ....D 4
Guaviare (river), Colombia....C 2
Guayaquil, Ecuador, 506,037....B 3
Guyana, 628,000 ....E 2
Hanover (isl.), Chile ....C 8
Horn (cape), Chile ....D 8
Hoste (isl.), Chile, 20 ....D 8
Huacho, Peru, 22,182 ....C 4
Huarás, Peru, 20,345 ....C 3
Huascarán (mt.), Peru ....C 3
Huila (mt.), Colombia ....C 2
Ibagué, Colombia, 160,400 ....C 2
Ibarra, Ecuador, 25,835 ....C 2
Ica, Peru, 49,097 ....C 4
Iguacú (river) ....E 5
Ilhéus, Brazil, 45,712 ....G 4
Illampu (mt.), Bolivia ....D 4
Imeri (mts.) ....D 2
Iquique, Chile, 50,655 ....C 5
Iquitos, Peru, 57,777 ....C 3
Jaguaribe (river), Brazil ....G 3
Japurá (river), Brazil ....D 3
Javarí (river) ....C 3
Jequié, Brazil, 40,158 ....F 4
João Pessoa, Brazil, 135,820....G 3
Joinville, Brazil, 44,255 ....E 5
Juan Fernández (isls.), Chile, 540 ....C 6
Juàzeiro, Brazil, 21,196 ....G 3
Juiz de Fora, Brazil, 124,979....F 5
Jujuy, Argentina, 31,091 ....D 5
Juliaca, Peru, 20,351 ....C 4
Juruá (river), Brazil ....D 3
Juruena (river), Brazil....E 4
La Guaira, Venezuela, 20,497....D 1
La Oroya, Peru, 24,724 ....C 4
La Paz (cap.), Bolivia, 352,912 ....D 4
La Plata, Argentina, †330,310 ....E 6
La Plata (estuary) ....E 6
La Rioja, Argentina, 23,809 ....D 5
La Serena, Chile, 40,854 ....C 5
Lima (cap.), Peru, 338,365 ....C 4
Llanos del Orinoco (plain)....D 2
Llullaillaco (vol.) ....D 5
Loja, Ecuador, 26,785 ....C 3
Londrina, Brazil, 74,110 ....E 5
Macapá, Brazil, 27,585 ....E 2
Maceió, Brazil, 153,305 ....G 3
Madre de Dios (isl.), Chile....C 8
Magdalena (river), Colombia....C 2
Magellan (str.) ....D 8
Maipú (vol.) ....D 6
Malpelo (isl.), Colombia....B 2
Mamoré (river), Bolivia....D 4
Manaus, Brazil, 154,040 ....E 3
Manizales, Colombia, 186,910....C 2
Manta, Ecuador, 33,622 ....B 3
Mar (mts.), Brazil ....F 5
Mar del Plata, Argentina, 141,886 ....E 6
Maracaibo, Venezuela, 502,693....C 1
Maracaibo (lake), Venezuela ....C 1
Marajó (isl.), Brazil ....F 3
Marañón (river), Peru ....C 3
Margarita (isl.), Venezuela, 85,286 ....D 1
Marino Alejandro Selkirk (isl.), Chile, 39 ....B 6
Maroni (river) ....E 2
Mato Grosso (plat.), Brazil....E 4
Medellín, Colombia, 776,970....C 2
Melo, Uruguay, 28,673 ....E 6
Mendoza, Argentina, †109,149....D 6
Mercedes, Argentina, 25,912 ....D 6
Mercedes, Uruguay, 31,325 ....E 6
Mérida, Venezuela, 46,409 ....C 2
Meta (river) ....D 2
Mirim (lake) ....E 6
Misti (mt.), Peru ....C 4
Mollendo, Peru, 12,483 ....C 4
Montes Claros, Brazil, 40,545 ....F 4
Montevideo (cap.), Uruguay, 777,885 ....E 6
Moquegua, Peru, 7,795 ....C 4
Nassau (bay) ....D 8
Natal, Brazil, 154,276 ....G 3
Negro (river), Argentina ....D 6
Negro (river), Brazil ....D 3
Neiva, Colombia, 87,820 ....C 2
Netherlands Antilles, 207,000 ....D 1
New Amsterdam, British Guiana, 14,300 ....E 2
Niterói, Brazil, 288,826 ....F 5
Ojos del Salado (mt.), Chile .... D 5
Orinoco (river) ....D 2
Oruro, Bolivia, 86,985 ....D 4
Ovalle, Chile, 25,282 ....C 6
Oyapock (river) ....E 2
Pacaraima (mts.) ....D 2
Pacasmayo, Peru, 11,956 ....B 3
Paita, Peru, 9,615 ....B 3
Pampas (plain), Argentina....D 6
Pará (Belém), Brazil, 359,988 ....F 3
Pará (estuary), Brazil ....F 2
Paraguay, 1,996,000 ....E 5
Paraguay (river) ....E 4
Paraíba (João Pessoa), Brazil, 135,820 ....G 3
Paramaribo (cap.), Surinam, 122,634 ....E 2
Paraná, Argentina, †174,272 ....E 6
Paraná (river) ....E 5
Paranaíba (river), Brazil....F 4
Parecis (mts.), Brazil ....D 4
Parima (mts.) ....D 2
Parnaíba, Brazil, 39,951 ....F 3
Parnaíba (river), Brazil ....F 3
Pasto, Colombia, 134,130 ....C 2
Patagonia (region), Argentina....D 7
Paysandú, Uruguay, 47,875 ....E 6
Pelotas, Brazil, 121,280 ....E 6
Penas (gulf), Chile ....C 7
Pergamino, Argentina, 32,382....D 6
Pernambuco (Recife), Brazil, 788,569 ....G 3
Peru, 11,649,600 ....C 4
Petrópolis, Brazil, 93,849 ....F 5
Pilcomayo (river) ....D 5
Piloto Juan Fernández (isl.), Chile, 501 ....C 6
Pisco, Peru, 22,112 ....C 4
Piura, Peru, 42,555 ....B 3
Poopó (lake), Bolivia ....D 4
Popayán, Colombia, 67,510 ....C 2
Pôrto Alegre, Brazil, 617,629....E 5
Posadas, Argentina, 37,588 ....E 5
Potosí, Bolivia, 55,233 ....D 4
Puerto Cabello, Venezuela, 52,222 ....D 1
Puerto Montt, Chile, 41,681 ....C 7
Puno, Peru, 24,459 ....C 4
Punta Arenas, Chile, 46,737 ....D 8
Purus (river) ....D 3
Putumayo (river) ....C 3
Quito (cap.), Ecuador, 368,217...C 3
Recife, Brazil, 788,569 ....G 3
Resistencia, Argentina, 52,385....D 5
Ribeirão Prêto, Brazil, 116,153 ....F 5
Río Cuarto, Argentina, 48,706....D 6
Rio de Janeiro, Brazil, 3,223,408 ....F 5
Rio Grande, Brazil, 83,189....E 6
Riobamba, Ecuador, 41,625....C 3
Rivera, Uruguay, 42,623 ....E 6
Roraima (mt.) ....D 2
Rosario, Argentina, †671,852....D 6
Sajama (mt.) ....D 4
Salado (river), Argentina....D 5
Salta, Argentina, 121,491 ....D 5
Salto, Uruguay, 55,425 ....E 6
Salvador, Brazil, 630,878....G 4
San Ambrosio (isl.), Chile, 6 ....C 5
San Antonio (cape), Argentina..E 6
San Carlos de Bariloche, Argentina, 6,562 ....D 7
San Félix (isl.), Chile, 6....B 5
San Fernando. Ven., 24,443....D 2
San Jorge (gulf), Argentina....D 7
San Juan, Argentina, †106,746....D 6
San Luis, Argentina, 25,147....D 6
San Martín (lake) ....C 7
San Rafael, Argentina, 28,847....D 6
Santa Catarina (isl.), Brazil, 98,520 ....F 5
Santa Cruz, Bolivia, 72,708 ....D 4
Santa Fe, Argentina, †259,560....D 6
Santa Marta, Colombia, 68,050...C 1
Santana do Livramento, Brazil, 37,666 ....E 6
Santarém, Brazil, 24,924 ....E 3
Santiago (cap.), Chile, 1,907,378 ....D 6
Santiago del Estero, Argentina, †103,115 ....D 5
Santos, Brazil, 262,048 ....F 5
São Francisco (river), Brazil....F 4
São João da Boa Vista, Brazil, 25,226 ....F 5
São Luís, Brazil, 124,606 ....F 3
São Manuel (river), Brazil....E 3
São Paulo, Brazil, 3,164,804 ....F 5
São Roque (cape), Brazil....G 3
Selvas (forest), Brazil....D 3
Sorocaba, Brazil, 109,258 ....F 5
Stanley (cap.), Falkland Islands, 1,074 ....E 8
Staten (isl.), Argentina....D 8
Sucre (cap.), Bolivia, 54,270 ....D 4
Surinam, 362,000 ....E 2
Tacna, Peru, 27,499 ....C 4
Taitao (pen.), Chile ....C 7
Talca, Chile, 68,148 ....C 6
Talcahuano, Chile, 102,323....C 6
Tandil, Argentina, 32,309 ....D 6
Tapajós (river), Brazil....E 3
Taracuá, Brazil ....D 3
Tarija, Bolivia, 20,851 ....D 5
Temuco, Chile, 72,132 ....C 6
Teresina, Brazil, 100,006 ....F 3
Tierra del Fuego (isl.), 12,531 ....D 8
Titicaca (lake) ....D 4
Tocopilla, Chile, 21,580 ....C 5
Tolima (mt.), Colombia....C 2
Tres Montes (cape), Chile....C 7
Tres Puntas (cape), Argentina...D 7
Trinidad, Bolivia, 14,505 ....D 4
Trujillo, Peru, 100,130....B 3
Tucumán, Argentina, †287,004....D 5
Tunja, Colombia, 54,910 ....C 2
Uberaba, Brazil, 72,053 ....F 4
Ucayali (river), Peru ....C 3
Urubamba (river), Peru ....C 4
Uruguaiana, Brazil, 48,358....E 5
Uruguay, 2,682,000 ....E 6
Uruguay (river) ....E 5
Ushuaia, Argentina, †3,472 ....D 8
Valdés (pen.), Argentina....D 7
Valdivia, Chile, 61,334 ....C 6
Valencia, Venezuela, 183,505....D 2
Valera, Venezuela, 46,646....C 2
Valparaíso, Chile, 280,236 ....C 6
Vaupés (river), Colombia....C 2
Venezuela, 8,722,000 ....D 2
Venezuela (gulf), Venezuela....C 1
Viedma (lake), Argentina....C 7
Vilcanota (mt.), Peru ....C 4
Villa María, Argentina, 30,362....D 6
Villarrica, Paraguay, 30,500....E 5
Viña del Mar, Chile, 135,782 ....C 6
Vitória, Brazil, 82,748 ....G 5
Willemstad (cap.), Netherlands Antilles, 43,547 ....D 1
Xingu (river), Brazil ....E 3

*City and suburbs.

†Population of department.

SOUTH AMERICA TRANSPORTATION

Principal Railroads
Under Construction
Connecting Roads
Under Construction
Major Seaports

© C. S. Hammond & Co., Maplewood, N.J.

South America
(continued)

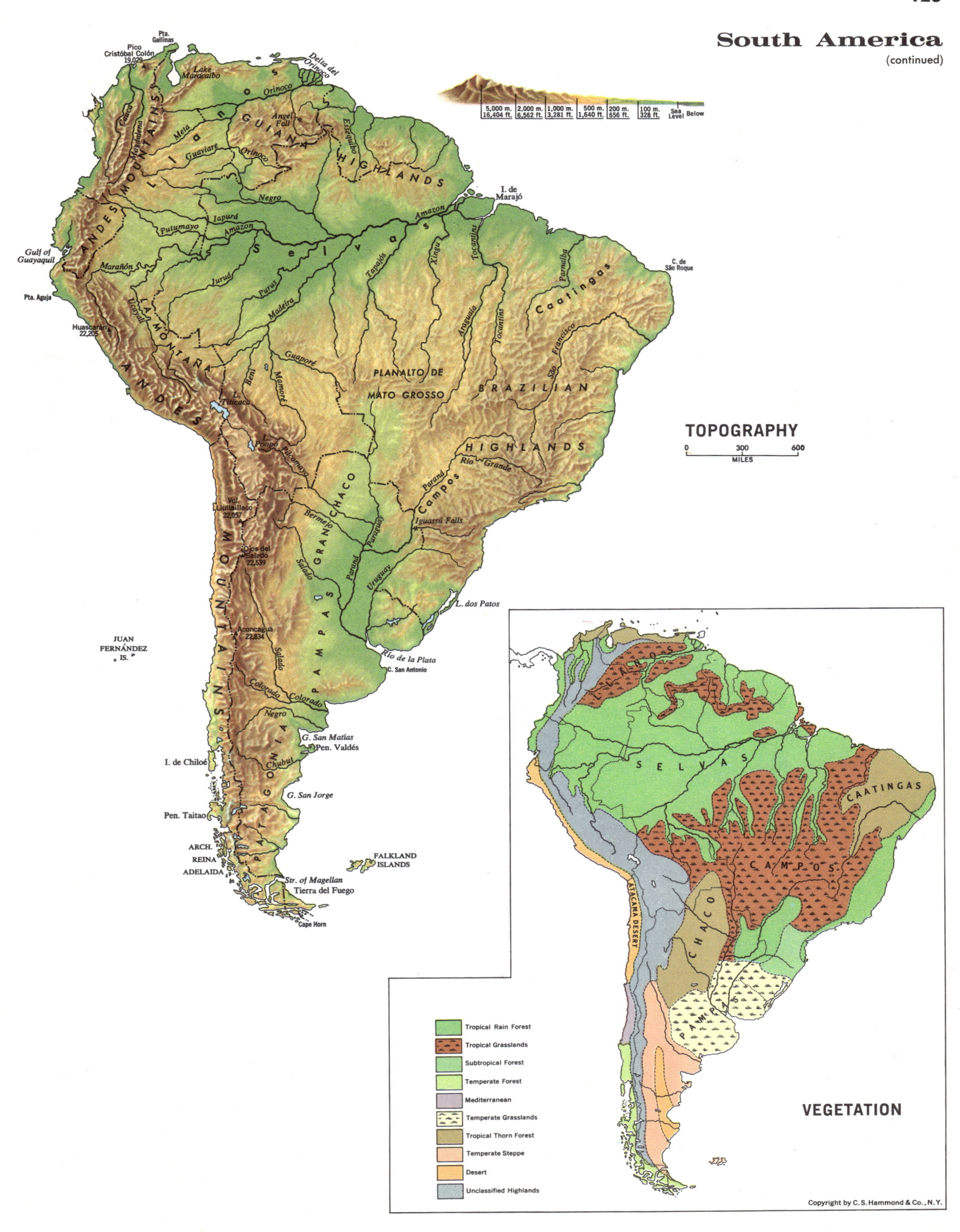

TOPOGRAPHY

VEGETATION

- Tropical Rain Forest
- Tropical Grasslands
- Subtropical Forest
- Temperate Forest
- Mediterranean
- Temperate Grasslands
- Tropical Thorn Forest
- Temperate Steppe
- Desert
- Unclassified Highlands

Copyright by C. S. Hammond & Co., N.Y.

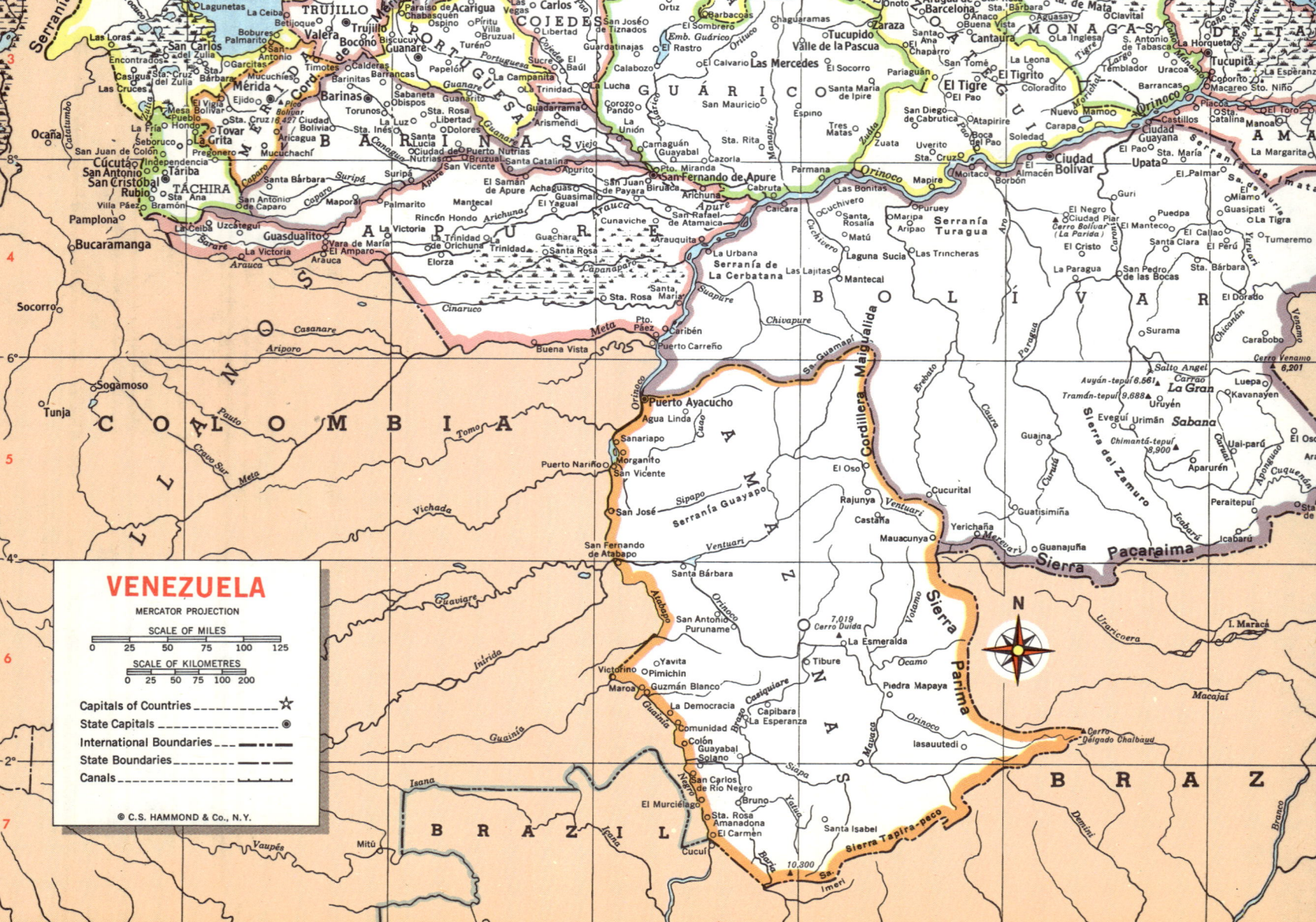

Venezuela

INTERNAL DIVISIONS

Division	Pop.	Ref.
Amazonas (terr.)	11,757	E 5
Anzoátegui (state)	382,002	F 2
Apure (state)	121,077	D 4
Aragua (state)	313,274	E 2
Barinas (state)	139,271	D 3
Bolívar (state)	217,543	F 4
Carabobo (state)	381,636	D 2
Cojedes (state)	72,652	D 3
Delta Amacuro (terr.)	33,979	H 3
Dependencias Federales (F.)	861	E 2
Distrito Federal	1,257,515	E 2
Falcón (state)	340,450	D 2
Guárico (state)	244,966	E 3
Lara (state)	489,140	C 2
Mérida (state)	270,668	C 3
Miranda (state)	492,349	E 2
Monagas (state)	246,217	G 3
Nueva Esparta (state)	89,492	G 2
Portuguesa (state)	203,707	D 3
Sucre (state)	402,292	G 2
Táchira (state)	399,163	B 3
Trujillo (state)	326,634	C 3
Yaracuy (state)	175,291	D 2
Zulia (state)	923,863	B 2

CITIES and TOWNS

Name	Pop.	Ref.
Acarigua, 30,635		D 3
Achaguas, 1,928		D 4
Adícora, 563		D 2
Agua Fría		E 5
Aguada Grande, 1,601		D 2
Aguasay, 1,451		G 3
Altagracia, 7,362		C 2
Altagracia de Orituco, 13,141		E 3
Amuay		C 2
Anaco, 22,733		F 3
Aparurén		G 5
Apurito, 739		D 4
Arabopó		H 5
Aragua de Barcelona, 8,255		F 3
Aragua de Maturín, 2,632		G 3
Arauquita		E 4
Araure, 12,299		D 3
Aricagua, 237		C 3
Arichuna, 983		E 4
Aripao, 400		F 4
Arismendi, 1,248		D 4
Aroa, 6,356		D 2
Atapirire, 202		F 3
Bachaquero		B 2
Baragua, 831		D 2
Barbacoas, 1,582		E 3
Barcelona, 42,267		F 2
Barinas, 25,895		D 3
Barinitas, 5,397		C 3
Barquisimeto, 227,357		D 3
Barrancas, Barinas, 3,169		C 3
Barrancas, Monagas, 4,210		G 3
Betijoque, 3,912		C 3
Biruaca, 631		E 4
Biscucuy, 3,906		D 3
Bobures, 970		C 3
Bobures, 2,159		C 3
Boca de Aroa, 1,273		D 2
Boca de Mangle		E 4
Boca del Pao, 282		F 3
Bocono, 10,434		C 3
Borbón		H 3
Borojó, 367		C 2
Bruno		D 7
Bruzual, 556		D 4
Buena Vista, Anzoátegui		F 3
Buena Vista, Apure		D 5
Buena Vista, Falcón, 786		C 2
Cabimas, 111,382		B 2
Cabruta, 826		E 4
Cabudare, 4,480		D 2
Cabure, 1,443		C 2
Cachipo		G 3
Cagua, 16,230		E 2
Caicara, Bolívar, 3,281		E 4
Caicara, Monagas, 4,759		G 3
Calabozo, 15,738		E 3
Calderas, 883		C 3
Camagüán, 1,934		E 3
Camatagua, 1,419		E 3
Campo Claro, 1,620		G 2
Cantaura, 14,794		F 3
Capatárida, 1,281		C 2
Capibara		E 6
Capure		H 3
Carabobo, Bolívar		H 4
Carabobo, Carabobo		D 3
Caracas (cap.), 786,863		E 2
Caracas, *1,589,411		E 2
Carache, 2,623		C 3
Carapa, 108		E 3
Cariaco, 4,281		G 2
Caribén		E 4
Caripe, 3,748		G 2
Caripito, 21,106		G 3
Carirubana, 1,030		C 2
Carmelo, 1,944		C 2
Carora, 23,227		C 2
Carrasquero, 1,353		B 2
Casanay, 3,561		G 2
Casigua, Falcón, 406		C 2
Casigua, Zulia		B 3
Castaña		F 5
Castillos		D 2
Caucagua, 4,705		E 2
Cazorla, 523		E 3
Chaguaramas, 1,363		F 3
Chichiriviche, 2,578		D 2
Chivacoa, 12,871		D 2
Choroní, 353		E 2
Churuguara, 4,498		C 2
Ciudad Bolívar, 63,266		G 3
Ciudad Bolivia, 2,106		C 3
Ciudad de Nutrias, 529		D 3
Ciudad Guayana, 29,497		G 3
Ciudad Ojeda, 53,745		C 2
Ciudad Piar		G 4
Clarines, 2,018		F 3
Clavital		G 4
Colón		C 6
Coloradito		C 6
Comunidad		E 6
Coporito		H 3
Coro, 45,368		C 2
Corozo Pando		E 3
Cúa, 5,567		E 2
Cubiro, 1,742		D 3
Cuchivero		F 4
Cumaná, 69,937		F 2
Cumanacoa, 7,354		G 2
Cunaviche, 596		E 4
Curiapo, 375		H 3
Carúpano, 38,197		G 2
Dabajuro, 3,902		C 2
Dolores, 1,130		D 3
Duaca, 5,771		D 2
Ejido, 5,360		C 3
El Almacén		F 4
El Amparo, 1,090		C 4
El Baúl, 1,550		D 3
El Callao, 5,039		G 4
El Calvario, 577		E 3
El Carmen		E 7
El Chaparro, 1,709		F 3
El Cristo		D 2
El Dorado, 2,094		H 4
El Emperedrado, 1,739		C 3
El Guapo, 842		F 2
El Manteco, 999		G 4
El Miamo, 269		H 4
El Murciélago		E 7
Oso, Amazonas		G 4
Oso, Bolívar		H 5
El Palmar, 1,986		F 3
El Pao, Anzoátegui, 686		F 3
El Pao, Cojedes, 1,081		D 3
El Peru		H 4
El Pilar, 3,326		G 2
El Rastro, 746		E 3
El Roque, 1,986		E 2
El Samán de Apure, 1,109		D 4
El Socorro, 3,167		F 3
El Sombrero, 5,748		E 3
El Terror		H 3
El Tigre, 42,028		F 3
El Tigrito, 20,753		F 3
El Tocuyo, 14,560		C 3
El Toro		C 2
El Vigía, 8,938		C 3
El Vinculo		D 1
El Yagual, 435		D 4
Elorza, 2,114		C 4
Encontrados, 2,991		B 3
Espino, 441		F 3
Evegui		G 5
Garcitas, 1,224		C 3
Guacara, 11,343		D 2
Guachara, 462		D 2
Guadarrama, 461		D 3
Guaina		G 5
Guanajuña		G 5
Guanare, 18,476		D 3
Guanarito, 1,047		D 3
Guanta, 7,825		F 2
Guaraguao		F 2
Guardatinajas, 706		E 3
Guarero		B 2
Guárico, 3,653		C 3
Guariquén, 633		G 2
Guasdualito, 4,580		C 4
Guasimal, 303		C 4
Guasipati, 3,446		H 5
Guatisimiña		G 5
Guayabal, 844		E 3
Guayabital, 11,061		G 2
Güiria, 11,061		G 2
Guri		G 4
Gusmán Blanco		E 3
Higuerote, 3,852		F 2
Iasauutedi		F 6
Independencia, 3,658		B 4
Irapa, 4,532		G 2
Juangriego, 4,483		G 2
Judibana		C 2
Jusepín		G 3
Kavanayen		H 5
La Asunción, 5,517		G 2
La Canoa, 256		D 3
La Ceiba, Apure		C 4

VENEZUELA

AREA	352,143 sq. mi.
POPULATION	8,722,000
CAPITAL	Caracas
LARGEST CITY	Caracas (greater) 1,589,411
HIGHEST POINT	Pico Bolívar 16,427 ft.
MONETARY UNIT	bolívar
MAJOR LANGUAGE	Spanish
MAJOR RELIGION	Roman Catholic

Index

La Ceiba, Trujillo, 199 .... C 3
La Concepción .... B 2
La Concepción, 9,488 .... B 2
La Cruz de Taratara, 1,339 .... D 2
La Democracia .... E 6
La Esmeralda .... F 6
La Esperanza, Amazonas .... E 6
La Esperanza, Delta Amacuro .... H 2
La Fría, 4,771 .... B 3
La Grita, 7,866 .... B 3
La Guaira, 20,497 .... E 2
La Horqueta .... G 3
La Inglesa .... G 3
La Leona .... G 3
La Lucha .... E 2
La Luz, 414 .... H 3
La Margarita .... H 3
La Paragua, 833 .... F 4
La Tigra .... H 4
La Trinidad, Apure .... D 4
La Trinidad, Portuguesa, 145 .... D 3
La Trinidad de Orichuna, 820 .... D 4
La Unión, 1,077 .... E 3
La Urbana, 444 .... E 4
La Vela, 4,971 .... D 2
La Victoria, Apure, 303 .... D 4
La Victoria, Aragua, 22,291 .... E 2
Laguna Sucia .... F 4
Lagunetas .... G 3
Las Bonitas, 306 .... F 4
Las Cruces .... B 3
Las Lajitas .... F 4
Las Loras .... B 3
Las Mercedes, 5,422 .... E 3
Las Piedras, Falcón, 1,834 .... C 2
Las Piedras, Zulia .... B 2
Las Trincheras .... F 4
Las Vegas, 1,190 .... D 3
Libertad, Barinas, 1,238 .... D 3
Libertad, Cojedes, 1,000 .... E 3
Los Taques, 3,095 .... C 2
Los Teques, 36,073 .... E 2
Luepa .... H 5
Macarao Santo Niño .... H 3
Machiques, 11,115 .... B 3
Macuro, 899 .... H 2
Macuto, 7,041 .... E 2
Maiquetía, 75,687 .... E 2
Manoa .... H 3
Mantecal, Apure, 987 .... D 4
Mantecal, Bolívar .... F 4
Maparari, 1,339 .... C 2
Mapire, 658 .... F 4
Maporal, 224 .... C 4
Maracaibo, 502,693 .... B 2
Maracay, 153,724 .... E 2
Marigüitar, 3,075 .... G 2
Maripa, 802 .... F 4
Maroa, 417 .... E 6
Matú .... F 4
Maturín, 54,250 .... G 3
Mauacunya .... F 5
Mene de Mauroa, 3,606 .... C 2
Mene Grande, 11,673 .... C 3
Mérida, 46,409 .... C 3
Mesa Bolívar, 1,237 .... C 3
Mirimire, 1,473 .... D 2
Moitaco, 364 .... F 4
Morganito .... E 5
Morón, 7,126 .... D 2
Mucuchachí, 396 .... C 3
Mucuchíes, 1,036 .... C 3
Naricual, 595 .... F 2
Nirgua, 7,371 .... D 2
Nuevo Mamo .... G 3
Obispos, 652 .... C 3
Ocumare de la Costa, 1,343 .... E 2
Ocumare del Tuy, 15,006 .... E 2
Onoto, 1,091 .... F 3
Ortiz, 1,317 .... E 3
Ospino, 1,624 .... D 3
Palmarejo .... C 2
Palmarito, Apure, 1,176 .... D 4
Palmarito, Mérida, 903 .... C 3
Papelón, 411 .... D 3
Paraguaipoa, 1,443 .... B 2
Paraíso de Chabasquén, 2,321 .... D 3
Pariaguán, 6,241 .... F 3
Parmana .... F 4
Pedernales, 788 .... G 3
Pedregal, 1,474 .... C 2
Peraitepuí .... H 5
Piacoa .... G 3
Piedra Mapaya .... F 6
Pimichin .... D 6
Píritu, Anzoátegui, 1,445 .... F 2
Píritu, Falcón, 1,868 .... D 2
Píritu, Portuguesa, 4,882 .... D 3
Porlamar, 21,754 .... G 2
Pregonero, 2,894 .... C 3
Pueblo Nuevo, 2,867 .... D 1
Puedpa .... G 4
Puerto Ayacucho, 5,462 .... E 5
Puerto Cabello, 52,222 .... E 2
Puerto Cumarebo, 8,033 .... D 2
Puerto Hierro .... H 2
Puerto La Cruz, 59,099 .... F 2
Puerto Miranda .... B 2
Puerto Nutrias, 565 .... D 4
Puerto Páez, 767 .... E 4
Puerto Píritu, 2,404 .... F 2
Punta Cardón, 11,246 .... C 2
Punta de Mata .... G 3
Punta de Piedras, 2,250 .... F 2
Punto Fijo, ... D 2
Puruey, 343 .... F 4
Puruname .... E 6
Quíbor, 7,046 .... D 3
Quiriquire, 7,405 .... G 3
Quisiro, 816 .... C 2
Rajunya .... F 5
Rincón Hondo .... D 4
Río Caribe, 7,774 .... G 2
Río Chico, 2,612 .... F 2
Río Claro, 1,374 .... D 3
Río Tocuyo, 1,650 .... D 2
Rosario, 10,442 .... B 2
Rubio, 11,774 .... B 4
Sabaneta, 2,009 .... D 3
Sabaneta, 414 .... D 2
San Antonio, Amazonas .... E 6
San Antonio, Monagas, 3,355 .... G 2
San Antonio, Táchira, 14,247 .... B 4
San Antonio, Zulia, 510 .... B 2
San Antonio de Caparo, 1,412 .... C 4
San Antonio de Tabasca, 435 .... G 3
San Carlos, Cojedes, 11,934 .... D 3
San Carlos, Zulia, 686 .... C 2
San Carlos de Río Negro, 474 .... E 7
San Carlos del Zulia, 14,480 .... C 3
San Casimiro, 3,469 .... E 3
San Cristóbal, 116,176 .... B 4
San Diego de Cabrutica, 459 .... F 3
San Felipe, Yaracuy, 28,744 .... D 2
San Felipe, Zulia .... B 3
San Félix, 424 .... G 3
San Fernando de Apure, 24,443 .... E 4
San Fernando de Atabapo, 898 .... E 5
San Francisco, Lara, 967 .... C 2
San Francisco, Zulia, 33,152 .... C 2
San Ignacio .... B 2
San José, Amazonas .... E 5
San José, Zulia, 2,991 .... B 3
San José de Amacuro .... H 3
San José de Areocuar, 1,000 .... G 2
San José de la Costa .... D 2
San José de Río Chico, 3,368 .... F 2
San José de Tiznados, 504 .... E 3
San Juan de Colón, 8,944 .... B 3
San Juan de Las Galdonas, 1,104 .... G 2
San Juan de los Cayos, 1,191 .... D 2
San Juan de los Morros, 27,062 .... E 3
San Juan de Payara, 945 .... E 4
San Lorenzo, Falcón, 527 .... D 2
San Lorenzo, Zulia .... C 3
San Mateo, 1,850 .... F 3
San Mauricio .... E 3
San Pedro de las Bocas .... G 4
San Rafael, 6,390 .... C 2
San Rafael de Atamaica, 597 .... E 4
San Rafael de Orituco, 991 .... E 3
San Sebastián, 4,104 .... E 2
San Timoteo, 2,823 .... C 3
San Tomé .... F 3
San Vicente, Amazonas .... E 5
San Vicente, Apure, 252 .... D 4
Sanare, 3,599 .... D 3
Sanariapo .... E 5
Santa Ana, Anzoátegui, 3,613 .... F 3
Santa Ana, Táchira, 3,677 .... B 4
Santa Bárbara, Amazonas .... E 6
Santa Bárbara, Barinas, 2,079 .... C 4
Santa Bárbara, Bolívar .... H 4
Santa Bárbara, Monagas, 1,725 .... G 3
Santa Bárbara, Zulia .... C 3
Santa Catalina, Barinas, 420 .... D 4
Santa Catalina, Delta Amacuro .... H 3
Santa Clara .... F 4
Santa Cruz, Anzoátegui, 420 .... F 3
Santa Cruz, Mérida, 3,125 .... C 3
Santa Cruz de Bucaral, 1,871 .... D 2
Santa Cruz de Mara, 1,919 .... C 2
Santa Cruz del Zulia, 2,041 .... B 3
Santa Elena de Uairén, 752 .... H 5
Santa Inés, Anzoátegui, 920 .... F 3
Santa Inés, Barinas, 257 .... C 3
Santa Isabel .... F 7 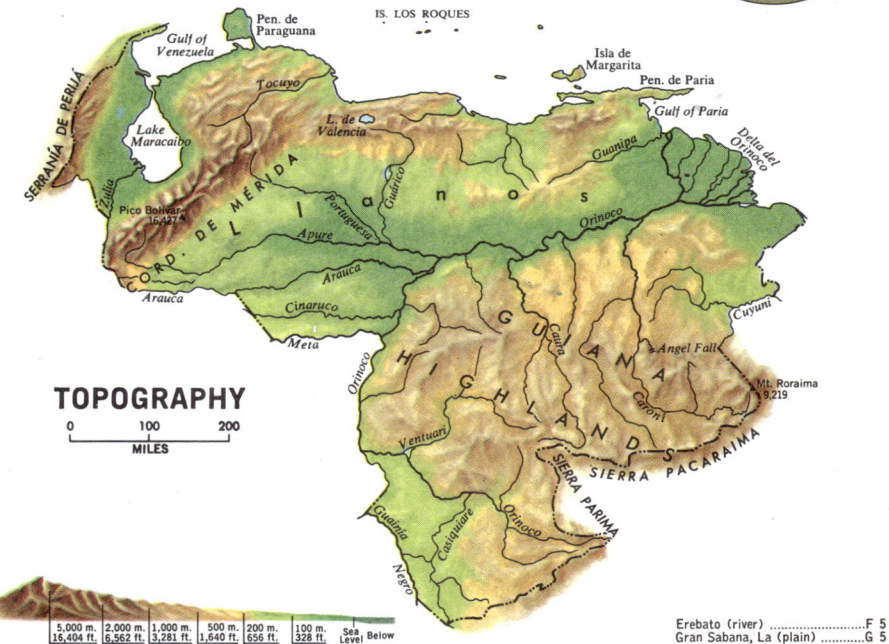
Santa Lucía, 560 .... D 3
Santa María, Apure .... E 4
Santa María, Bolívar .... G 4
Santa María de Ipire, 3,179 .... F 3
Santa Rita, Guárico .... E 3
Santa Rita, Zulia, 5,342 .... C 2
Santa Rosa, Anzoátegui, 1,035 .... F 3
Santa Rosa, Apure .... E 4
Santa Rosa, Barinas, 966 .... C 3
Santa Rosa de Amanadona .... E 7
Santa Rosalía, 239 .... E 4
Santa Teresa, 6,958 .... E 2
Sarare, 2,664 .... D 3
Seboruco, 2,440 .... B 3
Sinamaica, 1,345 .... B 2
Siquisique, 2,579 .... D 2
Solano .... E 6
Soledad, 5,658 .... G 3
Sucre, 65 .... D 2
Surama .... G 4
Suripá .... C 4
Táriba, 9,835 .... B 4
Temblador .... G 3
Tía Juana .... C 2
Tibure .... F 6
Timotes, 2,586 .... C 3
Tinaco, 4,485 .... D 3
Tinaquillo, 8,142 .... D 3
Tocópero, 727 .... D 2
Tocuyo de la Costa, 3,365 .... D 2
Torunos, 678 .... C 3
Tovar, 9,730 .... C 3
Tres Matas .... F 3
Trujillo, 18,935 .... C 3
Tucacas, 3,894 .... D 2
Tucupido, 7,047 .... E 3
Tucupita, 9,900 .... H 3
Tumeremo, 3,926 .... H 4
Tupí, 91 .... D 3
Turén .... D 3
Turiamo .... E 2
Turmero, 8,240 .... E 2
Upata, 12,717 .... G 3
Urachiche, 3,630 .... D 2
Uracoa, 858 .... G 3
Urica, 1,580 .... F 3
Urimán .... G 5
Urumaco, 942 .... C 2
Uruyén .... G 5
Uverito, 336 .... F 3
Uzcátegui .... C 4
Valencia, 183,505 .... E 2
Valera, 46,464 .... C 3
Valle de la Pascua, 24,456 .... F 3
Valle de Guanape, 3,249 .... F 3
Vara de María .... E 6
Victorino .... E 6
Villa Bruzual, 10,295 .... D 3
Villa de Cura, 19,787 .... E 2
Villa Frontado, 1,577 .... G 2
Yaguaraparo, 2,673 .... G 2
Yaritagua, 14,740 .... D 2
Yavita .... E 6
Yerichaña .... F 5
Yoco, 2,181 .... G 2
Zaraza, 10,210 .... F 3
Zuata, 789 .... F 3

PHYSICAL FEATURES

Amacuro (river) .... H 4
Angel (Salto Angel) (fall) .... G 5
Apongua (river) .... H 5
Apure (river) .... E 4
Arauca (river) .... E 4
Arichuna (river) .... D 4
Aro (river) .... F 4
Atabapo (river) .... E 6
Auyan-tepuí (mt.) .... G 5
Aves (isls.), 6 .... E 2
Baria (river) .... E 7
Blanquilla, La (isl.), 43 .... F 2
Bolívar (mt.) .... C 3
Bolívar (La Parida) (mt.) .... G 4
Caagua (river) .... H 4
Caño Capure (river) .... H 3
Caño Macareo (river) .... H 3
Caño Mánamo (river) .... H 3
Capanaparo (river) .... E 4
Caparo (river) .... C 4
Caroní (river) .... G 4
Carrao (river) .... G 5
Caruai (river) .... F 6
Casiquiare, Brazo (river) .... E 6
Catatumbo (river) .... B 3
Caura (river) .... F 4
Cerbatana, La (mts.) .... E 4
Chicanán (river) .... H 5
Chimantá-tepuí (mt.) .... G 5
Chivapure (river) .... E 4
Cinaruco (river) .... E 4
Coche (isl.) .... G 2
Codera (cape) .... E 2
Cojedes (river) .... D 3
Cuao (river) .... E 5
Cubagua (isl.) .... G 2
Cuchivero (river) .... F 4
Cuquenán (river) .... H 5
Curutú (river) .... H 4
Cuyuni (river) .... H 4
Dragons Mouth (strait) .... H 3
Duida (mt.) .... F 6
Erebato (river) .... F 5
Gran Sabana, La (plain) .... G 5
Guainía (river) .... E 6
Guamapí (mts.) .... F 5
Guanare (river) .... D 3
Guanare Viejo (river) .... D 3
Guanipa (river) .... G 3
Guárico (res.) .... E 3
Guárico (river) .... E 3
Guayapo (mts.) .... F 5
Güere (river) .... F 3
Hermanos, Los (isls.) .... G 2
Icabaru (river) .... G 5
Imataca (mts.) .... H 4
Imeri (mts.) .... F 7
La Blanquilla (isl.) .... F 2
La Gran Sabana (plain) .... G 5
La Orchila (isl.), 33 .... F 2
La Tortuga (isl.), 19 .... F 2
Las Aves (Aves) (isls.), 6 .... E 2
Los Hermanos (isls.) .... G 2
Los Monjes (isls.) .... C 1
Los Roques (isls.), 537 .... E 2
Los Testigos (isls.), 58 .... G 2
Macanao (pen.) .... F 2
Maigualida (mts.) .... F 4
Manapire (river) .... E 3
Maracaibo (lake) .... C 3
Margarita (isl.), 85,286 .... F 2
Mavaca (river) .... F 6
Médanos (isthmus) .... D 2
Merevari (river) .... F 5
Mérida (mts.) .... C 3
Meta (river) .... E 4
Monjes, Los (isls.) .... C 1
Morichal Largo (river) .... G 3
Negro (river) .... E 7
Nuria (mts.) .... H 4
Ocamo (river) .... F 6
Orchila, La (isl.), 33 .... F 2
Orinoco (delta) .... H 3
Orinoco (river) .... G 3
Orituco (river) .... E 3
Pacaraima (mts.) .... G 5
Pao (river) .... D 3
Pao (river) .... F 3
Paragua (river) .... G 4
Paraguana (pen.) .... C 1
Paria (gulf) .... H 2
Paria (pen.) .... H 2
Parida, La (Bolívar) (mt.) .... G 4
Parima (mts.) .... F 6
Perijá (mts.) .... B 2
Portuguesa (river) .... D 3
Roques (isls.), 537 .... E 2
Roraima (mt.) .... H 5
Salto Angel (fall) .... G 5
Sarare (river) .... C 4
Serpents Mouth (strait) .... H 3
Siapa (river) .... E 7
Sipapo (river) .... E 5
Suapure (river) .... E 4
Suripá (river) .... C 4
Tapira-peco (river) .... F 7
Testigos, Los (isls.), 58 .... G 2
Tigre (river) .... G 3
Tocuco (river) .... B 3
Tocuyo (river) .... D 2
Tortuga, La (isl.), 19 .... F 2
Tramán-tepuí (mt.) .... G 5
Triste (gulf) .... D 2
Turagua (mts.) .... F 4
Tuy (river) .... E 2
Unare (river) .... F 3
Valencia (lake) .... E 2
Venamo (mt.) .... H 4
Venezuela (gulf) .... C 2
Ventuari (river) .... E 5
Votomo (river) .... H 4
Yatua (river) .... E 7
Yuruari (river) .... H 4
Zamuro (mts.) .... G 5
Zuata (river) .... F 3
Zulia (river) .... B 3

*City and suburbs.

TOPOGRAPHY

AGRICULTURE, INDUSTRY and RESOURCES

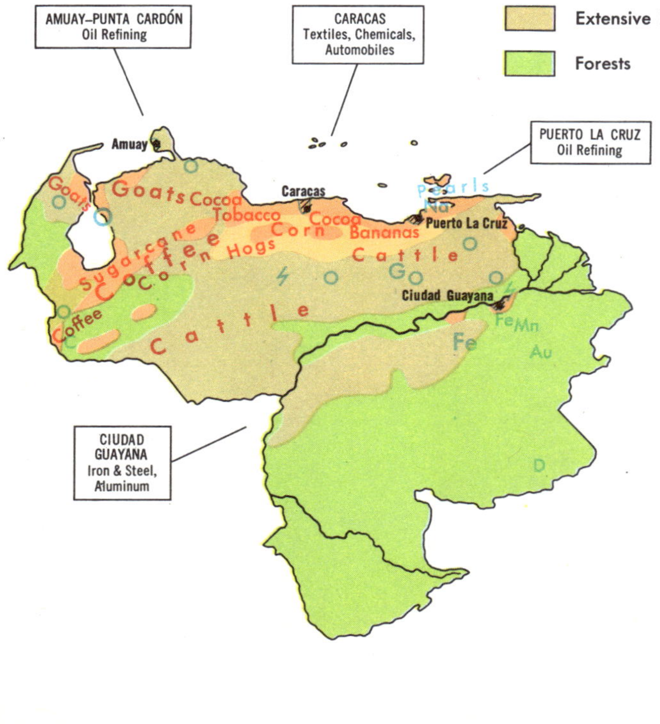

DOMINANT LAND USE

- Diversified Tropical Crops (chiefly plantation agriculture)
- Upland Cultivated Areas
- Upland Livestock Grazing, Limited Agriculture
- Extensive Livestock Ranching
- Forests

MAJOR MINERAL OCCURRENCES

Au	Gold
C	Coal
D	Diamonds
Fe	Iron Ore
G	Natural Gas
Mn	Manganese
Na	Salt
O	Petroleum

⚡ Water Power

▨ Major Industrial Areas

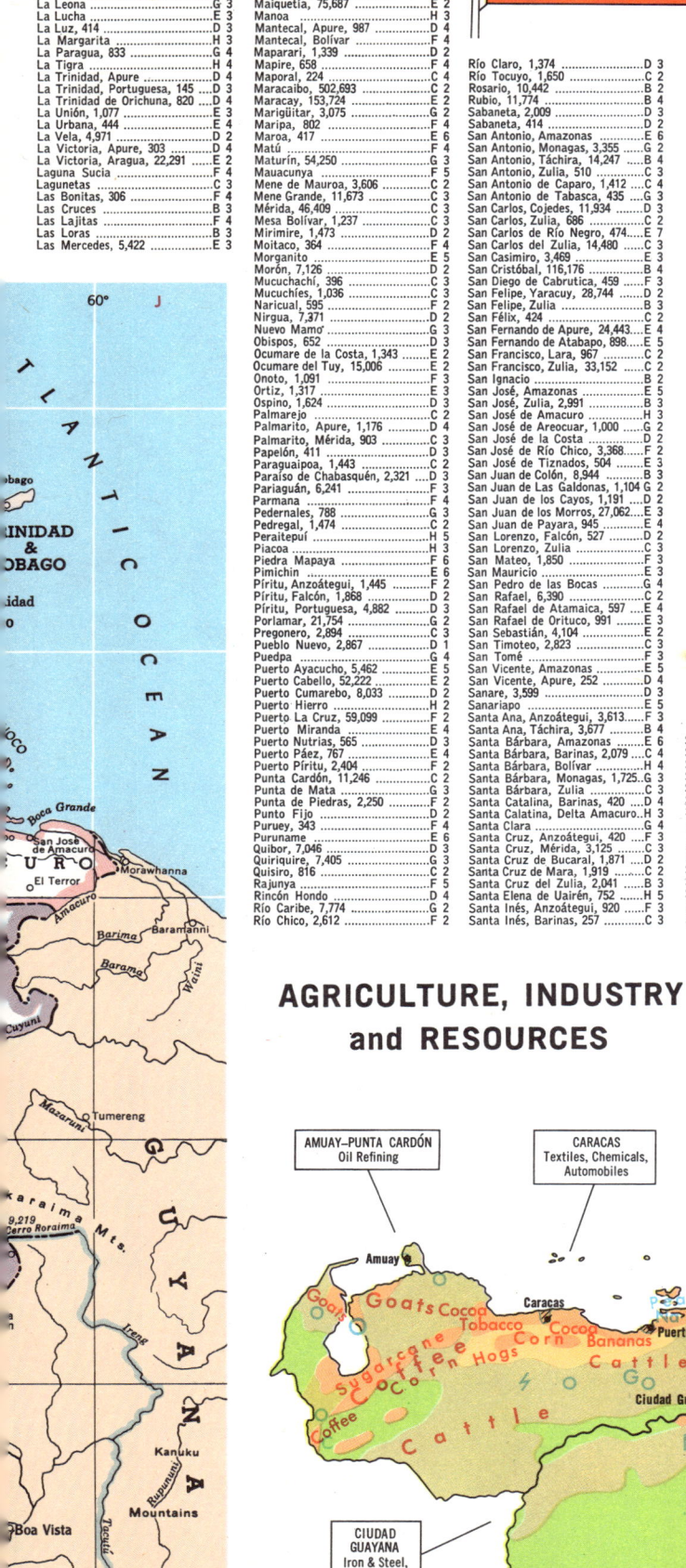

AMUAY–PUNTA CARDÓN Oil Refining
CARACAS Textiles, Chemicals, Automobiles
PUERTO LA CRUZ Oil Refining
CIUDAD GUAYANA Iron & Steel, Aluminum

COLOMBIA
MERCATOR PROJECTION
SCALE OF MILES
0 25 50 75 100 125 150
SCALE OF KILOMETRES
0 25 50 75 100 125 150
Capitals of Countries
Other Capitals
International Boundaries
Other Boundaries
Canals
Copyright by C. S. Hammond & Co., N.Y.
Longitude 74° West of Greenwich 72°
78° 76° 70° 68°
12° 10° 8° 6° 4° 2° 0° 2° 4°
CARIBBEAN SEA
PACIFIC OCEAN
PANAMA
Gulf of Panamá
VENEZUELA
ECUADOR
PERU
BRAZIL
NETH. ANTILLES
Aruba
Curaçao
Bonaire
Willemstad
Gulf of Venezuela
Lake Maracaibo
Maracaibo
CARACAS
Barquisimeto
Guajira Peninsula
Paraguana Peninsula
LA GUAJIRA
MAGDALENA
CÉSAR
ATLÁNTICO
BOLÍVAR
SUCRE
CÓRDOBA
ANTIOQUIA
CHOCÓ
SANTANDER
NORTE DE SANTANDER
BOYACÁ
ARAUCA
CALDAS
CUNDINAMARCA
DISTRITO ESPECIAL
TOLIMA
VALLE DEL CAUCA
CAUCA
HUILA
NARIÑO
PUTUMAYO
CAQUETÁ
META
VICHADA
GUAINÍA
VAUPÉS
AMAZONAS
Barranquilla
Cartagena
Santa Marta
Bucaramanga
Medellín
Manizales
Pereira
Armenia
Ibagué
BOGOTÁ
Cali
Buenaventura
Popayán
Pasto
Neiva
Villavicencio
Cúcuta
Tunja
Montería
Sincelejo
Quibdó
Florencia
Mitú
Leticia
Riohacha
Valledupar
Quito
Iquitos
Equator
Orinoco
Amazon
Putumayo
Caquetá
Guaviare
Meta
Isla Gorgona
INTENDENCIA DE SAN ANDRÉS Y PROVIDENCIA
Same scale as main map
CARIBBEAN SEA
Banco de Serranilla
Bajo Nuevo
Roca que Vela
Banco de Quitasueño
Banco de Serrana
Cayos de Roncador
Isla de Providencia
Isla de San Andrés
Cayos del E.S.E.
Cayos de Albuquerque

COLOMBIA

AREA	439,828 sq. mi.
POPULATION	17,787,000
CAPITAL	Bogotá
LARGEST CITY	Bogotá (greater) 1,654,876
HIGHEST POINT	Pico Cristóbal Colón 19,029 ft.
MONETARY UNIT	Colombian peso
MAJOR LANGUAGE	Spanish
MAJOR RELIGION	Roman Catholic

AGRICULTURE, INDUSTRY and RESOURCES

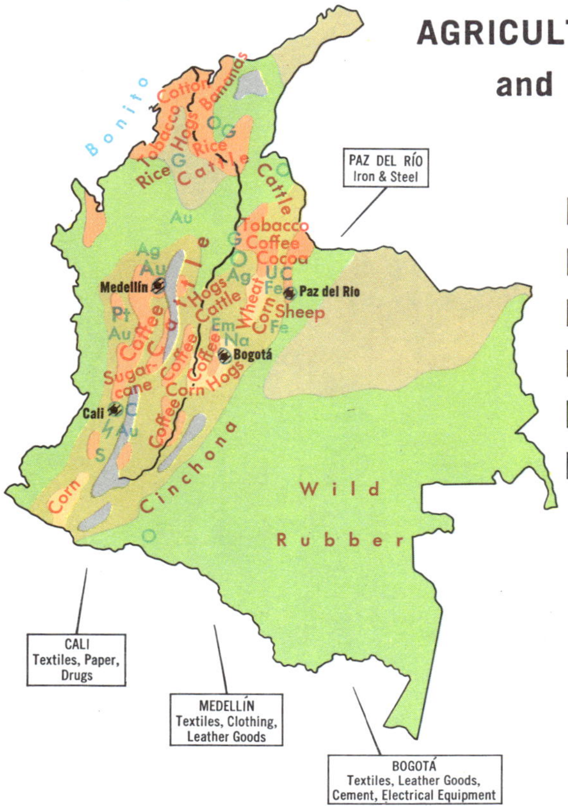

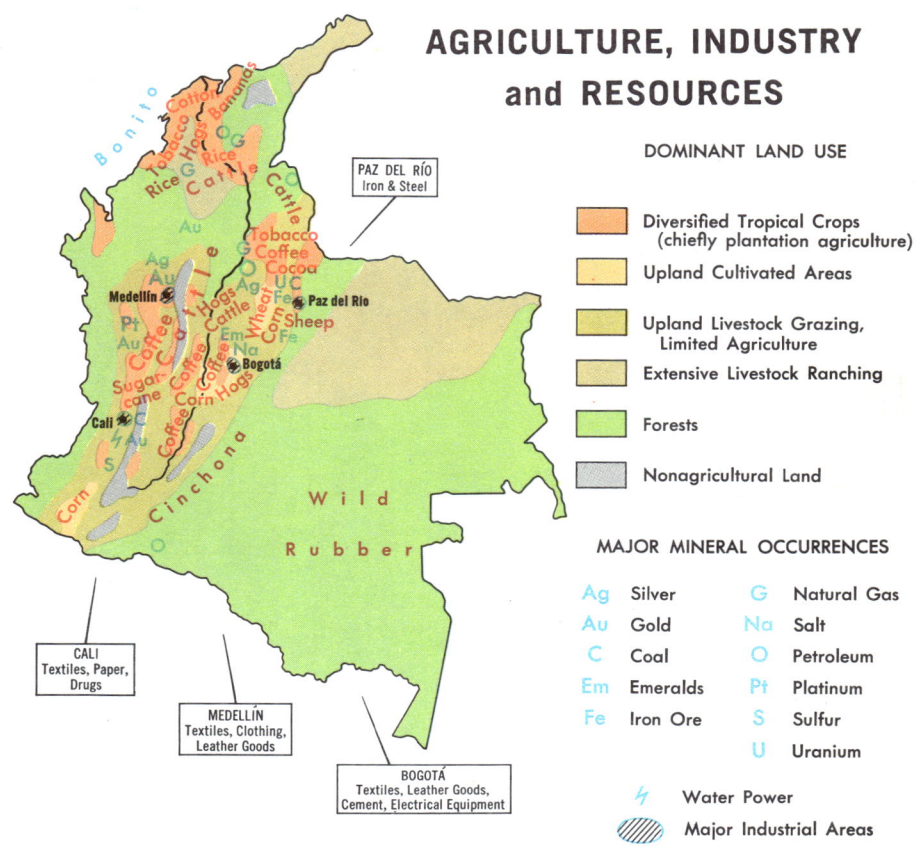

DOMINANT LAND USE

- Diversified Tropical Crops (chiefly plantation agriculture)
- Upland Cultivated Areas
- Upland Livestock Grazing, Limited Agriculture
- Extensive Livestock Ranching
- Forests
- Nonagricultural Land

MAJOR MINERAL OCCURRENCES

Ag	Silver	G	Natural Gas
Au	Gold	Na	Salt
C	Coal	O	Petroleum
Em	Emeralds	Pt	Platinum
Fe	Iron Ore	S	Sulfur
		U	Uranium

Water Power

Major Industrial Areas

TOPOGRAPHY

INTERNAL DIVISIONS

Amazonas (commissary), 8,920...D 8
Antioquia (dept.), 2,049,800 ......C 4
Arauca (intendency), 15,440 ....E 4
Atlántico (dept.), 678,960 ....C 2
Bolívar (dept.), 826,850 ....C 3
Boyacá (dept.), 856,600 ....D 5
Caldas (dept.), 1,466,160 ....C 5
Caquetá (intendency), 91,320......C 7
Cauca (dept.), 544,960 ....B 6
César (dept.)† ....D 3
Chocó (dept.), 152,280 ....B 4
Córdoba (dept.), 441,980 ....C 3
Cundinamarca (dept.), 2,221,420 ....C 5
Distrito Especial, 1,680,758 ....C 5
Guainía (intendency)◉ ....F 6
Guajira, La (inten.), 121,810.........D 2
Huila (dept.), 393,630 ....C 6
La Guajira (inten.), 121,810..........D 2
Magdalena (dept.), 532,650...........D 3
Meta (dept.), 87,080 ....D 6
Nariño (dept.), 633,570 ....B 7
Norte de Santander (dept.), 426,750 ....D 4
Putumayo (comm.), 44,440 ....C 7
Quindío (dept.) ....C 5
Risaralda (dept.) ....B 5
San Andrés y Providencia (intendency), 11,620 ....B10
Santander (dept.), 895,380 ....D 4
Sucre (dept.) ....C 3
Tolima (dept.), 915,390 ....C 5
Valle del Cauca (dept.), 1,989,880 ....B 6
Vaupés (commissary), 10,670.......E 7
Vichada (commissary), 16,530.......F 5

CITIES and TOWNS

Acacías, 2,712 ....D 6
Acandí, 1,201 ....B 3
Agrado, 2,546 ....C 6
Agua de Dios, 5,627 ....C 5
Aguadas, 8,064 ....C 5
Aipe, 2,221 ....C 6
Algeciras, 2,559 ....C 6
Almaguer, 921 ....B 7
Amalfi, 2,592 ....C 4
Andes, 6,905 ....C 5
Anserma, 7,767 ....B 5
Antioquia, 3,998 ....B 4
Anza, 610 ....C 4
Aracataca, 4,336 ....D 2
Arauca, 4,300 ....E 4
Arauquita, 269 ....E 4
Arjona, 12,361 ....C 2
Armenia, 57,098 ....B 5
Armero, 10,258 ....C 5
Ayapel, 2,426 ....C 3
Bagado, 683 ....B 5
Baranoa, 8,143 ....C 2
Baraya, 1,736 ....C 6
Barbacoas, 3,349 ....A 7
Barbosa, 2,448 ....D 5
Barichara, 2,513 ....D 4
Barrancabermeja, 25,046 ....C 4
Barrancas, 1,438 ....D 2
Barranco de Loba, 1,561 ....C 3
Barranquilla, 521,070 ....C 2
Baudó, 205 ....B 5
Belén, 641 ....C 7
Bello, 28,398 ....C 4
Bogotá (cap.), 1,325,080 ....D 5
Bogotá, *1,654,876 ....D 5
Bolívar, Antioquia, 6,121 ....C 5
Bolívar, Cauca, 2,310 ....B 7
Bucaramanga, 250,550 ....D 4
Buenaventura, 35,087 ....B 6
Buesaco, 1,928 ....B 7
Buga, 32,016 ....B 6
Cáceres, 305 ....C 4
Caicedonia, 10,681 ....C 5
Calamar, 5,393 ....C 2
Calarcá, 15,707 ....C 5
Cali, 813,240 ....B 6
Campo de la Cruz, 4,912..................C 2
Campoalegre, 5,997 ....C 6
Cañasgordas, 3,137 ....B 4
Carmen, 9,647 ....C 3
Cartagena, 197,590 ....C 2
Cartago, 31,051 ....B 5
Caucasia, 897 ....C 4
Cereté, 6,161 ....C 3
Cerrito, 4,786 ....B 6
Cerro San Antonio, 2,265 ....C 2
Chaparral, 11,705 ....C 6
Chimichagua, 3,322 ....D 3
Chinácota, 2,596 ....D 4
Chinchiná, 7,577 ....C 5
Chinú, 4,987 ....C 3
Chiquinquirá, 10,143 ....C 5
Chiriguaná, 3,302 ....D 3
Ciénaga, 24,358 ....C 2
Ciénaga de Oro, 6,108 ....C 3
Cisneros, 5,489 ....C 4
Colombia, 1,217 ....C 6
Colón, 480 ....B 7
Condoto, 1,710 ....B 5
Contratación, 3,303 ....D 4
Convención, 4,526 ....D 3
Corinto, 3,344 ....B 6
Corozal, 7,240 ....C 3
Cúcuta, 147,250 ....D 4
Cumbal, 1,963 ....B 7
Dabeiba, 2,832 ....B 4
Dagua, 3,114 ....B 6
Duitama, 7,723 ....D 5
El Banco, 9,636 ....D 3
El Carmen, Chocó, 1,161 ....B 5
El Carmen, Nariño ....A 6
El Carmen, Norte de Santander, 2,587 ....D 3
El Cocuy 2,973 ....D 4
El Tambo, 1,914 ....B 6
Envigado, 13,392 ....C 4
Espinal, 9,389 ....C 5
Facatativa, 13,479 ....C 5
Florencia, 21,770 ....C 7
Fonseca, 2,987 ....D 2
Fontibón, 13,871 ....C 5
Fresno, 5,019 ....C 5
Fundación, 6,620 ....D 2
Fusagasugá, 8,345 ....C 5
Gachalá, 856 ....D 5
Gamarra, 2,576 ....D 3
Garzón, 5,750 ....C 6
Gigante, 2,607 ....C 6
Girardot, 35,665 ....C 5
Gramalote, 2,776 ....D 4
Guacamaya ....C 6
Guamal, 2,458 ....C 3
Guapi, 1,882 ....B 6
Guateque, 2,408 ....D 5
Honda, 16,051 ....C 5
Ibagué, 160,400 ....C 5
Ipiales, 11,569 ....B 7
Iscuandé, 887 ....A 6
Itagüí, 11,027 ....C 4
Itsmina, 2,755 ....B 5
Ituango, 2,673 ....C 4
La Cruz, 2,745 ....B 7
La Dorada, 14,577 ....C 5
La Gloria, 1,277 ....D 3
La Palma, 3,843 ....C 5
La Plata, 2,416 ....C 6
La Unión, 2,796 ....B 7
Leticia, 2,200 ....F10
Líbano, 12,090 ....C 5
Lorica, 8,420 ....C 3
Los Andes, 1,075 ....B 7
Magangué, 17,114 ....C 3
Majagual, 1,516 ....C 3
Málaga, 6,022 ....D 4
Manare, 39 ....E 4
Maní, 150 ....D 5
Manizales, 186,910 ....C 5
Matanza, 735 ....D 4
Medellín, 776,970 ....C 4
Medina, 639 ....D 5
Mercaderes, 824 ....B 7
Miraflores, Boyacá, 2,456 ....D 5
Miraflores, Vaupés ....E 7
Miranda, 4,082 ....B 6
Mitú, 250 ....E 7
Mocoa, 4,950 ....B 7
Mompós, 9,192 ....C 3
Moniquirá, 3,230 ....D 5
Montería, 108,800 ....B 3
Murindó, 280 ....B 4
Muzo, 337 ....D 5
Natagaima, 4,107 ....C 6
Neiva, 87,820 ....C 6
Nóvita, 680 ....B 5
Nueva Antioquia ....F 5
Nunchía, 579 ....D 5
Nuquí, 576 ....B 5
Ocaña, 15,214 ....D 3
Orocué, 645 ....E 5
Ortega, 2,874 ....C 6
Pacho, 4,118 ....C 5
Páez, 514 ....C 6
Paipa, 1,293 ....D 5
Palmira, 54,293 ....B 6
Pamplona, 16,396 ....D 4
Pasto, 134,130 ....B 7
Patía, 1,475 ....B 6
Paz de Aripara, 222 ....E 5
Paz del Río, 650 ....D 4
Pedraza, 4,073 ....C 2
Pereira, 76,262 ....C 5
Piedecuesta, 7,720 ....D 4
Piendamó, 1,615 ....B 6
Pitalito, 3,616 ....B 7
Pivijay, 4,789 ....C 2
Planeta Rica ....C 3
Plato, 8,039 ....C 3
Popayán, 67,510 ....B 6
Potosí ....C 7
Pradera, 6,092 ....B 6
Puente Nacional, 1,808 ....D 5
Puerto Berrío, 8,947 ....C 4
Puerto Carranza ....F 9
Puerto Carreño, 720 ....G 4
Puerto Colombia, 5,689 ....C 2
Puerto Escondido ....B 3
Puerto Leguízamo, 1,433 ....C 8
Puerto López, La Guajira ....E 2
Puerto López, Meta ....D 5
Puerto Mercedes ....D 7
Puerto Mutis ....B 4
Puerto Nariño ....F 5
Puerto Niño ....C 5
Puerto Nuevo ....F 5
Puerto Ospina ....C 7
Puerto Paulina ....D 7
Puerto Pizarro, Caquetá ....D 8
Puerto Pizarro, Chocó ....B 5
Puerto Reyes ....B 5
Puerto Rico, Caquetá ....C 7
Puerto Rico, Meta ....C 6
Puerto Salgar, 3,621 ....C 5
Puerto Tejada, 8,535 ....B 6
Puerto Toledo ....C 8
Puerto Wilches, 3,451 ....D 4
Pupiales, 1,893 ....B 7
Purificación, 4,976 ....C 6
Quibdó, 23,410 ....B 5
Quirey ....D 5
Remedios, 1,715 ....C 4
Remolino, 2,817 ....C 2
Restrepo, 2,127 ....D 5
Ricaurte, 722 ....A 7
Río de Oro, 1,679 ....D 3
Río Negro, 2,234 ....D 4
Río Sucio, 7,363 ....C 5
Riohacha, 12,120 ....D 2
Rionegro, 7,059 ....C 4
Riosucio, 847 ....B 4
Roberto Payán, 183 ....A 7
Robles, 2,235 ....D 2
Rondón, 223 ....E 4
Rovira, 3,939 ....C 5
Sabanalarga, 13,982 ....C 2
Sahagún, 5,910 ....C 3
Salamina, 7,940 ....C 5
Salazar, 2,439 ....D 4
Samaniego, 2,303 ....B 7
San Agustín, 2,493 ....B 7
San Andrés, Antioquia, 2,812 ....C 4
San Andrés, San Andrés y Providencia, 6,040 ....A10
San Antero, 5,970 ....C 3
San Antonio ....B 6
San Felipe ....G 7
San Gil, 10,149 ....D 4
San Jacinto, 6,675 ....C 3
San José de Ocuné ....E 5
San José del Guaviare ....D 6
San Marcos, 3,966 ....C 3
San Martín, 3,094 ....D 6
San Miguel Nuevo ....B 7
San Onofre, 4,668 ....C 3
San Pablo, 1,533 ....B 7
San Pedro de Arimena ....E 5
San Roque, 2,737 ....C 4
San Vicente de Caguán, 1,002..........C 6
Sandoná, 4,767 ....B 7
Santa Ana ....F 6
Santa Bárbara, 5,684 ....C 5
Santa Clara ....F 9
Santa Isabel, 809 ....B 9
Santa Marta, 68,050 ....D 2
Santa Rosa, 4,668 ....C 4
Santa Rosa de Cabal, 13,413 ....C 5
Santander, 5,669 ....B 6
Sardinata, 2,284 ....D 3
Segovia, 4,680 ....C 4
Sevilla, 17,210 ....C 5
Silvia, 2,599 ....B 6
Simití, 1,742 ....C 3
Sincé, 7,112 ....C 3
Sincelejo, 21.625 ....C 3
Sipí ....B 5
Sitio Nuevo, 4,694 ....C 2
Soatá, 3,116 ....D 4
Socorro, 11,842 ....D 4
Sogamoso, 13,574 ....D 5
Soledad, 20,158 ....C 2
Sonsón, 10,913 ....C 5
Sopetrán, 4,105 ....C 4
Sucre, Bolívar, 2,575 ....C 3
Sucre, Caquetá ....C 7
Surimena ....D 6
Tadó, 1,126 ....B 5
Tamara ....D 5
Tame, 1,361 ....E 4
Tariana ....F 7
Ten, 100 ....D 5
Tibaná, 638 ....D 5
Tierra Alta, 2,431 ....C 3
Timaná, 2,439 ....C 7
Timbío, 2,387 ....B 6
Timbiquí, 311 ....B 6
Toledo, 1,633 ....D 4
Tolima ....D 8
Tolu, 5,415 ....C 3
Tres Esquinas ....C 7
Tres Palmas ....B 3
Trinidad, 596 ....E 5
Tuluá, 28,715 ....B 5
Tumaco, 12,692 ....A 7
Tunja, 54,910 ....D 5
Túquerres, 6,482 ....B 7
Turbaco, 10,208 ....C 2
Turbo, 2,636 ....B 3
Ubaté, 3,837 ....D 5
Umbría ....B 7
Uribia, 1,101 ....D 2
Urrao, 5,958 ....B 4
Valdivia, 1,169 ....C 4
Valledupar, 9,011 ....D 2
Vélez, 4,305 ....D 4
Venadillo, 4,784 ....C 5
Victorino ....F 6
Villa del Rosario, 2,747 ....D 4
Villanueva, 5,830 ....D 2
Villavicencio, 32,330 ....D 5
Villeta, 3,067 ....C 5
Volador ....C 3
Yari ....D 7
Yarumal, 10,340 ....C 4
Yavaraté ....E 7
Yopal, 902 ....D 5
Yumbo, 4,211 ....B 6
Zapatoca, 5,629 ....D 4
Zaragoza, 1,732 ....C 4
Zarzal, 7,395 ....B 5
Zipaquirá, 12,708 ....D 5

PHYSICAL FEATURES

Abibe (mts.) ....B 4
Aguja (cape) ....C 2
Albuquerque (cays) A10
Alicia (bank) ....B 8
Alto Ritacuva (mt.) ....D 4
Amazon (Amazonas) (river).............E 9
Ancón de Sardinas (bay)...................A 7
Angostura (falls) ....E 6
Apaporis (river) ....F 8
Araracuara (cliffs) ....E 7
Arauca (river) ....E 4
Ariari (river) ....D 6
Ariguaní (river) ....D 3
Ariporo (river) ....E 5
Atabapo (river) ....G 6
Atrato (river) ....B 4
Augusta (cape) ....C 2
Ayapel (mts.) ....C 4
Bajo Nuevo (shoal) ....C 8
Barú (isl.) ....C 2
Baudó (mts.) ....B 5
Baudó (river) ....B 5
Bita (river) ....F 5
Caguán (river) ....C 7
Cahuinari (river) ....E 8
Caquetá (river) ....E 8
Caraparaná (river) ....D 8
Casanare (river) ....E 4
Cauca (river) ....C 4
Central (mts.) ....C 5
César (river) ....D 2
Chaira (lagoon) ....C 7
Chamusa (mts.) ....C 6
Charambira (point) ....B 5
Chiribiquete (mts.) ....D 7
Cocha (lagoon) ....D 7
Cocuy (mts.) ....D 4
Coredó (Humboldt) (bay) ....B 4
Corrientes (cape) ....B 5
Cravo Norte (river) ....E 4
Cravo Sur (river) ....E 5
Cristóbal Colón (mt.) ....D 2
Cuemaní (river) ....D 7
Cupica (gulf) ....B 4
Cuquiari (river) ....E 7
Cusachón (isl.) ....D 1
Cusiana (river) ....D 5
Darién (gulf) ....B 3
Este Sudeste (cays) A10
Fuerte (isl.) ....B 3
Gallinas (point) ....E 1
Gorgona (isl.) ....A 6
Grande (isl.) ....B 6
Guainía (river) ....F 6
Guajira (pen.) ....E 1
Guapi (bay) ....A 6
Guaviare (river) ....F 6
Guayabero (river) ....D 6
Huila (mt.) ....C 6
Humboldt (Coredó) (bay)................B 4
Igara-Paraná (river) ....D 8
Inírida (river) ....F 6
Isana (river) ....F 7
Las Oseras (mt.) ....C 6
Lebrija (river) ....D 4
Llanos (plains) ....D 5
Losada (river) ....C 6
Mascarena (mts.) ....D 6
Magdalena (river) ....C 3
Manacacías (river) ....D 6
Mapiripán (lagoon) ....E 6
Marzo (cape) ....B 4
Mesai (river) ....D 7
Meta (river) ....E 5
Metica (river) ....D 6
Miritiparaná (river) ....E 8
Morrosquillo (gulf) ....C 3
Muco (river) ....E 5
Naipo (isl.) ....F 6
Nechí (river) ....C 4
Occidental, Cordillera (mts.)..........B 5
Oriental, Cordillera (mts.)..............D 5
Orinoco (river) ....G 5
Orteguaza (river) ....C 7
Papunáua (river) ....E 6
Papurí (river) ....F 7
Patía (river) ....B 6
Pauto (river) ....E 5
Perijá (mts.) ....D 2
Providencia (isl.) ....B 9
Puracé (volcano) ....B 6
Putumayo (river) ....E 9
Quitasueño (bank) ....A 8
Roncador (cays) ....B 9
Saldaña (river) ....C 6
Salto Grande (falls) ....D 8
San Andrés (isl.) A10
San Bernardo (isls.) ....C 3
San Jorge (river) ....C 3
San Juan (river) ....B 5
Santa Catalina (isl.) ....A 9
Santa Marta, Nevada de (range) ....D 2
Serrana (bank) ....B 9
Serranilla (bank) ....B 8
Sinú (river) ....B 3
Sogamoso (river) ....D 4
Solano (point) ....B 4
Suárez (river) ....D 4
Sucio (river) ....B 4
Taraira (river) ....F 8
Tequendama (falls) ....C 5
Tibugá (gulf) ....B 5
Tolima (mt.) ....C 5
Tomo (river) ....F 5
Tortugas (gulf) ....B 6
Tota (lagoon) ....D 5
Truandó (river) ....B 4
Tumaco (inlet) ....A 6
Tunahí (mts.) ....E 7
Upía (river) ....D 5
Urabá (gulf) ....B 3
Uva (lagoon) ....E 6
Uva (river) ....E 6
Vaupés (river) ....E 7
Vela (cape) ....D 1
Vela, Roca que (cay) ....B 8
Vichada (river) ....F 5
Vigía (cay) A10
Yarí (river) ....D 8
Zapatosa (swamp) ....D 3

*City and suburbs.
◉Population included in Vaupés.
†Pop. included in Magdalena.

PERU and ECUADOR
BIPOLAR OBLIQUE CONIC CONFORMAL PROJECTION
SCALE OF MILES
0 50 100 150 200
SCALE OF KILOMETRES
0 50 100 150 200
Capitals of Countries
Other Capitals
International Boundaries
Other Boundaries
Copyright by C. S. Hammond & Co., N.Y.
PROVINCES OF ECUADOR INDICATED BY NUMBERS
1 Imbabura C-2
2 Cotopaxi C-3
3 Tungurahua C-3
4 Los Ríos C-3
5 Bolívar C-3
6 Chimborazo C-3
7 Cañar C-4
8 El Oro C-4
GALÁPAGOS ISLANDS
(ARCHIPIÉLAGO DE COLÓN)
(Ecuador)
Same scale as main map
PACIFIC OCEAN
Equator
I. Culpepper (Darwin)
I. Wenman (Wolf)
I. Pinta
I. Marchena
I. Genovesa
Pta. Albemarle
I. San Salvador (Santiago)
B. de Banks
I. Baltra
I. Fernandina
I. Pinzón
I. Sta. Cruz (Chaves)
Sta. Cruz
I. Sta. Fe
I. S. Cristóbal
Pto. Baquerizo Moreno
El Progreso
Isla Isabela
Villamil
Floreana
I. Sta. María (Floreana)
I. Española
Longitude West of Greenwich
Equator
PACIFIC OCEAN
COLOMBIA
ECUADOR
PERU
BRAZIL
BOLIVIA
CHILE
Quito
LIMA
Callao
Guayaquil
Iquitos
Arequipa
Cuzco
Trujillo
Cuenca
Tacna
Arica
La Paz
Lake Titicaca
Amazon
Marañón
Ucayali
Napo
Putumayo
Gulf of Guayaquil
MADRE DE DIOS

PERU and ECUADOR

PERU

	PERU	ECUADOR
AREA	513,000 sq. mi.	115,000 sq. mi.
POPULATION	11,649,600	5,084,000
CAPITAL	Lima	Quito
LARGEST CITY	Lima (greater) 1,436,231	Guayaquil 506,037
HIGHEST POINT	Huascarán 22,205 ft.	Chimborazo 20,561 ft.
MONETARY UNIT	sol	sucre
MAJOR LANGUAGES	Spanish, Indian	Spanish, Indian
MAJOR RELIGION	Roman Catholic	Roman Catholic

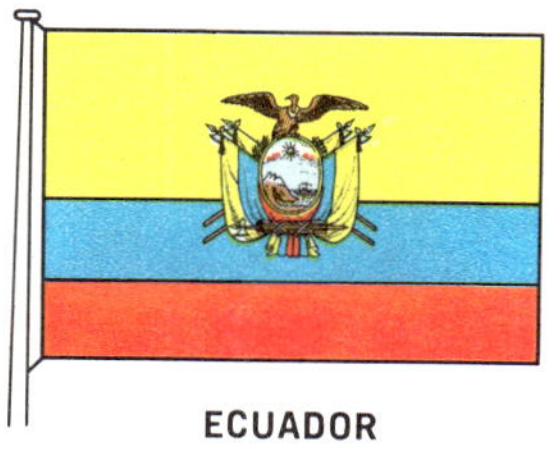

ECUADOR

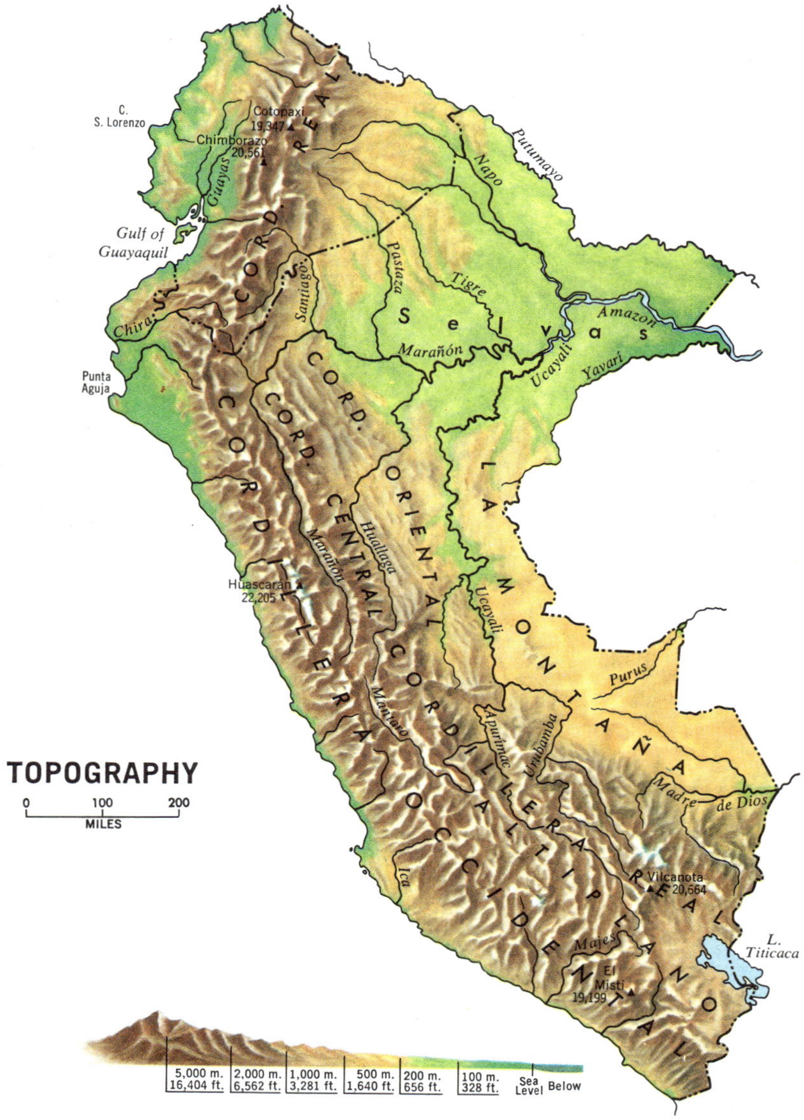

PERU

DEPARTMENTS

Amazonas, 143,100 ....C 5
Ancash, 662,200 ....D 7
Apurímac, 314,600 ....F10
Arequipa, 452,400 ....F10
Ayacucho, 447,000 ....E 9
Cajamarca, 875,400 ....C 6
Callao, 266,700 ....D 9
Cuzco, 690,400 ....F 9
Huancavelica, 336,600 ....E 9
Huánuco, 380,400 ....D 7
Ica, 302,500 ....E10
Junín, 603,300 ....E 8
La Libertad, 680,700 ....C 6
Lambayeque, 407,300 ....B 6
Lima, 2,526,000 ....D 8
Loreto, 416,400 ....E 5
Madre de Dios, 19,000 ....G 8
Moquegua, 59,600 ....G11
Pasco, 162,800 ....E 8
Piura, 786,000 ....B 5
Puno, 776,100 ....G10
San Martín, 194,400 ....D 6
Tacna, 78,400 ....G11
Tumbes, 68,300 ....B 4

CITIES and TOWNS

Abancay, 9,053 ....F 9
Acarí, 1,428 ....E10
Acobamba, 2,167 ....E 9
Acolla, 4,415 ....E 8
Acomayo, Cuzco, 1,874 ....G 9
Acomayo, Huánuco ....E 7
Acora, 941 ....H11
Acuracay ....F 5
Aija, 1,710 ....D 7
Alca, 539 ....F10
Ambo, 1,606 ....D 8
Ancón, 3,760 ....D 8
Andahuaylas, 4,674 ....F 9
Andamarca, 339 ....E 8
Anta, 2,574 ....F 9
Antabamba, 2,294 ....F10
Aplao, 1,316 ....F11
Aquia, 897 ....D 8
Arequipa, 90,014 ....G11
Arequipa, *135,358 ....G11
Ascope, 3,762 ....C 6
Astillero ....H 9
Atalaya ....E 8
Atico, 297 ....F11
Ayabaca, 3,415 ....C 5
Ayacucho. 21,465 ....F 9
Ayavirí, 7,553 ....G10
Azángaro, 4,771 ....H10
Bagua, 2,343 ....C 5
Balsapuerto, 203 ....D 5
Bambamarca, 4,281 ....C 6
Barranca, Lima, 11,320 ....C 8
Barranca, Loreto, 184 ....D 5
Bartra Antiguo ....E 4
Bartra Nuevo ....E 4
Bayóvar ....B 5
Bellavista, 2,129 ....C 5
Bolívar, 1,057 ....D 6
Bolognesi ....F 6
Bolognesi ....F 8
Borja ....D 5
Bretaña ....E 5
Buldibuyo, 616 ....D 7
Caballococha ....G 4
Cabana, 1,910 ....C 7
Cabo Blanco ....B 5
Cahuapanas, 125 ....D 5
Cailloma, 607 ....G10
Cajabamba, 5,253 ....C 6
Cajacay, 809 ....D 8
Cajamarca, 22,705 ....C 6
Cajatambo, 2,257 ....D 8
Calca, 3,489 ....G 9
Callalli, 133 ....G10
Callao, 155,953 ....D 9
Callao, *161,236 ....D 9
Camaná, 5,120 ....F11
Candarave, 859 ....G11
Cangallo, 1,578 ....E 9
Canta, 2,491 ....D 8
Capachica, 193 ....H10
Carás, 4,033 ....D 7
Caravelí, 1,954 ....F10
Carhuás, 2,175 ....D 7
Carumás, 727 ....G11
Cascas, 2,403 ....C 6
Casma, 4,975 ....C 7
Castilla, 29,541 ....B 5
Castrovirreyna, 784 ....E 9
Catacaos, 12,135 ....B 5
Celendín, 5,646 ....D 6
Cerro Azul, 1,571 ....D 9
Cerro de Pasco, 19,982 ....D 8
Chachapoyas, 6,860 ....D 6
Chala, 1,054 ....E10
Chalhuanca, 2,840 ....F10
Chancay, 6,145 ....D 8
Chao ....C 7
Chepén, 16,119 ....C 6
Chicama, 1,362 ....C 6
Chiclayo, 95,669 ....C 6
Chilca (Pucusana), 1,331 ....D 9
Chilete, 1,105 ....C 6
Chimbote, 59,990 ....C 7
Chincha Alta, 20,817 ....D 9
Chiquián, 3,354 ....D 8
Chirinos, 490 ....C 5
Chivay, 2,320 ....G10
Chorrillos, 31,703 ....D 9
Chosica ....D 8
Chota, 4,961 ....C 6
Chulucanas, 19,714 ....B 5
Chupaca, 2,180 ....E 9
Chuquibamba, 2,983 ....F10
Chuquibambilla, 1,423 ....F 9
Churín ....D 8
Cocachacra, 2,869 ....G11
Cocama ....G 8
Cojata, 763 ....H10
Colasay, 466 ....C 5
Colcamar, 1,370 ....D 6
Conaica, 1,408 ....E 9
Concepción, 4,184 ....E 8
Concordia ....E 5
Contamana, 4,708 ....E 6
Contumazá, 2,532 ....C 6
Coracora, 4,116 ....F10
Córdova, 620 ....E10
Corongo, 2,241 ....D 7
Cotahuasi, 1,618 ....F20
Culebras ....C 7
Cumaría ....F 7
Cutervo, 4,702 ....C 6
Cuyocuyo, 708 ....H10
Cuzco, 59,971 ....F 9
Cuzco, *87,752 ....F 9
Desaguadero, 948 ....H11
Deustua G10
Dos de Mayo ....E 6
Echarate, 374 ....F 9
El Portugués ....C 7
Esperanza ....G 7
Ferreñafe, 12,112 ....C 6
Fitzcarrald ....G 8
Francisco de Orellana ....F 4
Guadalupe ....E 9
Güeppi ....E 3
Huacho, 22,806 ....D 8
Huacrachuco, 757 ....D 7
Hualgayoc, 1,223 ....C 6
Hualla, 2,586 ....F 9
Huallanca, Ancash, 491 ....D 7
Huallanca, Huánuco, 1,202 ....D 7
Humachuco, 5,730 ....D 6
Huancabamba, 3,215 ....C 5
Huancané, 4,053 ....H10
Huancapi, 2,415 ....E 9
Huancavelica, 11,039 ....E 9
Huancayo, 46,173 ....E 9
Huanchaco, 1,006 ....C 7
Huanta, 5,728 ....E 9
Huánuco, 24,646 ....E 7
Huaral, 11,481 ....D 8
Huarás, 20,345 ....D 7
Huari, 2,467 ....D 7
Huariaca, 1,534 ....E 8
Huarmey, 5,232 ....C 8
Huarochirí, 2,125 ....D 9
Huarocondo, 2,921 ....F 9
Huaylas, 1,258 ....C 7
Iberia ....F 5
Ica, 49,097 ....E10
Ichuña, 183 ....G11
Ilave, 4,278 ....H11
Ilo, 9,986 ....G11
Imperial, 6,345 ....D 9
Inambari, 9 ....H 9
Iñapari, 159 ....H 8
Intutu ....E 4
Iparia, 171 ....E 7
Iquitos, 57,777 ....F 4
Jaén, 4,420 ....C 5
Jauja, 12,751 ....E 8
Jayanca, 4,240 ....B 6
Jeberos, 1,842 ....D 5
Juanjuí, 5,105 ....D 6
Juli, 3,874 ....H11
Juliaca, 20,351 ....G10
Jumbilla, 876 ....C 5
Junín, 5,004 ....E 8
La Huaca, 1,863 ....B 5
La Jalca, 1,401 ....D 6
La Joya, 1,305 ....G11
La Oroya, 24,724 ....D 8
La Tina ....B 5
La Unión, 2,013 ....D 7
Lagunas, 3,637 ....E 5
Lamas, 7,139 ....D 6
Lambayeque, 10,629 ....B 6
Lampa, 3,123 ....G10
Lamud, 2,609 ....C 6
Lanlacuni Bajo ....G 9
Las Piedras, 13 ....H 9
Las Yaras G11
Leimebamba, 1,026 ....D 6
Lima (cap.), 338,365 ....D 8
Lima, *1,436,231 ....D 8
Limbani, 903 ....H10
Lircay, 2,077 ....E 9
Llata, 2,255 ....D 7
Lobitos, 3,071 ....B 5
Locumba, 349 ....G11
Lomas, 111 ....E10
Lucerna ....H 9
Lurín, 2,741 ....D 9
Machupicchu, 1,026 ....F 9
Macusani, 1,619 ....G10
Madre de Dios, †802 ....G 9
Máncora, 7,943 ....B 5
Manú, †686 ....G 9
Marcapata, 334 ....G 9
Marcona, 6,744 ....E10
Margos, 1,195 ....D 8
Masisea, 1,520 ....E 7
Matarani F11
Matucana, 2,883 ....D 8
Mavila ....H 8
Mazán, 411 ....F 4
Mazocruz H11
Mendoza ....D 6
Miraflores, 52,142 ....G11
Mishagua ....F 8
Moho, 1,377 ....H10
Mollendo, 12,483 ....F11
Monsefu, 11,141 ....C 6
Moquegua, 7,795 ....G11
Morales, 2,430 ....D 6
Morococha, 6,519 ....D 8
Morropón, 4,730 ....C 5
Motupe, 1,286 ....C 6
Moyobamba, 8,373 ....D 6
Nauta, 1,905 ....F 5
Nazca, 13,587 ....E10
Negritos ....B 5
Nueva Alejandría ....F 5
Nuñoa, 2,137 ....G10
Ocoña, 1,207 ....F11
Ocros, 1,204 ....D 8
Ollachea, 903 ....G 9
Ollantaytambo, 1,632 ....F 9
Olmos, 3,628 ....C 5
Omaguas ....F 4
Omas, 217 ....D 9
Omate, 856 ....G11
Orcotuna, 2,716 ....E 8
Orellana ....E 6
Otuzco, 4,311 ....C 6
Oxapampa, 2,535 ....E 8
Oyón, 2,171 ....D 8
Pacasmayo, 11,956 ....C 6
Pachiza, 1,307 ....D 6
Paijan, 5,815 ....C 6
Paita, 9,615 ....B 5
Palpa, 2,615 ....E10
Pampachiri, 448 ....F10
Pampacolca, 1,876 ....F10
Pampas, 2,495 ....E 9
Panao, 1,262 ....E 7
Pantoja ....E 3
Paramonga ....C 8
Parinari, 126 ....E 5
Paruro, 1,905 ....F 9
Pataz, 324 ....D 6
Paucarbamba, 715 ....E 9
Paucartambo, 1,928 ....E 8
Paucartambo, 1,717 ....G 9
Pevas, 696 ....G 4
Picota, 2,014 ....D 6
Pimentel, 6,252 ....B 6
Pinquén ....G 9
Pisac, 1,230 ....G 9
Pisco, 22,112 ....D 9
Piura, 42,555 ....B 5
Pizacoma, 86 ....H11
Pomabamba, 2,522 ....D 7
Porvenir ....E 5
Poto, 161 ....H10
Pozuzo, 121 ....E 8
Puca Barranca ....F 4
Pucallpa ....E 7
Pucará, 1,119 ....G10
Pucaurco ....G 4
Pucusana, 1,331 ....D 9
Puerto Alianza ....D 5
Puerto América ....D 5
Puerto Arturo ....F 3
Puerto Bermúdez, 230 ....E 8
Puerto Caballas E10
Puerto Chicama, 1,362 ....C 6
Puerto Eten, 6,999 ....B 6
Puerto José Pardo ....D 4
Puerto Leguía, Loretò ....D 4
Puerto Leguía, Puno ....G 9
Puerto Maldonado, 3,536 ....H 9
Puerto Morín ....C 7
Puerto Ocopa ....E 8
Puerto Pardo ....F 7
Puerto Pizarro ....B 4
Puerto Portillo ....F 7
Puerto Prado ....E 8
Puerto Samanco, 1,733 ....C 7
Puerto Tahuantinsuyo ....G 9
Puerto Victoria ....E 7
Puno, 24,459 ....G10
Punta de Bombón, 3,943 ....F11
Punta Moreno ....C 6
Puquina, 1,030 ....G11
Puquio, 8,144 ....F10
Putina, 3,512 ....H10
Querecotillo, 6,205 ....B 5
Quicacha, 299 ....F10
Quilca, 171 ....F11
Quillabamba ....F 9
Quince Mil ....G 9
Recuay, 1,755 ....D 7
Requena, 3,931 ....F 5
Reventazón ....B 6
Rioja, 4,361 ....D 6
Salaverry, 4,605 ....C 7
San José, 2,612 ....B 6
San José de Sisa, 4,190 ....D 6
San Juan, 717 ....E10
San Lorenzo ....H 8
San Martín ....E 3
San Miguel, 1,871 ....C 6
San Miguel, 1,271 ....F 9
San Pedro de Lloc, 7,497 ....C 6
San Ramón, 3,016 ....E 8
San Vicente de Cañete, 7,184 ....D 9
Saña, 18,421 ....C 6
Sandia, 3,026 ....H10
Santa, 2,966 ....C 7
Santa Clotilde ....E 4
Santa Cruz, Cajamarca, 1,729 ....C 6
Santa Cruz, Loreto, 739 ....E 5
Santa Elena ....F 5
Santa Isabel de Sihuas, 118 ....F11
Santa María de Nanay, 173 ....F 4
Santiago, 1,613 ....E10
Santiago de Cao, 1,033 ....C 6
Santiago de Chocorvos, 344 ....E 9
Santiago de Chuco, 4,649 ....C 7
Santo Tomás, Amazonas, 1,097 ....C 6
Santo Tomás, Cuzco, 1,659 ....G10
Santo Tomás de Andoas ....D 4
Saposoa, 4,456 ....D 6
Saquena, 688 ....F 5
Satipo, 2,499 ....E 8
Sauce, 1,761 ....D 6
Sayán, 1,764 ....D 8
Sechura, 5,157 ....B 5
Sicuani, 10,664 ....G10
Sihuas, 1,404 ....D 7
Sullana, 34,501 ....B 5
Sumbay G10
Sumbilca, 1,365 ....D 8
Supe, 2,499 ....D 8
Tacna, 27,499 ....G11
Tahuamanu, 84 ....H 8
Talara, 62,277 ....B 5
Tambo Grande, 4,404 ....B 5
Tambo de Mora, 1,107 ....D 9
Tamshiyacu ....F 5
Tarapoto, 13,907 ....D 6
Tarata, 2,673 ....H11
Tarma, 15,452 ....E 8
Tarqui ....E 3
Tayabamba, 1,519 ....D 7
Ticaco, 1,206 ....H11
Tingo María ....D 7
Tiruntán ....E 6
Tocache, 1,607 ....D 7
Tonegrama ....D 4
Toquepala G11
Torata, 669 ....G11
Tournavista ....E 7
Trujillo, 100,130 ....C 7
Tumbes, 20,885 ....B 4
Ubinas, 348 ....G11
Uchiza, 1,006 ....D 7
Unini ....F 8
Urcos, 2,733 ....G 9
Urubamba, 3,325 ....F 9
Vinchos ....E 9
Virú, 2,647 ....C 7
Vitor, 117 ....G11
Yambrasbamba, 306 ....D 5
Yanahuanca, 962 ....D 8
Yanaoca, 1,146 ....G10
Yauca, 2,364 ....E10
Yauli, 1,696 ....D 8
Yauri G10
Yauyos, 1,456 ....E 9
Yungay, 3,543 ....D 7
Yunguyo, 2,506 ....H11
Yurimaguas, 11,655 ....E 5
Zarumilla, 3,499 ....B 4
Zorritos, 2,862 ....B 4

PHYSICAL FEATURES

Acarí (river) E10
Aguaytía (river) ....E 7
Aguja (point) ....B 5
Amazon (river) ....F 4
Andes (mts.) F10
Apurímac (river) ....F 9
Azángaro (river) G10
Azul (mts.) ....E 7
Blanca (mts.) ....D 7
Blanco (cape) ....B 5
Blanco (river) ....F 6
Boquerón, El (pass) ....E 7
Cañete (river) ....D 9
Casma (river) ....C 7
Chimbote (bay) ....C 7
Chincha (isls.) ....D 9
Chira (river) ....B 5
Coles (point) G11
Cóndor (mts.) ....C 5
Coropuna, Nudo (mt.) F10
Corrientes (river) ....E 4
Ene (river) ....E 8
Ferrol (pen.) ....C 7
Grande (river) E10
Guañape (isls.) ....C 7
Heath (river) ....H 9
Huallaga (river) ....D 5
Huasaga (river) ....D 4
Huascarán (mt.) ....D 7
Huayabamba (river) ....D 6
Ica (river) E10
Inambari (river) ....H 9
Independencia (bay) D10
Junín (lake) ....E 8
Lachay (Salinas) (point) ....D 8
Lobos de Afuera (isls.) ....B 6
Lobos de Tierra (isl.) ....B 6
Locumba (river) G11
Madre de Dios (river) ....G 9
Majes (river) F11
Mantaro (river) ....E 8
Manú (river) ....G 8
Marañón (river) ....E 5
Mayo (river) ....D 6
Misti, El (mt.) G11
Montaña, La (reg.) ....F 8
Morona (river) ....D 5
Nanay (river) ....E 4
Napo (river) ....F 4
Negra (mts.) ....D 7
Negra (point) ....B 6
Ñermete (point) ....B 5
Occidental (mts.) F10
Ocoña (river) F11
Oriental (mts.) H10
Pachitea (river) ....E 7
Paita (bay) ....B 5
Pampas (river) ....E 9
Paracas (pen.) ....D 9
Parinacochas (lake) F10
Pariñas (point) ....B 5
Pastaza (river) ....D 5
Pativilca (river) ....D 8
Perené (river) ....E 8
Pichis (river) ....E 8
Piedras, Las (river) ....G 8
Pisco (bay) ....D 9
Pisco (river) ....D 9
Pirua (river) ....B 5
Puinagua, Canal de (river) ....E 5
Purus (river) ....G 8
Putumayo (river) ....G 4
Rímac (river) ....D 9
Salinas (Lachay) (point) ....D 8
Sama (river) G11
San Gallán (isl.) ....D 9
San Lorenzo (isl.) ....D 9
San Nicolás (bay) E10
Santa (river) ....C 7
Santiago (river) ....D 4
Sechura (bay) ....B 5
Tahuamanu (river) ....H 8
Tambo (river) G11
Tambopata (river) ....H 9
Tapiche (river) ....E 6
Tigre (river) ....E 4
Titicaca (lake) H10
Tumbes (river) ....B 4
Ucayali (river) ....F 5
Urituyacu (river) ....D 5
Urubamba (river) ....F 8
Viejas, Las (isl.) D10
Vilcabamba (mts.) ....F 9
Vilcanota (mt.) G10
Vitor (river) F11
Yaguas (river) ....G 4
Yavarí (river) ....G 5
Yavero (river) ....F 9

ECUADOR

PROVINCES

Azuay, 274,642 ....C 4
Bolívar, 131,651 ....C 3
Cañar, 112,733 ....C 4
Carchi, 94,649 ....C 2
Chimborazo, 276,668 ....C 3
Colón, Archipiélago de, 2,391 ....C 8
Cotopaxi, 154,971 ....C 3
El Oro, 160,650 ....C 4
Esmeraldas, 124,881 ....C 2
Guayas, 979,223 ....B 4
Imbabura, 174,039 ....C 2
Loja, 285,448 ....C 4
Los Ríos, 250,062 ....C 3
Manabí, 612,542 ....B 3
Morona-Santiago, 25,503 ....C 4

(continued on following page)

Peru and Ecuador

(continued)

ECUADOR (continued)

Napo, 24,253 ... D 3
Pastaza, 13,693 ... D 3
Pichincha, 587,835 ... C 3
Tungurahua, 178,709 ... C 3
Zamora-Chinchipe, 11,464 ... C 5

CITIES and TOWNS

Alausí, 6,676 ... C 4
Ambato, 53,372 ... C 3
Andoas Nuevo ... D 4
Arapicos ... D 3
Archidona ... D 3
Arenillas, 3,925 ... B 4
Atuntaqui, 8,759 ... C 2
Azogues, 8,075 ... C 4
Baba, 693 ... C 3
Babahoyo, 16,444 ... C 3
Baeza, 213 ... D 3
Bahía de Caráquez, 8,845 ... B 3
Balao, 1,415 ... C 4
Balzar, 6,588 ... C 3
Bolívar, 410 ... C 2
Cajabamba, 2,094 ... C 3
Calceta, 4,946 ... C 3
Cañar, 4,935 ... C 4
Canelos ... D 3
Cariamanga, 5,381 ... C 5
Carondelet, 318 ... C 2
Catacocha, 3,796 ... C 5
Catamayo, 4,097 ... C 4
Catarama, 2,424 ... C 3
Cayambe, 8,101 ... D 3
Celica, 3,167 ... B 4
Chone, 12,832 ... B 3
Chunchi, 2,388 ... C 4
Coca ... D 3
Cojimíes, 1,538 ... B 2
Cononaco ... E 3
Cuenca, 60,402 ... C 4
Cuyabeno ... E 3
Daule, 7,428 ... B 3
Edén ... E 3
El Ángel, 4,009 ... C 2
El Corazón, 1,118 ... C 3
El Progreso ... C 9
El Pun, 612 ... D 2
Esmeraldas, 33,403 ... B 2
Farfán ... D 2
Floreana ... B10
Girón, 1,914 ... C 4
Gualaceo, 3,065 ... C 4
Gualaquiza, 635 ... C 4
Guale ... B 3
Guamote, 2,640 ... C 4
Guano, 4,455 ... C 3
Guaranda, 9,900 ... C 3
Guayaquil, 506,037 ... B 4
Ibarra, 25,835 ... D 2
Jama, 1,743 ... B 3
Jipijapa, 13,367 ... B 3
La Libertad, 13,565 ... B 4
La Tola, 550 ... C 2
Latacunga, 14,856 ... C 3
Loja, 26,785 ... C 4
Loreto ... D 3
Macará, 5,027 ... C 5
Macas, 1,355 ... D 4
Machachi, 3,951 ... C 3
Machala, 29,036 ... B 4
Machalilla, 615 ... B 3
Manglaralto, 799 ... B 3
Manta, 33,622 ... B 3
Méndez, 527 ... C 4
Mera ... C 3
Miazal ... D 4
Milagro, 28,148 ... C 4
Montecristi, 4,540 ... B 3
Morona ... D 4
Mulaló, 427 ... C 3
Napo ... D 3
Nuevo Rocafuerte, 435 ... E 3
Otavalo, 8,630 ... C 2
Paján, 1,318 ... B 3
Palanda ... C 5
Papallacta ... D 3
Pasaje, 13,215 ... C 4
Paute, 1,511 ... C 4
Pedernales, 610 ... B 2
Pelileo, 2,545 ... C 3
Píllaro, 2,714 ... C 3
Piñas, 3,344 ... C 4
Playas, 5,067 ... B 4
Portoviejo, 32,228 ... B 3
Posorja, 2,086 ... B 4
Puerto Baquerizo Moreno ... C 9
Puerto Bolívar ... B 4
Puerto de Cayo, 713 ... B 3
Pujilí, 2,534 ... C 3
Putumayo ... E 3
Puyo, 2,290 ... D 3
Quevedo, 20,602 ... C 3
Quito (cap.), 368,217 ... C 3
Río Tigre ... D 4
Riobamba, 41,625 ... C 3
Rocafuerte, 4,349 ... B 3
Rosa Zárate, 1,662 ... C 2
Salinas, 5,460 ... B 4
San Gabriel, 6,803 ... D 2
San Lorenzo, 575 ... C 2
San Miguel, 2,410 ... C 3
San Miguel de Salcedo, 3,442 ... C 3
Sangolquí, 5,501 ... C 3
Santa Ana, 3,940 ... B 3
Santa Cruz ... B 9
Santa Elena, 4,241 ... B 4
Santa Isabel, 1,602 ... C 4
Santa Rosa, 8,935 ... C 4
Santa Rosa de Sucumbíos, 132 ... D 2
Santo Domingo de los Colorados, 6,951 ... C 3
Saraguro, 1,562 ... C 4
Sarayacu ... D 3
Sigsig, 1,228 ... C 4
Sigüe ... D 2
Sucre, 2,578 ... B 3
Sucúa, 1,153 ... C 4
Tabacundo, 2,009 ... C 2
Tachina ... C 2
Tena, 1,029 ... D 3
Tulcán, 16,448 ... D 2
Valdez, 3,358 ... C 2
Viche, 230 ... C 2
Villamil ... B 9
Vinces, 5,901 ... C 3
Yacuambi, 405 ... C 4
Yaguachi, 2,996 ... C 4
Yaupi ... D 4
Zamora, 1,030 ... C 5
Zapotillo, 460 ... B 5
Zaruma, 9.000 ... C 4
Zumba, 450 ... C 5

AGRICULTURE, INDUSTRY and RESOURCES

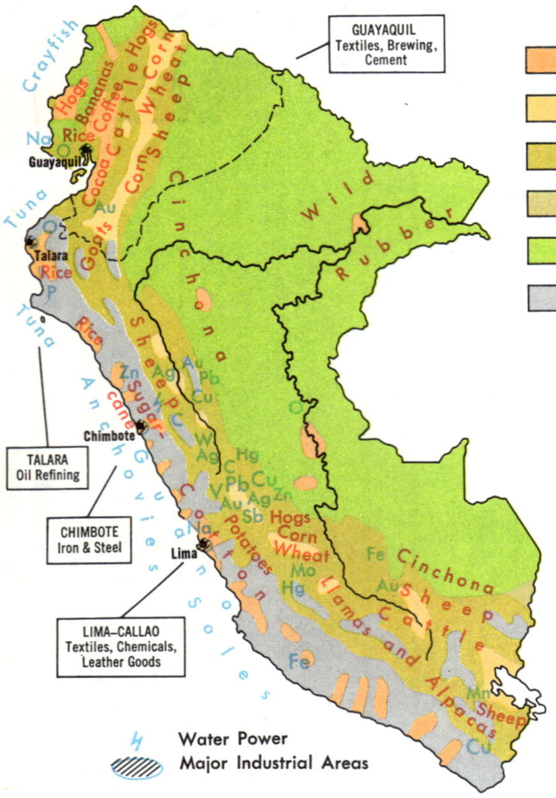
GUAYAQUIL
Textiles, Brewing, Cement
TALARA
Oil Refining
CHIMBOTE
Iron & Steel
LIMA–CALLAO
Textiles, Chemicals, Leather Goods
Guayaquil
Talara
Chimbote
Lima
Crayfish
Tuna
Anchovies
Soles
Wild Rubber
Cinchona
Sheep
Cattle
Llamas and Alpacas
Sugar-cane
Cotton
Rice
Hogs
Corn
Wheat
Potatoes
Bananas
Coffee
Cocoa
Goats

DOMINANT LAND USE

- Diversified Tropical Crops (chiefly plantation agriculture)
- Upland Cultivated Areas
- Upland Livestock Grazing, Limited Agriculture
- Extensive Livestock Ranching
- Forests
- Nonagricultural Land

MAJOR MINERAL OCCURRENCES

- Ag Silver
- Au Gold
- C Coal
- Cu Copper
- Fe Iron Ore
- Hg Mercury
- Mn Manganese
- Mo Molybdenum
- Na Salt
- O Petroleum
- P Phosphates
- Pb Lead
- Sb Antimony
- V Vanadium
- W Tungsten
- Zn Zinc

Water Power
Major Industrial Areas

PHYSICAL FEATURES

Aguarico (river) ... D 3
Albemarle (point) ... B 9
Ancón de Sardinas (bay) ... C 2
Antisana (mt.) ... D 3
Baltra (isl.) ... B 9
Banks (bay) ... B 9
Bobonaza (river) ... D 3
Cayambe (mt.) ... D 2
Chaves (Santa Cruz) (isl.), 626 ... C 9
Chimorazo (mt.) ... C 3
Cotopaxi (mt.) ... C 3
Cristóbal (point) ... B 9
Culpepper (isl.) ... B 8
Curaray (river) ... D 3
Darwin (Culpepper) (isl.) ... B 8
Esmeraldas (river) ... C 2
Española (isl.) ... C10
Fernandina (isl.) ... B 9
Floreana (Santa María) (isl.), 46 ... B10
Galápagos (isls.), 2,412 ... C 8
Galera (point) ... B 2
Genovesa (isl.) ... C 9
Guayaquil (gulf) ... B 4
Guayas (river) ... C 4
Isabel (bay) ... B 9
Isabela (isl.), 336 ... B 9
Manta (bay) ... B 3
Marchena (isl.) ... B 9
Mira (river) ... C 2
Napo (river) ... D 3
Naranjal (river) ... C 4
Pasado (cape) ... B 3
Pastaza (river) ... D 4
Pindo (river) ... D 3
Pinta (isl.) ... B 9
Pinzón (isl.) ... B 9
Puná (isl.), 5,459 ... B 4
Puntilla, La (cape) ... B 4
Putumayo (river) ... E 2
Rosa (cape) ... B10
San Cristóbal (isl.), 1,404 ... C 9
San Francisco (cape) ... B 2
San Lorenzo (cape) ... B 3
San Miguel (river) ... D 2
San Salvador (isl.) ... B 9
Sangay (mt.) ... C 4
Santa Cruz (isl.), 626 ... C 9
Santa Elena (bay) ... B 3
Santa Fé (isl.) ... C 9
Santa María (isl.), 46 ... B10
Santiago (San Salvador) (isl.) ... C 9
Tumbes (river) ... B 4
Wenman (isl.) ... B 8
Wolf (Wenman) (isl.) ... B 8
Zamora (river) ... B 4

*City and suburbs.

†Population of district.

AGRICULTURE, INDUSTRY and RESOURCES

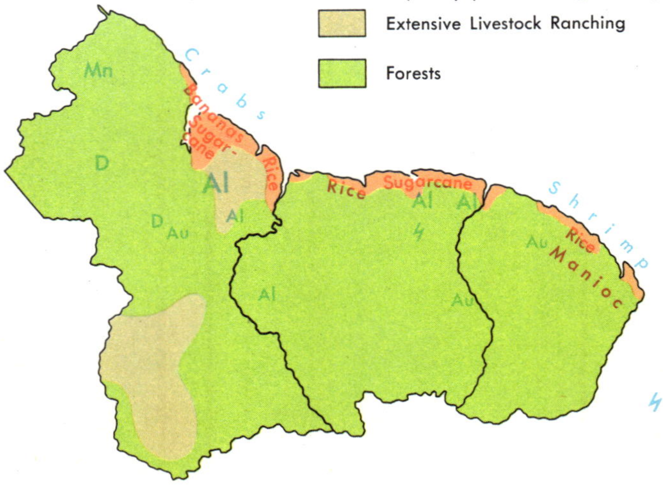
Crabs
Shrimp
Bananas
Sugar-cane
Rice
Sugarcane
Manioc

DOMINANT LAND USE

- Diversified Tropical Crops (chiefly plantation agriculture)
- Extensive Livestock Ranching
- Forests

MAJOR MINERAL OCCURRENCES

- Al Bauxite
- Au Gold
- D Diamonds
- Mn Manganese

Water Power

GUYANA

COUNTIES

Berbice, 96,623 ... B 3
Demerara, 220,639 ... B 2
Essequibo, 58,439 ... B 3

CITIES and TOWNS

Adventure, 507 ... B 2
Anna Regina, 848 ... B 2
Annai ... B 4
Apoteri ... B 3
Arakaka ... B 2
Atkinson Field ... B 2
Aurora ... B 2
Baramanni ... B 2
Baramita ... A 2
Bartica, 2,352 ... B 2
Biloku ... B 5
Charity, 838 ... B 2
Dadanawa ... B 4
Danielstown, 478 ... B 2
Epira ... C 3
Five Stars ... A 2
Georgetown (cap.), 78,000 ... C 2
Georgetown, *162,000 ... C 2
Imbaimadai ... A 3
Issano ... B 3
Issineru ... A 2
Ituni ... B 3
Kamakusa ... A 3
Kamarang, 510 ... A 3
Karasabai ... B 4
Kumaka ... B 4
Kurupukari ... B 3
Kwakwani ... C 3
Lethem ... B 4
Lumid Pau ... B 4
Mabaruma, 343 ... B 1
Mackenzie ... B 2
Mahaica, 8,646 ... C 2
Mahaicony, 8,272 ... C 2
Mahdia ... B 3
Mara ... C 2
Morawhanna, 305 ... B 1
Mount Everard ... B 2
New Amsterdam, 14,300 ... C 2
Orealla ... C 3
Paradise ... C 3
Parika, 577 ... B 2
Pickersgill, 334 ... B 2
Queenstown, 1,067 ... B 2
Rockstone ... B 2
Rosignol, 1,204 ... C 2
Skeldon, 4,367 ... C 3
Springlands, 181 ... C 2
Suddie, 512 ... B 2
Takama ... C 3
Towakaima ... B 2
Tumatumari ... B 3
Tumereng ... B 2
Vreed-en-Hoop, 3,156 ... B 2
Wichabai ... B 4
Wismar ... B 2
Yupukari ... B 4

PHYSICAL FEATURES

Akarai (mts.) ... B 5
Amakara (river) ... A 2
Amuku (mts.) ... B 4
Ariwa (mt.) ... B 3
Barama (river) ... A 2
Barima (river) ... B 2
Berbice (river) ... B 3
Burro-Burro (river) ... B 3
Caburai (mt.) ... A 3
Canje (river) ... C 2
Courantyne (river) ... C 3
Cuyuni (river) ... B 2
Demerara (river) ... B 3
Essequibo (river) ... B 3
Great (falls) ... B 3
Ireng (river) ... B 3
Kaieteur (falls) ... B 3
Kamaria (falls) ... B 2
Kamoa (river) ... B 5
Kanuku (mts.) ... B 4
Kukui (river) ... A 3
Kurungiku (mts.) ... B 3
Kuyuwini (river) ... B 4
Kwitaro (river) ... B 4
Leguan (isl.), 6,567 ... B 2
Marudi (mts.) ... B 5
Mazaruni (river) ... A 2
Moruka (river) ... B 2
New (river) ... C 4
Pakaraima (mts.) ... A 3
Playa (point) ... B 1
Pomeroon (river) ... B 2
Potaro (river) ... B 3
Puruni (river) ... B 2
Roraima (mt.) ... A 3
Rupununi (river) ... B 4
Serikoeng (falls) ... A 2
Sororieng (mt.) ... B 2
Takutu (river) ... B 4
Venamo (mt.) ... A 3
Waini (river) ... B 2
Wakenaam (isl.), 6,718 ... B 2
Wenamu (river) ... A 2

SURINAM

DISTRICTS

Brokopondo, 1,376 ... D 4
Commewijne, 18,796 ... D 3
Coronie, 4,069 ... C 3
Marowijne, 10,074 ... D 4
Nickerie, 24,730 ... C 3
Paramaribo, 122,634 ... D 2
Saramacca, 10,979 ... C 3
Suriname, 80,870 ... D 3

CITIES and TOWNS

Ajoewa ... C 4
Albina, 482 ... D 3
Asidonhoppi ... D 4
Batavia ... C 3
Berg-en-Dal, 191 ... D 3
Brokopondo ... D 3
Burnside, 313 ... C 2
Cottica, 8 ... D 4
Dam ... D 3
Domburg, 2,852 ... D 3
Groningen, 256 ... D 3
Intelewa ... D 4
Jamaiké ... D 4
Kwakoegron, 55 ... D 3
Kwatta, 6,378 ... D 2
Lelydorp, 5,948 ... D 3
Majoli ... D 4
Marienburg, 2,524 ... D 2
Moengo ... D 3
Nassau ... D 3
Nieuw-Amsterdam, 1,078 ... D 2

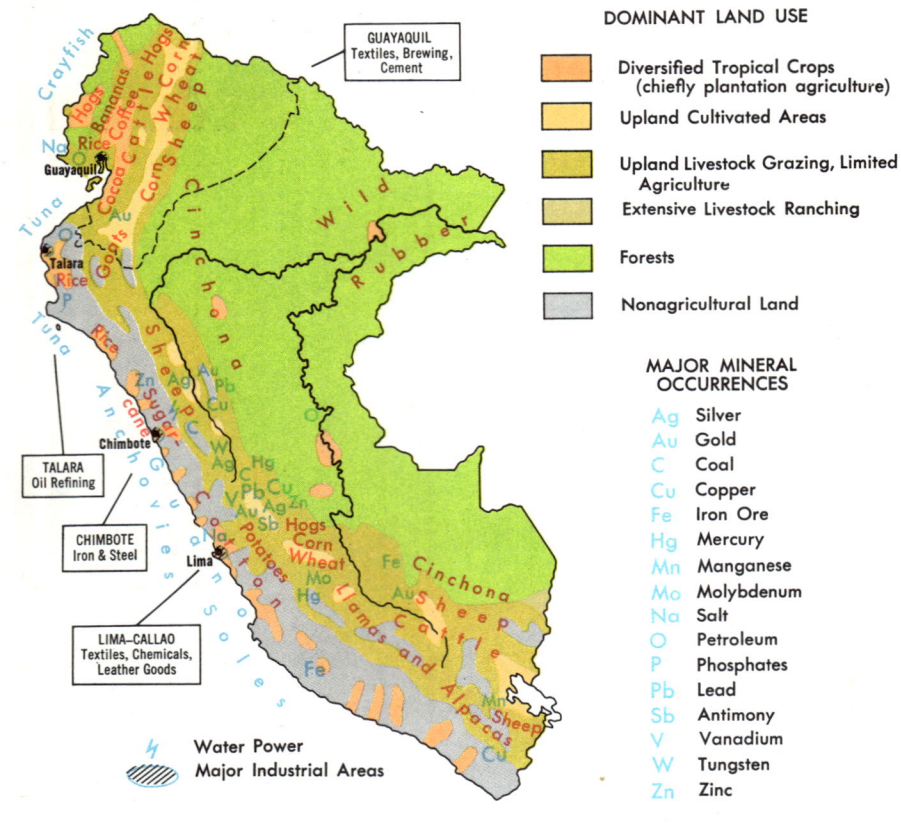

GUIANAS

	GUYANA	SURINAM	FRENCH GUIANA
AREA	89,480 sq. mi.	54,300 sq. mi.	35,135 sq. mi.
POPULATION	628,000	362,000	36,000
CAPITAL	Georgetown	Paramaribo	Cayenne
LARGEST CITY	Georgetown (greater) 162,000	Paramaribo 122,634	Cayenne 18,010
HIGHEST POINT	Mt. Roraima 9,219 ft.	Wilhelmina Mts. 4,200 ft.	2,723 ft.
MONETARY UNIT	British West Indian dollar	Surinam guilder	French franc
MAJOR LANGUAGES	English, East Indian	Dutch	French
MAJOR RELIGIONS	Christian, Hindu, Mohammedan	Christian, Mohammedan, Hindu	Roman Catholic, Protestant

GUYANA

CITIES and TOWNS *(partial index)*

- Nieuw-Nickerie, 3,845 ... C 2
- Papai ... C 4
- Paradise, 1,090 ... C 3
- Paramaribo (cap.), 122,634 ... D 3
- Paranam, 2,322 ... D 3
- Saramaccapolder, 5,264 ... D 2
- Totness, 859 ... C 2
- Utrecht ... C 3
- Witagron ... C 3
- Zanderij ... D 3

PHYSICAL FEATURES

- Bakhuis (mts.) ... C 3
- Blanche Marie (falls) ... C 3
- Coeroeni (river) ... C 4
- Commewijne (river) ... D 3
- Coppename (river) ... C 3
- Corantijn (river) ... C 3
- Cottica (river) ... D 3
- Eilerts-de-Haan (mts.) ... C 4
- Emma (range) ... C 4
- Fredrik Willem IV (falls) ... C 4
- Kabalebo (river) ... C 3
- Kayser (mts.) ... C 4
- Lely (mts.) ... D 3
- Litani (river) ... D 4
- Lucie (river) ... C 3
- Marowijne (river) ... D 3
- Nickerie (river) ... C 3
- Oelemari (river) ... D 3
- Orange (mts.) ... D 4
- Paloemeu (river) ... D 3
- Saramacca (river) ... D 3
- Sipaliwini (river) ... C 4
- Suriname (river) ... D 3
- Tapanahoni (river) ... D 3
- Toekomstig (res.) ... D 3
- Tonckens (falls) ... D 3
- Wilhelmina (mts.) ... C 4

FRENCH GUIANA

DISTRICTS

- Cayenne, 29,925 ... E 3
- Inini, 2,980 ... E 4

CITIES and TOWNS

- Bélizon ... E 3
- Bienvenue ... E 4
- Camopi, 1,295 ... E 4
- Cayenne (cap.), 18,010 ... E 3
- Clément ... E 3
- Counamama ... E 3
- Délices ... E 3
- Edmond, 34 ... E 3
- Grand-Santi, 62 ... D 3
- Guisambourg ... F 3
- Inini ... E 4
- Iracoubo, 518 ... E 3
- Kaw, 373 ... E 3
- Kourou, 302 ... E 3
- Macouria (Tonate), 133 ... E 3
- Malmanoury ... E 3
- Mana, 712 ... E 3
- Maripa ... E 4
- Maripasoula, 223 ... D 4
- Montsinéry, 99 ... E 3
- Organabo ... E 3
- Oscar ... E 4
- Ouanary, 95 ... F 3
- Ouaqui ... D 4
- P. I. (Paul Isnard), †30 ... E 3
- Paul Isnard, †30 ... E 3
- Régina ... E 3
- Rémire, 427 ... E 3
- Roura, 93 ... E 3
- Saint-Élie, †157 ... E 3
- Saint-Georges-de-l'Oyapoc, 393 ... F 4
- Saint-Jean ... D 3
- Saint-Laurent-du-Maroni, 2,581 ... D 3
- Saül, 111 ... E 3
- Saut-Tigre ... E 3
- Sinnamary, 1,160 ... E 3
- Tonate, 133 ... E 3

PHYSICAL FEATURES

- Approuague (river) ... E 4
- Araous (mts.) ... E 4
- Béhague (point) ... F 3
- Camopi (river) ... E 4
- Chaîne Granitique (range) ... E 4
- Comté (river) ... E 4
- Connétable (isls.) ... F 3
- Devil's (isl.) ... E 3
- Granitique, Chaîne (range) ... E 4
- Inini (river) ... D 4
- Itany (river) ... D 4
- Mana (river) ... E 3
- Maroni (river) ... D 3
- Marouini (river) ... D 4
- Oyapock (river) ... E 4
- Rémire (isls.) ... F 3
- Saint-Marcel (mt.) ... E 4
- Salut (isls.) ... F 3
- Sinnamary (river) ... E 3
- Tampoc (river) ... E 4

*City and suburbs.
†Population of municipality.

TOPOGRAPHY

(Map with scale 0–50–100 miles showing elevation zones: Below Sea Level, 100 m./328 ft., 200 m./656 ft., 500 m./1,640 ft., 1,000 m./3,281 ft., 2,000 m./6,562 ft., 5,000 m./16,404 ft.)

Features shown: Guiana Highlands, Pakaraima Mountains, Mt. Roraima 9,219, Kanuku Mts., Akarai Mts., Wilhelmina Mts. 4,200, Orange Mts., Sa. de Tumucumaque, Devil's I., and rivers including Cuyuni, Barama, Mazaruni, Essequibo, Berbice, Courantyne, Coppename, Suriname, Maroni, Mana, Approuague, Oyapock, Tapanahoni.

FLAGS

- GUYANA
- SURINAM
- FRENCH GUIANA

THE GUIANAS

LAMBERT CONFORMAL CONIC PROJECTION

SCALE OF MILES: 0 25 50 100
SCALE OF KILOMETRES: 0 25 50 100

- Capitals of Countries .... ★
- Other Capitals .... ◉
- International Boundaries
- Other Boundaries

BRAZIL
BIPOLAR OBLIQUE CONIC CONFORMAL PROJECTION
SCALE OF MILES
0 50 100 200 300
SCALE OF KILOMETRES
0 50 100 200 300
Capitals of Countries
State Capitals
International Boundaries
State Boundaries
Copyright by C.S. HAMMOND & CO., N.Y.
Longitude 48° West of Greenwich 44°
SURINAM
FR. GUIANA
GUYANA
AMAPÁ
PARÁ
AMAZONAS
MARANHÃO
PIAUÍ
CEARÁ
RIO GRANDE DO NORTE
PARAÍBA
PERNAMBUCO
ALAGOAS
SERGIPE
BAHIA
GOIÁS
MATO GROSSO
MINAS GERAIS
ESPÍRITO SANTO
RIO DE JANEIRO
SÃO PAULO
PARANÁ
SANTA CATARINA
RIO GRANDE DO SUL
BOLIVIA
PARAGUAY
ARGENTINA
URUGUAY
ATLANTIC OCEAN
FEDERAL DISTRICT
Brasília
Belém
Manaus
São Luís
Teresina
Fortaleza (Ceará)
Natal
João Pessoa
Recife (Pernambuco)
Maceió
Aracaju
Salvador (Bahia)
Goiânia
Cuiabá
Belo Horizonte
Vitória
RIO DE JANEIRO
SÃO PAULO
Curitiba
Florianópolis
Pôrto Alegre
Asunción
Amazon
Tropic of Capricorn
BRAZIL WESTERN PART
COLOMBIA
VENEZUELA
PERU
RORAIMA
ACRE
RONDÔNIA (GUAPORÉ)

BRAZIL

AREA	3,286,170 sq. mi.
POPULATION	82,222,000
CAPITAL	Brasília
LARGEST CITY	Rio de Janeiro 3,223,408
HIGHEST POINT	Pico da Bandeira 9,462 ft.
MONETARY UNIT	cruzeiro
MAJOR LANGUAGE	Portuguese
MAJOR RELIGION	Roman Catholic

STATES and TERRITORIES

Acre, 187,000 ..... G10
Alagoas, 1,362,000 ..... G 5
Amapá (terr.), 92,000 ..... D 2
Amazonas, 843,000 ..... G 9
Bahia, 6,617,000 ..... F 6
Ceará, 3,682,000 ..... G 4
Espírito Santo, 1,384,000 ..... F 7
Federal District, 141,742 ..... E 6
Goiás, 2,452,000 ..... D 6
Guanabara, 3,857,000 ..... F 8
Guaporé (Rondônia) (terr.), 97,000 ..... H10
Maranhão, 3,097,000 ..... E 4
Mato Grosso, 1,189,000 ..... B 6
Minas Gerais, 10,945,000 ..... E 7
Pará, 1,802,000 ..... C 4
Paraíba, 2,177,000 ..... G 4
Paraná, 6,024,000 ..... D 9
Pernambuco, 4,536,000 ..... G 5
Piauí, 1,374,000 ..... F 4
Rio de Janeiro, 4,103,000 ..... F 8
Rio Grande do Norte, 1,254,000 ..... G 4
Rio Grande do Sul, 6,182,000 ..... C10
Rondônia (terr.), 97,000 ..... H10
Roraima (terr.), 37,000 ..... H 8
Santa Catarina, 2,502,000 ..... D 9
São Paulo, 15,326,000 ..... D 8
Sergipe, 821,000 ..... G 5

CITIES and TOWNS

Abaeté, 7,988 ..... E 7
Abaetetuba, 11,196 ..... D 3
Acaraú, 3,042 ..... F 3
Acopiara, 3,953 ..... G 4
Acorizal, 892 ..... C 6
Açu, 8,158 ..... G 4
Alagoa Grande, 12,115 ..... H 4
Alagoinhas, 38,246 ..... G 6
Alcobaça, 1,812 ..... G 7
Alegre, 7,487 ..... F 8
Alegrete, 33,735 ..... B10
Alenquer, 7,027 ..... C 3
Alfenas, 16,051 ..... E 8
Alfredo Chaves, 1,209 ..... F 8
Altamira, 2,939 ..... C 3
Alto Araguaia, 2,077 ..... C 7
Alto Parnaíba, 1,300 ..... E 5
Altos, 5,056 ..... F 4
Amambaí, 2,601 ..... C 8
Amapá, 1,591 ..... D 2
Amarante, 3,199 ..... F 4
Amargosa, 6,059 ..... F 6
Anápolis, 48,847 ..... D 7
Anchieta, 1,535 ..... F 8
Andaraí, 2,510 ..... F 6
Angicos, 1,551 ..... G 4
Anicuns, 3,642 ..... D 7
Antenor Navarro, 2,705 ..... G 4
Aquidauana, 11,997 ..... C 8
Aracaju, 112,516 ..... G 5
Aracati, 11,016 ..... G 4
Araçatuba, 53,563 ..... D 8
Araçuaí, 6,763 ..... F 7
Araguacema, 1,745 ..... D 5
Araguari, 35,520 ..... D 7
Araioses, 1,487 ..... F 3
Araranguá, 7,775 ..... D10
Araraquara, 58,076 ..... E 8
Arari, 4,004 ..... E 3
Araxá, 24,041 ..... E 7
Arcoverde, 18,008 ..... G 5
Areia Branca, 8,904 ..... G 4
Arraias, 1,446 ..... E 6
Assis, 30,207 ..... D 8
Aurora, 3,622 ..... G 4
Avaré, 20,334 ..... D 8
Bacabal, 15,531 ..... E 4
Bagé, 47,930 ..... C10
Bahia (Salvador), 630,878 ..... G 6
Baião, 2,265 ..... D 3
Baixo Guandu, 6,975 ..... F 7
Balsas, 1,946 ..... E 4
Bambuí, 8,148 ..... E 8
Barbacena, 41,931 ..... F 8
Barcelos, 1,904 ..... H 9
Barra, 7,237 ..... F 5
Barra-do-Corda, 3,723 ..... E 4
Barra-do-Piraí, 29,398 ..... E 8
Barras, 3,388 ..... F 4
Barreiras, 7,175 ..... E 6
Barreirinhas, 2,184 ..... F 3
Barreiros, 10,402 ..... H 5
Barretos, 39,950 ..... D 8
Batalha, 15,559 ..... F 3
Baturité, 7,198 ..... G 4
Bauru, 85,237 ..... D 8
Bebedouro, 18,249 ..... D 8
Bela Vista, 8,878 ..... C 8
Bela Vista de Goiás, 2,687 ..... D 7
Belém, 359,988 ..... E 3
Belmonte, 7,897 ..... G 6
Belo Horizonte, 642,912 ..... F 7
Benjamin Constant, 3,224 ..... G 9
Bento Gonçalves, 13,662 ..... C10
Blumenau, 46,591 ..... D 9
Boa Vista, 10,180 ..... H 8
Bôca do Acre, 2,994 ..... G10
Bocaiúva, 5,952 ..... E 7
Bom Conselho, 6,840 ..... G 5
Bom Despacho, 13,568 ..... E 7
Bom Jesus, 1,431 ..... E 5
Bom Jesus da Lapa, 6,107 ..... F 6
Bom Retiro, 1,601 ..... D10
Borba, 1,304 ..... H 9
Botucatu, 33,878 ..... D 8
Bragança, 12,848 ..... E 3
Bragança Paulista, 27,328 ..... E 8
Brasiléia, 1,902 ..... G10
Brasília, 3,182 ..... F 7
Brasília (cap.), 130,968 ..... D 6
Brejo, 3,084 ..... F 3
Breves, 2,051 ..... D 3
Brumado, 7,054 ..... F 6
Brusque, 16,127 ..... D 9
Buriti, 1,951 ..... F 3
Buriti Alegre, 5,042 ..... D 7
Buriti dos Lopes, 1,812 ..... F 3
Cabedelo, 10,738 ..... H 4
Cabo Frio, 13,117 ..... F 8
Caçador, 10,480 ..... D 9
Caçapava do Sul, 6,712 ..... C10
Cáceres, 8,246 ..... B 7
Cachoeira, 11,415 ..... G 6
Cachoeira de Itapemirim, 39,470 ..... G 8
Cachoeira do Arari, 2,532 ..... D 3
Cachoeira do Sul, 38,661 ..... C10
Caetité, 4,823 ..... F 6
Caiapônia, 2,476 ..... C 7
Caicó, 15,826 ..... G 4
Cajàzeiras, 15,884 ..... G 4
Caldas Novas, 1,377 ..... D 7
Camaquã, 9,732 ..... C10
Cambará, 6,028 ..... D 8
Cametá, 5,695 ..... D 3
Camocim, 10,788 ..... F 3
Campina Grande, 116,226 ..... G 4
Campina Verde, 4,464 ..... D 7
Campinas, 179,797 ..... E 8
Campo Belo, 15,742 ..... E 8
Campo Formoso, 3,925 ..... F 5
Campo Grande, 64,477 ..... C 8
Campo Maior, 13,939 ..... F 4
Campos, 90,601 ..... F 8
Cananéia, 1,948 ..... E 9
Canavieiras, 10,264 ..... G 6
Canguaretama, 4,261 ..... H 4
Canindé, 5,854 ..... G 4
Canoinhas, 9,252 ..... D 9
Canto do Buriti, 1,636 ..... F 5
Capanema, 9,678 ..... E 3
Capão Bonito, 6,829 ..... D 9
Capela, 5,172 ..... G 5
Carangola, 11,896 ..... F 8
Caratinga, 22,275 ..... F 7
Carauari, 1,345 ..... G 9
Caraúbas, 3,066 ..... G 4
Caravelas, 3,096 ..... G 7
Carinhanha, 2,163 ..... E 6
Carolina, 8,137 ..... E 4
Caruaru, 64,471 ..... G 5
Carutapera, 2,477 ..... E 3
Casa Nova, 1,525 ..... F 5
Cascavel, 3,336 ..... G 4
Castanhal, 9,528 ..... E 3
Castelo, 5,729 ..... F 8
Castelo do Piauí, 1,185 ..... F 4
Castro, 9,249 ..... D 9
Castro Alves, 7,388 ..... G 6
Catalão, 11,471 ..... D 7
Catanduva, 37,307 ..... D 8
Catolé do Rocha, 5,217 ..... G 4
Caxambu, 10,491 ..... E 8
Caxias, 19,092 ..... F 4
Caxias do Sul, 60,607 ..... D10
Ceará (Fortaleza), 354,942 ..... G 3
Ceará-Mirim, 8,290 ..... H 4
Cícero Dantas, 2,972 ..... G 5
Clevelândia do Norte, 1,010 ..... D 2
Coari, 5,908 ..... H 9
Codajás, 1,505 ..... H 9
Codó, 11,089 ..... E 4
Colatina, 26,757 ..... F 7
Colinas, 2,972 ..... F 4
Conceição da Barra, 2,229 ..... G 7
Conceição do Araguaia, 2,332 ..... D 5
Concórdia, 5,864 ..... D 9
Conde, 4,190 ..... G 5
Conselheiro Lafaiete, 29,208 ..... E 8
Corinto, 12,247 ..... E 7
Cornélio Procópio, 17,524 ..... D 8
Coroatá, 7,720 ..... F 3
Coromandel, 5,148 ..... E 7
Corrente, 2,214 ..... E 5
Correntina, 2,636 ..... E 6
Corumbá, 36,744 ..... B 7
Corumbá de Goiás, 1,704 ..... D 7
Coxim, 1,371 ..... C 7
Crateús, 14,572 ..... F 4
Crato, 27,649 ..... G 4
Criciúma, 25,331 ..... D10
Cristalina, 3,810 ..... E 7
Cruz Alta, 33,190 ..... C10
Cruzeiro do Sul, 2,826 ..... G10
Cuiabá, 43,112 ..... C 6
Curaça, 1,264 ..... G 5
Curitiba, 344,560 ..... D 9
Currais Novos, 7,782 ..... G 4
Curuçá, 3,871 ..... E 3
Cururupu, 4,822 ..... E 3
Curvelo, 21,772 ..... E 7
Diamantina, 14,252 ..... F 7
Dianópolis, 2,145 ..... E 5
Divinópolis, 41,544 ..... E 8
Dom Pedrito, 15,429 ..... C10
Dores do Indaiá, 10,354 ..... E 7
Dourados, 10,757 ..... C 8
Eirunepé, 3,023 ..... G10
Erechim, 24,941 ..... C 9
Erval, 1,404 ..... C11
Escada, 13,761 ..... H 5
Esperança, 9,105 ..... G 4
Esplanada, 3,792 ..... G 5
Estância, 16,106 ..... G 5
Exu, 2,549 ..... G 4
Faro, 1,434 ..... B 3
Feira de Santana, 61,612 ..... G 5
Ferros, 2,456 ..... F 7
Flores, 2,102 ..... G 4
Floriano, 16,063 ..... F 4
Florianópolis, 74,323 ..... E 9
Fonte Boa, 1,154 ..... G 9
Formiga, 18,763 ..... E 8
Formosa, 9,449 ..... E 6
Fortaleza, 354,942 ..... G 3
Foz do Iguaçu, 7,407 ..... C 9
Franca, 47,244 ..... E 8
Fronteiras, 1,320 ..... F 4
Frutal, 8,252 ..... D 7
Garanhuns, 34,050 ..... G 5
Glória, 1,062 ..... G 5
Goiana, 19,026 ..... H 4
Goiandira, 3,169 ..... E 7
Goiânia, 132,577 ..... D 7
Goiás, 7,121 ..... D 6
Governador Valadares, 70,494 ..... F 7
Grajaú, 2,539 ..... E 4
Granja, 5,074 ..... F 3
Guajará-Mirim, 7,115 ..... H10
Guamá, 2,470 ..... E 3
Guarabira, 15,848 ..... H 4
Guarapuava, 13,546 ..... C 9
Guaratinguetá, 38,293 ..... E 8
Guaxupé, 14,168 ..... E 8
Guimarães, 1,512 ..... E 3
Guiratinga, 4,203 ..... C 7
Humaitá, 1,192 ..... H10
Ibiá, 6,999 ..... E 7
Ibipetuba, 2,288 ..... F 5
Icó, 5,586 ..... G 4
Icoraci, 11,512 ..... D 3
Igarapé-Miri, 2,591 ..... D 3
Iguatu, 16,540 ..... G 4
Ijuí, 19,671 ..... C10
Ilhéus, 45,712 ..... G 6
Imbituba, 6,638 ..... D10
Imperatriz, 9,004 ..... E 4
Inhumas, 8,298 ..... D 7
Ipameri, 8,987 ..... E 7
Ipiaú, 13,164 ..... G 6
Ipu, 7,724 ..... F 4
Irati, 12,764 ..... D 9
Itabaiana, Paraíba, 11,847 ..... H 4
Itabaiana, Sergipe, 11,050 ..... G 5
Itaberaba, 8,555 ..... F 6
Itabira, 15,539 ..... F 7
Itabuna, 54,268 ..... G 6
Itacoatiara, 8,818 ..... B 3
Itaguatins, 1,596 ..... D 4
Itaituba, 1,187 ..... C 4
Itajaí, 38,889 ..... D 9
Itajubá, 31,262 ..... E 8
Itamarandiba, 2,404 ..... F 7
Itapecuru-Mirim, 3,385 ..... F 3
Itapemirim, 4,095 ..... F 8
Itapetininga, 29,468 ..... D 8
Itapeva, 13,510 ..... D 8
Itapipoca, 7,186 ..... G 3
Itápolis, 7,430 ..... D 8
Itaporanga, 5,328 ..... G 4
Itaqui, 13,223 ..... B10
Itararé, 12,812 ..... D 9
Ituaçu, 1,431 ..... F 6
Ituberá, 4,097 ..... G 6
Ituiutaba, 29,724 ..... D 7
Itumbiara, 12,575 ..... D 7
Jaboticabal, 20,231 ..... D 8
Jacareí, 28,131 ..... E 8
Jacarèzinho, 14,813 ..... D 8
Jacobina, 12,373 ..... F 5
Jaguaquara, 5,363 ..... F 6
Jaguarão, 12,336 ..... C11
Jaguariaíva, 6,465 ..... D 9
Jaicós, 1,308 ..... F 4
Januária, 9,741 ..... E 6
Jardim, 3,104 ..... G 4
Jataí, 14,022 ..... D 7
Jaú, 31,229 ..... D 8
Jequié, 40,158 ..... F 6
Jequitinhonha, 5,410 ..... F 7
Jeremoabo, 3,177 ..... G 5
Jerumenha, 1,473 ..... F 4
Joaçaba, 7,921 ..... D 9
João Pessoa, 135,820 ..... H 4
João Pinheiro, 3,433 ..... E 7
Joinville, 44,255 ..... D 9
Juàzeiro, 21,196 ..... G 5
Juàzeiro do Norte, 53,421 ..... F 4
Juiz de Fora, 124,979 ..... F 8
Jundiaí, 79,536 ..... E 8
Lábrea, 2,080 ..... G10
Laguna, 17,451 ..... D10
Lajes, 35,112 ..... D 9
Lapa, 7,167 ..... D 9
Laranjeiras, 4,296 ..... G 5
Laranjeiras do Sul, 3,802 ..... C 9
Lavras, 23,793 ..... E 8
Lençóis, 2,483 ..... F 6
Limeira, 45,256 ..... E 8
Limoeiro, 21,252 ..... H 4
Limoeiro do Norte, 5,705 ..... G 4
Linhares, 5,751 ..... F 7
Lins, 32,204 ..... D 8
Londrina, 74,110 ..... D 8
Luís Correia, 1,523 ..... F 3
Luziânia, 4,849 ..... E 7
Luzilândia, 3,434 ..... F 3
Macaé, 19,830 ..... F 8
Macapá, 27,585 ..... D 2
Macau, 11,876 ..... G 4
Macaúbas, 2,504 ..... F 6
Maceió, 153,305 ..... H 5
Mafra, 12,981 ..... D 9
Mallet, 1,816 ..... D 9
Manacapuru, 2,584 ..... H 9
Manaus, 154,040 ..... H 9
Manga, 2,000 ..... E 6
Manhuacú, 10,546 ..... F 8
Manicoré, 2,268 ..... H 9
Marabá, 8,533 ..... D 4
Maracaju, 1,848 ..... C 8
Maragogipe, 12,575 ..... G 6
Maranguape, 8,715 ..... G 3
Marapanim, 3,542 ..... E 3
Marechal-Deodoro, 5,269 ..... H 5
Marília, 51,789 ..... D 8
Massapê, 4,760 ..... G 3
Mata de São João, 8,117 ..... G 6
Maués, 4,161 ..... B 3
Miguel Alves, 4,537 ..... F 4
Minas Novas, 1,708 ..... F 7
Mineiros, 5,105 ..... C 7
Miracema, 9,810 ..... F 8
Miranda, 2,075 ..... C 8
Mocajuba, 1,352 ..... D 3
Mogi das Cruzes, 63,748 ..... E 9
Monte-Alegre, 3,911 ..... C 3
Monte Alegre de Minas, 4,464 ..... D 7
Monte Azul, 4,860 ..... F 6
Monte Santo, 1,607 ..... G 5
Monteiro, 6,028 ..... G 4
Montenegro, 14,491 ..... D10
Montes Claros, 40,545 ..... E 7
Morrinhos, 9,879 ..... D 7
Morro do Chapéu, 2,039 ..... F 5
Morros, 1,887 ..... F 3
Mossoró, 38,833 ..... G 4
Mundo Novo, 3,237 ..... F 5
Muqui, 4,262 ..... F 8
Muriaé, 22,571 ..... F 8
Natal, 154,276 ..... H 4
Natividade, 1,243 ..... E 5
Nazaré, 14,644 ..... G 6
Neópolis, 7,356 ..... G 5
Neves, 85,741 ..... F 8
Nioaque, 2,578 ..... C 8
Niquelândia, 1,262 ..... D 6
Niterói, 288,826 ..... F 8
Nova Cruz, 6,780 ..... H 4
Nova Friburgo, 49,901 ..... F 8
Nova Iguaçu, 134,708 ..... F 8
Nova Russas, 4,666 ..... F 4
Óbidos, 5,901 ..... C 3
Oeiras, 6,098 ..... F 4
Olinda, 100,545 ..... H 4
Oliveira, 12,919 ..... E 8
Oriximiná, 3,974 ..... C 3
Orleães, 3,070 ..... D10
Ourinhos, 25,717 ..... D 8
Ouro Fino, 8,044 ..... E 8
Ouro Prêto, 14,722 ..... F 8
Palmares, 17,327 ..... H 5
Palmas, 5,540 ..... C 9
Palmeira, 5,916 ..... D 9
Palmeira das Missões, 8,017 ..... C 9
Palmeiras, 2,040 ..... F 6
Palmeiras de Goiás, 2,378 ..... D 7
Pará (Belém), 359,988 ..... E 3
Pará de Minas, 15,858 ..... E 7
Paracatu, 10,677 ..... E 7
Paraguaçu Paulista, 11,391 ..... D 8
Paranaguá, 27,728 ..... E 9
Paranaíba, 3,853 ..... D 7
Paratinga, 2,403 ..... F 6
Parintins, 9,068 ..... B 3
Parnaíba, 39,951 ..... F 3
Parnamirim, 1,589 ..... F 4
Passagem Franca, 1,703 ..... E 4
Passo Fundo, 47,299 ..... D10
Passos, 28,555 ..... E 8
Pastos Bons, 1,258 ..... E 4
Patos, 27,275 ..... G 4
Patos de Minas, 31,471 ..... E 7
Pau dos Ferros, 4,298 ..... G 4
Patrocínio, 13,933 ..... E 7
Paulistana, 1,105 ..... F 4
Peçanha, 3,602 ..... F 7
Pedra Azul, 8,238 ..... F 6
Pedreiras, 10,189 ..... E 4
Pedro Afonso, 3,175 ..... E 5
Pedro Segundo, 3,160 ..... F 4
Pelotas, 121,280 ..... C10
Penalva, 5,339 ..... E 3
Penedo, 17,084 ..... G 5
Pernambuco (Recife), 788,569 ..... H 5
Petrolina, 14,652 ..... G 5
Petrópolis, 93,849 ..... F 8
Piaçabuçu, 4,864 ..... H 5
Picos, 8,176 ..... F 4
Pilão Arcado, 1,457 ..... F 5
Pilar, 7,201 ..... H 5
Pinheiro, 6,537 ..... E 3
Piracanjuba, 3,869 ..... D 7
Piracicaba, 80,670 ..... E 8
Piracuruca, 4,320 ..... F 3
Piraí do Sul, 4,842 ..... D 9
Pirapora, 13,772 ..... E 7
Pirenópolis, 3,088 ..... D 6
Pires do Rio, 8,390 ..... D 7
Piripiri, 9,635 ..... F 4
Piuí, 9,164 ..... E 8
Poções, 6,115 ..... F 6
Poconé, 4,702 ..... B 7
Poços de Caldas, 32,291 ..... E 8
Ponta de Pedras, 1,907 ..... D 3
Ponta Grossa, 77,803 ..... D 9
Ponta Porã, 9,610 ..... C 8
Ponte Nova, 22,536 ..... F 8
Portel, 1,821 ..... D 3
Pôrto, 1,234 ..... F 3
Pôrto Alegre, 617,629 ..... D10
Pôrto Franco, 1,750 ..... E 4
Pôrto Murtinho, 4,476 ..... B 8
Pôrto Nacional, 4,926 ..... E 5
Pôrto Seguro, 2,697 ..... G 7
Pôrto União, 9,954 ..... D 9
Pôrto Velho, 19,387 ..... H10
Posse, 1,953 ..... E 6
Pouso Alegre, 18,852 ..... E 8
Poxoréu, 3,315 ..... C 6
Prata, 4,725 ..... D 7
Presidente Dutra, 3,349 ..... E 4
Presidente Prudente, 54,055 ..... D 8
Presidente Venceslau, 13,140 ..... D 8
Propriá, 15,947 ..... G 5
Prudentópolis, 4,524 ..... D 9
Quaraí, 10,575 ..... C10
Queimadas, 3,553 ..... F 5
Quipapá, 3,421 ..... G 5
Quixadá, 8,747 ..... G 4
Quixeramobim, 6,384 ..... F 4
Recife, 788,569 ..... H 5
Regeneração, 1,672 ..... F 4
Remanso, 5,125 ..... F 5
Riachão, 1,907 ..... E 4
Ribas do Rio Pardo, 1,175 ..... C 8
Ribeirão Prêto, 116,153 ..... E 8
Rio Branco, 17,245 ..... G10
Rio Brilhante, 876 ..... C 8
Rio Claro, 48,548 ..... E 8
Rio de Janeiro, 3,223,408 ..... F 8
Rio do Sul, 13,433 ..... D 9
Rio Grande, 83,189 ..... D11
Rio Negro, 10,225 ..... D 9
Rio Pardo, 14,412 ..... C10
Rio Pardo de Minas, 1,169 ..... F 6
Rio Real, 3,171 ..... G 5
Rio Tinto, 16,811 ..... H 4
Rio Verde, 11,268 ..... D 7
Rolândia, 10,023 ..... D 8
Rosário, 6,999 ..... F 3
Rosário-do-Sul, 15,786 ..... C10
Rosário-Oeste, 2,607 ..... C 6
Russas, 7,102 ..... G 4
Sabinópolis, 4,101 ..... F 7
Sacramento, 5,872 ..... D 7
Salgueiro, 8,936 ..... G 5
Salinas, 5,186 ..... F 7
Salinópolis, 4,101 ..... E 3
Salvador, 630,878 ..... G 6
Santa Cruz, 5,286 ..... G 4
Santa Cruz do Sul, 18,898 ..... C10
Santa Leopoldina, 1,174 ..... G 7
Santa Maria, 78,682 ..... C10
Santa Maria da Vitória, 3,208 ..... F 6
Santa Vitória do Palmar, 8,224 ..... C11
Santana, 4,357 ..... E 6
Santana do Ipanema, 8,139 ..... G 5
Santana do Livramento, 37,666 ..... C10
Santarém, 24,924 ..... C 3
Santiago, 15,140 ..... C10
Santo Amaro, 17,226 ..... G 6
Santo Ângelo, 25,415 ..... C10
Santo Antônio da Platina, 9,378 ..... D 8
Santo Antônio do Leverger, 2,028 ..... C 6
Santos, 262,048 ..... E 9
Santos Dumont, 20,414 ..... F 8
São Bento, 7,094 ..... E 3
São Borja, 20,339 ..... C10
São Cristóvão, 7,624 ..... G 5
São Félix, 5,993 ..... G 6
São Fidélis, 6,145 ..... F 8
São Francisco, 4,074 ..... E 6
São Francisco do Sul, 11,593 ..... E 9
São Gabriel, 22,967 ..... C10
São João da Boa Vista, 25,226 ..... E 8
São João del Rei, 34,654 ..... E 8
São João do Piauí, 2,688 ..... F 5
São João dos Patos, 2,590 ..... F 4
São José, 3,295 ..... D 9
São José da Laje, 5,822 ..... H 5
São José de Mipibu, 5,179 ..... H 4
São José do Rio Prêto, 66,476 ..... D 8
São José dos Pinhais, 7,574 ..... D 9
São Leopoldo, 41,023 ..... D10
São Lourenço do Sul, 6,877 ..... C10
São Luís (Maranhão), 124,606 ..... F 3
São Luís Gonzaga, 12,926 ..... C10
São Mateus, 6,075 ..... G 7
São Miguel dos Campos, 6,511 ..... G 5
São Paulo, 3,164,804 ..... E 8
São Paulo de Olivença, 1,157 ..... G 9
São Pedro do Piauí, 2,139 ..... F 4
São Raimundo das Mangabeiras, 1,736 ..... E 4
São Raimundo Nonato, 3,751 ..... F 5
São Romão, 1,438 ..... E 7
São Sebastião do Paraíso, 14,451 ..... E 8
São Vicente Ferrer, 1,095 ..... E 3
Sena Madureira, 1,962 ..... G10
Senador Pompeu, 8,210 ..... G 4
Senhor do Bonfim, 13,958 ..... F 5
Serra Talhada, 12,164 ..... G 4
Serrinha, 10,284 ..... G 5
Sertânia, 7,556 ..... G 5
Sertanópolis, 6,469 ..... D 8
Sete Lagoas, 36,302 ..... E 7
Silvânia, 2,920 ..... D 7
Simplício Mendes, 1,682 ..... F 4
Sobral, 32,281 ..... G 3
Sorocaba, 109,258 ..... D 8
Soure, 6,666 ..... D 3
Taguatinga, 1,496 ..... E 6
Taquara, 11,282 ..... D10

(continued on following page)

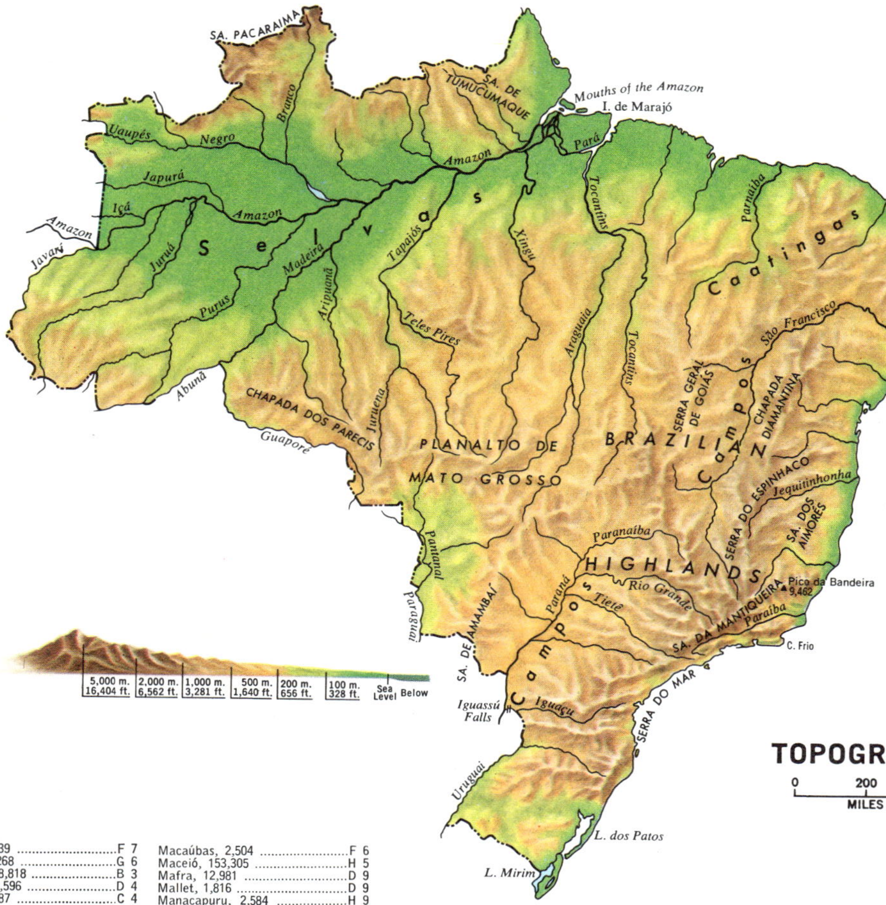

134

Brazil
(continued)

Taquaritinga, 11,624	D 8
Tarauacá, 2,292	E 8
Taubaté, 64,863	E 8
Tefé, 2,761	G 9
Teófilo Otoni, 41,013	F 7
Teresina, 100,006	F 4
Tijucas, 4,420	D 9
Tocantinópolis, 4,927	D 4
Toures, 1,550	H 4
Três Corações, 17,498	E 8
Três Lagoas, 14,520	C 8
Três Rios, 22,246	F 8
Tubarão, 20,615	D10
Tucano, 4,007	G 5
Tupã, 28,723	D 8
Tupanciretã, 8,659	C10
Turiaçu, 1,826	E 3
Tutóia, 3,337	F 3
Ubá, 21,767	F 8
Ubaíra, 2,352	G 6
Ubaitaba, 3,581	G 6
Uberaba, 72,053	D 7
Uberlândia, 70,719	E 7
Unaí, 4,214	E 7
União, 4,296	F 4
União da Vitória, 15,822	D 9
União dos Palmares, 10,406	H 5
Urucará, 1,203	B 3
Uruçuí, 2,233	F 4
Uruguaiana, 48,358	B10
Valença, 17,137	G 6
Valença do Piauí, 3,046	F 4
Valparaíso, 7,974	D 8
Varginha, 24,944	E 8
Viana, 5,385	E 3
Viçosa, Alagoas, 7,285	G 5
Viçosa, Minas Gerais, 9,342	F 8
Vigia, 7,246	E 3
Viseu, 1,606	E 3
Vitória, 82,748	F 8
Vitória da Conquista, 46,778	F 6
Vitória de Santo Antão, 27,053	G 4
Volta Redonda, 83,973	F 8
Xapecó, 8,465	C 9
Xapuri, 2,000	G10
Xique-Xique, 5,467	F 5

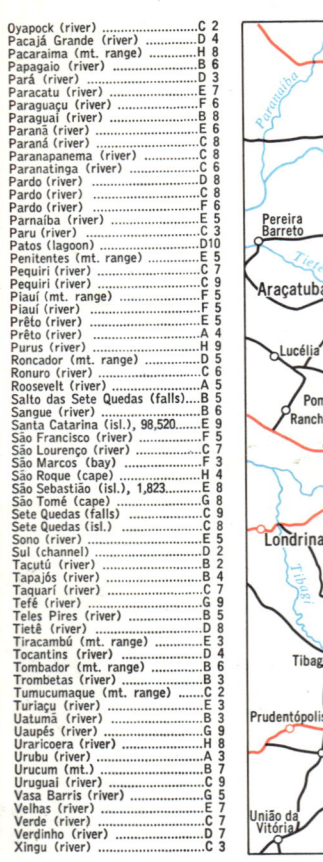

PHYSICAL FEATURES

Abacaxis (river)	B 4
Abunã (river)	G10
Acaraí (mt. range)	B 2
Acre (river)	G10
Aiama (lake)	H 9
Amambaí (mt. range)	C 7
Amaparí (river)	C 2
Amazon (river)	C 3
Anauá (river)	B 2
Aporé (river)	D 7
Araguaia (river)	D 4
Araguarí (river)	D 2
Arinos (river)	B 5
Aripuanã (river)	A 4
Balsas (river)	E 5
Bananal (isl.)	D 5
Bandeira (mt.)	F 8
Braço Maior do Araguaia (river)	D 5
Braço Menor do Araguaia (river)	D 6
Canumã (river)	B 4
Capim (river)	D 3
Carajás (mt. range)	D 4
Cassiporé (cape)	D 2
Caviana (isl.)	D 2
Chapada dos Parecis (mt. range)	B 6
Chavantes (mt. range)	D 5
Claro (river)	D 7
Coluene (river)	C 6
Contas (river)	F 6
Corrente (river)	E 6
Cuiabá (river)	C 7
Curuá (river)	C 4
Demini (river)	H 8
Doce (river)	F 7
Dois Irmãos (mt. range)	F 5
Erepecuru (river)	B 3
Espigão Mestre (Geral) (mt. range)	E 6
Espinhaço (mt. range)	F 7
Estrondo (mt. range)	D 5
Formosa (mt. range)	D 9
Geral (mt. range)	D 9
Geral (mt. range)	E 6
Gi-Paraná (river)	H10
Gradaús (mt. range)	D 4
Grajaú (river)	E 4
Grande (river)	E 5
Grande (river)	D 8
Guaporé (river)	H10
Guariba (river)	B 5
Gurgueia (river)	E 5
Gurupi (mt. range)	E 4
Gurupi (river)	E 3
Ibicuí (river)	C10
Içá (river)	G 9
Iguaçu (river)	C 9
Iguassú (falls)	C 9
Iriri (river)	C 4
Itapecuru (river)	F 4
Itapi (river)	B 3
Itapicuru (river)	G 5
Ivaí (river)	C 8
Jacuipe (river)	F 5
Jaguaribe (river)	G 4
Jamanchim (river)	C 4
Japurá (river)	G 9
Jari (river)	C 3
Jauaperi (river)	A 2
Javarí (river)	F 9
Jequitinhonha (river)	F 7
Juruá (river)	G10
Juruena (river)	B 5
Jutaí (river)	G 9
Madeira (river)	A 4
Maicuru (river)	C 2
Mangueira (lagoon)	D11
Manso (river)	C 6
Mapuera (river)	B 3
Mar (mt. range)	E 9
Maracá (isl.)	D 2
Marajó (bay)	D 3
Marajó (isl.)	D 3
Mato Grosso (plateau)	B 6
Maués Guaçu (river)	B 4
Mearim (river)	E 4
Mexiana (isl.)	D 2
Miranda (river)	B 8
Mirim (lagoon)	C11
Mortes (Manso) (river)	D 5
Mucuripe (point)	G 3
Negro (river)	H 9
Nhamundá (river)	B 3
Norte (channel)	D 2
Norte (mt. range)	B 5
Oiapoque (Oyapock) (river)	C 2
Orange (cape)	D 1
Oyapock (river)	C 2
Pacajá Grande (river)	D 4
Pacaraima (mt. range)	H 8
Papagaio (river)	B 6
Pará (river)	D 3
Paracatu (river)	E 7
Paraguaçu (river)	F 6
Paraguai (river)	B 7
Paraná (river)	C 8
Paranapanema (river)	C 8
Paranatinga (river)	C 6
Pardo (river)	D 8
Pardo (river)	F 7
Parnaíba (river)	E 5
Paru (river)	C 3
Patos (lagoon)	D10
Penitentes (mt. range)	E 5
Pequiri (river)	C 7
Pequiri (river)	C 9
Piauí (lagoon)	F 5
Piauí (river)	F 5
Prêto (river)	A 2
Prêto (river)	E 7
Purus (river)	H 9
Roncador (mt. range)	D 5
Ronuro (river)	C 6
Roosevelt (river)	A 5
Salto das Sete Quedas (falls)	B 8
Sangue (river)	B 6
Santa Catarina (isl.), 98,520	E 9
São Francisco (river)	F 5
São Lourenço (river)	C 7
São Marcos (bay)	E 3
São Roque (cape)	H 4
São Sebastião (isl.), 1,823	E 8
São Tomé (cape)	G 8
Sete Quedas (falls)	C 9
Sete Quedas (isl.)	E 5
Sono (river)	E 5
Sul (channel)	D 2
Tacutú (river)	B 2
Tapajós (river)	B 4
Taquarí (river)	C 7
Tefé (river)	G 9
Teles Pires (river)	B 5
Tietê (river)	D 8
Tiracambú (mt. range)	E 3
Tocantins (river)	D 4
Tombador (mt. range)	D 6
Trombetas (river)	B 3
Tumucumaque (mt. range)	C 2
Turiaçu (river)	E 3
Uatumã (river)	B 3
Uaupés (river)	H 9
Uraricoera (river)	H 8
Urubu (river)	A 3
Urucum (mt.)	A 7
Uruguai (river)	C 9
Vasa Barris (river)	G 5
Velhas (river)	E 7
Verde (river)	D 7
Verdinho (river)	D 7
Xingu (river)	C 3

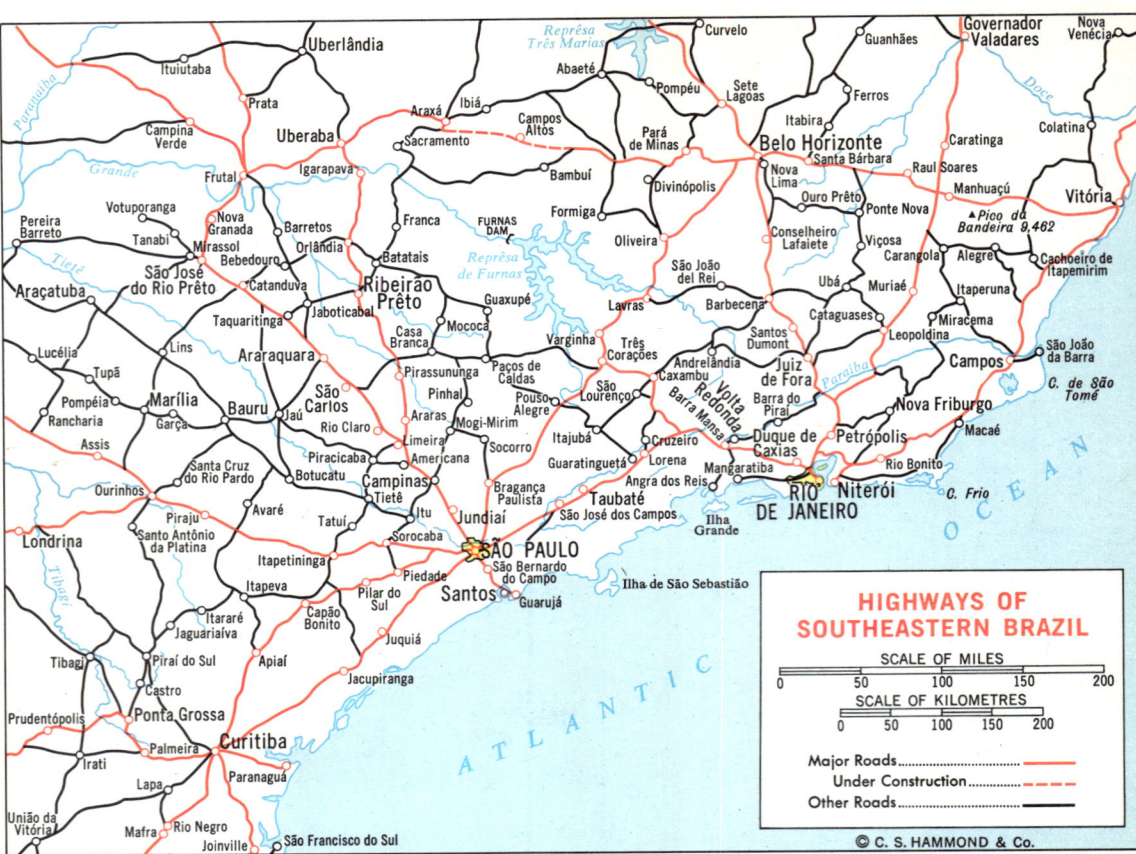

HIGHWAYS OF SOUTHEASTERN BRAZIL

SCALE OF MILES
0 50 100 150 200

SCALE OF KILOMETRES
0 50 100 150 200

Major Roads
Under Construction
Other Roads

© C. S. HAMMOND & Co.

AGRICULTURE, INDUSTRY and RESOURCES

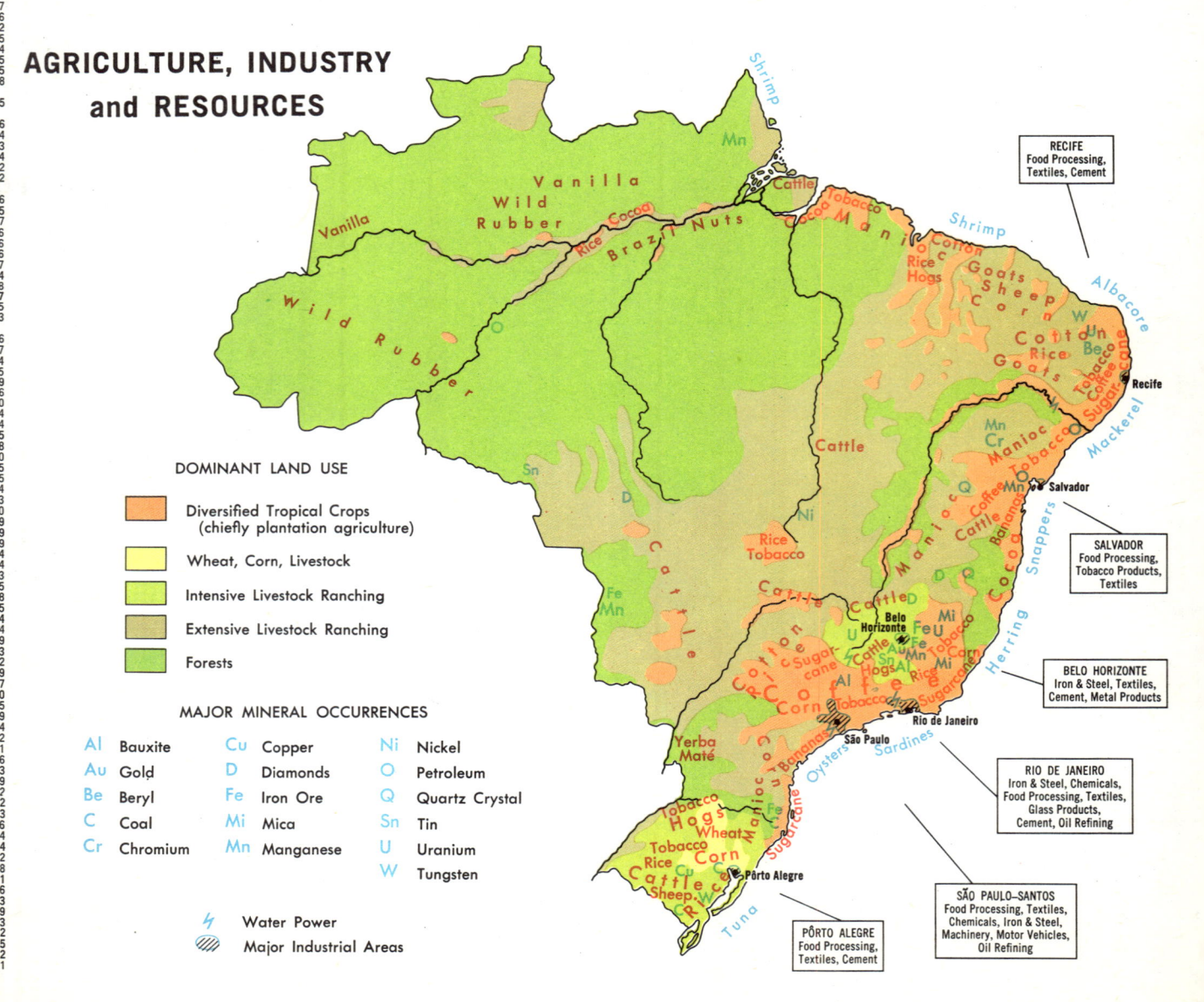

DOMINANT LAND USE

- Diversified Tropical Crops (chiefly plantation agriculture)
- Wheat, Corn, Livestock
- Intensive Livestock Ranching
- Extensive Livestock Ranching
- Forests

MAJOR MINERAL OCCURRENCES

Al	Bauxite	Cu	Copper	Ni	Nickel
Au	Gold	D	Diamonds	O	Petroleum
Be	Beryl	Fe	Iron Ore	Q	Quartz Crystal
C	Coal	Mi	Mica	Sn	Tin
Cr	Chromium	Mn	Manganese	U	Uranium
				W	Tungsten

Water Power
Major Industrial Areas

RECIFE — Food Processing, Textiles, Cement

SALVADOR — Food Processing, Tobacco Products, Textiles

BELO HORIZONTE — Iron & Steel, Textiles, Cement, Metal Products

RIO DE JANEIRO — Iron & Steel, Chemicals, Food Processing, Textiles, Glass Products, Cement, Oil Refining

SÃO PAULO–SANTOS — Food Processing, Textiles, Chemicals, Iron & Steel, Machinery, Motor Vehicles, Oil Refining

PÔRTO ALEGRE — Food Processing, Textiles, Cement

Brazil
(continued)

SOUTHEASTERN BRAZIL

STATES

Espírito Santo, 1,384,000	F 2
Guanabara, 3,857,000	F 3
Minas Gerais, 10,945,000	D 2
Paraná, 6,024,000	B 4
Rio de Janeiro, 4,103,000	E 3
São Paulo, 15,326,000	B 3

CITIES and TOWNS

Agudos, 6,564	C 3
Alegre, 7,487	F 2
Além Paraíba, 18,399	E 2
Alfenas, 16,051	D 2
Americana, 32,000	C 3
Amparo, 14,348	C 3
Andrelândia, 4,617	D 2
Angra dos Reis, 10,634	D 3
Antonina, 8,520	B 4
Aparecida, 15,290	D 3
Apiaí, 2,728	B 4
Aracatuba, 53,563	A 2
Araraquara, 58,076	B 3
Araras, 23,898	C 3
Assis, 30,207	A 3
Avaré, 20,334	B 3
Bambuí, 8,148	D 2
Barão de Cocais, 7,223	E 1
Barbacena, 41,931	E 2
Bariri, 8,403	B 3
Barra do Piraí, 29,398	E 3
Barra Mansa, 47,398	D 3
Barretos, 39,950	B 2
Batatais, 15,266	C 2
Bauru, 85,237	B 3
Bebedouro, 18,249	B 2
Belo Horizonte, 642,912	D 1
Betim, 8,963	D 1
Bicas, 7,469	E 2
Birigui, 18,721	A 2
Boa Esperança, 9,263	D 2
Bom Despacho, 13,568	D 1
Bom Sucesso, 6,173	D 2
Botucatu, 33,878	B 3
Bragança Paulista, 27,328	C 3
Buri, 2,666	B 3
Cabo Frio, 13,117	F 3
Caçapava, 7,987	D 3
Caeté, 10,840	E 1
Cafelândia, 6,573	B 2
Cajuru, 10,840	C 2
Cambará, 6,028	A 3
Campanha, 6,178	D 2
Campinas, 179,797	C 3
Campo Belo, 15,742	D 2
Campo Florido, 1,307	C 1
Campo Largo, 7,915	B 4
Campos, 90,601	F 2
Campos Altos, 5,243	D 1
Cananéia, 1,948	C 4
Cantagalo, 3,479	E 3
Capao Bonito, 6,829	B 4
Caraguatatuba, 4,655	D 3
Carandaí, 2,792	E 2
Carangola, 11,896	E 2
Caratinga, 22,275	E 1
Casa Branca, 8,980	C 2
Cascatinha, 19,497	E 3
Cássia, 7,034	C 2
Castro, 9,242	B 4
Cataguases, 21,476	E 2
Catanduva, 37,307	B 2
Caxambu, 10,491	D 2
Cêrro Azul, 1,460	B 4
Conselheiro Lafaiete, 29,208	E 2
Cruzeiro, 27,005	D 3
Cubatão, 18,885	C 3
Curitiba, 344,560	B 4
Divinópolis, 41,544	D 2
Dois Córregos, 7,272	B 3
Duque de Caxias, 173,077	E 3
Eldorado, 1,524	B 4
Fernandópolis, 14,375	A 2
Formiga, 18,736	D 2
Franca, 47,244	C 2
Frutal, 8,252	B 2
Garça, 18,155	B 3
Guacuí, 7,724	F 2
Guaratinguetá, 38,293	D 3
Guarujá, 6,506	C 4
Guarulhos, 77,980	C 3
Guarus, 21,492	F 2
Guaxupé, 14,168	C 2
Ibaiti, 3,828	A 3
Ibitinga, 8,881	B 2
Igarapava, 9,083	C 2
Iguape, 5,465	C 4
Imbituva, 3,290	A 4
Irati, 12,764	A 4
Itajubá, 31,262	D 3
Itanhaém, 5,376	C 4
Itapecerica, 7,696	D 2
Itaperuna, 18,095	F 2
Itapetininga, 29,468	B 3
Itapeva, 13,510	B 3
Itapira, 16,859	C 3
Itápolis, 7,430	B 2
Itararé, 12,812	B 4
Itaiari, 1,318	C 4
Itatiba, 12,336	C 3
Itaúna, 22,319	D 2
Itu, 23,435	C 3
Iturama, 1,518	A 1
Ituverava, 11,890	C 2
Jaboticabal, 20,231	B 2
Jacareí, 28,131	D 3
Jacarèzinho, 14,813	A 3
Jacupiranga, 2,144	B 4
Jaguariaíva, 6,465	B 4
Jaú, 31,229	B 3
Joaquim Távora, 3,574	A 3
Juiz de Fora, 124,979	E 2
Jundiaí, 79,536	C 3
Juquiá, 2,573	C 4
Lambari, 6,825	D 2
Lavras, 23,793	D 2
Leme, 11,785	C 3
Leopoldina, 17,726	E 2
Lima Duarte, 3,554	E 2
Limeira, 45,256	C 3
Lins, 32,204	B 2
Lorena, 26,068	D 3
Luz, 5,633	D 1
Macaé, 19,830	F 3
Machado, 8,373	C 2
Magé, 10,712	E 3
Manhuaçu, 10,546	E 2
Manhumirim, 9,477	E 2
Mariana, 6,378	E 2
Marília, 51,789	A 3
Marqués de Valença, 18,935	E 3
Mimoso do Sul, 5,278	F 2
Miracema, 9,810	E 3
Mirassol, 13,674	B 2
Mococa, 14,360	C 2
Mogi das Cruzes, 63,748	C 3
Mogi Mirim, 18,345	C 3
Monte Aprazível, 7,235	B 2
Muriaé, 22,571	E 2
Muzambinho, 18,073	C 2
Neves, 85,741	E 3
Niterói, 288,826	E 3
Nova Era, 7,326	E 1
Nova Friburgo, 49,901	E 3
Nova Granada, 5,134	B 2
Nova Iguaçu, 134,708	E 3
Nova Lima, 21,135	E 2
Novo Horizonte, 8,581	B 2
Olímpia, 14,629	B 2
Oliveira, 12,919	D 2
Orlândia, 6,898	C 2
Ourinhos, 25,717	B 3
Ouro Fino, 8,044	C 3
Ouro Prêto, 14,722	E 2
Palmeira, 5,916	B 4
Pará de Minas, 15,858	D 1
Paraíba do Sul, 7,675	E 3
Paranaguá, 27,728	B 4
Parati, 3,046	D 3
Passos, 28,555	C 2
Paulo de Faria, 2,722	B 2
Pederneiras, 8,053	B 3
Penápolis, 14,400	A 2
Petrópolis, 93,849	E 3
Piedade, 4,812	C 3
Pindamonhangaba, 19,144	D 3
Pinhal, 14,260	C 3
Piquete, 10,543	D 3
Piracicaba, 80,670	C 3
Piraí do Sul, 4,842	B 4
Piraju, 10,658	B 3
Pirajuí, 6,465	B 3
Pirassununga, 16,784	C 3
Pitangui, 7,421	D 1
Piuí, 9,164	D 2
Poços de Caldas, 32,291	C 2
Pompéia, 7,462	A 3
Ponta Grossa, 77,803	B 4
Ponte Nova, 22,536	E 2
Porciúncula, 4,868	F 2
Pôrto Féliz, 11,786	C 3
Pouso Alegre, 18,852	D 3
Promissão, 9,683	B 2
Raposos, 7,631	E 2
Raul Soares, 6,194	E 2
Registro, 4,913	C 4
Resende, 13,544	D 3
Ribeira, 603	B 4
Ribeirão Prêto, 116,153	C 2
Rio Bonito, 11,916	E 3
Rio Claro, 48,548	C 3
Rio de Janeiro, 3,223,408	E 3
Rio Pomba, 6,083	E 2
Sabará, 10,004	E 1
Sacramento, 5,872	C 1
Salto, 12,643	C 3
Santa Cruz do Rio Pardo, 13,889	B 3
Santa Rita do Sapucaí 8,464	D 3
Santo André, 230,196	C 3
Santo Antônio da Platina, 9,378	A 3
Santos, 262,048	C 3
Santos Dumont, 20,414	E 2
São Bernardo do Campo, 61,645	C 3
São Caetano do Sul, 114,039	C 3
São Carlos, 50,010	C 3
São Fidélis, 6,145	F 2
São João del Rei, 34,654	D 2
São João Nepomuceno, 9,436	E 2
São Joaquim da Barra, 13,853	C 2
São José do Rio Pardo, 14,186	C 2
São José do Rio Prêto, 66,476	B 2
São José dos Campos, 55,349	D 3
São Lourenço, 14,680	D 3
São Manuel, 10,009	B 3
São Miguel Arcanjo, 3,633	C 3
São Miguel Paulista, 39,644	C 3
São Paulo, 3,164,804	C 3
São Pedro, 4,474	C 3
São Roque, 12,409	C 3
São Sebastião, 2,049	D 3
São Sebastião do Paraíso, 14,451	C 2
São Simão, 5,742	C 2
São Vicente, 73,578	C 4
Socorro, 6,402	C 3
Sorocaba, 109,258	C 3
Taquaritinga, 11,624	B 2
Tatuí, 22,550	C 3
Taubate, 64,863	D 3
Teresópolis, 29,540	E 3
Tibagi, 1,746	A 4
Tietê, 8,729	C 3
Três Corações, 17,498	D 2
Três Pontas, 11,534	D 2
Três Rios, 22,246	E 3
Tupã, 28,723	A 2
Ubá, 21,767	E 2
Ubatuba, 3,748	D 3
Uberaba, 72,053	C 1
Varginha, 24,944	D 2
Vera Cruz, 5,535	B 3
Viçosa, 9,342	E 2
Visconde do Rio Branco, 12,363	E 2
Volta Redonda, 83,973	E 3
Votuporanga, 18,722	B 2

PHYSICAL FEATURES

Araruama (lagoon)	E 3
Bandeira (mt.)	F 2
Buzios (cape)	F 3
Cardoso (isl.)	C 4
Comprida (isl.)	C 4
Doce (river)	E 2
Feia (lake)	F 3
Feio (river)	B 2
Frio (river)	F 3
Furnas (dam)	D 2
Furnas (res.)	D 2
Grande (isl.)	D 3
Grande (river)	B 1
Guanabara (bay)	E 3
Ilha Grande (bay)	D 3
Itararé (river)	B 3
Mantiqueira (range)	D 3
Mar (range)	B 4
Moji Guaçu (river)	C 2
Orgãos (range)	E 3
Paraíba (river)	E 2
Paranapanema (river)	B 3
Paranapiacaba (range)	B 4
Pardo (river)	B 2
Peixoto (dam)	C 2
Ribeira (river)	B 4
São Francisco (river)	D 2
São Sebastião (isl.)	D 3
Sepetiba (bay)	D 3
Tibagi (river)	A 4
Tietê (river)	B 3
Turvo (river)	B 2

Bolivia

DEPARTMENTS

Beni, 161,800	C 3
Chuquisaca, 307,600	C 6
Cochabamba, 550,300	C 5
La Paz, 1,157,400	A 4
Oruro, 265,400	A 6
Pando, 24,400	B 2
Potosí, 619,600	B 7
Santa Cruz, 326,900	E 5
Tarija, 142,600	C 7

CITIES and TOWNS

Abapó, 466	D 6
Acchilla, 208	C 7
Achacachi, 3,621	A 5
Aiquile, 3,465	C 6
Alcalá	C 6
Alto Seco	D 6
Amarete	A 4
Anaea, 302	D 4
Ancoraimes, 769	A 4
Andamarca	A 5
Añimbo, 443	C 7
Anzaldo, 1,056	B 7
Apolo, 1,043	A 4
Aquío	D 6
Araca	B 5
Arampampa	B 5
Arani, 2,200	C 5
Arcopongo	B 5
Aroma	A 5
Arque, 1,254	B 5
Arroyo Grande	A 2
Ascensión	D 4
Asunción	B 2
Atén, 199	A 4
Atocha	B 7
Ayacucho, 729	D 5
Ayata	A 4
Azurduy, 1,234	C 6
Barrera	B 3
Baures, 592	B 3
Bella Vista	E 3
Berenguela	A 5
Betanzos, 1,097	C 6
Bolívar	B 3
Boyuibe, 537	D 7
Buena Hora	E 4
Buena Vista	B 2
Buena Vista, 435	D 5
Cabezas, 2,980	D 6
Cachuela Esperanza, 1,073	B 2
Caiza, 838	C 7
Cajuata, 447	B 5
Calacoto, 415	A 5
Calamarca, 802	A 5
Calcha	B 7
Calcha	C 7
Callapa, 636	A 5
Camacho	C 7
Camargo, 1,609	C 7
Camatindi	D 7
Camiri, 4,969	D 7
Cañas	C 8
Canquella	A 7
Capinota, 1,734	C 6
Capirenda	D 7
Caracollo, 909	B 5
Carandaití, 1,403	D 7
Carangas	B 7
Caraparí, 351	D 7
Carmen	B 2
Carrizal	C 7
Cavari, 249	B 5
Cavinas	C 7
Chachacomani, 159	A 6
Chaguaya	C 7
Challacollo, 284	B 6
Challacota	B 6
Challana	A 4
Challapata, 2,529	B 6

BOLIVIA

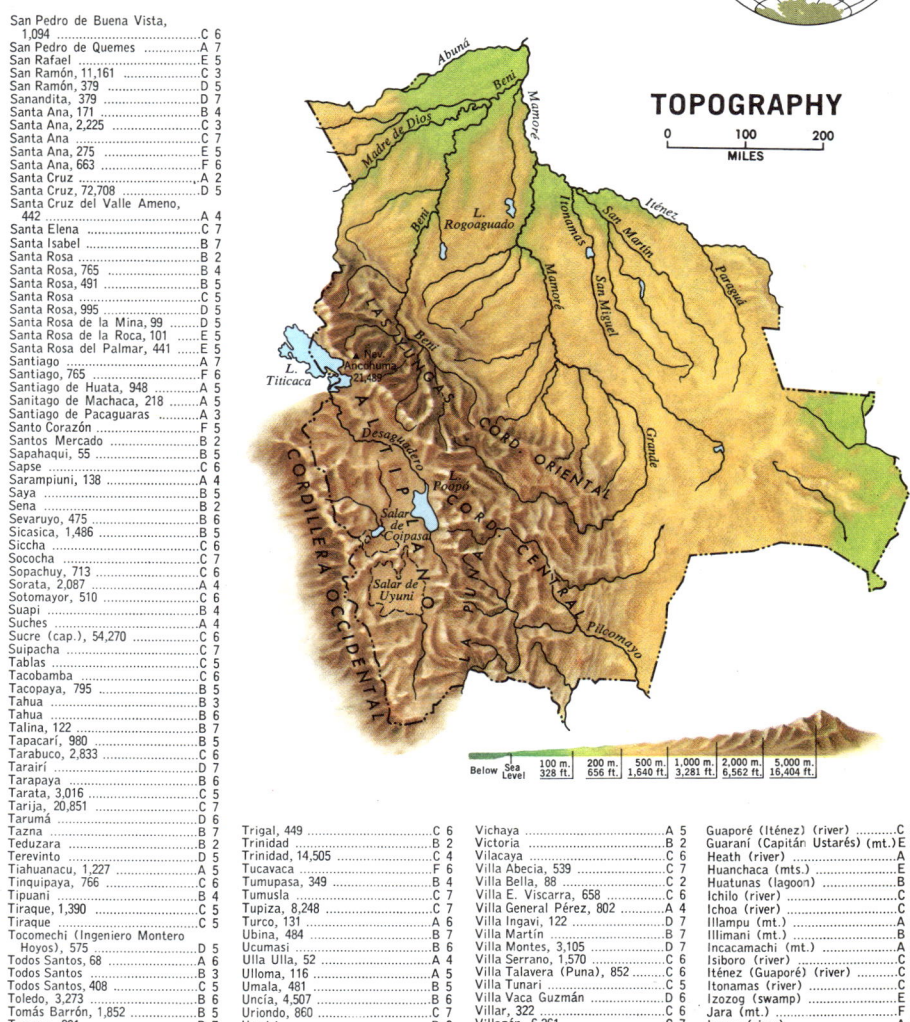

AREA	412,777 sq. mi.
POPULATION	3,702,000
CAPITAL	La Paz, Sucre
LARGEST CITY	La Paz 352,912
HIGHEST POINT	Nevada Ancohuma 21,489 ft.
MONETARY UNIT	Bolivian peso
MAJOR LANGUAGES	Spanish, Indian
MAJOR RELIGION	Roman Catholic

Chaquí, 291 C 6
Charagua, 1,185 D 6
Charaña, 794 A 5
Chayanta, 1,272 B 6
Chiguana, 154 A 7
Chiñijo, 27 A 4
Chivé A 3
Chocaya, 444 B 7
Chorrillos B 2
Chulumani, 2,362 B 5
Chuma, 931 A 4
Chuquichambi B 5
Cliza, 3,121 C 5
Cobija, 2,457 A 2
Cocani B 7
Cochabamba, 92,008 C 5
Coipasa A 6
Colquechaca, 1,070 B 6
Colquiri, 806 B 5
Comarapa, 1,096 C 5
Concepción B 2
Concepción, 1,056 D 5
Condo B 6
Conquista B 2
Copacabana, 1,981 A 5
Copere D 6
Coripata, 1,647 B 5
Cornaca, 264 C 7
Corocoro, 4,431 A 5
Coroico, 2,235 B 5
Coroma B 6
Corque, 423 B 6
Cosapa, 297 A 6
Costa Rica A 2
Cotagaita, 1,353 C 7
Cotoca, 915 D 5
Covendo, 71 B 4
Cuatro Ojos D 5
Cuevo, 902 D 7
Culpina, 981 C 7
Culta B 6
Curahuara, 210 A 5
Curahuara de Carangas A 5
Curiche D 6
Cururú D 4
Desaguadero, 201 A 5
D'Orbigny D 7
El Asiento B 6
El Carmen, 232 D 3
El Cerro, 117 E 5
El Choro, 224 B 6
El Palmar, Chuquisaca D 7
El Palmar, Tarija, 832 D 7
El Perú B 3
El Puente C 7
El Puente D 5
Entre Ríos, 1,011 C 7
Escoma, 220 A 4
Esmoraca B 7
Estación General Campero A 5
Estarca C 7
Exaltación B 2
Exaltación, 405 C 3
Filadelfia A 2
Florida C 2
Fortaleza B 3
Fortín Alta Vista F 6
Fortín Campero C 8
Fortín Max Paredes F 6
Fortín Ravelo E 6
Fortín Suárez Arana F 6
Fortín Vanguardia Primero F 6
General Saavedra, 1,006 D 5
Guadalupe B 7
Guadalupe, 2,355 C 6
Guanay, 574 B 4
Guaqui, 2,266 A 5
Gutiérrez, 770 D 6
Huacaraje, 673 D 3
Huacareta C 7
Huacaya, 229 D 7
Huachacalla, 801 A 6
Huanaqui A 7
Huancané, 148 B 6
Huanuni, 5,696 B 6
Huari, 1,070 B 6
Huarina, 1,151 A 5
Huayllas, 206 C 6
Humaitá B 2
Ichoca, 591 B 5
Icla, 196 C 6
Impora, 274 C 7
Independencia, 1,742 B 5
Ingavi B 2
Ingeniero Montero Hoyos (Tocomechi), 575 D 5
Ingre, 162 D 7
Inquisivi, 530 B 5
Ipitá, 441 D 6
Ircalaya C 7
Irupana, 1,937 B 5
Itatique D 7
Itaú, 102 D 7
Ivo, 425 D 7
Ivón C 2
Ixiamas, 292 A 3
Izozog D 6
Jesús de Machaca, 529 A 5
Jirira B 6
José Agustín Palacios B 3
La Cayoba C 3
La Esmeralda D 8
La Esperanza D 4
La Estrella D 5
La Gaiba, 1,006 G 5
La Guardia, 470 D 5
La Joya, 401 B 5
La Merced C 8
La Paz (cap.), 352,912 B 5
Lagunillas, 840 D 6
Lanza B 5
Las Carreras C 7
Las Petas F 5
Las Piedras C 2
Limoquije C 4
Llallagua B 6
Llanquera A 6
Llica, 560 A 6
Loma Alta B 2
Loreto, 589 C 4
Los Cusis D 4
Luribay, 392 B 5
Macha B 6
Machacamarca, 1,746 B 5
Machareti D 7
Magdalena, 1,724 C 3
Mairana, 508 D 6
Manoa C 1
Mapiri, 289 B 4
Maravillas B 2
Mayor Pedro Vaca Diez C 4
Mecoya C 8
Mendoza C 5
Mercier B 2
Mizque, 870 C 5
Mocomoco, 977 A 4
Mojo C 7
Mojocoya, 498 C 6
Monteagudo, 971 D 6
Montero, 2,713 D 5
Morochata, 461 B 5
Moromoro, 556 C 6
Motacucito E 5
Mukden A 2
Mutún F 6
Muyuquiri C 7
Negrillos, 85 A 6
Nueva Manoa C 1
Nuevo Mundo B 2
Ocurí C 6
Opoco B 6
Orinoca B 6
Oro Ingenio C 7
Orobayaya D 3
Oruro, 86,985 B 5
Padcaya, 324 C 7
Padilla, 2,462 C 6
Palaya A 6
Palca, 887 A 5
Palometas D 5
Pampa Aullagas B 6
Pampa Grande, 727 D 5
Panacachi, 952 B 6
Paria, 335 B 5
Pasorapa, 1,016 C 6
Pata, 122 A 4
Patacamaya, 1,278 B 5
Pazña, 671 B 6
Pelechuco, 873 A 4
Pensamiento E 4
Piso Firme D 3
Pocoata, 859 B 6
Pocona, 518 C 5
Pocpo C 6
Pojo, 1,047 C 5
Poopó, 736 B 6
Porco, 817 B 6
Poroma, 171 C 6
Portachuelo, 2,456 D 5
Portugalete B 7
Porvenir A 2
Porvenir E 4
Postrervalle, 750 D 6
Potosí, 55,233 C 6
Presto, 725 C 6
Pucara, 762 C 6
Pucarani, 1,041 A 5
Puerto Acosta, 1,302 A 4
Puerto Alegre E 3
Puerto Ballivián C 4
Puerto Calvimonte C 4
Puerto Frey E 4
Puerto General Busch G 7
Puerto Grether C 5
Puerto Guachalla F 6
Puerto Heath A 3
Puerto Isabel G 6
Puerto Izozog D 6
Puerto Mamoré C 5
Puerto Pando B 4
Puerto Patiño C 5
Puerto Rico B 2
Puerto Siles, 357 C 3
Puerto Suárez, 1,159 F 6
Puerto Sucre, 1,470 C 2
Puerto Torno C 5
Puerto Velarde D 5
Puerto Villazón D 3
Puina A 4
Pulacayo, 7,984 B 7
Puna, 852 C 6
Punata, 5,014 C 5
Quechisla, 171 C 7
Quetena, 183 B 8
Quillacas, 1,170 B 6
Quillacollo, 9,123 B 5
Quime, 1,256 B 5
Quiroga C 6
Quirusillas, 433 D 6
Ravelo, 907 C 6
Reyes, 1,404 B 4
Riberalta, 6,549 C 2
Río Grande, 281 B 7
Río Mulato, 381 B 6
Río Negro C 1
Roboré, 3,715 F 6
Rurrenabaque, 1,225 B 4
Sabaya, 649 A 6
Sacaba, 2,752 C 5
Sacaca, 1,778 B 6
Sachojere, 401 C 4
Saipina C 6
Saipurú D 6
Sajama, 231 A 6
Saladillo D 7
Salinas de Garci Mendoza, 335 B 6
Salinas de Santiago E 6
Samaipata, 1,656 D 6
San Agustín B 7
San Andrés, 399 C 4
San Andrés de Machaca, 101 A 5
San Antonio, 436 C 4
San Antonio E 4
San Antonio de Lípez B 7
San Antonio del Parapetí, 497 D 7
San Borja, 708 B 4
San Buenaventura, 307 A 4
San Carlos D 5
San Cristóbal B 7
San Cristóbal E 3
San Diego D 7
San Fermín A 3
San Francisco, 185 C 4
San Francisco D 7
San Ignacio, 1,757 C 4
San Ignacio, 1,819 E 5
San Javier, 233 C 4
San Javier, 564 D 5
San Joaquín, 1,959 C 3
San José de Chiquitos, 1,933 E 5
San José de Uchupiamonas A 4
San Juan, 131 B 7
San Juan F 5
San Juan del Piray, 541 C 7
San Juan del Potrero, 263 C 5
San Lorenzo B 2
San Lorenzo, 496 C 4
San Lorenzo, 785 C 7
San Lucas, 925 C 7
San Matías, 887 F 5
San Miguel, 502 E 5
San Miguel de Huachi, 25 B 4
San Miguelito A 2
San Pablo, 11 B 7
San Pedro B 2
San Pedro, 262 C 4
San Pedro, 182 C 6
San Pedro, 80 D 5
San Pedro de Buena Vista, 1,094 C 6
San Pedro de Quemes A 7
San Rafael E 5
San Ramón, 11,161 C 3
San Ramón, 379 D 5
Sanandita, 379 D 7
Santa Ana, 171 B 4
Santa Ana, 2,225 C 3
Santa Ana C 7
Santa Ana, 275 E 5
Santa Ana, 663 F 6
Santa Cruz A 2
Santa Cruz, 72,708 D 5
Santa Cruz del Valle Ameno, 442 A 4
Santa Elena C 7
Santa Isabel B 7
Santa Rosa B 2
Santa Rosa, 765 B 4
Santa Rosa, 491 B 5
Santa Rosa C 5
Santa Rosa, 995 D 5
Santa Rosa de la Mina, 99 D 5
Santa Rosa de la Roca, 101 E 5
Santa Rosa del Palmar, 441 E 5
Santiago A 7
Santiago, 765 F 6
Santiago de Huata, 948 A 5
Sanitago de Machaca, 218 A 5
Santiago de Pacaguaras A 3
Santo Corazón F 5
Santos Mercado B 2
Sapahaqui, 55 B 5
Sapse C 6
Sarampiuni, 138 A 4
Saya B 5
Sena B 2
Sevaruyo, 475 B 6
Sicasica, 1,486 B 5
Siccha C 6
Sococha C 7
Sopachuy, 713 C 6
Sorata, 2,087 A 4
Sotomayor, 510 C 6
Suapi B 4
Suches A 4
Sucre (cap.), 54,270 C 6
Suipacha C 7
Tablas C 5
Tacobamba C 6
Tacopaya, 795 B 5
Tahua B 3
Tahua B 6
Talina, 122 B 7
Tapacarí, 980 B 5
Tarabuco, 2,833 C 6
Tarairí D 7
Tarapaya B 6
Tarata, 3,016 C 5
Tarija, 20,851 C 7
Tarumá D 6
Tazna B 7
Teduzara B 2
Terevinto D 5
Tiahuanacu, 1,227 A 5
Tinquipaya, 766 C 6
Tipuani B 4
Tiraque, 1,390 C 5
Tiraque C 5
Tocomechi (Ingeniero Montero Hoyos), 575 D 5
Todos Santos, 68 A 6
Todos Santos B 3
Todos Santos, 408 C 5
Toledo, 3,273 B 6
Tomás Barrón, 1,852 B 5
Tomave, 201 B 7
Tomayapo C 7
Tomina, 708 C 6
Toropalca B 7
Torotoro, 1,233 C 6
Totora, 210 A 5
Totora, 2,290 C 5
Trigal, 449 C 6
Trinidad B 2
Trinidad, 14,505 C 4
Tucavaca F 6
Tumupasa, 349 B 4
Tumusla C 7
Tupiza, 8,248 C 7
Turco, 131 A 6
Ubina, 484 B 7
Ucumasi B 6
Ulla Ulla, 52 A 4
Ulloma, 116 A 5
Umala, 481 B 5
Uncía, 4,507 B 6
Uriondo, 860 C 7
Urmiri B 6
Urubichá D 4
Uyuni, 6,968 B 7
Vallegrande C 6
Vandiola C 5
Versalles, 83 D 3
Viacha, 6,607 A 5
Vichaya A 5
Victoria B 2
Vilacaya C 6
Villa Abecia, 539 C 7
Villa Bella, 88 C 2
Villa E. Viscarra, 658 C 6
Villa General Pérez, 802 A 4
Villa Ingavi, 122 D 7
Villa Martín B 7
Villa Montes, 3,105 D 7
Villa Serrano, 1,570 C 6
Villa Talavera (Puna), 852 C 6
Villa Tunari C 5
Villa Vaca Guzmán D 6
Villar, 322 C 6
Villazón, 6,261 C 7
Viloyo B 6
Vitichi C 7
Warnes, 1,571 D 5
Yaco, 835 B 5
Yacuiba, 5,027 D 7
Yaguarú D 4
Yamparáez, 725 C 6
Yanacachi B 5
Yata C 2
Yatina C 7
Yesera C 7
Yocalla B 6
Yotala, 1,554 C 6
Yotaú D 5
Yura, 136 B 7
Zudáñez, 1,868 C 6
Zongo B 5

PHYSICAL FEATURES

Abuná (river) B 2
Altamachi (river) B 5
Ancohuma (mt.) A 4
Andes (mts.) A 3
Apere (river) C 4
Arroyas, Los (lake) C 3
Barras (river) B 6
Baures (river) D 3
Beni (river) B 2
Benicito (river) C 3
Bermejo (river) C 8
Blanco (river) D 4
Bloomfield (mts.) D 4
Boopi (river) B 4
Candelaria (river) F 5
Capitán Ustarés (mt.) E 6
Central (mts.) C 6
Challviri (salt depr.) B 8
Chaparé (river) C 5
Charagua (mts.) D 6
Chovoreca (mt.) F 6
Claro (river) A 3
Coipasa (lake) B 6
Coipasa (salt depr.) A 6
Colorada (lagoon) A 8
Concepción (lagoon) E 5
Cotacajes (river) B 5
Cuzco (mt.) B 7
Desaguadero (river) B 5
Emero (river) B 3
Empexa (salt depr.) A 7
Gaiba (lagoon) G 5
Grande (marsh) F 5
Grande (river) C 4
Grande (river) C 6
Grande de Lípez (river) B 7
Guaporé (Iténez) (river) C 3
Guaraní (Capitán Ustarés) (mt.) E 6
Heath (river) A 3
Huanchaca (mts.) E 4
Huatunas (lagoon) B 3
Ichilo (river) C 5
Ichoa (river) C 4
Illampu (mt.) A 4
Illimani (mt.) B 5
Incacamachi (mt.) A 6
Isiboro (river) C 5
Iténez (Guaporé) (river) C 3
Itonamas (river) C 3
Izozog (swamp) E 6
Jara (mt.) F 6
Lauca (river) A 6
Lípez (mts.) B 8
Liverpool (swamp) D 4
Machupo (river) C 3
Madidi (river) A 3
Madre de Dios (river) A 3
Mamoré (river) C 2
Mandioré (lagoon) G 6
Manuripi (river) B 2
Mizque (river) C 6
Mosetenes (mts.) B 5
Negro (river) D 4
Occidental (mts.) A 6
Ollagüe (volcano) B 7
Oriental (mts.) C 5
Ortón (river) B 2
Otuquis (river) F 6
Paraguá (river) E 4
Parapetí (river) D 6
Petas, Las (river) F 5
Pilaya (river) C 7
Pilcomayo (river) D 7
Piray (river) D 5
Poopó (lake) B 6
Pupuya (mt.) A 4
Puquintica (mt.) A 6
Rápulo (river) C 4
Real (mts.) A 5
Rogagua (lake) B 3
Rogaguado (lake) C 3
Sajama (mt.) A 6
San Fernando (river) F 5
San Juan (river) C 7
San Lorenzo (mts.) E 5
San Luis (lake) C 3
San Martín (river) D 3
San Miguel (river) D 4
San Simón (mts.) D 4
Santiago (mts.) F 6
Sécure (river) C 4
Sillajhuay (mt.) A 6
Suches (river) A 4
Sunsas (mts.) F 5
Tahuamanu (river) A 2
Tarija (river) C 8
Tequeje (river) B 3
Tijamuchi (river) C 4
Titicaca (lake) A 4
Tocorpuri (mt.) A 8
Tucavaca (river) F 6
Tuichi (river) A 4
Uyuni (salt depr.) B 7
Yacuma (river) B 3
Yapacani (river) C 5
Yata (river) C 3
Yungas, Las (district) B 5
Zapaleri (mt.) B 8

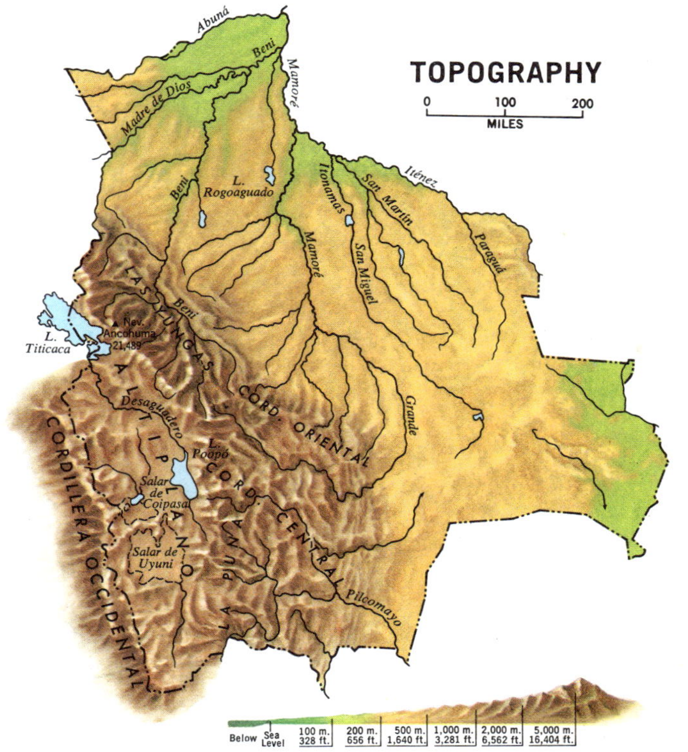

TOPOGRAPHY
0 100 200
MILES
Abuná
Beni
Mamoré
Madre de Dios
L. Rogoaguado
Itonamas
Iténez
San Martín
Paraguá
San Miguel
Nev. Ancohuma 21,489
L. Titicaca
CORD. ORIENTAL
Desaguadero
Poopó
Salar de Coipasa
Salar de Uyuni
CORDILLERA OCCIDENTAL
CORD. CENTRAL
LA PUNA
Grande
Pilcomayo
Below Sea Level
100 m. 328 ft.
200 m. 656 ft.
500 m. 1,640 ft.
1,000 m. 3,281 ft.
2,000 m. 6,562 ft.
5,000 m. 16,404 ft.

AGRICULTURE, INDUSTRY and RESOURCES

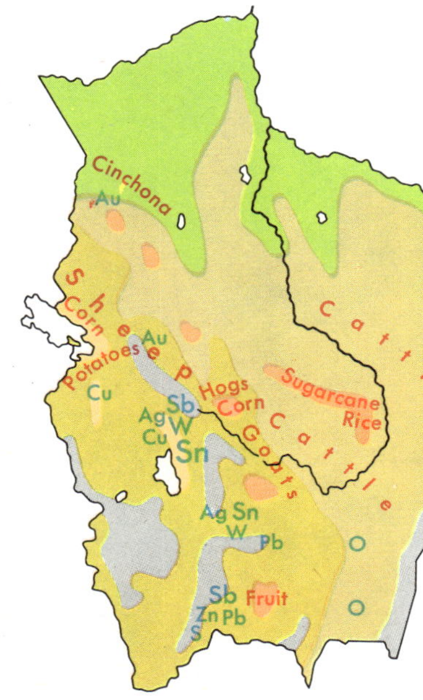

Cinchona
Au
Sheep
Corn
Potatoes
Hogs
Corn
Sugarcane
Rice
Cattle
Goats
Cattle
Ag W
Cu
Sn
Ag Sn
W
Pb
Sb
Fruit
Zn Pb
S

DOMINANT LAND USE

- Diversified Tropical Crops (chiefly plantation agriculture)
- Upland Cultivated Areas
- Upland Livestock Grazing, Limited Agriculture
- Extensive Livestock Ranching
- Forests
- Nonagricultural Land

MAJOR MINERAL OCCURRENCES

Ag	Silver	O	Petroleum	Sn	Tin
Au	Gold	Pb	Lead	W	Tungsten
Cu	Copper	S	Sulfur	Zn	Zinc
		Sb	Antimony		

CHILE
CONIC PROJECTION
SCALE OF MILES
0 25 50 100 150
SCALE OF KILOMETRES
0 25 50 100 150 200
Capital of Countries
Provincial Capitals
International Boundaries
Provincial Boundaries
Copyright by C. S. Hammond & Co., N. Y.
Longitude West 68° of Greenwich
SANTIAGO
Valparaíso
Viña del Mar
San Antonio
Rancagua
San Fernando
Quillota
San Felipe
Talagante
San Bernardo
Melipilla
ACONCAGUA
VALPARAISO
O'HIGGINS
COLCHAGUA
SCALE OF MILES
TARAPACÁ
ANTOFAGASTA
ATACAMA
COQUIMBO
Arica
Iquique
Tocopilla
Antofagasta
Tropic of Capricorn
Copiapó
La Serena
Coquimbo
Ovalle
Talca
Linares
Chillán
Concepción
Talcahuano
Los Angeles
Temuco
Valdivia
Osorno
Puerto Montt
Isla de Chiloé
Puerto Aisén
Punta Arenas
Puerto Natales
Salar de Uyuni
Salar de Atacama
Oruro
Mendoza
San Juan
San Rafael
La Rioja
PACIFIC OCEAN
ATLANTIC OCEAN
ARCHIPIÉLAGO DE LOS CHONOS
ARCHIPIÉLAGO REINA ADELAIDA
Golfo de Penas
Str. of Magellan (Estr. de Magallanes)
Tierra del Fuego
Isla Grande
Drake Passage
Cape Horn
Isla de los Estados (Staten I.) (Claimed by Chile and Argentina)
ARGENTINA

CHILE

AREA	286,396 sq. mi.
POPULATION	8,567,000
CAPITAL	Santiago
LARGEST CITY	Santiago (greater) 2,270,738
HIGHEST POINT	Ojos del Salado 22,539 ft.
MONETARY UNIT	Chilean escudo
MAJOR LANGUAGE	Spanish
MAJOR RELIGION	Roman Catholic

TOPOGRAPHY
0
100
200
MILES
CORDILLERA DE LOS ANDES
COASTAL RANGE
Atacama Desert
Loa
CORD. DOMEYKO
Socompa Pass
Vol. Llullaillaco
22,057
Nev. Ojos del Salado
22,539
Uspallata Pass
C. Tupungato
21,489
Vol. Maipú
17,356
COASTAL RANGE
Central Valley
Bío Bío
ANDES
Vol. Osorno
8,726
I. de Chiloé
ARCH. DE LOS CHONOS
Pen. Taitao
L. Gen. Carrera
G. de Penas
Baker
ANDES DE PATAGONIA
I. Wellington
ARCH. REINA ADELAIDA
Str. of Magellan
Str. of Magellan
Tierra del Fuego
I. Sta. Inés
I. Hoste
Cape Horn
5,000 m.
16,404 ft.
2,000 m.
6,562 ft.
1,000 m.
3,281 ft.
500 m.
1,640 ft.
200 m.
656 ft.
100 m.
328 ft.
Sea Level
Below

PROVINCES

Aconcagua, 140,528 ....A 9
Aisén, 37,803 ....D 6
Antofagasta, 215,378 ....B 4
Arauco, 89,504 ....D 1
Atacama, 116,309 ....B 6
Bío-Bío, 168,837 ....D 1
Cautín, 394,785 ....E 2
Chiloé, 99,205 ....D 4
Colchagua, 158,543 ....A10
Concepción, 539,450 ....D 1
Coquimbo, 309,177 ....A 8
Curicó, 105,839 ....A10
Linares, 171,302 ....A11
Llanquihue, 167,491 ....D 3
Magallanes, 73,426 ....E10
Malleco, 174,205 ....E 2
Maule, 79,783 ....A11
Ñuble, 285,730 ....E 1
O'Higgins, 259,724 ....A10
Osorno, 144,088 ....D 3
Santiago, 2,436,398 ....A 9
Talca, 206,255 ....A11
Tarapacá, 123,064 ....B 2
Valdivia, 259,798 ....D 3
Valparaíso, 618,112 ....A 9

CITIES and TOWNS

Achao, 939 ....D 4
Aculeo, 20 ....G 4
Aguas Blancas, †33 ....B 4
Aiquina, 105 ....B 3
Alcones, 682 ....F 5
Algarrobo, 1,894 ....F 3
Altamira, 93 ....B 5
Ancud, 7,390 ....D 4
Andacollo, 5,381 ....A 8
Angol, 18,637 ....D 1
Antofagasta, 104,559 ....A 4
Arauco, 3,773 ....D 1
Arica, 43,344 ....A 1
Ascotán, 23 ....B 3
Azapa, 225 ....A 1
Balmaceda, 735 ....E 6
Baquedano, 1,412 ....A 4
Barrancas, 13,787 ....G 3
Batuco, 1,125 ....G 3
Belén, 177 ....B 1
Boco, 1,655 ....F 2
Buin, 5,269 ....G 4
Bulnes, 5,831 ....E 1
Cabildo, 3,479 ....A 9
Calama, 26,166 ....B 3
Calbuco, 2,532 ....D 4
Caldera, 2,715 ....A 6
Calera de Tango, 43 ....G 4
Caleta Barquito, 932 ....A 6
Caleta Clarencia, 60 ....E10
Caleta Pan de Azucar, 8 ....A 6
Caleu, 187 ....G 2
Calle Larga, 1,872 ....G 2
Calleuque ....F 5
Camarones, 259 ....B 2
Camiña, 234 ....B 2
Cañete, 5,487 ....D 2
Canto del Agua, 269 ....A 7
Capitán Pastene, 1,669 ....D 2
Carahue, 5,891 ....D 2
Carén, 225 ....A 8
Cariquima, 20 ....B 2
Carrera Pinto, 68 ....B 6
Carrizal Bajo, 207 ....A 7
Cartagena, 4,711 ....F 3
Casablanca, 3,937 ....F 3
Castro, 7,001 ....D 4
Catalina, 148 ....B 5
Catemu, 1,498 ....G 2
Cauquenes, 17,836 ....A11
Cerro Castillo, 298 ....E 9
Chaca, 37 ....B 1
Chacalluta, 75 ....A 1
Chaitén, 663 ....E 4
Chañaral, 5,210 ....A 6
Chanco, 1,966 ....A11
Chépica, 2,291 ....A10
Chile Chico, 1,926 ....E 6
Chillán, 59,054 ....A11
Chimbarongo, 3,982 ....A10
Choapa, 258 ....A 9
Chocalán, 187 ....F 4
Chonchi, 1,453 ....D 4
Chuquicamata, 24,798 ....B 3
Cobquecura, 795 ....D 1
Cochamó, 372 ....E 3
Codegua, 1,244 ....G 4
Codigua, 530 ....F 4
Codpa, 66 ....B 1
Coelemu, 4,546 ....D 1
Cogotí, 212 ....A 8
Coihaique, 8,782 ....E 6
Coihaique Alto, 24 ....E 6
Coihueco, 1,844 ....A11
Coinco, 1,656 ....G 5
Colbún, 980 ....A11
Colina, 2,445 ....G 3
Collaguasi, 8 ....B 3
Colliguay, 102 ....F 3
Collipulli, 5,572 ....E 2
Coltauco, 1,096 ....F 5
Combarbalá, 2,640 ....A 8
Concepción, 167,946 ....D 1
Conchi, 9 ....B 3
Conchi Viejo, 17 ....B 3
Concón, 5,381 ....F 2
Constitución, 9,536 ....A11
Contulmo, 978 ....D 2
Copiapó, 30,123 ....B 6
Coquimbo, 33,749 ....A 8
Coronel, 33,870 ....D 1
Corral, 3,740 ....D 3
Cruz Grande, 478 ....A 7
Cunco, 3,342 ....E 2
Cuncumén, Coquimbo, 1,052 ....A 9
Cuncumén, Santiago ....F 4
Curacautin, 9,601 ....E 2
Curacaví, 4,116 ....G 3
Curanilahue, 12,117 ....D 1
Curepto, 1,699 ....A10
Curicó, 32,562 ....A10
Cuya, 86 ....B 2
Dalcahue, 451 ....D 4
Domeyko, 1,814 ....A 7
Doñihue, 1,622 ....G 5
El Carmen, Ñuble, 2,263 ....A11
El Carmen, O'Higgins, 625 ....F 5
El Cobre, 7 ....A 4
El Convento, 733 ....F 4
El Manzano, 1,073 ....F 5
El Ñilhue, 341 ....G 1
El Olivar Alto, 1,084 ....G 5
El Quisco, 1,019 ....E 3
El Tabo, 714 ....F 3
El Tofo, 1,175 ....A 7
El Tránsito, 235 ....B 7
El Volcán, 250 ....B10
Empedrado, 574 ....A11
Ercilla, 1,311 ....E 2
Espejo, 3,481 ....G 3
Estancia Caleta Josefina, 166 ....F10
Estancia Laguna Blanca, 119....E 9
Estancia Morro Chico, 32 ....E 9
Estancia Punta Delgada, 233....E 9
Estancia San Gregorio, 59 ....E 9
Estancia Springhill (Manantiales), 291 ....F10
Freire, 2,006 ....E 2
Freirina, 1,831 ....A 7
Fresia, 3,571 ....D 3
Frutillar, 686 ....D 3
Fuerte Bulnes, 18 ....E10
Futaleufú, 616 ....E 4
Futrono, 981 ....E 3
Galvarino, 1,735 ....D 2
Gatico, 16 ....A 4
General Lagos, 6 ....B 1
Graneros, 5,644 ....G 5
Guayacán, 1,514 ....A 8
Hijuelas, 897 ....F 2
Hospital, 460 ....G 4
Huachipato, †16,336 ....D 1
Hualaihué, 391 ....E 4
Hualañé, 1,712 ....A10
Huara, 885 ....B 2
Huasco, 1,902 ....A 7
Huentelauquén, 355 ....A 8
Idahue, 1,832 ....F 5
Illapel, 10,395 ....A 8
Imilac, 27 ....B 4
Inca de Oro, 1,406 ....B 6
Iquique, 50,655 ....A 2
Isla de Maipo, 3,580 ....G 4
La Calera, 18,134 ....F 2
La Colonia, 41 ....D 7
La Cruz, 3,000 ....F 2
La Estrella, 319 ....F 5
La Higuera, 889 ....A 7
La Laguna, 316 ....F 2
La Ligua, 5,095 ....A 9
La Retuca, 173 ....F 3
La Serena, 40,854 ....A 8
La Unión, 11,558 ....D 3
Lago Ranco, 1,541 ....D 3
Lago Verde, 193 ....E 5
Lagunas, 30 ....B 3
Lagunillas, 468 ....F 3
Lampa, 1,698 ....G 3
Lanco, 4,948 ....D 2
Las Breas, 14 ....B 7
Las Cabras, 1,668 ....F 5
Las Cruces, 612 ....F 3
Lautaro, 10,448 ....E 2
Lebu, 6,248 ....D 1
Licantén, 1,368 ....A10
Limache, 14,488 ....F 2
Linares, 27,568 ....A11
Llaillay, 7,049 ....G 2
Llico, 330 ....A10
Llolleo, 9,846 ....F 4
Lo Miranda, 2,270 ....G 5
Lo Ovalle, 129 ....F 3
Loica, 446 ....F 4
Loncoche, 6,619 ....D 2
Longaví 2,625 ....A11
Lonquimay, 1,320 ....E 2
Los Andes, 20,448 ....B 9
Los Ángeles, 35,511 ....D 1
Los Lagos, 3,897 ....D 3
Los Loros, 269 ....A 6
Los Muermos, 1,616 ....D 3
Los Perales de Tapihue, 176....F 3
Los Sauces, 2,717 ....D 2
Los Vilos, 3,027 ....A 9
Lota, 27,739 ....D 1
Machalí, 3,008 ....G 5
Maipú, 16,740 ....G 3
Maitencillo, 31 ....A 8
Malloa, 926 ....G 5
Mamiña, 341 ....B 2
Manantiales, 291 ....F10
Manzanar, 248 ....F 2
Marchihue, 924 ....F 5
María Elena, 9,572 ....B 3
María Pinto, 416 ....G 3
Maullín, 1,789 ....D 4
Mayer, 29 ....E 7
Mejillones, 3,363 ....A 4
Melinca, 166 ....D 5
Melipilla, 15,593 ....F 4
Merceditas, 33 ....B 7
Mincha, 301 ....A 8
Molina, 7,621 ....A10
Monte Patria, 798 ....A 8
Montenegro, 327 ....G 2
Mulchén, 10,729 ....E 1
Nacimiento, 3,823 ....D 1
Nancagua, 1,961 ....F 6
Navidad, 629 ....A10
Negreiros, 2 ....B 2
Nilahue, 428 ....E 6
Ñiquén, 296 ....E 1
Nogales, 2,797 ....F 2
Nueva Imperial, 6,442 ....D 2
Nuevo Juncal, 2 ....B 5
Ocoa, 871 ....G 2
Olmué, 1,905 ....F 2
Osorno, 55,091 ....D 3
Ovalle, 25,282 ....A 8
Oyahue, 333 ....B 3
Paihuano, 639 ....B 8
Paillaco, 3,539 ....D 3
Paine, 2,720 ....G 4
Paipote, 2,278 ....B 6
Palena, 462 ....E 5
Palestina, 7 ....B 4
Paliocabe, 77 ....F 4
Palmilla, 1,136 ....F 6
Panguipulli, 4,708 ....E 2
Panquehue, 235 ....G 2
Paposo, 87 ....A 5
Papudo, 1,292 ....A 9
Paredones, 462 ....A10
Parral, 14,610 ....A11
Pedro de Valdivia, 11,028....B 4
Pelequen, 1,068 ....G 5
Pemuco, 1,667 ....E 1
Peñablanca, 5,586 ....F 2
Peñaflor, 10.699 ....G 4
Penco, 15,483 ....D 1
Peñuelas, 359 ....F 3
Petorca, 1,395 ....A 9
Petrohué, 40 ....E 3
Peuco, 211 ....G 4
Peumo, 2,574 ....F 5
Pica, 1,646 ....B 2
Pichidegua, 841 ....F 5
Pichilemu, 2,227 ....A10
Pintados, 144 ....B 2
Pinto, 958 ....A11
Pisagua, 118 ....A 2
Pitrufquén, 6,472 ....D 2
Placilla, 1,047 ....F 6
Placilla de Caracoles, 2 ....B 4
Placilla de Peñuelas, 1,495 ....F 2
Población, 1,026 ....F 5
Polonia ....G 6
Pomaire, 1,366 ....F 4
Porvenir, 1,956 ....E10
Potrerillos, 6,168 ....B 6
Pozo Almonte, 1,174 ....B 2
Puangue ....F 4
Pucatrihue, 60 ....D 3
Puchuncaví, 588 ....F 2
Pucón, 2,508 ....E 2
Pudahuel, 172 ....G 3
Pueblo Hundido, 2,123 ....B 6
Puente Alto, 43,557 ....B10
Puerto Aisén, 5,488 ....E 6
Puerto Bertrand, 52 ....E 7
Puerto Chacabuco, 130 ....D 6
Puerto Cisnes, 369 ....E 5
Puerto Cristal, 698 ....E 6
Puerto Ingeniero Ibáñez, 750....E 6
Puerto Montt, 41,681 ....E 4
Puerto Natales, 9,399 ....E 9
Puerto Palena, 105 ....D 5
Puerto Quellón, 795 ....D 4
Puerto Ramírez, 82 ....E 5
Puerto Saavedra, 805 ....D 2
Puerto Varas, 10,305 ....E 3
Puerto Williams, 302 ....F11
Puerto Yartou, 14 ....E10
Pumanque, 346 ....F 6
Punitaqui, 1,716 ....A 8
Punta Arenas, 49,504 ....E10
Punta de Díaz, 11 ....B 7
Puquios, 105 ....B 1
Purén, 3,525 ....D 2
Purranque, 4,706 ....D 3
Putaendo, 3,997 ....A 9
Putre, 459 ....B 1
Puyehue, 39 ....E 3
Quebrada de Alvarado, 429 ....F 2
Queilén, 438 ....D 4
Quemchi, 696 ....D 4
Queule, 235 ....D 2
Quilicura, 2,739 ....G 3
Quillagua, 288 ....B 3
Quillaicillo, 195 ....A 8
Quilleco, 1,005 ....E 1
Quillota, 29,447 ....F 2
Quilpué, 26,588 ....F 2
Quinta de Tilcoco, 410 ....G 5
Quintay, 166 ....F 3
Quintero, 6,486 ....F 2
Quirihue, 3,462 ....E 1
Rancagua, 53,318 ....G 5
Rapel, 699 ....F 4
Reñaca, 1,267 ....F 2
Renca, 376 ....G 3
Rengo, 10,989 ....G 5
Requegua, 1,699 ....G 5
Requíhoa, 1,646 ....G 5
Retiro, 601 ....A11
Rinconada San Martín, 1,466 ....G 2
Río Blanco, 456 ....B 9
Río Bueno, 7,544 ....D 3
Río Cisnes, 244 ....E 5
Río Negro, 3,661 ....D 3
Río Verde, 68 ....E10
Rivadavia, 443 ....A 7
Rocas de Santo Domingo, 809....F 3
Rolecha, 573 ....D 4
Rosario, 423 ....F 5
Rungue, 312 ....G 2
Salado, 1,375 ....A 6
Salamanca, 3,197 ....A 9
Salinas, 7 ....B 4
Samo Alto, 244 ....A 8
San Antonio, 26,917 ....F 3
San Bernardo, 45,207 ....G 4
San Carlos, 13,598 ....E 1
San Clemente, 2,507 ....A11
San Felipe, 19,048 ....G 2
San Félix, 495 ....A 7
San Fernando, 21,774 ....G 6
San Francisco de Mostazal, 3,257 ....G 4
San Francisco del Monte, 5,079 ....G 4
San Ignacio, 1,489 ....E 1
San Javier, 8,541 ....A11
San José de la Mariquina, 2,878 ....D 2
San José de Maipo, 2,854 ....B10
San Pablo, 1,112 ....D 3
San Pedro, Santiago, 572 ....F 4
San Pedro, Valparaíso, 1,420....F 2
San Pedro de Atacama, 515 ....C 4
San Rosendo, 3,744 ....E 1
San Sebastián, 494 ....F 3
San Vicente, 230 ....F 4
San Vicente (San Vicente de Tagua Tagua), 4,447 ....F 5
Santa Bárbara, 2,920 ....E 1
Santa Cruz, 5,905 ....F 6
Santa María, 1,580 ....G 2
Santiago (cap.), 1,907,378 ....G 3
Santiago, *2,270,738 ....G 3
Sewell, 10,866 ....A10
Sierra Gorda, 126 ....B 4
Talagante, 11,560 ....G 4
Talca, 68,148 ....A11
Talcahuano, 102,323 ....D 1
Taltal, 5,291 ....A 5
Tamaya, 248 ....A 8
Tarapacá, 130 ....B 2
Temuco, 72,132 ....E 2
Teno, 2,501 ....A10
Termas de Cauquenes, 210....B10
Tierra Amarilla, 1,830 ....A 6
Tignamar, 226 ....B 1
Tilomonte, 3 ....B 4
Tiltil, 1,825 ....G 2
Tinguiririca, 1,012 ....G 6
Toco, 24 ....B 3
Toconao, 452 ....C 4
Tocopilla, 21,580 ....A 3
Toltén, 299 ....D 2
Tomé, 26.942 ....D 1
Tongoy, 935 ....A 8
Totoral, 109 ....A 6
Traiguén, 9,990 ....D 2
Valdivia, 61,334 ....D 3
Valle Alegre, 241 ....F 2
Vallenar, 15,693 ....A 7
Valparaíso, 280, 236 ....E 2
Victoria, 4,943 ....B 3
Victoria, 14,215 ....E 2
Vicuña, 4,144 ....A 8
Villa Alemana, 15,659 ....F 2
Villa Alhué, 882 ....G 4
Villa Industrial, 28 ....B 1
Villarrica, 9,122 ....E 2
Viña del Mar, 135,782 ....F 2
Yumbel, 3,495 ....E 1
Yungay, 3,301 ....E 1
Zapallar, 717 ....A 9

PHYSICAL FEATURES

Acamarachi (mt.) ....C 4
Aconcagua (river) ....F 2
Aculeo (lagoon) ....G 4
Adventure (bay) ....D 5
Alhué (river) ....F 4
Almirantazgo (bay) F11
Almeida (mts.) ....C 4
Almirante Montt (gulf) ....D 9
Alto Nevado (mt.) ....E 5
Ancho (channel) ....D 8
Ancud (gulf) ....D 4
Angamos (isl.) ....D 8
Angamos (point) ....A 4
Ap Iwan (mt.) ....E 6
Arauco (gulf) ....D 1
Arenales (mt.) ....D 7
Ascotán (salt deposit) ....B 3
Atacama (desert) ....B 4
Atacama (salt deposit) ....C 4
Aucanquilcha (mt.) ....B 3
Azapa (river) ....B 1
Baker (river) ....D 7
Ballenero (channel) E11
Barrancos (mt.) ....D 7
Bascuñán (cape) ....A 7
Beagle (channel) E11
Bella Vista (salt deposit)....B 3
Benjamín (isl.), 16 ....D 5
Bertrand (mt.) ....D 8
Bío-Bío (river) ....E 2
Blanca (lagoon) E10
Blanco (lake) F10
Bravo (river) ....D 7
Brunswick (pen.) E10
Bueno (river) ....D 3
Buenos Aires (lake) ....E 6
Burney (mt.) ....D 9
Byron (isl.) ....D 7
Cachapoal (river) ....G 5
Cachina (river) ....A 5

(continued on following page)

Chile
(continued)

Cachos (point)	A 6
Calafquén (lake)	E 3
Callecalle (river)	D 3
Camarones (river)	A 2
Camiña (river)	B 2
Campana (isl.)	D 7
Campanario (mt.)	B11
Capitán Arácena (isl.)	E10
Capitillana (mt.)	G 4
Carmen (river)	A 7
Casablanca (river)	F 3
Castillo (mt.)	E 6
Catalina (point)	F10
Chaffers (isl.)	D 5
Chaltel (Fitz Roy) (mt.)	E 8
Chañaral	A 7
Chatham (isl.)	D 9
Chato (mt.)	E 4
Chauques (isls.), 2,284	D 4
Cheap (channel)	D 7
Chiloé (isl.), 68,710	D 4
Choapa (river)	A 9
Chonos (arch.)	D 6
Choros (cape)	A 7
Choros, Los (river)	A 8
Cisnes (river)	E 5
Clarence (isl.), 8	E10
Claro (river)	G 5
Clemente (isl.)	D 6
Cochrane (lake)	E 7
Cochrane (mt.)	E 7
Cockburn (channel)	E11
Colina (river)	G 5
Concepción (channel)	D 9
Cónico (mt.)	E 4
Contreras (isl.)	D 9
Cook (bay)	E11
Copiapó (river)	A 6
Corcovado (gulf)	D 4
Corcovado (vol.)	D 5
Coronados (gulf)	D 4
Cumbre Negra (mt.)	E 5
Curanilla (point)	E 2
Darwin (bay)	D 6
Darwin (mts.)	E11
Darwin (mts.)	D 8
Dawson (isl.), 147	E10
Deseado (cape)	D10
Desolación (isl.)	D10
Diego de Almagro (isl.)	D 9
Domeyko (mts.)	B 4
Dos Reyes (cape)	A 5
Drake (passage)	E11
Duque de York (isl.)	C 9
Dungeness (point)	F10
Elefantes (gulf)	D 6
Elqui (river)	A 8
Esmeralda (isl.)	C 8
Eyre (bay)	D 8
Fagnano (lake)	E11
Fitz Roy (Chaltel) (mt.)	E 8
Galera (point)	D 3
Gallo (point)	E 3
General Paz (lake)	E 5
Gordon (isl.)	E11
Grafton (isls.)	D10
Grande (isl.), 2	A 6
Grande (river)	F10
Grande (salt deposit)	B 3
Grande de Tierra del Fuego (isl.), 5,467	E11
Guafo (gulf)	D 5
Guafo (isl.)	D 5
Guaitecas (isls.), 8	D 5
Guamblin (isl.), 851	D 5
Guayaneco (arch.)	D 7
Hanover (isl.)	D 9
Hardy (pen.)	F11
Hermite (isls.)	F11
Horn (cape)	F11
Hornos, Falso (cape)	F11
Hoste (isl.), 20	E11
Huasco (river)	A 7
Imperial (river)	D 2
Incaguasi (mt.)	C 6
Inglesa (bay)	A 6
Inútil (bay)	E10
Isla (salt deposit)	B 5
Italia (isl.)	F11
Itata (river)	A11
James (isl.)	D 5
Jeinemeni (mt.)	E 6
Jervis (isl.)	D 8
Johnson (isl.)	C 7
Jorge Montt (isl.)	D 9
Jorquera (river)	B 6
Juan Stuven (isl.)	D 7

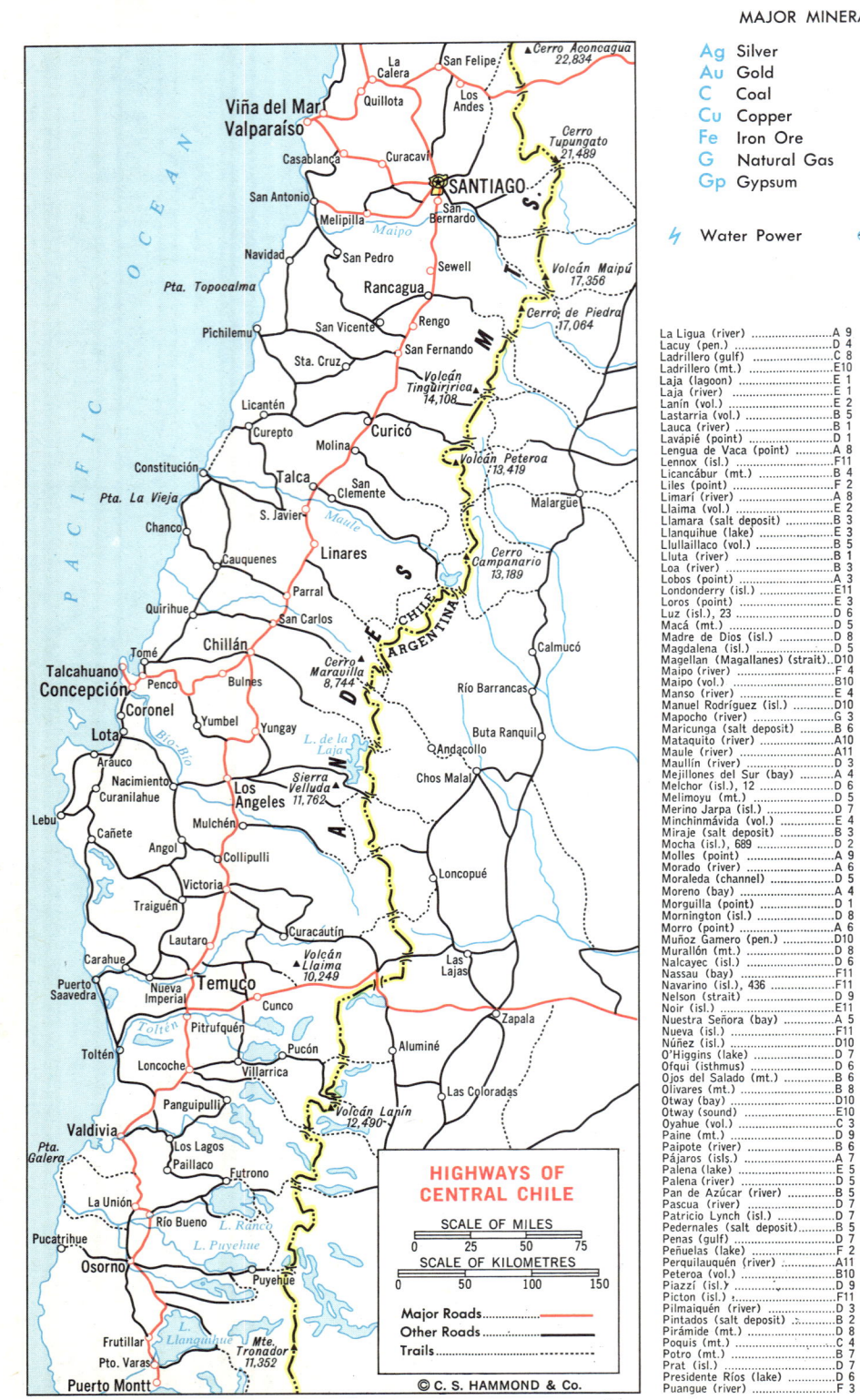

DOMINANT LAND USE

- Cereals, Livestock
- Mediterranean Agriculture (cereals, fruit, livestock)
- Pasture Livestock
- Extensive Livestock Ranching
- Limited Seasonal Grazing
- Forests
- Nonagricultural Land

MAJOR MINERAL OCCURRENCES

Ag	Silver	Hg	Mercury
Au	Gold	Id	Iodine
C	Coal	Mn	Manganese
Cu	Copper	Mo	Molybdenum
Fe	Iron Ore	N	Nitrates
G	Natural Gas	Na	Salt
Gp	Gypsum	O	Petroleum
		S	Sulfur

⚡ Water Power   ▨ Major Industrial Areas

La Ligua (river)	A 9
Lacuy (pen.)	D 4
Ladrillero (gulf)	C 8
Ladrillero (mt.)	E10
Laja (lagoon)	E 1
Laja (river)	E 1
Lanín (vol.)	E 2
Lastarria (vol.)	B 5
Lauca (river)	B 1
Lavapié (point)	D 1
Lengua de Vaca (point)	A 8
Lennox (isl.)	F11
Licancábur (mt.)	B 4
Liles (point)	F 2
Limarí (river)	A 8
Llaima (vol.)	E 2
Llamara (salt deposit)	B 3
Llanquihue (lake)	D 3
Llullaillaco (vol.)	B 5
Lluta (river)	B 1
Loa (river)	B 3
Lobos (point)	A 3
Londonderry (isl.)	E11
Loros (point)	E 3
Luz (isl.), 23	D 6
Macá (mt.)	D 5
Madre de Dios (isl.)	D 8
Magdalena (isl.)	D 5
Magellan (Magallanes) (strait)	D10
Maipo (river)	F 4
Maipo (vol.)	B10
Manso (river)	E 4
Manuel Rodríguez (isl.)	D10
Mapocho (river)	G 3
Maricunga (salt deposit)	B 6
Mataquito (river)	A10
Maule (river)	A11
Maullín (river)	D 3
Mejillones del Sur (bay)	A 4
Melchor (isl.), 12	D 6
Melimoyu (mt.)	D 5
Merino Jarpa (isl.)	D 7
Minchinmávida (vol.)	E 4
Miraje (salt deposit)	B 3
Mocha (isl.), 689	D 2
Molles (point)	A 9
Morado (mt.)	D 5
Moraleda (channel)	D 5
Moreno (bay)	A 4
Morguilla (point)	D 1
Mornington (isl.)	D 8
Morro (point)	A 6
Muñoz Gamero (pen.)	D10
Murallón (mt.)	D 8
Nalcayec (isl.)	D 6
Nassau (bay)	F11
Navarino (isl.), 436	F11
Nelson (strait)	D 9
Noir (isl.)	E11
Nuestra Señora (bay)	A 5
Nueva (isl.)	F11
Núñez (isl.)	D10
O'Higgins (lake)	D 7
Ofqui (isthmus)	D 6
Ojos del Salado (mt.)	B 6
Olivares (mt.)	B 8
Otway (bay)	D10
Otway (sound)	E10
Oyahue (vol.)	C 3
Paine (mt.)	D 9
Paipote (river)	B 6
Pájaros (isls.)	A 7
Palena (lake)	E 5
Palena (river)	E 5
Pan de Azúcar (river)	B 5
Pascua (river)	D 7
Patricio Lynch (isl.)	C 8
Pedernales (salt deposit)	B 5
Penas (gulf)	D 7
Peñuelas (lake)	F 2
Perquilauquén (river)	A11
Peteroa (vol.)	B10
Piazzi (isl.)	D 9
Picton (isl.)	F11
Pilmaiquén (river)	D 3
Pintados (salt deposit)	B 2
Pirámide (mt.)	D 8
Poquis (mt.)	C 4
Potro (mt.)	B 7
Prat (mt.)	D 7
Presidente Ríos (lake)	D 6
Puangue (river)	F 3
Puelo (river)	E 4
Púlar (mt.)	B 4
Punta Negra (salt deposit)	B 5
Puquintica (mt.)	B 1
Puyehue (lake)	E 3
Quilán (cape)	D 4
Quilán (isl.)	D 5
Rahue (river)	D 3
Ranco (lake)	E 3
Rapel (river)	F 4
Refugio (mt.)	D 5
Reina Adelaida (arch.)	D 9
Reloncaví (bay)	D 4
Riesco (isl.), 264	E10
Rincón (mt.)	C 4
Rívero (isl.)	D 6
Rosario (river)	F 3
Rupanco (lake)	D 3
Salado (river)	B 6
San Esteban (gulf)	D 7
San Lorenzo (Cochrane) (mt.)	E 7
San Martín (lake)	E 7
San Pedro (mt.)	D 4
San Pedro (point)	A 5
San Valentín (mt.)	D 6
Santa Inés (isl.)	D10
Santa María (isl.), 74	D 1
Sarco (river)	A 7
Sarmiento (mt.)	E11
Sillajiguay (mt.)	B 2
Simpson (river)	E 6
Skyring (bay)	E10
Socompa (vol.)	B 4
Staines (pen.)	D 9
Stewart (isl.)	E11
Stokes (bay)	D10
Stosch (isl.)	C 8
Surire (salt deposit)	B 2
Tablas (cape)	A 9
Tacora (vol.)	B 1
Taitao (pen.)	D 6
Talca (point)	E 3
Talcán (isl.)	D 4
Taltal (river)	B 5
Tamarugal (plain)	B 3
Tenquehuen (isl.)	D 6
Tetas (point)	A 4
Tierra del Fuego, Grande de (isl.), 5,467	E11
Tinquiririca (river)	F 5
Tocorpuri (mt.)	B 3
Toltén (river)	D 2
Tongoy (bay)	A 8
Topocalma (point)	A10
Toro (lake)	D 9
Toro (mt.)	B 7
Toro (point)	A10
Torre, La (mt.)	E 4
Tortolas (mt.)	B 8
Totoral (river)	A 6
Traiguén (isl.), 23	D 6
Tranqui (isl.)	D 4
Tres Cruces (mt.)	B 6
Tres Montes (cape)	C 7
Tres Montes (gulf)	D 6
Tres Montes (pen.)	D 7
Trinidad (mt.)	D 8
Tronador (mt.)	E 3
Tumbes (pen.)	D 1
Tupungato (mt.)	B 9
Última Esperanza (sound)	E 9
Velluda (mt.)	E 1
Vidal Gormaz (isl.)	D 9
Vieja, La (point)	A11
Villarrica (lake)	E 2
Vitor (river)	A 1
Week (isl.)	D10
Wellington (isl.), 47	D 8
Wharton (pen.)	D 8
Whiteside (channel)	E10
Wollaston (isl.)	F11
Wood (isls.)	E11
Yali (river)	F 4
Yaretas de Vizcachas (mt.)	E 6
Yelcho (lake)	E 4
Yogan (mt.)	F11
Zapaleri (mt.)	C 4

*City and suburbs.
†Population of commune.

HIGHWAYS OF CENTRAL CHILE

SCALE OF MILES: 0 25 50 75
SCALE OF KILOMETRES: 0 50 100 150

- Major Roads
- Other Roads
- Trails

© C. S. HAMMOND & Co.

VALPARAÍSO
Textiles, Chemicals, Metal Products, Oil Refining

SANTIAGO
Food Processing, Textiles & Clothing, Leather Goods, Chemicals

CONCEPCIÓN
Iron & Steel, Food Processing, Textiles, Oil Refining

ARGENTINA

AREA	1,078,266 sq. mi.
POPULATION	22,352,000
CAPITAL	Buenos Aires
LARGEST CITY	Buenos Aires (greater) 6,762,629
HIGHEST POINT	Cerro Aconcagua 22,834 ft.
MONETARY UNIT	Argentine peso
MAJOR LANGUAGE	Spanish
MAJOR RELIGION	Roman Catholic

PROVINCES

Buenos Aires, 6,734,548 ....D 4
Catamarca, 172,407 ....C 2
Chaco, 535,443 ....D 2
Chubut, 142,195 ....C 5
Córdoba, 1,759,997 ....D 3
Corrientes, 543,226 ....E 2
Distrito Federal (fed. dist.), 2,966,816 ....H 7
Entre Ríos, 803,505 ....E 3
Formosa, 178,458 ....D 1
Jujuy, 239,783 ....C 1
La Pampa, 158,489 ....C 4
La Rioja, 128,270 ....C 2
Mendoza, 825,535 ....C 4
Misiones, 391,094 ....F 2
Neuquén, 111,008 ....C 4
Río Negro, 192,595 ....C 5
Salta, 412,652 ....D 1
San Juan, 352,461 ....C 3
San Luis, 174,251 ....C 3
Santa Cruz, 52,853 ....C 6
Santa Fe, 1,865,537 ....D 3
Santiago del Estero, 477,156 ....D 2
Tierra del Fuego, Antártida e Islas del Atlántico Sur (terr.), 10,318 ....C 7
Tucumán, 780,348 ....C 2

CITIES and TOWNS

Abra Pampa, 1,023 ....C 1
Acebal, 2,026 ....F 6
Acevedo, 1,057 ....F 6
Acuña, 215 ....H 5
Adolfo Alsina, 5,836 ....D 4
Aguilares, 6,564 ....C 2
Aimogasta, 330 ....C 2
Alberti, 4,447 ....G 7
Alcaraz, 1,191 ....G 5
Alcorta, 3,781 ....F 6
Alejandra, 881 ....F 5
Allen, 3,113 ....C 4
Alpachiri, 733 ....D 4
Alta Gracia, 11,570 ....D 3
Alto de las Plumas, 50 ....C 5
Aluminé, 406 ....B 4
Alvear, 3,544 ....E 2
Ameghino, 2,770 ....D 3
Aminga, 516 ....C 2
Añatuya, 9,310 ....D 2
Anchorena, 497 ....C 4
Andalgalá, 5,016 ....C 2
Anderson ....F 7
Añelo, 200 ....C 4
Angélica, 434 ....E 5
Anguil, 734 ....D 4
Antofagasta de la Sierra, †635 ....C 2
Apóstoles, 3,385 ....E 2
Arrecifes, 7,635 ....F 6
Arribeños, 1,739 ....F 7
Arroyo Seco, 5,193 ....F 6
Ascension, 1,775 ....F 7
Atamisqui, 3,405 ....D 2
Avellaneda, †329,626 ....G 7
Ayacucho, 9,220 ....E 4
Azul, 28,609 ....E 4
Bahía Blanca, †150,354 ....D 4
Bahía San Blas ....D 5
Bahía Thetys, †438 ....C 7
Baibiene, 167 ....G 4
Baigorrita, 1,206 ....F 7
Balcarce, 15,210 ....E 4
Balnearia, 4,306 ....D 3
Bañado de Ovanta, 381 ....C 2
Bandera, 1,857 ....D 2
Baradero, 10,194 ....G 6
Barrancas, 1,953 ....F 6
Barranqueras, 12,315 ....E 2
Barreal, 1,217 ....C 3
Basavilbaso, 5,817 ....G 6
Batavia, 380 ....C 3
Beazley, 849 ....C 3
Belén, 4,342 ....C 2
Bell Ville, 15,796 ....D 3
Bella Vista, Corrientes, 7,922 ....E 2
Bella Vista, Tucumán, 8,352 ....D 2
Bernardo de Irigoyen, 114 ....F 2
Bolívar, 14,010 ....D 4
Bovril, 2,835 ....G 5
Bragado, 16,104 ....F 7
Buena Vista ....F 5
Buenos Aires (cap.), 2,966,816 ....H 7
Buenos Aires, *6,762,629 ....H 7
Bustinza, 918 ....F 6
Cabo de las Vírgenes ....C 7
Cachi, 383 ....C 2
Cafayate, 2,169 ....C 2
Calchaqui, 2,782 ....F 5
Caleufú, 1,197 ....D 4
Camarones, 600 ....D 5
Campana, 14,452 ....G 6
Campo Gallo, 1,082 ....D 2
Cañada de Gómez, 12,354 ....F 6
Cañada Honda, 2,000 ....C 3
Cañadón León, 524 ....C 6
Canals, 5,359 ....D 3
Cañuelas, 5,614 ....G 7
Carabelas, 3,476 ....F 6
Carbó, 577 ....G 6
Carcaraña, 4,516 ....F 6
Carlos Casares, 7,558 ....F 7
Carlos Tejedor, 2,897 ....D 4
Carmen de Areco, 4,411 ....F 7
Carmen de Patagones, 5,423 ....D 5
Carmensa, 570 ....C 4
Caseros, 4,975 ....D 4
Casilda, 11,023 ....F 6
Castelli, Buenos Aires, 3,263 ....H 7
Castelli, Chaco, 961 ....D 2
Catamarca, †49,291 ....C 2
Catriló, 1,794 ....D 4
Cayasta, 592 ....F 5
Cayastacito, 483 ....F 5
Cereales, 367 ....D 4
Ceres, 6,525 ....D 2
Chabas, 2,937 ....F 6
Chacabuco, 12,530 ....F 7
Chajarí, 11,726 ....G 5
Chamical, 2,702 ....C 3
Charadai, 981 ....D 2
Charata, 3,487 ....D 2
Chascomús, 9,105 ....H 7
Chepes, 2,131 ....C 3
Chicoana, 796 ....C 2
Chilecito, 6,121 ....C 2
Chivilcoy, 23,386 ....F 7
Choele-Choel, 1,356 ....C 4
Chos Malal, 1,658 ....C 4
Chumbicha, 1,749 ....C 2
Cinco Saltos, 1,622 ....C 4
Cipolletti, 2,763 ....C 4
Clara, 4,021 ....G 5
Clarke, 506 ....F 6
Clodomira, 3,571 ....D 2
Clorinda, 5,910 ....E 2
Colón, Buenos Aires, 5,628 ....F 6
Colón, Entre Ríos, 8,385 ....G 6
Colonia Elisa, 1,139 ....E 2
Colonia las Heras, 1,639 ....C 6
Colonia Sarmiento, 3,648 ....B 6
Comandante Fontana, 1,557 ....D 2
Comandante Luis Piedrabuena, 1,015 ....C 6
Comodoro Rivadavia, 25,651 ....C 6
Concepción, Corrientes, 1,256 ....E 2
Concepción, Tucumán, 12,338 ....C 2
Concepción del Uruguay, 31,498 ....G 6
Concordia, 52,213 ....G 5
Copacabana, 3,500 ....C 2
Córdoba, †589,153 ....D 3
Coronda, 4,656 ....F 6
Coronel Bogado, 1,264 ....F 6
Coronel Brandsen, 3,803 ....H 7
Coronel Dorrego, 7,245 ....D 4
Coronel Moldes, 615 ....C 2
Coronel Pringles, 12,844 ....D 4
Coronel Suárez, 11,133 ....D 4
Corral de Bustos, 3,900 ....D 3
Corrientes, †112,725 ....E 2
Cosquín, 7,746 ....D 3
Crespo, 4,289 ....F 6
Cruz del Eje, 15,563 ....C 3
Cuadro Nacional, 867 ....C 3
Cuchillo-Có ....D 4
Cura-Có (Puelches), 110 ....C 4
Curuzú Cuatiá, 15,440 ....G 5
Cutral-Có, 3,790 ....C 4
Deán Funes, 13,840 ....D 3
Del Carril, 475 ....G 7
Desamparados, 14,539 ....C 3
Diamante, 13,600 ....F 6
Díaz, 1,288 ....F 6
Doblas, 902 ....D 4
Dolavón, 512 ....C 5
Dolores, 14,438 ....E 4
Dudignac, 1,503 ....F 7
Eduardo Castex, 4,020 ....D 4
El Bolsón, 545 ....B 5
El Calafate (Lago Argentino), 368 ....B 7
El Chorro, 113 ....D 1
El Huecú, 368 ....B 4
El Pintado, 110 ....D 1
El Piquete ....D 1
El Quebrachal, 4,000 ....D 2
El Turbio ....B 7
Eldorado, 14,000 ....F 2
Elisa, 579 ....F 5
Elortondo, 3,514 ....F 6
Embarcación, 3,303 ....D 1
Emilio Ayarza, 1,357 ....F 7
Empedrado, 3,715 ....E 2
Ensenada, †35,030 ....H 7
Escobar, 3,693 ....G 7
Esperanza, 10,035 ....F 5
Esquel, 5,584 ....B 5
Esquina, 5,878 ....G 5
Estancia la Correntina ....G 5
Esteban Rams, 285 ....F 5
Famatina, 1,125 ....C 2
Federación, 5,350 ....G 5
Fernández, 3,123 ....D 2
Fiambalá, 1,216 ....C 2
Firmat, 4,051 ....F 6
Fives Lille, 667 ....F 5
Formosa, 16,506 ....E 2
French, 4,007 ....F 7
Frías, 7,941 ....D 2
Gaimán, 1,130 ....C 5
Gálvez, 2,475 ....F 6
Gálvez, 7,891 ....F 6
Gándara, 212 ....H 7
Gastre, 2,000 ....C 5
General Acha, 4,709 ....C 4
General Alvarado, 3,537 ....E 4
General Alvear, Buenos Aires, 2,548 ....F 7
General Alvear, Mendoza, 5,952 ....C 3
General Arenales, 2,182 ....F 7
General Belgrano, 3,789 ....G 7
General Campos, 2,876 ....G 5
General Conesa, 1,117 ....C 5
General Galarza, 2,605 ....G 6
General Juan Madariaga, 7,073 ....E 4
General La Madrid, 3,572 ....D 4
General Las Heras, 3,820 ....G 7
General Lavalle, 1,663 ....E 4
General M. M. Güemes, 5,688 ....D 1
General O'Brien, 2,988 ....F 7
General Paz, 1,800 ....E 2
General Pico, 11,121 ....D 4
General Roca, 7,449 ....C 4
General San Martín, Chaco, 2,659 ....E 2
General San Martín, La Pampa, 2,501 ....D 4
General Villegas, 4,738 ....D 4
Gobernador Crespo, 6,000 ....F 5
Gobernador Mansilla, 1,884 ....G 6
Godoy Cruz, †85,772 ....C 3
Gorchs, 287 ....G 7
Goya, 20,804 ....G 4
Gualeguay, 23,517 ....G 6
Gualeguaychú, 37,109 ....G 6
Guandacol, 594 ....C 2
Guardia Mitre, 426 ....D 5
Guatraché, 1,259 ....D 4
Guaymallén, 44,894 ....C 3
Gutenberg, 783 ....D 2
Hale, 198 ....F 7
Hasenkamp, 1,779 ....F 5
Helvecia, 3,390 ....F 5
Hernandarias, 3,635 ....F 5
Hernández, 1,690 ....F 6
Hernando, 4,869 ....D 3
Herradura, 6,000 ....E 2
Herrera, 1,624 ....D 2
Huanqueros, 486 ....F 5
Huinca Renancó, 4,391 ....D 3
Humahuaca, 2,094 ....C 1
Humberto, 3,434 ....F 5
Ibarreta, 1,686 ....D 2
Ibicuy, 1,897 ....G 6
Icaño, Catamarca, 449 ....C 2
Icaño, Santiago del Estero, 1,196 D 2
Iglesia, 113 ....C 3
Ingeniero Huergo, 1,352 ....C 4
Ingeniero Jacobacci, 2,257 ....C 5
Ingeniero Luiggi, 1,665 ....D 4
Intendente Alvear, 2,760 ....D 4
Irigoyen, 3,500 ....F 6
Iruya, 160 ....D 1
Itacaruaré, 266 ....F 2
Jachal, 4,278 ....C 3
Jaramillo, 235 ....C 6
Jesús María, 6,284 ....D 3
Joaquin V. Gonzáles, 2,132 ....D 2
Jobson, 7,567 ....F 5
José de San Martín, 1,169 ....B 5
José M. Micheo, 1,165 ....G 7
Juan B. Molino, 1,483 ....F 6
Juan Ortíz, 6,240 ....F 6
Juárez, 7,602 ....D 4
Jujuy, 31,091 ....C 1
Juncal, 943 ....F 6
Junín, 36,149 ....F 7
Junín de los Andes, 1,445 ....B 4
Kilómetro, 642,150 ....D 1
La Banda, 16,953 ....D 2
La Clarita, 268 ....G 5
La Cumbre, 3,961 ....C 3
La Falda, 2,847 ....D 3
La Gallareta, 3,736 ....F 5
La Paz, Entre Ríos, 15,006 ....G 5
La Paz, Mendoza, 1,576 ....C 3
La Pelada, 730 ....F 5
La Plata, †330,310 ....H 7
La Quiaca, 6,768 ....C 1
La Rioja, 23,809 ....C 2
La Toma, 1,417 ....C 3
Laboulaye, 9,032 ....D 3
Lago Argentino (El Calafate), 368 ....B 7
Laguna Paiva, 7,196 ....F 5
Languiñec, 2,000 ....B 5
Lanús, 381,561 ....H 7
Larroque, 2,252 ....G 6
Las Flores, 9,287 ....E 4
Las Lajas, 705 ....B 4
Las Lomitas, 1,974 ....D 1
Las Palmas, 4,358 ....E 2
Las Parejas, 1,973 ....F 6
Las Rosas, 6,153 ....F 6
Las Varillas, 5,950 ....D 3
Lavalle, 1,122 ....G 4
Leleque, 500 ....B 5
Lezama, 1,962 ....H 7
Liberador General San Martín, 4,476 ....D 1
Lincoln, 12,695 ....F 7
Lobería, 7,916 ....E 4
Lobos, 8,372 ....G 7
Lomas de Zamora, †275,219 ....G 7
Loncopué, 474 ....B 4
Loreto, 4,361 ....D 2
Los Toldos, 5,342 ....F 7
Lucas González, 3,775 ....G 6
Luján, 19,176 ....G 7
Lules, 7,617 ....C 2
Macachín, 1,793 ....D 4
Maciel, 1,832 ....F 6
Magdalena, 4,114 ....H 7
Maipú, 5,469 ....E 4
Makallé, 1,629 ....E 2
Malabrigo, 1,532 ....F 4
Malargüe, 2,160 ....C 4
Manucho, 2,800 ....F 5
Maquinchao, 1,332 ....C 5
Mar del Plata, 141,886 ....E 4
Marcos Juárez, 9,556 ....D 3
Marcos Paz, 4,115 ....G 7
Margarita, 1,461 ....F 5
María Grande, 3,400 ....F 5
Mauricio Hirsch, 284 ....F 7
Mburucuyá, 2,555 ....E 2
Médanos, Buenos Aires, 2,229 ....D 4
Médanos, Entre Ríos, 806 ....G 6
Mencué, 2,500 ....C 5
Mendoza, †109,149 ....C 3
Mercedes, Buenos Aires, 16,932 ....G 7
Mercedes, Corrientes, 14,813 ....G 4
Mercedes, San Luis, 25,912 ....C 3
Merlo, 8,385 ....G 7
Metán, 6,915 ....D 2
Milagro, 1,910 ....C 3

(continued on following page)

AGRICULTURE, INDUSTRY and RESOURCES

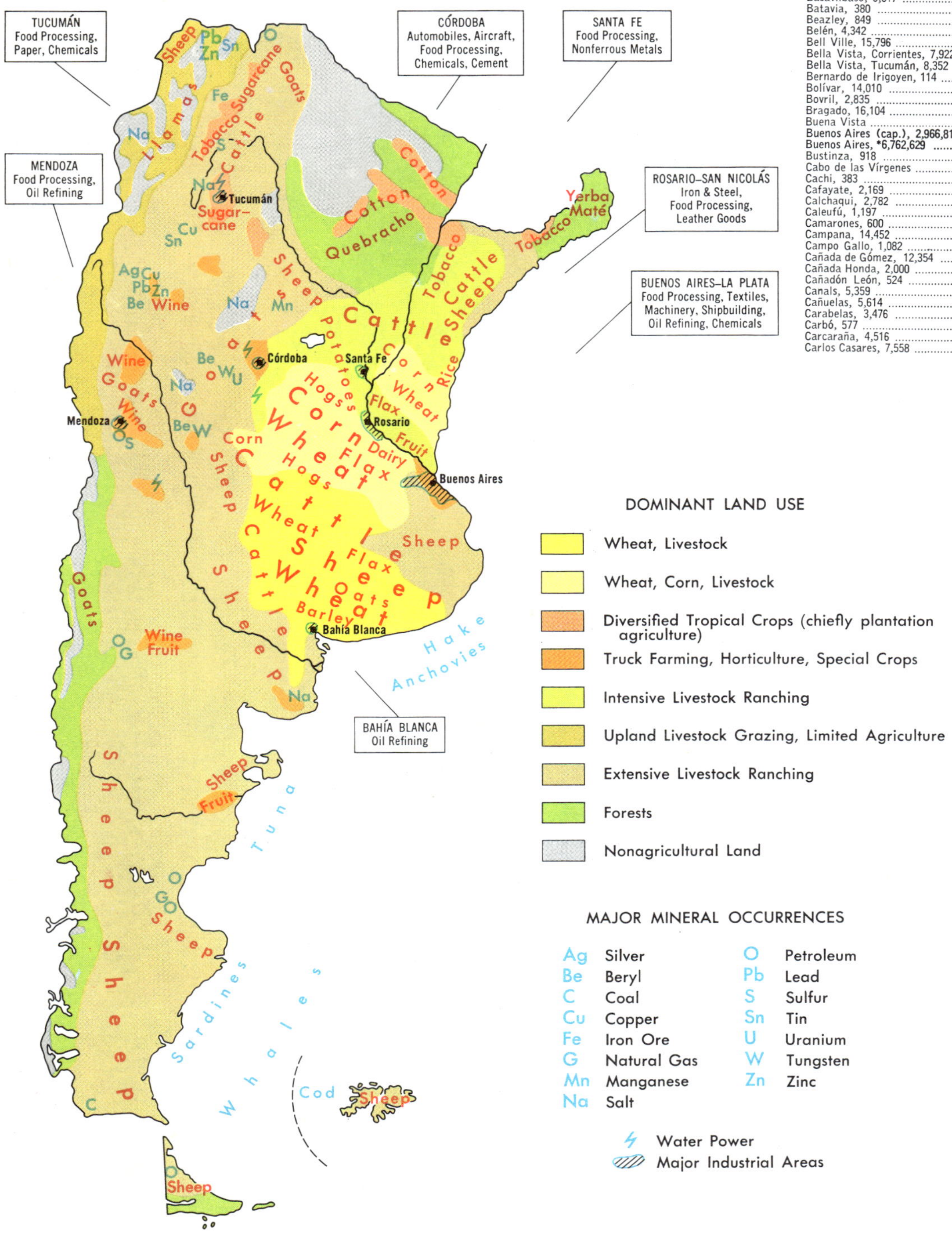

Argentina
(continued)

Name	Ref
Miñones, 800	G 5
Miramar (General Alvarado), 3,537	E 4
Moisés Ville, 3,166	E 5
Molinos, 151	C 2
Monte, 2,491	G 7
Monte Caseros, 11,409	F 5
Monte Comán, 2,112	C 3
Monte Quemado, 2,512	D 2
Monteros, 7,745	C 2
Morteros, 5,993	E 3
Mosconi, 333	F 7
Naré, 346	F 4
Navarro, 2,547	G 7
Necochea, 17,808	F 8
Nelson, 866	F 5
Neuquén, 7,498	C 4
Niquivil, 154	C 3
Nogoyá, 12,051	F 6
Norberto de la Riestra, 2,809	B 5
Norquincó	B 5
Norumbega, 114	F 2
Nueva Pompeya, 2,500	D 2
Nueve de Julio, 13,678	D 4
Oberá, 4,823	F 2
Ojo de Agua, 1,201	D 2
Olavarría, 24,204	D 4
Oliva, 8,701	D 3
Olta, 656	D 1
Orán, 6,706	C 1
Ordoqui, 402	F 7
Palo Santo, 1,868	E 2
Pampa del Chañar, 325	C 3
Pampa del Infierno, 604	D 2
Parada Labougle	G 5
Paraná, 1174,272	F 5
Paso de Indios, 200	C 5
Paso de los Libres, 11,665	F 4
Paso Flores, 1,000	C 5
Patquia, 620	C 3
Paz, 2,495	F 6
Pedernal, 282	C 3
Pedro Díaz Colodrero, 2,000	G 5
Pehuajó, 13,537	E 4
Pellegrini, 2,310	D 4
Pérez, 3,433	F 6
Pergamino, 32,382	F 6
Perito Moreno	B 6
Perugorría, 1,053	F 4
Pico Truncado, 326	C 6
Pigüé, 5,869	D 4
Pila, 1,009	H 7
Pilar, 2,508	F 5
Pipinas, 658	H 7
Pirané, 3,561	E 2
Plaza Huincul, 2,662	B 4
Pomán, 1,098	C 2
Posadas, 37,588	F 2
Pozo Hondo, 100	D 2
Presidencia de la Plaza, 4,305	D 2
Presidencia Roque (Sáenz Peña), 23,100	D 2
Puán, 3,191	D 4
Pueblo Domínguez, 1,465	G 6
Puelches (Cura-Có), 110	C 4
Puelén, 168	C 4
Puerto Algarrobo, 800	G 5
Puerto Deseado, 3,392	D 6
Puerto Harberton	C 7
Puerto Irigoyen, 900	D 1
Puerto Madryn, 3,441	C 5
Puerto Pirámides, 200	D 5
Puerto Ruiz, 464	G 6
Punta Alta, 19,852	D 4
Quemú-Quemú, 2,735	D 4
Quequén, 4,760	E 4
Quilmilí, 3,686	D 2
Quiroga, 1,827	F 7
Quitilipí, 3,298	D 2
Rafaela, 23,665	F 5
Ramallo, 4,824	F 6
Ramírez, 2,971	F 6
Ranchos, 2,475	G 7
Rauch, 5,274	E 4
Rawson, Buenos Aires, 2,425	F 7
Rawson, Chubut, 1,890	C 5
Rawson, S. Juan, 10,492	C 3
Reconquista, 12,729	E 4
Recreo, 2,656	C 2
Resistencia, 52,385	E 2
Rigby, 737	C 1
Rinconada, 157	C 1
Río Colorado, La Pampa	D 4
Río Colorado, Río Negro, 3,304	D 4
Río Cuarto, 48,706	D 3
Río Gallegos, 5,880	C 7
Río Grande, 1,401	C 7
Río Segundo, 5,873	D 3
Río Tercero, 10,683	D 3
Rivadavia, Mendoza, 5,643	C 3
Rivadavia, Salta	D 1
Rivas, 429	F 7
Rojas, 6,608	F 6
Roldán, 3,402	F 6
Romang, 1,906	F 4
Roque Pérez, 2,841	G 7
Rosario, 1671,852	F 6
Rosario de la Frontera, 4,927	C 2
Rosario de Lerma, 2,594	C 1
Rosario del Tala, 10,584	G 6
Rufino, 10,987	E 3
Saforcada, 146	F 7
Saladas, 3,900	F 4
Saladillo, 7,586	G 7
Salta, 1121,491	C 1
Salto, 7,771	F 7
San Andrés de Giles, 5,392	G 7
San Antonio de Areco, 7,436	G 7
San Antonio de los Cobres, 794	C 1
San Antonio Oeste, 3,847	C 5
San Carlos, Corrientes, 852	F 4
San Carlos, Mendoza, 440	C 3
San Carlos, Santa Fé, 3,126	F 5
San Carlos de Bariloche, 6,562	B 5
San Cristóbal, 9,071	F 5
San Fernando, 191,644	D 2
San Francisco, 191,644	D 2
San Francisco, Córdoba, 24,354	D 3
San Francisco, San Luis, 2,345	C 3
San Francisco del Chañar, 817	C 2
San Genaro, 1,522	F 6
San Ignacio, 1,727	F 2
San Isidro, 521	H 7
San Jaime, 1,662	G 5
San Javier, Río Negro, 1,500	C 5
San Javier, Santa Fé, 2,961	F 5
San José de Feliciano, 7,643	G 5
San Juan, 1106,746	C 3
San Julián, 3,050	C 6
San Justo, 6,571	F 5
San Lorenzo, 11,109	F 6
San Luis, 25,147	C 3
San Martín, 8,747	C 3
San Martín de los Andes, 2,366	B 5
San Martín Norte, 485	F 5
San Miguel, 1,138	C 2
San Nicolás, 25,029	G 6
San Pedro, Buenos Aires, 12,778	F 6
San Pedro, Jujuy, 6,105	D 1
San Rafael, 28,847	C 3
San Salvador, 3,532	G 5
San Sebastián, 13,154	C 7
Santa Catalina, 149	C 1
Santa Clara, 3,700	F 4
Santa Cruz, 1,153	C 7
Santa Elena, 7,757	F 5
Santa Fe, 1259,560	F 5
Santa Lucía, Buenos Aires, 1,831	F 6
Santa Lucía, Corrientes, 3,163	E 2
Santa Maria, 2,052	C 2
Santa Rosa, Córdoba, 2,999	D 3
Santa Rosa, La Pampa, 14,623	C 4
Santa Rosa, San Luis, 3,564	C 3
Santa Victoria, 250	D 1
Santiago del Estero, 1103,115	D 2
Santo Tomé, Corrientes, 8,348	E 2
Santo Tomé, Santa Fé, 4,446	F 5
Sauce, 3,017	G 5
Sauce Luna, 922	G 5
Seguí, 1,604	G 6
Selva, 911	Q 2
Sierra Colorada, 450	C 5
Solari, 1,377	G 4
Soledad, 794	F 5
Suipacha, 3,006	G 7
Sunchales, 5,048	F 5
Suncho Corral, 3,020	D 2
Susana, 484	F 5
Tafí Viejo, 15,374	C 2
Tamberías, 182	C 3
Tandil, 32,309	E 4
Tapalqué, 3,018	E 4
Tartagal, 8,539	D 1
Telsen, 165	C 5
Tigre, 191,824	G 7
Tilcara, 1,380	C 1
Tinogasta, 2,169	C 2
Tintina, 2,219	D 2
Toay, 2,457	D 4
Toba, 174	D 2
Tornquist, 2,782	D 4
Tostado, 5,234	E 2
Trelew, 5,880	C 5
Trenel, 1,206	D 4
Trenque Lauquen, 10,887	D 4
Tres Arroyos, 29,996	D 4
Tres Lomas, 3,425	D 4
Tricao Malal, 2,500	C 4
Tucumán, 1287,004	C 2
Tunuyán, 2,437	C 3
Ulapes, 285	C 3
Unión, 365	C 3
Urdinarrain, 4,832	G 6
Ushuaia, 13,472	C 7
Valcheta, 841	C 5
Valle Fértil, 745	C 3
Vedia, 3,676	F 7
Veinticinco de Mayo, 9,063	F 7
Venado Tuerto, 15,947	E 3
Vergara, 1,077	H 7
Verónica, 2,405	H 7
Victoria, 17,711	F 6
Victorica, 2,475	C 4
Vicuña Mackenna, 3,032	D 3
Viedma, 4,683	D 5
Vieytes, 180	H 7
Villa Ana, 5,413	E 2
Villa Angela, 7,375	E 2
Villa Atuel, 2,536	C 3
Villa Bustos, 1,302	C 2
Villa Cañas, 7,099	E 3
Villa Constitución, 9,183	F 6
Villa del Rosario, 4,461	D 3
Villa Dolores, 13,835	C 3
Villa Elisa, 3,969	G 6
Villa Federal, 9,158	G 5
Villa General Roca, 258	D 3
Villa Guillermina, 7,471	D 2
Villa Mantero, 1,605	G 6
Villa María, 30,362	D 3
Villa Ocampo, 4,897	D 2
Villa Regina, 2,154	C 4
Villa San José, 6,176	G 6
Villa Unión, 713	C 2
Villaguay, 17,607	G 5
Villalonga, 392	D 5
Vinchina, 138	C 2
Winifreda, 1,063	D 4
Yofré, 800	D 3
Zapala, 3,387	B 4
Zárate, 35,197	G 7
Zavalla, 1,799	F 6

PHYSICAL FEATURES

Name	Ref
Aconcagua (mt.)	C 3
Alerces, Los (park)	B 5
Andes (mts.)	C 7
Arenas (point)	C 7
Argentino (lake)	B 7
Arizaro (s. dep.)	C 2
Arrecifes (river)	G 6
Atacama, Puna de (reg.)	C 2
Atuel (river)	C 4
Barrancas (river)	B 4
Bermeja (point)	G 5
Bermejo (river)	E 2
Blanca (bay)	D 4
Blanco (river)	C 3
Brazo Sur (river)	E 1
Buenos Aires (lake)	B 6
Campanario (mt.)	C 4
Carcaraña (river)	F 5
Cardiel (lake)	B 6
Chaco Austral (reg.)	D 2
Chaco Central (reg.)	D 1
Chato (mt.)	C 6
Chico (river)	C 5
Chico (river)	C 6
Chubut (river)	C 5
Colhué Huapí (lake)	C 6
Colorado (river)	D 4
Cónico (mt.)	B 5
Corrientes (river)	F 4
Coyle (river)	B 7
Cuarto (river)	D 3
Cumbre Negra (mt.)	C 5
Delgada (point)	D 5
Desaguadero (river)	C 3
Deseado (river)	C 6
Desengaño (point)	C 6
Diamante (river)	C 3
Domuyo (vol.)	B 4
Dos Bahías (cape)	D 5
Dulce (river)	D 2
Dungeness (point)	C 7
Estados (isl.)	D 7
Fagnano (lake)	C 7
Famatina (mts.)	C 2
Feliciano (river)	G 5
Flores, Las (river)	G 7
Gallegos (river)	B 7
General Manuel Belgrano (mt.)	C 2
Glaciares, Los (park)	B 6
Gran Chaco (reg.)	D 1
Grande (bay)	C 7
Grande (falls)	B 4
Grande (river)	C 4
Gualeguay (river)	G 5
Guayaquilaró (river)	G 5
Iguassú (falls)	F 2
Iguazú (park)	F 2
Incahuasi (mt.)	C 2
Lanín (park)	B 4
Lanín (vol.)	B 4
Laudo (mt.)	C 3
Lechiguanas (isls.)	G 6
Lennox (isl.)	C 8
Limay (river)	C 4
Llancanelo (lag.)	C 4
Llancanelo (s. dep.)	C 4
Llullaillaco (vol.)	C 2
Magallanes (Magellan) (str.)	C 7
Maipú (vol.)	C 3
Mar Chiquita (lake)	D 3
Martín García (isl.), 1,575	H 7
Mendoza (river)	C 3
Mercedario (mt.)	B 3
Mogotes (point)	E 4
Montemayor (plateau)	C 5
Murallón (mt.)	B 6
Musters (lake)	C 6
Nahuel Haupí (lake)	B 5
Nahuel Haupí (park)	B 5
Negro (river)	D 4
Ninfas (point)	D 5
Norte (point)	D 5
Norte del Cabo San Antonio	E 4
Nuevo (gulf)	D 5
Ojos del Salado (mt.)	C 2
Olivares (mt.)	B 3
Pampa de la Salina (s. dep.)	C 3
Pampa de las Tres Hermanas (plain)	C 6
Pampas (plain)	D 3
Paraná (river)	E 2
Patagonia (reg.)	C 5
Peteroa (vol.)	B 3
Pilcomayo (river)	E 1
Pissis (mt.)	C 2
Plata, Río de la (est.)	E 4
Potro (mt.)	C 3
Pueyrredón (lake)	B 6
Puna de Atacama (reg.)	C 2
Quinto (river)	D 3
Rincón (mt.)	C 3
Saladillo (river)	H 7
Salado (river)	C 4
Salado (river)	C 4
Salado (river)	D 2
Salí (river)	C 2
Salinas Grandes (s. dep.)	D 2
Salto (river)	F 7
Samborombón (bay)	E 4
San Antonio (cape)	E 4
San Diego (cape)	D 7
San Jorge (gulf)	C 6
San Juan (river)	C 3
San Martín (mts.)	B 6
San Martín (lake)	B 6
San Matías (gulf)	D 5
Santa Cruz (river)	B 6
Senguerr (river)	C 6
Staten (Estados) (isl.)	D 7
Sur del Cabo San Antonio (point)	E 4
Tarija (river)	D 1
Tercero (river)	D 3
Teuco (river)	D 1
Tierra del Fuego, Isla Grande de (isl.), 7,064	C 7
Toro (mt.)	B 5
Tres Picos (mt.)	B 5
Tres Puntas (cape)	D 6
Trinidad (isl.)	C 7
Tronador (mt.)	B 5
Tunuyán (river)	C 3
Tupungato (mt.)	C 3
Uruguay (river)	F 7
Valdés (pen.)	D 5
Vallimanca (river)	D 4
Viedma (lake)	B 6
Zapaleri (mt.)	C 1

*City and suburbs.
†Population of department.

ARGENTINA
CONIC PROJECTION
SCALE OF MILES
0 50 100 200 300
SCALE OF KILOMETRES
0 50 100 200 300
Capitals of Countries
Capitals of Provinces
International Boundaries
Boundaries of Provinces
Longitude West of Greenwich
Tropic of Capricorn
BOLIVIA
PARAGUAY
BRAZIL
URUGUAY
JUJUY
SALTA
FORMOSA
CHACO
TUCUMÁN
CATAMARCA
SANTIAGO DEL ESTERO
MISIONES
CORRIENTES
LA RIOJA
SAN JUAN
CÓRDOBA
SANTA FE
ENTRE RÍOS
MENDOZA
SAN LUIS
BUENOS AIRES
LA PAMPA
NEUQUÉN
RÍO NEGRO
CHUBUT
SANTA CRUZ
TIERRA DEL FUEGO, ANTÁRTIDA E ISLAS DEL ATLÁNTICO SUR
PACIFIC OCEAN
ATLANTIC OCEAN
SANTIAGO
Valparaíso
MONTEVIDEO
Asunción
Córdoba
Rosario
Mendoza
Tucumán
Mar del Plata
Bahía Blanca
La Plata
Golfo San Matías
Golfo San Jorge
Península Valdés
Bahía Grande
Strait of Magellan (Estr. de Magallanes)
FALKLAND ISLANDS (Islas Malvinas) (Br., claimed by Arg.)
Isla de Chiloé
ARCHIPIÉLAGO DE LOS CHONOS
Isla Grande de Tierra del Fuego
Río de la Plata
Cerro Aconcagua 22,834
CORRIENTES
SANTA FE
ENTRE RÍOS
BUENOS AIRES (DISTRITO FEDERAL)
BRAZIL
URUGUAY
MILES
0 10 20 30 40

PARAGUAY

CONIC PROJECTION

SCALE OF MILES
0 20 40 60 80 100 120 140

KILOMETRES
0 20 40 60 80 100 120 140

★ Capitals of Countries
◉ Capitals of Departments
— International Boundaries
--- Department Boundaries

TOPOGRAPHY

0 75 150 MILES

5,000 m. 2,000 m. 1,000 m. 500 m. 200 m. 100 m. Sea Level Below
16,404 ft. 6,562 ft. 3,281 ft. 1,640 ft. 656 ft. 328 ft.

AGRICULTURE, INDUSTRY and RESOURCES

DOMINANT LAND USE

- Diversified Tropical Crops (chiefly plantation agriculture)
- Extensive Livestock Ranching
- Forests
- Nonagricultural Land
- Wheat, Corn, Livestock
- Truck Farming, Horticulture, Fruit
- Intensive Livestock Ranching

MAJOR MINERAL OCCURRENCES

Mr Marble

MONTEVIDEO
Textiles,
Food Processing,
Leather Goods

⚡ Water Power
▨ Major Industrial Areas

PARAGUAY

DEPARTMENTS

Alto Paraná, 26,680	E 5
Amambay, 33,782	E 4
Boquerón, 42,223	B 3
Caaguazú, 123,590	E 5
Caazapá, 91,807	D 6
Capital (dist.), 311,301	A 6
Central, 204,719	A 6
Concepción, 86,336	D 4
Cordillera, 189,041	C 5
Guairá, 114,297	D 5
Itapúa, 151,035	E 6
Misiones, 59,454	D 6
Ñeembucú, 58,621	C 6
Olimpo, 3,362	C 3
Paraguarí, 204,220	C 6
Presidente Hayes, 31,572	C 4
San Pedro, 90,991	D 5

CITIES and TOWNS

Acahay, 2,502	B 7
Alberdi, 1,542	B 6
Altos, 1,445	D 6
Angelito	—
Angostura	A 6
Areguá, 3,734	A 6
Arroyos y Esteros, 1,149	B 6
Asunción (cap.), 350,000	A 6
Atyrá, 1,245	D 6
Ayolas, 297	D 6
Bahía Negra	C 3
Ballivián	—
Belén, 1,414	C 4
Bella Vista, 2,292	D 4
Benjamín Aceval, 3,115	C 5
Borja, 1,114	C 7
Buena Vista, 1,924	E 5
Caacupé, 4,329	B 6
Caaguazú, 2,154	E 5
Caapucu, 1,468	B 7
Caazapá, 3,588	D 6
Caballero, 1,552	B 6
Cañada Oruro	A 3
Capiatá, 1,929	A 6
Capitindy	E 5
Capitán Bado, 257	E 4
Capitán Meza, 1,337	E 6
Caraguatay, 1,872	C 6
Carapeguá, 2,545	B 6
Carayaó, 1,184	C 6
Carmen del Paraná, 1,881	D 6
Carrería	—
Celia	—
Cerrito, 771	D 6
Cerrito Jara	C 2
Colonia Mariscal López	C 4
Colonia Presidente Franco	B 6
Concepción, 33,500	C 4
Coronel Bogado, 3,839	E 6
Coronel Martínez, 1,255	C 6
Coronel Oviedo, 9,503	C 6
Curuguaty, 511	E 5
Desmochados, 209	D 6
Emboscada, 954	B 6
Encarnación, 35,000	E 6
Escobar, 558	B 6
Esteros	B 4
Eusebio Ayala, 2,268	B 6
Fernando de la Mora, 8,638	A 6
Filadelfia	C 4
Fortín 27 de Noviembre	B 3
Fortín Ávalos Sánchez	B 4
Fortín Ayacucho	B 2
Fortín Boquerón	C 4
Fortín Buenos Aires	B 4
Fortín Carlos Antonio López	C 3
Fortín Coronel Bogado	C 3
Fortín Coroneles Sánchez	B 2
Fortín Falcón	B 4
Fortín Florida	C 3
Fortín Gabino Mendoza	B 3
Fortín Galpón	C 2
Fortín Garrapatal	B 3
Fortín General Aquino	C 5
Fortín General Bruguez	C 5
Fortín General Caballero	C 4
Fortín General Díaz (Boquerón)	B 4
Fortín General Díaz (Olimpo)	C 3
Fortín General Pando	C 2
Fortín Guachalla	A 4
Fortín Hernandarias	B 3
Fortín Ingavi	B 2
Fortín Juan de Zalazar	C 4
Fortín Junín	B 3
Fortín Linares	B 3
Fortín Madreón	B 3
Fortín Mayor Rodríguez	B 3
Fortín Orihuela	C 4
Fortín Patria	C 2
Fortín Presidente Ayala	C 4
Fortín Salto Palmar	C 4
Fortín Tinfunqué	B 4
Fortín Toledo	B 4
Fortín Torres	C 3
Fortín Valois Rivarola	B 4
Fuerte Olimpo, 1,666	D 3
General Artigas, 3,106	D 6
General Aquino, 1,130	D 5
Guarambaré, 3,779	B 6
Guazú-cuá, 153	D 6
Hohenau, 697	E 6
Horqueta, 4,785	C 4
Humaitá, 714	C 6
Irala, 295	E 5
Isla Alta	—
Isla Pucú, 1,680	B 6
Isla Umbú, 200	D 6
Itá, 6,223	B 6
Itacurubí de la Cordillera, 2,154	C 6
Itacurubí del Rosario, 1,700	C 5
Itaguyry	E 5
Itapé, 1,178	D 6
Itauguá, 3,053	B 6
Iturbe, 3,239	D 6
Jesús, 1,759	E 6
Juan de Mena, 1,037	D 4
La Esmeralda	A 4
La Florestal	C 3
Laureles, 362	D 4
Lima, 609	D 4
Limpio, 1,778	D 4
Loreto, 792	C 4
Luque, 10,834	D 4
Maciel, 396	D 5
Magariños	B 4
Maldonado-cué	—
Mariscal Estigarribia, 1,508	B 4
Mbocayaty, 677	D 6
Mbuyapey, 1,290	D 6
Minas-cué	—
Ñacunday, 166	D 4
Natalicio Talavera, 911	D 5
Neu Halbstadt	—
Nueva Germania, 509	D 5
Numí, 1,053	D 5
Paraguarí, 4,968	B 6
Paso Barreto	C 6
Paso de Patria, 613	C 6
Pedernal	—
Pedro González, 449	C 6
Pedro Juan Caballero, 10,187	E 4
Pilar, 10,500	C 6
Pirayú, 2,733	B 6
Piribebuy, 3,769	B 6
Primavera	—
Prímero de Marzo, 635	D 6
Puerto Adela	E 5
Puerto Alegre	—
Puerto Antequera, 1,064	D 5
Puerto Casado	D 4
Puerto Colón	D 4
Puerto Cooper	C 4
Puerto Esperanza	C 3
Puerto Fonciere	—
Puerto Galileo	D 3
Puerto María	D 3
Puerto Max	D 4
Puerto Mihanovich	C 3
Puerto Palma Chica	C 3
Puerto Pinasco, 4,495	C 4
Puerto Presidente Franco	E 5
Puerto Rosario	D 5
Puerto Sastre	D 4
Puerto Ybapobó	D 4
Puesto Estrella	B 3
Quiindy, 2,732	D 7
Quyquyó, 1,172	B 6
Rojas Silva	—
Roque González de Santa Cruz, 1,401	B 7
Rosario, 4,580	D 5
San Antonio, Central, 2,889	A 6
San Antonio, San Pedro	D 4
San Bernardino, 569	B 6
San Carlos, Central	D 4
San Carlos, Concepción, 360	D 4
San Cosme, 553	E 6
San Estanislao, 2,894	D 5
San Florencio	E 4
San Ignacio, 5,344	D 6
San Joaquín, 415	D 5
San José, 2,418	C 6
San Juan Bautista, 5,351	D 6
San Juan Bautista de Ñeembucú, 440	C 6
San Juan Nepomuceno, 1,772	E 6
San Lázaro, 276	D 4
San Lorenzo, 7,620	B 6
San Luis de la Sierra	D 4
San Miguel, 1,045	D 6
San Pedro, 3,317	D 5
San Pedro del Paraná, 1,961	E 6
San Salvador, 1,536	C 4
Santa Elena, 1,373	C 6
Santa Luisa	—
Santa María, 747	D 6
Santa Rosa, 2,630	D 6
Santiago, 1,557	D 6
Sapucai, 2,298	B 6
Siracuas	—
Sommerfeld	—
Tacuaras, 80	C 6
Tacuatí, 449	D 4
Tacurupucú (Hernandarias), 2,311	E 5
Tavai, 266	D 6
Tayí-Caré	D 5
Tobatí, 2,397	B 6
Trinidad, 597	E 6
Unión, 779	D 5
Valenzuela, 977	B 6
Villa Florida, 1,026	D 6
Villa Franca, 374	C 6
Villa Hayes, 4,330	A 6
Villa Igatimí	E 5
Villa Militar	C 4
Villa Oliva, 950	C 5
Villa Sana	—
Villarrica, 30,500	C 6
Villazón	A 3
Villeta, 2,904	B 6
Yabebyry, 495	D 6
Yaguarón, 1,290	C 6
Yataity, 1,042	C 6
Yegros, 1,423	D 6
Yhaty	—
Yhú, 1,136	E 5
Ypacaraí, 5,330	B 6
Ypané, 1,413	A 6
Ypé-Jhú, 275	E 4
Yuty (Yyty), 2,403	D 6

PHYSICAL FEATURES

Acaray (river)	E 5
Aguaray-guazú (river)	C 5
Alegre (river)	C 3
Alto Paraná (river)	D 6
Amambay (mts.)	E 4
Apa (river)	D 4
Aquidabán (river)	C 4
Capitán Ustarés (hill)	B 2
Cará (mt.)	E 4
Chovoreca (hill)	C 2
Confuso (river)	C 5
González (river)	C 4
Gran Chaco (reg.)	B 4
Guairá (falls)	E 5
Guaraní (Capitán Ustarés) (hill)	B 2
León (mt.)	C 3
Mbaracayú (mts.)	E 4
Monday (river)	E 5
Monte Lindo (river)	C 4
Negro (river)	D 5
Paraguay (river)	C 4
Pilcomayo (river)	B 5
Siete Puntas (river)	C 4
Tebicuary (river)	D 6
Tímane (river)	C 3
Verá (lagoon)	C 7
Verde (river)	B 4
Yacaré (river)	C 4
Ypané (river)	D 4
Ypoá (lake)	B 6

Copyright by C.S. HAMMOND & Co., N.Y.

PARAGUAY and URUGUAY

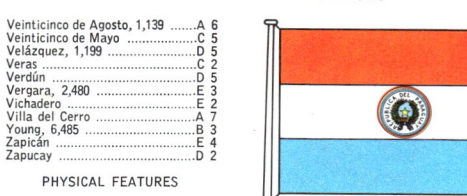

	PARAGUAY	URUGUAY
AREA	150,518 sq. mi.	72,172 sq. mi.
POPULATION	1,996,000	2,682,000
CAPITAL	Asunción	Montevideo
LARGEST CITY	Asunción 350,000	Montevideo (greater) 1,202,890
HIGHEST POINT	Amambay Range 2,264 ft.	Mira Nacional 1,644 ft.
MONETARY UNIT	guaraní	Uruguayan peso
MAJOR LANGUAGES	Spanish, Indian	Spanish
MAJOR RELIGION	Roman Catholic	Roman Catholic

URUGUAY
DEPARTMENTS

Artigas, 52,261 .... B 1
Canelones, 211,644 ...... D 5
Cerro Largo, 118,880 .... E 3
Colonia, 135,185 .... B 5
Durazno, 113,797 .... C 4
Flores, 35,457 .... C 4
Florida, 104,739 .... D 4
Lavalleja, 114,090 ...... E 4
Maldonado, 62,344 .... E 5
Montevideo, 1,173,114 ... B 7
Paysandú, 89,908 .... B 3
Río Negro, 49,258 .... B 3
Rivera, 86,430 .... D 2
Rocha, 84,210 .... E 4
Salto, 105,698 .... B 2
San José, 94,541 .... B 5
Soriano, 78,234 .... B 4
Tacuarembó, 119,690 ..... D 3
Treinta y Tres, 81,887 .. E 4

CITIES and TOWNS

Aceguá .... C 2
Achar .... C 3
Agraciada, 409 .... A 4
Aguas Corrientes .... A 6
Aiguá, 2,715 .... E 5
Algorta .... B 3
Arapey .... B 1
Artigas, 23,429 .... C 1
Atlántida .... B 6
Balneario Solís, 225 .... D 5
Baltasar Brum, 1,764 .... B 1
Bañado de Medina .... E 3
Bañado de Rocha .... C 2
Belén, 2,933 .... B 1
Bella Unión, 4,955 ...... B 1
Bizcocho, 117 .... B 4
Cañada Nieto, 407 .... B 4
Canelones, 8,041 .... B 6
Cardona, 4,110 .... B 4
Carlos Reyles .... C 3
Carmelo, 11,923 .... A 5
Carmen, 1,687 .... D 3
Castillos, 5,345 .... F 5
Casupá, 1,652 .... D 5
Cerro Chato, 2,045 ...... D 3
Chamberlain .... C 3
Colonia, 9,825 .... B 5
Colonia Arrué .... B 5
Colonia Lavalleja .... C 2
Colonia Rossel y Ríus ... B 5
Colonia Valdense, 1,126 . B 5
Conchillas .... B 3
Constancia .... B 3
Constitución .... B 2
Costa Azul .... E 5
Cuaró .... C 1
Daymán .... B 2
Diez y Nueve de Abril ... E 5
Diez y Ocho de Julio .... F 4
Dolores, 12,480 .... A 4
Durazno, 19,486 .... C 3
Egaña, 675 .... B 4
Estación Atlántida, 1,007 B 6
Estación José Ignacio, 131 F 5
Estación Rincón .... F 2
Estación Villasboas ..... E 3
Estanzuela .... B 5
Florida, 17,243 .... D 4
Fortaleza de Santa Teresa F 5
Fraile Muerto, 1,876 .... E 3
Francia .... C 3
Fray Bentos, 14,625 ..... A 4
Fray Marcos .... D 5
Garzón, 345 .... E 5
General Enrique Martínez F 4
Getulio Vargas .... F 3
Grecco .... C 3
Guichón, 4,625 .... B 3
Ituzaingó .... A 6
Javier de Viana, 317 .... C 1
Joaquín Suárez, Canelones, 1,752 .... B 6
Joaquín Suárez, Colonia . B 5
José Batlle y Ordóñez ... D 4
José Enrique Rodó, 1,319 B 4
José Pedro Varela, 2,955 E 4
Juan D. Jackson, 163 .... C 4
Juan L. Lacaze, 9,916 ... A 5
Julio María Sanz .... E 4
La Coronilla .... F 5
La Cruz .... C 4
La Floresta .... D 5
La Paloma .... F 5
La Paz, Canelones .... B 6
La Paz, Colonia .... B 5
La Pedrera .... F 5
La Sierra, 241 .... D 5
Las Flores, 404 .... C 4
Las Piedras, 15,724 ..... B 6
Lascano, 4,204 .... E 4
Libertad, 4,622 .... B 5
Lorenzo Geyres .... B 3
Los Novillos .... D 2
Mal Abrigo .... B 5
Maldonado, 15,005 .... D 5
Manga .... B 7
Manguera Azul .... D 5
María Albina .... E 3
Mariscala, 1,305 .... E 4
Martín Chico .... A 5
Masoller .... C 2

Mazangano .... E 3
Melo, 28,673 .... E 3
Mendoza .... C 4
Mercedes, 31,325 .... B 4
Merinos .... B 3
Migueletes .... B 5
Migues .... C 6
Minas, 21,133 .... D 5
Minas de Corrales .... D 2
Montes .... D 5
Montevideo (cap.), 777,885 B 7
Montevideo,* 1,202,890 .. B 7
Nando .... F 3
Nico Pérez .... D 4
Nueva Helvecia .... B 5
Nueva Palmira, 4,611 .... A 5
Nuevo Berlín, 1,531 ..... A 3
Olimar .... E 3
Ombúes de Lavalle .... B 4
Ombúes de Oribe .... C 3
Palermo .... D 4
Palomas, 1,288 .... C 1
Pan de Azúcar, 4,190 .... D 5
Pando, 11,623 .... C 6
Parada Esperanza .... B 3
Parada Liebigs .... B 4
Parada Rivas .... B 2
Parish .... C 3
Paso Ataques .... D 2
Paso de Andrés Pérez .... B 3
Paso de la Laguna .... D 3
Paso de la Laguna, Salto B 2
Paso de la Laguna, Tacuarembó .... D 3
Paso de las Piedras ..... C 2
Paso de León, 184 .... B 1
Paso de los Toros, 10,624 C 3
Paso de Ramos, 23 .... C 1
Paso de Uleste .... C 3
Paso del Borracho .... D 2
Paso del Horno .... D 2
Paso del Parque .... B 2
Paso Hondo .... C 4
Paso Potrero .... B 4
Paysandú, 47,875 .... A 3
Pedrera .... C 6
Peralta .... D 3
Piedra Sola .... C 3
Piedras Coloradas .... B 3
Piñera .... B 2
Pintado, Artigas .... B 1
Pintado, Florida .... C 4
Pirarajá, 160 .... E 4
Piriápolis, 4,546 .... D 5
Polanco del Yí .... D 4
Polonio .... F 5
Porvenir .... B 3
Progreso .... B 6
Pueblo del Sauce .... E 4
Puerto Amaro .... F 3
Puerto Arazatí .... B 5
Punta del Este, 5,272 ... E 6
Puntas de Maciel .... C 3
Quebracho, 1,002 .... B 2
Ramón Trigo .... E 3
Real de San Carlos ...... A 5
Retamosa .... E 4
Río Branco, 3,345 .... F 3
Rivera, 42,623 .... D 1
Rocha, 19,895 .... E 5
Rodríguez, 1,097 .... B 5
Rosario, 6,398 .... B 5
Salto, 55,425 .... B 2
San Bautista .... C 6
San Carlos, 13,695 ...... E 5
San Gregorio, San José .. C 4
San Gregorio, Tacuarembó, 1,606 .... D 3
San Jacinto .... C 6
San Javier .... A 3
San José de Mayo, 21,048 C 5
San Ramón, 3,983 .... C 5
San Servando .... F 3
Santa Ana .... B 1
Santa Catalina, 824 ..... B 4
Santa Clara de Olimar ... E 3
Santa Lucía, 9,126 ...... B 6
Santa Rosa .... B 6
Santiago Vázquez .... A 7
Sarandí del Yí, 5,900 ... D 4
Sarandí Grande, 5,620 ... C 4
Sauce, Canelones .... B 6
Sauce, Rocha .... E 5
Sauce del Yí .... D 4
Saucedo .... D 2
Sequeira, 880 .... C 1
Siete Cerros .... D 5
Soca .... C 6
Solís, 1,531 .... D 5
Solís de Mataojo .... D 5
Soriano, 1,036 .... A 4
Tacuarembó, 17,854 ...... D 3
Tala .... D 5
Talita .... C 3
Tambores, 1,273 .... C 2
Tiatucurá .... D 3
Timote .... D 4
Toledo .... B 6
Tomás Gomensoro, 2,144 .. C 1
Totoral .... C 3
Tranqueras, 3,340 .... D 1
Treinta y Tres, 18,856 .. E 4
Tres Árboles .... B 3
Tres Bocas .... B 2
Tres Islas .... E 3
Trinidad, 17,233 .... C 4
Tupambaé, 1,359 .... E 3
Valentines .... E 4

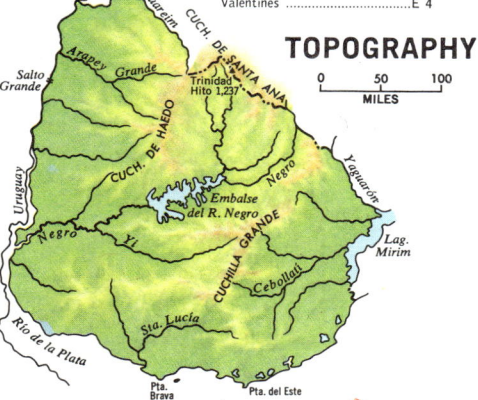

Veinticinco de Agosto, 1,139 A 6
Veinticinco de Mayo ..... C 5
Velázquez, 1,199 .... D 5
Veras .... C 2
Verdún .... D 5
Vergara, 2,480 .... E 3
Vichadero .... D 2
Villa del Cerro .... A 7
Young, 6,485 .... B 3
Zapicán .... E 4
Zapucay .... D 2

PHYSICAL FEATURES

Aiguá (river) .... E 4
Alférez (river) .... E 5
Arapey Chico (river) .... B 1
Arapey Grande (river) ... B 1
Belén (range) .... C 1
Bonete (dam) .... D 3
Brava (point) .... B 7
Cañas (range) .... B 4
Caraguatá (river) .... D 3
Castillos (lagoon) ...... F 5
Cebollatí (river) .... F 4

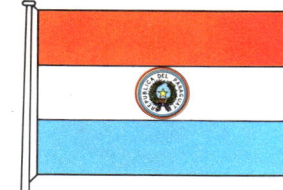

Cordobés (river) .... D 3
Cuareim (river) .... B 1
Cuñapirú (river) .... D 2
Daymán (range) .... C 2
Daymán (river) .... B 2
Durazno (range) .... C 4
Este (point) .... D 6
Espinillo (point) .... A 7
Flores (isl.) .... D 5

Garzón (lagoon) .... E 5
Grande (range) .... D 4
Grande (river) .... B 4
Grande Inferior (range) . C 4
Haedo (range) .... C 2
India Muerta (river) .... E 4
José Ignacio (lagoon) ... E 5
La Plata (river) .... B 5
Lobos (isl.), 11 .... E 6

Maciel (river) .... C 4
Mira Nacional (mt.) ..... D 5
Mirim (lagoon) .... F 4
Negra (lagoon) .... F 5
Negra (range) .... D 2
Negro (river) .... A 3
Olimar Grande (river) ... E 4
Pando (river) .... B 6

Parao (river) .... E 3
Plata, La (river) .... B 5
Polonio (cape) .... F 5
Queguay Chico (river) ... B 3
Queguay Grande (river) .. B 3
Río Negro (res.) .... D 3
Rocha (river) .... E 5
Salto Grande (falls) .... A 2
San José (river) .... B 5
San Miguel (swamp) ...... F 4
San Salvador (river) .... A 4
Santa Ana (range) .... D 1
Santa Lucía (river) ..... D 5
Santa Lucía Chico (river) D 5
Santa María (cape) ...... F 5
Sauce (lagoon) .... C 2
Sopas (river) .... C 2
Tacuarembó (river) ...... D 2
Tacuarí (river) .... F 3
Tigre (isl.) .... A 7
Uruguay (river) .... A 3
Yaguarón (river) .... F 3
Yí (river) .... B 4

*City and suburbs.

TOPOGRAPHY

URUGUAY
CONIC PROJECTION

Capitals of Countries .... ★
Department Capitals .... ●
International Boundaries .... ___
Department Boundaries .... ---

Copyright by C.S. Hammond & Co., N.Y.

NORTH AMERICA

LAMBERT AZIMUTHAL EQUAL-AREA PROJECTION

SCALE OF MILES
0 100 200 400 600 800

SCALE OF KILOMETRES
0 200 400 600 800

Capitals of Countries ★
International Boundaries
Other Boundaries
Canals

© C.S. Hammond & Co., N.Y.

NORTH AMERICA

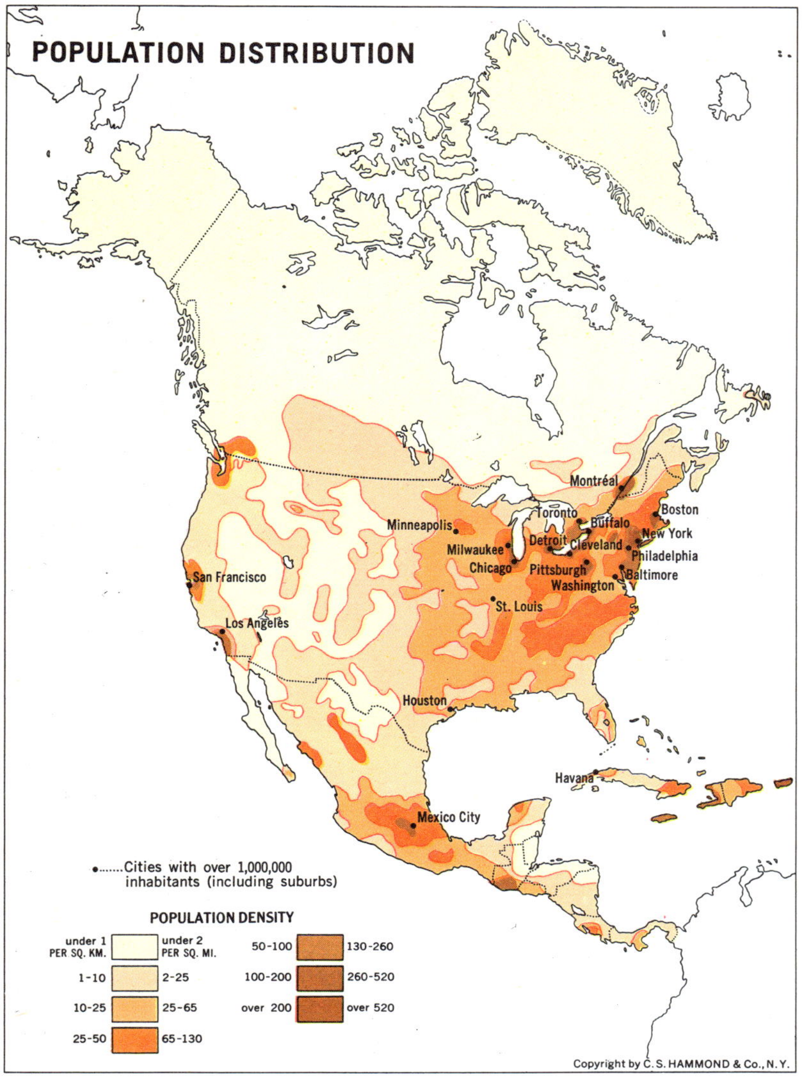
POPULATION DISTRIBUTION
Montréal
Toronto
Buffalo
Boston
Minneapolis
Detroit
Cleveland
New York
Milwaukee
Chicago
Pittsburgh
Philadelphia
Washington
Baltimore
San Francisco
St. Louis
Los Angeles
Houston
Havana
Mexico City
......Cities with over 1,000,000 inhabitants (including suburbs)
POPULATION DENSITY
under 1 PER SQ. KM. | under 2 PER SQ. MI.
1-10 | 2-25
10-25 | 25-65
25-50 | 65-130
50-100 | 130-260
100-200 | 260-520
over 200 | over 520
Copyright by C. S. HAMMOND & Co., N.Y.

AREA 9,124,000 sq. mi.
POPULATION 286,000,000
LARGEST CITY New York (greater) 14,114,927
HIGHEST POINT Mt. McKinley 20,320 ft.
LOWEST POINT Death Valley —282 ft.

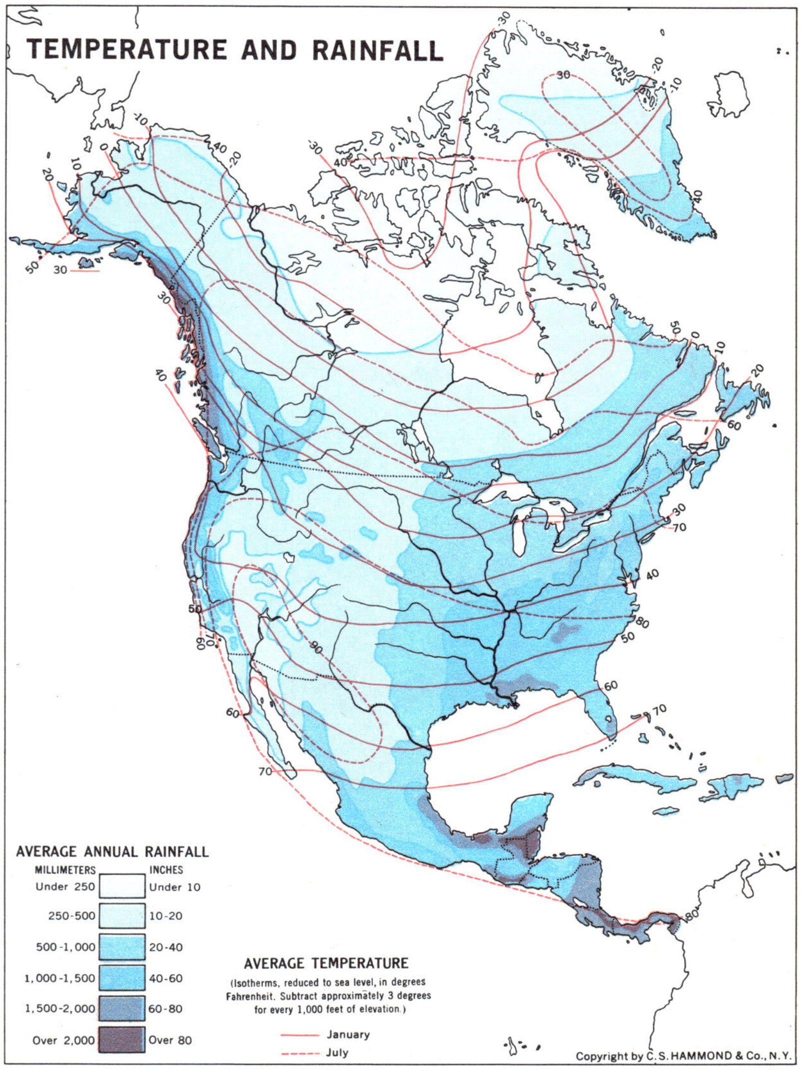
TEMPERATURE AND RAINFALL
AVERAGE ANNUAL RAINFALL
MILLIMETERS | INCHES
Under 250 | Under 10
250-500 | 10-20
500-1,000 | 20-40
1,000-1,500 | 40-60
1,500-2,000 | 60-80
Over 2,000 | Over 80
AVERAGE TEMPERATURE
(Isotherms, reduced to sea level, in degrees Fahrenheit. Subtract approximately 3 degrees for every 1,000 feet of elevation.)
January
July
Copyright by C. S. HAMMOND & Co., N.Y.

Acapulco, Mexico ....H 8
Alabama (state), U.S. ....K 6
Alabama (river), U.S. ....K 6
Alaska (state), U.S. ....C 3
Alaska (pen.), Alaska ....C 4
Albany, New York ....L 5
Alberta (prov.), Canada ....G 4
Albuquerque, N. Mexico ....H 6
Anchorage, Alaska ....C 3
Angmagssalik, Greenland ....P 3
Antigua (isl.) ....M 8
Antilles, Greater (islands) ....L 8
Antilles, Lesser (islands) ....M 8
Arctic Ocean ....B 2
Arizona (state), U.S. ....G 6
Arkansas (state), U.S. ....J 6
Arkansas (river), U.S. ....J 6
Athabasca (lake), Canada ....H 4
Atlanta, Georgia ....K 6
Augusta, Georgia ....K 6
Augusta, Maine ....M 5
Austin, Texas ....J 6
Baffin (bay) ....M 2
Baffin (island), N.W.T. ....L 2
Bahama (isls.) ....L 7
Baltimore, Maryland ....L 6
Barbados (isl.) ....M 8
Baton Rouge, Louisiana ....J 6
Belize City (cap.), Br. Hond. ....K 8
Bering (sea) ....A 3
Bering (strait) ....B 3
Bermuda (isls.) ....M 6
Birmingham, Alabama ....K 6
Bismarck, N. Dakota ....H 5
Boise, Idaho ....G 5
Boston, Massachusetts ....L 5
British Columbia (prov.), Can. ....F 4
British Honduras ....K 8
Buffalo, New York ....L 5
Butte, Montana ....G 5
Calgary, Alberta ....G 4
California (state), U.S. ....F 6
California (gulf), Mexico ....G 7
Canada ....J 4
Canadian (river), U.S. ....J 6
Canal Zone ....L 8
Cap-Haïtien, Haiti ....L 7
Caribbean (sea) ....L 8
Carson City, Nevada ....G 6
Cascade (range), U.S. ....F 5
Charleston, S. Carolina ....L 6
Charleston, W. Virginia ....L 6
Charlotte, N. Carolina ....L 6
Charlottetown, P.E.I. ....M 5
Chattanooga, Tennessee ....K 6
Chesapeake (bay), U.S. ....L 6
Cheyenne, Wyoming ....H 5
Chicago, Illinois ....J 5
Chihuahua, Mexico ....H 7
Churchill, Manitoba ....J 4
Cincinnati, Ohio ....K 6
Cleveland, Ohio ....K 5
Clipperton (island) ....H 8
Coast (mts.), British Columbia ....F 4
Coast (range), U.S. ....F 5
Cocos (isl.), Costa Rica ....K 9
Cod (cape), Massachusetts ....M 5
Colón, Panama ....L 9
Colorado (state), U.S. ....H 6
Colorado (river), U.S. ....H 6
Colorado (river), U.S. ....G 6
Colorado Springs, Colorado ....H 6
Columbia, S. Carolina ....K 6
Columbia (river) ....G 5
Columbus, Georgia ....K 6
Columbus, Ohio ....K 6
Concord, New Hampshire ....L 5
Connecticut (state), U.S. ....L 5
Costa Rica ....K 8
Cuba ....L 7
Dallas, Texas ....J 6
Dawson, Yukon ....E 3
Dayton, Ohio ....K 6
Delaware (state), U.S. ....L 6
Denmark (strait) ....R 3
Denver, Colorado ....H 5
Des Moines, Iowa ....J 5
Detroit, Michigan ....K 5
Disko (island), Greenland ....N 2
District of Columbia, U.S. ....L 6
Dominica (isl.) ....M 8
Dominican Republic ....L 8
Dover, Delaware ....L 6
Duluth, Minnesota ....J 5
Edmonton, Alberta ....G 4
El Paso, Texas ....H 6
El Salvador ....J 8
Ellesmere (island), N.W.T. ....K 2
Erie (lake) ....K 5
Fairbanks, Alaska ....D 3
Farewell (cape), Greenland ....O 4
Florida (state), U.S. ....K 7
Florida (straits) ....K 7
Fort McPherson, N.W.T. ....F 3
Fort Smith, Arkansas ....J 6
Fort Smith, N.W.T. ....H 3
Fort William, Ontario ....J 5
Fort Worth, Texas ....J 6
Foxe (basin), N.W.T. ....L 3
Fraser (river), Br. Columbia ....F 4
Fredericton, New Brunswick ....M 5
Frederik VI Coast (reg.), Green. O 3
Fresno, California ....F 6
Georgia (state), U.S. ....K 6
Godhavn, Greenland ....N 3
Godthaab (cap.), Greenland ....N 3
Gracias a Dios (cape), Nic. ....K 8
Grand Bahama (isl.), Bah. Is. ....L 7
Grand Rapids, Michigan ....K 5
Great Bear (lake), N.W.T. ....G 3
Great Falls, Montana ....G 5
Great Salt (lake), Utah ....G 5
Great Slave (lake), N.W.T. ....G 3
Green Bay, Wisconsin ....K 5
Greenland ....O 2
Greenland (sea) ....T 2
Grenada (isl.) ....M 8
Guadalajara, Mexico ....H 7
Guadeloupe (isl.) ....M 8
Guantánamo, Cuba ....L 7
Guatemala ....J 8
Guatemala (cap.), Guatemala ....J 8
Haiti ....L 8
Halifax, Nova Scotia ....M 5
Hamilton, Ontario ....K 5
Harrisburg, Pennsylvania ....L 5
Hartford, Connecticut ....L 5
Hatteras (cape), N. Carolina ....L 6
Havana (cap.), Cuba ....K 7
Helena, Montana ....G 5
Hispaniola (island), W. Indies ....M 7
Honduras ....K 8
Honduras (gulf), Cent. Amer. ....K 8
Houston, Texas ....J 7
Hudson (bay), Canada ....K 3
Hudson (strait), Canada ....L 3
Huron (lake) ....K 5
Idaho (state), U.S. ....G 5
Illinois (state), U.S. ....K 5
Indiana (state), U.S. ....K 6
Indianapolis, Indiana ....K 5
Inuvik, N.W.T. ....E 3
Iowa (state), U.S. ....J 5
Jackson, Mississippi ....K 6
Jacksonville, Florida ....L 6
Jamaica ....L 8
James (bay), Canada ....K 4
Jefferson City, Missouri ....J 6
Juan de Fuca (strait) ....F 5
Julianehaab, Greenland ....O 3
Juneau, Alaska ....E 4
Kansas (river), Kansas ....J 6
Kansas City, Kansas ....J 6
Kansas City, Missouri ....J 6
Kennedy (cape), Florida ....L 7
Kentucky (state), U.S. ....K 6
Ketchikan, Alaska ....E 4
Key West, Florida ....K 7
King Christian IX Land (region), Greenland ....P 3
King Christian X Land (region), Greenland ....R 2
King Frederik VIII Land (region), Greenland ....P 1
Kingston (cap.), Jamaica ....L 8
Kingston, Ontario ....L 5
Knoxville, Tennessee ....K 6
Kodiak (island), Alaska ....C 4
Labrador (reg.), Newfoundland ....M 4
Lansing, Michigan ....K 5
Lexington, Kentucky ....K 6
Liard (river), Canada ....F 3
Lincoln, Nebraska ....J 5
Lincoln (sea) ....N 1
Little Rock, Arkansas ....J 6
London, Ontario ....K 5
Los Angeles, California ....G 6
Louisiana (state), U.S. ....J 6
Louisville, Kentucky ....K 6
Lower California (pen.), Mex. ....G 7
Mackenzie (river), N.W.T. ....F 3
Macon, Georgia ....K 6
Madison, Wisconsin ....K 5
Madre Occidental, Sierra (range), Mexico ....H 7
Maine (state), U.S. ....M 5
Managua (cap.), Nicaragua ....K 8
Manitoba (prov.), Canada ....J 4
Manitoba (lake), Canada ....J 4
Marquette, Michigan ....K 5
Martinique (isl.) ....M 8
Maryland (state), U.S. ....L 6
Massachusetts (state), U.S. ....L 5
Matanzas, Cuba ....K 7
Mazatlán, Mexico ....H 7
McKinley (mt.), Alaska ....C 3
Mead (lake), U.S. ....G 6
Medicine Hat, Alberta ....H 5
Memphis, Tennessee ....K 6
Mendocino (cape), California ....F 5
Mérida, Mexico ....K 7
Mexico ....H 7
Mexico (gulf) ....K 7
Mexico City (cap.), Mexico ....J 7
Miami, Florida ....K 7
Michigan (state), U.S. ....K 5
Michigan (lake), U.S. ....K 5
Milwaukee, Wisconsin ....K 5
Minneapolis, Minnesota ....J 5
Minnesota (state), U.S. ....J 5
Mississippi (state), U.S. ....K 6
Mississippi (river), U.S. ....J 6
Missouri (state), U.S. ....J 6
Missouri (river), U.S. ....J 5
Mobile, Alabama ....K 6
Moncton, New Brunswick ....M 5
Montana (state), U.S. ....H 5
Monterrey, Mexico ....J 7
Montgomery, Alabama ....K 6
Montpelier, Vermont ....L 5
Montréal, Québec ....L 5
Moose Jaw, Saskatchewan ....H 4
Nares (str.) ....L 2
Nashville, Tennessee ....K 6
Nassau (cap.), Bahama Isls. ....L 7
Nebraska (state), U.S. ....H 5
Nelson (river), Manitoba ....J 4
Nevada (state), U.S. ....G 6
Nevada, Sierra (range), Calif. ....G 6
New Brunswick (prov.), Can. ....M 5
New Hampshire (state), U.S. ....L 5
New Jersey (state), U.S. ....L 5
New Mexico (state), U.S. ....H 6
New Orleans, Louisiana ....K 7
New Westminster, Br. Columbia ....K 7
New York (state), U.S. ....L 5
New York, N.Y. ....L 5
Newfoundland (prov.), Canada ....O 5
Nicaragua ....K 8
Nicaragua (lake), Cent. Amer. ....K 8
Nome, Alaska ....B 3
Norfolk, Virginia ....L 6
North Bay, Ontario ....L 5
North Carolina (state), U.S. ....L 6
North Dakota (state), U.S. ....H 5
North Magnetic Pole ....H 2
North Saskatchewan (riv.), Can. G 4
Northwest Territories (terr.), Canada ....H 3
Nova Scotia (prov.), Canada ....M 5
Oakland, California ....F 6
Oaxaca, Mexico ....J 8
Ohio (state), U.S. ....K 5
Ohio (river), U.S. ....K 6
Oklahoma (state), U.S. ....J 6
Oklahoma City, Oklahoma ....J 6
Olympia, Washington ....F 5
Omaha, Nebraska ....J 5
Ontario (prov.), Canada ....K 4
Ontario (lake) ....L 5
Oregon (state), U.S. ....F 5
Ottawa (cap.), Canada ....L 5
Ottawa (river), Canada ....L 5
Panama ....K 8
Panamá (cap.), Panama ....L 9
Panamá (gulf), Cent. Amer. ....L 9
Parry (chan.), N.W.T. ....H-J 2
Peace (river), Canada ....G 4
Peary Land (region), Greenland ....P 1
Pennsylvania (state), U.S. ....L 5
Pensacola, Florida ....K 7
Philadelphia, Pennsylvania ....L 6
Phoenix, Arizona ....G 6
Pierre, S. Dakota ....H 5
Pittsburgh, Pennsylvania ....K 5
Port Arthur, Ontario ....K 5
Port-au-Prince (cap.), Haiti ....L 8
Portland, Maine ....M 5
Portland, Oregon ....F 5
Prince Edward I. (prov.), Can. ....M 5
Prince Rupert, British Columbia ....F 4
Providence, R.I. ....M 5
Prudhoe Land (reg.), Green. ....M 2
Puebla, Mexico ....J 8
Puerto Rico ....M 8
Québec (prov.), Canada ....L 4
Québec, Québec ....L 5
Queen Charlotte (isls.), Br. Col. E 4
Queen Elizabeth (isls.), N.W.T. J 2
Raleigh, N. Carolina ....L 6
Red (river), U.S. ....J 5
Red (river), U.S. ....J 6
Regina, Saskatchewan ....H 4
Reno, Nevada ....G 6
Rhode Island (state), U.S. ....M 5
Richmond, Virginia ....L 6
Rio Grande (river) ....H 7
Rochester, N.Y. ....L 5
Rocky (mts.) ....F 4
Sable (cape), Nova Scotia ....M 5
Sacramento, California ....F 6
Saguenay (river), Québec ....L 5
Saint Augustine, Florida ....L 7
Saint Christopher (island) ....M 8
Saint John, New Brunswick ....M 5
Saint John's, Newfoundland ....N 5
Saint Lawrence (gulf), Canada ....M 5
Saint Larwrence (river) ....L 5
Saint Louis, Missouri ....J 6
Saint Lucia (isl.) ....M 8
Saint Paul, Minnesota ....J 5
Saint Pierre & Miquelon (isls.) ....N 5
Saint Vincent (isl.) ....M 8
Salem, Oregon ....F 5
Salt Lake City, Utah ....G 5
Saltillo, Mexico ....H 7
San Antonio, Texas ....J 7
San Diego, California ....G 6
San Francisco, California ....F 6
San José (cap.), Costa Rica ....K 9
San Juan (cap.), Puerto Rico ....M 8
San Salvador (cap.), El Sal. ....J 8
Santa Fe, N. Mexico ....H 6
Santiago de Cuba, Cuba ....L 8
Santo Domingo (cap.), Dom. Rep. ....M 8
Saskatchewan (prov.), Canada ....H 4
Saskatoon, Saskatchewan ....H 4
Sault-Sainte-Marie, Ontario ....K 5
Savannah, Georgia ....L 6
Seattle, Washington ....F 5
Shreveport, Louisiana ....J 6
Sierra Nevada (range), Calif. ....G 6
Sioux City, Iowa ....J 5
Sioux Falls, S. Dakota ....J 5
Sitka, Alaska ....E 4
Slave (river), Canada ....G 3
Snake (river), U.S. ....G 5
South Carolina (state), U.S. ....K 6
South Dakota (state), U.S. ....H 5
South Platte (river), U.S. ....H 5
South Saskatchewan (riv.), Can. G 4
Springfield, Illinois ....J 5
Sudbury, Ontario ....K 5
Superior (lake) ....K 5
Sverdrup (islands), N.W.T. ....J 2
Tacoma, Washington ....F 5
Tallahassee, Florida ....K 6
Tampa, Florida ....K 7
Tampico, Mexico ....J 7
Tegucigalpa (cap.), Honduras ....K 8
Tennessee (state), U.S. ....K 6
Tennessee (river), U.S. ....K 6
Texas (state), U.S. ....J 6
Thule, Greenland ....M 2
Toledo, Ohio ....K 5
Topeka, Kansas ....J 6
Toronto, Ontario ....K 5
Trenton, New Jersey ....L 5
Trinidad and Tobago ....M 8
Tucson, Arizona ....G 6
Tulsa, Oklahoma ....J 6
Ungava (bay), Canada ....M 4
United States ....H 6
Utah (state), U.S. ....G 6
Vancouver, British Columbia ....F 5
Vancouver (isl.), Br. Columbia ....E 5
Veracruz, Mexico ....J 8
Vermont (state), U.S. ....L 5
Victoria, British Columbia ....F 5
Victoria (island), N.W.T. ....G 2
Virgin Is. (Br.) ....M 8
Virgin Is. (U.S.) ....M 8
Virginia (state), U.S. ....L 6
Washington (state), U.S. ....F 5
Washington, D.C. (cap.), U.S. ....L 6
West Indies (islands) ....L 8
West Virginia (state), U.S. ....L 6
Whitehorse, Yukon ....E 3
Wichita, Kansas ....J 6
Winnipeg, Manitoba ....J 5
Winnipegosis (lake), Manitoba ....H 4
Wisconsin (state), U.S. ....K 5
Woods (lake) ....J 5
Wyoming (state), U.S. ....H 5
Yellowknife, N.W.T. ....G 3
Yellowstone (river), U.S. ....H 5
Yucatán (channel) ....K 7
Yucatán (pen.), Mexico ....K 8
Yukon (river) ....C 3
Yukon Territory (terr.), Can. ....E 3

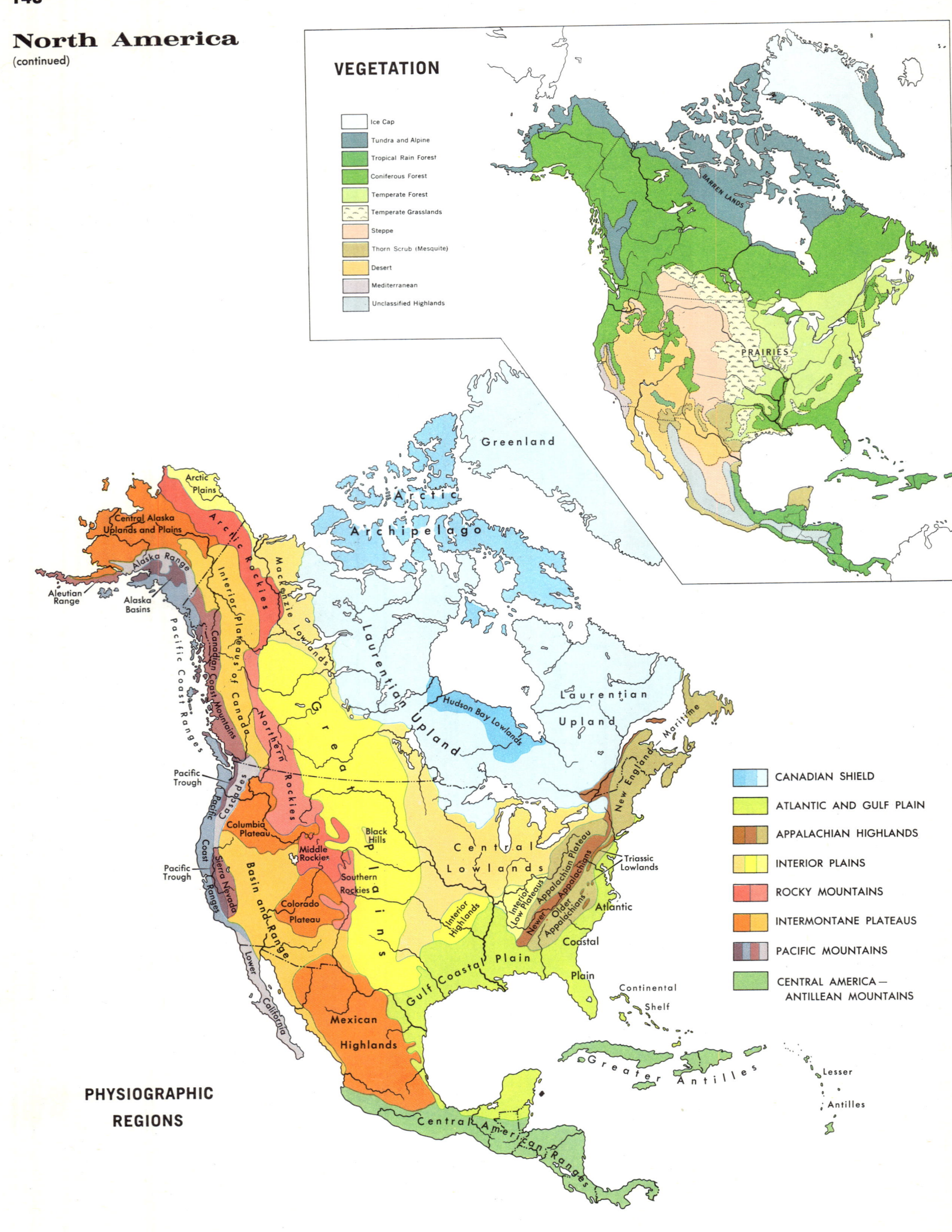

North America
(continued)

VEGETATION

- Ice Cap
- Tundra and Alpine
- Tropical Rain Forest
- Coniferous Forest
- Temperate Forest
- Temperate Grasslands
- Steppe
- Thorn Scrub (Mesquite)
- Desert
- Mediterranean
- Unclassified Highlands

PHYSIOGRAPHIC REGIONS

- CANADIAN SHIELD
- ATLANTIC AND GULF PLAIN
- APPALACHIAN HIGHLANDS
- INTERIOR PLAINS
- ROCKY MOUNTAINS
- INTERMONTANE PLATEAUS
- PACIFIC MOUNTAINS
- CENTRAL AMERICA—ANTILLEAN MOUNTAINS

North America
(continued)

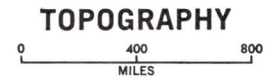

TOPOGRAPHY

Mexico

TOPOGRAPHY
0 150 300
MILES
Colorado
Gulf
of
California
Lower
California
C. Falso
Yaqui
del Fuerte
Rio Grande
SIERRA MADRE OCCIDENTAL
Conchos
Bolsón de Mapimí
MEXICAN PLATEAU
SIERRA MADRE ORIENTAL
Falcon Res.
Rio Grande
TRES MARÍAS ISLANDS
C. Corrientes
REVILLAGIGEDO IS.
L. de Chapala
Rio Grande de Santiago
Mezquital
Balsas
Popocatépetl 17,887
Citlaltépetl 18,700
SIERRA MADRE DEL SUR
Gulf of Campeche
Lag. de Términos
Yucatán Pen.
Isthmus of Tehuantepec
Usumacinta
Grande
Gulf of Tehuantepec
5,000 m. 16,404 ft.
2,000 m. 6,562 ft.
1,000 m. 3,281 ft.
500 m. 1,640 ft.
200 m. 656 ft.
100 m. 328 ft.
Sea Level
Below

STATES and TERRITORIES

Aguascalientes, 243,363 ....H 6
Baja California, 520,165 ....B 1
Baja California Sur (terr.),
  81,594 ....C 3
Campeche, 168,219 ....O 7
Chiapas, 1,210,870 ....N 8
Chihuahua, 1,226,793 ....F 2
Coahuila, 907,734 ....H 3
Colima, 164,450 ....G 7
Distrito Federal, 4,870,876 ....L 1
Durango, 760,836 ....G 4
Guanajuato, 1,735,490 ....J 6
Guerrero, 1,186,716 ....J 8
Hidalgo, 994,598 ....K 6
Jalisco, 2,443,261 ....H 6
México, 1,897,851 ....K 7
Michoacán, 1,851,876 ....H 7
Morelos, 387,264 ....K 7
Nayarit, 389,929 ....G 6
Nuevo León, 1,078,848 ....K 4
Oaxaca, 1,727,266 ....L 8
Puebla, 1,973,837 ....L 7
Querétaro, 355,045 ....J 6
Quintana Roo (terr.), 50,169............P 7
San Luis Potosí, 1,048,297 ....J 5
Sinaloa, 838,404 ....F 4
Sonora, 783,378 ....D 2
Tabasco, 496,340 ....N 7
Tamaulipas, 1,024,182 ....K 4
Tlaxcala, 346,699 ....N 1
Veracruz, 2,727,899 ....L 7
Yucatán, 614,049 ....P 6
Zacatecas, 817,831 ....H 5

CITIES and TOWNS

Acámbaro, 26,187 ....J 7
Acaponeta, 8,462 ....G 5
Acapulco de Juárez, 49,149............J 8
Acatlán, 7,268 ....K 7
Acatzingo, 6,672 ....N 2
Acayucan, 12,831 ....M 8
Aconchi, 1,384 ....D 2
Actopan, 1,242 ....Q 1
Agua Dulce, 9,295 ....M 7
Agua Prieta, 15,339 ....E 1
Agualeguas, 2,426 ....J 3
Aguascalientes, 143,293 ....H 6
Aguililla, 4,036 ....H 7
Ahuacatlán, 4,982 ....G 6
Ajalpan, 6,492 ....L 7
Alamo, 6,438 ....L 6
Alamos, 3,602 ....E 3
Aldama, Chihuahua, 5,294 ....G 2
Aldama, Tamaulipas, 2,067 ....L 5
Aljojuca, 2,642 ....O 1
Allende, Chihuahua, 3,104 ....G 3
Allende, Coahuila, 9,418 ....J 2
Allende, Nuevo León, 6,497............J 4
Almoloya del Río, 3,387 ....K 1
Altamira, 2,620 ....K 5
Altar, 1,116 ....D 1
Altotonga, 5,584 ....P 1
Alvarado, 12,548 ....M 7
Amatlán de los Reyes, 3,041............P 2
Amealco, 2,201 ....K 6
Ameca, 17,588 ....H 6
Amecameca de Juárez, 12,291............L 1
Amozoc de Mota, 7,019 ....N 2
Angostura, 1,372 ....E 4
Apan, 8,640 ....M 1
Apatzingán de la Constitución,
  19,568 ....J 7
Apizaco, 15,705 ....N 1
Aquiles Serdán, 4,357 ....G 2
Aramberri, 1,311 ....J 5
Arandas, 17,071 ....H 6
Arcelia, 6,292 ....J 7
Arizpe, 1,410 ....D 1
Armeria, 4,852 ....G 7
Arteaga, 2,960 ....H 7
Ascensión, 2,807 ....E 1
Asunción Nochixtlan, 3,172 ....L 8
Atlixco, 30,650 ....M 2
Atotonilco, 14,430 ....H 6
Autlan de Navarro, 17,017 ....G 7
Ayutla de los Libres, 2,658............K 8
Azcapotzalco, 63,857 ....L 1
Azoyú, 2,545 ....K 8
Bacadéhuachi, 1,406 ....E 2
Bacerac, 1,016 ....E 1
Bácum, 1,508 ....D 3
Balancán, 2,554 ....O 8
Bamoa, 1,934 ....E 4
Batuc, 1,267 ....E 2
Baviácora, 1,317 ....E 2
Benjamín Hill, 4,392 ....D 1
Boca del Río, 2,660 ....Q 1
Bolonchen de Rejón, 1,540 ....P 7
Buenaventura, 2,780 ....F 2
Cadereyta, 1,635 ....K 6
Cadereyta Jiménez, 8,042 ....K 4
Calera, 5,504 ....H 5
Calkiní, 5,611 ....O 6
Calpulalpam, 6,551 ....M 1
Calvillo, 5,735 ....H 6
Campeche, 43,874 ....O 7
Cananea, 19,683 ....D 1
Canatlán, 5,077 ....G 4
Candela, 2,240 ....J 3
Carbo, 2,428 ....D 2
Cárdenas, S. Luis Potosí,
  12,461 ....K 6
Cárdenas, Tabasco, 4,583 ....N 8
Caritas de Felipe Pescador,
  5,107 ....H 5
Carmen, 21,164 ....N 7
Catemaco, 8,702 ....M 7
Ceballos, 2,508 ....G 3
Cedral, 4,221 ....J 5
Celaya, 58,851 ....J 6
Celestún, 840 ....O 6
Cerralvo, 4,057 ....J 3
Cerritos, 9,989 ....K 5
Chalchihuites, 3,951 ....G 5
Chalco, 7,595 ....M 1
Champotón, 4,694 ....O 7
Chapulco, 1,520 ....O 2
Charcas, 9,105 ....J 5
Chetumal, 12,855 ....Q 7
Chiapa, 6,960 ....N 8
Chiautempan, 11,296 ....N 1
Chicoloapan de Juárez, 3,672............M 1
Chietla, 4,651 ....M 2
Chignahuapan, 3,081 ....N 1
Chignautla, 1,937 ....N 1
Chihuahua, 187,886 ....G 2
Chilapa, 7,368 ....K 8
Chilpancingo, 18,022 ....K 8
China, 2,494 ....K 4
Chocamán, 4,512 ....P 2
Choix, 1,923 ....E 3
Cholula, 12,833 ....M 1
Cihuatlán, 4,125 ....G 7
Cintalapa, 8,150 ....M 8
Ciudad Acuña, 20,048 ....J 2
Ciudad Altamirano, 6,014 ....J 7
Ciudad Camargo, 18,951 ....G 3
Ciudad Camargo, 7,902 ....K 3
Ciudad del Maíz, 4,767 ....K 5
Ciudad de Valles, 23,823 ....K 5
Ciudad Guerrero, 2,719 ....F 2
Ciudad Guzmán, 30,941 ....H 7
Ciudad Juárez, 356,895 ....F 1
Ciudad Lerdo, 17,682 ....H 4
Ciudad Madero, 53,628 ....L 5
Ciudad Mante, 22,919 ....K 5
Ciudad Mendoza, 16,051 ....O 2
Ciudad Miguel Alemán, 6,535............K 3
Ciudad Obregón, 67,956 ....E 3
Ciudad Serdán, 9,942 ....O 2
Ciudad Victoria, 50,797 ....K 5
Coalcomán de Matamoros, 7,695 H 7
Coatepec, 18,022 ....P 1
Coatetelco, 4,614 ....L 2
Coatzacoalcos (Puerto México),
  37,300 ....M 7
Cocorit, 3,819 ....E 3
Cocula, 10,119 ....G 6
Colima, 43,518 ....H 7
Colón, 2,716 ....K 6
Colotlán, 6,337 ....H 5
Comala, 4,943 ....G 7
Comalcalco, 7,745 ....N 7
Comitán, 15,409 ....O 8
Comondú, 540 ....D 3
Compostela, 7,658 ....G 6
Concepción del Oro, 8,452 ....J 4
Concordia, 4,099 ....G 5
Córdoba, 47,448 ....P 2
Cosalá, 1,692 ....F 4
Cosamaloapan de Carpio,
  16,944 ....M 7
Cosautlán de Carvajal, 1,659 ....P 1
Coscomatepec de Bravo, 5,187............P 2
Cosío, 1,350 ....H 5
Cosoleacaque, 5,665 ....M 7
Costa Rica, 6,649 ....F 4
Cotija, 8,059 ....H 7
Coyame, 791 ....G 2
Coyoacán, 54,866 ....L 1
Coyotepec, 5,967 ....L 1
Coyuca, 3,124 ....J 7
Coyuca de Benítez, 4,486 ....J 8
Coyutla, 3,880 ....L 6
Cozumel, 2,085 ....Q 6
Cristóbal de las Casas, 23,343............O 8
Cruillas, 415 ....K 4
Cuatrociénegas de Carranza,
  3,931 ....H 3
Cuauhtémoc, 14,686 ....F 2
Cuautitlán, 8,378 ....L 1
Cuautla Morelos, 12,427 ....L 2
Cuencamé, 2,982 ....H 4
Cuernavaca, 37,144 ....L 2
Cuicatlán, 1,978 ....L 8
Cuitlahuac, 3,634 ....P 2
Culiacán, 85,024 ....F 4
Cumpas, 2,314 ....E 1
Cunduacán, 1,792 ....N 7
Delicias, 39,919 ....G 2
Distrito Federal, 4,870,876 ....L 1
Doctor Arroyo, 3,085 ....K 5
Dolores Hidalgo, 12,311 ....J 6
Durango, 118,506 ....G 4
Dzitbalché, 3,666 ....P 6
Ejutla de Crespo, 5,194 ....L 8
El Carmen, 4,857 ....N 1
El Dorado, 6,423 ....F 4
El Ebano, 5,564 ....K 5
El Fuerte, 5,331 ....E 3
El Oro, Durango, 4,224 ....G 4
El Oro, México, 3,507 ....K 7
El Salto, 6,947 ....G 5
Empalme, 18,964 ....D 2
Encarnación de Díaz, 8,710 ....H 6
Ensenada, 42,561 ....A 1
Escuinapa de Hidalgo, 9,920............G 5
Escuintla, 3,468 ....N 9
Esperanza, 3,550 ....O 2
Espita, 5,161 ....Q 6
Etchojoa, 4,075 ....E 3
Fortín de las Flores, 6,328............P 2
Fresnillo, 35,582 ....H 5
Frontera, 8,375 ....N 7
Fronteras, 548 ....E 1
Galeana, Chihuahua, 744 ....F 1
Galeana, Nuevo León, 3,127............J 4
García de la Cadena, 1,754............H 6
General Bravo, 1,718 ....K 4
General Cepeda, 3,832 ....J 4
Gómez Palacio, 61,174 ....G 4
González, 3,270 ....K 5
Granados, 1,124 ....E 2
Guadalajara, 977,779 ....H 6
Guadalupe, Nvo, León, 27,020............J 4
Guadalupe, Zacatecas,
  7,888 ....H 5
Guadalupe-Bravos, 2,392 ....F 1
Guadalupe Victoria, 6,520 ....G 4
Guadalupe y Calvo, 1,864 ....F 2
Guamúchil, 7,878 ....E 4
Guanacevi, 1,148 ....G 4
Guanajuato, 28,212 ....J 6
Guasave, 17,510 ....E 4
Guaymas, 34,865 ....D 3
Guazapares, 430 ....E 3
Guitérrez Zamora, 6,518 ....L 6
Halachó, 4,543 ....O 6
Hecelchakán, 3,879 ....O 6
Hermosillo, 132,324 ....D 2
Heroica Caborca, 9,338 ....C 1
Heroica Huamantla, 10,154 ....N 1
Hidalgo, 3,394 ....K 4
Hopelchén, 3,006 ....P 7
Huajuapan de León, 8,531 ....L 8
Huaquechula, 1,929 ....M 2
Huatabampo, 10,228 ....D 3
Huatusco de Chicuellar, 8,680............P 2
Huauchinango, 12,317 ....L 6
Huautla, 6,862 ....L 7
Huehuetlán, 2,924 ....M 2
Huejotzingo, 7,390 ....M 1
Huejutla de Reyes, 3,849............K 6
Huetamo de Núñez, 6,191 ....J 7
Hueyotlipan, 1,520 ....M 1
Huimanguillo, 4,537 ....N 8
Huitzuco, 6,354 ....K 7
Huixtla, 12,327 ....N 9
Hunucmá, 6,616 ....O 6
Ignacio de la Llave, 2,629 ....Q 2
Iguala, 26,845 ....K 7
Imuris, 1,003 ....D 1
Indé, 1,278 ....G 4
Irapuato, 83,768 ....J 6
Isla Mujeres, 557 ....Q 6
Iturbide, 752 ....P 7
Ixmiquilpan, 1,752 ....K 6
Ixtacalco, 25,546 ....L 1
Ixtapalapa, 25,517 ....L 1
Ixtepec, 12,087 ....M 8
Ixtlán del Río, 8,330 ....G 6
Izamal, 8,633 ....P 6
Izúcar de Matamoros, 16,556 ....M 2
Jala, 3,803 ....G 6
Jalacingo, 2,831 ....P 1
Jalapa Enríquez, 66,269 ....P 1
Jalpa, Tabasco, 5,133 ....N 7
Jalpa, Zacatecas, 6,213 ....H 6
Jalpan, 1,008 ....K 6
Jáltipan, 8,588 ....M 8
Jantetelco, 1,351 ....L 2
Jaumave, 1,884 ....K 5
Jerez de García Salinas, 15,016............H 5
Jico, 6,965 ....P 1
Jilotepec, 2,689 ....K 7
Jiménez, Chihuahua, 14,904 ....G 3
Jiménez, Coahuila, 1,003 ....J 2
Jojutla de Juárez, 11,555 ....L 2
Jonacatepec, 3,250 ....M 2
Jonuta, 1,482 ....N 7
Juan Aldama, 7,742 ....H 4
Juárez, 1,152 ....J 3
Juchipila, 3,459 ....H 6
Juchique de Ferrer, 983............Q 1
Juchitán de Zaragoza, 19,797............M 8
La Babia, 28 ....H 2
La Barca, 16,273 ....H 6
La Concordia, 1,879 ....N 9
La Cruz, Chihuahua, 1,049 ....G 3
La Cruz, Sinaloa, 2,740 ....F 5
La Junta, 3,234 ....F 2
La Paz, 24,253 ....D 5
La Piedad, 24,337 ....H 6
La Potosí, 1,755 ....J 4
La Purísima, 598 ....D 3
La Trinitaria, 2,370 ....N 9
La Yesca, 508 ....G 6
Lagos, 23,636 ....J 6
Las Nieves, 1,455 ....G 3
Las Vigas, 4,762 ....P 1
León, 260,952 ....J 6
Libres, 2,443 ....O 1
Linares, 13,592 ....K 4
Llera de Canales, 1,653 ....K 5
Loma Bonita, 9,789 ....M 7
Loreto, 4,969 ....J 5
Los Algodones, 5,542 ....B 1
Los Mochis, 38,307 ....E 4
Los Reyes, 9,796 ....H 7
Macuspana, 6,597 ....N 8
Madera, 7,314 ....F 2
Magdalena, 9,445 ....D 1
Mamantel, 89 ....O 7
Manuel Benavides, 801 ....H 2
Manzanillo, 19,950 ....G 7
Mapastepec, 4,664 ....N 9
Mapimí, 2,998 ....G 4
Martínez de la Torre, 14,615 ....L 6
Mascota, 5,267 ....G 6
Matamoros, Coahuila, 13,770............H 4
Matamoros, Tamaulipas,
  122,680 ....L 4
Matehuala, 19,927 ....J 5
Matías Romero, 10,187 ....M 8
Maxcanú, 5,139 ....O 6
Mazapil, 1,777 ....J 4
Mazatán, 644 ....E 2
Mazatlán, 75,751 ....F 5
Melchor Múzquiz, 12,971 ....J 3
Melchor Ocampo, 647 ....H 4
Melchor Ocampo del Balsas,
  1,906 ....H 8
Meoqui, 10,287 ....G 2
Mérida, 183,701 ....P 6
Metepec, 6,839 ....M 2
Mexicali, 261,299 ....B 1
Mexico City (México)
  (capital), 3,118,059 ....L 1
Mezquital, 837 ....G 5
Miacatlán, 4,149 ....L 2
Miahuatlán de Porfirio Díaz,
  7,518 ....L 8
Mier, 4,120 ....K 3
Miguel Azua, 7,173 ....H 4
Minatitlán, 35,350 ....M 8
Mineral del Monte, 10,061 ....K 6
Miquihuana, 1,777 ....K 5
Misantla, 9,201 ....P 1
Mocorito, 4,223 ....F 4
Moctezuma, S. L. Potosí,
  1,333 ....J 5
Moctezuma, Sonora,
  2,148 ....E 2
Monclova, 43,077 ....J 3
Montemorelos, 11,641 ....K 4
Monterrey, 774,059 ....J 4
Morelia, 121,964 ....J 7
Morelos, 3,096 ....J 2
Morelos Cañada, 2,709 ....O 2
Moroleón, 17,954 ....J 6
Motozintla de Mendoza, 4,084............N 9
Motul, 10,351 ....P 6
Mulegé, 846 ....C 3
Muna, 4,443 ....P 6
Naco, 2,864 ....D 1
Nacozari de García, 2,745............E 1
Nadadores, 1,890 ....J 3
Nanacamilpa, 5,427 ....M 1
Naolinco de Victoria,
  3,658 ....P 1
Naranjos, 8,354 ....L 6
Naucalpan, 10,365 ....L 1
Nautla, 1,432 ....L 6
Nava, 3,118 ....J 2
Navojoa, 30,560 ....E 3
Navolato, 9,188 ....E 4
Nazas, 2,738 ....G 4
Nieves, 3,147 ....H 5
Nochistlán, 7,293 ....H 6
Nogales, Sonora, 37,657 ....D 1
Nogales, Veracruz, 11,219 ....P 2
Nombre de Dios, 3,159 ....G 5
Nonoava, 1,582 ....F 3
Nopalucan, 2,783 ....O 1
Nueva Casas Grandes, 11,687............F 1
Nueva Ciudad Guerrero, 3,409............K 3
Nueva Rosita, 34,302 ....J 2
Nuevo Laredo, 112,280 ....J 3
Nuevo Morelos, 580 ....K 5
Nuri, 808 ....E 3
Oaxaca, 72,370 ....L 8
Ocampo, Chihuahua, 375 ....E 2
Ocampo, Coahuila, 1,298 ....H 3
Ocampo, Tamaulipas, 3,348 ....K 5
Ocotlán, 25,416 ....H 6
Ocotlán de Morelos, 5,298 ....L 8
Ojinaga, 8,252 ....G 2
Ojocaliente, 6,779 ....H 5
Ometepec, 4,990 ....K 8
Opodepe, 1,050 ....D 2
Oputo, 1,962 ....E 1
Oriental, 5,097 ....O 1
Orizaba, 69,706 ....P 2
Otuma de Gómez Farías,
  1,701 ....M 1
Oxkutzcab, 6,252 ....P 7
Ozuluama, 1,833 ....L 6
Ozumba, 5,305 ....M 1
Pachuca, 64,571 ....K 6
Padilla, 2,898 ....K 5
Palenque, 942 ....O 8
Palizada, 2,333 ....O 7
Palmar de Bravo, 1,584 ....O 2
Palmillas, 1,165 ....K 5
Pánuco, 8,818 ....K 6
Papantla de Olarte, 18,865 ....L 6
Paraíso, 4,094 ....N 7
Parral, 41,474 ....G 3
Parras, 19,768 ....H 4
Pátzcuaro, 14,324 ....J 7
Pedro Antonio Santos, 76 ....P 7
Pedro Montoya, 4,844 ....K 6
Pénjamo, 11,429 ....J 6
Peñón Blanco, 3,277 ....H 4

A
B
C
D
E
114°
110°
San Diego
El Centro
Calexico
Los Algodones
Tijuana
Tecate
Mexicali
Yuma
Lag. Salada
Ensenada
San Luis Río Colorado
Gila
Florence
Globe
Clifton
Safford
Silver City
Lordsburg
Tucson
Benson
Sonoita
Puerto Peñasco
Nogales
Bisbee
Douglas
Naco
Agua Prieta
Santa Cruz
Cananea
Fronteras
Imuris
Magdalena
Sta. Ana
Arizpe
Nacozari de García
Bavispe
Bacerac
Cumpas
Opodepe
Carbo
Moctezuma
Huásabas
Bacadéhuachi
Rayón
Ures
Baviácora
Granados
Hermosillo
Batuc
Suaqui
Mazatán
Sahuaripa
Villa de Seris
San Javier
Bacanora
Soyopa
Heroica Caborca
Pitiquito
Altar
Benjamin Hill
El Desemboque
Real de Castillo
Sto. Tomás
San Vicente
S. Telmo
S. Quintín
Rosario
S. Felipe
I. Montague
B. de San Jorge
El Marmol
Cabo Lobos
I. Angel de la Guarda
I. Tiburón
Bahía Kino
Pta. Prieta
I. San Benito
Cedros I.
B. Sebastián Vizcaíno
Pta. Sta. Eugenia
Bahía Tortugas
El Arco
S. Ignacio
Sta. Rosalía
I. San Marcos
Guaymas
Empalme
Pta. Lobos
Bácum
Potam
Cocorit
Ciudad Obregón
Rosario
Nuri
Yécora
Ocampo
Uruáchic
Chínipas
Guazapares
Mulegé
B. Sta. Inés
Huatabampo
Etchojoa
Navojoa
Alamos
Yaqui
B. Ballenas
La Purísima
Comondú
I. del Carmen
Loreto
B. de Agiobampo
Choix
El Fuerte
I. Monserrate
I. Sta. Catalina
Los Mochis
Topolobampo
San Blas
Sinaloa de Leyva
Bamoa
Guasave
Guamúchil
Angostura
Mocorito
Badiraguato
I. Sta. Cruz
I. San José
Cabo S. Lazaro
El Crucero
B. Magdalena
I. Sta. Margarita
I. Creciente
Pto. Cortés
I. Espíritu Santo
La Paz
San Antonio
I. Cerralvo
S. Juan de los Planes
Santiago
Pta. Arena
Todos Santos
San José del Cabo
San Lucas
Cabo Falso
Cabo S. Lucas
Navolato
Altata
Culiacán
Costa Rica
El Dorado
BAJA CALIFORNIA
BAJA CALIFORNIA SUR (Territory)
GULF OF CALIFORNIA
Lower California
SONORA
SINALOA
Sierra Madre
P A C I F I C
Revillagigedo Is.
I. RocaPartida
I. S. Benedicto
I. Socorro
I. Clarion
I. Palmito
I. María Madre
Tres Marías
I. María Magdalena
I. María Cleofas
MEXICO
CONIC PROJECTION
SCALE OF MILES
0 100 200
SCALE OF KILOMETRES
0 100 200 300
National Capitals
State Capitals
International Boundaries
State Boundaries
Copyright by C.S. Hammond & Co., N.Y.

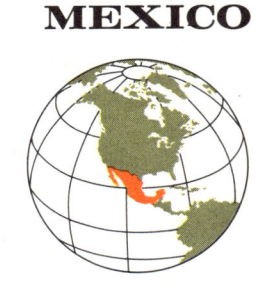

MEXICO

AREA	760,373 sq. mi.
POPULATION	40,913,000
CAPITAL	Mexico City
LARGEST CITY	Mexico City 3,118,059
HIGHEST POINT	Citlaltépetl 18,700 ft.
MONETARY UNIT	Mexican peso
MAJOR LANGUAGE	Spanish
MAJOR RELIGION	Roman Catholic

Perote, 9,832	P 1	Rayón, 1,351	D 2
Petatlán, 4,875	J 8	Rayón, 4,593	A 6
Peto, 7,243	P 6	Real de Castillo, 1,055	A 1
Piedras Negras, 44,992	J 2	Reynosa, 74,140	K 3
Pijijiapan, 4,105	N 9	Rincón de Romos, 6,010	H 5
Pitiquito, 1,384	D 1	Río Bravo, 17,500	K 4
Pochutla, 3,066	L 9	Río Grande, 8,357	H 5
Potam, 2,656	D 3	Rioverde, 14,825	J 6
Poza Rica de Hidalgo, 19,564	L 6	Rodeo, 1,106	G 4
Progreso, 13,694	P 6	Rosamorada, 1,662	G 5
Puebla, 328,243	N 2	Rosario, Baja California, 372	B 1
Puente de Ixtla, 6,769	L 2	Rosario, Durango	G 3
Puerto Ángel, 496	L 9	Rosario, Sinaloa, 11,703	G 5
Puerto Cortés, 557	C 3	Rosario, Sonora, 1,152	E 3
Puerto México (Coatzacoalcos), 37,300	M 7	Sabancuy, 1,028	O 7
Puerto Peñasco, 3,370	C 1	Sabinas, 16,076	J 3
Puerto Vallarta, 7,484	G 6	Sabinas Hidalgo, 11,592	K 3
Purificación, 1,527	G 7	Sahuaripa, 4,114	E 2
Puruándiro, 11,480	H 6	Sahuayo de Díaz, 25,661	H 6
Pustunich, 461	O 7	Sain Alto, 3,400	H 5
Putla, 3,458	L 8	Salamanca, 32,663	J 6
Quecholac, 2,919	O 2	Salina Cruz, 14,897	M 9
Querétaro, 67,674	K 6	Salinas, 6,626	J 5
Ramos Arizpe, 3,925	J 4	(continued on following page)	

States Indicated by Numbers
1. Tlaxcala
2. Morelos
3. Distrito Federal
4. México
5. Hidalgo
6. Querétaro
7. Guanajuato
8. Aguascalientes
9. Nayarit
10. Colima

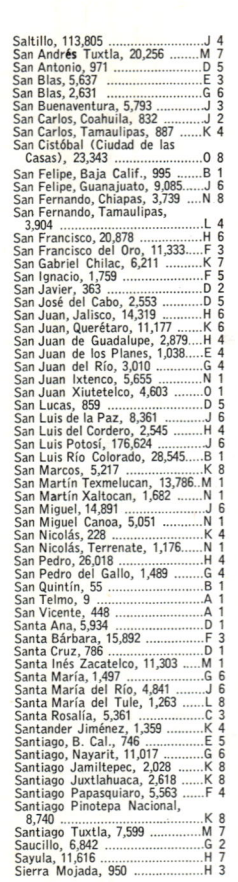

Mexico
(continued)

Saltillo, 113,805	J 4
San Andrés Tuxtla, 20,256	M 7
San Antonio, 971	D 5
San Blas, 5,637	E 3
San Blas, 2,631	G 6
San Buenaventura, 5,793	J 3
San Carlos, Coahuila, 832	J 2
San Carlos, Tamaulipas, 887	K 4
San Cistóbal (Ciudad de las Casas), 23,343	O 8
San Felipe, Baja Calif., 995	B 1
San Felipe, Guanajuato, 9,085	J 6
San Fernando, Chiapas, 3,739	N 8
San Fernando, Tamaulipas, 3,904	L 4
San Francisco, 20,878	H 6
San Francisco del Oro, 11,333	F 3
San Gabriel Chilac, 6,211	K 7
San Ignacio, 1,759	F 5
San Javier, 363	D 2
San José del Cabo, 2,553	D 5
San Juan, Jalisco, 14,319	H 6
San Juan, Querétaro, 11,177	K 6
San Juan de Guadalupe, 2,879	H 4
San Juan de los Planes, 1,038	E 4
San Juan del Río, 3,010	H 5
San Juan Ixtenco, 5,655	N 1
San Juan Xiutetelco, 4,603	O 1
San Lucas, 859	D 5
San Luis de la Paz, 8,361	J 6
San Luis del Cordero, 2,545	H 4
San Luis Potosí, 176,624	J 5
San Luis Río Colorado, 28,545	B 1
San Marcos, 5,217	K 8
San Martín Texmelucan, 13,786	M 1
San Martín Xaltocan, 1,682	M 1
San Miguel, 14,891	J 6
San Miguel Canoa, 5,051	N 1
San Nicolás, 228	N 2
San Nicolás, Terrenate, 1,176	N 1
San Pedro, 26,018	H 4
San Pedro del Gallo, 1,489	H 4
San Quintín, 55	B 1
San Telmo, 9	A 1
San Vicente, 448	A 1
Santa Ana, 5,934	D 1
Santa Bárbara, 15,892	F 3
Santa Cruz, 786	D 1
Santa Inés Zacatelco, 11,303	M 1
Santa María, 1,497	G 6
Santa María del Río, 4,841	J 6
Santa María del Tule, 1,263	L 8
Santa Rosalía, 5,361	C 3
Santander Jiménez, 1,359	K 4
Santiago, B. Cal., 746	E 5
Santiago, Nayarit, 11,017	G 6
Santiago Jamiltepec, 2,028	K 8
Santiago Juxtlahuaca, 2,618	K 8
Santiago Papasquiaro, 5,563	F 4
Santiago Pinotepa Nacional, 8,740	K 8
Santiago Tuxtla, 7,599	M 7
Saucillo, 6,842	G 2
Sayula, 11,616	H 7
Sierra Mojada, 950	H 3
Silao, 24,229	J 6
Simojovel, 2,946	N 8
Sinaloa de Leyva, 1,283	E 4
Soledad de Doblado, 5,324	L 7
Soledad Diez Gutiérrez, 6,017	J 5
Sombrerete, 9,289	H 5
Sonoita, 1,925	C 1
Sotuta, 3,074	P 6
Soyopa, 472	E 2
Suaqui, 1,453	D 2
Tacámbaro de Codallos, 8,293	J 7
Tacotalpa, 904	N 8
Tala, 12,547	H 6
Talpa de Allende, 3,587	G 6
Tamazulapan, 3,390	L 8
Tamazunchale, 8,687	K 6
Tamiahua, 3,824	L 6
Tampico, 136,258	L 5
Tapachula, 41,578	N 9
Taxco de Alarcón, 14,773	K 7
Teapa, 4,083	N 8
Tecamachalco, 7,182	O 2
Tecate, 6,588	A 1
Tecomán, 16,162	H 7
Tecpan de Galeana, 6,043	J 8
Tecuala, 10,868	G 5
Tehuacán, 31,897	L 7
Tehuantepec, 13,458	M 8
Tehuipango, 6,067	P 2
Tekax, 7,647	P 6
Teloloapan, 8,065	J 7
Temascalapa, 1,505	M 1
Temax, 4,752	P 6
Temósachic, 1,164	F 2
Tenabo, 2,739	N 6
Tenancingo, 9,320	L 1
Tenango de Río Blanco, 11,918	O 2
Tenosique de Pino Suárez, 6,517	O 8
Teocaltiche, 10,959	H 6
Teocelo, 3,868	P 1
Teotihuacán de Arista, 1,764	L 1
Teotitlán, 2,897	L 7
Tepatlaxco de Hidalgo, 5,152	N 1
Tepatitlán, 19,835	H 6
Tepeaca, 5,152	N 2
Tepeapulco, 3,076	M 1
Tepehuanes, 1,865	G 4
Tepeji, 9,251	L 1
Tepetlaoxtoc, 1,237	L 1
Tepexi de Rodríguez, 1,699	N 2
Tepeyahualco, 1,173	N 1
Tepic, 54,069	G 6
Tepoztlán, 4,314	L 1
Tequixquiac, 1,173	N 1
Tezcoco de Mora, 11,215	M 1
Teziutlán, 17,400	O 1
Ticul, 10,893	P 6
Tierra Blanca, 16,556	L 7
Tihuatlán, 4,460	L 6
Tijuana, 222,534	A 1
Tixtla, 8,500	K 8
Tizayuca, 4,692	L 1
Tizimín, 15,723	Q 6
Tlachichuca, 3,540	O 1
Tlacolula, 7,545	L 8
Tlacotalpan, 6,406	M 7
Tlacotepec de Mejía, 1,621	P 1
Tlahualilo de Zaragoza, 4,015	H 3
Tlalixcoyan, 1,171	Q 2
Tlalmanalco de Velásquez, 3,990	L 1
Tlalnepantla de Comonfort, 25,868	K 1
Tlalpan, 22,957	L 1
Tlaltenango, 7,268	G 6
Tlaltizapán, 4,308	L 2
Tlapacoyan, 8,580	P 1
Tlapa de Comonfort, 3,066	K 8
Tlaquiltenango, 6,950	L 1
Tlaxcala, 7,545	M 1
Tlaxco de Morelos, 4,885	N 1
Tlaxiaco, 6,082	L 8
Tlayacapan, 1,012	L 1
Todos Santos, 1,831	D 5
Tolimán, 716	K 6
Toluca, 77,124	K 7
Tomatlán, 1,059	G 7
Tonalá, 13,208	N 9
Topolobampo, 1,771	E 4
Torreón, 205,931	H 4
Tula, 4,210	K 5
Tulancingo, 26,839	K 7
Tulcingo de Valle, 2,566	M 2
Tultepec, 5,601	L 1
Tuxpan, Jalisco, 10,833	H 7
Tuxpan, Nayarit, 14,971	G 6
Tuxpan de Rodríguez Caño, 23,262	L 6
Tuxtepec, 8,471	L 7
Tuxtla Gutiérrez, 41,244	N 8
Umán, 6,495	P 6
Unión Hidalgo, 7,811	M 8
Ures, 3,174	D 2
úrsulo Galván, 1,605	Q 1
Uruáchic, 312	E 3
Uruapan, 45,727	H 7
Valladolid, 9,297	P 6
Valle de Santiago, 21,795	J 6
Valle de Bravo, 3,847	J 7
Valle Hermoso, 15,769	L 4
Vanegas, 2,247	J 5
Venado, 2,716	J 5
Venustiano Carranza, 10,729	N 8
Veracruz Llave, 167,260	Q 1
Vicente Guerrero, 6,147	G 5
Vicente Guerrero, 10,678	M 2
Viesca, 2,974	H 4
Villa de Cos, 1,193	H 5
Villa de Guadalupe, 904	L 1
Villa de Seris, 1,150	D 2
Villa Frontera, 14,297	J 3
Villa García, 1,877	J 5
Villa Matamoros, 1,724	G 3
Villa Unión, Durango, 3,096	H 5
Villa Unión, Sinaloa, 4,728	F 5
Villagrán, 1,051	K 4
Villahermosa, 52,262	N 8
Villaldama, 2,525	J 3
Villanueva, 4,979	H 5
Xicoténcatl, 4,434	K 5
Xicotepec de Juárez, 9,618	K 6
Xochihuehuetlán, 3,653	K 8
Xochimilco, 30,031	L 1
Xochitlán, 2,944	N 2
Yajalón, 4,290	N 8
Yaqui, 5,741	D 2
Yautepec, 9,205	L 2
Yécora, 1,914	E 2
Yecuatla, 2,383	P 1
Zaachila, 6,177	L 8
Zacapoaxtla, 3,511	O 1
Zacapu, 22,200	J 7
Zacatecas, 31,701	H 5
Zacatepec, 13,475	L 1
Zacatlán, 5,767	N 1
Zacoalco, 8,868	H 6
Zamora, 34,372	H 7
Zaragoza, 5,375	J 2
Zimatlán de Álvarez, 5,376	L 8
Zitácuaro, 23,884	J 7
Zongolica, 1,359	P 2
Zumpango, 8,371	L 1
Zumpango del Río, 6,859	J 8

PHYSICAL FEATURES

Agiobampo (bay)	E 3
Aguanaval (river)	H 4
Ángel de la Guarda (island)	C 2
Antigua (river)	Q 1
Arena (point)	E 5
Arenas (cay)	O 5
Atoyac (river)	N 2
Atoyac (river)	Q 2
Babia (river)	J 3
Bacalar (lake)	P 7
Ballenas (bay)	C 3
Balsas (river)	J 7
Banderas (bay)	G 6
Bavispe (river)	E 1
Blanco (river)	Q 2
Bravo (river)	G 2
Burro (mts.)	J 2
California (gulf)	D 3
Campeche (bank)	O 5
Campeche (gulf)	N 7
Candelaria (river)	N 7
Carmen (island)	D 3
Casas Grandes (river)	F 1
Catoche (cape)	Q 5
Cedros (island), 1,003	B 2
Cerralvo (island)	E 4
Chamela (island)	G 7
Chapala (lake)	H 6
Chetumal (bay)	P 7
Chichén-Itzá (ruins)	P 6
Chixoy (river)	O 8
Citlaltépetl (Orizaba) (mt.)	O 2
Clarión (island)	B 7
Conchos (river)	G 2
Corrientes (cape)	G 6
Coyuca (lake)	J 8
Cresciente (island)	D 5
Cuitzeo (lake)	J 7
Delgada (point)	L 7
Dzibilchaltun (ruins)	P 5
El Azúcar (res.)	K 3
Espíritu Santo (island)	E 4
Falcón (res.)	L 2
Falso (cape)	D 5
Frailes (mts.)	G 4
Fuerte (river)	E 3
Giganta (mts.)	D 4
Grande (river)	N 8
Grande (river)	L 2
Grande de Santiago (river)	G 6
Grijalva (river)	N 7
Guzmán (lake)	F 1
Herrero (point)	Q 7
Holbox (island)	Q 5
Hondo (river)	P 7
Jesús María (reef)	L 4
La Paz (bay)	D 4
Lobos (cape)	D 2
Lobos (point)	D 3
Lower California (Baja California) (pen.), 603,946	B 3
Madre (lagoon)	L 4
Madre del Sur (mts.)	J-L 8
Madre Occidental (mts.)	F 3
Madre Oriental (mts.)	J 4
Magdalena (bay)	C 4
Maldonado (point)	K 8
Mapimí (depression)	G 3
María Cleofas (island)	F 6
María Madre (island)	F 6
María Magdalena (island)	F 6
Mexico (gulf)	N 4
Mezquital (river)	G 5
Mita (point)	G 6
Mitla (ruins)	M 8
Moctezuma (river)	K 6
Monserrate (isl.)	D 4
Montague (isl.)	B 1
Muerto (sea)	N 9
Naucampatépetl (mt.)	N 2
Nayarit (mts.)	G 5
Nazas (river)	G 4
Nuevo (cay)	O 6
Palenque (ruins)	N 8
Palmito de la Vírgen (isl.)	F 5
Palmito del Verde (isl.)	F 5
Pánuco (river)	K 5
Parícutin (vol.)	H 7
Pátzcuaro (lake)	J 7
Pérez (isl.)	P 5
Petacalco (bay)	H 8
Popocatépetl (mt.)	M 1
Ramos (river)	G 4
Revillagigedo (isls.)	C 7
Río Grande (river)	N 8
Roca Partida (isl.)	B 7
Sabinas (river)	J 3
Salada (lagoon)	A 1
San Antonio (reef)	L 4
San Benedicto (isl.)	D 7
San Benito (isl.)	B 2
San Blas (river)	D 8
San Jorge (bay)	B 1
San José (bay)	C 7
San Lázaro (cape)	D 4
San Lucas (cape)	D 5
San Marcos (isl.)	D 3
San Rafael (reef)	L 4
Santa Ana (reef)	N 7
Santa Catalina (isl.)	D 4
Santa Cruz (isl.)	D 4
Santa Eugenia (point)	B 3
Santa Inés (bay)	D 3
Santa Margarita (isl.)	C 4
Santa María (reef)	F 1
Santiaguillo (lake)	G 4
Sebastián Vizcaíno (bay)	B 3
Socorro (isl.)	D 7
Sonora (river)	D 2
Superior (lagoon)	M 9
Teacapan (inlet)	F 5
Tehuantepec (gulf)	M 9
Tehuantepec (isthmus)	M 8
Teotihuacán (ruins)	M 1
Términos (lagoon)	O 7
Tiburón (isl.)	C 2
Toronto (lake)	G 3
Tres Marías (isls.)	F 6
Triángulo Este (isl.)	N 6
Triángulo Oeste (isl.)	N 6
Tula (river)	L 1
Urique (river)	F 3
Usumacinta (river)	N 8
Uxmal (ruins)	P 6
Valsequín, Presa (res.)	F 3
Verde (river)	J 7
Verde (river)	H 6
Yaqui (river)	E 2

HIGHWAYS OF MIDDLE AMERICA

Limited Access Highways
Major Highways
Other Important Roads
U.S. Interstate Numbers
U.S. Route Numbers
Other Route Numbers

© C. S. HAMMOND & Co., Maplewood, N.J.

AGRICULTURE, INDUSTRY and RESOURCES

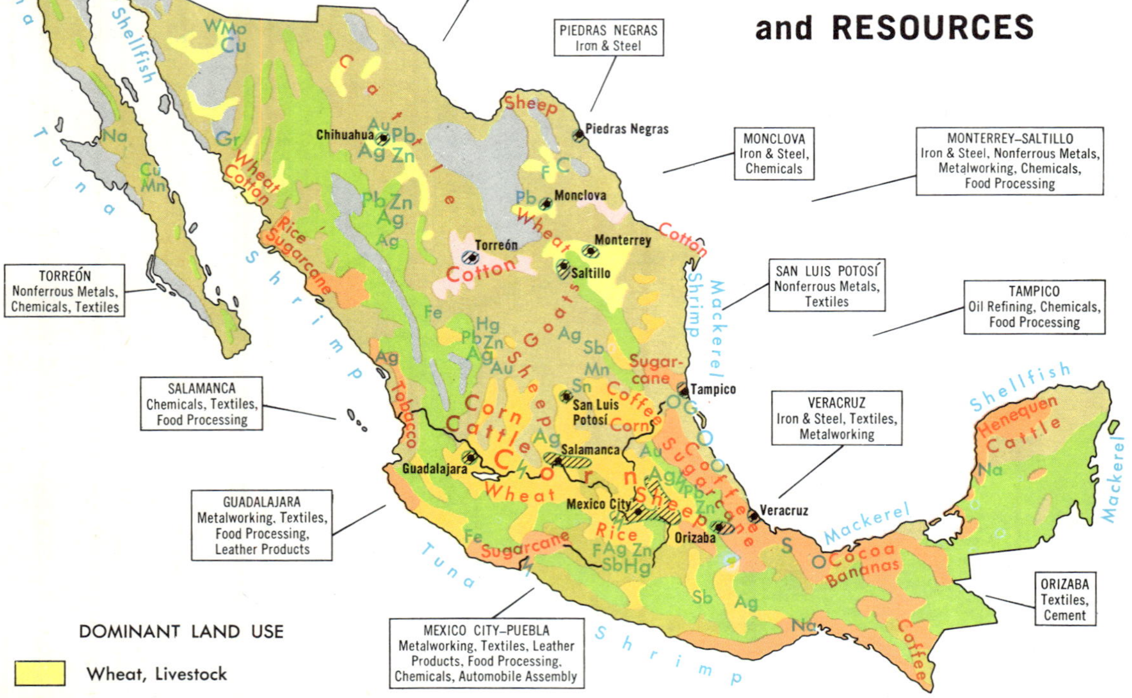

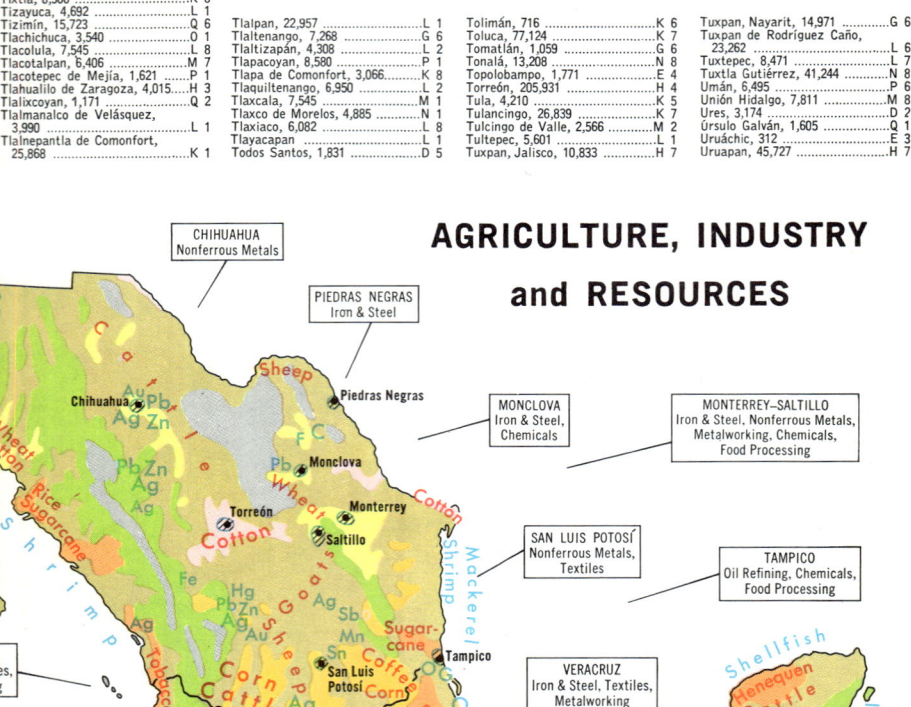

CHIHUAHUA — Nonferrous Metals
PIEDRAS NEGRAS — Iron & Steel
MONCLOVA — Iron & Steel, Chemicals
MONTERREY–SALTILLO — Iron & Steel, Nonferrous Metals, Metalworking, Chemicals, Food Processing
TORREÓN — Nonferrous Metals, Chemicals, Textiles
SAN LUIS POTOSÍ — Nonferrous Metals, Textiles
TAMPICO — Oil Refining, Chemicals, Food Processing
SALAMANCA — Chemicals, Textiles, Food Processing
VERACRUZ — Iron & Steel, Textiles, Metalworking
GUADALAJARA — Metalworking, Textiles, Food Processing, Leather Products
ORIZABA — Textiles, Cement
MEXICO CITY–PUEBLA — Metalworking, Textiles, Leather Products, Food Processing, Chemicals, Automobile Assembly

DOMINANT LAND USE

- Wheat, Livestock
- Cereals (chiefly corn), Livestock
- Diversified Tropical Cash Crops
- Cotton, Mixed Cereals
- Livestock, Limited Agriculture
- Range Livestock
- Forests
- Nonagricultural Land

MAJOR MINERAL OCCURRENCES

Ag	Silver	G	Natural Gas	O	Petroleum
Au	Gold	Gr	Graphite	Pb	Lead
C	Coal	Hg	Mercury	S	Sulfur
Cu	Copper	Mn	Manganese	Sb	Antimony
F	Fluorspar	Mo	Molybdenum	Sn	Tin
Fe	Iron Ore	Na	Salt	W	Tungsten
				Zn	Zinc

⚡ Water Power
▨ Major Industrial Areas

CENTRAL AMERICA

GUATEMALA
- AREA: 45,452 sq. mi.
- POPULATION: 4,343,000
- CAPITAL: Guatemala
- LARGEST CITY: Guatemala 572,937
- HIGHEST POINT: Tajumulco 13,814 ft.
- MONETARY UNIT: quetzal
- MAJOR LANGUAGES: Spanish
- MAJOR RELIGIONS: Roman Catholic

BRITISH HONDURAS
- 8,867 sq. mi.
- 106,000
- Belize City
- Belize City (greater) 41,444
- Victoria Peak 3,681 ft.
- British Honduras dollar
- English, Spanish
- Protestant, Roman Catholic

EL SALVADOR
- 8,060 sq. mi.
- 2,859,000
- San Salvador
- San Salvador 281,122
- Santa Ana 7,825 ft.
- colón
- Spanish
- Roman Catholic

HONDURAS
- AREA: 45,000 sq. mi.
- POPULATION: 2,315,000
- CAPITAL: Tegucigalpa
- LARGEST CITY: Tegucigalpa (greater) 134,075
- HIGHEST POINT: Las Minas 9,403 ft.
- MONETARY UNIT: lempira
- MAJOR LANGUAGES: Spanish
- MAJOR RELIGIONS: Roman Catholic

NICARAGUA
- 57,143 sq. mi.
- 1,754,000
- Managua
- Managua (greater) 274,278
- Saslaya 5,413 ft.
- córdoba
- Spanish
- Roman Catholic

COSTA RICA
- 19,238 sq. mi.
- 1,467,000
- San José
- San José (greater) 322,208
- Chirripó Grande 12,467 ft.
- colón
- Spanish
- Roman Catholic

PANAMA
- 28,575 sq. mi.
- 1,244,000
- Panamá
- Panamá 318,536
- Vol. Chiriquí 11,410
- balboa
- Spanish
- Roman Catholic

CANAL ZONE
- AREA: 362 sq. mi.
- POPULATION: 53,900
- CAPITAL: Balboa Heights

AGRICULTURE, INDUSTRY and RESOURCES

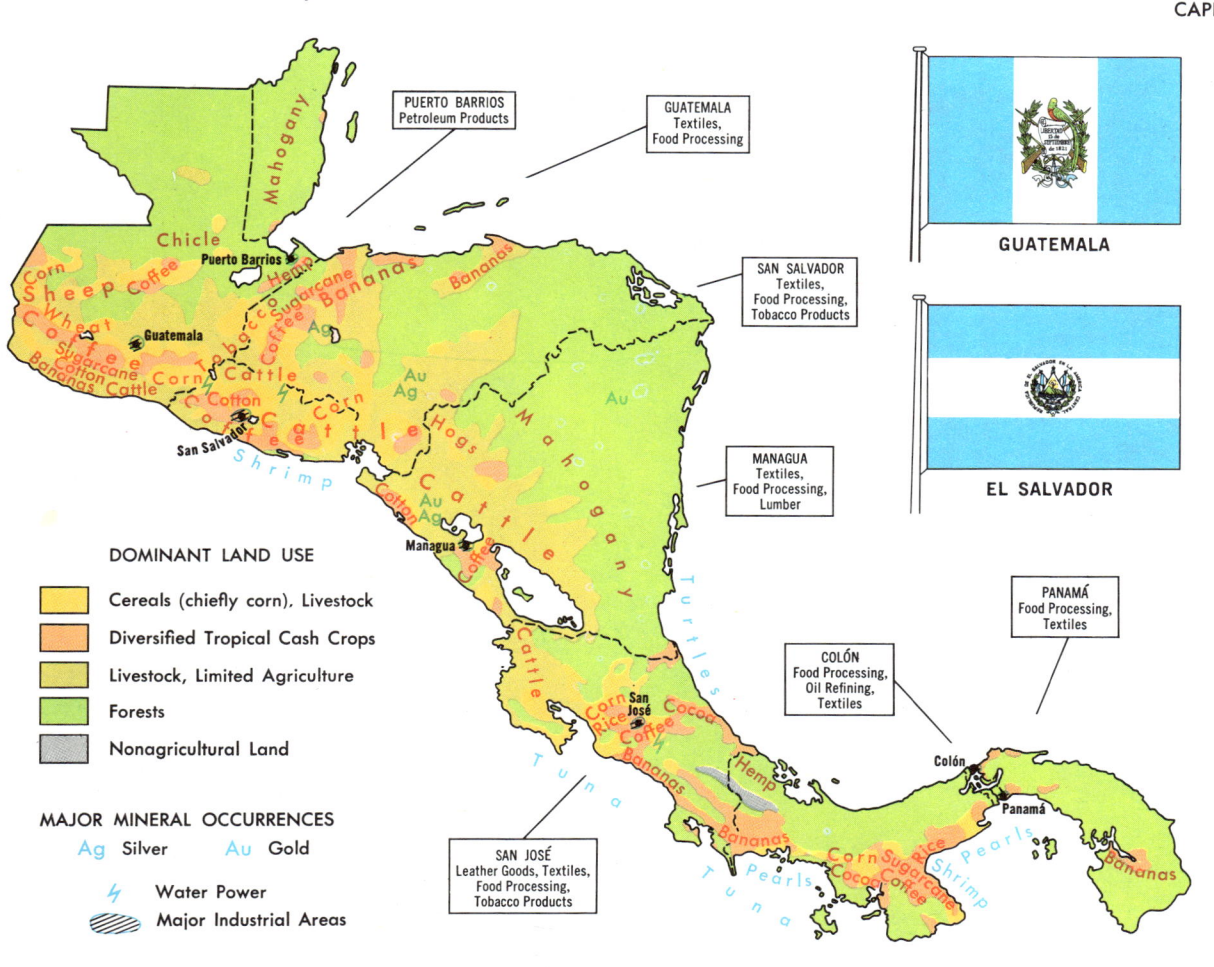

DOMINANT LAND USE
- Cereals (chiefly corn), Livestock
- Diversified Tropical Cash Crops
- Livestock, Limited Agriculture
- Forests
- Nonagricultural Land

MAJOR MINERAL OCCURRENCES
- Ag Silver
- Au Gold
- Water Power
- Major Industrial Areas

BRITISH HONDURAS
CITIES and TOWNS

Belize City (cap.), 32,867	C 2
Belize City *41,444	C 2
Benque Viejo, 1,607	C 2
Cayo, 1,890	C 2
Corozal, 3,171	C 1
Hill Bank, 78	C 2
Monkey River, 417	D 2
Orange Walk, 2,157	C 1
Punta Gorda, 1,789	C 2
San José, 365	C 2
San Pedro, 170	D 2
Stann Creek, 5,287	C 2

PHYSICAL FEATURES

Ambergris (cay), 1572	D 1
Belize (river)	C 2
Bokel (cay)	D 2
Cockscomb (mts.)	C 2
Corker (cay), †360	D 2
Glovers (reef)	D 2
Half Moon (cay)	D 2
Hondo (river)	C 1
Honduras (gulf)	D 2
Mauger (cay)	C 1
New (river)	C 2
Saint Georges (cay), 134	D 2
Sarstún (river)	C 3
Turneffe (isl.), 99	D 2

COSTA RICA
CITIES and TOWNS

Alajuela, 19,620	E 6
Atenas, 963	E 5
Atlanta	F 6
Bagaces, 1,175	E 5
Beverly	F 6
Boruca, †1,049	F 6
Buenos Aires, †4,624	F 6
Cañas, 2,991	E 5
Carmen	F 5
Cartago, 18,084	F 6
Chomes, †1,991	E 5
Ciudad Quesada, 3,696	E 5
El Salvador	E 5
Esparta, 2,860	E 5
Filadelfia, 1,574	E 5
Golfito, 6,859	F 6
Grecia, 4,862	E 5
Guácimo, 5,731	F 5
Guápiles, 983	F 5
Heredia, 19,249	E 5
Las Juntas, 827	E 5
Liberia, 6,087	E 5
Limón, 19,432	F 5
Miramar, 1,122	E 5
Nicoya, 3,196	E 5
Orotina, 1,749	E 6
Palmares, 1,529	E 5
Paquera	E 6
Paraíso, 4,427	F 6
Pejivalle	F 6
Platanilla	F 6
Playa Bonita	F 5
Puerto Cortés, 1,757	F 6
Puntarenas, 19,582	E 5
Quepos, 1,858	E 6
San Ignacio, 315	E 6
San José (cap.), 101,162	F 5
San José, *322,208	F 5
San Marcos, 411	E 6
San Ramón, 6,444	E 5
Santa Cruz, 3,849	E 5
Santa Rosa, †1,750	E 5
Santo Domingo, 3,333	F 5
Sibube	F 6
Siquirres, 2,157	F 5
Turrialba, 8,629	F 6
Vesta	F 6

PHYSICAL FEATURES

Blanca (point)	F 5
Blanco (cape)	E 6
Blanco (mt.)	F 6
Burica (point)	F 6
Cahuita (point)	F 6
Caño (isl.)	F 6
Carreta (point)	F 6
Chirripó Grande (mt.)	F 6
Coronada (bay)	F 6
Cuilapa Miravalles (volcano)	E 5
Dulce (gulf)	F 6
Góngora (mt.)	E 5
Guiones (point)	E 6
Irazú (mt.)	F 6
Judas (point)	E 6
Llerena (point)	F 6
Matapalo (cape)	F 6
Nicoya (gulf)	E 6
Nicoya (pen.)	E 6
Papagayo (gulf)	E 5
Salinas (bay)	D 5
San Juan (river)	E, F 5
Santa Elena (cape)	D 5
Talamanca (mt. range)	F 6

CANAL ZONE
CITIES and TOWNS

Balboa, 3,139	H 6
Cristóbal, 817	G 6

EL SALVADOR
CITIES and TOWNS

Acajutla, 3,662	B 4
Ahuachapán, 13,261	B 4
Atiquizaya, 6,346	C 3
Chalatenango, 5,332	C 3
Chinameca, 5,778	C 4
Cojutepeque, 11,415	C 4
Estanzuelas, 2,083	C 4
Ilobasco, 4,716	C 4
Intipucá, 2,401	D 4
Jucuarán, 1,103	C 4
La Libertad, 4,943	C 4
La Palma, 1,464	C 3
La Unión, 11,432	D 4
Metapán, 3,435	C 3
Nueva San Salvador (Santa Tecla), 27,039	C 4

(continued on following page)

Central America

(continued)

EL SALVADOR (continued)

Puerto de la Concordia............C 4
San Francisco Gotera,
  3,668............................C 4
San Miguel, 40,432................D 4
San Salvador (cap.),
  281,122.........................C 4
San Vicente, 15,433...............C 4
Santa Ana, 72,839.................C 4
Santa Rosa de Lima,
  4,618...........................D 4
Santa Tecla (Nueva San
  Salvador), 27,039...............C 4
Sensuntepeque, 5,063..............C 4
Sonsonate, 23,666.................C 4
Suchitoto, 4,447..................C 4
Texistepeque, 1,339...............C 3

Usulután, 12,467..................C 4
Zacatecoluca, 12,232..............C 4

PHYSICAL FEATURES

Fonseca (gulf)....................D 4
Güija (lake)......................C 3
Lempa (river).....................C 4
Remedios (point)..................B 4
Santa Ana (mt.)...................C 4

GUATEMALA

CITIES and TOWNS

Amatitlán, 12,225.................B 3
Antigua, 13,576...................B 3

Asunción Mita, 6,341..............C 3
Chahbón, 939......................C 3
Chajul, 323.......................C 3
Chajul, 4,187.....................B 3
Champerico, 3,823.................A 3
Chichicastenango, 2,099...........B 3
Chimaltenango, 9,077..............B 3
Chinaja...........................C 2
Chiquimula, 14,760................C 3
Chisec, 812.......................B 3
Coatepeque, 13,657................A 3
Cobán, 9,073......................B 3
Comalapa, 9,202...................B 3
Cubulco, 1,676....................B 3
Cuilapa, 3,657....................B 3
Cuilco, 728.......................B 3
Dolores, 630......................C 2
El Cambio.........................C 2
El Porvenir.......................B 2
El Progreso, 3,458................C 3
Escuintla, 24,832.................B 3
Flores, 1,503.....................C 2
Gualán, 4,425.....................C 3
Guatemala (cap.), 572,937.........B 3
Huehuetenango, 10,185.............B 3
Ipala, 3,190......................C 3

Izabal............................C 3
Iztapa, 751.......................B 4
Jacaltenango, 3,873...............B 3
Jalapa, 10,035....................C 3
Jutiapa, 7,747....................C 3
La Gomera, 1,397..................B 3
La Libertad, 770..................B 2
Livingston, 3,026.................C 3
Los Amates, 1,131.................C 3
Masagua, 1,100....................B 3
Matías de Gálvez..................C 3
Mazatenango, 19,506...............B 3
Momostenango, 3,148...............B 3
Morales, 1,710....................C 3
Nejapa............................A 3
Ocós, 576.........................A 3
Panzós, 1,803.....................C 3
Puerto Barrios, 22,242............C 3
Quezaltenango, 45,195.............B 3
Quezaltepeque, 2,578..............C 3
Rabinal, 4,155....................B 3
Retalhuleu, 14,366................B 3
Río Hondo, 1,300..................C 3
Sacapulas, 1,407..................B 3
Salamá, 4,442.....................B 3
San Andrés, 939...................B 2

San Felipe, 2,916.................B 3
San José, 5,771...................B 4
San Juan de Dios..................B 2
San Luis, 763.....................C 2
San Luis Jilotepeque, 5,795.......C 3
San Marcos, 5,569.................B 3
San Martín Jilotepeque,
  2,806...........................B 3
San Mateo Ixtatán, 2,892..........B 3
San Miguel........................B 3
San Pedro Carchá, 3,966...........B 3
Santa Ana, 239....................C 2
Santa Ana Mixtán..................B 4
Santa Cruz del Quiché, 6,472......B 3
Santa Rosa de Lima, 734...........B 3
Sipacate..........................B 4
Sololá, 3,957.....................B 3
Tacaná, 900.......................B 3
Tejutla, 973......................B 3
Totonicapán, 7,292................B 3
Yaloch............................C 2
Zacapa, 11,173....................C 3

PHYSICAL FEATURES

Atitlán (lake)....................B 3

Atitlán (volcano).................B 3
Azul (river)......................C 2
Chixoy (river)....................B 2
Dulce (Izabal) (lake).............C 3
Güija (lake)......................C 3
Honduras (gulf)...................D 2
Izabal (lake).....................C 3
Minas (mts.)......................C 3
Motagua (river)...................C 3
Pasión (river)....................B 2
Petén-Itzá (lake).................C 2
San Pedro (river).................C 2
Sarstún (river)...................C 3
Tacaná (volcano)..................A 3
Tajumulco (volcano)...............B 3
Tres Puntas (cape)................C 3
Usumacinta (river)................B 2

HONDURAS

CITIES and TOWNS

Ahuás.............................E 3
Amapala, 2,940....................D 4
Balana............................E 3

Balfate, 451......................D 3
Belén, 191........................E 3
Brus Laguna, 928..................E 3
Caratasca.........................E 3
Catacamas, 3,873..................E 3
Cedros, 895.......................D 3
Chichicaste.......................E 3
Choloma, 4,600....................D 3
Choluteca, 11,483.................D 4
Colorado, 1,538...................D 3
Comayagua, 8,473..................D 3
Comayagüela, 65,352...............D 3
Concepción de María, 481..........D 4
Concordia, 525....................D 3
Copán, 1,837......................C 3
Corquín, 2,458....................C 3
Cruta.............................F 3
Danli, 6,325......................E 3
Donel.............................E 3
El Dulce Nombre, 118..............E 3
El Paraíso, Copán, 1,150..........C 3
El Paraíso, El Paraíso,
  4,159...........................D 4
El Porvenir, 461..................D 3
El Progreso, 13,797...............D 3
El Triunfo, 1,499.................D 4

155

Central America
(continued)

TOPOGRAPHY
0 — 75 — 150 MILES

Elevation scale:
- 5,000 m. / 16,404 ft.
- 2,000 m. / 6,562 ft.
- 1,000 m. / 3,281 ft.
- 500 m. / 1,640 ft.
- 200 m. / 656 ft.
- 100 m. / 328 ft.
- Sea Level
- Below

Name	Pop.	Ref.
Goascorán, 1,016		D 4
Gracias, 1,854		C 3
Guaimaca, 1,719		D 3
Gualpatanta		E 2
Guanaja, 1,215		E 2
Guarita, 566		C 3
Guayape, 497		D 3
Iriona, 89		E 2
Jacaleapa, 1,176		D 3
Jesús de Otoro, 2,114		C 3
Jutiapa, 1,163		E 2
Juticalpa, 7,210		D 3
La Ceiba, 24,880		D 2
La Concepción		
La Esperanza, 1,764		C 3
La Guata, 229		D 3
La Paz, 4,705		D 3
La Protección		C 3
Lauterique, 234		D 3
Limón, 1,449		E 2
Manto, 769		D 3
Marcala, 1,828		D 3
Melcher		
Morazán, 2,186		D 3
Morocelí, 1,235		D 3
Nacaome, 3,724		D 4
Namasigüe, 674		D 4
Naranjito, 2,912		C 3
Nueva Armenia, 712		D 3
Nueva Ocotepeque, 4,120		C 3
Olanchito, 4,362		D 3
Omoa, 904		C 3
Paso Real		E 3
Patuca		E 3
Pespire, 1,411		D 4
Puerto Castilla		E 2
Puerto Cortés, 17,048		C 3
Roatán, 1,629		D 2
Sabanagrande, 1,296		D 4
Salado		
San Esteban, 622		D 3
San Francisco, 973		D 3
San Francisco de la Paz, 1,607		D 3
San Juan de Flores, 1,058		D 3
San Luis, 1,922		C 3
San Marcos, 1,936		C 3
San Pedro Sula, 58,632		C 3
San Pedro Zacapa, 490		D 3
Santa Bárbara, 4,915		C 3
Santa Cruz de Yojoa, 1,210		D 3
Santa Rita, 2,634		D 3
Santa Rosa de Aguán, 1,275		E 2
Santa Rosa de Copán, 7,946		C 3
Siguatepeque, 5,993		D 3
Sinuapa, 760		C 3
Sonaguera, 1,008		D 3
Sulaco, 774		D 3
Tegucigalpa (cap.), 68,723		D 3
Tegucigalpa, *134,075		D 3
Tela, 13,607		D 3
Teupasenti, 698		D 3
Tocoa, 1,203		E 3
Trinidad, 2,322		C 3
Trujillo, 3,491		E 3
Uji		F 3
Utila, 1,146		D 2
Villa de San Antonio, 1,861		D 3
Yocón, 219		D 3
Yorito, 615		D 3
Yoro, 2,916		D 3
Yuscarán, 1,608		D 4

PHYSICAL FEATURES

Feature	Ref.
Aguán (river)	D 3
Bahía (isls.), 8,961	D 2
Bonacca (Guanaja) (isl.), 1,978	E 2
Brus (lagoon)	E 2
Camarón (cape)	E 2
Caratasca (cays)	F 2
Caratasca (lagoon)	F 3
Choluteca (river)	D 4
Coco (river)	E 3
Colón (mts.)	E 3
Esperanza (mts.)	E 3
Falso (cape)	F 3
Fonseca (gulf)	D 4
Gorda (bank)	F 3
Gorda (cay)	F 3
Guanaja (Bonacca) (isl.), 1,978	E 2
Half Moon (reefs)	F 3
Honduras (cape)	E 2
Honduras (gulf)	D 2
Patuca (river)	E 3
Patuca (point)	E 3
Paulaya (river)	E 3
Pigeon (cays)	F 3
Pija (mts.)	D 3
Roatán (isl.), 5,667	D 2
San Pablo (mts.)	D 3
Segovia (Coco) (river)	F 3
Sico (river)	E 3
Sulaco (river)	D 3
Swan (isls.), 28	F 2
Ulúa (river)	C 3
Utila (isl.), 1,316	D 2
Vivario (river)	F 3
Wanks (Coco) (river)	F 3
Yojoa (lake)	D 3

NICARAGUA
CITIES and TOWNS

Name	Pop.	Ref.
Acoyapa, 1,755		E 5
Alamicamba		F 3
Andrés		
Barra de Río Grande		F 4
Bilwaskarma		F 3
Bluefields, 9,292		F 4
Boaco, 4,656		E 4
Bocay		F 3
Bonanza, 2,175		E 4
Bragman's Bluff (Puerto Cabezas), 5,983		F 3
Cabo Gracias a Dios, 511		F 3
Camoapa, 2,617		E 4
Chichigalpa, 6,657		D 4
Chinandega, 22,409		D 4
Ciudad Darío, 3,851		D 4
Comalapa, 441		E 4
Condega, 2,229		E 4
Corinto, 9,177		D 4
Cuicuina		
Cuyu Tigni		F 3
Diriamba, 10,499		D 5
El Gallo		
El Jicaral, 239		D 4
El Jícaro, 1,114		E 4
El Sauce, 2,944		D 4
El Viejo, 7,190		D 4
Esquipulas, 1,636		E 4
Estelí, 12,742		D 4
Granada, 28,507		E 5
Greytown (San Juan del Norte), 199		F 5
Jalapa, 1,868		E 3
Jinotega, 7,693		E 4
Jinotepe, 9,113		D 5
Juigalpa, 6,146		E 4
La Conquista, 364		D 5
La Cruz, 155		E 4
La Libertad, 1,355		E 4
La Paz Central, 4,431		D 4
La Paz de Oriente, 828		D 5
La Trinidad, 2,340		E 4
Laguna de Perlas		F 4
León, 44,053		D 4
Managua (cap.), 234,580		D 4
Managua, *274,278		D 4
Masatepe, 4,831		D 5
Masaya, 23,402		D 5
Matagalpa, 15,030		D 4
Mateare, 1,254		D 4
Morrito, 324		E 5
Moyogalpa, 1,252		E 5
Mulesculus		
Muy Muy, 691		E 4
Muy Muy Viejo		E 4
Nagarote, 5,241		D 4
Nandaime, 5,051		E 5
Ocotal, 4,339		D 4
Ocotal		
Palsagua		
Playa Grande		
Poneloya, 995		D 4
Poteca		
Prinzapolka, 230		F 4
Puerto Cabezas (Bragman's Bluff), 5,983		F 3
Quilalí, 710		E 4
Rama (El Rama), 600		E 4
Río Huahua		
Rivas, 7,721		E 5
San Carlos, 1,547		E 5
San Francisco		
San Jorge, 1,657		E 5
San Juan del Norte (Greytown), 199		F 5
San Miguelito, 885		E 5
San Pedro		
San Rafael del Norte, 1,298		E 4
San Rafael del Sur, 2,411		D 5
San Ramón, 436		E 4
Sandy Bay		F 3
Santa Cruz		
Santo Domingo, 1,779		E 4
Santo Tomás, 1,530		E 5
Siuna, 3,743		E 4
Somotillo, 1,435		D 4
Somoto, 3,967		D 4
Telpaneca, 1,019		E 4
Terrabona, 690		E 4
Teustepe, 764		E 4
Tipitapa, 3,600		E 4
Tunki		
Waspán, 973		F 3
Wounta		
Yáblis		F 4

PHYSICAL FEATURES

Feature	Ref.
Alargate (reef)	F 3
Coco (river)	E 3
Coseguina (point)	D 4
Cucalaya (river)	F 4
Dariense (mt. range)	E 4
Dipilto (mt. range)	D 4
Escondido (river)	F 4
Fonseca (gulf)	D 4
Gorda (point)	F 5
Gracias a Dios (cape)	F 3
Grande (river)	E 4
Huahua (river)	F 3
Huapí (mts.)	E 4
Huaspuc (river)	E 3
Isabelia (mt. range)	E 4
King (cays)	F 4
Managua (lake)	E 4
Miskito (cays)	F 3
Monkey (point)	F 5
Nicaragua (lake)	E 5
Ometepe (isl.), 12,556	E 5
Pearl (cays)	F 4
Perlas (lagoon)	F 4
Perlas (point)	F 4
Prinzapolca (river)	F 4
Salinas (bay)	D 5
San Juan (river)	E, F 5
San Juan del Norte (bay)	F 5
Segovia (Coco) (river)	E 3
Solentiname (isls.)	E 5
Tuma (river)	E 4
Tyra (cays)	F 4
Wanks (Coco) (river)	F 3
Zapatera (isl.)	E 5

PANAMA
CITIES and TOWNS

Name	Pop.	Ref.
Aguadulce, 6,010		G 6
Alanje, 650		F 6
Almirante, 3,521		F 6
Antón, 2,684		G 6
Bajo Boquete, 2,611		F 6
Belén, 39		G 6
Bocas del Toro, 2,459		F 6
Calobre, 524		G 6
Cañazas, 1,105		G 6
Capira, 1,067		G 6
Carreto, 181		J 6
Chepo, 1,664		H 6
Chimán, 535		H 6
Chiriquí Grande, 98		F 6
Chitré, 8,721		G 7
Coclé del Norte, 204		G 6
Colón, 62,756		H 6
Concepción, 6,532		F 6
David, 22,924		F 6
Dolega, 831		F 6
El Real, 1,071		J 6
Garachiné, 1,326		J 6
Guabito, 734		F 6
Gualaca, 1,380		F 6
Horconcitos, 1,079		F 6
La Chorrera, 13,696		H 6
La Palma, 1,885		J 6
Las Palmas, 753		G 6
Las Tablas, 3,504		G 7
Loma Escobar (La Pintada), 848		G 6
Los Santos, 3,165		G 7
Mandinga, 51		H 6
Miguel de la Borda, 179		G 6
Miramar, 15		F 6
Montijo, 753		G 6
Natá, 2,319		G 6
Nuevo Chagres, 336		G 6
Ocú, 1,617		G 7
Olá, 149		G 6
Pacora, 1,334		H 6
Panamá (cap.), 318,536		H 6
Parita, 1,464		G 7
Pedasí, 988		G 7
Penonomé, 4,266		G 6
Playón Chico, 1,178		H 6
Playón Grande, 78		H 6
Portobelo, 591		H 6
Potrerillos, 1,082		F 6
Puerto Armuelles, 10,712		F 6
Puerto Obaldía, 402		J 6
San Carlos, 415		H 6
San Cristóbal, 123		G 6
San Félix, 608		F 6
San Francisco, 800		G 6
Santa Fé, 446		G 6
Santiago, 8,746		G 6
Soná, 3,176		G 6
Tolé, 811		F 6
Tonosí, 559		G 7

PHYSICAL FEATURES

Feature	Ref.
Ardita (point)	J 7
Azuero (pen.)	G 7
Bastimentos (isl.), 376	F 6
Brewster (mt.)	H 6
Burica (point)	F 6
Cébaco (isl.), 238	G 7
Chame (point)	H 6
Chepo (river)	H 6
Chiriquí (gulf)	F 7
Chiriquí (lagoon)	F 6
Chiriquí (volcano)	F 6
Chucunaque (river)	J 6
Coiba (isl.), 176	F 7
Colón (isl.), 3,315	F 6
Contreras (isls.)	F 7
Darién (gulf)	J 6
Darién (mts.)	J 6
Escudo de Veraguas (isl.)	G 6
Gatún (lake)	H 6
Gorda (point)	H 6
Jicarón (isl.)	F 7
Ladrones (isls.)	F 7
Mala (cape)	H 7
Manzanillo (point)	H 6
Mariato (point)	G 7
Montijo (gulf)	G 7
Mosquito (gulf)	G 6
Mulatas (arch.)	J 6
Panamá (gulf)	H 7
Pando (mt.)	F 6
Parida (isl.), 79	F 6
Parita (gulf)	G 6
Perlas (arch.), 2,872	H 6
Piñas (point)	H 7
Puercos (prom.)	H 7
Rey (isl.)	H 6
Rincón (point)	G 6
San Blas (gulf)	H 6
San Blas (mt. range)	J 6
San José (isl.)	H 6
San Miguel (bay)	J 6
Santiago (mt.)	G 6
Secas (isls.)	F 6
Tabasará (mts.)	F 6
Taboga (isl.), 928	H 6
Tiburón (cape)	J 6
Valiente (pen.)	G 6

CENTRAL AMERICA
PHYSICAL FEATURES

Feature	Ref.
Great Corn (isl.), 1,896	F 4
Guardian (bank)	D 6
Little Corn (isl.)	F 4
Mosquito Coast (reg.)	E 4
Rosalind (bank)	G 2

*City and suburbs.
†Population of sub-district.
‡Population of district.

West Indies

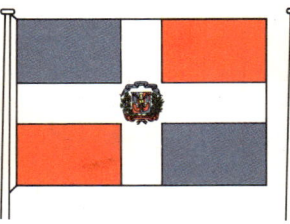

	CUBA	HAITI	DOMINICAN REPUBLIC	JAMAICA	TRINIDAD AND TOBAGO
AREA	42,857 sq. mi.	10,714 sq. mi.	19,129 sq. mi.	4,411 sq. mi.	1,864 sq. mi.
POPULATION	7,631,000	4,660,000	3,573,000	1,745,000	950,000
CAPITAL	Havana	Port-au-Prince	Santo Domingo	Kingston	Port of Spain
LARGEST CITY	Havana (greater) 1,594,000	Port-au-Prince 151,220	Santo Domingo 367,053	Kingston (greater) 376,520	Port of Spain (greater) 120,694
HIGHEST POINT	Pico Turquino 6,561 ft.	Pic La Selle 8,793 ft.	Pico Duarte 10,417 ft.	Blue Mountain Peak 7,402 ft.	Mt. Aripo 3,084 ft.
MONETARY UNIT	Cuban peso	gourde	Dominican peso	Jamaican pound	British West Indian dollar
MAJOR LANGUAGES	Spanish	Creole, French	Spanish	English	English
MAJOR RELIGION	Roman Catholic	Roman Catholic	Roman Catholic	Protestant, Roman Catholic	Roman Catholic, Protestant, Hindu

WEST INDIES

BERMUDA
- AREA 21 sq. mi.
- POPULATION 49,000
- CAPITAL Hamilton
- MONETARY UNIT Bermuda pound
- MAJOR LANGUAGES English
- MAJOR RELIGIONS Protestant

BAHAMA ISLANDS
- 4,404 sq. mi.
- 133,000
- Nassau
- Bahaman dollar
- English
- Roman Catholic, Protestant

PUERTO RICO
- 3,421 sq. mi.
- 2,650,000
- San Juan
- U.S. dollar
- Spanish, English
- Roman Catholic

VIRGIN ISLANDS (U.S.)
- 132 sq. mi.
- 40,600
- Charlotte Amalie
- U.S. dollar
- English, Creole
- Roman Catholic, Protestant

VIRGIN ISLANDS (BRITISH)
- AREA 58 sq. mi.
- POPULATION 8,000
- CAPITAL Road Town
- MONETARY UNIT British West Indian dollar
- MAJOR LANGUAGES English, Creole
- MAJOR RELIGIONS Protestant

NETHERLANDS ANTILLES
- 383 sq. mi.
- 207,000
- Willemstad
- Antilles guilder
- Dutch, Spanish, English
- Roman Catholic, Protestant

ANTIGUA
Antigua (isl.), 54,304 .... G 3
Barbuda (isl.), 1,145 .... G 3
Codrington, 1,145 .... G 3
Falmouth, 239 .... F 3
Redonda (isl.) .... F 3
Saint Johns (cap.), 21,396 .... G 3

BAHAMA ISLANDS
Acklins (isl.), 1,235 .... C 2
Andros (isls.), 7,560 .... B 1
Atwood (Samana) (cay) .... D 2
Berry (isls.), 266 .... B 1
Biminis, The (isls.), 1,699 .... B 1
Cat (isl.), 3,146 .... C 1
Cay Sal (bank) .... B 2
Crooked (isl.), 794 .... C 2
Crooked Island (passage) .... C 2
Eleuthera, 7,283 .... C 1
Exuma (cays) .... C 2
Exuma (Great Exuma) (isl.), 3,441 .... C 2
Exuma (sound) .... C 2
Flamingo (cay) .... C 2
Grand Bahama (isl.), 8,454 .... B 1
Great Abaco (isl.), 6,514 .... B 1
Great Bahama (bank) .... B 1
Great Exuma (isl.), 3,441 .... C 2
Great Inagua (isl.), 1,275 .... D 2
Great Isaac (isl.) .... B 1
Gun (cay) .... B 1
Harbour (isl.), 1,005 .... C 1
Little Inagua (isl.) .... D 2
Long (isl.), 34 .... C 2
Long (isl.), 4,177 .... C 2
Mayaguana (isl.), 708 .... D 2
Mayaguana (pasage) .... D 2
Mira Por Vos (cays) .... D 2
Nassau (cap.), 81,591 .... C 1
New Providence (isl.), 81,591 .... C 1
North East Providence (chan.) .... C 1
North West Providence (chan.) .... B 1
Plana (cays) .... D 2
Ragged (isl.), 389 .... C 2
Rum (cay), 81 .... C 2
Samana (cay) .... D 2
San Salvador (isl.), 971 .... C 1
Santaren (chan.) .... B 1
Tongue of the Ocean (chan.) .... C 1
Verde (cay) .... C 2
Watling (San Salvador) (isl.), 971 .... C 1

BARBADOS
Bridgetown (cap.), 11,452 .... G 4
Speightstown, 2,415 .... G 4

BERMUDA
CITIES and TOWNS
Hamilton (cap.), 2,800 .... H 3
Hamilton, *14,156 .... H 3
Saint George, 1,335 .... H 2

PHYSICAL FEATURES
Bermuda (isl.) .... H 3
Castle (harb.) .... H 2
Great (sound) .... G 3
Harrington (sound) .... G 3
Ireland (isl.) .... G 3
Ledge Flats .... H 2
North East Breakers .... H 2
North Rocks .... H 2
Saint Davids (isl.) .... H 2
Saint George's (isl.) .... H 2
Somerset (isl.) .... G 3
West Ledge Flats .... G 3

CAYMAN ISLANDS
Total Population 9,000
Cayman Brac (isl.), 1,240 .... B 3
Georgetown (cap.), 2,573 .... B 3
Grand Cayman (isl.), 6,359 .... B 3
Little Cayman (isl.), 23 .... B 3

CUBA
CITIES and TOWNS
Alto Cedro, 679 .... C 2
Antilla, 6,481 .... C 2
Artemisa, 23,200 .... A 2
Banes, 28,200 .... C 2
Baracoa, 11,459 .... C 2
Batabanó, 5,075 .... A 2
Bayamo, 37,200 .... C 2
Bejucal, 9,582 .... A 2
Bolondrón, 3,444 .... B 2
Boquerón, ... C 2
Cacocum, 2,724 .... C 2
Caibarién, 22,900 .... B 2
Caimanera, 5,647 .... C 2
Camagüey, 157,700 .... B 2
Cárdenas, 44,000 .... B 2
Ciego de Ávila, 47,500 .... B 2
Cienfuegos, 72,200 .... B 2
Colón, 15,755 .... B 2
Consolación del Sur, 6,146 .... A 2
Cruces, 10,704 .... B 2
Gibara, 8,471 .... C 2
Guanabacoa, 32,490 .... A 2
Guanajay, 12,908 .... A 2
Guane, 4,070 .... A 2
Guantánamo, 87,200 .... C 2
Güines, 35,300 .... B 2
Havana (cap.), 940,100 .... A 2
Havana, *1,594,000 .... A 2
Holguín, 82,200 .... C 2
Jagüey Grande, 5,244 .... B 2
Jovellanos, 10,444 .... B 2
Los Palacios, 5,210 .... A 2
Manzanillo, 50,900 .... C 2
Marianao, †315,600 .... A 2
Martí, 2,605 .... B 2
Matanzas, 79,900 .... B 2
Morón, 18,629 .... B 2
Niquero, 7,204 .... C 2
Nueva Gerona, 3,203 .... A 2
Nuevitas 12,300 .... C 2
Pinar del Río, 50,600 .... A 2
Puerto Padre, 9,705 .... C 2
Remedios, 10,602 .... B 2
Sagua la Grande, 30,400 .... B 2
San Antonio de los Baños, 22,200 .... A 2
San Luis, 11,110 .... C 2
Sancti-Spíritus, 55,000 .... B 2
Santa Clara, 101,900 .... B 2
Santa Cruz del Sur, 2,781 .... B 2
Santa Fé, 5,370 .... A 2
Santiago de Cuba, 213,400 .... C 2
Trinidad, 22,600 .... B 2
Tunas de Zaza, 1,380 .... B 2
Viñales, 1,602 .... A 2

PHYSICAL FEATURES
Batabanó (gulf) .... A 2
Cruz (cape) .... C 3
Florida (straits) .... B 1
Guacanayabo (gulf) .... C 2
Jardines de la Reina (isls.) .... B 2
Largo (cay) .... B 2
Maisí (cape) .... D 2
Nicolas (chan.) .... B 1
Pines (Pinos) (isl.), 11,000 .... A 2
Romano (cay) .... C 2
San Antonio (cape) .... A 2
San Felipe (cay), 391 .... A 2

DOMINICA
Portsmouth, 2,238 .... G 4
Roseau (cap.), 10,417 .... G 4
Roseau, *13,883 .... G 4

DOMINICAN REPUBLIC
CITIES and TOWNS
Azua, 12,350 .... D 3
Baní, 14,472 .... D 3
Bánica, 633 .... D 3
Barahona, 20,398 .... D 3
Ciudad Trujillo (Santo Domingo) (cap.), 367,053 .... E 3
Enriquillo, 3,485 .... D 3
La Romana, 24,058 .... E 3
La Vega, 19,884 .... D 3
Las Matas de Farfán, 3,585 .... D 3
Moca, 13,829 .... D 3
Monte Cristi, 5,912 .... D 2
Neiba, 4,587 .... D 3
Puerto Plata, 19,073 .... D 2
Sabana de la Mar, 4,032 .... E 3
Samaná, 3,309 .... E 3
San Francisco de Macorís, 26,000 .... D 3
San Pedro de Macorís, 22,935 .... E 3
Sánchez, 4,621 .... E 3
Santiago de los Caballeros, 83,523 .... D 3
Santo Domingo (cap.), 367,053 .... E 3
Seibo, 4,621 .... E 3

PHYSICAL FEATURES
Beata (cape) .... D 3
Beata (isl.) .... D 3
Samaná (bay) .... E 3
Saona (isl.), 409 .... E 3

GRENADA
Carriacou (isl.), 6,958 .... G 4
Gouyave, 2,356 .... F 5
Saint George's (cap.), 7,303 .... F 5
Saint George's, *26,843 .... F 5

GUADELOUPE
Basse-Terre (cap.), 12,317 .... F 4
Marie-Galante (isl.), 16,341 .... G 4
Pointe-à-Pitre, 27,737 .... F 4
Port-Louis, 4,057 .... F 3
Saint-Barthélémy (isl.), 2,176 .... F 3
Saint-Martin (isl.), 4,502 .... F 3

HAITI
CITIES and TOWNS
Cap-Haïtien, 27,538 .... D 3
Fort-Liberté, 1,637 .... D 3
Gonaïves, 15,373 .... D 3
Hinche, 5,847 .... D 3
Jacmel, 9,397 .... D 3
Jérémie, 12,456 .... C 3
Lascahobas, 2,356 .... D 3
Léogane, 3,922 .... D 3
Les Cayes, 13,088 .... D 3
Miragoâne, 2,711 .... D 3
Mirebalais, 1,995 .... D 3
Petit-Goâve, 5,847 .... D 3
Port-au-Prince (cap.), 151,220 .... D 3
Port-de-Paix, 6,964 .... D 3
Saint-Marc, 10,222 .... D 3

PHYSICAL FEATURES
Dame-Marie (cape) .... C 3
Gonâve (isl.), 26,860 .... D 3
Tiburon (cape) .... C 3
Tortue (La Tortuga) (isl.), 12,501 .... D 2
Vache (isl.), 3,463 .... D 3

JAMAICA
CITIES and TOWNS
Annotto Bay, 3,559 .... C 3
Black River, 3,077 .... B 3
Falmouth, 3,727 .... C 3
Ewarton .... C 3
Kingston (cap.), 123,403 .... C 3
Kingston, *376,520 .... C 3
Montego Bay, 23,610 .... B 3
Port Antonio, 7,830 .... C 3
Port Maria, 3,998 .... C 3
Saint Anns Bay, 5,087 .... C 3
Savanna la Mar, 9,789 .... B 3
Spanish Town, 14,706 .... C 3

PHYSICAL FEATURES
Blue Mountain (peak) .... C 3
Morant (point) .... C 3
Pedro (bank) .... B 3
Pedro (cays) .... C 3
Portland (point) .... C 3
South Negril (point) .... B 3

MARTINIQUE
Fort-de-France (cap.), 74,673 .... G 4
Pelée (vol.) .... G 4
Saint-Pierre, 5,434 .... G 4

MONTSERRAT
Total Population 13,000
Plymouth (cap.), 1,911 .... F 3

NETHERLANDS ANTILLES
Aruba (isl.), 58,506 .... E 4
Bonaire (isl.), 6,086 .... E 4
Curaçao (isl.), 129,676 .... E 4
Kralendijk, 839 .... E 4
Oranjestad, 15,398 .... D 4
Saba (isl.), 1,020 .... F 3
Saint Eustatius (isl.), 1,069 .... F 3
Saint Maarten (Saint Martin) (isl.), 3,250 .... F 3
Willemstad (cap.), 43,547 .... E 4
Willemstad, *94,133 .... E 4

PUERTO RICO
CITIES and TOWNS
Adjuntas, 5,318 .... F 1
Aguadilla, 15,943 .... F 1
Añasco, 2,068 .... F 1
Arecibo, 28,828 .... G 1
Arroyo, 3,741 .... G 1
Bayamón, 15,109 .... G 1
Boquerón, 12,580 .... F 1
Caguas, 32,015 .... G 1
Camuy, 2,341 .... G 1
Cataño, 8,276 .... G 1
Cayey, 19,738 .... G 1
Coamo, 12,146 .... G 1
Guanica, 4,100 .... G 1
Guayama, 19,183 .... G 1
Guayanilla, 3,067 .... F 5
Humacao, 8,005 .... G 1
Isabela, 7,302 .... G 1
Jayuya, 2,344 .... G 1
Juncos, 6,247 .... G 1
Lares, 4,216 .... F 1
Manatí, 9,682 .... G 1
Mayagüez, 50,147 .... F 1
Naguabo, 3,396 .... G 1
Ponce, 114,286 .... G 1
Salinas, 3,666 .... G 1
San Germán, 7,790 .... F 1
San Juan (cap.), 432,377 .... G 1
San Juan, *542,156 .... G 1
San Lorenzo, 5,551 .... G 1
Utuado, 9,870 .... F 1
Vieques, 2,487 .... G 1
Yauco, 8,996 .... F 1

PHYSICAL FEATURES
Borinquen (point) .... F 1
Culebra (isl.), 573 .... G 1
Jiguero (point) .... F 1
Mona (isl.) .... F 1
Rojo (cape) .... F 1
San Juan (cape) .... G 1
Vieques (isl.), 7,210 .... G 1

SAINT CHRISTOPHER, NEVIS AND ANGUILLA
Anguilla (isl.), 5,605 .... F 3
Basseterre (cap.), 15,726 .... F 3
Charlestown, 2,852 .... F 3
Nevis (isl.), 12,762 .... F 3
Saint Christopher (Saint Kitts) (isl.), 38,291 .... F 3
Sombrero (isl.), 5 .... F 3

SAINT LUCIA
Castries, 4,353 .... G 4
Castries, *15,291 .... G 4
Soufrière, 2,692 .... G 4
Vieux Fort, 3,228 .... G 4

SAINT VINCENT
Bequia (isl.), 3,148 .... G 4
Canouan (isl.), 542 .... G 4
Georgetown, 1,213 .... G 4
Kingstown (cap.), 4,308 .... G 4
Kingstown, *20,688 .... G 4
Union (isl.), 1,274 .... G 4

TRINIDAD AND TOBAGO
CITIES and TOWNS
Arima, 10,982 .... G 5
Port of Spain (cap.), 93,954 .... G 5
Port of Spain, *120,694 .... G 5

(continued on following page)

TOPOGRAPHY

158

West Indies
(continued)

TRINIDAD & TOBAGO (continued)
San Fernando, 39,830 .... G 5
Sangre Grande, 5,087 .... G 5
Scarborough, 1,931 ...... G 5
Siparia, 4,174 .... G 5

PHYSICAL FEATURES
Dragons Mouth (passage) .. F 5
Galera (point) .... G 5
Paria (gulf) .... G 5
Serpents Mouth (passage) . G 5
Tobago (isl.), 33,333 .... G 5
Trinidad (isl.), 794,624 . G 5

TURKS AND CAICOS IS.
Total Population 6,308
Ambergris (cay) .... D 2
Caicos (bank) .... D 2
Caicos (isls.), 2,956 .... D 2
Cockburn Harbour, 866 .... D 2
Grand Caicos (isl.), 2,446 D 2
Mouchoir (bank) .... D 2
Providenciales (isl.), 510 D 2
Silver (bank) .... E 2
Silver Bank (passage) .... D 2
Turks (isls.), 2,760 ..... D 2
Turks Island (passage) ... D 2

VIRGIN ISLANDS (BRITISH)
Anegada (isl.), 268 ...... H 1
Jost Van Dyke (isl.), 178 H 1

Peter (isl.), 9 .... H 1
Road Town (cap.), 891 .... H 1
Tortola (isl.), 6,238 .... H 1
Virgin Gorda (isl.), 564 . H 1

VIRGIN ISLANDS (U.S.)
Charlotte Amalie (cap.), 12,880 . H 1
Christiansted, 5,137 ..... H 1
Frederiksted, 2,177 ...... H 1
Saint Croix (isl.), 14,973 H 2
Saint John (isl.), 925 ... H 1
Saint Thomas (isl.), 16,201 G 1

WEST INDIES
Anegada (passage) .... F 3
Antilles, Greater (isls.), 20,259,000 ...... D 3
Antilles, Lesser, 2,540,600 F 4
Bartlett Deep .... B 3
Caicos (passage) .... D 2
Caribbean (sea) .... D 4
Grenadines (isls.), 12,040 G 4
Hispaniola (isl.), 8,233,000 E 3
Jamaica (chan.) .... C 3
Leeward (isls.), 496,939 . F 3
Misteriosa (bank) .... A 3
Mona (passage) .... E 3
Navassa (isl.) .... C 3
Old Bahama (chan.) .... B 2
Windward (isls.), 648,000 G 4
Windward (passage) .... C 3

*City and suburbs.
†Population of municipality.

CUBA
(map below)

PROVINCES
Camagüey, 764,300 .... G 2
Havana (La Habana), 1,882,400 .. C 1
Las Villas, 1,114,900 .... E 2
Matanzas, 425,100 .... D 1
Oriente, 2,239,200 .... H 4
Pinar del Río, 495,200 ... A 1

CITIES and TOWNS
Abreus, 1,682 .... D 2
Adelaida .... F 2
Agramonte, 2,948 .... D 2
Aguada de Pasajeros, 5,211 D 2
Alacranes, 3,165 .... C 1
Alonso Rojas .... B 2
Alquízar, 7,111 .... C 1
Altagracia .... H 3
Alto Cedro, 679 .... J 4
Alto Songo, 2,197 .... J 4
Amarillas, 1,935 .... D 2
Antilla, 6,481 .... J 3
Arcos de Canasí, 1,103 ... C 1
Arroyos de Mantua .... A 2
Artemisa, 23,200 .... C 1
Báez, 2,223 .... E 2
Báguanos .... H 3
Bahía Honda, 3,042 .... B 1
Baire, 3,957 .... H 4
Banagüises, 1,245 .... D 1
Banes, 28,200 .... J 3
Baracoa, 11,459 .... K 4
Bartle, 1,052 .... G 3
Bauta, 11,518 .... C 1
Bayamo, 37,200 .... H 4
Bayate .... J 4
Bejucal, 9,582 .... C 1
Belic .... G 4

Bijagual .... J 4
Bolondrón, 3,444 .... D 1
Boquerón .... K 4
Bueycito, 1,109 .... H 4
Cabaiguán, 15,399 .... E 2
Cabañas, 2,226 .... B 1
Cabaiguán .... D 1
Cabonico .... J 4
Cacocum, 2,724 .... H 3
Caibarién, 22,900 .... E 1
Caimanera, 5,647 .... K 4
Calabazar de Sagua, 3,286 E 1
Calcito .... D 2
Calimete, 2,260 .... D 2
Camagüey, 157,700 .... G 3
Camajuaní, 12,574 .... E 2
Campechuela, 5,536 .... G 4
Canovanova .... B 1
Cañas, 1,789 .... B 1
Candelaria, 3,548 .... B 1
Caney, 2,009 .... J 4
Caonao, 3,403 .... C 2
Cárdenas, 44,000 .... D 1
Cartagena, 1,239 .... D 2
Cascajal, 1,493 .... E 1
Cascorro, 2,442 .... G 3
Casilda, 2,445 .... E 2
Castillo de Jagua .... D 2
Cauto, 3,137 .... H 4
Cauto del Embarcadero .... H 4
Cauto del Paso .... H 3
Cayo Mambí, 1,553 .... J 4
Ceballos .... F 2
Central Amazonas, 1,405 .. F 2
Central América .... J 4
Central Baraguá, 2,267 ... F 2
Central Cabo Cruz .... H 4
Central Elia, 5,447 ...... G 3
Central Jaronú .... F 2
Central Macareño .... G 3
Central Mercedítas, 1,146 B 1
Central Níagara .... A 2
Central Santa Marta, 1,326 G 3
Central Tacajo, 1,298 .... H 3

Central Velasco .... G 2
Central Violeta .... F 2
Céspedes, 4,410 .... G 3
Chambas, 3,046 .... F 2
Chaparra, 3,046 .... H 3
Cidra, 1,463 .... D 1
Ciego de Ávila, 47,500 ... F 2
Cienfuegos, 72,200 .... D 2
Cobre, 2,586 .... J 4
Cojímar, 3,775 .... C 1
Colón, 15,755 .... D 2
Consolación del Norte, 2,254 B 1
Consolación del Sur, 6,146 B 2
Contramaestre .... H 4
Corralillo, 1,123 .... D 1
Cortés .... A 2
Cristo, 3,160 .... J 4
Cruces, 10,704 .... D 2
Cuatro Compañeros .... G 3
Cueto, 5,983 .... J 3
Cumanayagua, 4,679 .... D 2
Cuyaguateje, 1,879 .... A 2
Daiquirí .... J 4
Delicias, 5,849 .... H 3
Dimas .... A 2
Dos Caminos, 2,004 .... J 4
El Pilar .... F 2
Encrucijada, 4,791 .... E 1
Esmeralda, 4,191 .... F 2
Esperanza, 4,712 .... E 2
Falla, 1,876 .... F 2
Felicidad .... E 2
Flamenco de San Pedro .... F 3
Florida, 27,000 .... G 3
Fomento, 7,852 .... E 2
Fray Benito, 1,456 .... H 3
Garden City .... G 3
Gaspar, 1,740 .... F 2
Gibara, 8,144 .... H 3
Guaicanamar .... C 1
Guáimaro, 4,503 .... G 3
Guamo, 2,507 .... H 3

Guanabacoa, 32,490 .... C 1
Guanajay, 12,908 .... B 1
Guane, 4,070 .... A 2
Guantánamo, 87,200 .... K 4
Guaro, 1,362 .... J 4
Guasimal, 1,752 .... E 2
Guayabal, Camagüey, 5,899 G 3
Guayabal, Oriente .... K 3
Guayos, 5,509 .... E 2
Güines, 35,300 .... C 1
Güira de Melena, 13,715 .. C 1
Guisa, 2,357 .... H 4
Hatuey, 1,737 .... G 3
Havana (cap.), 1,594,000 . C 1
Holguín, 82,200 .... J 3
Imías .... K 4
Isabela de Sagua, 3,701 .. E 1
Isabel María .... E 1
Isabel Rubio, 1,394 ...... A 2
Itabo .... D 1
Jagüey Grande, 5,244 ..... D 2
Jamaica .... J 4
Jaruco, 5,291 .... C 1
Jatibonico, 4,583 .... F 2
Jíbaro .... F 2
Jiguaní, 6,940 .... H 4
Jiquí, 1,135 .... G 2
Jobabo, 3,216 .... H 3
Jovellanos, 10,444 .... D 1
Júcaro, 1,411 .... F 2
La Coloma, 1,907 .... B 2
La Fé .... A 2
La Gloria .... G 3
La Maya, 5,037 .... J 4
La Rioja, 18,180 .... H 3
Las Martinas .... A 2
Laguna Larga .... F 2
Laguna Blanca .... F 2
Limonar, 3,301 .... D 1
Los Arabos, 1,690 .... E 1
Los Caños .... K 4
Los Indios, 1,103 .... H 4
Los Negros .... F 2

Los Palacios, 5,210 ...... B 1
Lugareño, 5,049 .... G 3
Maceo, 1,433 .... H 3
Magarabomba .... G 3
Maisí .... K 4
Majagua, 2,515 .... F 2
Manacas, 2,515 .... E 1
Mantí, 2,318 .... H 3
Manguito, 2,569 .... D 2
Manicaragua, 3,993 .... E 2
Mantua .... A 2
Manzanillo, 50,900 .... G 4
Marianao, 1315,600 .... C 1
Mariel, 4,511 .... B 1
Martí, Camagüey .... G 3
Martí, Matanzas, 2,605 ... D 1
Matanzas, 79,900 .... D 1
Matón .... D 2
Máximo Gómez .... D 1
Mayajigua, 2,950 .... F 2
Mayarí Arriba .... J 4
Mayarí, 7,204 .... J 3
McKinley .... G 3
Media Luna .... G 4
Meneses, 1,650 .... F 2
Minas, 3,827 .... G 3
Minas de Matahambre ...... A 1
Minas de Santa Lucía ..... A 1
Miranda, 2,186 .... J 4
Morón, 18,629 .... F 2
Morro, 3,074 .... J 4
Niquero, 7,204 .... G 4
Nueva Gerona, 3,203 ...... B 2
Nuevitas, 12,300 .... G 2
Omaja .... H 3
Orozco .... B 1
Palma Soriano, 35,400 .... J 4
Palmerito, 1,985 .... J 4
Palmira, 6,261 .... D 2
Paso Real de San Diego, 1,436 B 1
Pedro Betancourt, 6,863 .. D 1
Perico, 6,041 .... D 1
Piedrecitas, 1,619 .... F 2

West Indies

(continued)

Pilotos .... B 1
Pina, 3,667 .... F 2
Pinar del Río, 50,600 .... B 2
Placetas, 29,900 .... E 2
Presidio Modelo .... C 2
Preston, 3,827 .... J 3
Puerta de Golpe, 1,512 .... B 2
Puerto Esperanza, 1,867 .... A 1
Puerto Padre, 9,705 .... H 3
Puerto Samá .... J 3
Puerto Tarafa .... H 3
Puerto Vita .... J 4
Punta Alegre, 4,068 .... F 2
Quemado de Güines, 4,840 .... E 1
Quiebra Hacha, 1,584 .... B 1
Ramón de las Yaguas .... J 4
Rancho Veloz, 2,789 .... D 1
Ranchuelo, 4,288 .... E 2
Remates .... A 2
Remedios, 10,602 .... E 2
Río Seco, 1,615 .... A 2
Rodas, 4,569 .... E 2
Sábalo .... A 2
Sabana .... K 4
Sagua de Tánamo, 7,604 .... K 3
Sagua la Grande, 30,400 .... E 1
Salado .... H 3
San Agustín .... H 3
San Andrés, 1,655 .... H 3
San Antonio, 1,300 .... K 4
San Antonio de los Baños, 22,200 .... C 1
San Cristóbal, 4,638 .... B 1
San Germán, 5,802 .... J 3
San Jerónimo .... G 3
San José de la Plata .... H 3
San José de las Lajas, 13,011 .... C 1
San José de los Ramos, 1,269 .... D 1
San Juan y Martínez, 4,865 .... B 2
San Luis, Oriente, 11,110 .... J 4
San Luis, Pinar del Río, 2,735 .... B 2
San Manuel, 2,105 .... H 3
San Miguel .... H 3
San Nicolás, 5,734 .... C 1
San Pedro .... B 2
San Ramón, 1,037 .... H 4
Sancti-Spíritus, 55,000 .... E 2
Santa Bárbara .... B 2
Santa Clara, 101,900 .... E 2
Santa Cruz del Norte, 3,537 .... C 1
Santa Cruz del Sur, 2,781 .... G 3
Santa Fé, 5,372 .... C 2
Santa Isabel de las Lajas .... E 2
Santa Lucía, Camagüey .... H 2
Santa Lucía, Oriente .... J 3
Santa María .... G 3
Santa Rita, 1,655 .... H 4
Santiago de Cuba, 213,400 .... J 4
Santiago de las Vegas, 10,974 .... C 1
Santo, 2,210 .... E 1
Santo Domingo .... E 1
Senado, 1,314 .... G 2
Sibanicú, 3,378 .... G 3
Siboney .... J 4
Stewart, 1,943 .... F 2
Surgidero de Batabanó, 5,075 .... C 1
Taco-Taco .... B 1
Tánamo, 2,032 .... J 3
Tiguabos, 1,286 .... J 4
Torriente .... D 1
Trinidad, 22,600 .... E 2
Tunas de Zaza, 1,380 .... E 2
Unión de Reyes, 5,351 .... C 1
Uvero Quemado .... A 2
Varadero, 2,640 .... D 1
Veguitas, 2,014 .... H 4
Velasco, 1,444 .... H 3
Vertientes .... G 3
Victoria de las Tunas, 28,400 .... H 3
Viñales, 1,602 .... A 1
Vista Alegre .... H 3
Vista Hermosa .... G 3
Yaguajay, 5,191 .... F 2
Yara, 3,246 .... H 4
Yuraguanal .... G 2
Zarzal, 1,421 .... H 4
Zaza del Medio, 4,252 .... F 2
Zulueta, 4,254 .... E 2

PHYSICAL FEATURES

Abalos (point) .... A 2
Ana María (gulf) .... F 3
Anclitas (cay) .... F 3
Batabanó (gulf) .... C 2
Birama (point) .... G 3
Broa (inlet) .... C 1
Buena Vista (bay) .... F 2
Caballones (chan.) .... F 3
Caleta (point) .... K 4
Camagüey (arch.) .... G 2
Cantiles (cay) .... C 3
Cárdenas (bay) .... D 1
Carraguao (point) .... B 2
Casilda (point) .... E 2
Cauto (river) .... H 3
Cayamas (cays) .... C 2
Cazones (gulf) .... C 2
Cienfuegos (bay) .... D 2
Cinco Balas (cays) .... E 3
Cochinos (bay) .... D 2
Coco (cay) .... G 1
Corrientes (cape) .... A 2
Corrientes (inlet) .... A 2
Cortés (inlet) .... B 2
Cristal, Sierra del (mts.) .... J 4
Cruz (cape) .... G 4
Diego Pérez (cay) .... C 2
Doce Leguas (cays) .... F 3
Este (point) .... C 3
Fragoso (cay) .... F 1
Francés (cape) .... A 2
Gorda (point) .... C 2
Gran Piedra (mt.) .... J 4
Guacanayabo (gulf) .... G 4
Guajaba (cay) .... H 2
Guanahacabibes (gulf) .... A 2
Guanahacabibes (pen.) .... A 2
Guantánamo (bay) .... J 4
Guantánamo Bay U.S. Naval Reserve .... J 4
Guarico (point) .... K 3
Guzmanes (cays) .... B 2
Hicacos (pen.) .... D 1
Honda (bay) .... B 1
Indios (chan.) .... B 2
Jardines de la Reina (arch.) .... F 3
Jatibonico del Sur (river) .... F 3
Jigüey (bay) .... G 2
Laberinto de las Doce Leguas (cays) .... F 3
La Cañada (mt.) .... B 2
La Gloria (bay) .... G 2
Ladrillo (point) .... E 2
Largo (cay) .... D 2
Leche (lagoon) .... F 2
Los Barcos (point) .... B 2
Los Canarreos (arch.) .... C 2
Los Colorados (arch.) .... A 1
Lucrecia (cape) .... J 3
Macurijes (point) .... F 3
Maestra, Sierra (mts.) .... H 4
Maisí (point) .... K 4
Mangle (point) .... J 3
Masio (cay) .... C 2
Matanzas (bay) .... D 1
Matanzas (point) .... H 2
Mayarí (river) .... J 4
Nicholas (chan.) .... E 1
Nipe (bay) .... J 3
Nuevitas (bay) .... H 2
Ojo del Toro (mt.) .... G 4
Old Bahama (chan.) .... G 1
Pepe (cape) .... B 1
Perros (bay) .... G 2
Pigs (Cochinos) (bay) .... D 2
Pines (isl.), 11,000 .... G 3
Potrerillo (peak) .... E 2
Romano (cay) .... G 2
Rosario (cay) .... C 2
Sabana (arch.) .... E 1
Sabinal (cay) .... H 2
Sagua la Grande (river) .... E 1
San Antonio (cape) .... A 2
San Felipe (cays) .... B 2
San Pedro (river) .... G 3
Santa Clara (bay) .... D 1
Santa María (cay) .... F 1
Siguanea (bay) .... B 2
Tabacal (point) .... H 4
Toa, Cuchillas de (mts.) .... K 4
Tortuguilla (point) .... K 4
Turquino (peak) .... H 4
Zapata (pen.) .... C 2
Zapata Occidental (swamp) .... D 2
Zapata Oriental (swamp) .... D 2

DOMINICAN REPUBLIC

PROVINCES

Azua, 75,147 .... D 6
Baoruco, 52,343 .... D 6
Barahona, 79,880 .... D 6
Dajabón, 40,822 .... D 5
Distrito Nacional, 462,192 .... E 6
Duarte, 161,326 .... E 5
Elías Piña, 43,266 .... D 5
El Seibo, 115,604 .... F 6
Espaillat, 117,126 .... E 5
Independencia, 27,475 .... D 6
La Romana, 104,987 .... F 6
La Vega, 248,069 .... D 6
María Trinidad Sánchez, 85,185 .... E 5
Monte Cristi, 59,240 .... D 5
Pedernales, 8,652 .... D 7
Peravia, 106,736 .... E 6
Puerto Plata, 163,896 .... D 5
Salcedo, 68,656 .... E 5
Samaná, 44,592 .... E 5
San Cristóbal, 249,776 .... E 6
San Juan, 148,206 .... D 6
San Pedro de Macorís, 68,953 .... F 6
Sánchez Ramírez, 93,498 .... E 5
Santiago, 287,941 .... D 5
Santiago Rodríguez, 40,399 .... D 5
Valverde, 59,558 .... D 5

CITIES and TOWNS

Altamira, 1,336 .... D 5
Azua, 12,350 .... D 6
Bajos de Haina, 4,614 .... E 6
Baní, 14,472 .... E 6
Bánica, 633 .... D 5
Barahona, 20,398 .... D 6
Bayaguana, 1,848 .... E 6
Boca Chica, 7,692 .... E 6
Boca del Soco, 7,647 .... F 6
Bonao, 12,951 .... E 6
Cabral, 4,149 .... D 6
Cabrera, 1,072 .... E 5
Carrera de Yeguas, 6,393 .... D 6
Castillo, 2,021 .... E 5
Cayacoa, 3,478 .... E 6
Ciudad Trujillo (Santo Domingo) (cap.), 367,053 .... E 6
Constanza, 3,162 .... D 6
Cotuí, 4,706 .... E 5
Dajabón, 3,230 .... D 5
Duverge, 6,701 .... D 6
El Cercado, 2,302 .... D 6
El Cuey, 6,310 .... F 6
El Guayabo, 8,684 .... E 5
El Macao .... F 6
El Pozo, 8,887 .... E 5
El Salado, 5,170 .... F 6
El Seibo, 4,621 .... F 6
Elías Piña, 2,890 .... C 6
Enriquillo, 3,485 .... D 7
Esperanza, 3,899 .... D 5
Gaspar Hernández, 1,327 .... E 5
Guayubín, 1,291 .... D 5
Hato Mayor, 5,775 .... F 6
Higüey, 10,084 .... F 6
Imbert, 2,325 .... D 5
Jánico, 986 .... D 5
Jarabacoa, 3,710 .... E 5
Jaragua, 3,828 .... D 6
Jima Abajo, 8,573 .... E 5
Jimaní, 1,503 .... C 6
La Ciénaga, 4,424 .... D 6
La Romana, 24,058 .... F 6
La Vega, 19,884 .... D 5
Las Matas de Farfán, 3,585 .... D 6
Los Llanos, 1,009 .... F 6
Lucas E. de Peña, 5,638 .... D 5
Luperón, 1,548 .... D 5
Mata Palacio, 7,148 .... F 6
Miches, 3,110 .... F 6
Moca, 13,829 .... D 5
Monción, 1,137 .... D 5
Monte Cristi, 5,912 .... C 5
Monte Plata, 2,202 .... E 6
Nagua, 9,337 .... E 5
Najayo Abajo, 3,183 .... E 6
Neiba, 7,322 .... D 6
Nizao, 2,574 .... E 6
Oviedo, 1,493 .... D 7
Padre Las Casas, 3,026 .... D 6
Paraíso, 1,665 .... D 7
Pedernales, 2,466 .... C 7
Peña, 2,286 .... D 5
Peralta, 5,521 .... D 6
Piedra Blanca, 7,984 .... E 6
Pimentel, 5,258 .... E 5
Polo, 3,470 .... D 6
Puerto Plata, 19,073 .... D 5
Ramón Santana, 936 .... F 6
Restauración, 1,369 .... D 5
Río San Juan, 1,912 .... E 5
Sabana de la Mar, 4,032 .... F 5
Sabana Grande, 2,857 .... E 6
Salcedo, 6,175 .... E 5
Samaná, 3,309 .... F 5
San Cristóbal, 15,525 .... E 6
San Francisco de Macorís, 26,000 .... E 5
San José de las Matas, 2,305 .... D 5
San José de Ocoa, 5,591 .... E 6
San Juan, 20,449 .... D 6
San Pedro de Macorís, 22,935 .... E 6
San Rafael del Yuma, 948 .... F 6
Sánchez, 4,587 .... E 5
Santiago, 83,523 .... D 5
Santo Domingo (cap.), 367,053 .... E 6
Sosua, 1,808 .... E 5
Tamao, 3,613 .... D 6
Tenares, 1,980 .... E 5
Valverde, 17,885 .... D 5
Veragua Abajo, 3,765 .... E 5
Villa Altagracia, 4,344 .... E 6
Villa Riva, 1,215 .... E 5
Yaguate, 1,440 .... E 6
Yamasá, 1,511 .... E 6
Yásica Abajo, 13,080 .... E 5

PHYSICAL FEATURES

Alto Velo (chan.) .... C 7
Alto Velo (isl.) .... D 7
Bahoruco, Sierra de (mts.) .... D 6
Balandra (point) .... F 5
Beata (cape) .... D 7
Beata (chan.) .... C 7
Beata (isl.) .... C 7
Cabrón (cape) .... F 5
Calderas (bay) .... D 6
Cana (point) .... F 6
Catalina (isl.) .... F 6
Caucedo (cape) .... E 6
Central, Cordillera (range) .... D 5
Duarte (peak) .... D 5
Engaño (cape) .... F 5
Enriquillo (lake) .... C 6
Escocesa (bay) .... E 5
Espada (point) .... F 6
Falso (cape) .... C 7
Francés Viejo (cape) .... E 5
Gallo (mt.) .... D 5
Isabela (bay) .... D 5
Isabela (cape) .... D 5
Los Frailes (isl.) .... C 7
Macorís (cape) .... E 5
Manzanillo (bay) .... C 5
Mona (passage) .... F 6
Neiba (bay) .... D 6
Neiba (mt.) .... D 6
Ocoa (bay) .... D 6
Oriental, Cordillera (range) .... F 6
Palenque (point) .... E 6
Palmillas (point) .... F 6
Rincón (bay) .... F 5
Rucia (point) .... D 5
Salinas (point) .... E 6
Samaná (bay) .... F 5
Samaná (cape) .... F 5
San Rafael (cape) .... F 5
Saona (isl.), 409 .... F 6
Septentrional, Cordillera (range) .... D 5
Tina (mt.) .... D 6
Yaque del Norte (river) .... D 5
Yaque del Sur (river) .... D 6
Yuma (bay) .... F 6
Yuma (river) .... E 5

HAITI

DEPARTMENTS

Artibonite, 567,221 .... C 5
Nord, 539,049 .... C 5
Nord-Ouest, 168,279 .... B 5
Ouest, 1,083,069 .... C 6
Sud, 739,602 .... A 6

CITIES and TOWNS

Abricots, 618 .... B 6
Anse-à-Galets, 484 .... B 6
Anse-à-Pitre, 549 .... C 6
Anse-à-Veau, 893 .... B 6
Anse-d'Hainault, 2,468 .... A 6
Anse-Rouge, 665 .... B 5
Aquin, 2,880 .... B 6
Archaie, 1,962 .... C 6
Baie-de-Henne, 430 .... B 5
Bainet, 1,039 .... B 6
Baradères, 902 .... B 6
Bassin-Bleu, 404 .... B 5
Belladère, 1,342 .... C 6
Bombardopolis, 602 .... B 5
Bonbon, 545 .... A 6
Cabaret, 522 .... C 6
Camp-Perrin, 1,561 .... A 6
Cap-Haïtien, 27,538 .... C 5
Cavaillon, 828 .... A 6
Cayes-Jacmel, 1,043 .... C 6
Cerca-la-Source, 818 .... C 5
Chardonnière, 1,431 .... A 6
Corail, 1,313 .... A 6
Côteaux, 3,146 .... A 6
Côtes-de-Fer, 736 .... B 6
Croix-des-Bouquets, 1,581 .... C 6
Dame-Marie, 2,085 .... A 2
Dérac, 4,767 .... C 5
Dessalines, 4,073 .... C 5
Fond-Verrettes, 480 .... C 6
Fort-Liberté, 1,637 .... C 5
Gonaïves, 15,373 .... B 5
Grand-Goâve, 2,022 .... B 6
Grand-Gosier, 532 .... C 6
Grande-Rivière-du-Nord, 2,931 .... C 5
Grande-Saline, 807 .... B 5
Gros-Morne, 2,451 .... B 4
Hinche, 5,847 .... C 5
Jacmel, 9,397 .... C 6
Jean-Rabel, 1,181 .... B 5
Jérémie, 12,456 .... A 6
Kenscoff, 1,071 .... C 6
La Cahouane .... A 6
Lascahobas, 2,356 .... C 6
L'Asile, 299 .... B 6
Le Borgne, 1,325 .... C 5
Léogane, 3,922 .... C 6
Les Anglais, 1,048 .... A 6
Les Cayes, 13,088 .... B 6
Les Irois, 500 .... A 6
Limbé, 3,488 .... C 5
Limonade, 1,313 .... C 5
Maissade, 1,318 .... C 5
Marigot, 1,191 .... C 6
Miragoâne, 2,711 .... B 6
Mirebalais, 1,995 .... C 6
Môle-Saint-Nicolas, 471 .... B 5
Moron, 1,138 .... A 6
Ouanaminthe, 2,586 .... C 5
Pestel, 721 .... A 6
Pétionville, 10,239 .... C 6
Petit-Goâve, 5,847 .... B 6
Petite-Rivière-de-l'Artibonite, 4,766 .... B 5
Pignon, 1,681 .... C 5
Pilate, 1,392 .... C 5
Plaisance, 1,840 .... C 5
Pointe-à-Raquette .... B 6
Port-à-Piment, 2,525 .... A 6
Port-au-Prince (cap.), 151,220 .... C 6
Port-de-Paix, 6,964 .... B 5
Port-Margot, 1,697 .... C 5
Port-Salut, 899 .... A 6
Roseaux, 442 .... A 6
Saint-Jean-du-Sud, 272 .... B 6
Saint-Louis-du-Nord, 3,130 .... B 5
Sainf-Louis-du-Sud, 1,400 .... B 6
Saint-Marc, 10,222 .... B 5
Saint-Michel-de-l'Atalaye, 2,431 .... C 5
Saint-Michel-du-Sud .... B 6
Saint-Raphaël, 1,586 .... C 5
Saltrou, 1,203 .... C 6
Savanette, 627 .... C 6
Terre-Neuve .... B 5
Thomonde, 1,175 .... C 6
Tiburon, 1,468 .... A 6
Torbeck .... A 6
Trou-du-Nord, 2,879 .... C 5
Vallière, 364 .... C 5
Verrettes, 1,503 .... C 5
Ville-Bonheur .... C 6

PHYSICAL FEATURES

Artibonite (river) .... C 5
Baradères (bay) .... B 6
Cheval Blanc (point) .... B 5
Dame-Marie (cape) .... A 6
Est (point) .... C 4
Fantasque (point) .... B 6
Gonâve (gulf) .... B 5
Gonâve (isl.), 26,860 .... B 6
Grande Cayemite (isl.), 1,951 .... B 6
Gravois (point) .... A 6
Irois (cape) .... A 6
Jean-Rabel (point) .... B 5
La Selle (mts.) .... C 6
La Selle (peak) .... C 6
Macaya (peak) .... A 6
Manzanillo (bay) .... C 5
Môle (cape) .... B 5
Noires (mts.) .... C 5
Ouest (point) .... B 4
Ouest (point) .... B 6
Saint-Marc (cape) .... B 5
Saint-Marc (chan.) .... B 6
Saumâtre (lake) .... C 6
Tortue (chan.) .... C 5
Tortue, La (isl.), 12,501 .... C 4
Tortuga (Tortue) (isl.), 12,501 .... C 4
Trois-Rivières (river) .... B 5
Vache (isl.), 3,463 .... B 6
Windward (passage) .... A 5

JAMAICA

COUNTIES

Cornwall, 419,297 .... H 6
Middlesex, 637,866 .... J 6
Surrey, 552,651 .... K 6

(continued on following page)

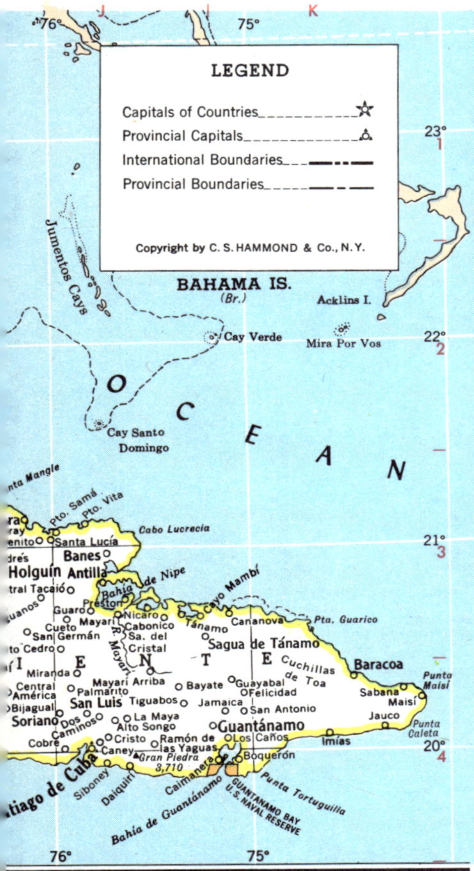

LEGEND
Capitals of Countries
Provincial Capitals
International Boundaries
Provincial Boundaries
Copyright by C. S. HAMMOND & Co., N.Y.
BAHAMA IS.
(Br.)
Acklins I.
Jumentos Cays
Cay Verde
Mira Por Vos
Cay Santo Domingo
OCEAN
Cabo Lucrecia
Banes
Antilla
Holguín
Santa Lucía
Sagua de Tánamo
Baracoa
Punta Maisí
Guantánamo
Santiago de Cuba
Punta Tortuguilla

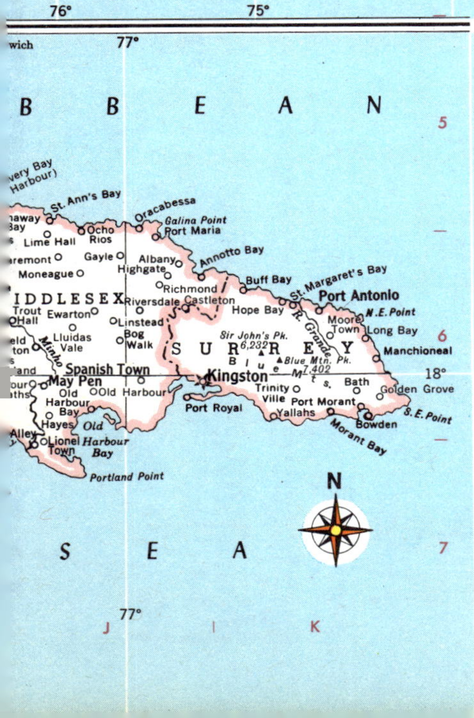

St. Ann's Bay
Oracabessa
Galina Point
Port Maria
Annotto Bay
Buff Bay
St. Margaret's Bay
Port Antonio
MIDDLESEX
SURREY
Spanish Town
Kingston
May Pen
Old Harbour
Port Royal
Morant Bay
Bowden
Golden Grove
Manchioneal
Long Bay
Portland Point
CARIBBEAN SEA

AGRICULTURE, INDUSTRY and RESOURCES

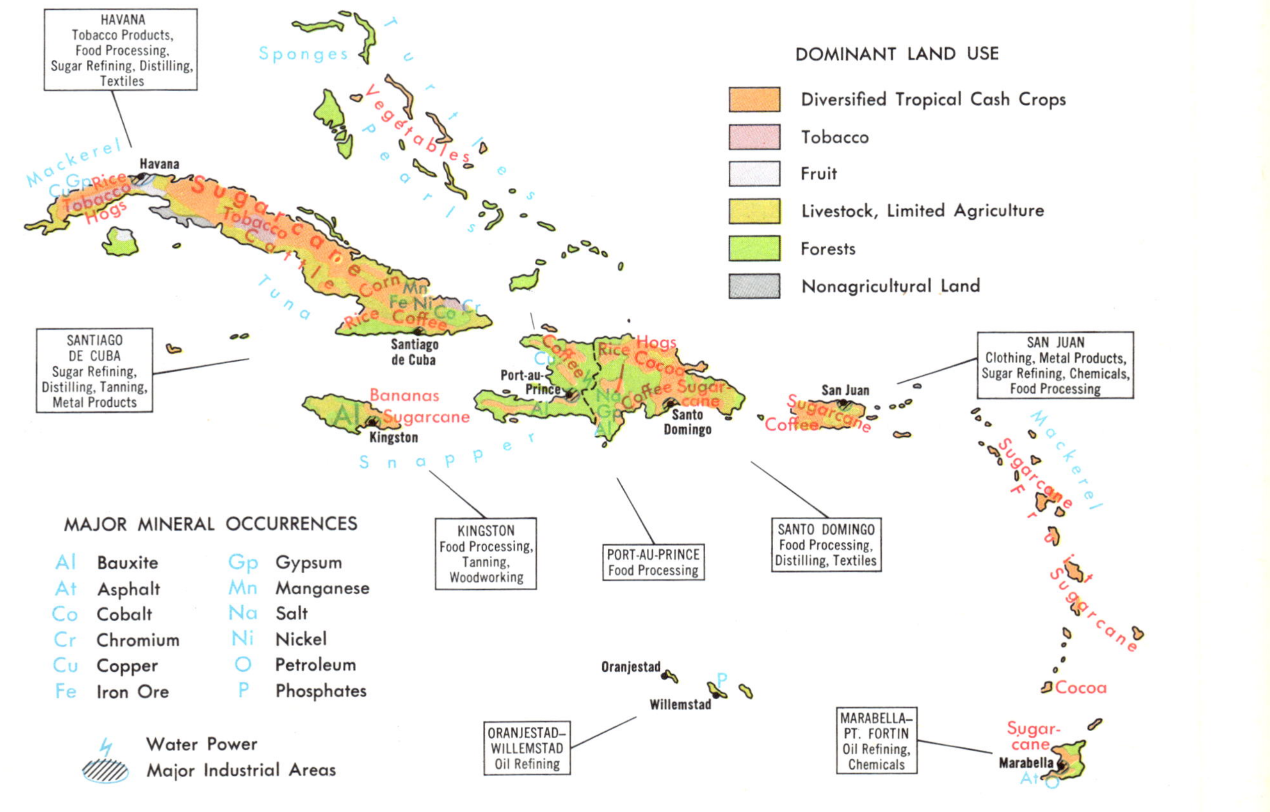

HAVANA
Tobacco Products, Food Processing, Sugar Refining, Distilling, Textiles
SANTIAGO DE CUBA
Sugar Refining, Distilling, Tanning, Metal Products
KINGSTON
Food Processing, Tanning, Woodworking
PORT-AU-PRINCE
Food Processing
SANTO DOMINGO
Food Processing, Distilling, Textiles
SAN JUAN
Clothing, Metal Products, Sugar Refining, Chemicals, Food Processing
ORANJESTAD-WILLEMSTAD
Oil Refining
MARABELLA-PT. FORTIN
Oil Refining, Chemicals
DOMINANT LAND USE
Diversified Tropical Cash Crops
Tobacco
Fruit
Livestock, Limited Agriculture
Forests
Nonagricultural Land
MAJOR MINERAL OCCURRENCES
Al Bauxite
At Asphalt
Co Cobalt
Cr Chromium
Cu Copper
Fe Iron Ore
Gp Gypsum
Mn Manganese
Na Salt
Ni Nickel
O Petroleum
P Phosphates
Water Power
Major Industrial Areas
Havana
Santiago de Cuba
Kingston
Port-au-Prince
Santo Domingo
San Juan
Oranjestad
Willemstad
Marabella
Sponges
Turtles
Pearls
Vegetables
Mackerel
Tuna
Snapper
Sugarcane
Tobacco
Coffee
Cocoa
Bananas
Rice
Corn
Hogs
Cattle
Fruit

West Indies

(continued)

JAMAICA (continued)

CITIES and TOWNS

Adelphi H 5
Albany, 1,590 J 6
Albert Town, 1,650 H 6
Alley J 7
Alligator Pond H 6
Anchovy H 5
Annotto Bay, 3,559 K 6
Balaclava, 1,153 H 6
Bath, 1,979 K 6
Bethel Town G 6
Black River, 3,077 H 6
Bluefields H 6
Bog Walk, 2,808 J 6
Bowden K 6
Brown's Town, 3,899 H 6
Buff Bay, 2,821 K 6
Cambridge H 6
Cascade G 6
Castleton J 6
Catadupa H 6
Chapelton, 4,417 J 6
Christiana, 4,404 H 6
Claremont, 1,417 J 6
Clark's Town, 1,543 H 6
Darliston H 6
Devon H 6
Discovery Bay J 5
Dry Harbour (Discovery Bay) J 5
Duncans H 5
Ewarton J 6
Falmouth, 3,727 H 5
Four Paths J 6
Frankfield, 2,123 H 6
Frome G 6
Gayle J 6
Golden Grove K 6
Green Island G 6
Hayes J 6
Highgate, 3,313 J 6
Hope Bay K 6
Hopewell G 5
Ipswich H 6
Kingston (cap.), 123,403 K 6
Kingston, *376,520 K 6
Lacovia H 6
Lime Hall J 6
Linstead, 3,781 J 6
Lionel Town, 2,664 J 7
Little London G 6
Lluidas Vale J 6
Lucea, 2,803 G 5
Maggotty H 6
Malvern H 6
Manchioneal K 6
Mandeville, 8,416 H 6
Maroon Town H 6
May Pen, 14,085 J 6
Moneague J 6
Montego Bay, 23,610 H 5
Montpelier H 6
Moore Town K 6
Morant Bay, 5,054 K 7
Myersville H 6
Negril G 6
Ocho Rios, 4,570 J 6
Old England H 6
Old Harbour, 4,192 J 6
Oracabessa, 1,313 J 5
Petersfield G 6
Port Antonio, 7,830 K 6
Port Kaiser H 7
Port Maria, 3,998 J 6
Port Morant, 2,284 K 6
Port Royal, 37,673 J 6
Porus, 2,723 H 6
Richmond J 6
Rio Bueno H 5
Riversdale J 6
Runaway Bay J 5
Saint Anns Bay, 5,087 J 5
Saint Margaret's Bay K 6
Sandy Bay G 5
Santa Cruz, 1,426 H 6
Savanna-la-Mar, 9,789 G 6
Spaldings, 2,003 H 6
Spanish Town, 14,706 J 6
Spur Tree H 6
Stewart Town H 6
Treasure Beach H 6
Trinityville K 6
Trout Hall J 6
Ulster Spring H 6
Williamsfield H 6
Yallahs K 6

PHYSICAL FEATURES

Black (river) H 6
Black River (bay) G 6
Blue (mts.) K 6
Blue Mountain (peak) K 6
Galina (point) J 6
Grande (river) K 6
Great (river) H 6
Great Pedro Bluff (prom.) H 6
Long (bay) H 7
Luana (point) G 6
Minho (river) J 6
Montego (bay) G 5
Montego Bay (point) G 5
North East (point) K 6
North Negril (point) G 6
North West (point) G 5
Old Harbour (bay) J 6
Portland (point) J 7
Sir John's (peak) K 6
South East (point) K 6
South Negril (point) G 6

*City and suburbs.
†Population of municipality.

PUERTO RICO

DISTRICTS

Aguadilla, 277,400 A 1
Arecibo, 256,468 C 1
Bayamón, 364,414 D 1
Guayama, 296,022 D 2
Humacao, 252,579 F 2
Mayagüez, 255,653 B 2
Ponce, 287,145 C 2
San Juan, 359,863 E 1

CITIES and TOWNS

Adjuntas, 5,318 B 2
Aguada, 3,759 A 1
Aguadilla, 15,943 A 1
Aguas Buenas, 2,470 E 2
Aibonito, 5,477 D 2
Añasco, 2,068 A 1
Ángeles, †3,520 B 2
Arecibo, 28,828 B 1
Arroyo, 3,741 E 3
Arus C 3
Bahomamey A 1
Bajadero C 1
Barceloneta, 762 C 1
Barranquitas, 4,684 D 2
Bayamón, 15,109 D 1
Boquerón, †2,580 A 3
Cabo Rojo, 3,086 A 2
Caguas, 32,015 E 2
Camuy, 2,341 B 1
Carolina, 3,075 E 1
Cataño, 8,276 D 1
Cayey, 19,738 D 2
Ceiba, 1,644 F 2
Central Aguirre, 1,689 D 3
Ciales, 3,275 C 1
Cidra, 3,191 D 2
Coamo, 12,146 D 2
Comerío, 5,232 D 2
Coquí D 3
Corozal, 3,166 D 1
Corral Viejo C 2
Coto Laurel, †3,907 C 2
Culebra, 498 G 1
Dewey (Culebra), 498 G 1
Dorado, 2,120 D 1
Ensenada, 3,229 B 3
Esperanza G 2
Fajardo, 12,409 F 1
Florida, 2,955 C 1
Guánica, 4,100 B 3
Guayama, 19,183 E 3
Guayanilla, 3,067 B 3
Guaynabo, 3,343 D 1
Gurabo, 3,957 E 2
Hatillo, 2,582 B 1
Hato Rey, 98,630 E 1
Hormigüeros, 1,647 A 2
Humacao, 8,005 E 2
Isabel Segunda, 2,487 G 2
Isabela, 7,302 A 1
Jayuya, 2,344 C 2
Jobos, 815 D 3
Juana Díaz, 4,618 C 2
Juncos, 6,247 E 2
Lajas, 914 A 3
Lares, 4,216 B 2
Las Marías, 511 B 2
Las Piedras, 3,147 E 2
Loíza, 3,097 E 1
Loíza Aldea, 2,330 E 1
Luquillo, 2,107 F 1
Manatí, 9,682 C 1
Maricao, 1,475 B 2
Maunabo, 1,027 E 3
Mayagüez, 50,147 A 2
Moca, 1,938 A 1
Morovis, 2,428 D 1
Naguabo, 3,396 F 2
Naranjito, 2,719 D 1
Orocovis, 3,005 C 2
Palmer, †1,435 F 1
Palo Seco, †709 D 1
Parguera, †1,030 A 3
Patillas, 1,888 E 3
Peñuelas, 2,261 B 2
Playa de Fajardo, 2,143 F 1
Playa de Humacao, †2,433 F 2
Playa de Ponce C 3
Ponce, 114,286 C 3
Puerto Nuevo D 1
Puerto Real, †3,766 A 2
Puerto Real (Playa de Fajardo), 2,143 F 1
Punta Santiago (Playa de Humacao), †2,433 F 2
Quebradillas, 2,131 B 1
Rincón, 1,094 A 1
Río Blanco, †2,665 F 2
Río Grande, 2,763 E 1
Río Piedras E 1
Rosario, †715 A 2
Sabana Grande, 3,318 B 2
Sabana Seca, †7,755 D 1
Salinas, 3,666 D 3
San Antonio A 1
San Germán, 7,790 A 2
San Juan (cap.), 432,377 E 1
San Juan, *542,156 E 1
San Lorenzo, 5,551 E 2
San Sebastián, 4,019 B 1
Santa Isabel, 4,712 C 3
Santurce, 178,179 E 1
Tallaboa, †773 B 3
Toa Alta, 1,284 D 1
Toa Baja, 1,084 D 1
Trujillo Alto, 1,297 E 1
Utuado, 9,870 B 2
Vega Alta, 3,182 D 1
Vega Baja, 3,718 C 1
Vieques (Isabel Segunda), 2,487 G 2
Villalba, 1,892 C 2
Yabucoa, 3,734 E 2
Yauco, 8,996 B 2

PHYSICAL FEATURES

Aguadillo (bay) A 1
Algarrobo (pt.) A 2
Añasco (bay) A 1
Arenas (pt.) F 2
Bauta (river) C 2
Bayamón (river) D 1
Boquerón (bay) A 3
Borinquen (pt.) A 1
Cabullón (pt.) C 3
Caja de Muertos (isl.) C 3
Camuy (river) B 1
Candelero (pt.) F 2
Canovanas (river) E 1
Caonillas (lake) C 2
Carite (lake) E 2
Carraízo (lake) E 1
Cayey, Sierra de (mts.) D 2
Central, Cordillera (range) C 2
Cerro Gordo (pt.) D 1
Coamo (res.) D 3
Coamo (river) D 3
Culebra (isl.), 573 G 1
Culebrinas (river) A 1
Culebrita (isl.) G 2
El Toro (mt.) F 2
El Yunque (mt.) F 1
Este (pt.) G 2
Fajardo (river) F 1
Figuras (pt.) E 3
Fosforescente (bay) A 3
Grande de Añasco (river) B 2
Grande de Arecibo (river) C 1
Grande de Loíza (river) E 1
Grande de Manatí (river) C 1
Guajataca (lake) B 1
Guanajibo (pt.) A 2
Guanajibo (river) A 2
Guánica (lake) B 3
Guaniquilla (pt.) A 2
Guayabal (lake) C 2
Guayanés (pt.) F 2
Guayanés (river) E 2
Guayanilla (bay) B 3
Guayo (lake) B 2
Guilarte (mt.) B 2
Honda (bay) F 2
Humacao (river) E 2
Jacaguas (river) C 2
Jaicoa (mts.) B 1
Jiguero (pt.) A 1
Jobos (bay) D 3
La Bandera (pt.) F 1
Lima (pt.) F 2
Lobo (cay) G 1
Luquillo, Sierra de (mts.) E 2
Majada (river) D 2
Manglillo (pt.) B 3
Mayagüez (bay) A 2
Miquillo (pt.) F 1
Molinos (pt.) G 1
Mona (passage) A 2
Negra (pt.) G 2
Ola Grande (pt.) D 3
Palmas Altas (pt.) C 1
Patillas (lake) E 2
Peñón (pt.) B 1
Petrona (pt.) D 3
Pirata (mt.) F 2
Plata (river) D 2
Puerca (pt.) F 2
Puerto Medio Mundo (bay) F 2
Puerto Nuevo (pt.) C 1
Puntas, Cerro de (mt.) C 2
Ramey A.F.B. A 1
Rincón (bay) D 3
Rojo (cape) A 3
Salinas (pt.) D 1
San José (lake) E 1
San Juan, Cabezas de (prom.) F 1
San Juan Nat'l Hist. Site D 1
Sardina (pt.) A 1
Soldado (pt.) G 2
Sucia (bay) A 3
Tanamá (river) B 1
Torrecilla (lagoon) E 1
Tortuguero (lake) D 1
Tuna (pt.) E 3
Vacía Talega (pt.) E 1
Viento (pt.) E 3
Vieques (isl.), 7,210 G 2
Vieques (passage) F 2
Vieques (sound) G 2
Yagüez (river) A 2
Yauco (lake) B 2
Yeguas (pt.) F 3

ANTIGUA

Total Population 62,000

CITIES and TOWNS

All Saints, 2,077 D11
Cedar Grove, 899 E11
Falmouth, 239 E11
Freetown, 1,026 E11
Jennings, 850 D11
Johnsons Point, 339 D11
Liberta, 1,988 E11
Old Road, 1,178 D11
Parham, 1,123 E11
Saint Johns (cap.), 21,396 E11
Willkies Village, 1,330 E11

PHYSICAL FEATURES

Antigua (isl.), 54,060 E11
Boggy (peak) D11
Boon (pt.) E11
Green (isl.) E11
Guana (isl.) E11
Long (isl.) E11
Saint Johns (harb.) D11
Standfast (pt.) E11
Willoughby (bay) E11

BARBADOS

Total Population 244,000

CITIES and TOWNS

Bathsheba B 8
Belleplaine B 8
Bridgetown (cap.), 11,452 B 9
Carlton B 8
Cave Hill B 9
Checker Hall B 8
Codrington B 8
Crab Hill B 8
Crane C 9
Drax Hall B 8
Ellerton B 9
Greenland B 8
Hastings B 9
Holetown B 8
Kendal B 8
Lodge Hill B 8
Marchfield B 9
Maxwell B 9
Maxwell Hill B 9
Mount Standfast B 8
Oistins B 9
Portland B 8
Rose Hill B 8
Rouen B 9
Saint Lawrence B 9
Saint Martins B 9
Seawell B 9
Six Mens B 8
Speightstown, 2,415 B 8
Spring Hall B 8
Welchman Hall B 8
Worthing B 9

PHYSICAL FEATURES

Carlisle (bay) B 9
Hillaby (mt.) B 8
Long (bay) B 9
North (pt.) B 8
Oistins (bay) B 9
Pelican (isl.) B 9
Ragged (pt.) C 8
Sam Lord's Castle C 9
South (pt.) B 9

DOMINICA

Total Population 65,000

CITIES and TOWNS

Barroui E 6
Castle Bruce, 1,340 F 6
Coulihaut, 978 E 6
Delice, 1,211 F 7
Grand Bay, 3,467 F 7
Hampstead E 5
La Plaine, 1,201 F 6
Laudat, 308 E 6
Mahaut, 1,583 E 6
Marigot, 2,797 E 6
Petit Soufrière F 6
Portsmouth, 2,238 E 5
Rosalie F 6
Roseau (cap.), 10,417 E 7
Roseau, *13,883 E 7
Saint Joseph, 2,045 E 6
Salybia F 6
Soufrière, 667 E 7
Vieille Case, 1,146 E 5
Wesley, 1,444 F 5

PHYSICAL FEATURES

Capuchin (cape) E 5
Carib Reserve, 1,415 F 6
Clyde (river) F 6
Crampton (pt.) F 5
Diablotin, Morne (mt.) E 6
Dominica (passage) E 5
Douglas (bay) E 5
Grand (bay) F 7
Jaquet (pt.) E 5
Layou (river) E 6
Martinique (passage) E 7
Micotrin (mt.) F 6
Pagoua (bay) F 6
Prince Rupert (bay) E 5
Roseau (river) E 7
Scotts (head) E 7
Soufrière (bay) E 7
Trois Pitons, Morne (mt.) E 6

GRENADA

Total Population 93,000

CITIES and TOWNS

Crochu D 8
Gouyave, 2,356 C 8
Grand Anse C 9
Grand Roy C 8
Grenville, 1,747 D 8
Hermitage D 8
La Taste D 8
Marquis D 8
Mount Tivoli D 8
Providence D 9
Saint George's (cap.), 7,303 C 9
Saint George's, *26,843 C 9
Sauteurs, 925 D 8
Union D 8
Victoria, 1,692 D 8
Woburn C 9
Woodford C 8

PHYSICAL FEATURES

Bedford (pt.) D 8
David (pt.) D 8
Great Bacolet (pt.) D 8
Green (isl.) D 8
Grenville (bay) D 8
Gros (pt.) C 8
Halifax (harb.) C 8
Irvins (bay) D 8
Les Tantes (isls.) D 7
Molinière (pt.) C 8
Prickly (pt.) C 9
Ronde (isl.) D 7
Saint Catherine (mt.) D 8
Saline (pt.) C 9
Sinai (mt.) D 8
Telescope (pt.) D 8

GUADELOUPE

Total Population 306,000

CITIES and TOWNS

Anse-Bertrand, 1,500 B 5
Baie-Mahault, 2,304 A 6
Bailiff, 1,902 A 7
Baninier A 7
Basse-Terre (cap.), 12,317 A 7
Bouillante, 553 A 6
Bourg-des-Saintes, 1,208 A 7
Capesterre, 6,255 A 7
Capesterre, 1,117 B 7
Deshaies, 866 A 6
Ferry A 6
Gosier, 2,560 B 6
Gourbeyre, 1,449 A 7
Goyave, 703 A 6
Grand-Bourg, 2,489 B 7
Grippon B 6
Lamentin, 1,292 A 6
Le Moule, 8,189 B 6
Les Abymes, 2,292 B 6
Morne-à-l'Eau, 5,749 A 6
Petit-Bourg, 3,191 A 6
Petit-Canal, 1,148 A 6
Pigeon A 6
Pointe-à-Pitre, 27,737 B 6
Pointe-Noire, 2,364 A 6
Port-Louis, 4,057 B 5
Saint-Claude, 2,407 A 7
Saint-François, 3,374 B 6
Saint-Louis, 1,391 B 7
Sainte-Anne, 3,190 B 6
Sainte-Marguerite B 6
Sainte-Marie A 6
Sainte-Rose, 2,237 A 6
Trois-Rivières, 1,007 A 7
Vieux-Fort, 214 B 7
Vieux-Habitants, 921 A 7

PHYSICAL FEATURES

Allègre (pt.) A 6
Antigues (pt.) A 5
Basse-Terre (isl.), 133,332 A 6
Châteaux (pt.) B 6
Constant, Morne (hill) B 7
Désirade (isl.), 1,592 B 6
Fajou (isl.) A 6
Grand Cul-de-Sac Marin (bay) A 6
Grand Îlet (isl.) A 7
Grand-Terre (isl.), 122,508 B 5
Grande Vigie (pt.) B 5
Guadeloupe (isl.), 255,840 B 6
Guadeloupe (passage) A 5
Kahouanne (isl.) A 6
Marie-Galante (isl.), 16,341 B 7
Nord (pt.) B 7
Nord-Est (bay) B 6
Petit Cul-de-Sac Marin (bay) A 6
Petite-Terre (isls.) B 6
Saintes (isls.), 2,772 A 7
Saintes, Canal des (chan.) A 7
Salée (river) A 6
Sans Toucher (mt.) A 6
Soufrière (mt.) A 7
Terre-de-Bas (isl.), 1,508 A 7
Terre-de-Haut (isl.), 1,264 A 7
Vieux-Fort (pt.) A 7

MARTINIQUE

Total Population 310,000

CITIES and TOWNS

Ajoupa-Bouillon, 771 C 5
Anses-d'Arlet, 1,172 C 7
Basse-Pointe, 2,022 C 5
Belle-Fontaine, 1,047 C 6
Carbet, 2,447 C 6
Case-Pilote, 1,432 C 6
Diamant, 760 D 7
Ducos, 874 D 6
Fond-Lahaye C 6
Fonds-Saint-Denis, 579 C 6
Fort-de-France (cap.), 74,673 C 6
Fort-Desaix D 6
François, 2,849 D 6
Grande-Rivière, 1,386 C 5
Gros-Morne, 904 D 6
Lemantin, 4,625 D 6
Lorrain, 1,994 D 5
Macouba, 324 C 5
Marigot, 608 D 5
Marin, 2,004 D 7
Morne-Rouge, 1,629 C 5
Morne-Vert, 353 C 6
Prêcheur, 1,495 C 5
Rivière-Pilote, 1,691 D 7
Rivière-Salée, 1,535 D 7
Robert, 2,131 D 6
Saint-Esprit, 2,603 D 6
Saint-Joseph, 1,720 C 6
Saint-Pierre, 5,434 C 6
Sainte-Anne, 964 D 7
Sainte-Luce, 907 D 7
Sainte-Marie, 2,436 D 5
Schoelcher, 3,879 C 6
Trinité, 3,571 D 6
Trois-Îlets, 1,132 D 6
Vauclin, 2,657 D 6
Vert-Pré D 6

PHYSICAL FEATURES

Cabet, Pitons du (mt.) C 6
Cabri (isl.) D 7
Caravelle (pen.) D 6
Cul-de-Sac du Marin (bay) D 7
Diable (pt.) D 5
Ferré (cape) E 7
Fort-de-France (bay) C 6
Galion (bay) D 6
Lézarde (river) D 6
Long, Îlet (isl.) D 6
Lorrain (river) D 5
Martinique (passage) C 5
Pelée (vol.) C 5
Pilote (river) D 7
Ramiers, Îlet-à- (isl.) C 6
Ramville, Îlet (isl.) D 6
Robert (harb.) D 6
Rocher du Diamant (isl.) C 7
Rose (pt.) D 6
Saint-Martin (cape) C 5
Saint-Pierre (bay) C 6
Salines (pt.) D 7
Salomon (pt.) C 7
Vauclin (mt.) D 6

NETHERLANDS ANTILLES

CITIES and TOWNS

Aresji D 9
Ascension F 8
Bacuna E 8
Balashi E10
Boven Bolivia E 8
Bubali D10
Bushiribana E10
Dokterstuin D 8
Druif D10
Emmastad G 9
Entrejo E 8
Fontein E 8
Fuik G 9
Groot Sint Joris G 9
Hato G 8
Kralendijk (cap.), Bonaire, 839 E 8
Lago E10
Lagoen F 8
Montanja di Reij G 9
New Port G 9
Noord di Salinja E 8
Onima E 8
Oranjestad (cap.), Aruba, 15,398 D10
Otrabanda F 9
Patrick F 8
Rincon E 8
Rooi E 8
Sabana Westpunt F 8
Santa Barbara G 9
Santa Catharina G 9
Savaneta E10
Savonet F 8
Sint Anna D10
Sint Jan D 8
Sint Kruis F 8
Sint Martha F 8
Sint Michiel F 9
Sint Nicolaas E10
Sint Willebrordus F 8
Terra Corra E 8
Westpunt D10
Willemstad (cap.), 43,547 F 9
Willemstad, *94,133 F 9

PHYSICAL FEATURES

Aruba (isl.), 58,506 E 9
Basora (pt.) E10
Bonaire (isl.), 6,086 E 9
Bullen (bay) F 8
Caracas (bay) G 9
Curaçao (isl.), 129,676 G 7
Goto (lake) D 8
Jamanota (mt.) E10
Kanon (pt.) G 9
Klein (isl.) E 8
Kudarebe (pt.) D 9
Lac (bay) D 9
Lacre (pt.) E 9
Malmok (mt.) E 8
Noord (pt.) D 8
Noord (pt.) F 8
Paarden (bay) D10
Palm (beach) D10
Pekelmeer (lake) E 9
Piscadera (bay) F 9
Schottegat (bay) G 9
Sint Anna (bay) F 9
Sint Christoffel Berg (mt.) F 8
Sint Joris (bay) G 9
Slag (bay) D 8
Vierkant (pt.) E 8

SAINT CHRISTOPHER, NEVIS and ANGUILLA

Total Population 62,000

CITIES and TOWNS

Basseterre (cap.), 15,726 C10
Cayon, 1,524 C10
Charlestown, 2,852 C11
Cotton Ground, 747 C11
Dieppe Bay, 949 C10
Gingerland D11
Golden Rock C10
Newcastle, 361 D11
Old Road, 1,206 C10
Sadlers Village, 1,091 C10
Sandy Point, 3,608 C10
Tabernacle, 1,250 C10
Zion Hill D11

PHYSICAL FEATURES

Brimstone (hill) C10
Dogwood (pt.) D11
Fort (pt.) C11
Great Salt (pond) D10
Heldens (pt.) C10
Horse Shoe (pt.) C11
Misery (mt.) C10
Monkey (hill) C10
Muddy (pt.) C10
Narrows, The (str.) D11
Nevis (isl.), 12,762 D11
Nevis (peak) D11
North Friars (bay) D10
Palmetto (pt.) C10
Saint Christopher (isl.), 38,291 D10
Saint Kitts (Saint Christopher) (isl.), 38,291 D10
South Friars (bay) C10

SAINT LUCIA

Total Population 94,000

CITIES and TOWNS

Anse la Raye, 2,053 F 6
Canaries, 1,676 G 6
Castries (cap.), 4,353 G 6
Castries, *15,291 G 6
Choc G 5
Choiseul, 513 F 7
Dauphin G 5
Dennery, 2,252 G 6
Gros Islet, 1,016 G 5
Laborie, 1,591 G 7
Marigot G 6
Marquis G 6
Micoud, 2,040 G 6
Praslin G 6
Soufrière, 2,692 F 6
Vieux Fort, 3,228 G 7

PHYSICAL FEATURES

Beaumont (pt.) F 6
Canaries, Piton (mt.) G 6
Cannelles (pt.) G 7
Cannelles (river) G 6
Cap (pt.) G 5
Choc (bay) G 5
Fond d'Or (bay) G 6
Gimie (mt.) G 6
Grand Caille (pt.) F 6
Grand Cul de Sac (river) G 6
Gros Islet (bay) G 5
Gros Piton (mt.) G 6
Maria (isl.) G 7
Ministre (pt.) G 7
Moule à Chique (cape) G 7
Petit Piton (mt.) G 6
Pigeon (isl.) G 5
Port Castries (harb.) G 6
Port Praslin (bay) G 6
Roseau (river) G 6
Saint Lucia (chan.) G 5
Saint Vincent (passage) G 7
Savannes (bay) G 7
Sorcière, La (mt.) G 6
Soufrière (bay) F 6
Vierge (pt.) G 6
Vieux Fort (river) G 6

SAINT VINCENT

Total Population 86,000

CITIES and TOWNS

Barrouallie, 1,119 A 9
Calliaqua, 636 A 9
Camden Park A 9
Chateaubelair, 463 A 8
Colonarie A 9
Georgetown, 1,213 A 8
Kingstown (cap.), 4,308 A 9
Kingstown, *20,688 A 9
Layou, 1,149 A 9
Turema A 8
Wallibu A 8

PHYSICAL FEATURES

Colonarie (pt.) A 9
Cumberland (bay) A 8
Dark (head) A 8
De Volet (pt.) A 8
Espagnol (pt.) A 8
Greathead (bay) A 9
Kingstown (bay) A 9
Owia (bay) A 8
Porter (pt.) A 8
Richmond (peak) A 8
Saint Andrew (mt.) A 9
Saint Vincent (passage) A 8
Soufrière (mt.) A 8
Yambu (head) A 9

TRINIDAD and TOBAGO

CITIES and TOWNS

Arima, 10,982 B10
Arouca, 4,781 B10
Basse Terre B11
Biche, 1,986 B10
Blanchisseuse, 205 B10
California A11
Carapichaima B10
Caroni, 678 B10
Cedros, 1,388 A11
Chaguanas, 3,509 A10
Chaguaramas A10
Couva, 3,567 B10
Cunapo B10
Débé, 2,189 B11
Ecclesville B11
Flanagin Town B10
Fullarton A11
Fyzabad, 1,869 A11
Gran Couva B11
Grande Rivière, 301 B10
Guaico B10
Guayaguayare, 287 B11
La Brea, 4,828 A11
La Lune, 252 B11
Marabella, 8,937 A11
Matelot, 289 B10
Matura B10
Mayaro, 1,828 B11
Moruga, 656 B11
Mucurapo, 2,851 A10
Nestor B10
Palo Seco A11
Peñal, 3,594 B11
Piarco B10
Point Fortin, 8,753 A11
Port-of-Spain (cap.), 93,954 A10
Port-of-Spain, *120,694 A10
Princes Town, 6,681 B11
Redhead, 302 B10
Rio Claro, 2,174 B11
Sadhoowa B11
Saint Joseph, 4,079 B10
Saint Joseph B11
San Fernando, 39,830 A11
San Francique A1
San Juan, 19,064 A1
Sangre Grande, 5,087 B1
Sans Souci, 295 B10
Siparia, 4,174 B11
Tabaquite B11
Tableland B11
Tacarigua, 6,704 B10
Talparo B10
Toco, 979 B10
Tunapuna, 11,287 B10
Upper Manzanilla B10
Valencia, 370 B10
Waterloo A10

PHYSICAL FEATURES

Aripo, El Cerro del (mt.) B10
Boca Grande (passage) A10
Casa Cruz (cape) B11
Chacachacare (isl.) A1
Chupara (pt.) B1
Cocos (bay) B1
Dragons Mouth (passage) A1
Erin (bay) A1
Erin (pt.) A11
Galeota (pt.) B11
Galera (pt.) C10
Guapo (bay) A11
Guatuaro (pt.) B11
Icacos (pt.) A11
Matura (bay) B10
Mayaro (bay) B11
Monos (isl.) A10
Nariva (swamp) B10
Oropuche (river) B10
Ortoire (river) B11
Paria (gulf) A10
Pitch (lake) A11
Serpents Mouth (passage) A11
Tamana (mt.) B10
Trinidad (isl.), 794,624 A 9
Tucuche, El (mt.) B10
U.S. Naval Base A10

VIRGIN ISLANDS (BRITISH)

CITIES and TOWNS

Road Town (cap.), 891 D 3
West End, 105 C 4

PHYSICAL FEATURES

Flanagan (passage) D 4
Frenchman (cay), 56 C 4
Great Thatch (isl.) C 4
Great Tobago (isl.) B 3
Jost Van Dyke (isl.), 178 C 3
Little Tobago (isl.) B 3
Narrow, The (str.) C 4
Norman (isl.) D 4
Peter (isl.), 9 D 4
Road (bay) D 3
Sage (mt.) D 4
Sir Francis Drake (chan.) D 4
Tortola (isl.), 6,238 D 3

VIRGIN ISLANDS (U. S.)

CITIES and TOWNS

Bethlehem E 4
Canebay E 3
Charlotte Amalie (cap.), 12,880 B 4
Christiansted, 5,137 F 4
Cruz Bay, 599 C 4
Diamond F 4
East End, 32 D 4
Emmaus C 4
Fredensdal F 4
Frederiksted, 2,177 E 4
Grove Place E 4
Kingshill F 4
Longford F 4
Negro Bay E 4

PHYSICAL FEATURES

Altona (lagoon) F 4
Annaly (bay) E 3
Baron Bluff (prom.) E 3
Bordeaux (mt.) C 4
Brass (isls.) A 4
Buck (isl.) G 3
Buck Island (chan.) F 3
Buck Island Reef Nat'l Mon. G 3
Butler (bay) E 4
Caneel (bay) B 4
Capella (isls.) B 5
Coral (bay) C 4
Crown (mt.) A 4
Dutchcap (cay) A 4
Eagle (mt.) E 4
East (pt.) G 4
Flanagan (passage) D 4
Flat (cays) A 4
Grass (pt.) G 4
Great (pond) F 4
Great Pond (bay) F 4
Green (cay) F 4
Hams Bluff (prom.) E 3
Hans Lollik (isls.) B 4
Hassel (isl.) B 4
Jersey (bay) B 4
Krause (lagoon) F 4
Leeward (passage) B 4
Long (pt.) B 4
Long (pt.) E 4
Lovango (cay) C 4
Magens (bay) B 4
Maho (bay) C 4
Narrows, The (str.) C 4
Nulliberg (mt.) B 4
Perseverance (bay) A 4
Picara (pt.) B 4
Pillsbury (sound) B 4
Privateer (pt.) D 4
Pull (pt.) F 3
Ram (head) C 4
Red (pt.) D 4
Reef (bay) C 4
Saba (isl.) A 4
Saint Croix (isl.), 14,973 G 4
Saint James (isls.) B 4
Saint John (isl.), 925 C 4
Saint Thomas (harb.) B 4
Saint Thomas (isl.), 16,201 A 4
Salt (cay) A 4
Salt (river) F 4
Salt River (bay) F 3
Sandy (pt.) D 4
Savana (isl.) A 4
Southwest (cape) E 4
Tague (bay) G 4
Thatch (cay) B 4
Turner Hole (bay) G 4
U.S. Naval Air Sta. A 4
Vagthus (pt.) F 4
Virgin (passage) A 4
Virgin Islands Nat'l Hist. Site F 4
Virgin Islands Nat'l Park C 4
Water (isl.) A 4
Westend Saltpond (lagoon) E 4

*City and suburbs.
†Population of municipality.

PUERTO RICO AND THE LESSER ANTILLES

Copyright by C.S. HAMMOND & CO., N.Y.

National, Territorial and Colonial Capitals ☆
International Boundaries
Lesser Administrative Centers ●
Senatorial District Boundaries

ISLANDS — POLITICAL UNITS

- Puerto Rico — Commonwealth of the United States
- St. Thomas & St. John, St. Croix — Virgin Islands – U. S. Territory
- Curaçao, Aruba, Bonaire — Neth. Antilles-Integral Part of Neth. Realm
- Guadeloupe — French Overseas Department
- Martinique — French Overseas Department
- Dominica, St. Lucia, St. Vincent, Grenada, St. Christopher & Nevis, Antigua — British Colonies
- Trinidad — Trinidad and Tobago — Independent Member of the British Commonwealth

CANADA

CONIC PROJECTION

SCALE OF MILES
0 50 100 200 300

SCALE OF KILOMETRES
0 50 100 200 300 400 500

☆	Capitals of Countries
△	Provincial Capitals
——	International Boundaries
— —	Provincial Boundaries
----	Canals

Copyright by C.S. Hammond & Co., N.Y.

Abitibi (lake), Ont. .... H 6	Cabot (strait) .... K 6	Davis (strait), N.W.T. .... K 1	Foxe (basin), N.W.T. .... J 2	Juan de Fuca (strait), B.C. ... D 6	Marathon, Ont., 2,568 .... H 6	North Vancouver, B.C., 23,656.. D 6
Aklavik, N.W.T., 599 .... C 2	Calgary, Alta., 1323,000 ...... E 5	Dawson, Yukon, 881 .... C 3	Franklin (dist.), N.W.T., 5,758.. H 1	Kamloops, B.C., 10,076 .... D 5	Mattawa, Ont., 3,314 .... J 6	Northwest Territories, 26,000... E 2
Albany (river), Ont. .... H 5	Callander, Ont., 1,236 .... J 6	Dease (strait), N.W.T. .... F 2	Fraser (river), B.C. .... D 5	Kamsack, Sask., 2,968 .... F 5	Mayo, Yukon, 342 .... D 3	Nottaway (river), Que. .... J 5
Alberta (prov.), 1,456,000 ..... E 5	Cambridge Bay, N.W.T., 531.. F 2	Denwood, Alta., 3,351 .... E 5	Fredericton (cap.), N.B.,	Kane (basin), N.W.T. .... J 1	M'Clintock (chan.), N.W.T. ... F 1	Nova Scotia (prov.), 759,000... K 7
Alberta (mt.) .... E 5	Campbellton, N.B., 9,873 ...... K 6	Devon (isl.), N.W.T. .... M 3	16,683 .... K 6	Kaniapiskau (river), Que. ...... K 4	Medicine Hat, Alta., 24,484.... E 5	Okanagan (lake), B.C. .... D 6
Amherst, N.S., 10,788 .... K 6	Camrose, Alta., 6,939 .... E 5	Didsbury, Alta., 1,254 .... E 5	Frobisher Bay, N.W.T., 512 ... K 3	Kapuskasing, Ont., 6,870 ...... H 6	Melfort, Sask., 4,039 .... F 5	Ontario (prov.), 6,832,000 ..... H 5
Amos, Que., 6,080 .... J 6	Cap-Chat, Que., 2,035 .... K 6	Dixon Entrance (strait), B.C. .. C 5	Fundy (bay) .... K 6	Keewatin (dist.), N.W.T., 2,345.. G 3	Melville (isl.), N.W.T. .... F 1	Ottawa (cap.), Canada, 1482,000.. J 6
Anticosti (isl.), Que., 532 ...... K 6	Cape Breton (isl.), N.S.,	Drumheller, Alta., 2,931 .... E 5	Gander, Newf., 5,725 .... L 6	Kelowna, B.C., 13,188 .... D 6	Melville (pen.), N.W.T. .... H 2	Owen Sound, Ont., 17,421 .... H 7
Athabasca (cap.), Alta., 1,487 .. E 5	165,548 .... L 6	Eastmain (river), Que. .... J 5	Gaspé, Que., 2,603 .... K 6	Kenogami (river), Ont. .... H 5	Merritt, B.C., 3,039 .... D 5	Padloping (isl.), N.W.T. .... K 2
Athabasca (lake) .... F 4	Cardston, Alta., 2,801 .... E 6	Edmonton (cap.), Alta.,	Gatineau (river), Que. .... J 6	Kenora, Ont., 10,904 .... G 5	Minto (lake), N.W.T. .... J 4	Parry (chan.), N.W.T. .... E-H 1
Athabasca (river), Alta. .... E 4	Carman, Man., 1,930 .... G 6	1385,000 .... E 5	Georgian (bay), Ont. .... H 6	Killarney, Man., 1,729 .... F 6	Mistassini (lake), Que. .... J 6	Parry Sound, Ont., 6,004 ...... J 6
Atikokan, Ont., 6,874 .... H 6	Chandler, Que., 3,406 .... K 6	Edmundston, N.B., 12,791 .... K 6	Geraldton, Ont., 3,375 .... H 6	Kindersley, Sask., 2,390 .... F 5	Mistassini (river), Que. .... J 5	Parry Is. (lake), N.W.T. .... M 3
Axel Heiberg (isl.), N.W.T. ... H 1	Chapleau, Ont., 3,350 .... H 6	Edson, Alta., 3,198 .... E 5	Glace Bay, N.S., 24,166 .... L 6	Kingston, Ont., 53,526 .... J 7	Moncton, N.B., 43,840 .... K 6	Peace (river) .... E 4
Back (river), N.W.T. .... G 3	Charlottetown (cap.), P.E.I.,	Elk Island Nat'l Park, Alta., 69..E 5	Gods (lake), Man. .... G 5	Kirkland Lake, Ont., 15,366 ... H 6	Mont-Joli, Que., 6,178 .... K 6	Peace River, Alta., 2,543 ...... E 4
Baffin (bay), N.W.T. .... J 1	18,318 .... L 6	Ellesmere (isl.), N.W.T. .... J 1	Goose Airport, Newf., 3,040 .. K 5	Kitimat, B.C., 8,000 .... C 5	Mont-Laurier, Que., 5,859 .... J 6	Peel (river) .... C 3
Baffin (isl.), N.W.T. .... J 2	Chatham, N.B., 7,109 .... K 6	Eskimo Point, N.W.T., 168 ... G 3	Gouin (res.), Que. .... J 6	Kluane (lake), Yukon .... C 3	Mont-Royal, Que., 12,327,000..J 7	Pelly (river), Yukon .... C 3
Baker Lake, N.W.T., 386 ...... G 3	Chesterfield Inlet, N.W.T., 146..G 3	Estevan, Sask., 7,728 .... F 5	Grand Falls, Newf., 6,606 ...... L 6	Kootenay (lake), B.C. .... E 6	Montréal, Que., 12,327,000... J 7	Pembroke, Ont., 16,791 .... J 6
Baleine (river), Que. .... K 4	Chibougamau, Que., 4,765 .... J 6	Eston, Sask., 1,695 .... F 5	Grande-Prairie, Alta., 8,352 ... E 4	La Tuque, Que., 13,023 .... J 6	Moose Jaw, Sask., 33,206 .... F 5	Péribonca (river), Que. .... J 6
Banff, Alta., 3,429 .... E 5	Chicoutimi, Que., 31,657 ...... J 6	Fernie, B.C., 2,661 .... E 6	Great Bear (lake), N.W.T. .... E 3	Laberge (lake), Yukon .... C 3	Moosomin, Sask., 1,781 .... F 5	Peterborough, Ont., 47,185 ... J 7
Banff Nat'l Park, Alta., 4,101.. E 5	Chidley (cape) .... K 3	Finlay (river), B.C. .... D 4	Great Slave (lake), N.W.T. ... E 3	Labrador (reg.), Newf., 13,534.. K 4	Moosonee, Ont., 975 .... H 5	Pincher Creek, Alta., 2,961.... E 6
Banks (isl.), N.W.T. .... D 1	Chilliwack, B.C., 8,259 .... D 6	Flin Flon, Man., 11,104 .... F 5	Guelph, Ont., 39,838 .... H 7	Lac-la-Biche, Alta., 1,188 ...... E 4	Morden, Man., 2,793 .... G 6	Portage-la-Prairie, Man.,
Barrow (strait), N.W.T. .... G 1	Churchill (river) .... F 4	Fogo (isl.), Newf., 4,546 ...... L 6	Halifax (cap.), N.S., 1183,946.. K 7	Lacombe, Alta., 3,029 .... E 5	Nanaimo, B.C., 14,135 .... D 6	12,388 .... G 5
Bathurst, N.B., 5,494 .... K 6	Churchill (river), Newf. .... K 5	Fond-du-Lac (lake), Sask. .... F 4	Hamilton, Ont., 5,1183 .... H 7	Lake Louise, Alta., 178 .... E 5	Nares (strait), N.W.T. .... N 3	Port Arthur, Ont., 45,276 ...... H 6
Battleford, Sask., 1,627 .... F 5	Coast (range) .... C 4	Fort Frances, Ont., 9,481 ...... G 6	Hanna, Alta., 2,645 .... E 5	Lancaster (sound), N.W.T. ... H 1	Natashquan (river) .... K 5	Port-aux-Basques, Newf., 4,141.. L 6
Beaver (river) .... F 5	Cobalt, Ont., 2,209 .... J 6	Fort Franklin, N.W.T., 238 .... D 2	Harbour Grace, Newf., 2,650.. L 6	Leduc, Alta., 2,356 .... E 5	Nelson, B.C., 7,074 .... E 6	Port Radium, N.W.T., 412 .... E 2
Bell (isl.), Newf. .... J 7	Cochrane, Ont., 4,521 .... H 6	Fort George, Que., 1,074 ...... J 5	Havre-Saint-Pierre, Que., 2,407.. K 5	Lesser Slave (lake), Alta. .... E 4	Nelson (river), Man. .... G 4	Portland (canal), B.C. .... C 5
Berens (river) .... G 5	Coleman, Ont., 1,713 .... E 6	Fort George (river), Que. ...... J 5	Hay River, N.W.T., 1,338 ...... E 3	Lethbridge, Alta., 35,454 ...... E 6	New Brunswick (prov.), 626,000.. K 6	Prince Albert, Sask., 24,168 ... F 5
Biggar, Sask., 2,702 .... F 5	Columbia (cape), N.W.T. ...... N 3	Fort Good Hope, N.W.T., 292..D 2	Hearst, Ont., 2,373 .... H 6	Liard (river) .... D 3	New Liskeard, Ont., 4,896 .... J 6	Prince Albert Nat'l Park, Sask.,
Blind River, Ont., 4,093 .... H 6	Columbia (river), B.C. .... D 6	Fort Macleod, Alta., 2,490 .... E 6	Hecate (strait), B.C. .... C 5	Lillooet, B.C., 1,304 .... D 5	New Westminster, B.C., 33,654..D 6	109 .... F 5
Boissevain, Man., 1,303 .... G 6	Coppermine, N.W.T., 230 .... E 2	Fort McMurray, Alta., 1,188...E 4	High River, Alta., 2,276 .... E 5	Logan (mt.), Yukon .... B 3	Newcastle, N.B., 5,236 .... K 6	Prince Edward Island (prov.),
Bonavista, Newf., 4,186 .... L 6	Corner Brook, Newf., 25,185.. L 6	Fort McPherson, N.W.T., 509..C 2	Hope, B.C., 2,751 .... D 6	London, Ont., 1196,000 .... H 7	Newfoundland (prov.), 501,000.. L 5	108,000 .... K 6
Boothia (pen.), N.W.T. .... G 1	Cornwall, Ont., 41,639 .... J 7	Fort Nelson, B.C., 1,607 ...... D 4	Hull, Que., 56,929 .... J 6	Lunenburg, N.S., 3,056 .... K 7	Niagara Falls, Ont., 22,351 ... J 7	Prince George, B.C., 13,877 ... D 5
Bow (river), Alta. .... E 5	Cornwallis (isl.), N.W.T. ...... M 3	Fort Providence, N.W.T., 402..E 3	Humboldt, Sask., 3,245 .... F 5	Mackenzie (dist.), N.W.T. .... E 3	Nipigon (lake), Ont. .... H 6	Prince Patrick (isl.), N.W.T. ... M 3
Bowmanville, Ont., 7,397 ...... F 6	Coronation (gulf), N.W.T. .... F 2	Fort Reliance, N.W.T., 698 ... F 3	Indian Head, Sask., 1,802 ..... F 5	Magdalen (isl.), Que., 12,479.. K 5	Nipigon (river), Ont. .... H 6	Prince Rupert, B.C., 11,987 .. C 5
Brandon, Man., 28,166 .... F 6	Courtenay, B.C., 3,845 .... D 6	Fort Resolution, N.W.T., 485..E 3	Inuvik, N.W.T., 1,248 .... C 2	Manicouagan (river), Que. .... K 5	Noranda, Que., 11,477 .... J 6	Québec (prov.), 5,712,000 ..... J 5
Bridgewater, N.S., 4,497 ...... K 7	Cranbrook, B.C., 5,549 .... E 6	Fort Saskatchewan, Alta., 2,972..E 5	Inverness, N.S., 2,109 .... K 6	Manitoba (prov.), 959,000 ..... G 5	Norman Wells, N.W.T., 297... D 3	Québec (cap.), Que., 1392,000..J 6
British Columbia (prov.),	Cree (lake), Sask. .... F 4	Fort Simpson, N.W.T., 563 ... D 3	Iroquois Falls, Ont., 1,681 ..... H 6	Manitoba (lake), Man. .... G 5	North (cape), N.S. .... L 6	Queen Charlotte (isls.), B.C. .. C 5
1,838,000 .... D 4	Cumberland (sound), N.W.T... K 2	Fort Smith (adm. cap.), N.W.T.,	Jasper, Alta., 2,360 .... E 5	Manitoulin (isl.), Ont. .... H 6	North Battleford, Sask., 11,230..F 5	Queen Elizabeth (isls.), N.W.T. M 3
Burns Lake, B.C., 1,041 .... D 5	Dartmouth, N.S., 46,966 ...... K 7	1,591 .... E 3	Jasper Nat'l Park, Alta., 2,902..E 5	Maple Creek, Sask., 2,291 ..... F 6	North Magnetic Pole .... F 1	Quesnel, B.C., 4,673 .... D 5
	Dauphin, Man., 7,374 .... F 5	Fort William, Ont., 45,214 .... H 6	Jonquière, Que., 28,588 .... J 6		North Saskatchewan (river) ... E 4	Quesnel (lake), B.C. .... D 5

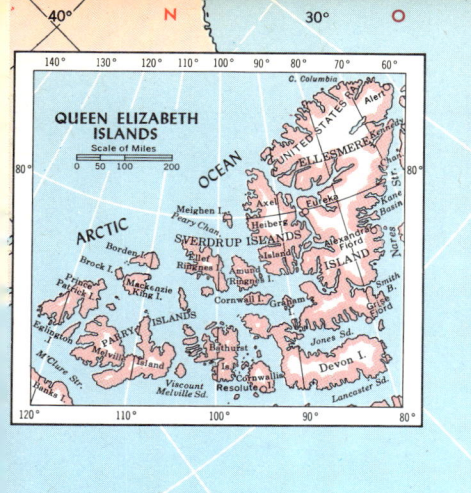

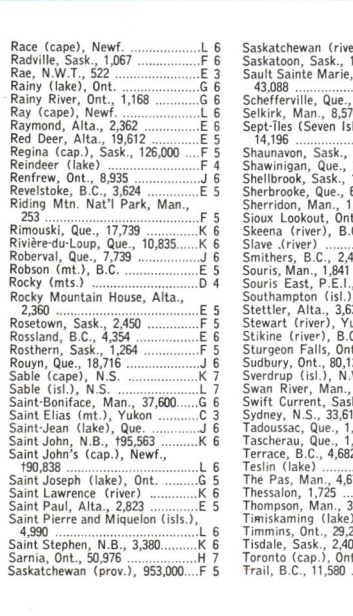

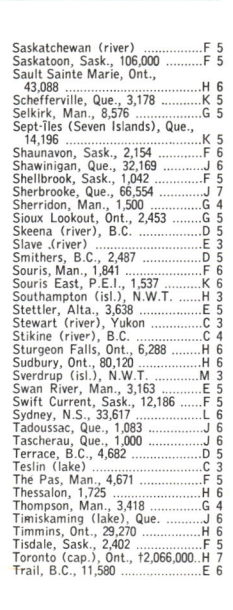

CANADA

AREA	3,851,809 sq. mi.
POPULATION	19,785,000
CAPITAL	Ottawa
LARGEST CITY	Montréal (greater) 2,321,000
HIGHEST POINT	Mt. Logan 19,850 ft.
MONETARY UNIT	Canadian dollar
MAJOR LANGUAGES	English, French
MAJOR RELIGIONS	Protestant, Roman Catholic

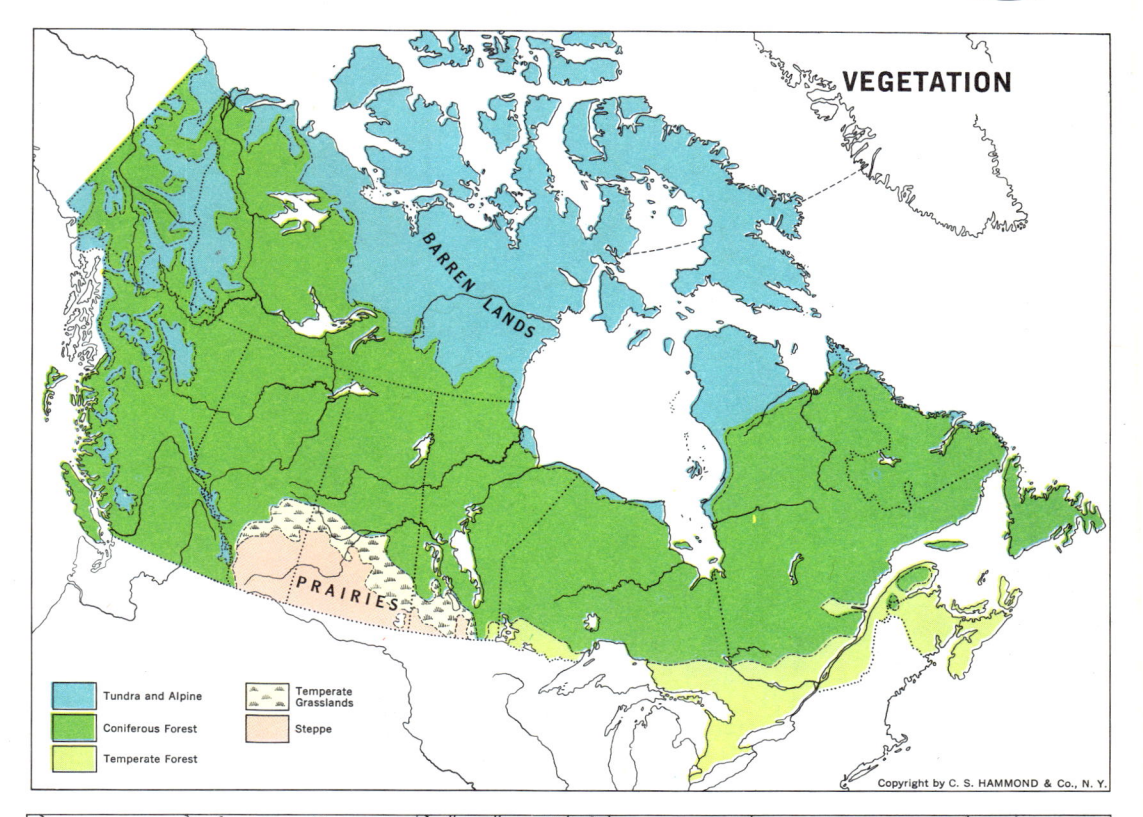

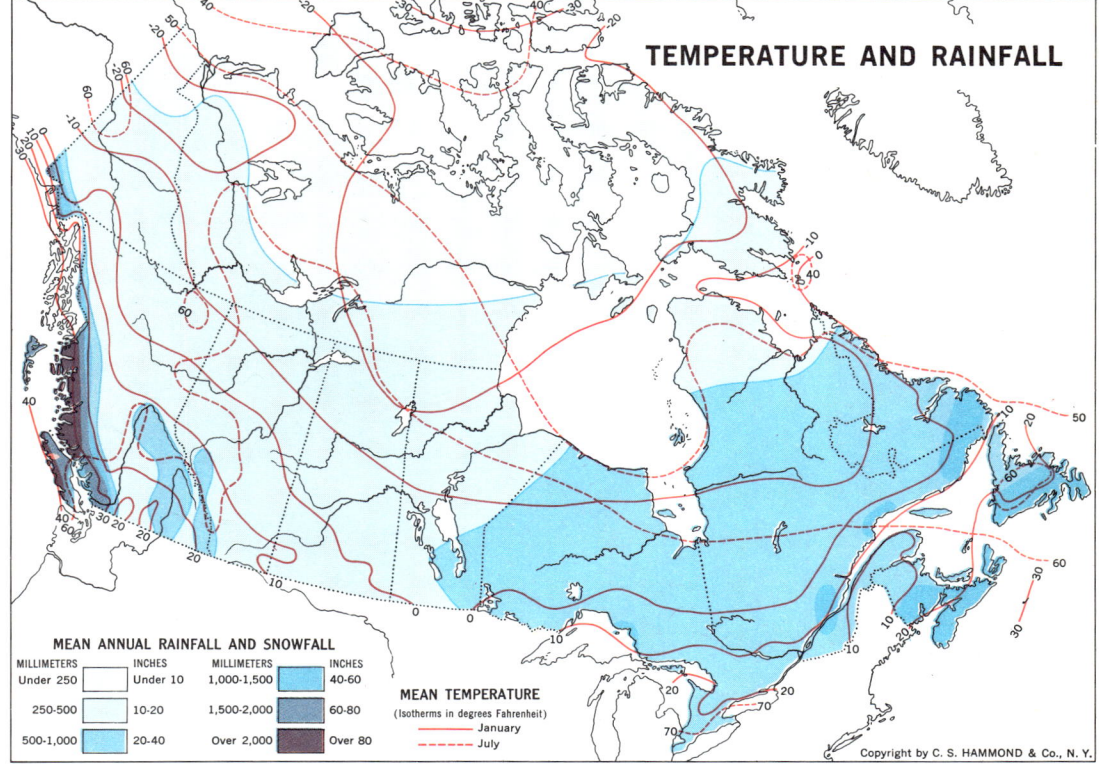

QUEEN ELIZABETH ISLANDS

VEGETATION

Legend:
- Tundra and Alpine
- Coniferous Forest
- Temperate Forest
- Temperate Grasslands
- Steppe

TEMPERATURE AND RAINFALL

MEAN ANNUAL RAINFALL AND SNOWFALL

MILLIMETERS	INCHES	MILLIMETERS	INCHES
Under 250	Under 10	1,000-1,500	40-60
250-500	10-20	1,500-2,000	60-80
500-1,000	20-40	Over 2,000	Over 80

MEAN TEMPERATURE
(Isotherms in degrees Fahrenheit)
— January
--- July

Copyright by C. S. HAMMOND & Co., N.Y.

Race (cape), Newf. ... L 6
Radville, Sask., 1,067 ... F 6
Rae, N.W.T., 522 ... E 3
Rainy (lake), Ont. ... G 6
Rainy River, Ont., 1,168 ... G 6
Ray (cape), Newf. ... L 6
Raymond, Alta., 2,362 ... E 6
Red Deer, Alta., 19,612 ... E 5
Regina (cap.), Sask., 126,000 ... F 5
Reindeer (lake) ... F 4
Renfrew, Ont., 8,935 ... J 6
Revelstoke, B.C., 3,624 ... E 5
Riding Mtn. Nat'l Park, Man., 253 ... F 5
Rimouski, Que., 17,739 ... K 6
Rivière-du-Loup, Que., 10,835 ... K 6
Roberval, Que., 7,739 ... J 6
Robson (mt.), B.C. ... E 5
Rocky (mts.) ... D 4
Rocky Mountain House, Alta., 2,360 ... E 5
Rosetown, Sask., 2,450 ... F 5
Rossland, B.C., 4,354 ... E 6
Rosthern, Sask., 1,264 ... F 5
Rouyn, Que., 18,716 ... J 6
Sable (cape), N.S. ... K 7
Sable (isl.), N.S. ... L 7
Saint-Boniface, Man., 37,600 ... G 6
Saint Elias (mt.), Yukon ... C 3
Saint-Jean (lake), Que. ... J 6
Saint John, N.B., †95,563 ... K 6
Saint John's (cap.), Newf., 190,838 ... L 6
Saint Joseph (lake) ... H 6
Saint Lawrence (river) ... K 6
Saint Paul, Alta., 2,823 ... E 5
Saint Pierre and Miquelon (isls.), 4,990 ... L 6
Saint Stephen, N.B., 3,380 ... K 6
Sarnia, Ont., 50,976 ... H 7
Saskatchewan (prov.), 953,000 ... F 5

Saskatchewan (river) ... F 5
Saskatoon, Sask., 106,000 ... F 5
Sault Sainte Marie, Ont., 43,088 ... H 6
Schefferville, Que., 3,178 ... K 5
Selkirk, Man., 8,576 ... G 5
Sept-Îles (Seven Islands), Que., 14,196 ... K 5
Shaunavon, Sask., 2,154 ... F 6
Shawinigan, Que., 32,169 ... J 6
Shellbrook, Sask., 1,042 ... F 5
Sherbrooke, Que., 66,554 ... J 7
Sherridon, Man., 1,500 ... G 4
Sioux Lookout, Ont., 2,453 ... G 5
Skeena (river), B.C. ... D 5
Slave (river) ... E 3
Smithers, B.C., 2,487 ... D 5
Souris, Man., 1,841 ... F 6
Souris East, P.E.I., 1,537 ... K 6
Southampton (isl.), N.W.T. ... H 3
Stettler, Alta., 3,638 ... E 5
Stewart (river), Yukon ... C 3
Stikine (river), B.C. ... C 4
Sturgeon Falls, Ont., 6,288 ... H 6
Sudbury, Ont., 80,120 ... H 6
Sverdrup (isl.), N.W.T. ... M 3
Swan River, Man., 3,163 ... F 5
Swift Current, Sask., 12,186 ... F 5
Sydney, N.S., 33,617 ... L 6
Tadoussac, Que., 1,083 ... J 6
Tascherau, Que., 1,000 ... J 6
Terrace, B.C., 4,682 ... D 5
Teslin (lake) ... C 3
The Pas, Man., 4,671 ... F 5
Thessalon, 1,725 ... H 6
Thompson, Man., 3,418 ... G 4
Timiskaming (lake), Que. ... J 6
Timmins, Ont., 29,270 ... H 6
Tisdale, Sask., 2,402 ... F 5
Toronto (cap.), Ont., †2,066,000 ... H 7
Trail, B.C., 11,580 ... E 6

Trois-Rivières, Que., 53,477 ... J 6
Truro, N.S., 12,421 ... K 6
Tuktoyaktuk, N.W.T., 409 ... C 2
Uranium City, Sask., 1,665 ... F 4
Vancouver, B.C., †850,000 ... D 6
Vancouver (isl.), B.C. ... D 6
Vanderhoof, B.C., 1,460 ... D 5
Végreville, Alta., 2,908 ... E 5

Vermilion, Alta., 2,449 ... E 5
Vernon, B.C., 10,250 ... E 5
Victoria (cap.), B.C., 54,941 ... D 6
Victoria (isl.), N.W.T. ... E 1
Wager (bay), N.W.T. ... G 2
Waterton-Glacier Int'l Peace Park, Alta. ... E 6
Watrous, Sask., 1,461 ... F 5

Wetaskiwin, Alta., 5,300 ... E 5
Weyburn, Sask., 9,101 ... F 6
White (bay), Newf. ... L 5
Whitehorse (cap.), Yukon, 5,031 ... C 3
Williams Lake, B.C., 2,120 ... D 5
Windsor, N.S., 3,823 ... K 7
Windsor, Ont., †206,000 ... H 7

Winnipeg (cap.), Man., †490,000 ... G 6
Winnipeg (lake), Man. ... G 5
Winnipegosis (lake), Man. ... F 5
Wollaston (lake), Sask. ... F 4
Wood Buffalo Nat'l Park, 86 ... E 4
Woods (lake) ... G 6
Woodstock, N.B., 4,305 ... K 6

Wynyard, Sask., 1,686 ... F 5
Yarmouth, N.S., 8,636 ... K 7
Yellowknife, N.W.T., 3,245 ... E 3
Yoho Nat'l Park, B.C. ... E 5
Yorkton, Sask., 9,995 ... F 5
Yukon (terr.), 15,000 ... C 3

†Population of metropolitan area.

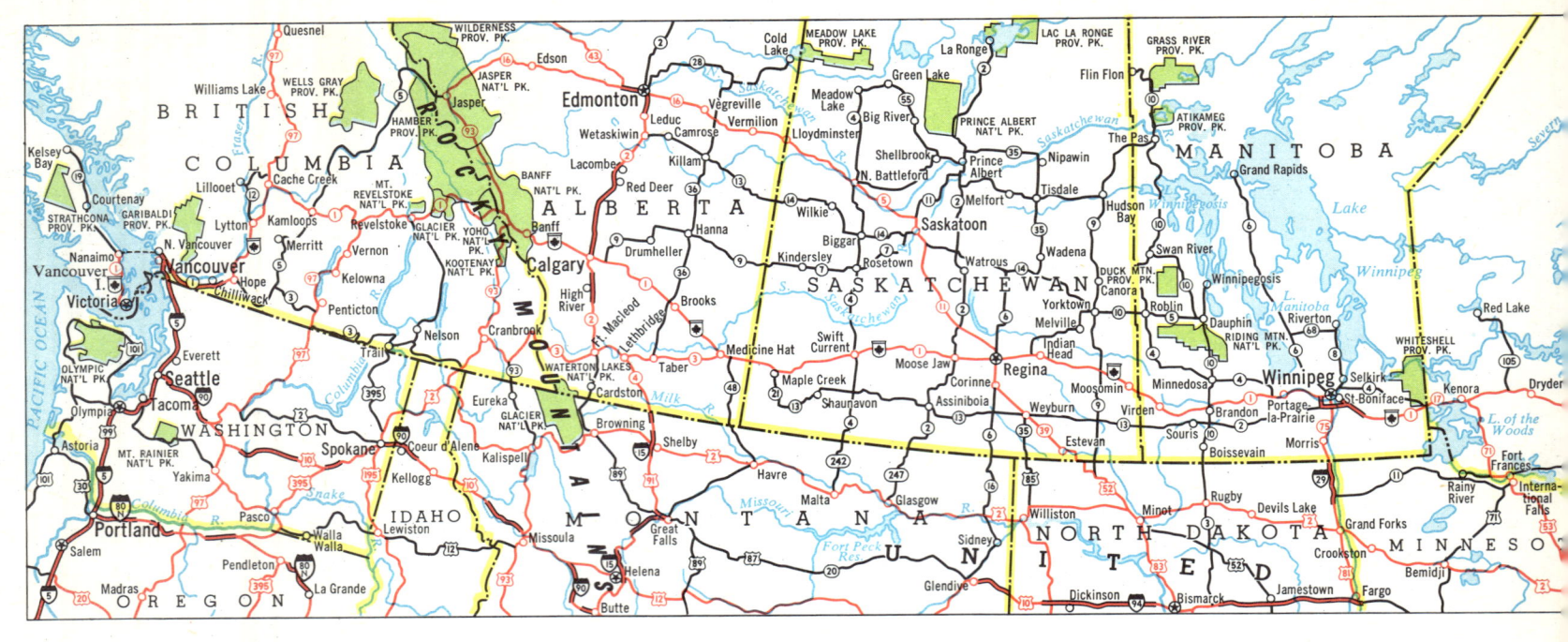

AGRICULTURE, INDUSTRY and RESOURCES

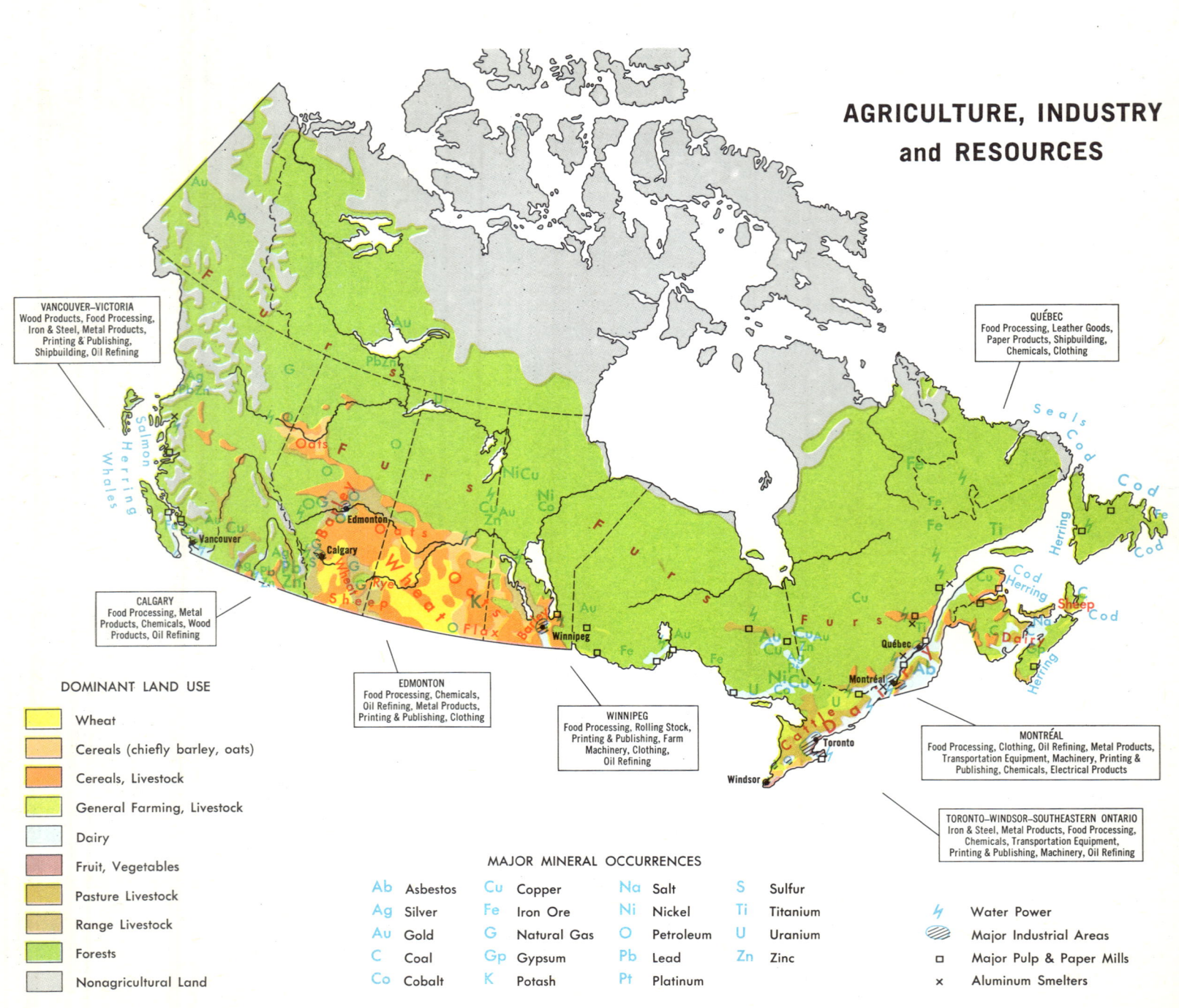

VANCOUVER–VICTORIA
Wood Products, Food Processing, Iron & Steel, Metal Products, Printing & Publishing, Shipbuilding, Oil Refining

CALGARY
Food Processing, Metal Products, Chemicals, Wood Products, Oil Refining

EDMONTON
Food Processing, Chemicals, Oil Refining, Metal Products, Printing & Publishing, Clothing

WINNIPEG
Food Processing, Rolling Stock, Printing & Publishing, Farm Machinery, Clothing, Oil Refining

QUÉBEC
Food Processing, Leather Goods, Paper Products, Shipbuilding, Chemicals, Clothing

MONTRÉAL
Food Processing, Clothing, Oil Refining, Metal Products, Transportation Equipment, Machinery, Printing & Publishing, Chemicals, Electrical Products

TORONTO–WINDSOR–SOUTHEASTERN ONTARIO
Iron & Steel, Metal Products, Food Processing, Chemicals, Transportation Equipment, Printing & Publishing, Machinery, Oil Refining

DOMINANT LAND USE

- Wheat
- Cereals (chiefly barley, oats)
- Cereals, Livestock
- General Farming, Livestock
- Dairy
- Fruit, Vegetables
- Pasture Livestock
- Range Livestock
- Forests
- Nonagricultural Land

MAJOR MINERAL OCCURRENCES

Ab	Asbestos	Cu	Copper	Na	Salt	S	Sulfur
Ag	Silver	Fe	Iron Ore	Ni	Nickel	Ti	Titanium
Au	Gold	G	Natural Gas	O	Petroleum	U	Uranium
C	Coal	Gp	Gypsum	Pb	Lead	Zn	Zinc
Co	Cobalt	K	Potash	Pt	Platinum		

- Water Power
- Major Industrial Areas
- ▫ Major Pulp & Paper Mills
- × Aluminum Smelters

165

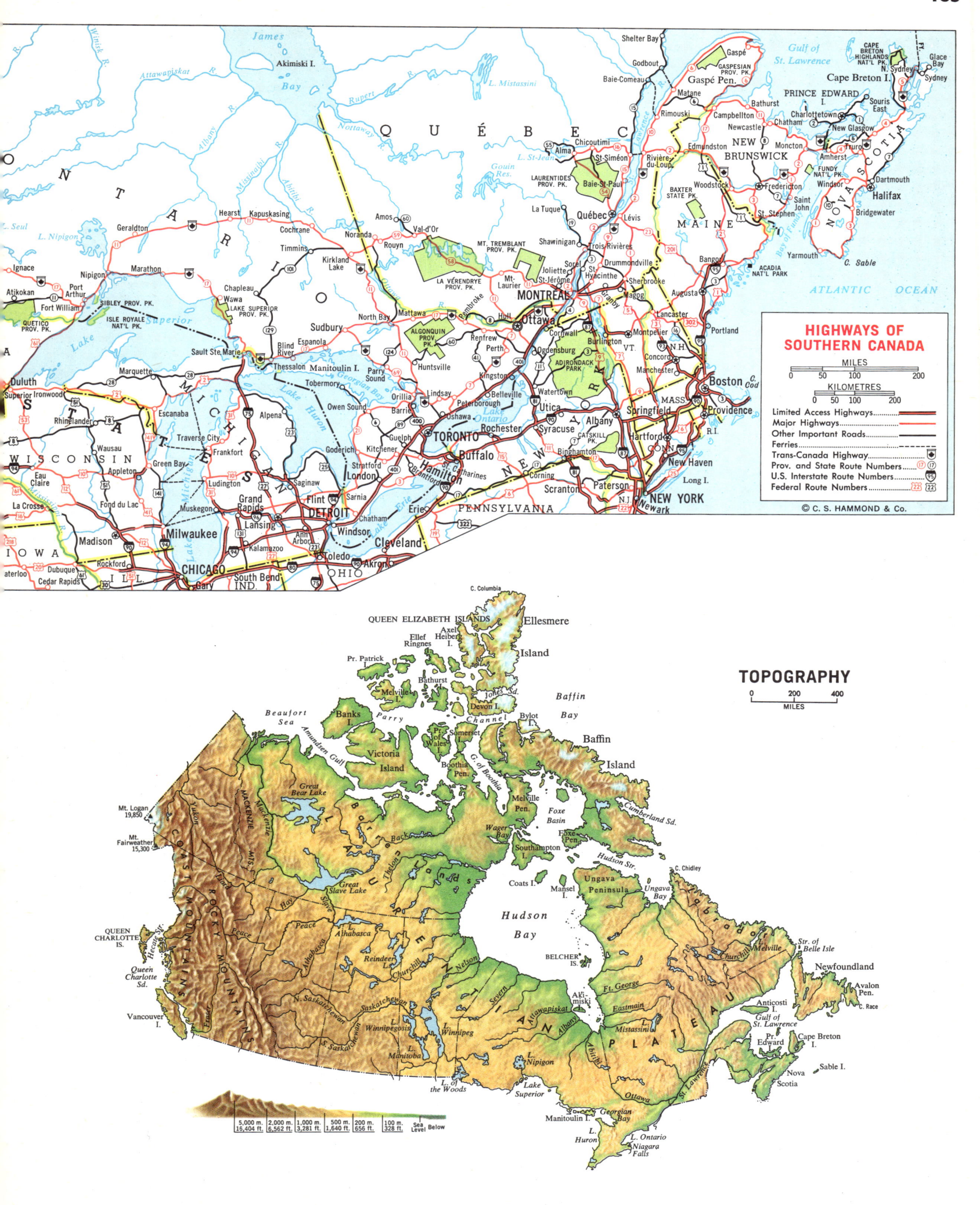

HIGHWAYS OF SOUTHERN CANADA

MILES
0   50   100   200
KILOMETRES
0   50   100   200

- Limited Access Highways
- Major Highways
- Other Important Roads
- Ferries
- Trans-Canada Highway
- Prov. and State Route Numbers ⑰
- U.S. Interstate Route Numbers 95
- Federal Route Numbers 22

© C. S. HAMMOND & Co.

TOPOGRAPHY

MILES
0   200   400

5,000 m. / 16,404 ft. — 2,000 m. / 6,562 ft. — 1,000 m. / 3,281 ft. — 500 m. / 1,640 ft. — 200 m. / 656 ft. — 100 m. / 328 ft. — Sea Level — Below

NEWFOUNDLAND INCLUDING LABRADOR

SCALE OF MILES

Capitals of Provinces & Territories .... ⊛
Provincial Boundaries ....
Provincial Boundary according to
Imperial Privy Council decision, 1927 .... -----

© C. S. HAMMOND & CO., Maplewood, N.J.

NEWFOUNDLAND

AREA 156,185 sq. mi.
POPULATION 501,000
CAPITAL St. John's
LARGEST CITY St. John's (greater) 90,838
HIGHEST POINT Cirque Mtn. 5,160 ft.
SETTLED IN 1610
ADMITTED TO CONFEDERATION 1949
PROVINCIAL FLOWER Pitcher Plant

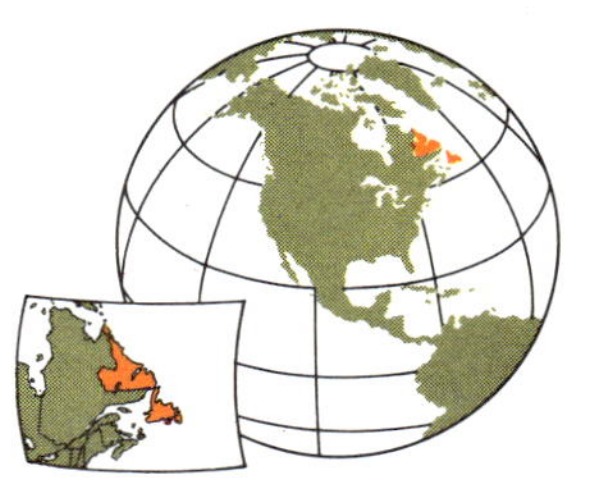

AGRICULTURE, INDUSTRY and RESOURCES

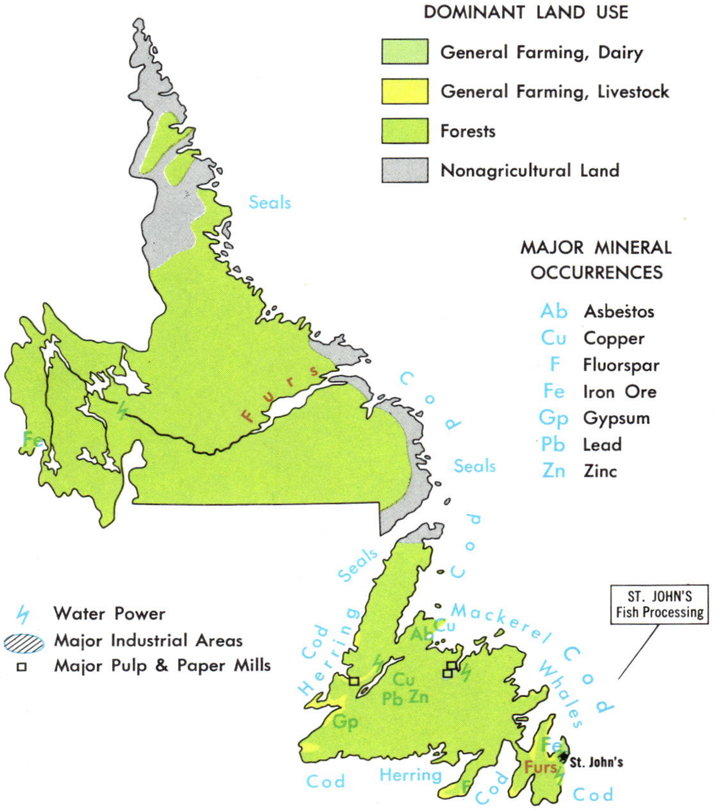
DOMINANT LAND USE
General Farming, Dairy
General Farming, Livestock
Forests
Nonagricultural Land
MAJOR MINERAL OCCURRENCES
Ab Asbestos
Cu Copper
F Fluorspar
Fe Iron Ore
Gp Gypsum
Pb Lead
Zn Zinc
Water Power
Major Industrial Areas
Major Pulp & Paper Mills
ST. JOHN'S Fish Processing
Seals
Furs
Cod
Herring
Mackerel
Whales
St. John's

CITIES and TOWNS

Admiral's Cove (D2) 177
Alexander Bay (C1) 25
Aquaforte (D2) 208
Argentia (C2) 493
Astray (A3)
Avondale (D2) 511
Badger (C4) 1,036
Baie-Verte (C4) 958
Bar Haven (C2) 197
Batteau (C3) 63
Battle Harbour (C3) 87
Bay Bulls (D2) 697
Bay de Verde (D2) 884
Bay Roberts (D2) 1,328
Bear Cove (C3) 169
Bellburns (C3) 172
Belleoram (C4) 577
Bell Island (D2) 8,026
Bishop's Falls (C4) 4,099
Blackhead Road (D2) 1,200
Bloomfield (D2) 537
Bonavista (D2) 4,186
Bonne Bay (C4) 509
Botwood (C4) 3,680
Branch (D2) 556
Brigus (D2) 704
Brigus Junction (D2) 110
Britannia (D2) 89
British Harbour (D2) 90
Broad Cove (D2) 257
Brooklyn (D2) 192
Buchans (C4) 2,463
Bunyan's Cove (C2) 405
Burgeo (C4) 1,454
Burin (C4) 1,144
Burnside (D1) 213
Burnt Island (C4) 678
Burnt Point (D2) 258
Calvert (D2) 468
Campbellton (D4) 636
Cape Broyle (D2) 630
Cape Charles (C3)
Caplin Cove (D2) 193
Cappahayden (D2) 82
Carbonear (D2) 4,234
Carmanville (D4) 855
Cartwright (C3) 493
Catalina (D2) 1,110
Cavendish (D2) 306
Centreville (Fair Island) (D4) 186
Champney's (D2) 136
Chance Cove (D2) 478
Change Islands (D4) 50
Channel—Port-aux-Basques (C4) 4,141
Chapel Arm (D2) 561
Charlottetown (D2) 302
Chateau (C3)
Clarenville (C2) 1,541
Clarke's Beach (D2) 669
Codroy (C4) 258
Colinet (D2) 261
Come by Chance (C2) 197
Conception Harbour (D2) 585
Cook's Harbour (C3) 342
Corner Brook (C4) 25,185
Cow Head (C4) 544
Cox's Cove (C4) 630
Creston (C4) 837
Cupids (D2) 485
Cuslett (C2) 127
Cut Throat Harbor (B2)
Daniel's Harbour (C3) 403
Dark Cove (D4) 955
Davis Inlet (B2) 98
Deer Lake (C4) 3,998
Dildo (D2) 687
Domino Harbour (C3)
Dunville (D2) 1,121
Durrell (D4) 273
Eastport (D1) 438
Elliston (D2) 678
Emily Harbour (C3)
Englee (C3) 802
English Harbour (D2) 155
English Harbour West (C4) 371
Esker (A3)
Faden (A3)
Fair Island (D4) 186
Fermeuse (D2) 311
Ferryland (D2) 713
Fishing Ships Harbour (C3)
Fishot Islands (C3) 173
Flat Island (D4) 78
Flat Rock (D2) 632
Fleur-de-Lys (C3) 457
Flowers Cove (C3) 312
Fogo (D4) 1,152
Forteau (C3) 232
Fortune (C4) 1,360
Fox Harbour (C3) 232
Fox Harbour (D2) 746
François (C4) 341
Frenchmans Island (C3)
Freshwater (C2) 1,396
Freshwater (D2) 365
Gambo (D4) 480
Gander (D4) 5,725
Gander Bay (D4) 500
Garnish (C4) 500
Gaskiers (D2) 328
Georges Brook (D2) 252
Glenwood (D4) 1,130
Glovertown (C1) 1,197
Goobies (D2) 120
Goose Airport (Goose Bay) (B3) 3,040
Goose Cove (C3) 260
Goulds (D2)
Grand Bank (C4) 2,703
Grand-Bruit (C4) 132
Grand Falls (C4) 6,606
Grates Cove (D2) 382
Green's Harbour (D2) 713
Greenspond (D4) 728
Griquet (C3) 423
Groais Island (C3) 86
Hamilton River (B3) 2,861
Hampden (C4) 682
Hant's Harbour (D2) 487
Happy Valley (Hamilton River) (B3) 2,861
Harbour Breton (C4) 1,076
Harbour Buffett (C2) 285
Harbour Deep (C3) 304
Harbour Grace (D2) 2,650
Harbour Main (D2) 469
Harbour Mille (D4) 345
Hare Bay (D4) 1,467
Head Bay D'Espoir (C4) 413
Heart's Content (D2) 607
Heart's Delight (D2) 631
Hebron (B2) 189
Henley Harbour (C3) 80
Hermitage (C4) 417
Hickman's Harbour (D2) 419
Hillview (D2) 246
Hodge's Cove (D2) 375
Holton (C3)
Holyrood (D2) 350
Hooping Harbour (C3) 166
Hopedale (B2) 218
Horse Islands (C3) 156
Howley (C4) 452
Indian Harbour (C3) 21
Ireland's Eye (D2) 64
Îsle-aux-Morts (C4) 884
Jackson's Arm (C4) 422
Jersey Side (C2) 923
Job's Cove (D2) 226
Joe Batt's Arm (D4) 1,058
Keels (D1) 185
Kelligrews (D2) 444
King's Cove (D1) 201
King's Point (C4) 546
Kingwell (C2) 159
La Scie (C4) 939
Lamaline (C4) 500
Lance Cove (D2) 654
Lanse-Amour (C3)
L'Anse-au-Clair (C3) 202
L'Anse-au-Loup (C3) 343
L'Anse-au-Meadow (C3) 60
Lark Harbour (C4) 335
Lawn (C4) 716
Lethbridge (D2) 532
Lewisporte (C4) 2,702
Little Bay Islands (C4) 426
Little Catalina (D2) 752
Little Heart's Ease (D2) 427
Livingston (A3)
Long Harbour (D2) 356
Lourdes (C4) 975
Lower Island Cove (D2) 494
Lucyville (C3)
Lumsden (D4) 269
Makkovik (C2) 168
Mall Bay (D2) 120
Markland (D2) 322
Mary's Harbour (C3) 264
Marystown (D4) 1,691
Melrose (D2) 346
Menihek (A3)
Merasheen (D4) 291
Millertown (C4) 365
Mobile (D2) 80
Mount Carmel (D2) 673
Mount Pearl Park (D2) 2,785
Mouse Island (C4) 507
Mud Lake (B3) 117
Musgravetown (C2) 597
Nain (B2) 465
New Chelsea (D2) 283
New Harbour (D2) 756
New Perlican (D2) 427
Newman's Cove (D2) 329
Newtown (D4) 585
Nippers Harbour (C4) 236
Norman's Cove (D2) 571
Norris Arm (C4) 1,226
Norris Point (C4) 711
North Harbour (D2) 141
North West River (B3) 753
Northern Bight (C2) 50
Nutak (B2) 66
Old Perlican (D2) 599
Orway (A3)
Packs Harbour (C3)
Paradise Point (C3)
Parson's Pond (C3) 337
Patrick's Cove (C2) 135
Perry's Cove (D2) 271
Peterview (C4) 726
Petit Forte (D4) 176
Petites (C4) 118
Petty Harbour (D2) 908
Placentia (C2) 1,610
Placentia Junction (D2)
Plate Cove (Plate Cove East) (D2) 214
Point La Haye (D2) 178
Point Lance (C2) 154
Point Leamington (C4) 901
Point Verde (C2) 323
Port-au-Port (C4) 482
Port-aux-Basques—Channel (C4) 4,141
Port Blandford (C2) 716
Port Hope Simpson (C3) 402
Port Rexton (D2) 438
Port Saunders (C3) 504
Port Union (D2) 645
Portugal Cove (D2) 1,141
Portugal Cove South (D2) 304
Postville (B3) 84
Pouch Cove (D2) 1,324
Princeton (D2) 174
Pushthrough (C4) 247
Raleigh (C3) 307
Ramea (C4) 970
Red Bay (C3) 261
Red Head Cove (D2) 194
Red Island (C2) 243
Reefs Harbour (C3) 163
Rencontre East (C4) 293
Rencontre West (C4) 161
Renews (D2) 567
Rigolet (C3) 108
Riverhead (D2) 292
Robinsons (C4) 322
Rocky Harbour (C4) 620
Roddickton (C3) 1,185
Rose-Blanche (C4) 626
Rushoon (D4) 336
Saint Alban's (C4) 1,547
Saint Andrew's (C4) 294
Saint Anthony (C3) 1,820
Saint Brendan's (D4) 387
Saint Bride's (C2) 397
Saint David's (C4) 317
Saint George's (C4) 1,181
SAINT JOHN'S (D2) 63,633
Saint John's (D2) †90,838
Saint Joseph's (D2) 301
Saint Lawrence (C4) 2,095
Saint Mary's (D2) 434
Saint Phillips (D2) 792
Saint Shotts (D2) 189
Saint Vincent's (D2) 599
Salmon Cove (D2) 655
Sawbill (A3)
Seal Cove (C3) 462
Seal Cove (C4) 436
Separation Point (C3) 51
Shallop Cove (C4) 406
Shearstown (D2) 680
Shoal Harbour (C2) 544
Smokey (C3)
Sound Island (C2)
South Branch (C4) 311
Spaniard's Bay (D2) 1,289
Spotted Island (C3) 64
Springdale (C4) 1,638
Square Islands (C3)
Stephenville (C4) 6,043
Stephenville Crossing (C4) 2,209
Summerville (D2) 393
Sunnyside (D2) 533
Sweet Bay (D2) 193
Swift Current (C2) 402
Terra Nova (C2) 194
Terrenceville (D4) 616
Tilting (D4) 432
Topsail (D2) 1,066
Torbay (D2) 1,445
Tors Cove (D2) 303
Traytown (D1) 355
Trepassey (D2) 495
Trinity (D2) 692
Trout River (C4) 696
Turner's Bight (C3)
Twillingate (C4) 947
Upper Island Cove (D2) 1,668
Victoria (D2) 1,506
Wabana (Bell Island) (D2) 8,026
Wabush Lake (A3) 151
Wesleyville (D4) 1,285
West Bay (C3)
West Saint-Modeste (C3) 141
Western Bay (D2) 484
Whitbourne (D2) 1,085
Williamsport (C3) 151
Windsor (C4) 5,505
Winterton (D2) 808
Witless Bay (D2) 498
Woody Island (C2)

OTHER FEATURES

Adlatok (bay) B 2
Adlavik (isls.) C 2
Aguanus (river) B 3
Alexis (river) C 3
Anaktalik Brook (river) B 2
Andre (lake) A 3
Anguille (cape) C 4
Annieopsquotch (mts.) C 4
Ashuanipi (lake) A 3
Ashuanipi (river) A 3
Astray (lake) A 3
Atikonak (lake) B 3
Atikonak (river) B 3
Attikamagen (lake) A 3
Avalon (peninsula) D 2
Avayalik (isls.) B 1
Baccalieu (isl.) D 2
Backway, The (inlet) C 3
Ballard (cape) D 2
Bauld (cape) C 3
Beaver (river) B 3
Bell (isl.) C 3
Bell (isl.), 12,281 D 2
Belle Isle (isl.) C 3
Belle Isle (strait) C 3
Benedict (mt.) C 3
Big (isl.) B 2
Big (river) C 3
Biscay Bay (river) D 2
Black River (pond) C 2
Blackhead (bay) D 2
Bluff (cape) C 3
Bois (isl.) C 4
Bonaventure (cape) D 2
Bonavista (bay) D 1
Bonavista (cape) D 1
Bonne (bay) C 4
Branch (river) C 2
Brigus (cape) D 2
Broyle (cape) D 2
Brunette (isl.) C 4
Bull (isl.) D 2
Bull Arm (inlet) D 2
Bulldog (isl.) C 3
Burin (peninsula) C 4
Burnt (lake) B 3
Byron (bay) C 3
Cabot (lake) B 2
Cabot (strait) B 4
Canada (bay) C 3
Canairiktok (river) B 3
Chance Cove (cape) D 2
Chidley (cape) B 1
Churchill (falls) B 3
Churchill (riv.) B 3
Cirque (mt.) B 2
Clode (sound) D 2
Cod (isl.) B 2
Conception (bay) D 2
Deep (inlet) B 2
Deer (harbor) D 2
Disappointment (lake) B 3
Dominion (lake) B 3
Double Mer (lake) C 3
Dyke (lake) A 3
Eagle (river) C 3
Eclipse (harbor) B 2
Eliot (mt.) B 2
Espoir (bay) C 4
Exploits (bay) C 4
Exploits (river) C 4
Ferolle (point) C 3
Ferryland (cape) D 2
Fig (river) B 3
Fogo (isl.), 4,546 D 4
Fonteneau (lake) B 3
Fortune (bay) C 4
Four (peaks) B 2
Franks (pond) D 2
Fraser (river) B 2
Freels (cape) D 4
Funk (isl.) D 4
Gabbro (lake) A 3
Gander (lake) D 4
Gander (river) D 4
George (isl.) C 3
Gilbert (river) C 3
Gisburn (lake) D 4
Glover (isl.) C 4
Goose (river) B 3
Grand (lake) B 3
Grand (lake) C 4
Grates (point) D 2
Gready (isl.) C 3
Great Burnt (lake) C 4
Great Colinet (isl.) D 2
Grey (isls.) C 3
Groais (isl.) C 3
Gros Morne (mt.) C 4
Groswater (bay) C 3
Gulch (cape) B 2
Gull (isl.) D 2
Gull Island (point) D 2
Hamilton (inlet) C 3
Hare (bay) C 3
Harp (lake) B 2
Harrison (cape) C 3
Hawke (hills) D 2
Hawke (isl.) C 3
Hawke (river) C 3
Hebron (fjord) B 2
Hermitage (bay) C 4
High (isl.) B 2
High (mts.) C 3
Holyrood (bay) D 2
Holyrood (pond) D 2
Home (isl.) B 1
Hope (lake) B 3
Horse Chops (channel) D 2
Humber (river) C 4
Huntingdon (isl.) C 3
Iglosoatalialuk (isl.) B 2
Ingornachoix (bay) C 3
Innuit (mt.) B 2
Iona (isls.) C 2
Ironbound (isls.) C 2
Islands (bay) C 2
Islands (bay) C 4
Jack Lane (bay) B 2
Jeanette (bay) C 3
Jem Lane (bay) B 2
Joseph (lake) B 3
Kaipokok (bay) B 2
Kaipokok (river) B 3
Kakkiviak (cape) B 1
Kasheshibaw (lake) B 3
Kaumajet (mts.) B 2
Kenamu (river) B 3
Kiglapait (cape) B 2
Kiglapait (mts.) B 2
Kikkertasoak (isl.) B 2
Kikkertavak (isl.) B 2
Killinek (isl.) B 1
King (isl.) C 2
Kingurutik (lake) B 2
Knox (lake) A 3
Koraluk (river) B 2
Labrador (district), 13,534 B 2
Labrador (sea) C 2
Lady (pond) D 2
La Poile (bay) C 4
Little (river) C 4
Little Mecatina (river) B 3
Lobstick (lake) B 3
Long (isl.) C 2
Long (isl.) D 2
Long (lake) B 3
Long (point) C 4
Long (range) C 4
Lozeau (lake) B 3
Mabille (lake) B 3
Maccles (lake) C 1
Mackenzie (lake) B 3
Main Topsail (mt.) C 4
Makkovik (cape) C 2
Manche, La (river) D 2
McLelan (strait) B 1
McPhadyen (river) A 3
Mealy (mts.) C 3
Meelpaeg (lake) C 4
Melville (lake) C 3
Menihek (lakes) A 3
Menistouc (lake) A 3
Merasheen (isl.) C 2
Merrifield (bay) B 2
Metchin (river) B 3
Michael (lake) C 3
Michikamats (lake) B 3
Michikamau (lake) B 3
Minipi (lake) B 3
Minipi (river) B 3
Mistaken (point) D 2
Mistastin (lake) B 2
Mistastin (river) B 2
Mistinippi (lake) B 3
Mobile Big (pond) D 2
Mount Carmel (pond) D 2
Mugford (cape) B 2
Muskrat (falls) B 3
Nachvak (fjord) B 2
Nanuktok (isls.) C 2
Napartokh (bay) B 2
Naskaupi (river) B 3
Natashquan (river) B 3
Natashquan-Est (riv.) B 3
New World (isl.), 4,443 C 4
Newman (sound) D 2
Nipishish (lake) B 3
Norman (cape) C 3
North (river) B 2
North (river) C 3
North Aulatsivik (isl.) B 2
North West Arm (inlet) D 2
North West Brook (river) D 2
North West Gander (river) C 4
Notre Dame (bay) C 4
Nunaksaluk (isl.) B 2
Okak (bay) B 2
Okak (isls.) B 2
Ossokmanuan (lake) B 3
Panchia (lake) B 3
Paradise (river) C 3
Partridge (bay) C 3
Paul (isl.) B 2
Peters (river) D 2
Petitsikapau (lake) A 3
Pine (cape) D 2
Pinware (river) C 3
Pistolet (bay) C 3
Placentia (bay) C 2
Placentia (sound) C 2
Poissons (river) A 3
Pond (lake) C 3
Ponds (isl.) C 3
Porcupine (cape) C 3
Port au Port (bay) C 4
Port au Port (peninsula) C 4
Port Manvers (harbor) B 2
Portland Creek (pond) C 3
Race (cape) D 2
Ragged (isls.) C 2
Ramah (bay) B 2
Ramea (isls.) C 4
Random (isl.), 1,644 D 2
Random (sound) D 2
Ray (cape) C 4
Red (isl.) C 2
Red Indian (lake) C 4
Red Wine (river) B 3
Riche (point) C 3
Rocky (bay) C 3
Rocky (river) D 2
Romaine (river) B 3
Round (pond) C 4
Ryan's (bay) B 2
Saglek (fjord) B 2
Saglek (bay) B 2
Saint-Augustin (river) C 3
Saint Barbe (isls.) C 3
Saint Charles (cape) C 3
Saint Croix (bay) D 2
Saint Francis (cape) D 2
Saint George (cape) C 4
Saint Georges (bay) C 4
Saint John (bay) C 3
Saint John (cape) C 3
Saint John (isl.) C 3
Saint Lewis (cape) C 3
Saint Lewis (river) C 3
Saint Marys (bay) C 2
Saint Mary's (cape) C 2
Saint Michaels (bay) C 3
Saint Paul (river) C 3
Saint Pauls (bay) C 4
Salmon (river) C 3
Salmonier (river) D 2
Sand Hill (river) C 3
Sandgirt (lake) A 3
Sandwich (bay) C 3
Sandy (lake) C 4
Seahorse (lake) A 3
Seal (lake) B 3
Sénécal (lake) B 3
Seven Islands (bay) B 2
Shabogamo (lake) A 3
Shapio (lake) B 3
Shoal (bay) D 2
Sims (lake) A 3
Sir Charles Hamilton (sound) D 4
Smith (sound) D 2
Snegamook (lake) B 3
South Aulatsivik (isl.) B 2
South West Arm (inlet) D 2
South West Brook (river) C 2
South West Gander (river) C 4
South Wolf (isl.) C 3
Spear (cape) D 2
Stony (isl.) C 3
Swale (isl.) D 1
Sylvester (mt.) C 4
Table (bay) C 3
Ten Mile (lake) C 3
Terra Nova (river) C 2
Terra Nova Nat'l Park D 2
Territok (cape) B 2
Tessisoak (lake) B 2
Thoresby (mt.) B 2
Tickle (bay) D 2
Torbay (point) D 2
Torngat (mts.) B 2
Trepassey (bay) D 2
Trinity (bay) D 2
Trout River (pond) C 4
Tunungayualuk (isl.) B 2
Turnavik (isls.) C 2
Uivuk (cape) B 2
Ujutok (bay) B 2
Ukasiksalik (isl.) B 2
Umiakovik (lake) B 2
Victoria (lake) C 4
Voiseys (bay) B 2
Wabush (lake) A 3
Wade (lake) A 3
Watchman (isl.) B 2
Webb (bay) B 2
White (bay) C 3
White Bear (isl.) B 2
White Bear (river) C 4
White Handkerchief (cape) B 2
Windbound (lake) B 3
Winokapau (lake) B 3
Woods (lake) B 3

†Population of metropolitan area.

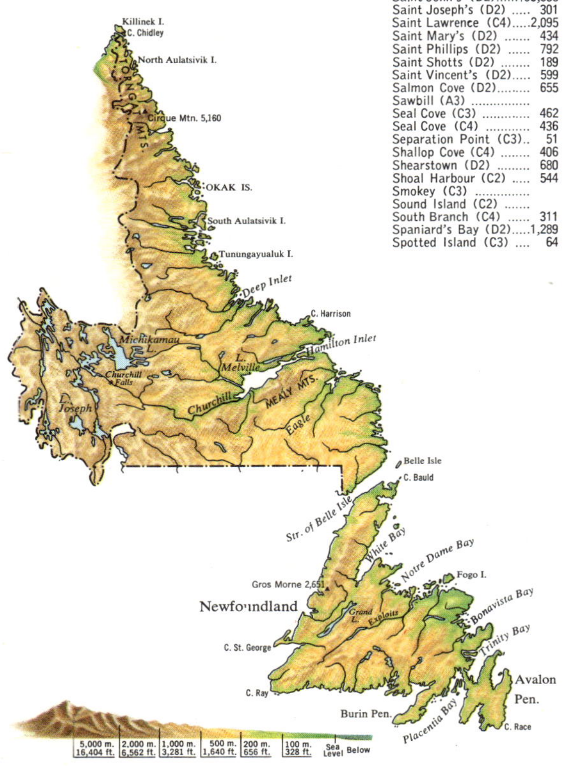
Killinek I.
C. Chidley
North Aulatsivik I.
Cirque Mtn. 5,160
OKAK IS.
South Aulatsivik I.
Tunungayualuk I.
Deep Inlet
C. Harrison
Hamilton Inlet
Michikamau
L. Melville
Churchill
Eagle
Joseph
Belle Isle
C. Bauld
Str. of Belle Isle
White Bay
Notre Dame Bay
Fogo I.
Newfoundland
Bonavista Bay
Trinity Bay
C. St. George
Avalon Pen.
C. Ray
Burin Pen.
Placentia Bay
C. Race
5,000 m. 16,404 ft.
2,000 m. 6,562 ft.
1,000 m. 3,281 ft.
500 m. 1,640 ft.
200 m. 656 ft.
100 m. 328 ft.
Sea Level
Below

Nova Scotia and Prince Edward Island

NOVA SCOTIA

COUNTIES

Annapolis (C4)	22,649
Antigonish (F3)	14,360
Cape Breton (H3)	131,507
Colchester (E3)	34,307
Cumberland (D3)	37,767
Digby (C4)	20,216
Guysborough (F3)	13,274
Halifax (E4)	225,723
Hants (D4)	26,444
Inverness (G2)	18,718
Kings (D4)	41,747
Lunenburg (D4)	34,998
Pictou (F3)	43,908
Queens (C4)	13,155
Richmond (H3)	11,374
Shelburne (C5)	15,208
Victoria (H3)	1,266
Yarmouth (C5)	23,386

CITIES and TOWNS

Advocate Harbour (D3)	311
Amherst⊙ (D3)	10,788
Annapolis Royal⊙ (C4)	800
Antigonish⊙ (F3)	4,344
Arcadia (B5)	400
Arichat⊙ (H3)	667
Arisaig (F3)	
Armdale (E4)	3,252
Aspen (F3)	177
Avonport (D3)	507
Aylesford (D3)	964
Baddeck⊙ (H2)	825
Barrington (C5)	261
Barrington Passage (C5)	381
Barrs Corners (D4)	300
Bass River (D4)	447
Bear River (D4)	830
Beaver Bank (E4)	870
Bedford (E4)	2,021
Belle-Côte (G2)	243
Belleville (C5)	276
Belmont (E3)	
Berwick (D4)	1,282
Big Pond (H3)	230
Birchtown (C5)	186
Blandford (D4)	335
Blue Rock (D4)	382
Boisdale (H3)	179
Boylston (G3)	121
Bras-d'Or (H2)	947
Bridgetown (D4)	1,043
Bridgeville (F3)	162
Bridgewater (D4)	4,497
Broad Cove (D4)	163
Brookfield (E3)	653
Brooklyn (D4)	755
Caledonia (C4)	404
Canning (D3)	850
Canso (H3)	1,151
Cape North (H2)	350
Cataione (J3)	141
Centreville (E4)	304
Centreville (D3)	461
Chester (D4)	990
Chester Basin (D4)	
Chéticamp (F2)	1,223
Chéverie (D3)	195
Christmas Island (H3)	145
Church Point (B4)	326
Clark's Harbour (C5)	945
Clementsport (C4)	519
Clementsvale (C4)	266
Coldbrook Sta. (D3)	373
Collingwood Cor. (E3)	285
Conquerall Bank (D4)	405
Dalhousie East (D4)	206
Dartmouth (E4)	46,966
Debert (E3)	593
Deep Brook (C4)	462
Digby⊙ (C4)	2,308
Diligent River (D3)	250
Dingwall (H2)	269
Dominion (J2)	2,999
Donkin (J2)	1,010
Earltown (E3)	250
East Bay (H3)	
East Chezzetcook (E4)	578
East Dover (E4)	248
East Ferry (B4)	131
East River, St. Marys (F3)	149
Eastern Passage (E4)	682
Economy (D3)	142
Ecum Secum (F3)	243
Ecum Secum Bridge (F4)	222
Elderbank (E4)	259
Ellershouse (E4)	397
Elmsdale (E4)	535
Elmsvale (E3)	180
Enfield (E4)	649
Englishtown (H2)	132
Eureka (F3)	302
Fairview (E4)	1,550
Falmouth (D3)	831
Five Islands (D3)	194
Florence (H2)	2,035
Fort Lawrence (D3)	164
Fourchu (H3)	174
Frankville (G3)	245
Freeport (B4)	363
Gabarouse (H3)	
Georges River (H3)	201
Glace Bay (J2)	24,186
Goldboro (G3)	142
Gore (E3)	144
Goshen (G3)	199
Grand-Étang (G2)	335
Grand-Pré (D3)	270
Grand River (H3)	121
Granville Centre (C4)	411
Granville Ferry (C4)	348
Green Harbour (C5)	175
Greenfield (D4)	227
Grosses-Coques (B4)	306
Guysborough⊙ (G3)	490
Half Island Cove (G3)	188
HALIFAX⊛ (E4)	92,511
Halifax⊛ (E4)	*183,946
Hampton (C4)	
Hantsport (D3)	1,381
Harbourville (D3)	191
Harrigan Cove (F4)	121
Havre-Boucher (G3)	504
Hazel Hill (H3)	280
Heatherton (G3)	
Hebron (B5)	449
Hectanooga (B4)	120
Hemford (D4)	248
Hopewell (F3)	404
Hubbards (D4)	525
Hunts Point (D5)	169
Imperoyal (E4)	490
Indian Harbour (E4)	314
Ingonish (H2)	375
Inverness (G2)	2,109
Iona (H3)	179
Isaac's Harbour (H3)	139
Italy Cross (D4)	158
Jeddore Oyster Ponds (F4)	287
Joggins (D3)	909
Jordan Falls (C5)	228
Judique (H3)	225
Kempt (C4)	185
Kennetcook (E3)	375
Kentville⊙ (D3)	4,612
Ketch Harbour (E4)	234
Kingsport (D3)	165
Kingston (D3)	1,210
L'Ardoise (H3)	275
La Have (D4)	293
La Have Island (D4)	200
Larry's River (G3)	239
Lawrencetown (C4)	509
Lequille (C4)	498
Lincolnville (G3)	148
Little Brook (B4)	249
Little Lorraine (J3)	179
Little River (B4)	182
Liverpool⊙ (D4)	3,712
Lockeport (C5)	1,231
Londonderry (E3)	170
Long Point (H3)	179
Louisburg (H3)	1,417
Louisdale (H3)	793
Lower L'Ardoise (H3)	312
Lower West Pubnico (C5)	618
Lower Wood's Hbr. (C5)	462
Lunenburg⊙ (D4)	3,056
Mabou (G2)	293
Maccan (D3)	300
Mahone Bay (D4)	1,103
Main-á-Dieu (J2)	382
Maitland (E3)	233
Maitland Bridge (C4)	169
Margaree (G2)	206
Margaree Forks (G2)	389
Margaretsville (C3)	172
Mavillette (B4)	248
Meaghers Grant (E4)	147
Merigomish (F3)	203
Meteghan (B4)	925
Meteghan River (B4)	423
Meteghan Station (B4)	390
Middle Musquodoboit (E4)	741
Middle River (F3)	165
Middle Stewiacke (E3)	217
Middleton (D4)	1,921
Milford Station (E3)	528
Mill Village (D4)	249
Mira (F7)	1,121
Mira (H3)	190
Monastery (G3)	389
Moser River (F4)	382
Mount Uniacke (E4)	531
Mulgrave (G3)	1,145
Mushaboom (F4)	230
Nappan (D3)	256
Neils Harbour (H2)	312
New Albany (C4)	147
New Germany (D4)	623
New Glasgow (F3)	9,782
New Ross (D4)	242
New Salem (D3)	134
New Waterford (J2)	10,592
Newport (E3)	419
Newport Station (E3)	446
Nictaux Falls (D4)	135
Nictaux Falls (D4)	373
Noel (E4)	206
North East Margaree (H2)	700
North Range Cor. (C4)	175
North Sydney (H2)	8,657
Oxford (E3)	1,471
Oxford Junction (E3)	170
Paradise (C4)	367
Parrsboro (D3)	1,834
Petit-de-Grat Bridge (H3)	865
Petit-Étang (G2)	489
Petite-Rivière Bridge (D4)	310
Pictou⊙ (F3)	4,534
Pictou Landing (F3)	405
Plympton (C4)	291
Pomquet (E3)	347
Port Greville (D3)	128
Port Hastings (H3)	326
Port Hawkesbury (G3)	1,346
Port Hood⊙ (G2)	511
Port Lorne (C4)	200
Port Maitland (B5)	469
Port Medway (D4)	310
Port-Morien (J2)	517
Port-Mouton (D5)	262
Port Royal (C4)	207
Port Williams (D3)	533
Prospect (E4)	171
Pubnico (C5)	134
Pugwash (E3)	815
Pugwash Junction (E3)	127
Purcells Cove (E3)	575
Queensport (G3)	199
Red River (H2)	155
Reserve Mines (H3)	2,715
River Bourgeois (H3)	432
River Denys Sta. (G3)	142
River Hébert (E3)	1,382
River John (E3)	369
Riverport (D4)	369
Rossway (C4)	192
Round Hill (C4)	300
Sable River (H2)	144
Saint Andrews (G3)	148
Saint-Joseph-du-Moine (G2)	273
Saint Peters (H3)	762
Sainte-Croix (E4)	321
Salmon River (B4)	267
Sambro (E4)	431
Sandy Cove (B4)	169
Saulnierville (B4)	450
Scotch Village (E3)	266
Scotsburn (F3)	292
Scotsville (G2)	141
Scotts Bay (D3)	157
Shag Harbour (C5)	249
Sheet Harbour (F4)	883
Sheffield Mills (D3)	329
Shelburne⊙ (C5)	2,408
Sherbrooke (G3)	383

NOVA SCOTIA AND PRINCE EDWARD ISLAND

SCALE OF MILES
0 10 20 30 40 50

Provincial Capitals ⊛
County Seats ⊙
Provincial Boundaries _._._
County Boundaries _ _ _

Copyright by C. S. HAMMOND & CO., N.Y.

NOVA SCOTIA and PRINCE EDWARD ISLAND

	NOVA SCOTIA	PRINCE EDWARD ISLAND
AREA	21,425 sq. mi.	2,184 sq. mi.
POPULATION	759,000	108,000
CAPITAL	Halifax	Charlottetown
LARGEST CITY	Halifax (greater) 183,946	Charlottetown 18,318
HIGHEST POINT	Cape Breton Highlands 1,747 ft.	465 ft.
SETTLED IN	1605	1720
ADMITTED TO CONFEDERATION	1867	1873
PROVINCIAL FLOWER	Trailing Arbutus or Mayflower	Lady's Slipper

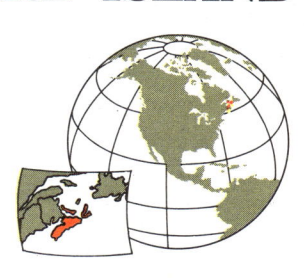

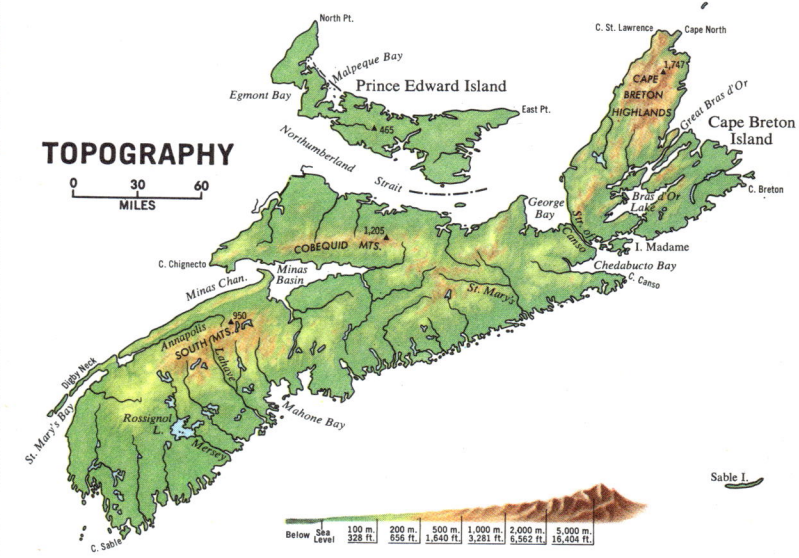

Index

Ship Harbour (F4) ... 212
Shubenacadie (E3) ... 579
Smiths Cove (C4) ... 408
Somerset (D3) ... 254
Sonora (G3) ... 129
South Brookfield (D4) ... 240
South Maitland (E3) ... 192
South Ohio (B5) ... 331
Southampton (D3) ... 188
Springfield (D4) ... 277
Springhill (E3) ... 5,836
Spring Hill Jct. (D3) ... 217
Stellarton (E3) ... 5,327
Stewiacke (E3) ... 1,042
Stony Island (C5) ... 235
Strathlorne (G2) ... 176
Sunnybrae (F3) ... 180
Surette Island (B5) ... 212
Sydney⊙ (H2) ... 33,617
Sydney Mines (H2) ... 9,122
Tancook Island (D4) ... 323
Tangier (F4) ... 230
Tatamagouche (E3) ... 581
Terence Bay (E4) ... 1,055
Thorburn (F3) ... 1,000
Tiverton (B4) ... 366
Trenton (F3) ... 3,140
Truro⊙ (E3) ... 12,421
Tufts Cove (E4) ... 1,579

Tusket (C5) ... 331
Upper Kennetcook (E3) ... 203
Upper Musquodoboit (F3) ... 328
Upper Rawdon (E3) ... 245
Upper Stewiacke (F3) ... 291
Valley (E3) ... 247
Voglers Cove (D4) ... 236
Wallace (E3) ... 276
Walton (E3) ... 393
Waterville (D3) ... 886
Waverley (E3) ... 1,142
Wedgeport (C5) ... 665
Wellington (E4) ... 130
Wentworth Centre (E4) ... 130
West Arichat (G3) ... 470
West Bay (G3) ... 125
West Bay Road (G3) ... 199
West Northfield (D4) ... 234
West Pubnico (C5) ... 247
West River Sta. (F3) ... 167

Westchester Sta. (E3) ... 282
Western Shore (D4) ... 653
Weston (D3) ... 233
Westport (B4) ... 413
Westville (F3) ... 4,159
Weymouth (C4) ... 671
Weymouth North (C4) ... 318
Whycocomagh (G2) ... 308
Wilmot Station (D4) ... 363
Windsor⊙ (D4) ... 3,823
Windsor Junction (E4) ... 595
Wolfville (D3) ... 2,413
Yarmouth⊙ (B5) ... 8,636

OTHER FEATURES

Advocate (bay) ... D 3
Ainslie (lake) ... G 2
Annapolis (basin) ... C 4
Annapolis (riv.) ... C 4
Antigonish (harbor) ... G 3
Aspy (bay) ... H 2
Avon (riv.) ... D 4
Baccaro (point) ... C 5
Baie Verte (bay) ... D 2
Barren (isl.) ... G 4
Barrington (bay) ... C 5
Bedford (basin) ... E 4
Berry (head) ... G 3
Boom (isl.) ... H 3
Boularderie (isl.) ... H 2
Bras-d'Or (lake) ... H 3
Breton (cape) ... J 3
Brier (isl.) ... B 4
Canso (cape) ... H 3
Canso (strait) ... G 3
Cape Breton (isl.), 165,548 ... J 2
Cape Breton Highlands Nat'l Park ... H 2
Cape Sable (isl.) ... C 5
Capstan (cape) ... D 3
Caribou (isl.) ... F 3
Carleton (riv.) ... C 5
Charlotte (lake) ... F 4
Chebogue (harbor) ... B 5
Chedabucto (bay) ... H 3
Chéticamp (bay) ... G 2
Chignecto (bay) ... D 3
Chignecto (cape) ... C 3
Chignecto (isthmus) ... D 3
Clam (bay) ... F 4
Cliff (lake) ... E 3
Clyde (riv.) ... C 5
Cobequid (bay) ... E 3
Coddle (harb.) ... G 3
Coldspring (head) ... E 3
Cole (riv.) ... E 4
Country (harb.) ... G 3
Craignish (hills) ... G 3
Cross (isl.) ... D 4
Cross Roads, Country (harbor) ... G 3
Cumberland (basin) ... D 3
Dauphin (cape) ... H 2
Digby Gut (inlet) ... C 4
Digby Neck (pen.) ... B 4
D'Or (cape) ... D 3
Dover (bay) ... G 3
East (bay) ... H 3
East (riv.) ... E 3
East Bay (hills) ... H 3
Five (isls.) ... D 3
Fourchu (bay) ... J 3
Fourchu (cape) ... B 5
Fundy (bay) ... C 3
Gabarus (bay) ... H 3
Gabarus (cape) ... J 3
George (cape) ... G 3
Gold (riv.) ... D 4
Goose (isl.) ... G 2
Great Bras-d'Or (lake) ... H 2
Great Pubnico (lake) ... C 5
Greville (bay) ... D 3
Guysborough (riv.) ... G 3
Halifax (harb.) ... E 4
Harding (point) ... D 5
Haute (isl.) ... C 3
Hébert (riv.) ... D 3
Indian (harbor) ... E 4
Ingonish, North (bay) ... H 2
Janvrin, Island, 173 ... H 3
Jeddore (cape) ... F 4
Jeddore (harb.) ... F 4
John (cape) ... E 3
Joli (point) ... D 5
Jordan (bay) ... C 5
Jordan (lake) ... C 4
Jordan (riv.) ... C 5
Kennetcook (riv.) ... D 3
Lahave (isl.) ... D 4
Lahave (riv.) ... D 4
Liscomb (isl.) ... G 3
Liverpool (bay) ... D 5
Long (isl.), 51 ... B 4
Lunenburg (bay) ... D 4
Mabou (highlands) ... G 2
Mabou (inlet) ... G 2
Madame (isl.), 4,317 ... H 3
Mahone (bay) ... D 4
Malagash (point) ... E 3
Margaree (Sea Wolf) (isl.) ... G 2
McNutt (isl.) ... C 5
Medway (harb.) ... D 4
Medway (riv.) ... C 4
Merigomish (harb.) ... F 3
Mersey (riv.) ... C 4
Minas (basin) ... D 3
Minas (channel) ... D 3
Mira (bay) ... J 3
Mira (riv.) ... H 3
Mocodome (cape) ... G 3
Molega (lake) ... D 4
Morien (cape) ... J 2

Mouton (isl.) ... D 5
Mud (isl.) ... B 5
Musquodoboit (riv.) ... E 4
Necum Teuch (harb.) ... F 4
Negro (cape) ... C 5
Negro (harb.) ... C 5
Nichol (isl.) ... F 4
North (mt.) ... D 3
North (point) ... H 1
North Aspy (riv.) ... H 2
North Bay Ingonish (bay) ... H 2
North East Margaree (riv.) ... H 2
Northumberland (str.) ... E 3
Ocean (lake) ... G 3
Ohio (riv.) ... D 4
Panuke (lake) ... D 3
Pennant (point) ... E 4
Percé (cape) ... J 2
Petit-de-Grat (isl.) ... H 3
Philip (riv.) ... E 3
Pictou (harb.) ... F 3
Pictou (isl.), 145 ... F 3
Port Hébert (harb.) ... D 5
Port Hood (isl.), 57 ... G 2
Port Joli (harb.) ... C 5
Port Mouton (harb.) ... D 5
Prim (point) ... C 4
Pubnico (harb.) ... C 5
Pugwash (harb.) ... E 3
Roseway (riv.) ... C 4
Rossignol (lake) ... C 4
Sable (cape) ... C 5
Sable (isl.) ... J 5
Saint Andrews (chan.) ... H 2
Saint Ann's (bay) ... H 2
Saint Georges (bay) ... G 3
Saint Lawrence (bay) ... H 1
Saint Margarets (bay) ... E 4
Saint Marys (bay) ... B 4
Saint Marys (riv.) ... F 3
Saint Patrick (chan.) ... G 3
Saint Paul (isl.) ... H 1
Saint Peters (bay) ... H 3
Scatari (isl.) ... J 2
Sea Wolf (isl.) ... G 2
Seal (isl.) ... B 5
Sheet (harb.) ... F 4
Sherbrooke (lake) ... D 4
Sherbrooke (riv.) ... D 4
Shoal (bay) ... F 4
Shubenacadie (lake) ... E 3
Shubenacadie (riv.) ... E 3
Sissiboo (riv.) ... C 4
Smoky (cape) ... H 2
Sober (isl.), 150 ... F 4
South West Margaree (riv.) ... G 2
Split (cape) ... D 3
Spry (bay) ... F 4
Stewiacke (riv.) ... E 3
Sydney (harb.) ... J 2
Tangier (harb.) ... F 4
Tobeatic (lake) ... C 4
Tor (bay) ... G 3
Tusket (isl.) ... B 5

Wallace (harb.) ... E 3
West (bay) ... G 3
West (point) ... H 5
West Liscomb (riv.) ... F 3
West Saint Marys (riv.) ... F 3
Western (head) ... D 5
Whitehaven (bay) ... G 3
Yarmouth (sound) ... B 5

PRINCE EDWARD ISLAND
COUNTIES

Kings (F2) ... 17,893
Prince (D2) ... 40,894
Queens (E2) ... 45,842

CITIES and TOWNS

Albany (E2) ... 226
Alberton (E2) ... 855
Bear River (F2) ... 223
Bonshaw (E2) ... 214
Campbellton (D2) ... 177
Cardigan (F2) ... 193
CHARLOTTETOWN⊙ (E2) ... 18,318
Cross Roads (F2) ... 251
Ebbsfleet (D2) ... 335
Ellerslie (D2) ... 164
Elmira (F2) ... 149
Elmsdale (D2) ... 406
Emerald (E2) ... 224
Georgetown⊙ (F2) ... 744
Hunters River (E2) ... 236
Kensington (E2) ... 884
Kinkora (E2) ... 271
Knutsford (D2) ... 236
Lower Montague (F2) ... 239
Miscouche (D2) ... 676
Montague (F2) ... 1,126
Morell (F2) ... 387
Mount Carmel (D2) ... 276
Mount Stewart (F2) ... 433
Murray Harbour (F2) ... 407
Murray River (F2) ... 504
North Rustico (E2) ... 780
O'Leary Sta. (D2) ... 755
Parkdale (E2) ... 1,735
Port Borden (E2) ... 697
Saint Chrysostom (E2) ... 245
Saint Edward (D2) ... 371
Saint Eleanor's (E2) ... 1,002
Saint Louis (D2) ... 325
Saint Peters Bay (F2) ... 321
Sherwood (E2) ... 1,580
Souris East (F2) ... 1,537
Stanhope (E2) ... 238
Sturgeon (F2) ... 246
Summerside⊙ (E2) ... 8,611
Tignish (D2) ... 994
Tyne Valley (D2) ... 248
Vernon Bridge (E2) ... 216
Victoria (E2) ... 148
Wellington Sta. (D2) ... 292
Wood Islands North (F2) ... 302

OTHER FEATURES

Bedeque (bay) ... E 2
Boughton (island) ... F 2
Cardigan (bay) ... F 2
Cascumpeque (bay) ... D 2
East (point) ... G 2
Egmont (bay) ... D 2
Hillsborough (bay) ... E 2
Hog (isl.) ... D 2
Lennox (isl.) ... E 2
North (point) ... E 1
Northumberland (str.) ... D 2
Panmure (isl.), 61 ... F 2
Prince Edward Island Nat'l Park ... E 2
Saint Peter (isl.) ... E 2
Tracadie (bay) ... E 2
Wood (isls.), 296 ... F 3

⊙County Seat.
*City and suburbs.

TOPOGRAPHY

0 30 60 MILES

AGRICULTURE, INDUSTRY and RESOURCES

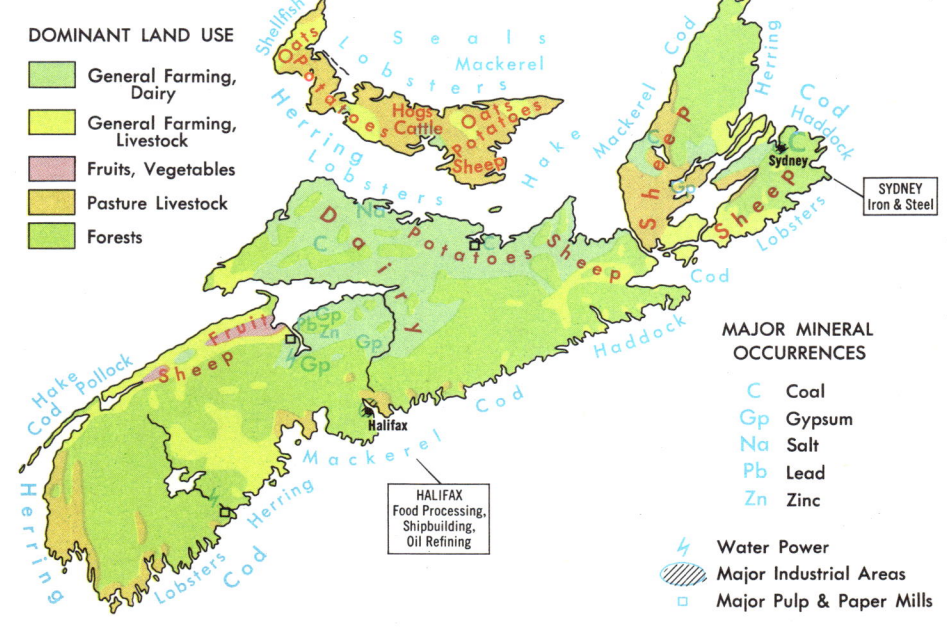

DOMINANT LAND USE

- General Farming, Dairy
- General Farming, Livestock
- Fruits, Vegetables
- Pasture Livestock
- Forests

SYDNEY — Iron & Steel
HALIFAX — Food Processing, Shipbuilding, Oil Refining

MAJOR MINERAL OCCURRENCES

- C — Coal
- Gp — Gypsum
- Na — Salt
- Pb — Lead
- Zn — Zinc

⚡ Water Power
▓ Major Industrial Areas
□ Major Pulp & Paper Mills

New Brunswick

COUNTIES

Albert (F3)	12,485
Carleton (C2)	23,507
Charlotte (C3)	23,285
Gloucester (E1)	26,343
Kent (D2)	26,667
Kings (D3)	25,908
Madawaska (B1)	38,983
Northumberland (D2)	50,035
Queens (D3)	11,640
Restigouche (C1)	40,973
Saint John (D3)	89,251
Sunbury (D3)	22,796
Victoria (C1)	19,712
Westmorland (F2)	93,679
York (C3)	52,672

CITIES and TOWNS

Acadie Siding (E2)	177
Adamsville (E2)	133
Albert (D3)	250
Albert Mines (F3)	154
Albertine (B1)	133
Aldouane (E2)	111
Allainville (E1)	80
Allandale (E1)	
Allardville (E1)	280
Alma (F3)	474
Alward (E2)	
Anagance (E3)	129
Andover● (C2)	848
Annidale	
Anse-Bleue (E1)	516
Apohaqui (E3)	343
Aroostook Junction (C2)	667
Argyle (C2)	64
Arthurette (C2)	303
Astle (D2)	252
Atholville (D1)	2,145
Aulac (F3)	194
Back Bay (D3)	725
Baie-Sainte-Anne (F1)	246
Baie-Verte (F2)	418
Baker Brook (B1)	371
Balmoral (D1)	898
Bantalor (C2)	
Barber Dam (C3)	
Barker (D3)	
Barnaby River (E2)	204
Barnesville (E3)	210
Bartibog Bridge (E1)	214
Barton	
Bas-Caraquet (F1)	786
Bass River (E2)	767
Bath (C2)	
Bathurst● (E1)	5,494
Bathurst Mines (E1)	64
Bayfield (F2)	188
Bayside (C3)	78
Beaubois (E2)	172
Beaver Brook Station (E1)	264
Beaver Harbour (D3)	387
Beersville (E2)	
Belledune (E1)	163
Belledune River (E1)	117
Bellefleur (C1)	142
Belleisle Creek (E3)	75
Belleville (C2)	
Ben Lomond (E3)	118
Benton (C3)	183
Beresford (E1)	699
Berry Mills (E2)	318
Bertrand (E1)	468
Black Point (D1)	133
Black River (E3)	
Black River Bridge (E2)	
Blacks Harbour (D3)	1,297
Blackville (E2)	484
Bloomfield Station (E3)	68
Blue Bell (C2)	170
Bocabec (C3)	181
Boiestown (D2)	343
Bonny River (D3)	107
Bossé (E1)	306
Bourgoin (E1)	61
Brantville (E1)	800
Brest (E2)	
Bristol (C2)	643
Brockway (C3)	87
Brookville (D3)	193
Browns Flat (D3)	284
Bruce (E1)	
Buctouche● (F2)	1,537
Burnsville (E1)	209
Burnt Church (E1)	99
Burton (D3)	433
Burtts Corner (C2)	389
Butte-d'Or (E1)	140
Calhoun (F2)	70
Cambridge (E3)	122
Canaan Station (E2)	88
Canterbury Station (C3)	595
Cap-Pelé (F2)	859
Cape Station (E3)	56
Cape Tormentine (G2)	345
Caraquet (F1)	1,214
Caron Brook (B1)	149
Carr (C2)	
Carrolls Crossing (D2)	194
Castalia (D4)	241
Central Blissville (D3)	45
Centre-Acadie (E2)	103
Centre-Saint-Simon	
Centreville (C2)	352
Chamcook (C3)	327
Chance Harbour (D3)	183
Charlo Station (D1)	409
Chatham● (E1)	7,109
Chatham Head (E1)	1,610
Chipman (F2)	1,490
Clair (B1)	770
Clarendon (D3)	424
Cliffordvale (C2)	139
Clifton (E1)	192
Clifton Royal (D3)	52
Cloverdale (C2)	104
Coal Branch Station (E2)	142
Coal Creek (E2)	113
Codys (E2)	55
Coldbrook (D3)	507
Coldstream (C2)	187
Coles Island (E2)	
College Bridge (F2)	621
Collette (E2)	333
Connors (B1)	244
Cork Station (D3)	105
Cormier-Village (F2)	84
Corn Hill (E3)	93
Cross Creek (D2)	252
Cross Creek Station (D2)	
Cumberland Bay (E2)	320
Daigle (B1)	
Dalhousie● (D1)	5,856
Dalhousie Junction (D1)	172
Daulnay (E2)	164
Dauversière (E1)	
Deer Lake (C3)	
Debec (C2)	263
Deer Lake (C3)	
Derby (E2)	75
Derby Junction (E2)	116
Dieppe (F2)	4,032
Dipper Harbour (D3)	150
Doaktown (D2)	595
Dorchester● (F3)	1,779
Dorchester Crossing	569
Douglas Harbour (D3)	86
Douglastown (E1)	615
Duguayville (E1)	273
Dumbarton Station	
Dumfries (D3)	51
Durham Bridge (D2)	83
Durham Centre (E1)	193
East Bathurst (E1)	1,876
East Brighton (C2)	76
East Galloway (F2)	64
Edmundston● (B1)	12,791
Eel River Bridge (F1)	518
Eel River Crossing (D1)	636
Elgin (E3)	315
Ennemond (B1)	
Enniskillen Station (D3)	47
Escuminac (F1)	317
Evandale (D3)	80
Evangeline (F1)	124
Fairhaven (C4)	174
Fairvale Station (E3)	759
Ferry Road (E1)	438
Fielding (C2)	
Flatlands (D1)	282
Flemington (C2)	
Florenceville (C2)	229
Fontaine (F2)	273
Forest City (C3)	51
Fort Beauséjour (F3)	
Fosterville (C3)	103
Fox Creek (F2)	305
Francoeur (F3)	
FREDERICTON● (D3)	19,683
Fredericton Junction (D3)	641
Gagetown● (D3)	572
Gardners Creek (E3)	71
Gaspereau Forks (E2)	
Geary (D3)	938
Germantown (F2)	75
Gilks (D2)	404
Glassville (C2)	192
Glencoe (D1)	309
Glenlivet (D1)	
Gloucester Junction (E1)	
Goshen (C3)	
Grand Bay (D3)	725
Grand Falls (C2)	3,983
Grand Harbour (D4)	439
Grand River (C1)	
Grande-Anse (E1)	522
Grande-Digue (F2)	163
Grandmaison	54
Gray Rapids (E2)	191
Green Road (C2)	
Greenwich Hill (D3)	73
Gunningsville (F2)	1,254
Hampstead (D3)	116
Hampton● (E3)	571
Hampton Station (E3)	593
Hanford Brook (E3)	
Harcourt (E2)	231
Hardwick (C3)	125
Hardwood Ridge (D2)	237
Hartland (C2)	1,025
Harvey (F3)	142
Harvey Station (C3)	323
Hatfield Point (E3)	221
Havelock (E3)	190
Hawkshaw (C3)	67
Hayesville (C2)	
Head of Millstream (E3)	131
Heath Steele (D1)	92
Hillsborough (F3)	679
Hillsdale (C3)	110
Holmesville	
Honeydale (C3)	68
Hopewell Cape● (F3)	141
Hopewell Hill (F3)	217
Howard (C2)	176
Hoyt (D3)	327
Inkerman (F1)	468
Irishtown (F2)	
Jacksonville (C2)	360

NEW BRUNSWICK

AREA 28,354 sq. mi.
POPULATION 626,000
CAPITAL Fredericton
LARGEST CITY Saint John (greater) 95,563
HIGHEST POINT Mt. Carleton 2,690 ft.
SETTLED IN 1611
ADMITTED TO CONFEDERATION 1867
PROVINCIAL FLOWER Purple Violet

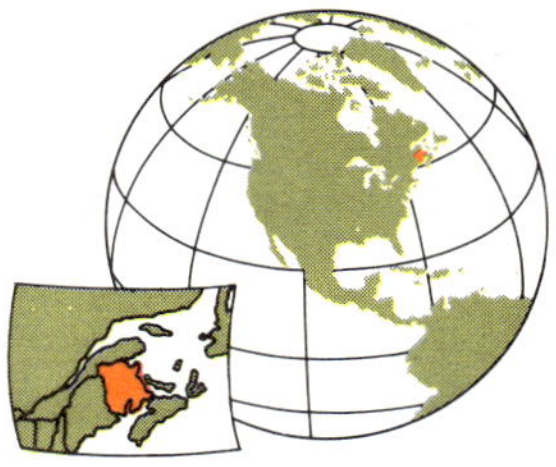

Jacquet River (E1) 500
Jardine Brook (C1) ....
Jeanne-Mance (E1) .....
Jeffries Corner (E3) 106
Jemseg (D3) 172
Johnville (C2) 120
Juniper (C2) 691
Juniper Station (C2) 77
Kedgwick (C1) 1,095
Kedgwick-Ouest (C1) 173
Kedgwick River (C1) 66
Keenan Siding (E2) 122
Kent Junction (E2) 182
Kent Lake (E2) 52
Ketepec (D3) 310
Kilburn (C2) 137
Killams Mills (E2) 55
Kingsclear (D3) 200
Kingston (D3) 74
Knowlesville (C2) 180
Kouchibouguac (F2) 57
Lac-Baker (B1) 338
Lagacéville (E1) 263
Laketon (E2) 89
Lakeville (C2) 148
Lambertville (C3) 350
Lamèque (F1) 1,082
Lancaster (D3) 13,848
Landry (E1) 399
La Plante (E1) ....
Lawrence Station (C3) .. 210
Leclerc (C1) ....
Legresley (E1) ....
Lepreau (D3) 94
Lewisville (F2) 3,094
Lincoln (D3) 809
Lincour (E1) 144
Linton (D2) 77
Little Shippegan (F1) .. 30
Loggieville (E1) 691
Long Creek (D3) ....
Long Point (E3) 61
Lord's Cove (C4) 250
Lorne (D1) 890
Lorneville (D3) 666
Lower Mainesville (C2) .. 183
Lower Kars (E3) ....
Lower Millstream (E3) .. 80
Lower Neguac (E1) 324
Lower Sapin (F2) 310
Lower Southampton (C3) 130
Lozier Settlement (F1) 236
Ludlow (D2) 240
Madran (E1) 223
Magundy (C3) 62
Maisonette (E1) 627
Maliseet (C2) ....
Marcelville (E2) 96
Marysville (D2) 3,233
Massabielle (D1) ....
Maugerville (D3) 631
McAdam (C3) 2,472
McAlpines (D3) ....
McGivney (D2) 235
McKee Mills (F2) 152
McKendrick (D1) 523
McNamee (D2) 257
Mechanics Settlement (E3) ....
Meductic (C3) 232
Melrose (F2) 178
Memramcook (F2) 402
Menneval (C1) 178
Middle Sackville (F3) ... 442
Midgic (F3) 272
Millerton (E2) 232
Millerville (C1) ....
Millstrèam (E3) 181
Milltown (C3) 1,892
Millville (C2) 390
Minto (D2) 1,319
Miscou Centre (F1) 513
Miscou Harbour (F1) 106
Mispec (E3) 183
Moncton (F2) 43,840
Montagne-de-la-Croix (C1) ....
Moore's Mills (C3) 116
Morais (F1) 258
Mount Pleasant (C2) .....
Mouth of Keswick (D2) 210
Musquash (D3) 88
Napadogan (D2) 167
Narrows (E3) 97
Nash Creek (D1) 250
Nashwaak (D2) 127
Nashwaak Bridge (D2) .. 195
Nawigewauk (E3) 83
Neguac (E1) 559
New Canaan (E2) 58
New Denmark (C1) 90
New Jersey (E1) 128
New Mills (D1) 230
New River (D3) ....
Newburg (C2) 137
Newcastle ◉(E1) 5,236
Newcastle Bridge (E2) .. 483
Newcastle Creek (D2) ... 347
Newtown (E3) ....
Nigadoo (E1) 361
Noinville (E2) 109
North Branch (E2) ......
North Head (D4) 609
North Minto (D2) 422
Northern Head (D4) ....
Northwest Bridge (E2)
Norton (E3) 846
Notre-Dame (F2) 317
Oak Bay (C3) 287
Oak Point (D3) 118
Oromocto (D3) 12,170
Ortonville (C2) 72
Pacific Junction (E2) ..
Pangburn (E2) ....
Paquetville (E1) 380
Passekeag (E3) 180
Peel (C2) 139
Pelletier Mills (B1) 156
Pennfield (D3) 160
Penobsquis (E3) 259
Perry (E3) ....
Perth (C2) 909
Petit-Rocher (E1) 500
Petitcodiac (E3) 902
Petite-Rivière-de-l'Île (F1) 607
Pigeon Hill (F1) 431
Pinder (C2) 53
Plaster Rock (C2) 1,267
Plourd (B1) 482
Pocologan (D3) 127
Pointe-du-Chêne (F2) 534
Pointe Sapin (F2) 638
Pointe-Verte (E1) 350
Pollett River (E3) 71
Pont-Lafrance (E1) 469
Port Elgin (F2) 661
Prime (B1) 265
Prince William (C3) 80
Prince William Station (C3) ....
Quarryville (E2) 256
Queenstown (D3) 138
Red Bank (E2) 331
Red Pine (E1) ....
Reeds Island (C2) ....
Renous (E2) 350
Rexton (F2) 668
Richibucto◉ (E2) 1,375
Richibucto Village (F2) 345
Richmond Corner (C2) ..
Riley Brook (C1) 178
Ripples (D3) 233
River Charlo (D1) 164
River de Chute (C2) 84
River Glade (E3) 289
Riverview Heights (F2) .. 2,666
Rivière-du-Portage (F1) 586
Rivière-Verte (B1) 918
Robertville (E1) 680
Robichaud (F2) 371
Robinson (C1) ....
Robinsonville (C1) 233
Rogersville (E2) 1,040
Rolling Dam Station (C3) 132
Rooth (D3) 55
Rosaireville (E2) 123
Rothesay (E3) 782
Rusagonis (D3) 262
Rusagonis Station (D3) 84
Russell (E1) ....
Sackville (F3) 3,038
Saint Andrews◉ (C3) ... 1,531
Saint-Arthur (D1) 605
Saint-Antoine-de-Kent (F2) 300
Saint-Basile (B1) 1,733
Saint-Damien (F2) 162
Saint-François-de-Madawaska (B1) 561
Saint George (D3) 1,133
Saint-Ignace (F2) 515
Saint-Isidore (E1) 614
Saint-Jacques (B1) 892
Saint-Jean-Baptiste-de-Restigouche (C1) 346
Saint John◉ (E3) 55,153
Saint John (E3) ...... †95,563
Saint Joseph (F3) 748
Saint-Léolin (E1) 607
Saint-Léonard (C1) 1,666
Saint-Louis-de-Kent (F2) 861
Saint Margarets (E2) ...
Saint-Martin-de-Restigouche (C1) 239
Saint Martins (E3) 509
Saint-Paul (E2) 446
Saint-Pons (E1) 433
Saint-Quentin (C1) 2,089
Saint Stephen (C3) 3,380
Saint Wilfred (E1) 299
Sainte-Anne-de-Madawaska (B1) 1,122
Sainte-Croix (C3) 173
Sainte-Marie-sur-Mer (F1) 435
Sainte-Rose-Gloucester (F1) 404
Salisbury (E2) 589
Salmon Beach (E1) 295
Salmon River (E3) ......
Savoy Landing (F1) 100
Scoudouc (F2) 175
Sea Side (D1) 78
Seal Cove (D4) 549
Shanklin (E3) ....
Shannon (E3) 142
Shediac (F2) 2,159
Shediac Bridge (F2) 382
Sheffield (D3) 169
Sheila (F1) 553
Shemogue (F2) 93
Shippegan (F1) 1,631
Siegas (C1) 255
Sisson Ridge (C2) 149
South Bay (D3) 166
South Branch of Saint Nicholas River (F2) ..
South Devon (D3) 1,070
South Nelson (E2) 792
Springfield (E3) 109
Stanley (D2) 301
Stickney (C2) 313
Sugar Broook (C3) ......

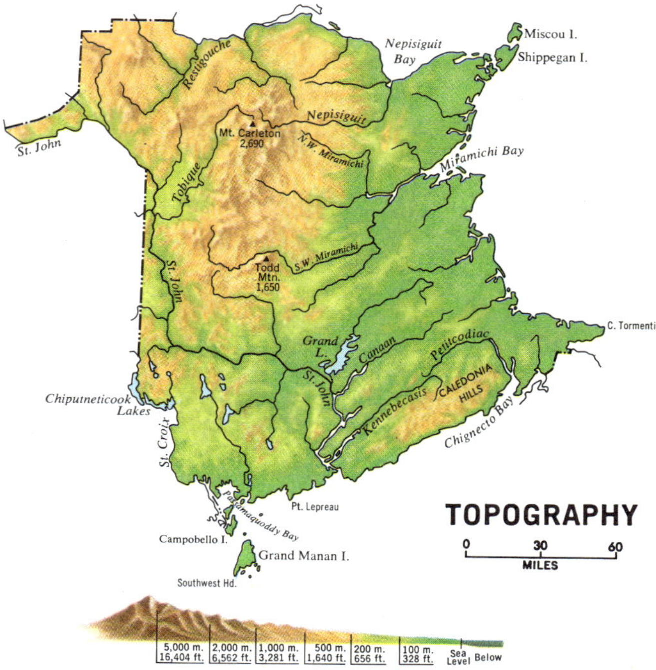
Miscou I.
Shippegan I.
Nepisiguit Bay
Restigouche
Nepisiguit
Mt. Carleton 2,690
N.W. Miramichi
Miramichi Bay
St. John
Tobique
S.W. Miramichi
Todd Mtn. 1,650
St. John
C. Tormentine
Grand L.
Canaan
Petitcodiac
St. John
Kennebecasis
CALEDONIA HILLS
Chignecto Bay
Chiputneticook Lakes
St. Croix
Pt. Lepreau
Passamaquoddy Bay
Campobello I.
Grand Manan I.
Southwest Hd.
TOPOGRAPHY
0 30 60
MILES
5,000 m. 16,404 ft.
2,000 m. 6,562 ft.
1,000 m. 3,281 ft.
500 m. 1,640 ft.
200 m. 656 ft.
100 m. 328 ft.
Sea Level
Below

AGRICULTURE, INDUSTRY and RESOURCES

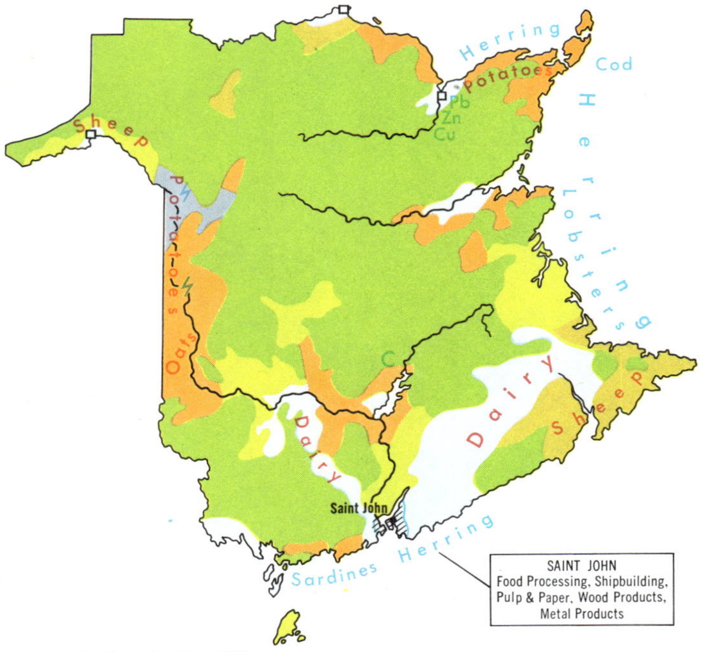
Herring
Cod
Potatoes
Pb
Zn
Cu
Sheep
Herring
Lobsters
Potatoes
Oats
C
Dairy
Dairy
Sheep
Saint John
Herring
Sardines
SAINT JOHN
Food Processing, Shipbuilding, Pulp & Paper, Wood Products, Metal Products

DOMINANT LAND USE

- Cereals, Livestock
- Dairy
- Potatoes
- General Farming, Livestock
- Pasture Livestock
- Forests

MAJOR MINERAL OCCURRENCES

- C Coal
- Cu Copper
- Pb Lead
- Zn Zinc
- Water Power
- Major Industrial Areas
- Major Pulp & Paper Mills

Sunny Corner (E2) 468
Sunnyside (D1) 99
Sussex (E3) 3,457
Sussex Corner (E3) 359
Sweeneyville (F2) 78
Tabusintac (E1) 263
Taymouth (D2) 299
Temperance Vale (C2) .. 264
The Range (E2) 100
Tide Head (D1) 702
Tilley (C2) 218
Tilley Road (E1) 360
Tobique River (C2) ....
Tracadie (F1) 1,651
Tracy (D3) 655
Trout Brook (E1) 185
Turgeon (E1) 237
Turtle Creek (F3) 101
Upham (E3) 166
Upper Blackville (E2) ... 438
Upper Buctouche (F2) ... 184
Upper Gagetown (D3) ... 244
Upper Kent (C2) 174
Upper Mills (C3) 153
Upper Pokemouche (F1) 191
Upper Rockport (F3) 50
Upsalquitch (D1) 165
Val-Comeau (F1) 444
Val-d'Amour (D1) 474
Val-Doucet (E1) 457
Vallée-Lourdes (E1) 331
Veneer (C1) ....
Veniot (E1) ....
Victoria (C2) 182
Village-Saint-Jean (E2) ..
Wapske (C2) 182
Waterford (E3) 116
Watt (C3) 40
Waweig (C3) 179
Wayerton (E1) 129
Welsford (D3) 424
Welshpool (D4) 199
West Quaco (E3) 108
Westfield Beach (D3) ... 80
Westfield Centre (D3) .. 114
White Head (D4) 272
Whites Brook (C1) ......
White's Cove (D3) 268
Whitney (E2) 336
Wickham (D3) 121
Williamsburg (D2) 369
Wilson Point (F1) 88
Wilsons Beach (D4) 768
Wine River (E2) ....
Wirral (D3) 123
Wood Island (D4) ....
Woodside (D3) 98
Woodstock◉ (C2) 4,305
Woodwards Cove (D4) .. 188
York Mills (C3) 94
Youngs Cove (E3) 134
Youngs Cove Road (E3) 67
Zealand (D2) 442

OTHER FEATURES

Alva (lake) .... D 3
Bald (mt.) .... C 1
Barnaby (river) .... E 2
Barreau (point) .... F 1
Bartibog (river) .... E 1
Bathurst (Nepisiguit) (lakes) .... D 1
Bay du Vin (river) .... E 2
Belleisle (bay) .... E 3
Big Bald (mt.) .... D 1
Big Salmon (river) .... E 3
Blue (mt.) .... D 1
Bruin (cape) .... G 2
Buctouche (harbor) .... F 2
Buctouche (river) .... F 2
Cains (river) .... D 2
Caissie (point) .... F 2
Campobello (isl.), 1,137 .. D 4
Canaan (river) .... E 2
Canoose (lake) .... C 3
Caraquet (isl.) .... F 1
Carleton (mt.) .... D 1
Chaleur (bay) .... E 1
Charlo (river) .... D 1
Chignecto (bay) .... F 3
Chiputneticook (lakes) ... C 3
Clearwater Brook (river) D 2
Cocagne (harbor) .... F 2
Cocagne (isl.) .... F 2
Cocagne (river) .... F 2
Cranberry (lake) .... D 3
Cumberland (basin) .... F 3
Deer (isl.) .... D 4
Digdeguash (river) .... C 3
Dungarvon (river) .... D 2
East Wolf (isl.) .... D 4
Elizabeth (mt.) .... D 1
Enragé (cape) .... F 3
Escuminac (bay) .... D 1
Escuminac (point) .... F 1
First (lake) .... B 1
First Eel (lake) .... C 3
Fox (isl.) .... F 1
Fundy (bay) .... E 3
Fundy Nat'l Park .... E 3
Gaspereau (river) .... D 2
George (lake) .... C 3
Gounamitz (river) .... C 1
Grand (bay) .... D 3
Grand (lake) .... C 3
Grand (lake) .... D 3
Grand (river) .... C 1
Grand Manan (channel) C 4
Grand Manan (isl.), 2,564 .... D 4
Green (river) .... B 1
Grindstone (isl.) .... F 3
Gulquac (lake) .... D 2
Gulquac (river) .... C 2
Hammond (river) .... E 3
Harvey (mt.) .... D 3
Harvey (Cranberry) (lake) .... D 3
Heron (isl.) .... D 1
Jacquet (river) .... D 1
Jourimain (isls.) .... G 2
Kedgwick (river) .... C 1
Kennebecasis (bay) .... E 3
Kennebecasis (river) .... E 3
Keswick (river) .... C 2
Kouchibouguac (bay) .... F 2
Kouchibouguacis (river) .. E 2
Lepreau (point) .... D 3
Lepreau (river) .... D 3
Little (river) .... D 2
Little Bald (mt.) .... D 1
Little Sevogle (river) .... D 1
Little Southwest Miramichi (river) .... D 2
Little Tobique (river) .... C 1
Long (isl.) .... D 3
Long (lake) .... D 1
Long Reach (inlet) .... D 3
Maces (bay) .... D 3
Madawaska (river) .... B 1
Magaguadavic (lake) ..... C 3
Magaguadavic (river) .... C 3
Maquapit (lake) .... D 3
Martin (head) .... E 3
McCoy (head) .... E 3
McDougall (lake) .... D 3
Miramichi (bay) .... E 1
Miscou (isl.) .... F 1
Miscou (point) .... F 1
Musquash (harbor) .... D 3
Nashwaak (river) .... D 2
Neguac (isl.) .... F 1
Nepisiguit (bay) .... E 1
Nepisiguit (lakes) .... D 1
Nepisiguit (river) .... D 1
Nerepis (river) .... D 3
Nictor Branch, Tobique (river) .... C 1
North (cape) .... F 2
North (lake) .... C 3
North Kedgwick (river) .. C 1
North Pole Brook (river) D 1
North Renous (river) .... D 2
North Sevogle (river) .... D 1
Northern (head) .... D 4
Northumberland (strait) F 2
Northwest Miramichi (river) .... D 1
Northwest Oromocto (river) .... D 3
Northwest Upsalquitch (river) .... D 1
Odell (river) .... C 2
Oromocto (lake) .... C 3
Oromocto (river) .... D 3
Passamaquoddy (bay) .... C 3
Patapédia (river) .... C 1
Petitcodiac (river) .... F 3
Pleasant (mt.) .... D 3
Pokemouche (river) ...... E 1
Pokesudie (isl.) .... F 1
Pollett (river) .... E 3
Portage (isl.) .... F 1
Quaco (head) .... E 3
Renous (river) .... D 2
Restigouche (river) .... C 1
Richibucto (harbor) ...... F 2
Richibucto (head) .... F 2
Richibucto (river) .... E 2
Ross (isl.) .... D 4
Saint Croix (river) .... C 3
Saint John (harbor) ...... E 3
Saint John (river) .... C 2
Saint Lawrence (gulf) ... F 1
Salisbury (bay) .... F 3
Salmon (river) .... C 1
Salmon (river) .... E 2
Serpentine (lake) .... D 1
Shediac (isl.) .... F 2
Shemogue (harbor) .... F 2
Shepody (bay) .... F 3
Shippegan (gully) .... F 1
Shippegan (isl.) .... F 1
Shippegan (sound) .... F 1
Sisson Branch, Tobique (river) .... C 1
Skiff (lake) .... C 3
South Kedgwick (river) .. B 1
South Oromocto (lake) ... D 3
South Oromocto (river) .. D 3
South Renous (river) ..... D 2
South Sevogle (river) .... D 1
Southeast Upsalquitch (river) .... D 1
Southwest (head) .... D 4
Southwest Miramichi (river) .... D 2
Spear (cape) .... G 2
Spednik (lake) .... C 3
Spencer (cape) .... E 3
Tabusintac (gully) .... F 1
Tabusintac (river) .... E 1
Tetagouche (river) .... D 1
Three (isls.) .... D 4
Tobique (river) .... C 2
Todd (mt.) .... D 2
Tracadie (river) .... E 1
Trousers (lake) .... C 1
Tuadook (lake) .... D 2
Upsalquitch (river) .... D 1
Utopia (lake) .... D 3
Verte (bay) .... G 2
Washademoak (lake) ..... E 3
West (isls.), 976 .... D 4
West Long (lake) .... D 3
White Head (isl.) .... D 4
Wolves, The (isls.) .... D 4

◉County Seat.
†Population of metropolitan area.

Quebec

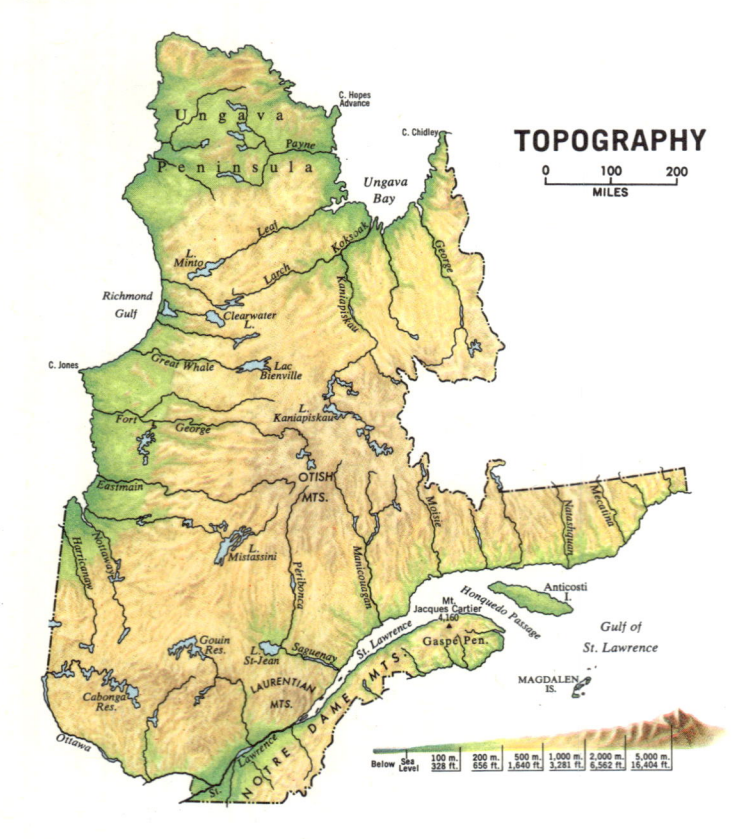

TOPOGRAPHY

AGRICULTURE, INDUSTRY and RESOURCES

DOMINANT LAND USE
- Cereals, Livestock
- Pasture Livestock, Dairy
- Dairy
- Forests
- Nonagricultural Land

MAJOR MINERAL OCCURRENCES
- Ab Asbestos
- Au Gold
- Cu Copper
- Fe Iron Ore
- Mi Mica
- Mo Molybdenum
- Ni Nickel
- Pb Lead
- S Sulfur, Pyrites
- Ti Titanium
- Zn Zinc

- Water Power
- Major Industrial Areas
- Major Pulp & Paper Mills
- Aluminum Smelters

SHAWINIGAN – TROIS-RIVIÈRES
Aluminum, Paper, Lumber, Chemicals, Textiles

QUÉBEC
Food Processing, Leather Goods, Paper Products, Shipbuilding, Chemicals, Clothing

MONTRÉAL
Food Processing, Clothing, Oil Refining, Metal Products, Aircraft, Rolling Stock, Automobiles, Machinery, Printing & Publishing, Chemicals, Electrical Products

SHERBROOKE
Textiles, Clothing, Metal Products, Rubber Goods, Machinery

SOUTHERN QUEBEC
COUNTIES

County	Pop.
Argenteuil (C4)	31,830
Arthabaska (E4)	45,301
Bagot (E4)	21,390
Beauce (G3)	62,264
Beauharnois (D4)	49,667
Bellechasse (G3)	26,054
Berthier (C3)	27,325
Bonaventure (C2)	42,962
Brome (E4)	13,691
Chambly (J4)	146,745
Champlain (E2)	111,953
Charlevoix-Est (G2)	16,450
Charlevoix-Ouest (G2)	14,562
Châteauguay (D4)	34,042
Chicoutimi (G1)	157,196
Compton (E4)	24,410
Deux-Montagnes (C4)	32,837
Dorchester (G3)	34,711
Drummond (E4)	58,220
Frontenac (G4)	30,600
Gaspé-Est (C1)	41,333
Gaspé-Ouest (C1)	20,529
Gatineau (B3)	44,308
Hochelaga (H4)	1,179,205
Hull (B4)	84,803
Huntingdon (D4)	14,752
Iberville (D4)	18,080
Jacques-Cartier (H4)	568,491
Joliette (C3)	44,969
Kamouraska (H2)	27,138
L'Assomption (D4)	39,440
Labelle (B3)	29,084
Lac-Saint-Jean-Est (F1)	43,920
Lac-Saint-Jean-Ouest (E1)	61,310
Laprairie (H4)	31,157
Laval (H4)	21,4741
Lévis (J3)	51,842
Lotbinière (F3)	30,234
Maskinongé (D3)	21,274
Matane (B1)	35,078
Matapédia (B2)	35,586
Mégantic (F3)	57,400
Missisquoi (E4)	29,526
Montcalm (C3)	18,766
Montmagny (G3)	20,261
Montmorency No. 1 (F2)	20,734
Montmorency No. 2 (G3)	4,974
Napierville (D4)	11,216
Nicolet (E3)	30,8227
Papineau (B4)	32,697
Portneuf (E3)	50,711
Québec (H3)	331,307
Richelieu (D4)	38,565
Richmond (F4)	42,232
Rimouski (J1)	65,295
Rivière-du-Loup (H2)	40,239
Rouville (D4)	25,979
Saguenay (H1)	81,900
Saint-Hyacinthe (D4)	44,993
Saint-Jean (D4)	38,470
Saint-Maurice (D3)	109,873
Shefford (E4)	54,963
Sherbrooke (E4)	80,490
Soulanges (C4)	10,075
Stanstead (F4)	36,095
Témiscouata (J2)	29,079
Terrebonne (H4)	102,275
Vaudreuil (C4)	28,681
Verchères (J4)	25,697
Wolfe (F4)	18,335
Yamaska (E3)	16,058

CITIES and TOWNS

Place	Pop.
Abbotsford (E4)	619
Acton Vale (E4)	3,957
Alma (F1)	13,309
Amqui (B2)	3,659
Ancienne-Lorette (H3)	3,958
Ange-Gardien-de-Rouville (E4)	474
Anjou (H4)	9,511
Anse-au-Griffon (D1)	204
Armagh (G3)	914
Arthabaska (F3)	2,977
Arundel (C4)	409
Arvida (F1)	14,460
Asbestos (F4)	11,083
Aston Junction (E3)	396
Athelstan (C4)	167
Ayers Cliff (E4)	747
Aylmer East (B4)	6,286
Bagotville (G1)	5,629
Baie-Comeau (A1)	7,956
Baie-des-Sables (B1)	927
Baie-d'Urfé (E4)	3,549
Baie-Saint-Paul (G2)	4,674
Baie-Trinité (B1)	968
Baieville (E3)	558
Barachois-de-Malbaie (D1)	495
Barré (G3)	353
Batiscan (F3)	231
Beaconsfield (H4)	10,064
Beauceville-Est (G3)	1,920
Beauceville-Ouest (G3)	1,645
Beauharnois (D4)	8,704
Beauport (J3)	9,192
Beaupré (F3)	2,587
Beaurivage (F3)	518
Bécancour (E3)	220
Bedford (F4)	2,855
Beebe (E4)	1,363
Beloeil (D4)	6,283
Berthierville (D3)	3,708
Bic (J1)	1,177
Black Lake (F3)	4,180
Boischatel (J3)	1,579
Bolduc (G4)	1,176
Bonaventure (C2)	804
Boucherville (J4)	7,403
Bouchette (A3)	464
Breakeyville (J3)	500
Brébeuf (C3)	194
Bromptonville (E4)	2,726
Brownsburg (C4)	3,617
Buckingham (B4)	7,421
Buckland (G3)	314
Bury (F4)	440
Cabano (J2)	2,695
Cacouna (H2)	834
Calumet (C4)	889
Candiac (H4)	1,050
Canton-Bégin (F1)	1,000
Cap-à-l'Aigle (G2)	659
Cap-Chat (B1)	2,035
Cap-de-la-Madeleine (E3)	26,925
Cap-Rouge (H3)	350
Cap-Saint-Ignace (G2)	1,247
Cap-Santé (F3)	546
Caughnawaga (H4)	2,240
Causapscal (B2)	3,463
Chambly (J4)	3,737
Chambord (E1)	1,188
Champlain (E3)	750
Chandler (D2)	3,406
Charette (D3)	583
Charlemagne (H4)	3,068
Charlesbourg (J3)	14,308
Charny (J3)	4,189
Château-Richer (F3)	1,837
Châteauguay Basin (H4)	7,591
Chénéville (B4)	746
Chicoutimi (G1)	31,657
Chomedey (H4)	30,445
Clermont (G3)	3,114
Cloridorme (D1)	350
Coaticook (F4)	6,906
Coaticook-Nord (F4)	500
Compton (F4)	543
Contrecoeur (D4)	2,007
Cookshire (F4)	1,412
Corner of the Beach (D1)	300
Côte-St-Michel (F4)	55,978
Coteau-Landing (C4)	544
Courcelles (G4)	773
Cowansville (E4)	7,050
Crabtree Mills (D4)	1,313
Danville (E4)	2,562
Daveluyville (E3)	733
Delisle (F1)	1,302
Delson Village (H4)	2,075
Desbiens (F1)	1,970
Deschaillons (E3)	415
Deschambault (E3)	1,056
Deux-Rivières (St-Stanislas-de-Champlain) (E3)	590
Disraeli (F4)	3,079
Dixville (E4)	521
Donnacona (F3)	4,812
Dorion-Vaudreuil (D4)	4,996
Dosquet (F3)	394
Douglastown (D1)	416
Drummondville (E4)	27,909
Dunham (E4)	434
Duvernay (H4)	10,939
East Angus (F4)	5,756
East Broughton (F3)	1,099
East Broughton Sta. (F3)	1,136
Eastman (E4)	637
Farnham (E4)	6,354
Fassett (C4)	434
Ferme-Neuve (B3)	1,971
Fontenelle (D1)	358
Forestville (F1)	1,529
Fort-Chambly (J4)	1,987
Fortierville (F3)	558
Foster (E4)	453
Frampton (G3)	507
Garthby Sta. (F4)	507
Gaspé (D1)	2,603
Gatineau (B4)	13,022
Gentilly (E3)	677
Giffard (J3)	10,129
Godbout (B1)	824
Gracefield (A3)	670
Granby (E4)	31,463
Grand'Mère (E3)	15,806
Grande-Rivière (D2)	1,176
Grande-Vallée (D1)	824
Grandes-Bergeronnes (H1)	779
Grandes-Piles (E3)	580
Grenville (C4)	1,330
Grosses-Roches (B1)	501
Ham-Nord (F4)	573
Ham-Sud (F4)	59
Hébertville (F1)	1,604
Hébertville-Sta. (F1)	1,257
Hemmingford (D4)	778
Henryville (D4)	711
Hérouxville (F3)	591
Howick (D4)	647
Huberdeau (C4)	605
Hudson (C4)	1,671
Hull (B4)	56,929
Huntingdon (C4)	3,134
Iberville (D4)	7,588
Ile-Bizard (H4)	1,350
Ile-Perrot-Nord (G4)	450
Ile-Perrot-Sud (H4)	3,176
Inverness (F3)	296
Isle-aux-Grues (H1)	280
Isle-Maligne (F1)	2,070
Isle-Verte (H1)	1,517
Jacques-Cartier (J4)	40,807
Joliette (D3)	18,088
Jonquière (F1)	28,588
Kamouraska (H2)	518
Kenogami (F1)	11,816
Kiamika (B3)	168
Kildare (D3)	450
Kingsey Falls (E4)	531
Knowlton (E4)	1,396
La Durantaye (G3)	412
La Guadeloupe (F4)	1,728
La Malbaie (G2)	2,580
La Minerve (C3)	344
La Patrie (F4)	519
La Pocatière (H2)	3,086
La Salle (H4)	30,904
La Tuque (E2)	13,023
Labelle (C3)	1,224
Lac-au-Saumon (B2)	1,548
Lac-aux-Sables (E3)	857
Lac-Bouchette (E1)	911
Lac-Carré (C3)	687
Lac-Édouard (E2)	250
Lac-Etchemin (G3)	2,297
Lac-Frontière (H3)	264
Lac-Humqui (B2)	338
Lac-Masson (D3)	650
Lac-Mégantic (G4)	7,015
Lac-Saguay (B3)	187
Lac-Sainte-Marie (B4)	227
Lachine (H4)	38,630
Lachute (C4)	7,560
Lacolle (D4)	1,187
Laflèche (J4)	10,984
Lamartine (G2)	1,000
Lambton (F4)	699
L'Ange-Gardien (F3)	333
Langevin (G3)	552
L'Annonciation (C3)	1,042
Lanoraie (D4)	1,060
L'Anse-Saint-Jean (G1)	250
Laprairie (J4)	7,328
Larouche (F1)	518
L'Assomption (D4)	4,448
Laterrière (F1)	651
Laurierville (F3)	872
Lauzon (F3)	11,533
Laval-des-Rapides (H4)	19,227
Lavaltrie (D4)	1,034
L'Avenir (E4)	350
Leeds Village (F3)	434
Lennoxville (E4)	3,699
L'Épiphanie (D4)	2,663
Les Éboulements (G2)	619
Les Escoumins (H1)	993
Les Étroits (J2)	291
Les Hauteurs-de-Rimouski (J1)	281
Les Méchins (B1)	1,455
Lévis (J3)	15,112
Linière (G3)	1,269
L'Islet (G2)	816
Longueuil (J4)	24,131
Lorettville (H3)	6,522
Lotbinière (F6)	561
Louiseville (E3)	4,138
Low (B4)	422
Luceville (J1)	1,419
Lyster Station (F3)	912
Magog (E4)	13,139
Maniwaki (B3)	6,349
Manseau (E3)	837
Mansonville (E4)	481
Marbleton (F4)	661
Maria (C2)	500
Marieville (H4)	3,809
Mascouche (H4)	1,152
Maskinongé (D3)	893
Masson (B4)	1,933
Massueville (St-Aimé) (D4)	574
Matane (B1)	9,190
Matapédia (B2)	596
Mégantic (Lac-Mégantic) (G4)	7,015
Melocheville (C4)	1,666
Mont-Joli (J1)	6,178
Mont-Laurier (B3)	5,859
Mont-Louis (C1)	585
Mont-Rolland (C4)	1,457
Mont-Saint-Grégoire (D4)	667
Montauban (E3)	620
Montebello (B4)	1,486
Montmagny (J3)	5,985
Montréal (H4)	1,191,062
Mount Royal (H4)	21,182
Montréal (H4)	12,321,000
Namur (C4)	224
Napierville (D4)	1,812
Neuville (F3)	802
New Carlisle (D2)	1,333
New Richmond (C2)	1,515
Newport (D2)	510
Nicolet (E3)	4,441
Nominingue (B3)	744
Normandin (E1)	1,838
North Hatley (E4)	719
Notre-Dame-de-Ham (F3)	170
Notre-Dame-des-Bois (F4)	243
Notre-Dame-du-Lac (J2)	1,695
Notre-Dame-du-Laus (B3)	565
Notre-Dame-du-Rosaire (G3)	800
Oka (C4)	1,243
Omerville (E4)	1,094
Ormstown (D4)	1,527
Outremont (H4)	30,753
Panet (G3)	571
Papineauville (C4)	1,300
Parisville (F3)	500
Paspébiac (D2)	800
Percé (D1)	594
Péribonca (E1)	496
Petit-Saguenay (G1)	1,068
Pierrefonds (H4)	12,171
Pierreville (E3)	1,559
Plaisance (F3)	451
Plessisville (F3)	6,570
Pointe-au-Pic (G2)	1,333
Pointe-aux-Trembles (J4)	21,926
Pointe-Claire (H4)	22,709
Pointe-Gatineau (B4)	8,854
Poltimore (B4)	156
Pont-Rouge (F3)	2,988
Pont-Viau (H4)	16,077
Pontbriand (F3)	349
Port-Alfred (G1)	9,066
Port-Daniel (D2)	218
Portneuf (F3)	1,372
Price (A1)	3,094
Princeville (F3)	3,174
QUÉBEC (H3)	171,979
Québec (H3)	357,568
Ravignan (G3)	807
Rawdon (D3)	2,388
Repentigny (J4)	9,139
Restigouche (C2)	165
Richelieu (Village-Richelieu) (D4)	1,612
Richmond (E4)	4,072
Rigaud (C4)	1,990
Rimouski (J1)	17,739
Rimouski-Est (J1)	1,581

QUEBEC
SCALE OF MILES
0 — 5 — 10 — 20 — 30 — 40

- National Capital
- Provincial Capital
- County Seats
- County Boundaries
- Provincial & State Boundaries
- International Boundaries

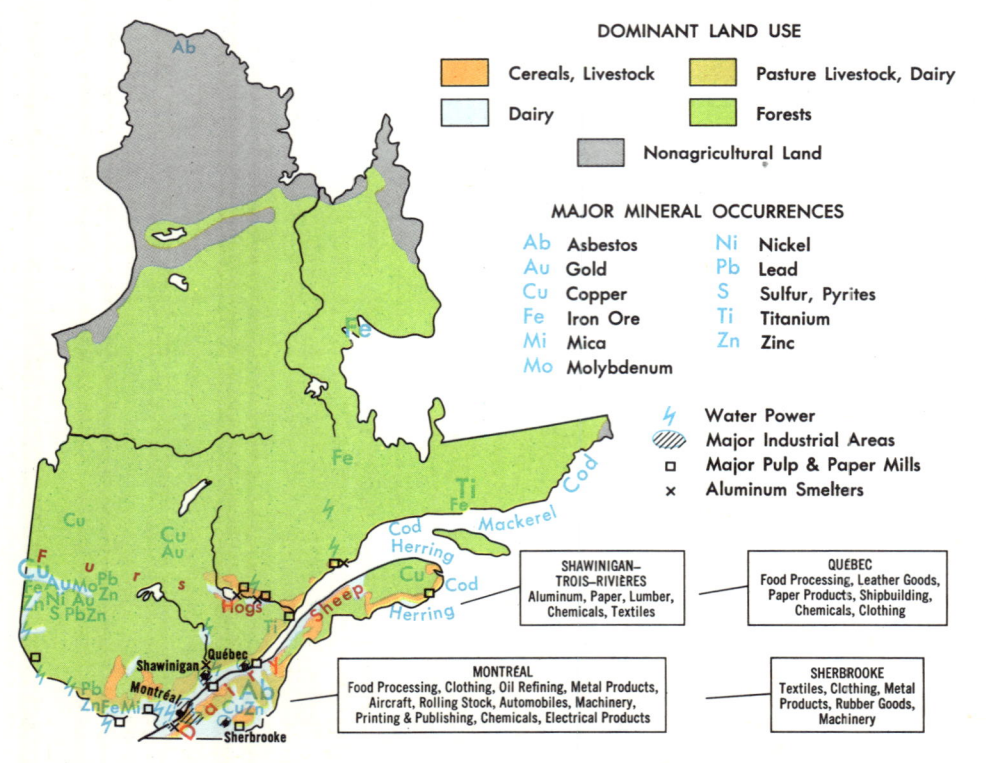

Copyright by C. S. Hammond & Co., N.Y.

QUEBEC

AREA	594,860 sq. mi.
POPULATION	5,712,000
CAPITAL	Québec
LARGEST CITY	Montréal (greater) 2,321,000
HIGHEST POINT	Mt. Jacques Cartier 4,160 ft.
SETTLED IN	1608
ADMITTED TO CONFEDERATION	1867
PROVINCIAL FLOWER	White Garden Lily

Place	Grid	Pop.
Ripon	(B4)	576
Rivière-à-Pierre	(E3)	812
Rivière-au-Renard	(D1)	1,772
Rivière-Bleue	(J2)	1,541
Rivière-Caplan	(D2)	293
Rivière-des-Prairies	(H4)	10,054
Rivière-du-Loup	(H2)	10,835
Rivière-du-Moulin	(G1)	4,386
Rivière-la-Madeleine	(C1)	289
Rivière-Mailloux	(E4)	550
Rivière-Trois-Pistoles	(H2)	357
Robertsonville	(F3)	1,156
Roberval	(E3)	7,739
Rock Island	(E4)	1,608
Rosemère	(H4)	6,158
Roxton Falls	(E4)	972
Roxton Pond	(E4)	770
St-Adalbert	(H3)	300
St-Adelphe-de-Champlain	(E3)	787
St-Adolphe-de-Dudswell	(F3)	496
St-Adolphe-d'Howard	(C4)	349
St-Aimé	(E4)	574
St-Alban	(E3)	786
St-Albert	(E3)	299
St-Alexandre-d'Iberville	(D4)	430
St-Alexandre-de-Kamouraska	(H2)	872
St-Alexis-de-Matapédia	(B2)	497
St-Alexis-de-Montcalm	(D3)	455
St-Alexis-des-Monts	(D3)	1,964
St-Ambroise-de-Chicoutimi	(F1)	1,576
St-Anaclet	(J1)	722
St-André-de-Kamouraska	(H2)	550
St. Andrews East	(C4)	1,183
St-Anselme	(F3)	1,131
St-Antoine-Lotbinière	(F3)	270
St-Antoine-sur-Richelieu	(D4)	463
St-Antonin	(H2)	247
St-Apollinaire	(F3)	506
St-Arsène	(H2)	523
St-Aubert	(G3)	735
St-Augustin	(G4)	477
St-Augustin-de-Québec	(H3)	488
St-Barnabé-Sud	(D4)	204
St-Barthélemy	(D3)	620
St-Basile	(J4)	1,210
St-Basile	(F3)	1,709
St-Benjamin	(G3)	479
St-Benoît	(C4)	545
St-Benoît-Labre	(G3)	481
St-Bernard-de-Dorchester	(F3)	384
St-Bonaventure	(E4)	384
St-Boniface-de-Shawinigan	(D3)	917
St-Bruno	(J2)	6,760
St-Bruno-de-Kamouraska	(H2)	214
St-Calixte-de-Kilkenny	(D4)	1,014
St-Camille	(F4)	204
St-Camille-de-Bellechasse	(G3)	689
St-Casimir	(E3)	1,386
St-Césaire	(D4)	2,097
St-Charles-de-Bellechasse	(G3)	981
St-Charles-sur-Richelieu	(D4)	335
St-Chrysostome	(D4)	972
St-Clément	(H2)	400
St-Clet	(C4)	301
St-Côme	(D3)	598
St-Constant	(H4)	2,739
St-Cuthbert	(D3)	392
St-Cyprien	(J2)	582
St-Cyrille-de-l'Islet	(G3)	655
St-Cyrille-de-Wendover	(E4)	1,138
St-Damase	(D4)	870
St-Damase-de-Matane	(B1)	277
St-Damase-des-Aulnaies	(G2)	256
St-Damien-de-Brandon	(D3)	431
St-Damien-de-Buckland	(G3)	1,396
St-David-de-Lévis	(F3)	400
St-David-d'Yamaska	(E4)	277
St-Denis-de-la-Bouteillerie	(G2)	269
St-Denis-Rivière-Richelieu	(D4)	1,063
St-Dominique-de-Bagot	(E4)	532
St-Donat-de-Rimouski	(J1)	462
St-Édouard-de-Napierville	(D4)	186
St-Éleuthère	(H2)	1,014
St-Élie	(E3)	604
St-Éloi	(H1)	252
St-Esprit	(D4)	778
St-Étienne-des-Grès	(E3)	569
St-Eugène-de-Grantham	(E4)	235
St-Eusèbe	(J2)	528
St-Eustache	(H4)	5,463
St-Fabien	(J1)	1,466
St-Félicien	(E1)	5,133
St-Félix-de-Valois	(D2)	1,399
St-Ferdinand	(F3)	2,706
St-Féréol	(G2)	268
St-Fidèle	(H2)	317
St-Flavien	(F3)	610
St-Fortunat	(F4)	216
St-François-de-Montmagny	(G3)	567
St-François-du-Lac	(E3)	977
St-Frédéric	(G3)	307
St-Fulgence	(G1)	1,094
St-Gabriel-de-Brandon	(D3)	3,425
St-Gabriel-de-Rimouski	(J1)	467
St-Gédéon-de-Beauce	(G4)	890
St-Georges-de-Cacouna (Cacouna)	(H2)	834
St-Georges-de-Windsor	(F4)	345
St-Georges-Ouest	(G3)	4,755
St-Gérard	(F4)	662
St-Germain-de-Grantham	(E4)	1,015
St-Gervais	(G3)	576
St-Gilles	(F3)	822
St-Godefroi	(D2)	336
St-Grégoire	(E3)	670
St-Guillaume	(E4)	792
St-Henri	(F3)	782
St-Hermas	(C4)	285
St-Herménégilde	(F4)	204
St-Hilaire-Village	(D4)	2,911
St-Hilarion	(G2)	493
St-Honoré	(G4)	943
St-Honoré-de-Témiscouata	(H2)	563
St-Hubert	(J4)	14,380
St-Hubert-de-Témiscouata	(J2)	724
St-Hugues	(E4)	1,015
St-Hyacinthe	(D4)	22,354
St-Irénée	(G2)	701
St-Isidore-d'Auckland	(F4)	373
St-Isidore-Dorchester	(F3)	725
St-Jacques	(D4)	2,038
St-Janvier	(H4)	1,811
St-Jean	(D4)	26,988
St-Jean-de-Matha	(D3)	600
St-Jean-Chrysostome-de-Lévis	(F3)	1,579
St-Jean-de-Boischatel (Boischatel)	(J3)	1,579
St-Jean-de-Dieu	(J1)	1,177
St-Jean-de-Matha	(D3)	846
St-Jean-des-Piles	(E3)	422
St-Jean-Port-Joli	(G2)	1,615
St-Jérôme	(H4)	24,546
St-Joachim-de-Montmorency	(G2)	988
St-Joseph-de-Beauce	(F3)	2,484
St-Joseph-de-Sorel	(D3)	3,588
St-Joseph-du-Lac	(C4)	358
St-Jovite	(C3)	2,692
St-Jules	(G4)	515
St-Just-de-Bretenières	(H3)	358
St-Justin	(D3)	372
St-Lambert	(J4)	14,531
St-Laurent	(H4)	49,805
St-Laurent d'Orléans	(G3)	356
St-Lazare-Village	(G3)	536
St-Léandre	(B1)	161
St-Léon-le-Grand	(B2)	797
St-Léonard-de-Portneuf	(E3)	454
St-Léonard d'Aston	(E3)	853
St-Liboire	(E4)	577
St-Liguori	(D3)	196
St-Louis-de-Gonzague	(C4)	541
St-Louis-du-Ha-Ha	(J2)	843
St-Luc-de-Matane	(B1)	276
St-Ludger	(G4)	299
St-Maglorie	(G3)	672
St-Malachie	(G3)	338
St-Marc	(D4)	236
St-Marc-des-Carrières	(E3)	2,622
St-Marcel-de-l'Islet	(G3)	258
St-Mathieu	(E3)	550
St-Méthode-de-Frontenac	(G3)	690
St-Michel-de-Bellechasse	(G3)	843
St-Michel (Côte-St-Michel)	(H4)	55,978
St-Michel-des-Saints	(D2)	1,763
St-Nazaire	(E4)	158
St-Nérée	(G3)	411

(continued on following page)

Quebec
(continued)

St-Nicolas (H3) 424
St-Noël (B1) 1,124
St-Norbert-d'Arthabaska (F3) 292
St-Octave (B1) 211
St-Odilon (G3) 686
St-Omer (C3) 470
St-Ours (D4) 711
St-Pacôme (G2) 1,242
St-Pamphile (H3) 1,839
St-Pascal◉ (H2) 2,144
St-Paul-de-Chester (F4) 318
St-Paul-de-Montminy (G3) 850
St-Paul-du-Nord (H1)... 337
St-Paul-l'Ermite (J4)....2,935
St-Paulin (D3) 920
St-Philémon (G3) 539
St-Philippe-de-Laprairie (J4) 424
St-Philippe-de-Néri (H2) 746
St-Pie (E4) 1,434
St-Pierre-Baptiste (F3) 100
St-Pierre-de-Broughton (F3) 389
St-Pierre-les-Becquets (E3) 451
St-Pierre-Montmagny (G3) 281
St-Placide (C4) 336
St-Polycarpe (C4) 560
St-Prime (E1) 659
St-Prosper (E3) 158
St-Prosper-de-Dorchester (G3) 1,357
St-Raphaël-Bellechasse◉ (G3) 1,134
St-Raymond (F3)..........3,931
St-Rémi (D4) 2,276
St-Rémi-d'Amherst (C3) 396
St-Robert (E4) 301
St-Roch-de-l'Achigan (D4) 614
St-Roch-de-Richelieu (D4) 614
St-Roch-des-Aulnaies (G2) 350
St-Romain (F4) 465
St-Romauld-d'Etchemin (J4) 5,183
St-Samuel-de-Gayhurst (G4) 511
St-Sauveur-des-Monts (C4) 1,702
St-Sébastian-de-Frontenac (G4) 516
St-Siméon (G2) 1,197
St-Simon (E4) 215
St-Simon (H1) 528
St-Stanislas-de-Champlain (E3) 590
St-Sylvestre (F3) 652
St-Télesphore (C4) 275
St-Théophile (G4) 510
St-Thuribe (E3) 208
St-Timothée (D4) 1,003
St-Tite (E3) 3,250
St-Tite-des-Caps (G2)....1,227
St-Ubald (E3) 764
St-Ulric (B1) 1,021
St-Urbain-de-Charlevoix (G2) 878
St-Valère-de-Bulstrode (E3) 197
St-Valérien (E4) 226
St-Valérien-de-Rimouski (J1) 310
St-Vallier (G3) 540
St-Victor-de-Beauce (G3) 931
St-Vincent-de-Paul (H4) 11,214
St-Wenceslas (E3) 358
St-Zacharie (G3) 1,361
St-Zénon (D3) 598
St-Zéphirin (E3) 247
Ste-Adélaïde-de-Pabos (D2) 726
Ste-Adèle (C4) 1,331
Ste-Agathe-de-Lotbinière (F3) 600
Ste-Agathe-des-Monts (C3) 5,725
Ste-Angèle-de-Laval (E3) 484
Ste-Angèle-de-Merici (J1) 666
Ste-Angèle-de-Monnoir (D4) 314
Ste-Anne-de-Beaupré (F2) 1,878
Ste-Anne-de-Bellevue (H4) 4,044
Ste-Anne-de-la-Pérade (E3) 1,184
Ste-Anne-des-Monts (C1) 1,906
Ste-Anne-des-Plaines (H4) 1,256
Ste-Anne-du-Lac (B3)... 423
Ste-Apolline-de-Patton (H3) 353
Ste-Béatrix (D3) 375
Ste-Blandine (J1) 508
Ste-Catherine (F3) 893
Ste-Cécile-de-Frontenac (G4) 141
Ste-Cécile-de-Masham (B4) 399
Ste-Claire (G3) 1,338
Ste-Clothilde (E4) 256
Ste-Croix◉ (F3) 1,363
Ste-Edwidge (F4) 205
Ste-Élizabeth (D3) 557
Ste-Émélie-de-l'Énergie (D3) 721
Ste-Eulalie (E3) 193
Ste-Euphémie (G3) 158
Ste-Famille (G3) 300
Ste-Félicité (B1) 1,057
Ste-Flore (E3) 622
Ste-Florence (B2) 450
Ste-Foy (H3) 29,716
Ste-Geneviève-de-Batiscan◉ (E3) 532
Ste-Geneviève-de-Pierrefonds (H4) 2,397
Ste-Gertrude (E3) 362
Ste-Hélène-de-Bagot (E4) 342
Ste-Hélène-de-Kamouraska (H2) 529
Ste-Hénédine◉ (F3) 518
Ste-Julie-de-Verchères (J4) 434
Ste-Julienne◉ (D4)...... 753
Ste-Justine-de-Newton (C4) 513
Ste-Louise (G2) 493
Ste-Lucie-de-Beauregard (H3) 297
Ste-Lucie-de-Doncaster (C3) 178
Ste-Marguerite-de-Dorchester (G3) 324
Ste-Marie-Beauce (G3) 3,662
Ste-Marthe (C4) 261
Ste-Martine (D4) 1,695
Ste-Perpétue (E3) 203
Ste-Perpétue-de-l'Islet (H2) 674
Ste-Pudentienne (Roxton Pond) (E4) 770
Ste-Rosalie (D4) 1,255
Ste-Rose◉ (H4) 7,571
Ste-Rose-de-Lima (B4)..2,961
Ste-Rose-de-Watford (G3) 258
Ste-Rose-du-Dégelé (J2) 1,943
Ste-Sabine (G3) 444
Ste-Scholastique◉ (C4) 838
Ste-Sophie-de-Lévrard (E3) 398
Ste-Sophie-de-Mégantic (F3) 267
Ste-Thérèse-de-Blainville (H4) 11,771
Ste-Ursule (D3) 422
Ste-Véronique (C3) 250
Ste-Victoire (D4) 163
Sault-au-Mouton (H1).. 876
Sawyerville (F4) 789
Sayabec (B2) 2,314
Scotstown (F4) 1,038
Scott-Jonction (F3) 665
Senneville (G4) 1,262
Shawbridge (C4) 1,034
Shawinigan (D3) 32,169
Sherbrooke◉ (E4) 66,554
Sillery (J3) 14,109
Sorel◉ (D4) 17,147
South Durham (E4)...... 438
Squatteck (J2) 1,088
Stanstead (Stanstead Plain) (F4) 1,116
Stoneham (F2) 472
Stratford Centre (F4).. 461
Sully (H2) 8 33
Sutton (E4) 1,755
Sweetsburg (E4) 958
Tadoussac◉ (H1) 1,083
Templeton (B4) 2,965
Terrebonne (H4) 6,207
Thetford Mines (F3)...21,618
Thurso (B4) 3,310
Ticouapé (E1) 600
Tingwick (F4) 581
Tourelle (C1) 700
Tourville (H2) 645
Tring-Jonction (F3)......1,214
Trois-Pistoles (H1) 4,349
Trois-Rivières (E3) 53,477
Upton (E4) 830
Val-Alain (F3) 301
Val-Barrette (B3) 557
Val-Brillant (B1)........ 879
Val-David (C3) 1,118
Valcartier-Village (F3).. 163
Valcourt (E4) 843
Vallée-Jonction (G3).....1,405
Valleyfield (C4) 27,297
Valmont (E3) 520
Varennes (J4) 2,240
Vaudreuil◉ (C4) 897
Verchères◉ (J4) 1,768
Verdun (H4) 78,317
Victoriaville (E3) 18,720
Village-Richelieu (D4)..1,612
Ville-St-Georges (G3)....4,082
Villeneuve (J3) 1,934
Villers (Ste-Gertrude) (E3) 362
Wakefield (B4) 381
Warwick (F4) 2,487
Waterloo◉ (E4) 4,543
Waterville (F4) 1,330
Weedon (F4) 1,426
West Shefford (E4) 406
Westmount (H4) 25,012
Wickham-Ouest (E4) 378
Windsor (F4) 6,589
Wotton (F4) 726
Yamachiche◉ (E3).......1,186

OTHER FEATURES

Aylmer (lake) ....F 4
Baskatong (lake) ....B 3
Batiscan (riv.) ....E 2
Boisvert (point) ....J 1
Brome (lake) ....E 4
Brompton (lake) ....E 4
Cascapédia (riv.) ....C 1
Chaleur (bay) ....C 2
Champlain (lake) ....D 4
Chaudière (riv.) ....G 4
Chicoutimi (riv.) ....F 2
Commissioners (lake)......E 1
Coudres (isl.), 1,391........G 2
Dartmouth (riv.) ....D 1
Deschênes (lake) ....A 4
Édouard (lake) ....E 2
Gaspé (bay) ....D 1
Gaspé (cape) ....D 1
Gaspé (pen.) ....D 2
Gaspesian Prov. Park......C 1
Gatineau (riv.) ....B 3
Ha Ha (riv.) ....G 1
Îles (lake) ....B 3
Jacques-Cartier (mt.).....C 1
Jacques-Cartier (riv.)......F 2
Jésus (isl.), 124,741 ......H 4
Kenogami (lake) ....F 1
Kiamika (lake) ....B 3
L'Assomption (riv.) ......D 3
Laurentides Prov. Park..F 2
Lièvre (riv.) ....B 4
Loup (riv.) ....H 2
Madeleine (cape) ....D 1
Malbaie (riv.) ....G 2
Manicouagan (point) ....B 1
Maskinongé (riv.) ....D 3
Matapédia (lake) ....B 1
Mattawin (riv.) ....D 3
Mégantic (lake) ....G 4
Mékinac (lake) ....E 2
Memphremagog (lake)....E 4
Métabetchouan (riv.) ....F 1
Mille-Îles (riv.) ....H 4
Mistassini (riv.) ....E 1
Mont-Tremblant Prov. Park ....C 3
Montmorency (riv.) ......F 2
Nicolet (riv.) ....E 3
North (riv.) ....C 4
Oies (isl.), 364 ....G 2
Orléans (isl.), 4,974 ......F 3
Ouareau (riv.) ....D 3
Papineau (lake) ....C 4
Patapédia (riv.) ....B 2
Petite-Nation (riv.) ....B 4
Prairies (riv.) ....H 4
Restigouche (riv.) ....B 2
Rimouski (riv.) ....J 1
Rouge (riv.) ....C 3
Saguenay (riv.) ....G 1
St. Francis (lake) ....C 4
St-Francis (riv.) ....E 4
St-François (lake) ....F 4
St-Jean (lake) ....E 1
St-Joseph (lake) ....F 3
St. Lawrence (riv.) ....H 1
St-Louis (lake) ....H 4
St-Maurice (riv.) ....E 2
St-Pierre (lake) ....E 3
St-Pierre (point) ....D 1
Ste-Anne (riv.) ....G 2
Ste-Anne (riv.) ....F 3
Ste-Thérèse (isl.) ....J 4
Salmon (riv.) ....F 4
Shawinigan (riv.) ....E 3
Taureau (res.) ....D 3
Témiscouata (lake) ....H 2
Thirty One Mile (lake)...B 3
Two Mountains (lake)....C 4
Yamaska (riv.) ....E 4

NORTHERN QUEBEC

INTERNAL DIVISIONS

Abitibi (county)(B3)..108,313
Abitibi (district)(B2)..11,321
Île-Anticosti (county) (E3) 532
Mistassini (dist.)(B2)...1,796
Nouveau Québec (Ungava) (dist.)(E1) 8,121
Témiscamingue (county) (B3) 60,288

CITIES and TOWNS

Aguanish (E2) 560
Amos◉ (B3) 6,080
Angliers (B3) 488
Baie-Johan-Beetz (E2).. 237
Barraute (B3) 1,199
Barville (B3) 304
Belleterre (B3) 638
Betsiamites (D3) 400
Blanc-Sablon (F2) 252
Bourlamaque (B3) 3,344
Cadillac (B3) 1,077
Cann (C3) 250
Casey (C3) ....
Chapais (B3) 2,363
Chibougamau (C3) 4,765
Clarke City (D2) 816
Clova (B3) 240
Dolbeau (C3) 6,052
Duparquet (B3) 978
Dupuy (B3) 466
Eastmain (B2) 212
Factory River (B2)........ 378
Fort Chimo (F2) 480
Fort George (B2)..........1,074
Gagnon (D2) 1,900
Great Whale River (B1) 718
Harrington Harbour (F2) 457
Hauterive (D3) 5,980
Havre-St-Pierre (E2).....2,407
Kipawa (B3) 272
Knob Lake (Schefferville) (D2)..3,178
La Sarre (B3) 3,944
La Tabatière (F2)......... 326
Labrieville (C3) 519
Macamic (B3) 1,614
Magpie (E2) 359
Malartic (B3) 6,998
Mistassini (C3) 3,461
Moisie (D2) 511
Mutton Bay (F2) 235
Natashquan (E3) 300
Noranda (B3) 11,477
Normetal (B3) 2,284
Parent (C3) 1,298
Perron (B3) 206
Port-Cartier (D2) 3,458
Port-Menier◉ (E3) 475
Povungnituk (E1) 434
Ragueneau (D3) 300
Rapide-Blanc (C3) 319
Rivière-au-Tonnerre (D2) 716
Rivière-Pentecôte (D3).. 776
Rouyn (B3) 18,716
Rupert House (B2) 528
Saint-Augustin (F2)...... 444
Schefferville (D2) 3,178
Senneterre (B3) 3,246
Sept-Îles (Seven Islands) (D2) 14,196
Shelter Bay (D3)..........1,171
Sugluk (E1) 255
Taschereau (B3) 1,000
Témiscaming (B3) 2,517
Tête-à-la-Baleine (E2).. 311
Val-d'Or (B3) 10,983
Ville-Marie◉ (B3).........1,710

OTHER FEATURES

Aguanus (river) ....E 2
Albanel (lake) ....C 2
Allard (lake) ....E 2
Anticosti (isl.), 532........E 3
Assinica (lake) ....C 2
Baleine (river) ....D 1
Bell (river) ....B 3
Bermen (lake) ....D 2
Betsiamites (river) ....C 2
Bienville (lake) ....C 2
Broadback (river) ....B 2
Burnt (lake) ....E 2
Cabonga (res.) ....B 3
Clearwater (lake) ....C 1
Delorme (lake) ....C 2
Dozois (res.) ....B 3
Duncan (lake) ....B 2
Eastmain (river) ....B 2
Erlandson (lake) ....D 1
Evans (lake) ....B 2
Fort George (river)........B 2
George (river) ....F 2
Goéland (lake) ....B 3
Gouin (res.) ....C 3
Great Whale (river) ......B 1
Gué (river) ....C 1
Harricanaw (river) ....B 2
Heath (point) ....E 3
Honguedo (passage) ......E 3
Hopes Advance (cape)....F 1
Iberville (lake) ....C 1
Indian House (lake)........E 1
Jacques Cartier (pass.)..E 3
James (bay) ....A 2
Jones (cape) ....B 2
Kanaaupscow (river) ......B 2
Kaniapiskau (lake) ....D 2
Kaniapiskau (river) ....D 1
Kogaluk (river) ....E 1
Koksoak (river) ....D 1
La Vérendrye Prov. Park..B 3
Larch (river) ....F 2
Leaf (river) ....F 2
Little Mecatina (isl.)......F 2
Little Whale (river) ......B 1
Magpie (lake) ....E 2
Manicouagan (lake) ....D 2
Manicouagan (river) ......D 2
Manouane (lake) ....C 2
Marguerite (river) ....D 2
Marie Victorin (mts.).....C 2
Mattagami (lake) ....B 3
Mecatina (river) ....E 2
Mingan (Jacques Cartier) (passage) ....E 3
Minto (lake) ....E 2
Mistassibi (river) ....C 2
Mistassini (lake) ....C 2
Moisie (river) ....D 2
Naococane (lake) ....C 2
Natashquan (river) ....E 2
New Quebec (crater)......F 1
Nottaway (river) ....B 2
Opinaca (river) ....B 2
Opiscoteo (lake) ....D 2
Ottawa (river) ....B 3
Outardes (river) ....D 2
Pas (river) ....D 1
Payne (lake) ....E 1
Payne (river) ....F 1
Péribonca (river) ....C 3
Petit-Mécatina (river)....E 2
Pipmuacan (lake) ....D 3
Pletipi (lake) ....C 2
Reed (mt.) ....D 2
Richmond (gulf) ....B 1
Romaine (river) ....E 2
Rupert (river) ....B 2
Saguenay Prov. Park ......E 2
Saint-Augustin (river).....F 2
Saint Lawrence (gulf) ...E 3
Saint-Paul (river) ....F 2
Sakami (lake) ....B 2
Sakami (river) ....B 2
Sandy (river) ....D 1
Sérigny (river) ....D 1
Toulnustouc (river) ......D 2
Tudor (lake) ....D 1
Ungava (bay) ....F 1
Ungava (peninsula) ....E 1
Vérendrye Prov. Park......B 3
Weggs (cape) ....F 1
West (point) ....E 3
Wheeler (river) ....D 1
Whitegull (lake) ....E 1
Whittle (cape) ....F 2
Wolstenholme (cape)......E 1
Wright (mt.) ....D 2

◉County Seat.
†Population of metropolitan area.

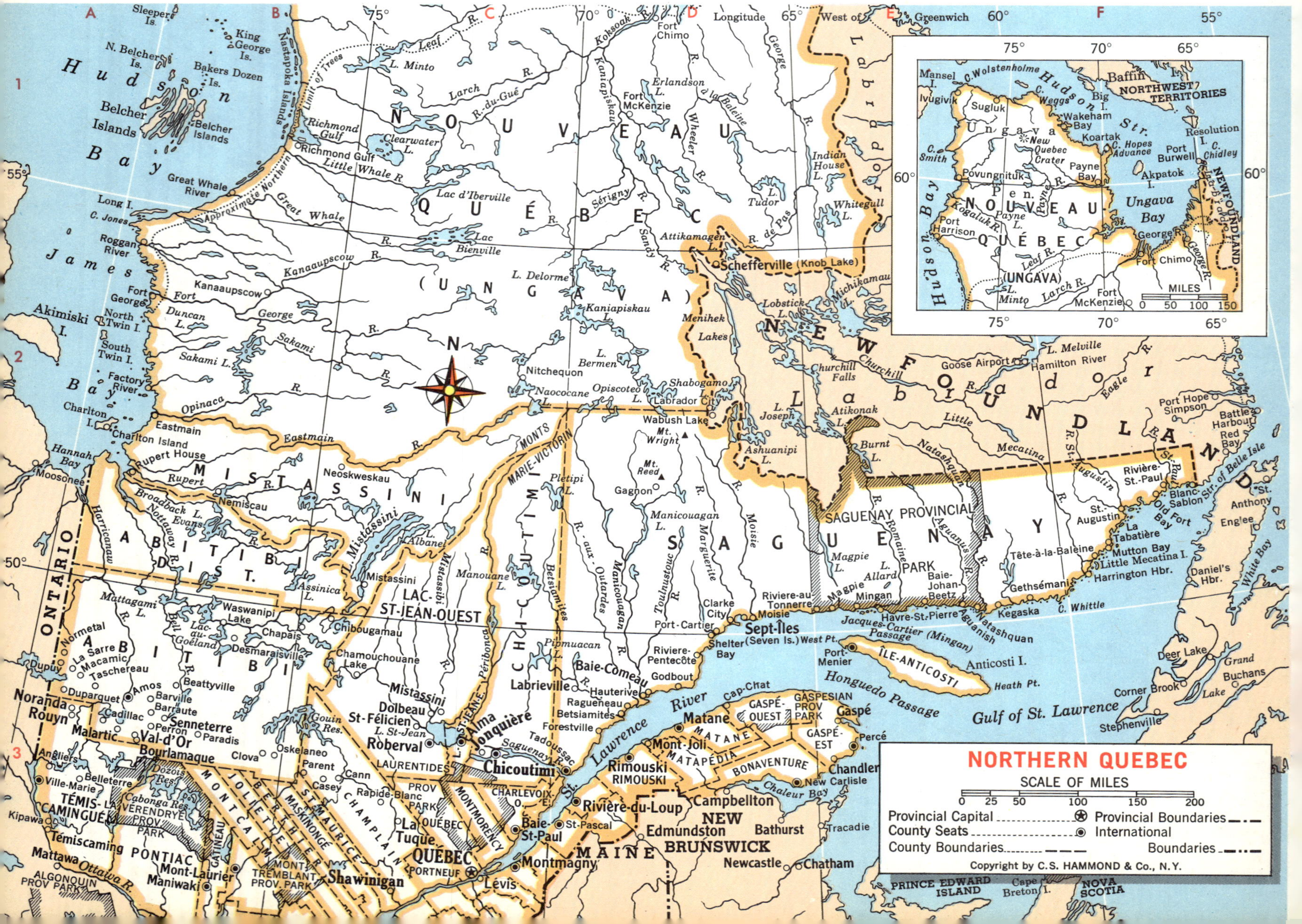

NORTHERN QUEBEC
SCALE OF MILES
0 25 50 100 150 200
Provincial Capital
County Seats
County Boundaries
Provincial Boundaries
International Boundaries
Copyright by C.S. HAMMOND & Co., N.Y.
Longitude West of Greenwich
Hudson Bay
James Bay
NOUVEAU QUÉBEC (UNGAVA)
MISTASSINI
ABITIBI
SAGUENAY
NEWFOUNDLAND
ONTARIO
NEW BRUNSWICK
MAINE
Gulf of St. Lawrence
Honguedo Passage
ÎLE-ANTICOSTI
Anticosti I.
Schefferville (Knob Lake)
Sept-Îles (Seven Is.)
Chicoutimi
Québec
Rimouski
Gaspé
Fort Chimo
Fort George
NORTHWEST TERRITORIES
Ungava Bay
MILES 0 50 100 150

ONTARIO

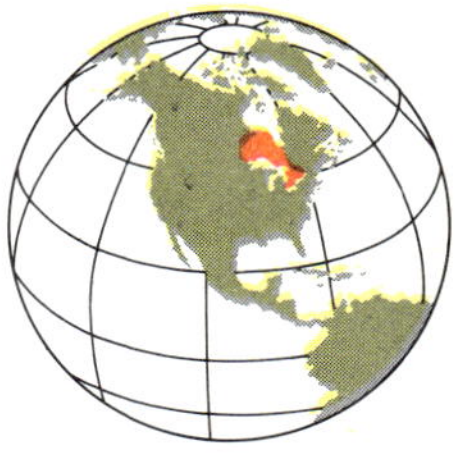

AREA 412,582 sq. mi.
POPULATION 6,832,000
CAPITAL Toronto
LARGEST CITY Toronto (greater) 2,066,000
HIGHEST POINT Tip Top Hill 2,120 ft.
SETTLED IN 1749
ADMITTED TO CONFEDERATION 1867
PROVINCIAL FLOWER White Trillium

NORTHERN ONTARIO

DISTRICT

Kenora (Patricia Portion), (C2) 12,341

CITIES and TOWNS

Allan Water (C2)..........
Ansonville, (D3) 3,080
Armstrong Station (C2) 375
Atikokan (B3) 6,674
Attawapiskat (D2) ......
Auden (C2) 188
Balmertown (B2) 1,421
Barwick (B3) 154
Beardmore (C3) 1,043
Bearskin Lake (B2) .....
Big Beaver House (B2)
Biscotasing (D3) 147
Blind River (D3) 4,093
Bruce Mines (D3) 484
Byng Inlet (D3) 217
Capreol (D3) 3,003
Caramat (C3) 368
Cat Lake (B2) ....
Central Patricia (B2) 51
Chalk River (E3) 1,135
Chapleau (D3) 3,350
Cobalt (D3) 2,209
Cochrane (D3) 4,521
Coniston (D3) 2,692
Coppell (D3) 221
Copper Cliff (D3) 3,600
Coral (D2) 51
Deep River (E3) 5,377
Deer Lake (B2) 67
Dinorwic (B3) 98
Dryden (B3) 5,728
Dyment (B3) 158
Eabamet Lake (Fort Hope) (C2) ....
Echo Bay (D3) 577
Elk Lake (D3) 701
Elliot Lake (D3) 9,950
Emo (B3) 630
Englehart (E3) 1,786
English River (B3) ......
Espanola (D3) 5,353
Fauquier (D3) 490
Favourable Lake (B2)..
Flanders (B3) 57
Foleyet (D3) 504
Fort Albany (D2) ....
Fort Frances (B3)..........9,481
Fort Hope (Eabamet Lake) (C2) ....
Fort Severn (C1) ....
Fort William (B3) 45,214
Franz (D3) 70
Fraserdale (D3) 215
Frater (D3) ....
Geraldton (C3) 3,375
Ghost River (D2) ....
Gogama (D3) 653
Goldpines (B2) 53
Goudreau (C3) 60
Graham (B3) 52
Haileybury (D3) 2,638
Hawk Junction (D3) 378
Hearst (D3) 2,373
Heron Bay (C3) 167
Hornepayne (C3) 1,692
Hudson (B2) 65
Huntsville (E3) 3,189
Ignace (B3) 517
Iroquois Falls (D3) 1,681
Island Falls (D3) 111
Jackfish (C3) 77
Kakabeka Falls (B3) 296
Kapuskasing (D3) 6,870
Keewatin (A3) 2,197
Kenora (B3) 10,904
Kirkland Lake (D3) 15,366
Lac Seul (B2) 65
Lake River (D2) ....
Lansdowne House (C2)
Larder Lake (E3) 2,030
Levack (D3) 3,178
Lingman Lake (B2) ....
Longlac (C3) 1,125
Low Bush River (E3) 52
Manitouwadge (C3) 2,006
Marathon (C3) 2,568
Matachewan (D3) 923
Matawa (E3) 3,314
Mattice (D3) 711
Michipicoten Harbour (C3) 159
Minaki (A3) 207
Mine Center (B3) 88
Missanabie (D3) 98
Moose Factory (D2) 689
Moosonee (D2) 975
Nakina (C2) 747
New Liskeard (E3).......4,896
Nicholson (D3) 66
Nipigon (C3) 2,105
North Bay (E3)..........23,781
Oba (D3) 129
Opasatika (D3) 520
Osnaburgh House (C2)..
Otter Rapids (D2)........ 528
Pagwa River (D3) 111
Palmquist (D3) 100
Parry Sound (D3)..........6,004
Pembroke (E3) 16,791
Peterbell (D3) 104
Pikangikum (B2) ....
Pickle Crow (C2).......... 281
Port Arthur (C3)..........45,276
Quetico (B3) ....
Quibell (B3) 170
Rainy River (A3) 1,168
Raith (C3) 128
Rat Rapids (C2)..........
Red Lake (B2) 2,051
Red Rock (C3) 1,316
Redditt (B2) 300
Renfrew (E3) 8,935
Root Portage (B2) ......
Sandy Lake (B2)..........
Sault Sainte Marie (D3) 43,088
Savanne (C3) ....
Savant Lake (B2) 115
Schreiber (C3) 2,230
Schumacher (D3) 3,017
Sioux Lookout (B2) 2,453
Smoky Falls (D2) 83
Smooth Rock Falls (D3) 1,131
South Porcupine (D3) 5,144
Steep Rock Lake (B3) 80
Stratton (B3) 112
Sturgeon Falls (E3) 6,288
Sudbury (D3) 80,120
Sultan (D3) 511
Terrace Bay (C3) 1,901
Thessalon (D3) 1,725
Timmins (D3) 29,270
Trout Lake (C2) ....
Upsala (B3) 190
Vermilion Bay (B3) 503
Wawa (C3) 2,749
White River (C3).......... 836
Windigo Lake (B2).......
Winisk (C1) ....

OTHER FEATURES

Abitibi (lake) ....E 3
Abitibi (river) ....D 2
Albany (river) ....C 2
Algonquin Provincial Park ....E 3
Asheweig (river) ....C 2
Attawapiskat (lake) ....C 2
Attawapiskat (river) ....C 2
Basswood (lake) ....B 3
Berens (river) ....A 2
Big Trout (lake) ....B 2
Black Duck (river) ....C 1
Bloodvein (river) ....A 2
Caribou (isl.) ....C 3
Cobham (river) ....A 2
Ekwan (river) ....C 2
English (river) ....B 2
Fawn (river) ....C 2
Finger (lake) ....B 2
Georgian (bay) ....D 3
Groundhog (river) ....D 3
Hannah (bay) ....D 2
Henrietta Maria (cape)..D 1
Hudson (bay) ....D 1
Huron (lake) ....D 3
James (bay) ....D 2
Kapiskau (river) ....D 2
Kapuskasing (river) ......D 3
Kenogami (river) ....C 2
Kesagami (lake) ....D 3
Lake of the Woods (lake) ....B 3
Lake Superior Prov. Park ....D 3
Little Current (river)......C 2
Manitoulin (isl.) ....D 3
Mattagami (river) ....D 3
Michipicoten (isl.) ....C 3
Mille Lacs (lake) ....B 3
Missinaibi (lake) ....D 3
Missinaibi (river) ....D 2
Missisa (lake) ....D 2
Nipigon (lake) ....C 3
Nipissing (lake) ....E 3
North (channel) ....D 3
North Caribou (lake)......B 2
Nungesser (lake) ....B 2
Ogoki (river) ....C 2
Opazatika (river) ....D 3
Opinnagau (river) ....D 2
Otoskwin (river) ....B 2
Ottawa (river) ....E 3
Otter (head) ....C 3
Partridge (isl.) ....C 1
Pipestone (river) ....B 2
Quetico Prov. Park..........B 3
Rainy (lake) ....B 3
Red (lake) ....B 2
Sachigo (river) ....B 2
Saganaga (lake) ....B 3
Saint Ignace (isl.) ....C 3
Saint Joseph (lake) ....B 2
Sandy (lake) ....B 2
Savant (lake) ....B 2
Seine (river) ....B 3
Seul (lake) ....B 2
Severn (lake) ....B 2
Severn (river) ....B 2
Shamattawa (river) ....C 2
Shibogama (lake) ....C 2
Sibley Provincial Park ....C 3
Slate (isls.) ....C 3
Stout (lake) ....B 2
Superior (lake) ....C 3
Sutton (lake) ....D 2
Sutton (river) ....D 2
Thunder (bay) ....C 3
Timagami (lake) ....D 3
Timiskaming (lake) ....E 3
Tip Top Hill (mt.) ....C 3
Trout (lake) ....B 2
Wabuk (point) ....D 1
Winisk (lake) ....C 2
Winisk (river) ....C 2
Wunnummin (lake) ....C 2

SOUTHERN ONTARIO

COUNTIES and DISTRICTS

Algoma (J5) 111,408
Brant (D4) 83,839
Bruce (C3) 43,036
Carleton (J2) 352,932
Cochrane (J4) 95,666
Dufferin (D3) 16,095
Dundas (J2) 17,162
Durham (F3) 39,916
Elgin (C5) 62,862
Essex (B5) 258,218
Frontenac (H3) 87,534
Glengarry (K2) 19,217
Grenville (J3) 22,864
Grey (D3) 62,005
Haldimand (E5) 28,197
Haliburton (F2) 8,928
Halton (E4) 106,967
Hastings (G3) 93,377
Huron (C4) 53,805
Kenora (G5) 51,474
Kent (B5) 89,427
Lambton (B5) 102,131
Lanark (H3) 40,313
Leeds (H3) 46,889
Lennox and Addington (G3) 23,717
Lincoln (E4) 126,674
Manitoulin (B2) 11,176
Middlesex (C4) 221,422
Muskoka (E3) 26,705
Nipissing (F2) 70,568
Norfolk (D5) 50,475
Northumberland (G3)..41,892
Ontario (E3) 135,895
Oxford (D4) 70,499
Parry Sound (D2) 29,632
Peel (E4) 111,575
Perth (C4) 57,452
Peterborough (F3) 76,375
Prescott (K2) 27,226
Prince Edward (G3)....21,108
Rainy River (G5) 26,531
Renfrew (G2) 89,635
Russell (J2) 20,892
Simcoe (E3) 141,271
Stormont (K2) 57,867
Sudbury (J5) 165,862
Thunder Bay (H5).....138,518
Timiskaming (K5).......50,971
Victoria (F3) 29,750
Waterloo (D4) 176,754
Welland (E4) 164,741
Wellington (D4) 84,702
Wentworth (D4) 358,837
York (E4) 1,733,108

CITIES and TOWNS

Actinolite (G3) 104
Acton (D4) 4,144
Agincourt (J4) 1,738
Ailsa Craig (C4).......... 544
Ajax (F4) 7,755
Alexandria (K2) 2,597
Alfred (K2) 1,195
Algoma Mills (B1) 373
Algonquin Park (F2).... 100
Allenford (C3) 209
Alliston (E3) 2,884
Alma (D4) 167
Almonte (H2) 3,267
Alton (E4) 438
Alvinston (B5) 660
Amherstburg (A5) 4,452
Angus (E3) 1,180
Ansonville (K5) 3,080
Appin (C5) 169
Apple Hill (K2) ....)384
Apsley (F3) 295
Arden (G3) 227
Arkona (C4) 504
Armstrong Station (H4) 375
Arnprior (H2) 5,474
Arthur (D4) 1,200
Athens (J3) 1,015
Atherley (E3) 348
Atikokan (G5) 6,674
Atwood (D4) 418
Auburn (C4) 216
Auden (H4) 188
Aurora (J3) 8,791
Avening (D3) 51
Avonmore (K2) 308
Aylmer West (C5) 4,705
Ayr (D4) 1,016
Ayton (D3) 375
Baden (D4) 977
Bala (E2) 495
Baltimore (F3) 220
Bancroft (G2) 2,615
Bannockburn (G3) 186
Barrie◉ (E3) 21,169
Barrys Bay (G2) 1,439
Bath (H3) 692
Bayfield (C4) 395
Baysville (E2) 199
Beachburg (H2) 542
Beachville (D4) 849
Beamsville (E4) 2,537
Beardmore (H5) 1,043
Beaverton (E3) 1,217
Beeton (E3) 810
Belgrave (C4) 143
Bellamys (J3) 96
Belle River (B5) 1,854
Belleville◉ (G3) 30,655
Belmont (C5) 649
Belwood (D4) 117
Berkeley (D3) 116
Bervie (C3) 82
Bethany (F3) 279
Birch Cliff (K4) ....
Biscotasing (J5) 147
Bishop's Mills (J3)....... 67
Blackstock (F3) 265
Blenheim (C5) 3,151
Blind River (A1) 4,093
Bloomfield (G4) 803
Bluevale (C4) 148
Blyth (C4) 724
Blytheswood (B5) 174
Bobcaygeon (F3) 1,210
Bolton (J4) 2,104
Bonfield (E1) 714
Bothwell (C5) 819
Bourget (J2) 769
Bowmanville (F4) 7,397
Bracebridge◉ (E2).......2,927
Bradford (E3) 2,342
Braeside (H2) 528
Brampton◉ (J4) 18,467
Brantford◉ (D4) 55,201
Brechin (E3) 264
Brigden (B5) 620
Brighton (G3) 2,403
Britt (D2) 621
Brockville◉ (J3) 17,744
Brooklin (E4) 1,531
Brougham (K3) 312
Bruce Mines (J5) 484
Brucefield (C4) 89
Brussels (C4) 844
Buckhorn (F3) 113
Burford (D4) 1,074
Burgesville (D4) 257
Burks Falls (E2) 926
Burlington (E4) 47,008
Burnt River (F3) 121
Burwash (D1) 616
Byng Inlet (D2) 217
Cache Bay (D1) 810
Calabogie (H2) 300
Caledon East (E4) 654
Caledonia (E4) 2,198
Callander (E1) 1,236
Camlachie (B4) 206
Camp Borden (E3)........
Campbellford (G3) 3,478
Canfield (E4) 150
Cannington (E3) 1,024
Capreol (K5) 3,003
Caradoc (C5) 477
Cardinal (J3) 1,944
Cargill (C3) 231
Carleton Place (H2).....4,796
Carp (H2) 498
Carrying Place (G3)...... 197
Cartier (J5) 470
Casselman (J2) 1,277
Castleton (F3) 267
Cavan (F3) 116
Cayuga◉ (E5) 897
Centralia (C4) 179
Centreville (H3) 60
Ceylon (D3) 95
Chalk River (G1) 1,135
Chapleau (J5) 3,350
Charing Cross (B5) 321
Charlton (K5) 157
Chatham◉ (B5) 29,826
Chatsworth (D3) 419
Chelmsford (K5) 2,559
Cherry Valley (G4) 272
Chesley (C3) 1,697
Chesterville (J2) 1,248
Chippawa (E4) 3,256
Chute-à-Blondeau (K2).. 719
Clandeboye (C4) 116
Claremont (K3) 611
Clarence (J2) 175
Clarence Creek (J2)...... 426
Clarendon Sta. (H3)..... 66
Clarksburg (D3) 404
Clarkson (J4) 1,450
Clifford (D4) 542
Clinton (C4) 3,491
Cobalt (K5) 2,209
Cobden (H2) 942
Coboconk (F3) 506
Cobourg◉ (F4) 10,646
Cochrane◉ (K5) 4,521
Cockburn Island (A2).... 66
Coe Hill (G3) 239
Colborne (G4) 1,336
Coldwater (E3) 726
Collingwood (D3) 8,385
Comber (B5) 601
Combermere (G2) 82
Coniston (D1) 2,692
Consecon (G3) 359
Cookstown (E3) 1,025
Cooksville (J4) 1,800
Copetown (E4) 148
Copper Cliff (D1) 3,600
Coral (J4) 51
Cordova Mines (G3)...... 265
Corinth (D5) 87
Cornwall◉ (K2) 43,639
Corunna (B5) 1,942
Courtland (D5) 605
Courtright (B5) 532
Craighurst (E3) 56
Crediton (C4) 429
Creemore (D3) 850
Creighton Mine (C1).....1,727
Crosby (H3) 125
Crysler (J2) 498
Crystal Beach (E5) 1,886
Crystal Falls (D1) 154
Cumberland (J2) 360
Cutler (B1) 175
Dashwood (C4) 433
Dean Lake (A1) 80
Deep River (G1) 5,377
Delamere (D1) ....
Delaware (C5) 466
Delhi (D5) 3,427
Deloro (G3) 159
Delta (H3) 417
Denbigh (G2) 174
Denfield (C4) 68

(continued on following page)

Ontario
(continued)

Place	Ref	Pop
Depot Harbour	(D2)	457
Desbarats	(J5)	154
Desboro	(C3)	160
Deseronto	(G3)	1,797
Detlor	(G2)	65
Deux-Rivières	(F1)	163
Devlin	(F5)	262
Dixie	(J4)	551
Dorchester	(C5)	1,183
Dorion	(H5)	200
Dorset	(F2)	220
Douglas	(H2)	365
Drayton	(D4)	646
Dresden	(B5)	2,346
Drumbo	(D4)	416
Dryden	(G4)	5,728
Dublin	(C4)	301
Dunchurch	(E2)	91
Dundalk	(D3)	852
Dundas	(D4)	12,912
Dungannon	(C4)	106
Dunnville	(E5)	5,181
Duntroon	(D3)	67
Durham	(D3)	2,180
Dutton	(C5)	815
Dyment	(G5)	158
Eastview	(J2)	24,555
Eastwood	(D4)	135
Eau Claire	(F1)	99
Echo Bay	(J5)	577
Edy's Mills	(B5)	75
Eganville	(H2)	1,549
Elgin	(H3)	279
Elk Lake	(K5)	701
Elliot Lake	(B1)	9,950
Elmira	(D4)	3,337
Elmvale	(E3)	957
Elsas	(B5)	150
Embro	(C4)	552
Embrun	(J2)	2,188
Emo	(F5)	630
Emsdale	(E2)	149
Englehart	(K5)	1,786
English River	(G5)	...
Enterprise	(H2)	222
Erieau	(C5)	497
Erin	(D4)	1,005
Espanola	(C1)	5,353
Essex	(B5)	3,428
Ethel	(C4)	134
Everett	(E3)	426
Exeter	(C4)	3,047
Falkenburg Station	(E2)	60
Fallbrook	(H3)	250
Fauquier	(J5)	374
Fenelon Falls	(F3)	1,359
Fergus	(D4)	3,831
Fesserton	(E3)	189
Feversham	(D3)	151
Finch	(J2)	386
Fingal	(C5)	346
Fisherville	(E5)	234
Fitzroy Harbour	(H2)	253
Flanders	(G5)	57
Flesherton	(D3)	515
Florence	(B5)	202
Foleyet	(J5)	504
Fonthill	(E4)	2,324
Fordwich	(C4)	2,638
Forest	(C4)	2,188
Forest Hill	(J4)	20,489
Foresters Falls	(H2)	159
Formosa	(D3)	370
Fort Erie	(E4)	9,027
Fort Frances	(F5)	9,481
Fort William	(H5)	45,214
Fournier	(K2)	227
Foxboro	(G3)	494
Frankford	(G3)	1,642
Franktown	(H2)	109
Fraserdale	(J5)	215
Galetta	(H2)	142
Galt	(D4)	27,830
Gananoque	(H3)	5,096
Gelert	(F3)	378
Georgetown	(E4)	10,298
Geraldton	(H5)	3,375
Glamis	(C3)	81
Glen Huron	(D3)	95
Glen Robertson	(K2)	409
Glen Williams	(D4)	926
Glencoe	(C5)	1,156
Goderich	(C4)	6,411
Gogama	(J5)	653
Golden Lake	(H2)	490
Goodenham	(F3)	275
Goodwood	(E3)	304
Gore Bay	(B2)	716
Gormley	(J3)	108
Gorrie	(C4)	647
Goudreau	(J5)	60
Grafton	(G3)	348
Grand Bend	(C4)	928
Grand Valley	(D4)	634
Granton	(C4)	303
Gravenhurst	(E4)	3,007
Grimsby	(E4)	5,148
Guelph	(D4)	39,838
Hagersville	(D5)	2,075
Haileybury	(K5)	2,632
Haley Sta.	(H2)	186
Haliburton	(F2)	853
Hamilton	(E4)	1431,000
Hampton	(F4)	512
Hanover	(C4)	4,401
Harriston	(D4)	1,675
Harrow	(B5)	1,787
Harrowsmith	(H3)	469
Harty	(J5)	110
Harwood	(F3)	185
Hastings	(G3)	897
Hatchley	(D4)	62
Havelock	(G3)	1,260
Hawk Jct.	(J5)	378
Hawkesbury	(K2)	8,661
Hawkestone	(E3)	426
Hearst	(J5)	2,373
Heathcote	(D3)	101
Hensall	(C4)	926
Hepworth	(C3)	358
Heron Bay	(H5)	167
Hepburn	(D4)	4,519
Hickson	(D4)	151
Highgate	(C5)	374
Highland Creek	(K4)	2,400
Hillsburgh	(D4)	440
Hillsdale	(E3)	255
Holland Centre	(D3)	72
Holland Landing	(E3)	508
Holstein	(D3)	185
Hornepayne	(H5)	1,692
Hornings' Mills	(D3)	211
Hudson	(G4)	65
Huntsville	(E2)	3,189
Hyde Park	(C4)	250
Ignace	(G5)	517
Ilderton	(C4)	289
Ingersoll	(C4)	6,874
Inglewood	(E4)	419
Inkerman	(J2)	66
Innerkip	(D4)	371
Inwood	(C5)	201
Iona	(C5)	104
Iron Bridge	(J4)	867
Iroquois	(J3)	1,159
Iroquois Falls	(K5)	1,681
Islington	(J4)	5
Ivanhoe	(G3)	5
Jarvis	(D5)	783
Jasper	(J3)	228
Jeannettes Creek	(B5)	196
Jellicoe	(H5)	203
Kagawong	(B2)	58
Kakabeka Falls	(G5)	251
Kaladar	(H3)	81
Kaministikwia	(G5)	81
Kapuskasing	(J5)	6,870
Kearney	(E2)	365
Keene	(F3)	324
Keewatin	(F5)	2,157
Kemptville	(J2)	1,959
Kenilworth	(D4)	200
Kenmore	(J2)	128
Kenora	(F4)	10,904
Kent Bridge	(B5)	250
Kerwood	(C5)	113
Keswick	(E3)	699
Killaloe Sta.	(G2)	932
Kimberley	(D3)	71
Kinburn	(H2)	172
Kincardine	(C3)	2,841
King City	(J3)	1,864
Kingston	(H3)	53,526
Kingsville	(B5)	3,041
Kinmount	(F3)	256
Kippen	(C4)	112
Kirkfield	(E3)	211
Kirkland Lake		17,485
Kitchener	(D4)	1154,864
Kleinburg	(J4)	275
Komoka	(C5)	465
La Passe	(H2)	105
Lakefield	(F3)	2,167
Lakeport	(G3)	173
Lakeview	(J4)	15,201
L'Amable	(G3)	88
Lambeth	(C5)	2,923
Lanark	(H3)	918
Lancaster	(K2)	584
Lansdowne	(H3)	522
Lansing	(J4)	...
Latchford	(K5)	479
Laurel	(D4)	74
Leamington	(B5)	9,030
Leaside	(J4)	18,579
Lefaivre	(K2)	194
Levack	(J5)	3,178
Limoges	(J2)	396
Lindsay	(F3)	11,399
Linwood	(D4)	374
Lion's Head	(C2)	416
Listowel	(D4)	4,022
Little Britain	(F3)	290
Little Current	(B2)	1,527
Lloydtown	(J3)	140
Lochalsh	(J5)	53
Lombardy	(H3)	82
London	(C4)	169,569
London	(C4)	1196,000
Long Branch	(J4)	11,039
Longford Mills	(E3)	360
Longlac	(H5)	1,125
L'Orignal	(K2)	1,189
Loring	(D2)	200
Lorne Park	(J4)	540
Low Bush River	(K5)	67
Lucan	(C4)	986
Lucknow	(C4)	1,031
Lyn	(H3)	532
Lynden	(D4)	554
Lyndhurst	(H3)	192
MacTier	(E2)	851
Madawaska	(B5)	153
Madoc	(G3)	1,347
Magnetawan	(E2)	205
Maidstone	(B5)	153
Mallorytown	(J3)	335
Malton	(J4)	2,148
Malvern	(J4)	175
Manitouwadge	(H5)	2,006
Manitowaning	(C2)	400
Manotick	(J2)	1,552
Maple	(J4)	...
Marathon	(H5)	2,568
Markdale	(D3)	1,090
Markham	(J4)	4,294
Markstay	(J1)	326
Marlbank	(G3)	237
Marmora	(G3)	1,381
Martintown	(K2)	409
Matachewan	(K5)	923
Matheson	(K5)	853
Mattawa	(F1)	3,314
Mattice	(J5)	711
Maxville	(K2)	804
Maynooth	(G2)	290
McGregor	(B5)	397
McKellar	(D2)	163
McKerrow	(C1)	221
Meadowvale	(J4)	333
Meaford	(D3)	3,834
Melbourne	(C5)	333
Merlin	(B5)	595
Merrickville	(J3)	947
Metcalfe	(J2)	385
Michipicoten Harbour	(H5)	...
Middleville	(H3)	159
Midhurst	(E3)	340
Midland	(D3)	8,656
Mildmay	(C3)	847
Mill Bridge	(G3)	51
Millbank	(D4)	235
Millbrook	(F3)	891
Milton	(E4)	5,629
Milverton	(C4)	1,111
Mimico	(F4)	18,212
Minaki	(F5)	207
Minden	(F3)	658
Mississippi Station	(H3)	88
Mitchell	(C4)	2,247
Monkton	(C4)	422
Moonbeam	(J5)	627
Moorefield	(D4)	253
Moose Creek	(K2)	429
Morewood	(J2)	189
Morpeth	(C5)	211
Morrisburg	(J3)	1,820
Morton	(H3)	94
Mount Albert	(E3)	561
Mount Brydges	(C5)	1,016
Mount Dennis	(J4)	...
Mount Forest	(D4)	2,623
Mount Pleasant	(D4)	809
Mountain Grove	(H3)	135
Muncey	(C5)	83
Myrtle	(E3)	130
Nakina	(H5)	747
Nanticoke	(E5)	121
Napanee	(G3)	4,500

Ontario
(continued)

TOPOGRAPHY

Place	Code	Pop.
Neustadt	(D3)	493
New Hamburg	(D4)	2,181
New Liskeard	(K5)	4,896
New Lowell	(E3)	203
New Toronto	(J4)	13,384
Newboro	(H3)	303
Newburgh	(H3)	569
Newbury	(C5)	328
Newcastel	(F3)	1,272
Newington	(K2)	256
Newmarket	(E3)	8,932
Newton Brook	(J4)	—
Newtonville	(F4)	331
Niagara Falls	(E4)	22,351
Niagara-on-the-Lake	(E4)	2,712
Nipigon	(H5)	2,105
Nipissing	(E1)	73
Nobel	(D2)	693
Nobleton	(J3)	958
Noelville	(D1)	393
North Augusta	(J3)	247
North Bay	(E1)	23,781
North Gower	(J2)	398
Norval	(E4)	328
Norwich	(D5)	1,703
Norwood	(F3)	1,060
Nottawa	(D3)	272
Novar	(E3)	344
Oak Ridges	(J3)	1,864
Oakville	(E4)	10,366
Oakwood	(F3)	263
Odessa	(H3)	852
Oil City	(B5)	100
Oil Springs	(B5)	484
Omemee	(F3)	809
Orangeville	(D4)	4,593
Orillia	(E3)	15,345
Orono	(F4)	964
Osgoode	(J2)	673
Oshawa	(F4)	62,415
OTTAWA	(J2)	268,206
Ottawa	(J2)	1482,000
Otter Rapids	(J4)	528
Otterville	(D5)	725
Owen Sound	(D3)	17,421
Oxford Mills	(J3)	126
Paisley	(C3)	759
Pakenham	(H2)	350
Palmerston	(D4)	1,554
Paris	(D4)	5,320
Parkhill	(C4)	1,169
Parry Sound	(E2)	6,004
Pefferlaw	(E3)	411
Pembroke	(G2)	16,791
Penetanguishene	—	5,340
Perth	(H3)	5,360
Petawawa	(G2)	4,509
Peterborough	(F3)	47,185
Petrolia	(B5)	3,708
Pickering	(K4)	1,755
Picton	(G3)	4,852
Plantagenet	(J2)	854
Plattsville	(D4)	456
Point Edward	(B4)	2,744
Pointe-au-Baril	(D2)	200
Pointe-aux-Roches	(B5)	240
Pontypool	(F3)	207
Porcupine	(J5)	1,213
Port Arthur	(H5)	45,276
Port Burwell	(D5)	777
Port Carling	(E2)	529
Port Colborne	(E5)	14,886
Port Credit	(J4)	7,203
Port Dover	(D5)	3,064
Port Elgin	(C3)	1,632
Port Hope	(F4)	8,091
Port Lambton	(B5)	577
Port Maitland	(E5)	103
Port McNicoll	(E3)	1,053
Port Perry	(E3)	2,262
Port Rowan	(D5)	787
Port Stanley	(C5)	1,460
Port Sydney	(E2)	192
Port Union	(K4)	7,00
Portland	(H3)	250
Powassan	(E1)	1,064
Prescott	(J3)	5,366
Preston	(D4)	11,577
Priceville	(D3)	141
Princeton	(D4)	480
Proton Station	(D3)	53
Providence Bay	(B2)	156
Queensborough	(G3)	117
Quibell	(F4)	170
Rainy River	(F5)	1,168
Red Rock	(H5)	1,316
Redditt	(F4)	300
Renabie	(J5)	—
Renfrew	(H2)	8,935
Richmond	(J2)	1,215
Richmond Hill	(J4)	16,446
Ridgetown	(C5)	2,603
Ridgeway	(E5)	1,871
Ripley	(C4)	464
Riverside	(B5)	18,089
Rockcliffe Park	(H2)	2,084
Rockland	(J2)	3,037
Rockport	(J3)	200
Rockwood	(D4)	863
Rodney	(C5)	1,041
Roseneath	(G3)	78
Rosseau	(E2)	233
Rossport	(H5)	195
Rostock	(C4)	92
Russell	(J2)	587
Rutherglen	(F1)	50
Ruthven	(B5)	269
Saint-Albert	(J2)	130
Saint Catharines	(E4)	84,472
Saint Clair Beach	(B5)	1,460
Saint Davids	(F4)	608
Saint-Eugène	(K2)	640
Saint George	(D4)	791
Saint-Isidore-de-Prescott	(K2)	458
Saint Jacobs	(D4)	669
Saint Marys	(C4)	4,482
Saint Thomas	(C5)	22,469
Saint Williams	(D5)	391
Sainte-Anne-de-Prescott	(K2)	135
Salem	(D4)	331
Salford	(D4)	103
Sarnia	(B5)	50,976
Sault Sainte Marie	(J5)	43,088
Savant Lake	(G4)	115
Scarborough Bluffs	(K4)	1,475
Scarborough Village	(K4)	778
Schreiber	(H5)	2,230
Schumacher	(K5)	3,071
Scotia	(E2)	58
Scotland	(D4)	612
Seaforth	(C4)	2,255
Sebringville	(C4)	520
Seeleys Bay	(H3)	344
Selkirk	(E5)	375
Severn Bridge	(E3)	95
Shallow Lake	(C3)	340
Shannonville	(G3)	304
Sharbot Lake	(H3)	481
Shedden	(C5)	295
Sheguiandah	(C2)	116
Shelburne	(D3)	1,239
Simcoe	(D5)	8,754
Singhampton	(D3)	138
Sioux Lookout	(G4)	2,453
Sioux Narrow	(F5)	—
Smiths Falls	(H3)	9,603
Smithville	(E4)	947
Smooth Rock Falls	(J5)	1,131
Sombra	(B5)	520
South Mountain	(J3)	227
South Porcupine	(K5)	5,144
South River	(E2)	1,044
Southampton	(C3)	1,818
Spanish	(B1)	1,536
Sparta	(C5)	325
Spencerville	(J3)	379
Spring Brook	(G3)	140
Springfield	(C5)	539
Sprucedale	(E2)	213
Stayner	(E3)	1,671
Steep Rock Lake	(G5)	80
Stella	(H3)	96
Stirling	(G3)	1,315
Stittsville	(J2)	1,508
Stonecliffe	(F1)	74
Stoney Creek	(E4)	6,043
Stouffville	(J3)	3,188
Staffordville	(D5)	487
Stratford	(D4)	20,467
Strathroy	(C5)	5,150
Strattono	(F5)	112
Streetsville	(J4)	5,056
Sturgeon Falls	(D1)	6,288
Sudbury	(C1)	80,120
Sudbury	(C1)	†110,694
Sulphide	(G3)	217
Sultan	(J5)	511
Sunderland	(E3)	634
Sundridge	(E2)	756
Sutton West	(E3)	1,470
Swastika	(K5)	643
Swansea	(J4)	9,628
Sydenham	(H3)	803
Tamworth	(H3)	375
Tara	(C3)	481
Tavistock	(D4)	1,232
Tecumseh	(B4)	4,476
Teeswater	(C3)	919
Terrace Bay	(H5)	1,901
Thamesford	(D4)	1,107
Thamesville	(C5)	1,054
Thedford	(C4)	759
Thessalon	(J5)	1,725
Thornbury	(D3)	1,097
Thorndale	(C4)	437
Thornhill	(J4)	1,167
Thornton	(E3)	260
Thorold	(E4)	8,633
Tilbury	(B5)	2,030
Tillsonburg	(D5)	6,600
Timagami	(K5)	473
Timmins	(J5)	29,270
Tiverton	(C3)	422
Tobermory	(C2)	363
Toledo	(H3)	—
TORONTO	(K4)	672,407
Toronto	(K4)	†2,066,000
Tottenham	(E3)	778
Trenton	(G3)	13,183
Trout Creek	(E2)	510
Tweed	(G3)	1,791
Tyrone	(F3)	167
Underwood	(C3)	74
Unionville	(K4)	945
Upsala	(G5)	190
Utterson	(E2)	184
Uxbridge	(E3)	2,316
Val-Albert	(F4)	2,018
VanAleek Hill	(K2)	1,735
Varney	(D4)	55
Vars	(J2)	342
Vermilion Bay	(G4)	503
Verner	(D1)	965
Vernon	(J2)	267
Verona	(H3)	601
Victoria Harbour	(E3)	1,066
Victoria Road	(F3)	125
Vienna	(D5)	373
Vineland	(E4)	1,082
Vittoria	(D5)	407
Wahnapitae	(D1)	269
Walford Sta.	(B1)	153
Walkerton	(C3)	3,851
Wallaceburg	(B5)	7,881
Walters Falls	(D3)	140
Walton	(C4)	62
Wanup	(D1)	133
Wardsville	(C5)	345
Warren	(D1)	557
Warsaw	(F3)	258
Wasaga Beach	(D3)	431
Washago	(E3)	355
Waterdown	(D4)	1,844
Waterford	(D5)	2,221
Waterloo	(D4)	21,366
Watford	(C5)	1,293
Waubaushene	(E3)	597
Wawa	(H5)	2,749
Webbwood	(C1)	546
Welland	(E4)	36,079
Wellesley	(D4)	649
Wellington	(G4)	1,064
West Hill	(K4)	—
West Lorne	(C5)	1,070
Westmeath	(H2)	260
Weston	(J4)	9,715
Westport	(H3)	711
Wheatley	(B5)	1,362
Whitby	(F4)	14,685
White Lake	(H2)	209
White River	(J5)	836
Whitefish	(C1)	726
Whitney	(F2)	828
Wiarton	(C3)	2,138
Widdifield	(E1)	96
Wikwemikong	(C2)	452
Wilberforce	(F3)	212
Williamsburg	(J3)	442
Williamstown	(K2)	325
Willowdale	(J4)	—
Wilno	(G2)	161
Winchester	(J3)	1,429
Windermere	(E2)	137
Windsor	(B5)	114,367
Windsor	(B5)	†206,000
Wingham	(C4)	2,922
Wolfe Island	(J3)	380
Woodbridge	(J4)	2,315
Woodstock	(D4)	20,486
Woodville	(F3)	399
Wooler	(G3)	156
Worthington	(C1)	164
Wroxeter	(C4)	292
Wyebridge	(E3)	94
Wyoming	(B5)	880
Yarker	(H3)	314
York	(E4)	198
Zephyr	(E3)	241
Zurich	(C4)	723

OTHER FEATURES

Feature	Code
Abitibi (riv.)	J 5
Algonquin Prov. Park	F 2
Amherst (isl.), 441	H 3
Balsam (lake)	F 3
Baptiste (lake)	G 2
Bayfield (sound)	B 2
Bays (lake)	E 2
Burnt (riv.)	F 3
Cabot Head (prom.)	C 2
Christian (isl.)	D 3
Clear (lake)	F 3
Cockburn (isl.)	A 2
Couchiching (lake)	E 3
Don (riv.)	J 4
Douglas (point)	C 3
Erie (lake)	E 5
Fitzwilliam (isl.)	C 2
Flowerpot (isl.)	C 2
French (riv.)	D 1
Georgian (bay)	D 2
Georgian Bay Is. Nat'l Park	D 3
Grand (riv.)	D 4
Haliburton (lake)	F 2
Hurd (cape)	B 2
Huron (lake)	B 3
Ipperwash Prov. Park	C 4
Joseph (lake)	E 2
Kapuskasing (riv.)	J 5
Kenogami (riv.)	H 4
Lake of the Woods (lake)	F 5
Lake Superior Prov. Park	J 5
Madawaska (riv.)	G 2
Manitoulin (isl.)	B 2
Mattagami (riv.)	J 5
Michipicoten (isl.)	H 5
Mille Lacs (lake)	G 5
Missinaibi (riv.)	J 5
Mississagi (strait)	A 2
Mississippi (lake)	H 2
Muskoka (lake)	E 2
Niagara (riv.)	E 4
Nipigon (lake)	H 5
Nipissing (lake)	E 1
North (channel)	A 1
Nottawasaga (bay)	D 3
Ontario (lake)	G 4
Opeongo (lake)	F 2
Ottawa (riv.)	H 2
Parry (isl.)	D 2
Pelée (point)	B 5
Point Pelée Nat'l Park	B 5
Quetico Prov. Park	G 5
Rainy (lake)	F 5
Rice (lake)	F 3
Rideau (lake)	H 3
Rideau (riv.)	J 2
Rondeau Prov. Park	C 5
Rosseau (lake)	E 2
Saint Clair (lake)	B 5
Saint Clair (riv.)	B 5
Saint Lawrence (riv.)	J 3
Saint Lawrence Islands Nat'l Park	J 3
Saugeen (riv.)	C 3
Scugog (lake)	F 3
Seul (lake)	G 4
Severn (riv.)	E 3
Simcoe (lake)	E 3
Spanish (riv.)	C 1
Stony (lake)	G 3
Superior (lake)	H 5
Thames (riv.)	B 5
Thousand (isls.), 1,389	H 3
Timagami (lake)	K 5
Tip Top Hill (mt.)	H 5
Vernon (lake)	E 2

◉ County Seat.
†Population of metropolitan area.

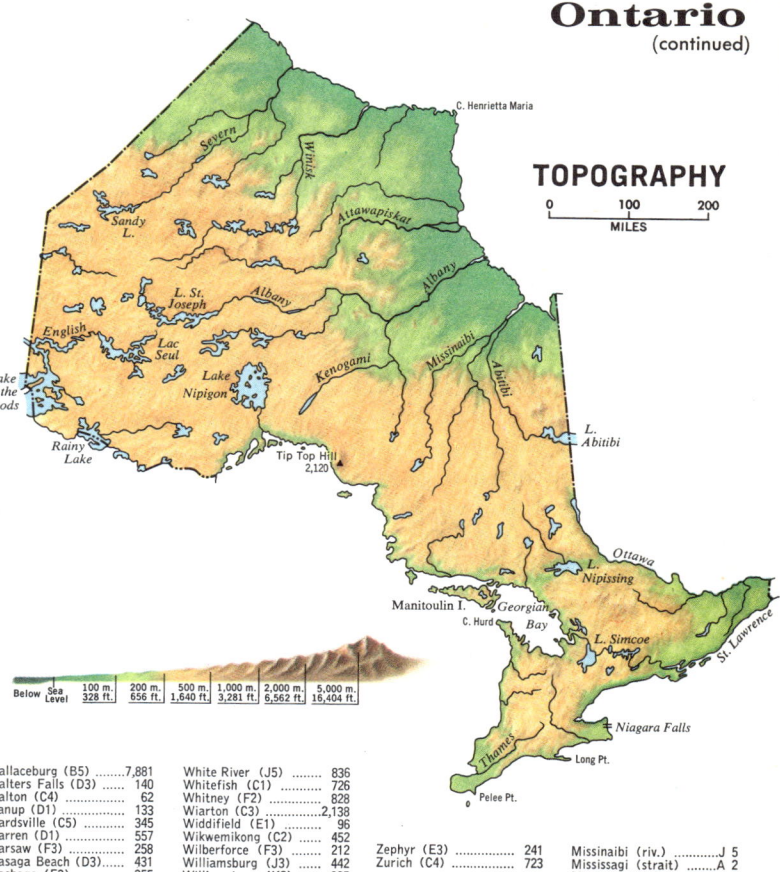

MAJOR MINERAL OCCURRENCES

- **Ab** Asbestos
- **Ag** Silver
- **Au** Gold
- **Co** Cobalt
- **Cu** Copper
- **Fe** Iron Ore
- **G** Natural Gas
- **Gr** Graphite
- **Mg** Magnesium
- **Mr** Marble
- **Na** Salt
- **Ni** Nickel
- **Pb** Lead
- **Pt** Platinum
- **U** Uranium
- **Zn** Zinc

⚡ Water Power
▨ Major Industrial Areas
□ Major Pulp and Paper Mills

AGRICULTURE, INDUSTRY and RESOURCES

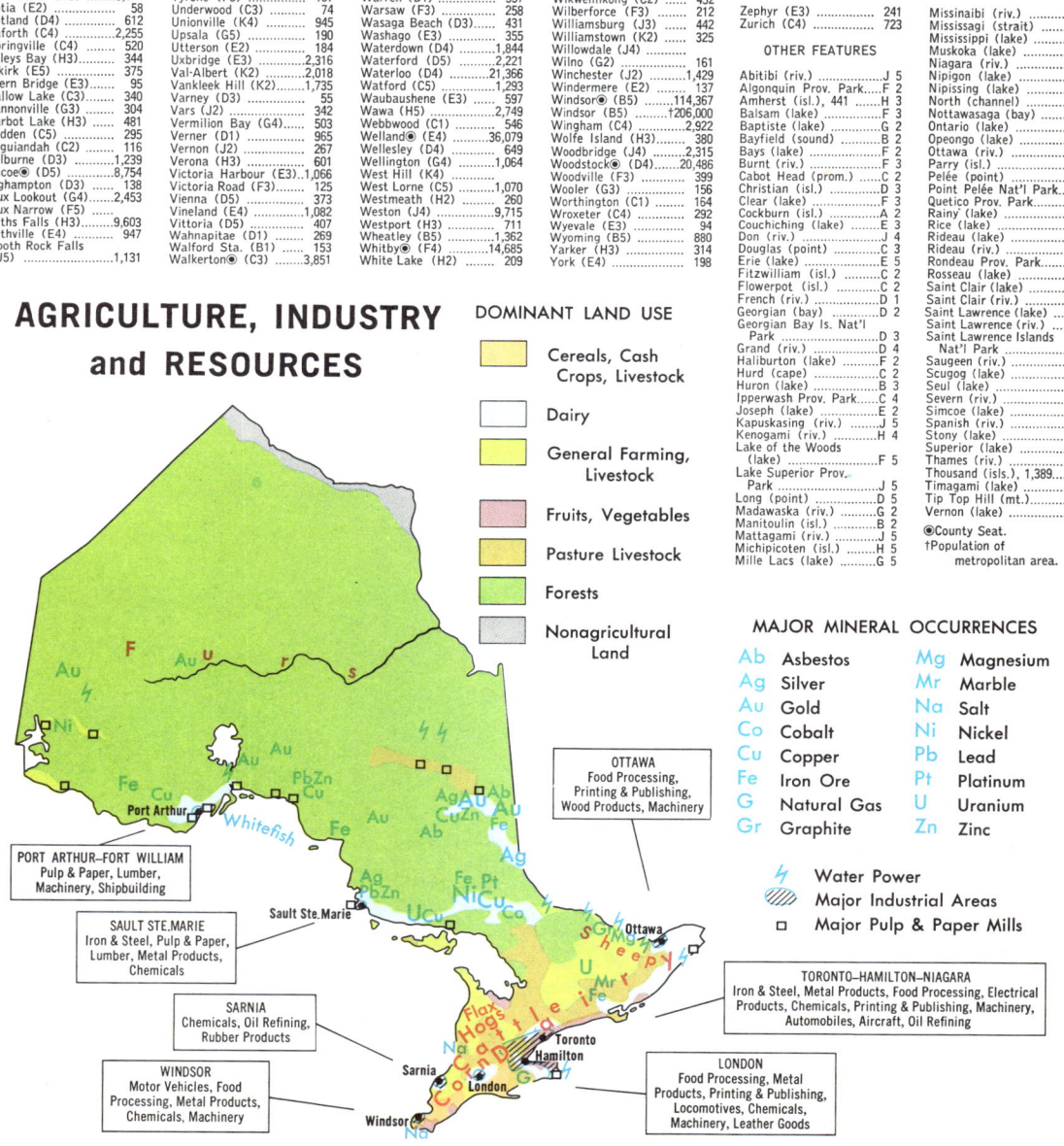

DOMINANT LAND USE
- Cereals, Cash Crops, Livestock
- Dairy
- General Farming, Livestock
- Fruits, Vegetables
- Pasture Livestock
- Forests
- Nonagricultural Land

OTTAWA — Food Processing, Printing & Publishing, Wood Products, Machinery

PORT ARTHUR–FORT WILLIAM — Pulp & Paper, Lumber, Machinery, Shipbuilding

SAULT STE. MARIE — Iron & Steel, Pulp & Paper, Lumber, Metal Products, Chemicals

SARNIA — Chemicals, Oil Refining, Rubber Products

WINDSOR — Motor Vehicles, Food Processing, Metal Products, Chemicals, Machinery

TORONTO–HAMILTON–NIAGARA — Iron & Steel, Metal Products, Food Processing, Electrical Products, Chemicals, Printing & Publishing, Machinery, Automobiles, Aircraft, Oil Refining

LONDON — Food Processing, Metal Products, Printing & Publishing, Locomotives, Chemicals, Machinery, Leather Goods

CITIES and TOWNS

Name	Pop.	Name	Pop.	Name	Pop.	Name	Pop.	Name	Pop.	Name	Pop.	Name	Pop.
Alexander (B5)	269	Birch River (A2)	799	Crane River (C3)	147	Fork River (B3)	174	Hallboro (C4)	86	La Salle (E5)	128	McTavish (E5)	139	Niverville (F5)	474
Alonsa (C4)	133	Birnie (C4)	88	Cromer (A5)	71	Fort Garry (E5)	1,485	Hamiota (B4)	779	Lac-du-Bonnet (G4)	569	Meadow Portage (C3)	61	Norway House (J3)	543
Altamont (D5)	123	Bissett (G4)	770	Crystal City (C5)	541	Fort Whyte (E5)	800	Hargrave (A5)	75	Langruth (D4)	249	Medika (G5)	450	Notre-Dame-de-Lourdes	
Altona (E5)	2,026	Boggy Creek (A3)	350	Cypress River (D5)	288	Foxwarren (A4)	272	Harrowby (A4)	70	Lauder (C4)	72	Medora (B5)	90	(D5)	511
Amaranth (D4)	294	Boissevain (C5)	1,303	Dallas (E3)	480	Franklin (C4)	73	Hartney (B5)	592	Laurier (C4)	262	Mafeking (B2)	385	Oak Lake (B5)	430
Angusville (A4)	208	Bowsman (A2)	504	Darlingford (D5)	189	Fraserwood (E4)	78	Hayfield (C5)	72	Lavenham (D5)	71	Melbourne (C4)	78	Oak Point (D4)	238
Anola (F5)	100	Bradwardine (B5)	75	Dauphin (B3)	7,374	Gardenton (F5)	104	Hayfield (B5)	87	Lenore (B5)	85	Meleb (E4)	97	Oak River (B4)	243
Arborg (E4)	811	Brandon (C5)	28,166	Deepdale (A3)	77	Garland (B3)	128	Haywood (D5)	146	Lenswood (B2)	300	Melita (C5)	1,038	Oakburn (A4)	357
Arden (C4)	188	Brochet (K2)	158	Deleau (B5)	188	Garson (F4)	330	Hazelridge (F5)	70	Letellier (E5)	266	Melrose (F4)	300	Oakner (B4)	120
Arnaud (E5)	88	Brookdale (C4)	108	Deloraine (C5)	916	Gilbert Plains (B3)	849	High Bluff (D4)	77	Libau (F4)	84	Miami (E5)	349	Oakview (D3)	
Arrow River (B4)	150	Brooklands (E4)	4,369	Delta Beach (D4)	74	Gillam (K2)	332	Hnausa (F4)	102	Lockport (E4)	405	Middlebro (G5)	147	Oakville (D5)	377
Ashern (D3)	374	Brunkild (C5)	120	Dominion City (E5)	534	Gimli (F4)	1,841	Hodgson (D4)	222	Lorette (F5)	700	Milner Ridge (F4)	63	Ochre River (C3)	321
Aubigny (C5)	117	Camp Morton (F4)	350	Douglas Sta. (C5)	289	Gladstone (D4)	944	Holland (D5)	433	Lowe Farm (E5)	310	Miniota (B4)	248	Onanole (C4)	348
Austin (D5)	384	Camperville (B2)	627	Dufrost (C5)	96	Glenboro (C4)	797	Holmfield (C5)	122	Lundar (D4)	713	Minitonas (B2)	606	Otterburne (E5)	258
Baden (A2)	89	Carberry (C5)	1,113	Dunnottar (E4)	232	Glenella (C4)	219	Horndean (C5)	161	Lyleton (A5)	123	Minnedosa (B4)	2,211	Petersfield (E4)	157
Badger (G5)	110	Cardale (B4)	91	Dunrea (C5)	196	Gods Lake (J3)	80	Ilford (J2)	165	Lynn Lake (H2)	1,881	Minto (B5)	171	Pierson (A5)	229
Baulur (C5)	370	Carman (D5)	1,930	East Kildonan (E4)	27,305	Gonor (F4)	323	Inglis (A4)	295	Macdonald (D4)	118	Moorepark (C4)	166	Pikwitonei (J3)	75
Balmoral (E4)	103	Carroll (B5)	88	East Selkirk (F4)	401	Goodlands (B5)	138	Inwood (D4)	183	MacGregor (D5)	642	Moose Lake (H3)	283	Pilot Mound (D5)	802
Balsam Bay (F4)	100	Cartwright (C5)	482	Eden (C4)	146	Grand Beach (F4)	74	Kelloe (B5)	86	Mafeking (B2)	385	Moosehorn (D3)	108	Pinawa (G4)	75
Bannerman (C5)	81	Channing (H3)	509	Elgin (B5)	259	Grand-Marais (E4)	280	Kelwood (C4)	323	Manigotagan (F3)	213	Morden (D5)	2,793	Pine Falls (F4)	1,244
Barrows (A2)	123	Chatfield (E4)	158	Elie (E5)	370	Grand Rapids (C1)	986	Kemnay (B5)	81	Manitou (D5)	863	Morris (E5)	1,370	Pine River (B3)	351
Basswood (B4)	121	Chortitz (F5)	239	Elkhorn (A5)	666	Grand View (B3)	1,057	Kenton (B5)	222	Marchand (F5)	99	Mowbray (D5)	75	Piney (F5)	197
Beauséjour (F4)	1,177	Churchill (K2)	1,878	Elm Creek (D5)	337	Graysville (D5)	115	Kenville (A3)	144	Margaret (C5)	78	Mulvihill (D4)	169	Pipestone (C5)	226
Bellsite (A2)	85	Clandeboye (E4)	119	Elphinstone (B4)	386	Great Falls (F4)	164	Killarney (C5)	1,729	Mariapolis (C5)	258	Myrtle (C5)	110	Plum Coulee (E5)	510
Belmont (C5)	378	Clanwilliam (C4)	182	Emerson (E5)	932	Gretna (E5)	575	Kissising (H3)	183	Marius (C4)	892	Narol (E4)	592	Plumas (D4)	344
Benito (A3)	427	Clearwater (C5)	121	Erickson (C4)	531	Grifton (C5)	287	Klefeld (F5)	102	Marquette (E4)	87	Neepawa (C4)	3,197	Pointe-du-Bois (G4)	284
Berens River (F2)	169	Cormorant (H3)	272	Eriksdale (D4)	242	Griswold (B5)	155	La Broquerie (F5)	386	Mather (C5)	125	Nesbitt (C5)	86	Poplar Park (F4)	300
Bethany (C4)	60	Cowan (B3)	124	Ethelbert (B3)	556	Gunton (E4)	88	La Rivière (D5)	232	Matheson Island (E3)	176	Newdale (B4)	350	Poplar Point (D4)	257
Beulah (A4)	74	Cranberry Portage		Fannystelle (E5)	153	Gypsumville (D3)	235	La Rochelle (F5)	120	Matlock (F4)	500	Ninette (C5)	673	Poplarfield (E4)	142
Binscarth (A4)	456	(H3)	838	Fisher Branch (E3)	369	Halbstadt (E5)	83	McAuley (A4)	199	McConnell (C4)	65	Ninga (C5)	129	Portage-la-Prairie	
		Crandall (B4)	105	Flin Flon (H3)	11,104					McCreary (C4)	579			(D4)	12,388

MANITOBA

AREA	251,000 sq. mi.
POPULATION	959,000
CAPITAL	Winnipeg
LARGEST CITY	Winnipeg (greater) 490,000
HIGHEST POINT	Duck Mtn. 2,727 ft.
SETTLED IN	1812
ADMITTED TO CONFEDERATION	1870
PROVINCIAL FLOWER	Prairie Crocus

MANITOBA Northern Part
SCALE OF MILES 0 40 80 120

MANITOBA SOUTHERN PART
SCALE OF MILES 0 5 10 20 40 60

Provincial Capital ⊛
International Boundaries
Provincial Boundaries

Copyright by C.S. HAMMOND & Co., N.Y.

TOPOGRAPHY
0 75 150 MILES

Below Sea Level — 100 m. 328 ft. — 200 m. 656 ft. — 500 m. 1,640 ft. — 1,000 m. 3,281 ft. — 2,000 m. 6,562 ft. — 5,000 m. 16,404 ft.

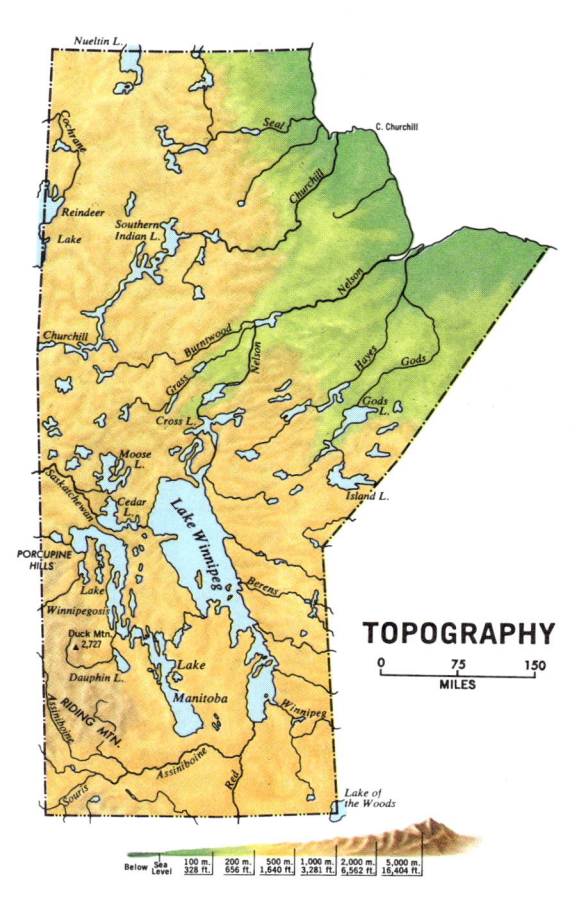

AGRICULTURE, INDUSTRY and RESOURCES

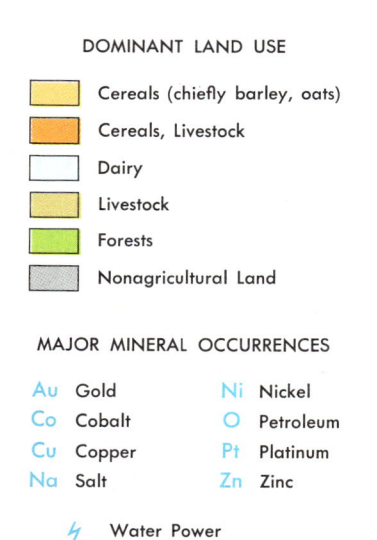

DOMINANT LAND USE
- Cereals (chiefly barley, oats)
- Cereals, Livestock
- Dairy
- Livestock
- Forests
- Nonagricultural Land

MAJOR MINERAL OCCURRENCES
- Au Gold
- Co Cobalt
- Cu Copper
- Na Salt
- Ni Nickel
- O Petroleum
- Pt Platinum
- Zn Zinc

Water Power
Major Industrial Areas
Major Pulp & Paper Mills

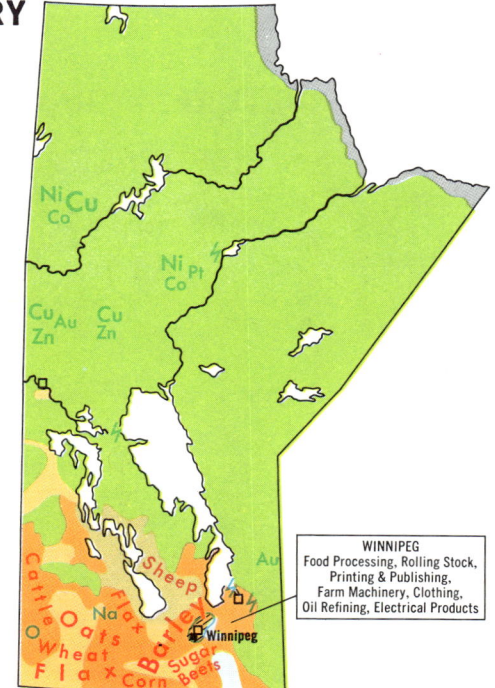

WINNIPEG
Food Processing, Rolling Stock, Printing & Publishing, Farm Machinery, Clothing, Oil Refining, Electrical Products

Powerview (F4)	902
Prairie Grove (F5)	300
Purves (D5)	66
Rackham (B4)	56
Rapid City (B4)	467
Rathwell (D5)	197
Reinland (E5)	231
Rennie (G5)	135
Reston (A5)	529
Richer (F5)	339
Ridgeville (E5)	86
Riding Mountain (C4)	212
Rita (F5)	102
Rivers (B4)	1,574
Riverton (E3)	808
Roblin (A3)	1,368
Roland (D5)	374
Rorketon (C3)	273
Roseisle (D5)	66
Rosenfeld (E5)	316
Rosenort (E5)	110
Ross (F5)	77
Rossburn (B4)	591
Rossendale (D5)	137
Rosser (E5)	67
Russell (B4)	1,263
Saint-Adolphe (E5)	217
Saint-Ambroise (E4)	359
Saint Andrews (E4)	850
Saint-Boniface (F5)	37,600
Saint-Charles (E5)	500
Saint-Claude (D5)	609
Saint-Eustache (E5)	332
Saint-François-Xavier (E5)	450
Saint George (F4)	288
Saint James (E5)	33,977
Saint-Jean-Baptiste (E5)	521
Saint-Joseph (E5)	109
Saint-Laurent (D4)	869
Saint-Lazare (D4)	869
Saint-Lupicin (D5)	268
Saint-Malo (F5)	574
Saint Marks (F4)	80
Saint-Norbert (E5)	695
Saint-Pierre-Jolys (F5)	856
Sainte-Agathe (E5)	298
Sainte-Amélie (C4)	66
Sainte-Anne-des-Chênes (F5)	653
Sainte-Elisabeth (E5)	300
Sainte-Rose-du-Lac (C3)	790
San Clara (A3)	94
Sandilands (F5)	133
Sandy Lake (B4)	383
Sanford (E5)	103
Scanterbury (F4)	97
Scarth (B5)	94
Selkirk (F4)	8,576
Senkiw (F5)	150
Seven Sisters Falls (G4)	131
Shellmouth (A4)	98
Shergrove (C3)	150
Sherridon (H3)	1,500
Shoal Lake (B4)	774
Shorncliffe (E3)	173
Sidney (C5)	154
Sifton (B3)	245
Sinclair (A5)	85
Skownan (C3)	61
Skylake (E4)	140
Snowflake (D5)	73
Solsgirth (B4)	78
Somerset (D5)	587
Souris (B5)	1,841
South Junction (G5)	233
Spearhill (D3)	75
Sperling (E5)	172
Split Lake (J2)	500
Sprague (G5)	364
Springstein (E5)	84
Spurgrave (G5)	140
Starbuck (E5)	240
Steep Rock (D3)	168
Steinbach (F5)	3,739
Stockton (C5)	61
Stonewall (E4)	1,420
Stony Mountain (E4)	1,130
Strathclair (B4)	465
Sundown (F5)	196
Swan Lake (D5)	307
Swan River (A2)	3,163
Sylvan (E3)	250
Teulon (E4)	749
Thalberg (F5)	
The Narrows (D3)	
The Pas (H3)	4,671
Thicket Portage (J3)	275
Thornhill (D5)	105
Tilston (A5)	101
Tolstoi (F5)	99
Transcona (F5)	14,248
Traverse Bay (F4)	120
Treherne (D5)	569
Trentham (F5)	500
Tuxedo (E5)	1,627
Two Creeks (B4)	86
Tyndall (F4)	241
Union Point (E5)	78
Vassar (G5)	243
Victoria Beach (F4)	74
Virden (A5)	2,708
Vista (B4)	79
Vita (F5)	316
Wabowden (J3)	327
Wakopa (C5)	62
Wanless (H3)	156
Warrenton (E4)	122
Wasagaming (C4)	146
Waskada (B5)	297
Wawanesa (C5)	456
Wekusko (H3)	81
Wellwood (C4)	73
West Kildonan (E5)	20,077
Westbourne (D4)	123
Westgate (A2)	69
Wheatland (B4)	195
Whitemouth (G5)	385
Whitewater (B5)	93
Winkler (E5)	2,529
WINNIPEG (E5)	265,429
Winnipeg (E5)	†490,000
Winnipeg Beach (F4)	807
Winnipegosis (B3)	980
Woodlands (E4)	124
Woodridge (G5)	289
York Factory (K2)	76

OTHER FEATURES

Aikens (lake)	G 3
Alexander Slough (marsh)	
Anderson (lake)	D 2
Armit (lake)	A 2
Assapan (riv.)	G 2
Assiniboine (riv.)	C 5
Assinika (lake)	A 2
Baralzon (lake)	J 1
Basket (lake)	C 3
Beaverhill (lake)	J 3
Berens (isl.)	E 2
Berens (riv.)	F 2
Big Stone (point)	E 2
Bigstone (riv.)	J 3
Birch (isl.)	C 2
Black (isl.)	F 3
Bloodvein (riv.)	F 3
Bonnet (lake)	G 4
Buffalo (bay)	G 5
Burntwood (riv.)	J 2
Carroll (lake)	G 3
Cedar (lake)	B 1
Channel (isl.)	B 2
Charron (lake)	G 2
Childs (lake)	A 3
Chitek (lake)	C 2
Churchill (riv.)	J 2
Clear (lake)	C 4
Cochrane (lake)	H 2
Commissioner (isl.)	E 3
Cormorant (lake)	H 3
Cross (lake)	C 1
Cross (lake)	J 3
Crow Duck (lake)	G 4
Dauphin (lake)	C 3
Dawson (bay)	B 2
Dennis (lake)	E 4
Dog (lake)	D 3
Dogskin (lake)	G 3
Eardley (lake)	F 2
East Shoal (lake)	E 4
Ebb and Flow (lake)	C 3
Egg (isl.)	E 3
Elbow (lake)	G 4
Elk (isl.)	E 4
Elliot (lake)	G 2
Etawney (lake)	J 2
Falcon (lake)	G 5
Family (lake)	G 3
Fisher (bay)	E 3
Fishing (lake)	G 4
Flintstone (lake)	G 4
Fox (riv.)	K 2
Gammon (riv.)	G 3
Garner (lake)	G 4
Gem (lake)	G 4
George (isl.)	E 2
George (lake)	E 2
Gilchrist (lake)	G 2
Gods (lake)	K 3
Granville (lake)	J 2
Grass (riv.)	J 3
Gypsum (lake)	D 3
Harrop (lake)	G 2
Hayes (riv.)	K 3
Hecla (isl.)	F 3
Horseshoe (lake)	G 2
Hubbart (point)	K 2
Hudson (bay)	K 2
Hudwin (lake)	G 1
Inland (lake)	C 2
International Peace Garden	B 5
Island (lake)	K 3
Katimik (lake)	C 2
Kawinaw (lake)	C 2
Kazanjerri (lake)	H 2
Kinwow (bay)	E 2
Kississing (lake)	H 2
Knee (lake)	J 3
Laurie (lake)	A 3
Lewis (lake)	E 3
Lonely (lake)	C 3
Long (lake)	G 4
Long (point)	D 1
Long (point)	D 4
Manigotagan (lake)	G 4
Manitoba (lake)	D 3
Mantagao (riv.)	E 3
Marshy (lake)	B 5
McKay (lake)	C 2
McPhail (riv.)	F 2
Minnedosa (riv.)	B 4
Moar (lake)	G 2
Molson (lake)	J 3
Moose (isl.)	E 3
Moose (lake)	H 3
Morrison (lake)	C 1
Mossy (riv.)	C 3
Mukutawa (riv.)	E 1
Nejanilini (lake)	J 2
Nelson (riv.)	J 2
North Birch (lake)	E 3
North Indian (lake)	H 2
North Shoal (lake)	E 4
Nueltin (lake)	J 1
Oak (lake)	B 5
Obukowin (lake)	G 2
Oiseau (riv.)	G 4
Overflowing (riv.)	K 2
Owl (riv.)	K 2
Oxford (lake)	J 3
Paint (lake)	J 2
Palsen (riv.)	G 2
Pelican (lake)	B 2
Pelican (lake)	C 5
Pembina (mt.)	D 5
Pembina (riv.)	C 5
Peonan (point)	D 3
Pickerel (lake)	C 2
Pigeon (riv.)	F 2
Pipestone (creek)	A 5
Plum (lake)	B 5
Poplar (point)	D 2
Portage (bay)	D 3
Punk (isl.)	F 3
Quesnel (lake)	G 4
Rat (riv.)	F 5
Red (riv.)	E 5
Red Deer (lake)	A 2
Reindeer (isl.)	E 2
Reindeer (lake)	H 2
Riding Mountain Nat'l Park, 253	B 4
Rock (lake)	C 5
Saint Andrew (lake)	E 3
Saint George (lake)	E 3
Saint Martin (lake)	D 3
Sale (riv.)	E 5
Sasaginnigak (lake)	G 3
Seal (riv.)	J 2
Setting (lake)	H 3
Shoal (lake)	B 4
Shoal (lake)	G 5
Sipiwesk (lake)	J 3
Sisib (lake)	C 2
Sleeve (lake)	E 3
Slemon (lake)	G 1
Snowshoe (lake)	G 4
Souris (riv.)	B 5
Southern Indian (lake)	H 2
Split (lake)	J 2
Spruce (isl.)	B 1
Stevenson (lake)	J 3
Sturgeon (bay)	E 3
Swan (lake)	B 2
Swan (lake)	D 5
Tamarac (isl.)	F 2
Tatnam (cape)	K 2
Turtle (mt.)	B 5
Turtle (riv.)	C 3
Valley (riv.)	B 3
Vickers (lake)	F 3
Viking (lake)	G 3
Wallace (lake)	G 3
Wanipigow (riv.)	G 3
Washow (bay)	F 3
Waterhen (lake)	C 2
Weaver (lake)	F 2
Wellman (lake)	B 3
West Hawk (lake)	G 5
West Shoal (lake)	E 4
Whitemouth (lake)	G 5
Whitewater (lake)	B 5
Wicked (point)	D 2
Winnipeg (lake)	E 2
Winnipeg (riv.)	G 4
Winnipegosis (lake)	C 2
Woods (lake)	H 5
Wrong (lake)	F 2

†Population of metropolitan area.

TOPOGRAPHY

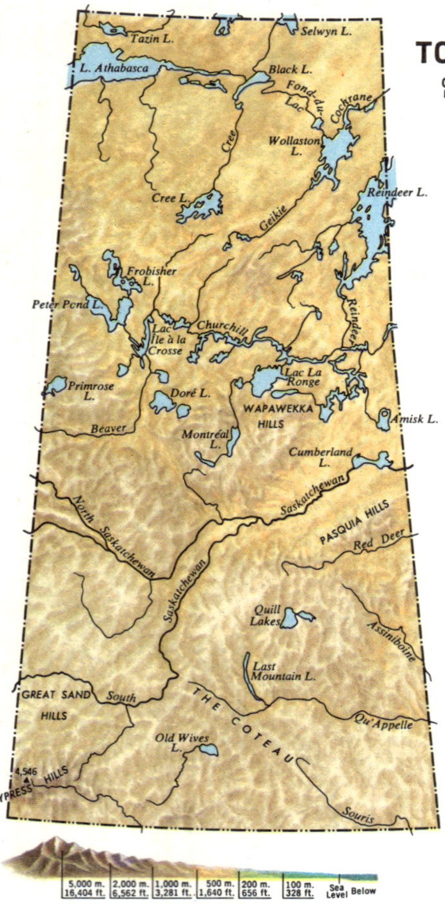

CITIES and TOWNS

Abbey (C5) 336
Aberdeen (E3) 284
Abernethy (H5) 310
Admiral (C6) 139
Alameda (J6) 312
Albertville (F2) 100
Alida (K6) 241
Allan (E4) 417
Alsask (B4) 230
Alvena (E3) 220
Aneroid (D6) 279
Anglia (C4) 110
Antelope (C5) 150
Antler (K6) 149
Arborfield (H2) 579
Archerwill (H3) 340
Arcola (J6) 560
Arelee (D3) 125
Armley (G2) 112
Arran (K4) 156
Asquith (D3) 324
Assiniboia (E6) 2,491
Atwater (J5) 95
Avonlea (G5) 354
Aylesbury (F5) 162
Aylsham (H2) 251
Balcarres (H5) 710
Balgonie (G5) 430
Bangor (J5) 109
Bankend (H4) 101
Bateman (E5) 106
Batoche (E3) 200
Battleford (C3) 1,627
Beadle (B4) 75
Beatty (G3) 143
Beechy (D5) 402
Belle-Plaine (F5) 117
Bengough (F6) 613
Benson (J6) 137
Bethune (F5) 339
Beverley (C5) 65
Bienfait (J6) 842
Big Beaver (F6) 144
Big River (D2) 896
Biggar (C3) 2,702
Birch Hills (F3) 534
Birsay (D4) 177
Bishopric (F5) 120
Bjorkdale (H3) 209
Bladworth (E4) 190
Blaine Lake (D3) 641
Blumenhof (D5) 79
Bodmin (D2) 151
Borden (D3) 208
Bounty (D4) 87
Bracken (C6) 132
Bradwell (E4) 115
Brancepeth (F3) 62
Bredenbury (K5) 484
Bridgeford (E5) 66
Briercrest (F5) 175
Broadacres (B3) 87
Broadview (J5) 1,008
Brock (C4) 222
Broderick (E4) 141
Bromhead (H6) 98
Brooking (G6) 118
Brooksby (G2) 74
Browning (J6) 66
Brownlee (F5) 153
Bruno (F3) 750
Bryant (H6) 75
Buchanan (J4) 462
Buffalo Gap (F6) 77
Bulyea (G5) 193
Burstall (B5) 266
Buzzard (B2) 80
Cabri (C5) 711
Cadillac (D6) 245
Calder (K4) 232
Candiac (H5) 93
Cando (C3) 247
Canora (J4) 2,117
Canwood (E2) 311
Carievale (K6) 264
Carlton (E3) 67
Carlyle (J6) 982
Carmel (F3) 106
Carnduff (K6) 957
Caron (F5) 105
Carragana (J3) 257
Carrot River (H2) 930
Carruthers (B3) 95
Cedoux (H6) 74
Central Butte (E5) 459
Ceylon (G6) 288
Chamberlain (F5) 162
Chaplin (E5) 479
Chelan (H3) 115
Choiceland (G2) 415
Christopher Lake (F2) 169
Churchbridge (J5) 347
Clair (G3) 128
Claydon (B6) 112
Climax (C6) 425
Cochin (C2) 142
Coderre (E5) 229
Codette (H2) 186
Coleville (B4) 503
Colfax (H6) 69
Colgate (H6) 101
Colonsay (F3) 278
Congress (E6) 86
Conquest (D4) 295
Consul (B6) 172
Corning (J6) 107
Coronach (F6) 395
Courval (E5) 108
Craik (F4) 606
Crane Valley (F6) 113
Craven (G5) 147
Creelman (H6) 196
Creighton (N4) 1,729
Crooked River (H3) 163
Crystal Springs (F3) 113
Cudworth (F3) 628
Cumberland House (J2) 486
Cupar (G5) 578
Cut Knife (B3) 487
D'Arcy Station (C4) 65
Dafoe (G4) 79
Dalmeny (E3) 415
Dana (F3) 75
Davidson (E4) 928
Davis (F2) 200
Debden (E2) 402
Delisle (D4) 508
Delmas (C3) 234
Demaine (D5) 166
Denholm (C3) 72
Denzil (B3) 328
Dilke (F5) 187
Dinsmore (D4) 433
Dodsland (C4) 365
Dollard (C6) 155
Domremy (F3) 234
Donavon (D4) 77
Drake (G4) 215
Drinkwater (F5) 138
Dubuc (J5) 183
Duck Lake (E3) 668
Duff (H5) 84
Dummer (G6) 150
Dunblane (D4) 429
Dundurn (E4) 411
Duval (G4) 186
Dysart (H5) 296
Earl Grey (G5) 258
Eastend (C6) 767
Eatonia (B4) 609
Ebenezer (J4) 137
Edam (C2) 277
Edenwold (G5) 165
Edgeley (H5) 67
Elbow (E4) 401
Eldersley (H3) 105
Eldorado (L2) 526
Elfros (H4) 289
Elrose (D4) 585
Elstow (E4) 98
Endeavour (J3) 215
Englefeld (G3) 187
Ernfold (D5) 133
Erwood (J3) 125
Eskbank (E5) 97
Esterhazy (K5) 1,114
Estevan (J6) 7,728
Estlin (G5) 75
Eston (C4) 1,695
Estuary (B5) 98
Evesham (B3) 96
Expanse (F6) 76
Eyebrow (E5) 285
Fairlight (K6) 193
Fairmount (B4) 188
Fenwood (H4) 157
Fielding (D3) 82
Fife Lake (F6) 144
Fillmore (H6) 340
Findlater (F5) 128
Fir Mountain (E6) 74
Fiske (C4) 168
Flaxcombe (B4) 123
Fleming (K5) 187
Flintoft (E6) 80
Foam Lake (H4) 933
Fond-du-Lac (L2) 253
Forgan (D4) 93
Forget (J6) 220
Fort-Qu'Appelle (H5) 1,521
Fosston (H3) 117
Fox Valley (B5) 479
Francis (H5) 150
Frenchman Butte (B2) 111
Frobisher (J6) 335
Frontier (C6) 274
Frys (K6) 66
Furness (B2) 72
Fusilier (B4) 300
Gainsborough (K6) 411
Garrick (G2) 114
Gerald (K5) 131
Gilroy (E5) 100
Girvin (F4) 143
Gladmar (G6) 107
Glaslyn (C2) 269
Glen Elder (J3) 148
Glen Ewen (K6) 289
Glenavon (J5) 377
Glenside (E4) 143
Glentworth (E6) 150
Glidden (B4) 145
Golden Prairie (B5) 206
Goodeve (H4) 212
Goodsoil (L4) 246
Goodwater (H6) 87
Gouverneur (D6) 75
Govan (G4) 380
Govenlock (B6) 188
Grand Coulee (G5) 84
Gravelbourg (E6) 1,499
Gray (G5) 79
Grayson (J5) 323
Grenfell (J5) 1,256
Griffin (H6) 140
Gronlid (G2) 152
Guernsey (F4) 79
Gull Lake (C5) 1,038
Hafford (D3) 511
Hague (E3) 430
Halbrite (H6) 180
Hallonquist (D5) 96
Handel (C3) 100
Hanley (E4) 455
Hardy (G6) 76
Harris (D4) 305
Hatton (B5) 92
Hawarden (E4) 268
Hazel Dell (H4) 114
Hazenmore (D6) 149
Hazlet (C5) 202
Hendon (H3) 111
Henribourg (F2) 73
Hepburn (E3) 294
Herbert (D5) 1,008
Herschel (C4) 188
Heward (H6) 136
Hitchcock (J6) 66
Hodgeville (E5) 388
Hoey (F3) 131
Holdfast (F5) 366
Hubbard (H4) 169
Hudson Bay (J3) 1,601
Hughton (D4) 86
Humboldt (F3) 3,245
Hyas (J4) 246
Île-à-la-Crosse (L3) 570
Imperial (F4) 557
Indian Head (H5) 1,802
Insinger (H4) 129
Invermay (J4) 395
Ituna (H4) 837
Jansen (G4) 275
Jasmin (H4) 72
Kamsack (K4) 2,968
Kandahar (G4) 111
Kayville (F6) 173
Keeler (F5) 82
Kelliher (H4) 461
Kelso (K6) 98
Kelstern (E5) 127
Kelvington (H3) 885
Kenaston (E4) 423
Kendal (H5) 161
Kennedy (J5) 274
Keppel (D3) 82
Kerrobert (C4) 1,220
Keystown (F5) 88
Khedive (G6) 123
Killaly (J5) 212
Kincaid (D6) 310
Kindersley (B4) 2,990
Kinistino (F3) 764
Kinley (D3) 119
Kipling (J5) 773
Kisbey (J6) 254
Krydor (D3) 184
Kuroki (H4) 158
Kyle (C5) 535
La Ronge (L3) 707
Lac-Vert (G3) 122
Lacadena (C5) 142
Laflèche (E6) 749
Laird (E3) 278
Lajord (G5) 135
Lake Alma (G6) 171
Lake Lenore (G3) 447
Lake Valley (E5) 77
Lampman (J6) 637
Lancer (C5) 207
Landis (C3) 248
Lang (G6) 258
Langbank (J5) 75
Langenburg (K5) 757
Langham (E3) 429
Lanigan (F4) 516
Laporte (B4) 78
Lashburn (B2) 475
Laura (D4) 68
Lawson (E5) 72
Leacross (H2) 66
Leader (B5) 1,211
Leask (E2) 499
Lebret (H5) 316
Leipzig (C3) 106
Lemberg (H5) 468
Leoville (D2) 416
Leross (H4) 117
Leroy (G4) 515
Leslie (H4) 113
Lestock (G4) 412
Lewvan (H5) 69
Liberty (F4) 157
Limerick (E6) 210
Lintlaw (H3) 271
Lipton (H5) 409
Lisieux (E6) 72
Livelong (C2) 140
Lloydminster (A2) 2,723
Lockwood (G4) 109
Lone Rock (A2) 191
Loomis (C6) 66
Loon Lake (B1) 350
Loreburn (E4) 302
Love (G2) 155
Loverna (B4) 145
Lucky Lake (D5) 426
Lumsden (G5) 558
Luseland (B3) 665
Macdowall (E2) 223
Maclin (A3) 690
MacNutt (K4) 211
Macoun (H6) 193
Macrorie (E4) 182
Madison (B4) 101
Maidstone (B2) 577
Major (B4) 179
Manitou Beach (F4) 159
Mankota (D6) 477
Manor (K6) 357
Mantario (B4) 108
Maple Creek (B6) 2,291
Marcelin (E3) 280
Marengo (B4) 163
Margo (H4) 235
Markinch (G5) 117
Marquis (F5) 170
Marsden (B3) 208
Marshall (B2) 161
Maryfield (K6) 476
Mawer (E5) 72
Mayfair (D2) 95
Maymont (D3) 239
Mazenod (E6) 121
McCord (E6) 135
McKague (G3) 132
McLean (G5) 201
McMahon (D5) 62
McTaggart (H6) 93
Meacham (F3) 245
Meadow Lake (C1) 2,803
Meath Park (F2) 184
Medstead (C2) 122
Melaval (E6) 113
Melfort (G3) 4,039
Melville (J5) 5,191
Mendham (B5) 231
Meota (C2) 281
Mervin (C2) 193
Meskanaw (F3) 101
Meyronne (E6) 161
Midale (H6) 645
Middle Lake (F3) 238
Mikado (J4) 115
Milden (D4) 388
Mildred (D2) 122
Milestone (G5) 465
Minton (G6) 208
Mistatim (H3) 207
Montmartre (H5) 482
Montréal Lake (F1) 69
Moose Jaw (F5) 33,206
Moosomin (K5) 1,781
Morse (D5) 458
Mortlach (E5) 329
Mossbank (E5) 568
Muenster (F3) 182
Naicam (G3) 672
Neidpath (D5) 80
Neilburg (B3) 327
Netherhill (C4) 111
Neudorf (J5) 404
Neville (D6) 208
New Osgoode (H3) 150
Nipawin (H2) 3,836
Nokomis (F4) 560
Nora (H3) 72
Norquay (J4) 498
North Battleford (C3) 11,230
North Portal (J6) 281
Northgate (J6) 70
Nut Mountain (H3) 164
Odessa (H5) 266
Ogema (G6) 458
Onion Lake (B2) 90
Orkney (D6) 99
Ormiston (F6) 219
Osage (H6) 108
Osler (E3) 146
Outlook (E4) 1,340
Oxbow (J6) 1,359
Paddockwood (F2) 219
Palmer (E6) 104
Pambrun (D6) 117
Pangman (G6) 260
Paradise Hill (B2) 282
Parkbeg (E5) 80
Parkside (E2) 149
Paswegin (H4) 100
Pathlow (G3) 108
Paynton (B2) 216
Pelly (K4) 476
Pennant Sta. (C5) 289
Pense (G5) 374
Penzance (F4) 99
Perdue (D3) 436
Périgord (H3) 71
Piapot (B6) 246
Pilger (F3) 133
Pilot Butte (G5) 381
Pinkham (B4) 77
Plato (C4) 178
Plenty (C4) 245
Plunkett (F4) 136
Ponteix (D6) 887
Pontrilas (H2) 87
Porcupine Plain (H3) 706
Portreeve (B5) 103
Prairie River (J3) 84
Preeceville (J4) 924
Prelate (B5) 618
Primate (B3) 129
Prince (C3) 66
Prince Albert (F2) 24,168
Prud'homme (F3) 264
Punnichy (G4) 408
Qu'Appelle (H5) 565
Quill Lake (G3) 529
Quinton (G4) 195
Rabbit Lake (D2) 196
Radisson (D3) 515
Radville (G6) 1,067
Rama (H4) 288
Ravenscrag (C6) 94
Raymore (G4) 503
Readlyn (F6) 85
Redvers (K6) 642
REGINA (G5) 126,000
Regina Beach (F5) 319
Renown (F4) 90
Reserve (J3) 202
Revenue (B3) 101
Reward (B3) 94
Reynaud (F3) 150
Rhein (J4) 367
Riceton (G5) 130
Richard (D3) 91
Richlea (C4) 84
Richmound (B5) 215
Ridgedale (H2) 191
Riverhurst (E5) 281
Robsart (B6) 110
Rocanville (K5) 496
Roche-Percée (J6) 177
Rockglen (F6) 492
Rockhaven (D3) 83
Rose Valley (H3) 627
Rosetown (D4) 2,450
Rosthern (E3) 1,264
Rouleau (G5) 436
Ruddell (D3) 100
Runnymede (K4) 120
Ruthilda (C4) 86
Rutland Sta. (B3) 99
St. Benedict (F3) 205
St. Boswells (D5) 101
St-Brieux (G3) 364
St-Front (G3) 101
St. Gregor (G3) 170
St-Louis (F3) 344
St. Walburg (B2) 689
Saltcoats (J4) 490
Salvador (B3) 137
Saskatoon (E3) 95,526
Sceptre (B5) 257
Scotsguard (C6) 71
Scott (C3) 281
Scout Lake (F6) 96
Sedley (H5) 391
Semans (G4) 386
Senlac (B3) 127
Shackleton (C5) 96
Shamrock (E5) 126
Shaunavon (C6) 2,154
Sheho (H4) 391
Shell Lake (D2) 241
Shellbrook (E2) 1,042
Silton (G5) 97
Simmie (C6) 136
Simpson (F4) 340
Sintaluta (H5) 376
Smeaton (G2) 322
Smiley (B4) 232
Smuts (F3) 97
Snowden (G2) 79
Sonningdale (D3) 129
Southey (G5) 483
South Fork (C6) 76
Sovereign (D4) 125
Spalding (G3) 416
Speers (D3) 175
Spiritwood (D2) 548
Spring Valley (F6) 86
Springside (J4) 326
Springwater (C4) 120
Spruce Lake (B2) 111
Spy Hill (K5) 204
Stalwart (F4) 66
Star City (G3) 571
Stenen (J4) 275
Stewart Valley (D5) 181
Stockholm (J5) 238
Stony Beach (F5) 75
Stony Rapids (M2) 107
Stornoway (K4) 89
Storthoaks (K6) 227
Stoughton (J6) 606
Stranraer (C4) 78
Strasbourg (G4) 636
Strongfield (E4) 218
Sturgis (J4) 611
Success (D5) 117
Summerberry (J5) 84
Superb (B4) 77
Swift Current (D5) 12,186
Sylvania (G3) 116
Tadmore (J4) 85
Tantallon (K5) 145
Tarnopol (F3) 96
Tessier (D4) 115
Theodore (J4) 455

AGRICULTURE, INDUSTRY and RESOURCES

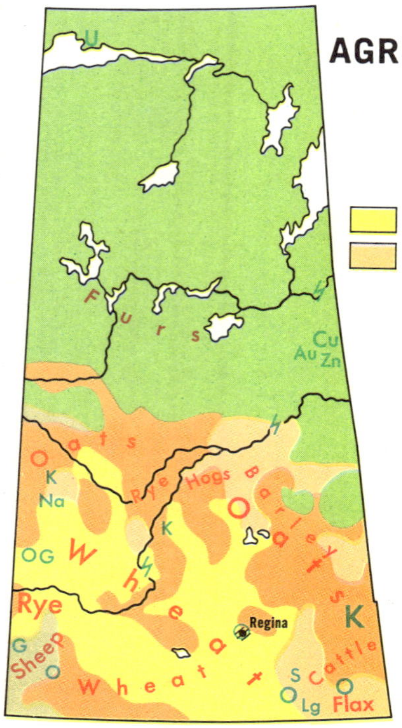

DOMINANT LAND USE

- Wheat
- Cereals (chiefly barley, oats)
- Cereals, Livestock
- Livestock
- Forests

MAJOR MINERAL OCCURRENCES

Au	Gold	Na	Salt
Cu	Copper	O	Petroleum
G	Natural Gas	S	Sulfur
K	Potash	U	Uranium
Lg	Lignite	Zn	Zinc

Water Power

Major Industrial Areas

REGINA
Food Processing, Machinery, Oil Refining

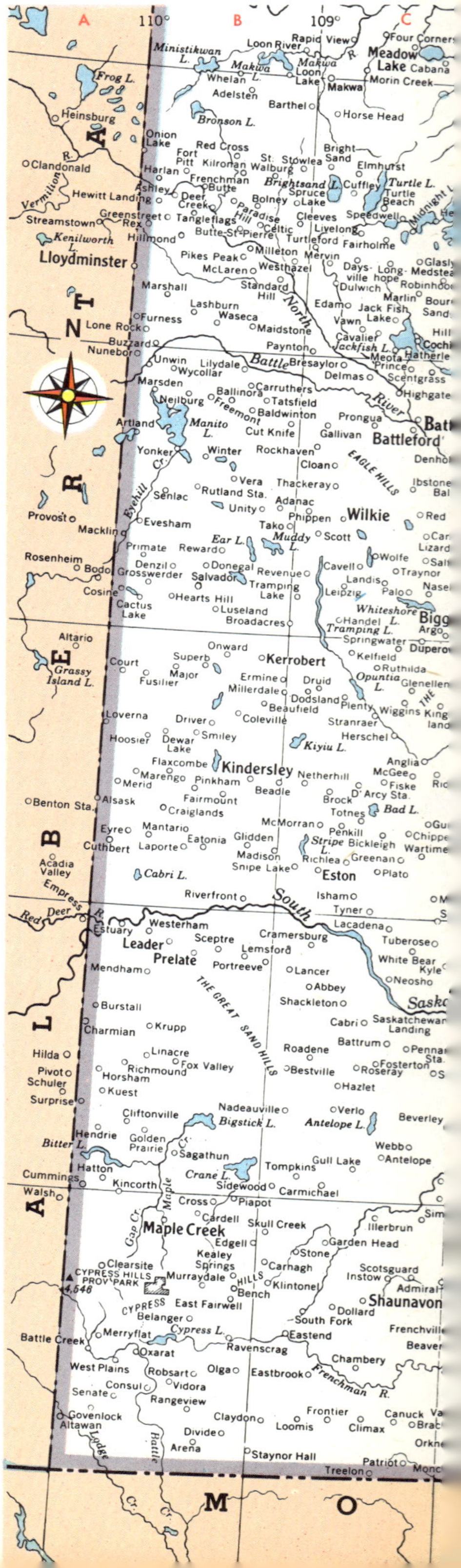

SASKATCHEWAN

AREA	251,700 sq. mi.
POPULATION	953,000
CAPITAL	Regina
LARGEST CITY	Regina 126,000
HIGHEST POINT	Cypress Hills 4,546 ft.
SETTLED IN	1774
ADMITTED TO CONFEDERATION	1905
PROVINCIAL FLOWER	Prairie Lily

Tisdale (H3)	2,402	Waseca (B2)	103	OTHER FEATURES		Duck Mountain Prov.			
Togo (K4)	263	Waskesiu Lake (E2)	100			Park	K 4		
Tompkins (C5)	453	Watrous (F4)	1,461	Amisk (lake)	M 4	Eagle (hills)	C 3		
Torquay (H6)	462	Watson (G3)	910	Arm (riv.)	F 5	Eaglehill (creek)	D 4		
Traynor (C3)	92	Wauchope (K6)	83	Assiniboine (riv.)	H 6	Ear (hills)	C 5		
Tramping Lake (B3)	288	Wawota (K6)	453	Athabasca (riv.)	L 2	Etomami (riv.)	J 3		
Tribune (H6)	153	Webb (C5)	168	Bad (lake)	C 4	Eyehill (creek)	B 3		
Trossachs (G6)	89	Weekes (J3)	294	Basin (lake)	F 3	File (hills)	H 5		
Truax (G6)	76	Weirdale (F2)	98	Battle (creek)	B 6	Fir (riv.)	H 2		
Turtleford (B2)	352	Welwyn (K5)	182	Battle (hills)	H 4	Frenchman (riv.)	C 6		
Tugaske (E5)	257	West Bend (H4)	91	Bear (hills)	H 4	Frobisher (lake)	L 2		
Tuffnell (H4)	88	Weldon (F2)	227	Beaver (hills)	H 4	Gap (creek)	B 6		
Tuxford (F5)	141	Westerham (B5)	75	Beaver Lodge (lake)	L 2	Geikie (riv.)	L 2		
Tway (F3)	97	Weyburn (H6)	9,101	Big Muddy (lake)	G 6	Good Spirit Lake Prov.			
Tyvan (H6)	84	White Bear (F5)	139	Bigstick (lake)	B 5	Park	J 4		
Unity (B3)	1,902	White Fox (H2)	396	Birch (lake)	B 3	Great Sand (hills)	B 5		
Uranium City (L2)	1,665	Whitewood (H5)	900	Bitter (lake)	C 3	Green (lake)	D 1		
Val-Marie (D6)	443	Whitkow (D3)	93	Black (lake)	M 2	Greenwater Lake Prov.			
Valley Centre (D4)	98	Wilcox (G5)	258	Brightsand (lake)	C 2	Park	H 3		
Valparaiso (G3)	71	Wilkie (C3)	1,612	Bronson (lake)	B 2	Haultain (riv.)	L 1		
Vanguard (D6)	433	Willow Bunch (F6)	698	Buffalo (lake)	L 2	Ironspring (creek)	G 3		
Vanscoy (D4)	136	Willowbrook (J4)	86	Candle (lake)	F 2	Jackfish (lake)	C 3		
Vawn (C2)	102	Windthorst (J5)	202	Canoe (lake)	L 1	Kingsmere (lake)	E 1	Pheasant (hills)	J 5	Reindeer (riv.)	M 3	Torch (riv.)	H 2
Verigin (K4)	238	Wiseton (D4)	246	Carrot (riv.)	J 2	Kipabiskau (lake)	H 3	Pinto (creek)	D 6	Riou (lake)	M 3	Touchwood (hills)	G 4
Verlo (C5)	134	Wishart (H4)	270	Chipman (riv.)	M 2	Last Mountain (lake)	F 4	Pipestone (creek)	K 6	Rivers (lake)	F 6	Trout (lake)	L 1
Verwood (F6)	84	Wolseley (H5)	1,031	Chitek (lake)	D 2	Leaf (lake)	J 2	Pipestone (riv.)	L 1	Salt (lake)	G 2	Turtle (lake)	C 2
Vibank (H5)	308	Wood Mountain Station		Churchill (riv.)	L 1	Leech (lake)	L 2	Ponass (lake)	G 3	Saskatchewan (riv.)	H 2	Twelvemile (lake)	F 6
Viceroy (F6)	225	(E6)		Clearwater (riv.)	L 1	Lenore (lake)	G 3	Poplar (riv.)	E 6	Saskeram (lake)	K 2	Wapawekka (hills)	M 4
Vidora (B6)	75	Woodrow (E6)	155	Cochrane (riv.)	M 1	Little Manitou (lake)	F 4	Porcupine (mt.)	K 3	Scott (lake)	M 1	Waskana (creek)	G 5
Viscount (F4)	303	Wordsworth (J6)	72	Coteau, The (hills)	D 4	Lodge (creek)	A 6	Prince Albert Nat'l		Selwyn (lake)	L 1	Wathaman (riv.)	M 2
Vonda (F3)	238	Wroxton (K4)	127	Cowan (lake)	D 2	Long (creek)	H 6	Park, 109	E 1	Souris (riv.)	H 6	Weed (hills)	G 2
Wadena (H4)	1,311	Wymark (D5)	257	Cream (lake)	E 1	Loon (creek)	G 5	Qu'Appelle (riv.)	J 5	South Saskatchewan		White Gull (creek)	F 2
Wakaw (F3)	974	Wynyard (G4)	1,686	Cree (lake)	L 1	Makwa (lake)	B 1	Red Deer (riv.)	A 5	(riv.)	C 5	Whiteshore (lake)	E 3
Waldeck (D5)	237	Yellow Creek (F3)	182	Cree (riv.)	M 1	Manito (lake)	B 3	Red Deer (riv.)	K 3	Stripe (lake)	M 4	Whiteswan (lakes)	F 1
Waldheim (E3)	515	Yellow Grass (H6)	527	Cumberland (lake)	L 2	McFarlane (riv.)	L 2	Redberry (lake)	D 3	Sturgeon (riv.)	E 2	William (riv.)	L 1
Waldron (J5)	99	Yorkton (J4)	9,995	Cypress Hills Prov.		Minnistikwan (lake)	B 1	Pasqua (lake)	J 2	Swan (riv.)	J 3	Witchkan (lake)	C 2
Walpole (K6)	70	Young (F4)	341	Park	B 6	Missouri Coteau		Peter Pond (lake)	L 3	Tazin (lake)	L 1	Wollaston (lake)	N 2
Wapella (K5)	584	Zealandia (D4)	192	Delaronde (lake)	E 1	(hills)	F 6			Thickwood (hills)	D 2	Wood (riv.)	E 5
Warman (E3)	659	Zelma (E4)	81	Doré (lake)	L 3	Moose Mountain Prov.							
Wartime (C4)	96	Zenon Park (H2)	384			Park	J 6	Mossy (riv.)	H 1	Reindeer (lake)	N 3		
						Muddy (lake)	B 3						
						Mudjatik (riv.)	L 3						
						Nipawin Prov. Park	G 1						
						North Saskatchewan							
						(riv.)	D 3						
						Notukeu (creek)	D 6						
						Old Wives (lake)	E 5						
						Oldman (riv.)	L 2						
						Opuntia (lake)	C 4						
						Overflowing (riv.)	K 2						
						Pasqua (lake)	J 2						
						Reflex (lake)	A 3						

SASKATCHEWAN SOUTHERN PART

SCALE OF MILES
0 5 10 20 40 60

Provincial Capital ⊛
International Boundaries
Provincial Boundaries

Copyright by C.S. HAMMOND & CO., N.Y.

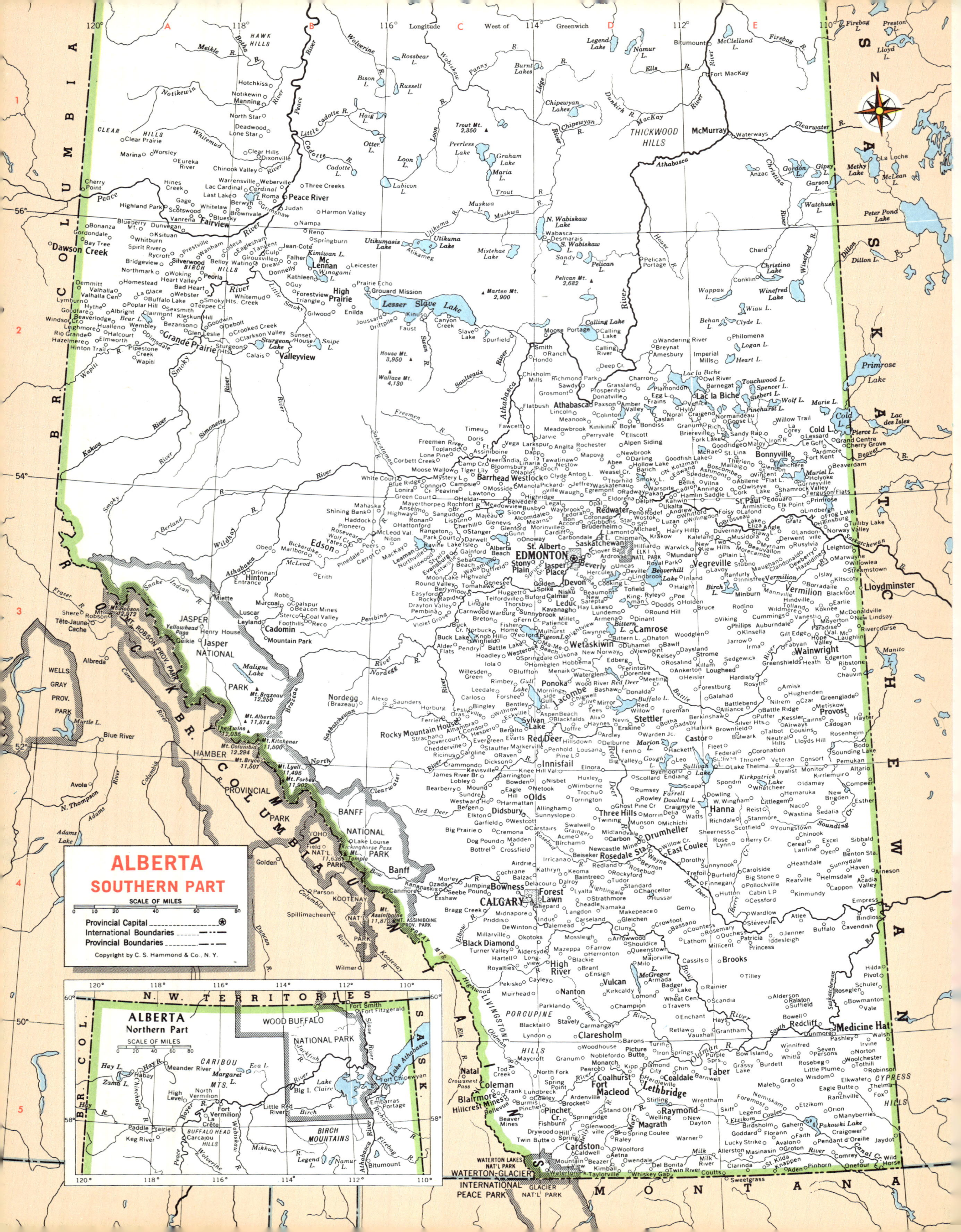

ALBERTA
SOUTHERN PART
SCALE OF MILES
0 10 20 40 60 80
Provincial Capital
International Boundaries
Provincial Boundaries
Copyright by C. S. Hammond & Co., N. Y.
ALBERTA
Northern Part
N. W. TERRITORIES
WOOD BUFFALO
NATIONAL PARK
BIRCH MOUNTAINS
CARIBOU MTS.
Lake Athabasca
Fort Chipewyan
Fort Smith
Fort Vermilion
BR. COL.
SASK.
West of Greenwich
Longitude
BRITISH COLUMBIA
SASKATCHEWAN
MONTANA
EDMONTON
CALGARY
Red Deer
Lethbridge
Medicine Hat
Grande Prairie
Peace River
McMurray
Lloydminster
Lesser Slave Lake
JASPER NATIONAL PARK
BANFF NATIONAL PARK
HAMBER PROVINCIAL PARK
WELLS GRAY PROV. PARK
THICKWOOD HILLS
PORCUPINE HILLS
WATERTON-GLACIER INTERNATIONAL PEACE PARK

ALBERTA

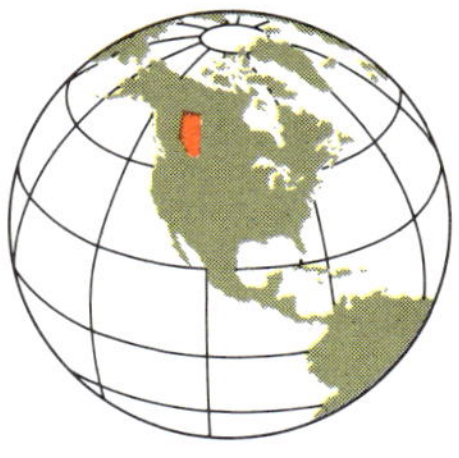

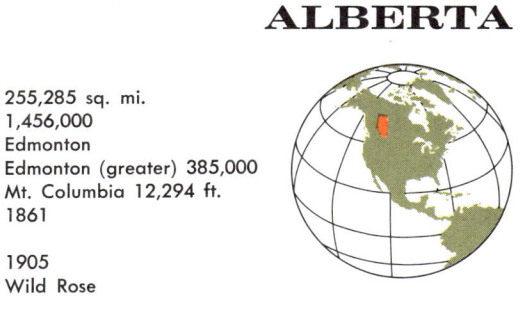

AREA 255,285 sq. mi.
POPULATION 1,456,000
CAPITAL Edmonton
LARGEST CITY Edmonton (greater) 385,000
HIGHEST POINT Mt. Columbia 12,294 ft.
SETTLED IN 1861
ADMITTED TO CONFEDERATION 1905
PROVINCIAL FLOWER Wild Rose

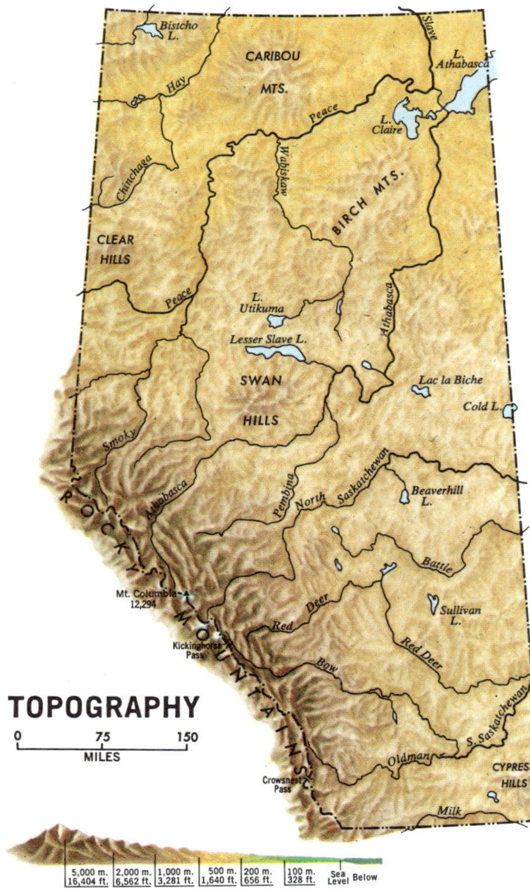
Bistcho L.
CARIBOU MTS.
Hay
Slave
L. Athabasca
Peace
L. Claire
Wabiskaw
Chinchaga
BIRCH MTS.
CLEAR HILLS
L. Utikuma
Athabasca
Lesser Slave L.
SWAN HILLS
Lac la Biche
Cold L.
Smoky
Pembina
North Saskatchewan
Beaverhill L.
Battle
Mt. Columbia 12,294
Sullivan L.
Kickinghorse Pass
Red Deer
Bow
S. Saskatchewan
ROCKY MOUNTAINS
Oldman
CYPRESS HILLS
Crowsnest Pass
Milk
TOPOGRAPHY
0 75 150
MILES
5,000 m. 16,404 ft.
2,000 m. 6,562 ft.
1,000 m. 3,281 ft.
500 m. 1,640 ft.
200 m. 656 ft.
100 m. 328 ft.
Sea Level
Below

CITIES and TOWNS

Abee (D2) 53
Abilene (E2) 30
Acadia Valley (E4) 239
Acme (D4) 328
Aden (E5) 150
Aetna (D5) 61
Airdrie (C4) 524
Alberta Beach (C3) 135
Alcomdale (C3) 150
Alder Flats (C3) 121
Alderson (E4) 81
Aldersyde (C4) 78
Alix (D3) 631
Alliance (E3) 291
Altario (E4) 72
Amisk (E3) 127
Andrew (D3) 601
Anzac (E1) 154
Ardley (D3) 88
Ardmore (E2) 172
Ardrossan (D3) 84
Armada (D4) 65
Armena (D3) 37
Arrowwood (D4) 195
Ashmont (E2) 152
Athabasca (D2) 1,487
Atikameg (C2) 135
Atlee (E4) 65
Banff (C4) 3,429
Barnwell (D5) 190
Barons (D4) 345
Barrhead (C2) 2,286
Bashaw (D3) 614
Bassano (D4) 815
Battlebend (E3) 4
Bawlf (D3) 203
Bay Tree (A2) 3
Beaumont (D3) 194
Beauvallon (E3) 71
Beaverlodge (A2) 897
Beazer (D5) 55
Beiseker (D4) 360
Bellevue (C5) 1,323
Bellis (D2) 98
Belloy (A2) 100
Benalto (C3) 147
Bentley (C3) 588
Benton Station (E4) 87
Berwyn (B1) 347
Beverly (D3) 9,041
Bezanson (A2) 68
Bickerdike (B3) 190
Big Prairie (C4) 89
Big Valley (D3) 461
Bindloss (E4) 72
Bircham (D4) 25
Bittern Lake (D3) 76
Black Diamond (C4) 1,043
Blackfalds (D3) 477
Blackfoot (E3) 91
Blackie (D4) 184
Blairmore (C5) 1,980
Blue Ridge (C2) 233
Bluesky (A1) 108
Buffton (C3) 115
Bodo (E3) 54
Bon-Accord (D3) 175
Bonnyville (E2) 1,736
Botha (D3) 112
Bow Island (E5) 1,122
Bowden (C4) 437
Bowell (E4) 15
Bowness (C4) 9,184
Boyle (D2) 346
Bragg Creek (C4) 77
Brant (D4) 76
Brazeau (Nordegg) (B3) 1,014
Breton (C3) 428
Breynat (D2) 50
Brocket (D5) 100
Brooks (E4) 2,827
Brosseau (E3) 59
Brownvale (B1) 237
Bruce (E3) 171
Bruderheim (D3) 299
Buck Lake (C3) 213
Buffalo (E4) 75
Burdett (E5) 229
Burmis (C5) 67
Busby (C3) 85
Byemoor (D4) 129
Cadogan (E3) 109
Cadomin (B3) 106
Calgary (C4) 249,641
Calgary (C4) †323,000
Calmar (D3) 700
Campsie (C2) 12
Camrose (D3) 6,939
Canmore (C4) 1,736
Canyon Creek (C2) 267
Carbon (D4) 371
Carbondale (D3) 52
Carcajou (B5) 54
Cardiff (D3) 67
Cardston (D5) 2,801
Carmangay (D4) 297
Caroline (C3) 321
Carolside (E4) 3
Carseland (D4) 117
Carstairs (D4) 665
Caslan (D2) 25
Castor (D3) 1,025
Cavendish (E4) 66
Cayley (D4) 146
Cereal (E4) 195
Cessford (E4) 150
Chard (E2) 92
Chauvin (E3) 395
Cheadle (D4) 50
Cherhill (C3) 72
Cherry Grove (E2) 150
Chigwell (D3) 25
Chin (D5) 40
Chinook (E4) 114
Chipman (D3) 174
Chisholm Mills (C2) 197
Clairmont (A2) 292
Clandonald (E3) 211
Claresholm (D4) 2,143
Clive (D3) 251
Clover Bar (D3) 169
Cluny (D4) 174
Clyde (D2) 259
Coaldale (D5) 2,592
Coalhurst (D5) 190
Cochrane (C4) 857
Codesa (B2) 50
Cold Lake (E2) 1,307
Coleman (C5) 1,713
Colinton (D2) 114
Compeer (E4) 58
Condor (C3) 99
Conklin (E2) 69
Consort (E3) 557
Cooking Lake (D3) 93
Coronation (E3) 864
Countess (D4) 8
Coutts (D5) 469
Cowley (D5) 127
Craigend (E2) 300
Craigmyle (D4) 107
Cremona (C4) 221
Crossfield (C4) 593
Czar (E3) 196
Dalemead (D4) 36
Dalroy (D4) 45
Dapp (C2) 71
Darwell (C3) 25
Daysland (D3) 539
DeWinton (C4) 51
Delburne (D3) 450
Delia (D4) 287
Denwood (E3) 3,351
Derwent (E3) 281
Desmarais (D2) 303
Devon (D3) 1,418
Dewberry (E3) 179
Diamond City (D5) 78
Didsbury (C4) 1,254
Dixonville (B1) 104
Dodds (D3) 35
Donalda (D3) 289
Donnelly (B2) 289
Dorenlee (D3) 66
Doris (C2) 79
Drayton Valley (C3) 3,854
Driftpile (C2) 62
Drinnan (B3) 53
Drumheller (D4) 2,931
Duchess (E4) 218
Duffield (C3) 66
Duvernay (E3) 71
Eagle Butte (E5) 68
Eaglesham (B2) 223
East Coulée (D4) 683
Easyford (C3) 13
Eckville (C3) 580
Edberg (D3) 179
Edgerton (E3) 295
EDMONTON (D3) 281,027
Edmonton (D3) †385,000
Edson (B3) 3,198
Edwand (D2) 99
Egg Lake (D2) 135
Egremont (D2) 119
Eldorena (D2) 300
Elk Point (E3) 692
Elnora (D3) 214
Empress (E4) 405
Enchant (D4) 97
Endiang (D4) 165
Enilda (B2) 106
Ensign (D4) 51
Entrance (B3) 87
Entwistle (C3) 411
Erskine (D3) 208
Etzikom (E5) 101
Evansburg (C3) 452
Excel (E4) 95
Exshaw (C4) 678
Fabyan (E3) 58
Fairview (A1) 1,506
Falher (B2) 741
Faust (C2) 763
Fawcett (C2) 179
Federal (E3) 20
Ferintosh (D3) 174
Flatbush (C2) 91
Fleet (E3) 79
Foothills (B3) 250
Foremost (E5) 561
Forest Lawn (D4) 12,263
Forestburg (E3) 678
Fort Assiniboine (C2) 216
Fort Chipewyan (C5) 717
Fort Fitzgerald (C4) 149
Fort Kent (E2) 148
Fort MacKay (E1) 187
Fort Macleod (D5) 2,490
Fort McMurray (E1) 1,186
Fort Saskatchewan (D3) 2,972
Fort Vermilion (B5) 768
Frains (D2) 73
Franchère (E2) 36
Frank (C5) 223
Gadsby (D3) 98
Gainford (C3) 157
Galahad (E3) 231
Gibbons Sta. (D3) 192
Gilwood (B2) 2
Girouxville (B2) 318
Gleichen (D4) 426
Glendon (E2) 315
Glenevis (C3) 52
Glenwoodville (D5) 274
Gordondale (A2) 171
Grainger (D4) 45
Grand Centre (E2) 1,493
Grande-Prairie (A2) 8,352
Grandin (E2) 327
Grantham (E4) 25
Grandin (D5) 290
Grassland (D2) 90
Grassy Lake (E5) 274
Green Court (C2) 59
Grimshaw (B1) 1,095
Grouard Mission (C2) 328
Gwynne (D3) 109
Habay (A5) 450
Hairy Hill (H3) 173
Halkirk (D3) 172
Hanna (E4) 2,645
Hardieville (D5) 472
Hardisty (E3) 582
Harmattan (C4) 266
Hartell (C4) 500
Hay Lakes (D3) 233
Haynes (D3) 94
Hays (E4) 62
Hayter (E3) 50
Hazeldine (E3) 75
Heath (E3) 31
Heinsburg (E3) 135
Heisler (D3) 214
Heldar (C2) 100
Hemaruka (E4) 61
Hercules (D3) 18
High Level (A5) 90
High Prairie (B2) 1,756
High River (D4) 2,276
Highridge (D2) 50
Hilda (E4) 194
Hill Spring (D5) 243
Hillcrest Mines (C5) 594
Hilliard (D3) 85
Hines Creek (A1) 398
Hinton (B3) 3,529
Hobbema (D3) 122
Holden (D3) 556
Hondo (D2) 102
Hughenden (E3) 294
Hussar (D4) 213
Huxley (D4) 102
Hythe (A2) 449
Iddesleigh (E4) 35
Imperial Mills (E2) 211
Indus (D4) 46
Innisfail (D3) 2,270
Innisfree (E3) 291
Irma (E3) 425
Iron Springs (D5) 64
Irricana (D4) 167
Irvine (E5) 240
Islay (E3) 107
James River Bridge (C4) 10
Jarrow (E3) 66
Jarvie (D2) 147
Jasper (B3) 2,360
Jasper Place (D3) 30,530
Jean-Côté (B2) 64
Jenner (E4) 24
Joffre (D3) 56
Kathleen (B2) 72
Kathryn (D4) 44
Keg River (A5) 279
Kelsey (D3) 55
Killam (E3) 552
Kingman (D3) 108
Kinsella (E3) 91
Kinuso (C2) 323
Kipp (D5) 88
Kirkcaldy (D4) 47
Kirriemuir (E4) 77
Kitscoty (E3) 326
La Crête (B5) 277
La Glace (A2) 95
Lac-la-Biche (E2) 1,314
Lacombe (D3) 3,029
Lafond (E3) 54
Lake Louise (C4) 178
Lamont (D3) 705
Lanfine (E4) 44
Langdon (D4) 98
Leduc (D3) 2,356
Legal (D3) 524
Leicester (B2) 68
Leslieville (C3) 178
Lethbridge (D5) 35,454
Leyland (B3) 53
Lindbergh (E3) 85
Lloydminster (E3) 2,944
Lodgepole (C3) 508
Lomond (D4) 244
Longview (C4) 246
Lougheed (E3) 217
Lousana (D3) 74
Loyalist (E4) 69
Lundbreck (C5) 112
Luscar (B3) 301
Ma-Me-O Beach (D3) 142
MacKay (C3) 53
Magrath (D5) 1,338
Mallaig (E2) 205
Manning (B1) 896
Mannville (E3) 632
Manola (C2) 59
Manyberries (E5) 103
Marlboro (B3) 289
Marwayne (E3) 379
Mayerthorpe (C3) 663
Mazeppa (D4) 48
McLaughlin (E3) 52
McLennan (B2) 1,078
Meander River (A5) 244
Medicine Hat (E4) 24,484
Meeting Creek (D3) 71
Mercoal (B3) 972
Metiskow (E3) 99
Michichi (D4) 52
Midlandvale (D4) 449
Midnapore (C4) 399
Milk River (D5) 801
Millet (D3) 403
Millicent (E4) 77
Milo (D4) 167
Minburn (E3) 164
Mirror (D3) 577
Monarch (D5) 109
Monitor (E4) 86
Montgomery (C4) 5,077
Morecambe (E3) 53
Morinville (D3) 935
Morley (C4) 75
Morningside (D3) 72
Morrin (D4) 316
Mossleigh (D4) 50
Mountain Park (B3) 400
Mountain View (D5) 84
Mundare (D3) 603
Munson (D4) 82
Myrnam (E3) 441
Nampay (B1) 271
Nanton (D4) 1,054
Neerlandia (C2) 71
Nemiskam (E5) 54
Nevis (D3) 75
New Brigden (E4) 96
New Dayton (D5) 102
New Norway (D3) 263
New Sarepta (D3) 184
Newbrook (D2) 202
Newcastle Mine (D4) 949
Nisku (D3) 58
Nobleford (D5) 309
Noral (D2) 81
Nordegg (B3) 1,014
North Star (B1) 87
Obed (B3) 73
Ohaton (D3) 88
Okotoks (C4) 1,046
Olds (D4) 2,433
Onoway (C3) 302
Opal (D3) 128
Orion (E5) 51
Oyen (E4) 780
Ozada (C4) 250
Paradise Valley (E3) 182
Parkland (D4) 96
Patricia (E4) 130
Peace River (B1) 2,543
Pearce (D5) 60
Peers (B3) 128
Penhold (D3) 319
Philomena (E2) 58
Pibroach (D2) 118
Pickardville (D2) 140
Picture Butte (D5) 978
Pincher (C5) 80
Pincher Creek (D5) 2,961
Pine Lake (D3) 60
Plamondon (D2) 133
Pollockville (E4) 66
Ponoka (D3) 3,938
Provost (E3) 1,022
Purple Springs (E5) 40
Queenstown (D4) 67
Radway (D2) 183
Rainier (E4) 51
Ranfurly (E3) 147
Raymond (D5) 2,362
Red Deer (D3) 19,612
Red Willow (D3) 95
Redcliffe (E4) 2,226
Redland (D4) 39
Redwater (D3) 1,135
Reno (B2) 52
Retlaw (D4) 60
Ribstone (E3) 68
Richdale (E4) 38
Rimbey (C3) 1,266
Rochester (D2) 83
Rochfort Bridge (C3) 85
Rocky Mountain House (C3) 2,360
Rocky Rapids (C3) 50
Rockyford (D4) 282
Rosalind (D3) 197
Rosebud (D4) 99
Rosedale Sta. (D4) 301
Rosemary (E4) 210
Round Hill (D3) 160
Rowley (D4) 65
Royalties (C4) 156
Rumsey (D4) 123
Rycroft (A2) 500
Ryley (D3) 469
Saint-Albert (D3) 4,059
Saint Lina (E2) 80
Saint Michael (D3) 129
Saint Paul (E3) 2,823
Sangudo (C3) 325
Saunders (C3) 159
Sawdy (D2) 130
Scandia (E4) 51
Schuler (E4) 156
Scollard (D4) 66
Seba Beach (C3) 113
Sedalia (F4) 66
Sedgewick (E3) 655
Seebe (C4) 137
Seven Persons (E5) 97
Sexsmith (A2) 531
Sheerness (E4) 93
Shepard (D4) 66
Sibbald (E4) 75
Smith (D2) 86
Smoky Lake (D2) 626
Spedden (E2) 123
Spirit River (A2) 890
Spring Coulee (D5) 76
Spruce Grove (C3) 465
Standard (D4) 266
Stanmore (E4) 45
Stavely (D4) 349
Stettler (D3) 3,638
Stirling (D5) 468
Stony Plain (C3) 1,311
Strathmore (D4) 924
Streamstown (E3) 55
Strome (E3) 311
Sturgeon Heights (B2) 73
Suffield (E4) 130
Sundre (C4) 853
Sunnybrook (C3) 200
Sunnynook (E4) 76
Sunnyslope (D4) 61
Swalwell (D4) 85
Swan Hills (C2) 643
Sylvan Lake (C3) 1,381
Taber (E3) 3,951
Talbot (E3) 50
Tawatinaw (D2) 125
Tees (D3) 63
Thérien (E2) 83
Thorhild (D2) 312
Thorsby (C3) 491
Three Hills (D4) 1,491
Tilley (E4) 257
Timeu (C2) 53
Tofield (D3) 905
Tomahawk (C3) 106
Torrington (D4) 149
Travers (D4) 50
Triangle (B2) 83
Trochu (D4) 671
Turin (D5) 99
Turner Valley (C4) 702
Vauxhall (D4) 942
Vègreville (E3) 2,908
Vermilion (E3) 2,449
Veteran (E3) 239
Viking (E3) 1,043
Vilna (E2) 400
Violet Grove (C3) 200
Vulcan (D4) 1,310
Wabamun (C3) 198
Wabasca (D2) 381
Walsh (E5) 97
Wanham (A2) 251
Warburg (C3) 285
Warden Jct. (D3) 76
Warner (D5) 472
Warspite (D2) 153
Waskatenau (D2) 305
Waterton Park (D5) 300
Waterways (E1) 400
Watina (B2) 93
Wayne (D4) 116
Weasel Creek (D2) 20
Welling (D5) 291
Wembley (A2) 303
Westcott (C4) 95
Westlock (C2) 1,838
Westward Ho (C4)) 51
Wetaskiwin (D3) 5,300
Whiskey Gap (D5) 100
Whitecourt (C2) 1,054
Whitelaw (A1) 264
Whitla (E5) 67
Wildwood (C3) 479
Willingdon (E3) 429
Wimborne (D4) 80
Winfield (C3) 238
Winnifred (E5) 96
Woking (A2) 157
Wolf Creek (B3) 103
Wostok (D3) 150
Wrentham (D5) 111
Youngstown (E4) 321

OTHER FEATURES

Alberta (mt.) B 3
Assiniboine (mt.) C 4
Athabasca (lake) C 5
Athabasca (riv.) D 1
Banff Nat'l Park, 4,101 B 4
Battle (riv.) D 3
Beaverhill (lake) D 3
Biche (lake) E 2
Birch (lake) E 3
Birch (mt.) B 5
Bittern (lake) D 3
Bow (riv.) D 4
Brazeau (riv.) B 3
Buffalo (lake) D 3
Buffalo Head (hills) B 5
Calling (lake) D 2
Caribou (mts.) B 5
Claire (lake) B 5
Cold (lake) E 2
Columbia (mt.) B 3
Crowsnest (pass) C 5
Cypress Hills Prov. Park E 5
Eisenhower (mt.) C 4
Elk Island Nat'l Park, 69 D 3
Etzikom Coulee (riv.) E 5
Forbes (mt.) B 4
Gordon (lake) E 1
Graham (lake) C 1
Gull (lake) C 3
Hay (lake) A 5
Hay (riv.) A 5
Jasper Nat'l Park, 2,902 A 3
Kickinghorse (pass) B 4
Kitchener (mt.) B 3
Legend (lake) D 1
Lesser Slave (lake) C 2
Lyell (mt.) B 4
Mackenzie Highway B 1
Maligne (lake) B 3
Milk (riv.) D 5
Muriel (lake) E 2
N. Saskatchewan (riv.) E 3
N. Wabiskaw (lake) D 1
Oldman (riv.) D 5
Peace (riv.) B 1
Peerless (lake) C 1
Pembina (riv.) C 3
Pigeon (lake) D 3
Porcupine (hills) C 4
Red Deer (riv.) D 4
Rocky (mts.) A 3
Slave (riv.) C 5
Smoky (riv.) A 2
S. Saskatchewan (riv.) E 4
S. Wabiskaw (lake) D 2
Sullivan (lake) D 3
Temple (mt.) B 4
The Twins (mt.) B 3
Thickwood (hills) D 1
Utikuma (lake) C 2
Wabiskaw (riv.) C 1
Wallace (mt.) C 2
Waterton Lakes Nat'l Park, 300 C 5
Winefred (lake) E 2
Wood Buffalo Nat'l Park, 86 B 5
Yellowhead (pass) A 3

†Population of metropolitan area.

AGRICULTURE, INDUSTRY and RESOURCES

DOMINANT LAND USE

- Wheat
- Cereals (chiefly barley, oats)
- Cereals, Livestock
- Dairy
- Pasture Livestock
- Range Livestock
- Forests
- Nonagricultural Land

MAJOR MINERAL OCCURRENCES

- C Coal
- O Petroleum
- G Natural Gas
- S Sulfur
- Na Salt
- Water Power
- Major Industrial Areas

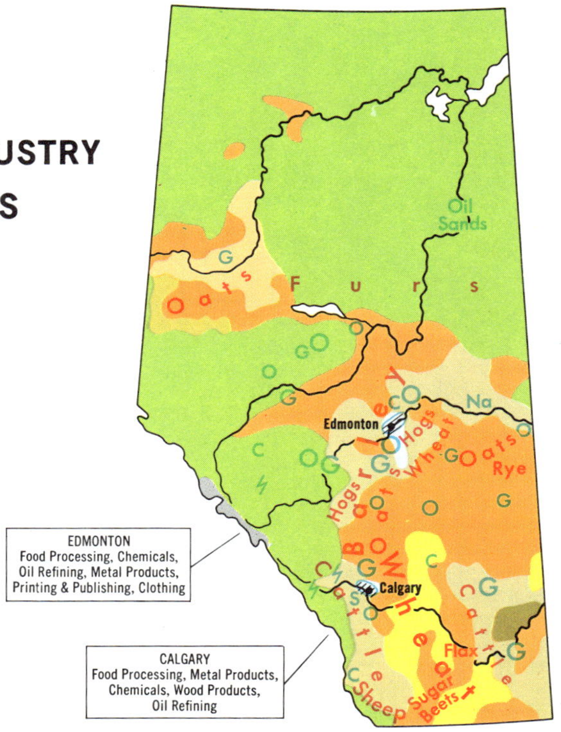
Oil Sands
Oats
Furs
Edmonton
Hogs
Wheat
Oats
Rye
Na
Calgary
Cattle
Sheep
Sugar Beets
Flax
EDMONTON
Food Processing, Chemicals, Oil Refining, Metal Products, Printing & Publishing, Clothing
CALGARY
Food Processing, Metal Products, Chemicals, Wood Products, Oil Refining

TOPOGRAPHY

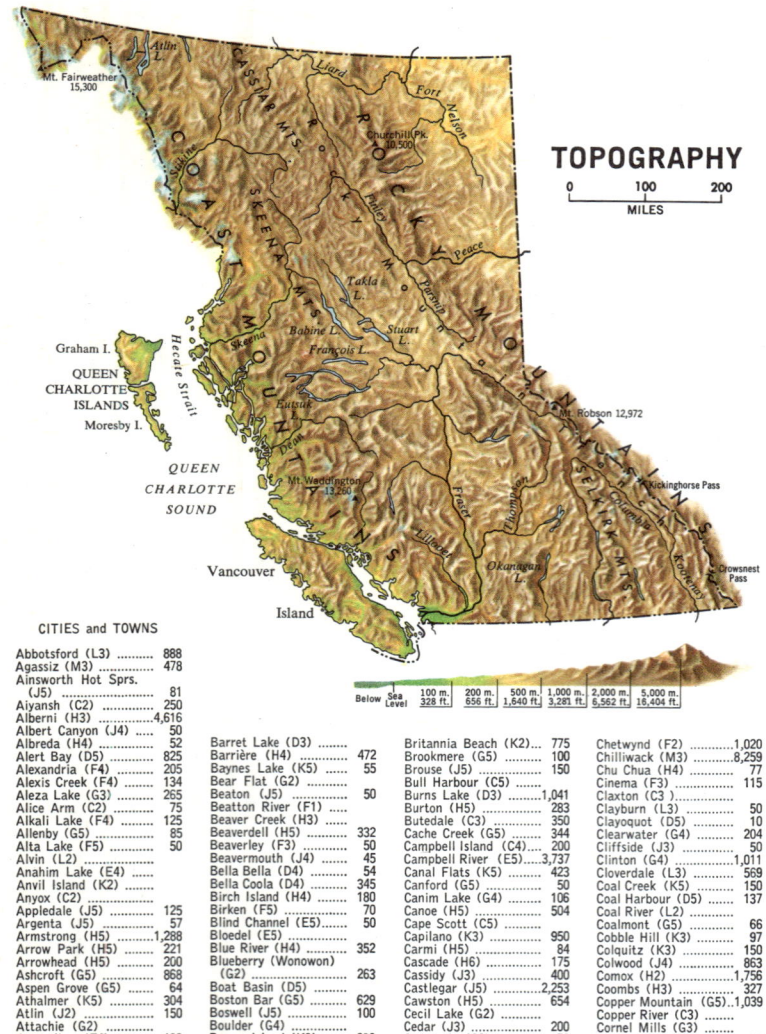

AGRICULTURE, INDUSTRY and RESOURCES

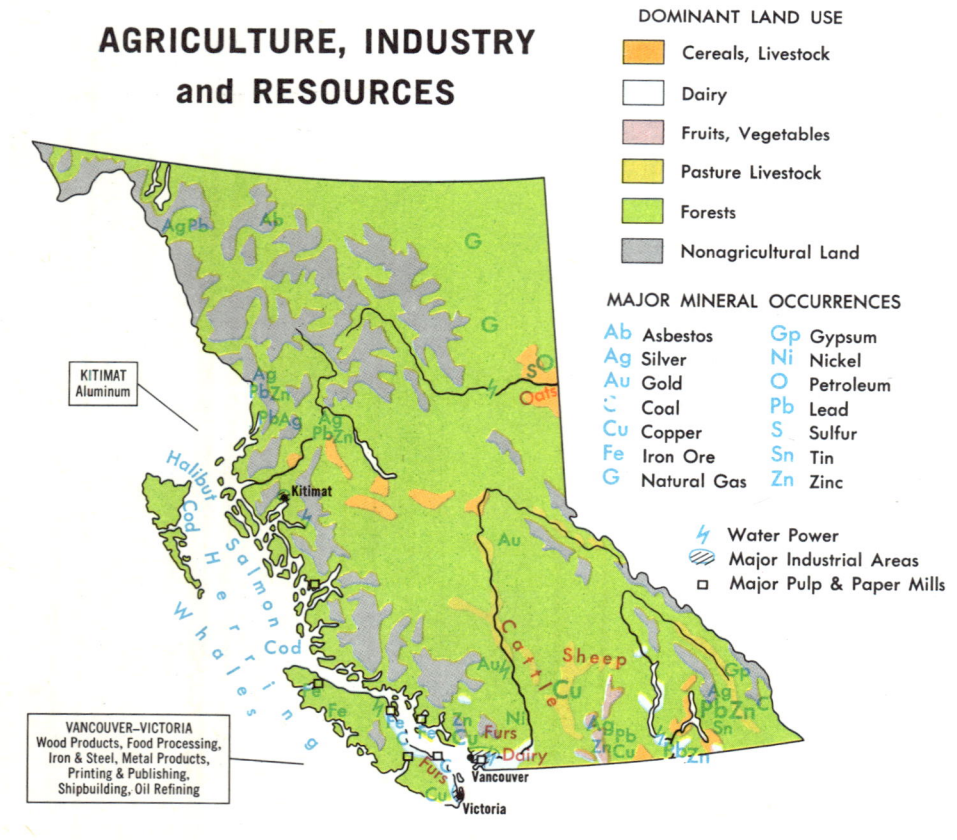

DOMINANT LAND USE
- Cereals, Livestock
- Dairy
- Fruits, Vegetables
- Pasture Livestock
- Forests
- Nonagricultural Land

MAJOR MINERAL OCCURRENCES
- Ab Asbestos
- Ag Silver
- Au Gold
- C Coal
- Cu Copper
- Fe Iron Ore
- G Natural Gas
- Gp Gypsum
- Ni Nickel
- O Petroleum
- Pb Lead
- S Sulfur
- Sn Tin
- Zn Zinc

⚡ Water Power
▨ Major Industrial Areas
□ Major Pulp & Paper Mills

KITIMAT — Aluminum

VANCOUVER–VICTORIA — Wood Products, Food Processing, Iron & Steel, Metal Products, Printing & Publishing, Shipbuilding, Oil Refining

BRITISH COLUMBIA

SCALE OF MILES 0 15 30 60 90 120

- Provincial Capital ⊛
- State Capital ⊙
- International Boundaries –·–·–
- Provincial Boundaries – – –

Copyright by C. S. Hammond & Co., N.Y.

CITIES and TOWNS

Place	Pop.
Abbotsford (L3)	888
Agassiz (M3)	478
Ainsworth Hot Sprs. (J5)	81
Aiyansh (C2)	250
Alberni (H3)	4,616
Albert Canyon (J4)	50
Albreda (H4)	52
Alert Bay (D5)	825
Alexandria (F4)	205
Alexis Creek (F4)	134
Aleza Lake (G3)	265
Alice Arm (C2)	75
Alkali Lake (F4)	125
Allenby (G5)	85
Alta Lake (F5)	50
Alvin (L2)	
Anahim Lake (D4)	
Anvil Island (K2)	
Anyox (C2)	
Appledale (J5)	125
Argenta (J5)	57
Armstrong (H5)	1,288
Arrow Park (H5)	221
Arrowhead (H5)	200
Ashcroft (G5)	868
Aspen Grove (G5)	64
Athalmer (K5)	304
Atlin (J2)	150
Attachie (G2)	
Australian (F4)	133
Avola (H4)	138
Babine (D2)	10
Baldonnel (G2)	
Balfour (J5)	229
Bamfield (E6)	274
Bankeir (G5)	
Barkerville (G3)	62
Barret Lake (D3)	
Barrière (H4)	472
Baynes Lake (K5)	55
Bear Flat (G2)	
Beaton (J5)	50
Beatton River (F1)	
Beaver Creek (H3)	
Beaverdell (H5)	332
Beaverley (F3)	50
Beavermouth (J4)	45
Bella Bella (D4)	54
Bella Coola (D4)	345
Birch Island (H4)	180
Birken (F5)	70
Blind Channel (E5)	50
Bloedel (E5)	
Blue River (H4)	352
Blueberry (Wonowon) (G2)	263
Boat Basin (D5)	
Boston Bar (G5)	629
Boswell (J5)	100
Boulder (G4)	
Bowen Island (K3)	232
Bowser (H2)	187
Brackendale (F5)	292
Bralorne (F5)	670
Bridesville (H6)	112
Bridge Lake (G4)	200
Brilliant (J5)	590
Brisco (J5)	52
Britannia Beach (K2)	775
Brookmere (G5)	100
Brouse (J5)	150
Bull Harbour (C5)	
Burns Lake (D3)	1,041
Burton (H5)	283
Butedale (C4)	350
Cache Creek (G5)	344
Campbell Island (C4)	200
Campbell River (E5)	3,737
Canal Flats (K5)	423
Canford (G5)	50
Canim Lake (G4)	106
Canoe (H5)	504
Cape Scott (C5)	
Capilano (K3)	950
Carmi (H5)	84
Cascade (H6)	175
Cassidy (J3)	400
Castlegar (J5)	2,253
Cawston (H5)	654
Cecil Lake (G2)	
Cedar (J3)	200
Cedarvale (C2)	79
Celista (H5)	253
Chamiss Bay (D5)	65
Chapman Camp (K5)	649
Chase (H5)	990
Cheakamus	F 5
Cheam View (M3)	35
Chemainus (J3)	1,518
Chetwynd (F2)	1,020
Chilliwack (M3)	8,259
Chu Chua (H4)	77
Cinema (F3)	115
Claxton (C3)	
Clayburn (L3)	50
Clayoquot (D5)	10
Clearwater (G4)	204
Cliffside (J3)	50
Clinton (G4)	1,011
Cloverdale (L3)	569
Coal Creek (K5)	150
Coal Harbour (D5)	137
Coal River (L2)	
Coalmont (G5)	66
Cobble Hill (K3)	97
Colquitz (K3)	150
Colwood (K3)	863
Comox (H2)	1,756
Coombs (H3)	327
Copper Mountain (G5)	1,039
Copper River (C3)	
Cornel Mills (G3)	
Cottonwood (G3)	61
Courtenay (H5)	3,485
Cowichan Station (J3)	97
Cranbrook (K5)	5,549
Creston (K5)	2,460
Criss Creek (G4)	
Crofton (J3)	493
Crowsnest (K5)	250
Croydon Station (G3)	
Cumberland (E5)	1,303
D'Arcy (F5)	50
Dawson Creek (G2)	10,946
Dease Lake (K2)	
Decker Lake (E3)	235
Deer Park (H5)	100
Denman Island (H2)	150
Deroche (L3)	125
Dewdney (L3)	553
Doe River (G2)	280
Dog Creek (G4)	59
Dome Creek (G3)	110
Dorreen (C3)	61
Douglas Lake (H5)	166
Duncan (K3)	3,726
Dunster (G3)	89
East Arrow Park (J5)	71
East Kelowna (H5)	403
East Pine (G2)	98
East Wellington (J3)	50
Eburne (K3)	1,100
Edgewater (J5)	331
Edgewood (H5)	325
Eholt (H5)	80
Elko (K5)	117
Endako (E3)	109
Enderby (H5)	1,075
Engen (E3)	
Esperanza (D5)	
Esquimalt (K4)	10,175
Ewings Landing (H5)	85
Extension (J3)	171
Fairmount Hot Sprs. (J5)	
Falkland (H5)	408
Fanny Bay (H5)	132
Farmington (G2)	
Farrell Creek (G2)	
Ferguson (J5)	
Fernie (K5)	2,661
Field (J4)	399
Finmoore (F3)	135
Flathead (K5)	68
Floods (M3)	
Forest Grove (G4)	225
Fort Fraser (E3)	311
Fort Langley (L3)	962
Fort Nelson (M2)	1,607
Fort Saint James (E3)	1,081
Fort Saint John (G2)	3,619
Fort Steele (K5)	125
Francois Lake (D3)	88
Fraser Lake (E3)	149
Fraser Mills (K3)	633
Fruitvale (J5)	1,032
Fulford Harbour (K3)	100
Gabriola (J3)	406
Galiano (K3)	359
Gang Ranch (F4)	75
Ganges (J5)	400
Garibaldi (F5)	50
Gerrard (J5)	30
Gibsons (J3)	1,091
Giscome (F3)	646
Glacier (J4)	50
Glendale Cove (E5)	
Gold Bridge (F5)	153
Golden (J4)	1,776
Goldstream (J4)	100
Grand Forks (H6)	2,347
Granite Bay (E5)	70
Granthams Ldg. (J3)	189
Grassy Plains (E3)	100
Great Central (H2)	178
Greenville (C2)	
Greenwood (H5)	932
Hagensborg (D4)	413
Halcyon Hot Sprs. (J5)	30
Halfmoon Bay (J2)	159
Hanceville (F4)	54
Haney (L3)	2,117
Hansard (J3)	92
Harrison Hot Sprs. (M3)	475
Harrison Mills (L3)	92
Harrogate (J5)	57
Hatzic (L3)	724
Haynes (H5)	
Haysport (C3)	50
Hazelton (D2)	410
Headquarters (E5)	180
Hedley (H5)	425
Heffley Creek (H5)	143
Holberg (C5)	177
Honeymoon Bay (J3)	518
Hope (M3)	2,751
Hopkins Landing (K2)	135
Hornby Island (H2)	119
Horsefly (G4)	54
Hosmer Bay (K3)	150
Hot Springs Cove (D5)	66
Houston (D3)	699
Howser (J5)	36
Hudson Hope (F2)	66
Hulatt (F3)	50
Huntingdon (L3)	122
Hutton (J3)	75
Hydraulic (F4)	50
Invermere (K5)	744
Ioco (K3)	294
Irvine's Landing (J2)	83
Isle-Pierre (F3)	63
Jaffray (K5)	282
James Island (K3)	163
Johnson's Landing (J5)	35
Kaleden (H5)	350
Kamloops (G5)	10,076
Kaslo (J5)	646
Keefer's (G5)	50
Keithley Creek (G4)	75
Kelowna (H5)	13,188
Kemano (D3)	255
Keremeos (H5)	563
Kettle Valley (H5)	128
Kimberley (K5)	6,013
Kincolith (B2)	125
Kingsgate (K5)	71
Kinnaird (J5)	2,123
Kisgegas (D2)	
Kitchener (J5)	75
Kitimat (C3)	8,000
Kitwanga (D2)	167
Klemtu (C4)	150
Koksilah (J3)	382
Kyuquot (D5)	184
Lac-la-Hache (G4)	775
Ladner (J3)	2,000
Ladysmith (J3)	2,173
Laidlaw (M3)	78
Lake Cowichan (J3)	2,149
Lake Hill (K3)	
Langford (K3)	1,024
Langley (J5)	2,365
Lantzville (J3)	135
Lardeau (J5)	175
Lavington (H5)	131
Lempriere (H4)	
Liard River (L2)	
Lillooet (G5)	1,304
Lister (J5)	163
Little Fort (G4)	186
Lone Butte (G4)	163
Longworth (G3)	175
Loos (G3)	50
Louis Creek (H4)	274
Lower Post (K1)	160
Lumby (H5)	842
Lund (E5)	198
Lynn Creek (K3)	1,000
Lytton (G5)	442
Mabel Lake (H5)	123
Macalister (F4)	175
Magna Bay (H5)	92
Malakwa (H5)	336
Manson Creek (E2)	285
Mapes (E3)	
Mara (H5)	232
Margaret Bay (D4)	50
Marguerite (F4)	83
Marysville (K5)	1,057
Masset (B3)	547
Matsqui (L3)	275
Mayne (K3)	139
McBride (G3)	590
McDame (K2)	
McGuire (F5)	
McLeod Lake (F2)	123
McLure (H4)	69
McMurdo (J4)	114
McMurphy (H4)	
Merritt (G5)	3,039
Merville (E5)	326
Metchosin (K4)	370
Metlakatla (B3)	30
Michel (K5)	417
Midway (H5)	391
Milner (L3)	324
Milne's Landing (J4)	50
Minstrel Island (D5)	50
Minto Mine (F5)	50
Miocene (G4)	99
Miocene (G4)	99
Mission City (L3)	3,251
Monte Creek (G5)	53
Monte Creek (G5)	278
Montney (G2)	
Moose Heights (F3)	164
Mount Cartier (J5)	95
Mount Currie (F5)	105
Mount Lehman (L3)	150
Mount Robson (H3)	
Moyie (K5)	137
Mud River (F3)	129
Murrayville (L3)	431
Nadina River (D3)	100
Nakusp (J5)	992
Namu (D4)	159
Nanaimo (J3)	14,135
Nanoose Bay (H5)	56
Naramata (H5)	346
Nass Harbour (C3)	
Natal (K5)	829
Nazko (F3)	61
Needles (H5)	130
Nelson (J5)	7,074
Nelson Forks (M2)	
New Brighton (K2)	
New Denver (J5)	564
New Hazelton (D2)	200
New Westminster (K3)	33,654
Newgate (K5)	60
Newlands (F3)	51
Newton (K3)	178
Nicola (G5)	159
Nithi River (E3)	
North Bend (H5)	340
North Galiano (K3)	50
North Kamloops (G5)	6,456
North Pine (G2)	
North Vancouver (K3)	23,656
Northfield (J3)	610
Notch Hill (H5)	104
Ocean Falls (D4)	3,056
Okanagan Centre (H5)	265
Okanagan Falls (H5)	353
Okanagan Ldg. (H5)	535
Okanagan Mission (H5)	103
Oliver (H5)	1,774
150 Mile House (G4)	124
Oona River (C3)	
Oosta Lake (E3)	50
Osoyoos (H6)	1,022
Oyama (H5)	197
Pacific (C3)	74
Parksville (J3)	1,183
Parson (J4)	252
Pavilion (G5)	93
Peachland (G5)	500
Pemberton (F5)	181
Pemberton Meadows (F5)	265
Pender Island (K3)	300
Penny (J3)	151
Penticton (H5)	13,859
Perow (D3)	50
Pink Mountain (F1)	
Pioneer Mine (F5)	226
Poplar Creek (J5)	33
Port Alberni (H3)	11,560
Port Albion (E6)	65
Port Alice (D5)	1,065
Port Clements (B3)	250
Port Coquitlam (K3)	8,111
Port Edward (B3)	887
Port Essington (C3)	225
Port Hammond (K3)	1,267
Port Hardy (D5)	606
Port Mann (K3)	500
Port Moody (K3)	4,789
Port Renfrew (J3)	279
Port Simpson (B3)	750
Pouce-Coupé (G2)	669
Powell River (E5)	9,700
Premier (C2)	400
Prince George (F3)	13,877
Prince Rupert (B3)	11,987
Princeton (G5)	2,163
Procter (J5)	213
Provincial Cannery (C4)	
Punchaw (F3)	
Quathiaski Cove (E5)	76
Quatsina (D5)	87
Queen Charlotte (A3)	283
Quesnel (F4)	4,673
Quick (D3)	200
Quilchena (G5)	101
Radium Hot Sprs. (J5)	
Red Pass (J5)	70
Redstoe (F4)	10
Refuge Cove (E5)	300
Reid Lake (F3)	100
Remo (C3)	55
Renata (H5)	131
Revelstoke (J5)	3,624
Riske Creek (F4)	201
Rivers Inlet (D4)	250
Roberts Creek (J3)	353
Robson (J5)	909
Rock Bay (E5)	100
Rock Creek (H6)	100
Rolla (G2)	69
Rose Lake (E3)	50
Roseberry (J5)	52
Rosedale (M3)	654
Rossland (J5)	4,350
Royal Oak (K3)	100
Royston (H2)	700
Ruby Creek (M3)	73
Ruskin (L3)	447
Rutland (H5)	1,495
Ryder Lake (M3)	282
Saanichton (K3)	500
Salmo (J5)	889
Salmon Arm (H5)	1,506
Salmon Valley (F3)	309
Saltair (J3)	338
San Josef Bay (C5)	
Sandon (J5)	200
Sandspit (B3)	466
Sardis (M3)	898
Saturna (K3)	135
Savona (G5)	532
Sayward (D5)	299
Sechelt (J2)	488
Seton Portage (F5)	107
Seventy Mile House (G4)	512

BRITISH COLUMBIA

AREA 366,255 sq. mi.
POPULATION 1,838,000
CAPITAL Victoria
LARGEST CITY Vancouver (greater) 850,000†
HIGHEST POINT Mt. Fairweather 15,300 ft.
SETTLED IN 1806
ADMITTED TO CONFEDERATION 1871
PROVINCIAL FLOWER Dogwood

†Population of metropolitan area.

Seymour Arm (H4)	Stillwater (E5) 165	Walhachin (G5) 65	Beatton (riv.) G 1
Shalalth (F5)	Stoner (F3) 163	Waneta (J5) 75	Bella Coola (riv.) D 4
Shawnigan Lake (J3) 438	Strathnaver (F3) 191	Wardner (K5) 171	Brooks (pen.) D 5
Shelley (F3) 148	Sullivan Bay (C5) 150	Ware (E1) 75	Bryce (mt.) J 4
Shere (H4)	Summerland (G5) 3,893	Warfield (J5) 2,212	Bulkley (mts.) D 3
Shoreacres (J5) 80	Summit Lake (F3) 117	Wellington (J3) 599	Bute (inlet) D 5
Shushartie Bay (C5) 25	Taft (H4) 40	Wells (G3) 740	Caamaño (sound) C 4
Shuswap (H5) 90	Tahsis (D5) 686	West Vancouver (K3)	Calvert (isl.) C 4
Sicamous (H5) 588	Takla Landing (E2)	Westbank (H5) 284	Cariboo (mts.) H 4
Sidmouth (H5) 106	Tatla Lake (E4)	Westbridge (H5) 285	Chatham (sound) B 3
Sidney (K3) 1,558	Taylor (F2) 438	Westholme (J3) 74	Chilkat (inlet) H 1
Sikanni River (F1)	Telegraph Creek (K2) 132	Westwold (G5) 327	Chilko (lake) F 4
Silverdale (L3) 280	Telkwa (D3) 576	Whaletown (E5) 72	Chilkoot (pass) H 1
Silverton (J5) 285	Terrace (C3) 4,682	White Rock (K3) 6,453	Churchill (peak) E 1
Similkameen (J5)	Tête-Jaune-Cache	Whonock (L3) 1,062	Coast (mts.) D 3
Simoon Sound (D5) 244	(H4) 75	Williams Lake (F4) 2,120	Columbia (riv.) H 4
Sinclair Mills (G3) 200	Thetis Island (J3) 114	Willow River (F3) 331	Crowsnest (pass) K 5
Sirdar (J5) 76	Thurlow (D5) 75	Wilmer (J5) 244	Dean (chan.) C 4
Skeena Crossing (D2) 15	Tintagel (E3) 83	Wilson Creek (J2) 333	Dease (lake) K 2
Skidegate (B3) 400	Tlell (B3)	Windermere (K5) 391	Devil's Thumb (mt.) A 1
Slocan (J5) 293	Tofino (E5) 440	Winlaw (J5) 392	Dixon Entrance (str.) A 3
Slocan Park (J5) 278	Topley (G3) 75	Wonowon (Blueberry)	Eutsuk (lake) D 3
Smith River (L1)	Trail (J6) 11,580	(G2) 263	Finlay (riv.) E 1
Smithers (D3) 2,487	Trout Lake (J5) 100	Woodfibre (K2) 524	Fraser (riv.) J 5
Snowshoe (G3)	Tsawwassen (K3)	Woodpecker (F3) 75	François (lake) D 3
Soda Creek (G4) 113	Tulameen (G5) 511	Yale (M2) 297	Gardner (canal) C 3
Sointula (D5) 682	Tupper (G2) 67	Ymir (J5) 323	Georgia (strait) J 3
Solsqua (H5) 148	Two Rivers (G2)	Youbou (J3) 1,513	Glacier Nat'l Pk. J 4
Somenos (J5) 207	Ucluelet (E6) 782	Zeballos (D5) 235	Graham (riv.) F 2
Sooke (J4) 1,121	Union Bay (H2) 600		Hamber Prov. Pk. J 4
South Fort George	Usk (C3) 73	**OTHER FEATURES**	Hecate (strait) B 3
(F3) 1,964	Valemount (H4) 631		Iskut (riv.) B 2
South Hazelton (D2) 150	Vallican (J5) 106	Alberni (inlet) H 3	Juan de Fuca (strait) J 4
South Pender (K3) 25	Vanadnda (E5) 511	Aristazabal (isl.) C 4	Kates Needle (mt.) A 1
South Slocan (J5) 168	Vancouver (K3) 384,522	Assiniboine (mt.) K 5	Kickinghorse (pass) J 4
South Wellington (J3) 409	Vancouver (K3) 1850,000	Atlin (lake) J 1	King (isl.) D 4
Southbank (F3) 149	Vanderhoof (E3) 1,460	Babine (lake) E 3	Klinaklini (riv.) D 4
Spences Bridge (G5) 239	Vavenby (H4) 308	Babine (riv.) D 2	Knight (inlet) E 5
Spuzzum (G5) 74	Vernon (H5) 10,250	Banks (isl.) B 3	Kokanee Glacier Prov.
Squamish (F5) 1,557	VICTORIA (K4) 54,941	Barkley (sound) E 6	Pk. J 5
Squilax (H5) 200	Victoria (K4) 154,152		Kootenay (lake) J 5
Steveston (K3) 2,207	Wadhams (D4)		Kootenay Nat'l Pk. J 4
Stewart (C2) 327	Waldo (K5) 117		Kootenay (riv.) K 5
			Liard (riv.) L 1
			Lower Arrow (lake) H 5
			Lyell (mt.) J 4
			Manning, E. C. Prov. Park G 5
			Monashee (mts.) H 5
			Moresby (isl.) B 4
			Mount Assiniboine Prov. Park K 5
			Mt. Revelstoke Nat'l Park J 4
			Mount Robson Prov. Park H 4
			Nanika (dam) D 3
			Nass (riv.) C 2
			Observatory (inlet) C 2
			Okanagan (lake) H 5
			Parsnip (riv.) F 2
			Peace (riv.) F 2
			Pitt (isl.) C 3
			Pitt (lake) L 3
			Porcher (isl.) B 3
			Portland (canal) B 2
			Price (isl.) C 4
			Princess Royal (isl.) C 3
			Purcell (mts.) J 5
			Quatsino (sound) C 5
			Queen Charlotte (isls.) B 3
			Queen Charlotte (sound) C 4
			Queen Charlotte (strait) D 5
			Quesnel (lake) H 4
			Robson (mt.) H 3
			Rocky (mts.) J 4
			Seechelt (pen.) J 3
			Selkirk (mts.) J 4
			Seymour (inlet) D 5
			Shuswap (lake) H 4
			Sir Sandford (mt.) H 4
			Skeena (riv.) C 3
			Smith (sound) C 4
			Stave (lake) L 3
			Stikine (mts.) K 2
			Stikine (riv.) B 1
			Strathcona Prov. Pk. E 5
			Stuart (lake) E 3
			Tagish (lake) J 1
			Takla (lake) E 3
			Taku (riv.) J 1
			Teidemann (peak) E 4
			Texada (isl.) J 3
			Thompson (riv.) G 5
			Tweedsmuir Prov. Pk. D 4
			Upper Arrow (lake) H 5
			Waddington (mt.) E 4
			Yellowhead (pass) H 4
			Yoho Nat'l Park J 4

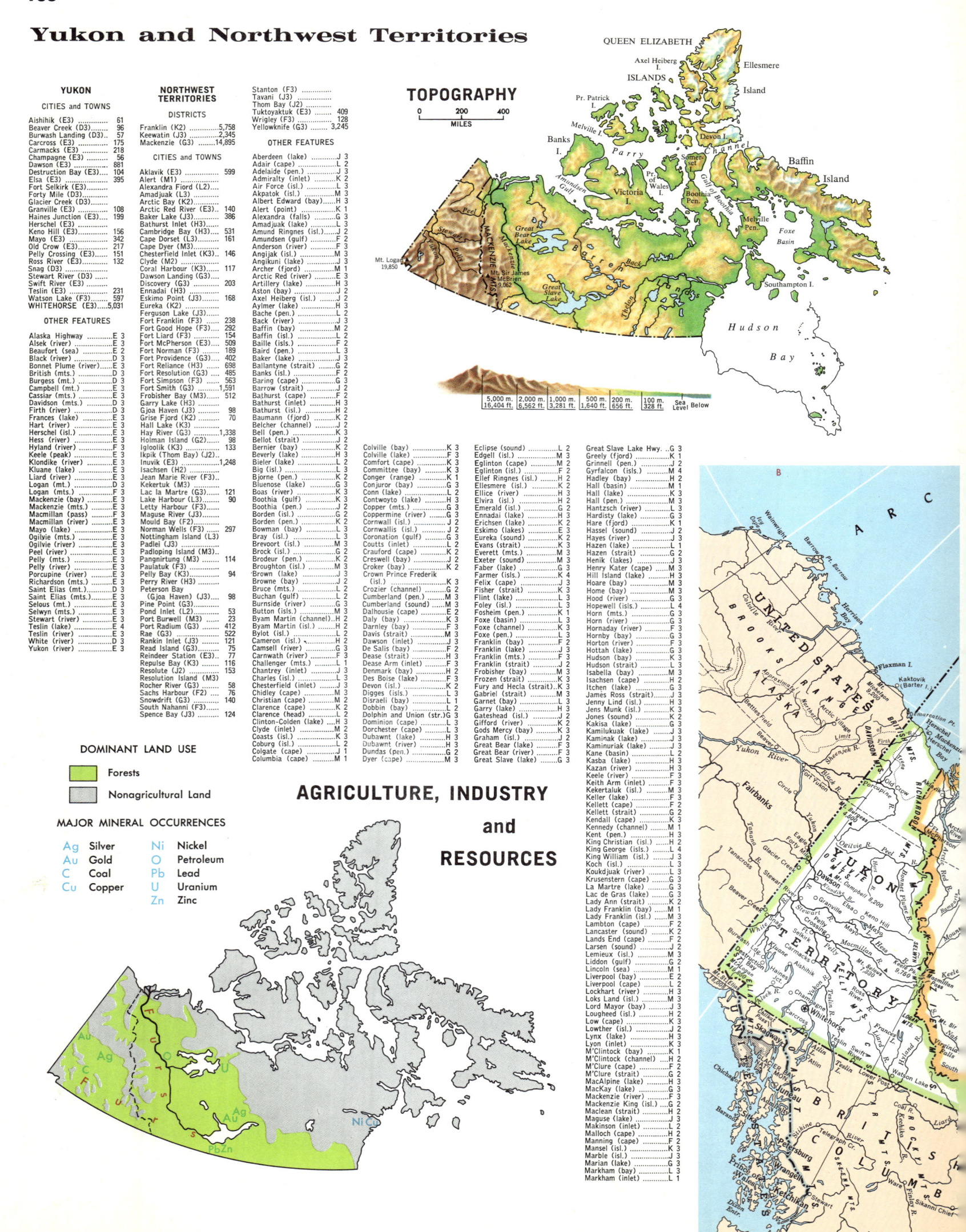

Yukon and Northwest Territories

YUKON
CITIES and TOWNS
Aishihik (E3)	61
Beaver Creek (D3)	96
Burwash Landing (D3)	57
Carcross (E3)	175
Carmacks (E3)	218
Champagne (E3)	56
Dawson (E3)	681
Destruction Bay (E3)	104
Elsa (E3)	395
Fort Selkirk (E3)	
Forty Mile (D3)	
Glacier Creek (D3)	
Granville (E3)	108
Haines Junction (E3)	199
Herschel (E3)	
Keno Hill (E3)	156
Mayo (E3)	342
Old Crow (E3)	217
Pelly Crossing (E3)	151
Ross River (E3)	132
Snag (D3)	
Stewart River (D3)	
Swift River (E3)	
Teslin (E3)	231
Watson Lake (F3)	597
WHITEHORSE (E3)	5,031

OTHER FEATURES
Alaska Highway	E 3
Alsek (river)	E 3
Beaufort (sea)	E 2
Black (river)	D 3
Bonnet Plume (river)	E 3
British (mts.)	D 3
Burgess (mt.)	D 3
Campbell (mt.)	E 3
Cassiar (mts.)	D 3
Davidson (mts.)	D 3
Firth (river)	D 3
Frances (lake)	E 3
Hart (river)	E 3
Herschel (isl.)	E 3
Hess (river)	E 3
Holmen (river)	F 3
Hyland (river)	F 3
Keele (peak)	E 3
Klondike (river)	E 3
Kluane (lake)	E 3
Liard (river)	E 3
Logan (mt.)	D 3
Logan (mt.)	F 3
Mackenzie (bay)	E 3
Mackenzie (mts.)	E 3
Macmillan (pass)	F 3
Macmillan (river)	E 3
Mayo (lake)	E 3
Ogilvie (mts.)	E 3
Ogilvie (river)	E 3
Peel (river)	E 3
Pelly (mts.)	E 3
Pelly (river)	E 3
Porcupine (river)	E 3
Richardson (mts.)	E 3
Saint Elias (mt.)	D 3
Saint Elias (mts.)	D 3
Selous (mt.)	E 3
Selwyn (mts.)	E 3
Stewart (river)	E 3
Teslin (lake)	E 4
Teslin (river)	E 3
White (river)	D 3
Yukon (river)	E 3

NORTHWEST TERRITORIES
DISTRICTS
Franklin (K2)	5,758
Keewatin (J3)	2,345
Mackenzie (G3)	14,895

CITIES and TOWNS
Aklavik (E3)	599
Alert (M1)	
Alexandra Fiord (L2)	
Amadjuak (L3)	
Arctic Bay (K2)	
Arctic Red River (E3)	140
Baker Lake (J3)	386
Bathurst Inlet (H3)	
Cambridge Bay (H3)	531
Cape Dorset (L3)	161
Cape Dyer (M3)	
Chesterfield Inlet (K3)	146
Clyde (M2)	
Coral Harbour (K3)	117
Dawson Landing (G3)	
Discovery (G3)	203
Ennadai (H3)	
Eskimo Point (J3)	168
Eureka (H2)	
Ferguson Lake (J3)	
Fort Franklin (F3)	238
Fort Good Hope (F3)	292
Fort Liard (F3)	154
Fort McPherson (E3)	509
Fort Norman (F3)	189
Fort Providence (F3)	402
Fort Reliance (H3)	698
Fort Resolution (G3)	485
Fort Simpson (F3)	563
Fort Smith (G3)	1,591
Frobisher Bay (M3)	512
Garry Lake (H3)	
Gjoa Haven (J3)	98
Grise Fjord (K2)	70
Hall Lake (K3)	
Hay River (G3)	1,338
Holman Island (G2)	98
Igloolik (K3)	133
Ikpik (Thom Bay) (J2)	
Inuvik (E3)	1,248
Isachsen (H2)	
Jean Marie River (F3)	
Kekertuk (M3)	
Lac la Martre (G3)	121
Lake Harbour (L3)	90
Letty Harbour (F3)	
Maguse River (J3)	
Mould Bay (F2)	
Norman Wells (F3)	297
Nottingham Island (L3)	
Padlei (J3)	
Padloping Island (M3)	
Pangnirtung (M3)	114
Paulatuk (F3)	
Pelly Bay (K3)	94
Perry River (H3)	
Peterson Bay (Gjoa Haven) (J3)	98
Pine Point (G3)	
Pond Inlet (L2)	53
Port Burwell (M3)	23
Port Radium (F3)	412
Rae (G3)	522
Rankin Inlet (J3)	121
Read Island (G3)	75
Reindeer Station (E3)	77
Repulse Bay (K3)	116
Resolute (J2)	153
Resolution Island (M3)	
Rocher River (G3)	58
Sachs Harbour (F2)	76
Snowdrift (G3)	140
South Nahanni (F3)	
Spence Bay (J3)	124
Stanton (F3)	
Tavani (J3)	
Thom Bay (J2)	
Tuktoyaktuk (E3)	409
Wrigley (F3)	128
Yellowknife (G3)	3,245

OTHER FEATURES
Aberdeen (lake)	J 3
Adair (cape)	L 2
Adelaide (pen.)	J 3
Admiralty (inlet)	K 2
Air Force (isl.)	L 3
Akpatok (isl.)	M 3
Albert Edward (bay)	H 3
Alert (point)	K 1
Alexandra (falls)	G 3
Amadjuak (lake)	L 3
Amund Ringnes (isl.)	J 2
Amundsen (gulf)	F 2
Anderson (river)	F 3
Angijak (isl.)	M 3
Angikuni (lake)	J 3
Archer (fjord)	M 1
Arctic Red (river)	E 3
Artillery (lake)	H 3
Aston (bay)	J 2
Axel Heiberg (isl.)	J 2
Aylmer (lake)	H 3
Bache (pen.)	L 2
Back (river)	J 3
Baffin (bay)	M 2
Baffin (isl.)	L 2
Baille (isls.)	F 2
Baird (pen.)	L 3
Baker (lake)	J 3
Ballantyne (strait)	G 2
Banks (isl.)	F 2
Baring (cape)	G 3
Barrow (strait)	J 2
Bathurst (cape)	F 2
Bathurst (inlet)	H 3
Bathurst (isl.)	H 2
Baumann (fjord)	K 2
Belcher (channel)	J 2
Bell (pen.)	K 3
Bellot (strait)	J 2
Bernier (bay)	K 2
Beverly (lake)	H 3
Bieler (lake)	L 3
Big (isl.)	L 3
Bjorne (pen.)	K 2
Bluenose (lake)	G 3
Boas (river)	K 3
Boothia (gulf)	J 2
Boothia (pen.)	J 2
Borden (isl.)	G 2
Borden (pen.)	K 2
Bowman (bay)	L 3
Bray (isl.)	L 3
Brevoort (isl.)	M 3
Brock (isl.)	G 2
Brodeur (pen.)	K 2
Broughton (isl.)	M 3
Brown (lake)	J 3
Browne (bay)	K 2
Bruce (mts.)	L 2
Buchan (gulf)	L 2
Burnside (river)	G 3
Button (isls.)	M 3
Byam Martin (channel)	H 2
Byam Martin (isl.)	H 2
Bylot (isl.)	L 2
Cameron (isl.)	H 2
Camsell (river)	G 3
Carnwath (river)	F 3
Challenger (mts.)	L 1
Chantrey (inlet)	J 3
Charles (isl.)	L 3
Chesterfield (inlet)	J 3
Chidley (cape)	M 3
Christian (cape)	M 2
Clarence (cape)	K 2
Clarence (head)	L 2
Clinton-Colden (lake)	H 3
Clyde (inlet)	M 2
Coats (isl.)	K 3
Coburg (isl.)	L 2
Colgate (cape)	J 1
Columbia (cape)	M 1
Colville (bay)	K 3
Colville (lake)	F 3
Comfort (cape)	K 3
Committee (bay)	K 3
Conger (range)	K 1
Conjuror (bay)	G 3
Conn (lake)	L 3
Contwoyto (lake)	H 3
Copper (mine)	G 3
Coppermine (river)	G 3
Cornwall (isl.)	J 2
Cornwallis (isl.)	J 2
Coronation (gulf)	G 3
Coutts (inlet)	L 2
Crauford (cape)	L 2
Creswell (bay)	J 2
Croker (bay)	K 2
Crown Prince Frederik (isl.)	K 3
Crozier (channel)	G 2
Cumberland (pen.)	M 3
Cumberland (sound)	M 3
Dalhousie (cape)	E 2
Daly (bay)	K 3
Darnley (bay)	F 3
Davis (strait)	M 3
Dawson (inlet)	J 3
De Salis (bay)	F 2
Dease (strait)	H 3
Dease Arm (inlet)	F 3
Denmark (bay)	L 1
Des Boise (lake)	K 2
Devon (isl.)	K 2
Digges (isls.)	L 3
Disraeli (fjord)	L 1
Dobbin (bay)	L 2
Dolphin and Union (str.)	G 3
Dominion (cape)	L 3
Dorchester (cape)	L 3
Dubawnt (lake)	H 3
Dubawnt (river)	H 3
Dundas (pen.)	G 2
Dyer (cape)	M 3
Eclipse (sound)	L 2
Edgell (isl.)	M 3
Eglinton (cape)	M 2
Eglinton (isl.)	F 2
Ellef Ringnes (isl.)	H 2
Ellesmere (isl.)	K 2
Ellice (river)	H 3
Elvira (river)	H 2
Emerald (isl.)	G 2
Ennadai (lake)	H 3
Erichsen (lake)	K 2
Eskimo (lake)	F 3
Eureka (sound)	K 2
Evans (strait)	K 3
Everett (mts.)	M 3
Exeter (sound)	M 3
Faber (lake)	G 3
Farmer (cape)	K 4
Felix (cape)	J 3
Fisher (strait)	K 3
Flint (lake)	L 3
Foley (isl.)	L 3
Fosheim (pen.)	K 1
Foxe (basin)	K 3
Foxe (channel)	K 3
Foxe (pen.)	L 3
Franklin (bay)	F 2
Franklin (lake)	J 3
Franklin (mts.)	F 3
Franklin (strait)	J 2
Frobisher (bay)	M 3
Frozen (strait)	K 3
Fury and Hecla (strait)	K 3
Gabriel (strait)	M 3
Garnet (bay)	L 3
Garry (lake)	H 3
Gateshead (isl.)	J 2
Gifford (river)	K 2
Gods Mercy (bay)	K 3
Graham (isl.)	J 2
Great Bear (lake)	F 3
Great Bear (river)	F 3
Great Slave (lake)	G 3
Great Slave Lake Hwy.	G 3
Greely (fjord)	K 1
Grinnell (pen.)	J 2
Gyrfalcon (isls.)	M 4
Hadley (bay)	H 2
Hall (basin)	M 1
Hall (lake)	K 3
Hall (pen.)	M 3
Hantzsch (river)	L 3
Hardisty (lake)	G 3
Hare (fjord)	K 1
Hassel (sound)	J 2
Hayes (river)	J 3
Hazen (lake)	L 1
Hazen (strait)	G 2
Henik (lake)	J 3
Henry Kater (cape)	M 3
Hill Island (lake)	H 3
Hoare (bay)	M 3
Home (bay)	M 3
Hood (river)	G 3
Hopewell (isls.)	L 4
Horn (isls.)	G 3
Horn (river)	G 3
Hornaday (river)	F 3
Hornby (bay)	G 3
Horton (river)	F 3
Hottah (lake)	G 3
Hudson (bay)	K 3
Hudson (strait)	L 3
Isabella (bay)	M 3
Isachsen (cape)	H 2
Itchen (lake)	G 3
James Ross (strait)	J 3
Jenny Lind (isl.)	H 3
Jens Munk (isl.)	K 3
Jones (sound)	K 2
Kakisa (lake)	G 3
Kamilukuak (lake)	H 3
Kaminak (lake)	J 3
Kaminuriak (lake)	J 3
Kane (basin)	L 2
Kasba (lake)	H 3
Kazan (river)	H 3
Keele (river)	F 3
Keith Arm (inlet)	F 3
Kekertaluk (isl.)	M 3
Keller (lake)	F 3
Kellett (cape)	F 2
Kellett (strait)	G 2
Kendall (cape)	K 3
Kennedy (channel)	M 1
Kent (pen.)	H 3
King Christian (isl.)	H 2
King George (isls.)	L 4
King William (isl.)	J 3
Koch (isl.)	L 3
Koukdjuak (river)	L 3
Krusenstern (cape)	G 3
La Martre (lake)	G 3
Lac de Gras (lake)	H 3
Lady Ann (strait)	K 2
Lady Franklin (isl.)	M 1
Lady Franklin (isl.)	M 3
Lambton (cape)	F 2
Lancaster (sound)	K 2
Lands End (cape)	F 2
Larsen (sound)	J 2
Lemieux (isl.)	M 3
Liddon (gulf)	G 2
Lincoln (sea)	M 1
Liverpool (bay)	E 2
Liverpool (cape)	L 2
Lockhart (river)	H 3
Loks Land (isl.)	M 3
Lord Mayor (bay)	J 3
Lougheed (isl.)	H 2
Low (cape)	K 3
Lowther (isl.)	J 2
Lynx (lake)	H 3
Lyon (inlet)	K 3
M'Clintock (bay)	K 1
M'Clintock (channel)	H 2
M'Clure (cape)	F 2
M'Clure (strait)	G 2
MacAlpine (lake)	H 3
MacKay (lake)	H 3
Mackenzie (river)	F 3
Mackenzie King (isl.)	G 2
Maguse (lake)	J 3
Makinson (inlet)	L 2
Malloch (cape)	H 2
Manning (cape)	M 3
Mansel (isl.)	L 3
Marble (isl.)	J 3
Marian (lake)	G 3
Markham (bay)	L 3
Markham (inlet)	L 1

TOPOGRAPHY

AGRICULTURE, INDUSTRY and RESOURCES

DOMINANT LAND USE
- Forests
- Nonagricultural Land

MAJOR MINERAL OCCURRENCES
- Ag Silver
- Au Gold
- C Coal
- Cu Copper
- Ni Nickel
- O Petroleum
- Pb Lead
- U Uranium
- Zn Zinc

YUKON and NORTHWEST TERRITORIES

NORTHWEST TERRITORIES

AREA	1,304,903
POPULATION	26,000
CAPITAL	Fort Smith (Admin. Center)
LARGEST CITY	Yellowknife 3,245
HIGHEST POINT	United States Range 9,600 ft.
SETTLED IN	1800
ADMITTED TO CONFEDERATION	1870
PROVINCIAL FLOWER	Mountain Avens

YUKON

	207,076 sq. mi.
	15,000
	Whitehorse
	Whitehorse 5,031
	Mt. Logan 19,850 ft.
	1897
	1898
	Fireweed

Maxwell (bay) .... K 2
McKeand (river) .... M 3
McLeod (bay) .... G 3
McTavish Arm (inlet) .... G 3
McVicar Arm (inlet) .... F 3
Meighen (isl.) .... H 1
Melbourne (isl.) .... H 3
Melville (isl.) .... G 2
Melville (pen.) .... K 3
Mercy (bay) .... G 2
Mercy (cape) .... M 3
Mill (isl.) .... L 3
Mills (lake) .... F 3
Milne (inlet) .... K 2
Mingo (lake) .... J 3
Minto (inlet) .... G 2
Mistake (bay) .... J 3
Moodie (isl.) .... M 3
Mountain (river) .... F 3
Nansen (sound) .... J 1
Nares (strait) .... L 2
Navy Board (inlet) .... K 2
Nelson (head) .... F 2
Nettilling (fjord) .... M 3
Nettilling (lake) .... L 3
Nonacho (lake) .... H 3
Norway (bay) .... H 2
Norwegian (bay) .... H 2
Nueltin (lake) .... H 3
Ogden (bay) .... H 3
Ommanney (bay) .... H 2
Ottawa (isls.) .... L 3
Otto (fjord) .... K 1
Parry (cape) .... F 2
Parry (channel) .... G 2
Parry (isls.) .... G 2
Parry (pen.) .... F 2

Pasley (bay) .... J 2
Peary (channel) .... H 2
Peel (sound) .... J 2
Pelly (bay) .... J 3
Pelly (lake) .... H 3
Penny (strait) .... J 2
Petitot (river) .... F 4
Phillips (bay) .... E 2
Philpots (isl.) .... L 2
Pinger (point) .... K 3
Point (lake) .... G 3
Pond (inlet) .... L 2
Prince Albert (isl.) .... G 2
Prince Albert (sound) .... G 2
Prince Alfred (cape) .... F 2
Prince Charles (isl.) .... L 3
Prince Gustav Adolf (sea) .... H 2
Prince of Wales (isl.) .... J 2
Prince of Wales (strait) .... G 2
Prince Patrick (isl.) .... F 2
Prince Regent (inlet) .... K 2
Queen (cape) .... L 3
Queen Elizabeth (isls.) .... H 1
Queen Maud (gulf) .... H 3
Queens (channel) .... J 2
Quoich (river) .... J 3
Raanes (pen.) .... K 2
Rae (isthmus) .... J 3
Rae (river) .... G 3
Rae (strait) .... J 3
Ramparts (river) .... E 3
Raper (cape) .... M 3
Redstone (river) .... F 3
Rennie (lake) .... H 3
Resolution (isl.) .... M 3
Richards (isl.) .... E 3
Richardson (isls.) .... G 3
Robeson (channel) .... M 1
Roes Welcome (sound) .... K 3

Rowley (isl.) .... K 3
Royal Geographical Society (isls.) .... J 3
Russell (cape) .... G 2
Russell (isl.) .... J 2
Russell (point) .... G 2
Sabine (pen.) .... H 2
Salisbury (isl.) .... L 3
Schultz (lake) .... J 3
Seahorse (point) .... L 3
Selwyn (lake) .... H 4
Shaler (mts.) .... G 2
Shepherd (bay) .... J 3

Sherard (cape) .... L 2
Sherman (inlet) .... J 3
Simpson (pen.) .... K 3
Sir James McBrien (mt.) .... F 3
Slave (river) .... G 3
Stallworthy (cape) .... J 1
Stapylton (bay) .... G 2
Steensby (inlet) .... L 2
Stefansson (isl.) .... H 3
Smith (bay) .... L 2
Smith (cape) .... L 3
Smith (sound) .... L 2
Smith Arm (inlet) .... F 3
Snare (river) .... G 3
Snowbird (lake) .... H 3
Somerset (isl.) .... J 2
South (bay) .... L 3

South Nahanni (river) .... F 3
Southampton (cape) .... K 3
Southampton (isl.) .... K 3
Spicer (isls.) .... L 3
Sverdrup (channel) .... J 1
Sverdrup (isls.) .... J 2
Tahiryuak (lake) .... G 2

Talbot (inlet) .... L 2
Taltson (river) .... G 3
Tathlina (lake) .... G 3
Tehek (lake) .... J 3
Tha-Anne (river) .... H 3
Thelon (river) .... H 3
Thesiger (bay) .... F 2
Thlewiaza (river) .... J 3
Thoa (river) .... H 3
Thomsen (river) .... G 2
Trout (lake) .... G 3
Truter (mts.) .... K 2
Ungava (bay) .... M 4

United States (range) .... L 1
Vansittart (isl.) .... K 3
Victoria (isl.) .... H 2
Victoria (strait) .... H 3
Virginia (falls) .... F 3
Viscount Melville (sound) .... G 2
Wager (bay) .... K 3
Wales (isl.) .... K 3
Walker (lake) .... H 3
Walsingham (cape) .... M 3
Wellington (bay) .... H 3
Wellington (channel) .... J 2

Wharton (lake) .... H 3
White (isl.) .... K 3
Wholdaia (lake) .... H 3
Willowlake (river) .... F 3
Wilson (cape) .... K 2
Winter (harbor) .... H 2
Winter (isl.) .... L 2
Wollaston (pen.) .... G 3
Wood Buffalo Nat'l Park G 2
Wynniatt (bay) .... G 2
Yathkyed (lake) .... H 3
Yellowknife (river) .... G 3
Yelverton (bay) .... K 1

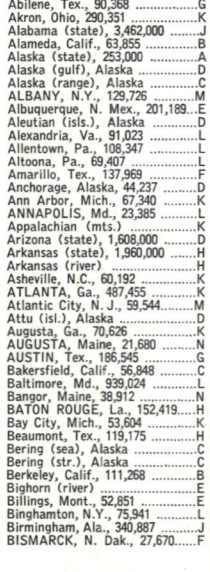

UNITED STATES
POLYCONIC PROJECTION

Copyright by C.S. Hammond & Co., N.Y.

Capitals of Countries	★
State Capitals	△
International Boundaries	————

Abilene, Tex., 90,368 ....G 4	Bitterroot (range) ....D 1	Columbus, Ga., 116,779 .....K 4	Ft. Worth, Tex., 356,268 ....G 4	Jackson, Mich., 50,720 ....J 2	Massachusetts (state),	New Orleans, La., 627,525 ...H 5
Akron, Ohio, 290,351 ....K 2	Black Hills (mts.) ....F 2	COLUMBUS, Ohio, 471,316 ..K 3	FRANKFORT, Ky., 18,365 ....K 3	JACKSON, Miss., 144,422 ....H 4	5,348,000 ....M 2	New York (state), 18,073,000 ..L 2
Alabama (state), 3,462,000 ..J 4	BOISE, Idaho, 34,481 ....C 2	CONCORD, N.H., 28,991 .....M 2	Fresno, Calif., 133,929 ....C 3	Jacksonville, Fla., 201,030 ..K 4	Maui (isl.), Hawaii ....F 5	NEW YORK, N.Y., 7,781,984 ..M 2
Alameda, Calif., 63,855 ......B 3	Borah (peak), Idaho ....D 2	Connecticut (state), 2,832,000 ..M 2	Gadsden, Ala., 58,088 ....J 4	Jefferson City, Mo., 28,228 ..H 3	Mauna Kea (mt.), Hawaii ....G 6	Newark, N.J., 405,220 ....M 2
Alaska (state), 253,000 ......A 5	BOSTON, Mass., 697,197 ....M 2	Connecticut (river) ....M 2	Galveston, Tex., 67,175 ......H 5	Jersey City, N.J., 276,101 ...M 2	Mauna Loa (mt.), Hawaii ....G 6	Newport, R.I., 47,049 ....M 2
Alaska (range) ....C 6	Brazos (river), Tex. ....G 4	Corpus Christi, Tex., 167,690 ..G 5	Garrison (res.), N. Dak. ......F 1	Johnstown, Pa., 53,949 ......L 2	May (cape), N.J. ....M 3	Newport News, Va., 113,662 ..L 3
Alaska (gulf), Alaska ....D 6	Bridgeport, Conn., 156,748 ..M 2	Council Bluffs, Iowa, 55,641 ..G 2	Gary, Ind., 178,320 ....J 2	Joliet, Ill., 66,780 ....J 2	McKinley (mt.), Alaska ....C 5	Niagara Falls, N.Y., 102,394 ..L 2
ALBANY, N.Y., 129,726 ....M 2	Bristol (bay), Alaska ....B 6	Covington, Ky., 60,376 ....J 3	Georgia (state), 4,357,000 ..K 4	JUNEAU, Alaska, 6,797 ....E 6	Mead (lake) ....D 3	Niihau (isl.), Hawaii ....E 5
Albuquerque, N. Mex., 201,189 ..E 3	Brooks (range), Alaska ....C 5	Cumberland (river) ....J 3	Gila (river) ....D 4	Kalamazoo, Mich., 82,089 ...J 2	Memphis, Tenn., 497,524 ...J 3	Norfolk, Va., 304,869 ....L 3
Aleutian (isls.), Alaska ....D 6	Buffalo, N.Y., 532,759 ....L 2	Dallas, Tex., 679,684 ....G 4	Glacier Nat'l Park, Mont. .....D 1	Kansas (state), 2,234,000 ...G 3	Mendocino (cape), Calif. ....A 2	North Carolina (state),
Alexandria, La., 91,023 ....H 4	California (state), 18,602,000 ..B 3	Davenport, Iowa, 88,981 ....H 2	Glendale, Calif., 119,442 ....C 4	Kansas City, Kans., 121,901 ..G 3	Mexico (gulf) ....J 5	4,914,000 ....L 3
Allentown, Pa., 108,347 ......L 2	Cambridge, Mass., 107,716 ..M 2	Dayton, Ohio, 262,332 ....K 3	Golden Gate (chan.), Calif. ..B 3	Kansas City, Mo., 475,539 ..H 3	Miami, Fla., 291,688 ....K 5	North Dakota (state), 652,000 ..F 1
Altoona, Pa., 69,407 ....L 2	Camden, N.J., 117,159 ....M 3	Death Valley (depr.), Calif. ...C 3	Grand Canyon Nat'l Park, Ariz. ..D 3	Kauai (isl.), Hawaii ....E 5	Miami Beach, Fla., 63,145 ..L 5	Oahu (isl.), Hawaii ....F 5
Amarillo, Tex., 137,969 ......F 3	Canadian (river) ....F 3	Decatur, Ill., 78,004 ....J 3	Grand Rapids, Mich., 177,313 ..J 2	Kennedy (cape), Fla. ....K 5	Michigan (state), 8,218,000 ..J 2	Oakland, Calif., 367,548 .....B 3
Anchorage, Alaska, 44,237 ..D 6	Canaveral (Kennedy) (cape),	Delaware (state), 505,000 ..L 3	Great Falls, Mont., 55,357 ..D 1	Kentucky (state), 3,179,000 ..J 3	Michigan (lake) ....J 2	Ogden, Utah, 70,197 ....D 2
Ann Arbor, Mich., 67,340 ...K 2	Fla. ....K 5	Delaware (bay) ....M 3	Great Salt (lake), Utah ....D 2	Kentucky (lake) ....J 3	Midway (isls.) ....E 6	Ohio (state), 10,245,000 ....K 2
ANNAPOLIS, Md., 23,385 ....L 3	Canton, Ohio, 113,631 ....K 2	DENVER, Colo., 493,887 .....F 3	Green (river) ....D 3	Knoxville, Tenn., 111,827 ...K 3	Milwaukee, Wis., 741,324 ...J 2	Ohio (river) ....J 3
Appalachian (mts.) ....K 3	Cape Fear (river), N.C. ....L 4	DES MOINES, Iowa, 208,982 ..H 2	Green Bay, Wis., 62,888 ....J 2	Lanai (isl.), Hawaii ....F 5	Minneapolis, Minn., 482,872 ..H 1	Okeechobee (lake), Fla. .....K 5
Arizona (state), 1,608,000 ..D 4	Cascade (range) ....B 1	Detroit, Mich., 1,670,144 ....K 2	Greensboro, N.C., 119,574 ..K 3	Lancaster, Pa., 61,055 ....L 2	Minnesota (state), 3,554,000 ..H 1	Oklahoma (state), 2,482,000 ..G 3
Arkansas (state), 1,960,000 ..H 3	Cedar Rapids, Iowa, 92,035 ..H 2	District of Columbia, 803,000 ..L 3	Greenville, S.C., 66,188 ......K 4	LANSING, Mich., 107,807 ...K 2	Mississippi (state), 2,321,000 ..J 4	OKLAHOMA CITY, Okla.,
Arkansas (river) ....H 3	Champlain (lake) ....M 1	DOVER, Del., 7,250 ....L 3	Hamilton, Ohio, 72,354 ......K 3	Laredo, Tex., 60,678 ....G 5	Mississippi (river) ....J 4	324,253 ....G 3
Asheville, N.C., 60,192 ....K 3	Charleston, S.C., 65,925 .....L 4	Dubuque, Iowa, 56,606 .....H 2	HARRISBURG, Pa., 79,697 ..L 2	Las Vegas, Nev., 64,405 .....C 3	Missouri (state), 4,497,000 ..H 3	OLYMPIA, Wash., 18,273 ....B 1
ATLANTA, Ga., 487,455 ......K 4	CHARLESTON, W. Va., 85,796 ..K 3	Duluth, Minn., 106,884 ......H 1	HARTFORD, Conn., 162,178 ..M 2	Lawrence, Mass., 70,933 ....M 2	Missouri (river) ....H 2	Olympic Nat'l Park, Wash. ..A 1
Atlantic City, N.J., 59,544 ...M 3	Charlotte, N.C., 201,564 .....K 4	Durham, N.C., 78,302 ....L 3	Hatteras (cape), N.C. ....M 3	Lawton, Okla., 61,697 ....G 4	Mitchell (mt.), N.C. ....K 3	Omaha, Nebr., 301,598 ......G 2
Attu (isl.), Alaska ....D 6	Chattahoochee (river) ....K 4	East St. Louis, Ill., 81,712 ...J 3	Havasu (lake) ....D 3	Lexington, Ky., 62,810 ....K 3	Mobile, Ala., 202,779 ....J 4	Ontario (lake), N.Y. ....L 2
Augusta, Ga., 70,626 ....K 4	Chattanooga, Tenn., 130,009 ..J 3	El Paso, Tex., 276,687 ....F 4	Hawaii (state), 711,000 ......F 6	Lima, Ohio, 51,037 ....K 2	Molokai (isl.), Hawaii ....F 5	Oregon (state), 1,899,000 ..B 2
AUGUSTA, Maine, 21,680 ...N 2	Chesapeake (bay) ....L 3	Elbert (mt.), Colo. ....E 3	Hawaii (isl.), Hawaii ....G 6	LINCOLN, Nebr., 128,521 ....G 2	Monroe, La., 52,219 ....H 4	Orlando, Fla., 88,135 ....K 5
AUSTIN, Tex., 186,545 ....G 4	CHEYENNE, Wyo., 43,505 ...E 2	Elizabeth, N.J., 107,698 .....M 2	HELENA, Mont., 20,227 ......D 1	LITTLE ROCK, Ark., 107,813 ..H 4	Montana (state), 706,000 ..E 1	Ozark (mts.) ....H 3
Bakersfield, Calif., 56,848 ..C 3	Cheyenne (river) ....F 2	Erie, Pa., 138,440 ....K 2	High Point, N.C., 62,063 .....K 3	Long (isl.), N.Y. ....M 2	MONTGOMERY, Ala., 134,393 ..J 4	Palo Alto, Calif., 52,287 ......B 3
Baltimore, Md., 939,024 ....L 3	Chicago, Ill., 3,550,404 ......J 2	Erie (lake) ....K 2	Hilo, Hawaii, 25,966 ....G 6	Long Beach, Calif., 344,168 ..C 4	MONTPELIER, Vt., 8,782 .....M 2	Pasadena, Calif., 116,402 ...C 4
Bangor, Maine, 38,912 ......N 2	Cimarron (river) ....G 3	Eugene, Oreg., 50,977 ....B 2	HONOLULU, Hawaii, 294,194 ..F 5	Los Angeles, Calif., 2,479,015 ..C 4	Muncie, Ind., 68,603 ....J 2	Paterson, N.J., 143,663 ......M 2
BATON ROUGE, La., 152,419 ..H 4	Cincinnati, Ohio, 502,550 ..K 3	Evansville, Ind., 141,543 ....J 3	Houston, Tex., 938,219 ......G 5	Louisiana (state), 3,534,000 ..H 4	Muskegon, Mich., 46,485 ...J 2	Pearl (harb.), Hawaii ....F 5
Bay City, Mich., 53,604 ......K 2	Cleveland, Ohio, 876,050 ..K 2	Everglades (swamp), Fla. ...K 5	Huntington, W. Va., 83,627 ..K 3	Louisville, Ky., 390,639 ......J 3	NASHVILLE, Tenn., 170,874 ..J 3	Pecos (river) ....F 4
Beaumont, Tex., 119,175 ....H 4	Coast (range) ....B 1	Fall River, Mass., 99,942 ....M 2	Huntsville, Ala., 72,365 ......J 4	Lowell, Mass., 92,107 ....M 2	Nantucket (isl.), Mass. ....N 2	Pennsylvania (state),
Berkeley, Calif., 111,268 ....B 3	Cod (cape), Mass. ....N 2	Fear (cape), N.C. ....L 4	Idaho (state), 692,000 ....C 2	Lubbock, Tex., 128,691 ......F 4	Nebraska (state), 1,477,000 ..F 2	11,520,000 ....L 2
Bering (sea), Alaska ....A 5	Colorado (state), 1,966,000 ..E 3	Flint, Mich., 196,940 ....K 2	Illinois (state), 10,644,000 ..J 2	Lynchburg, Va., 54,790 ......L 3	Nevada (state), 440,000 ....C 3	Pensacola, Fla., 56,752 .....J 4
Bighorn (river) ....E 2	Colorado (river) ....D 4	Florida (state), 5,805,000 ..K 5	Illinois (river) ....J 2	Macon, Ga., 69,764 ....K 4	New Bedford, Mass., 102,477 ..M 2	Peoria, Ill., 103,162 ....J 2
Billings, Mont., 52,851 ....E 1	Colorado (river), Tex. ....G 4	Florida (bay), Fla. ....K 5	INDIANAPOLIS, Ind., 476,258 ..J 3	MADISON, Wis., 126,706 ....J 2	New Hampshire (state),	Philadelphia, Pa., 2,002,512 ..M 3
Binghamton, N.Y., 75,941 ..L 2	Colorado Springs, Colo., 70,194 ..F 3	Florida (keys), Fla. ....K 6	Indiana (state), 4,885,000 ..J 3	Maine (state), 993,000 ....N 1	669,000 ....M 2	PHOENIX, Ariz., 439,170 ....D 4
Birmingham, Ala., 340,887 ..J 4	COLUMBIA, S.C., 97,433 .....K 4	Ft. Smith, Ark., 52,991 ....H 3	Iowa (state), 2,760,000 ......H 2	Martha's Vineyard (isl.), Mass. ..N 2	New Jersey (state), 6,774,000 ..M 3	PIERRE, S. Dak., 10,088 .....F 2
BISMARCK, N. Dak., 27,670 ..F 1	Columbia (river) ....B 1	Ft. Wayne, Ind., 161,776 ...J 2	Iowa (river), Iowa ....H 2	Maryland (state), 3,519,000 ..L 3	New Mexico (state), 1,029,000 ..E 4	Pikes (peak), Colo. ....E 3

UNITED STATES

AREA	3,615,211 sq. mi.
POPULATION	196,164,000
CAPITAL	Washington
LARGEST CITY	New York (greater) 14,114,927
HIGHEST POINT	Mt. McKinley 20,320 ft.
MONETARY UNIT	dollar
MAJOR LANGUAGE	English
MAJOR RELIGIONS	Protestant, Roman Catholic

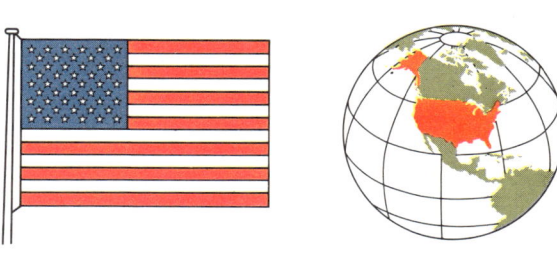

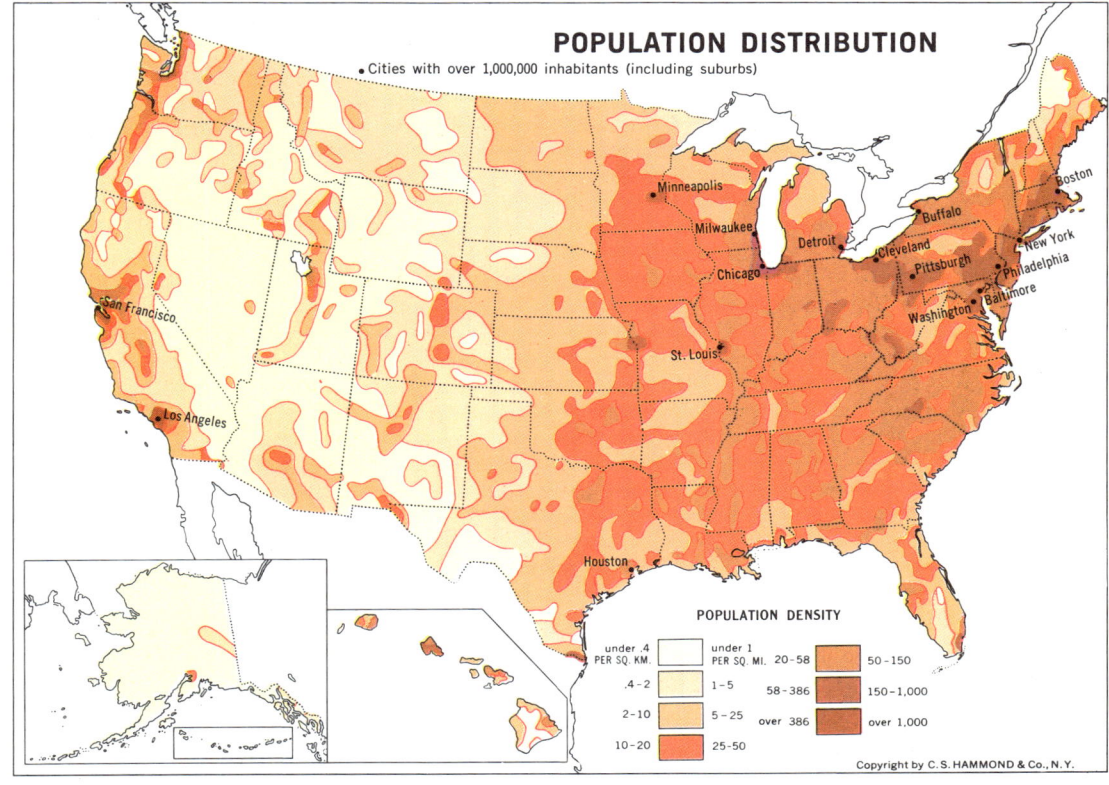

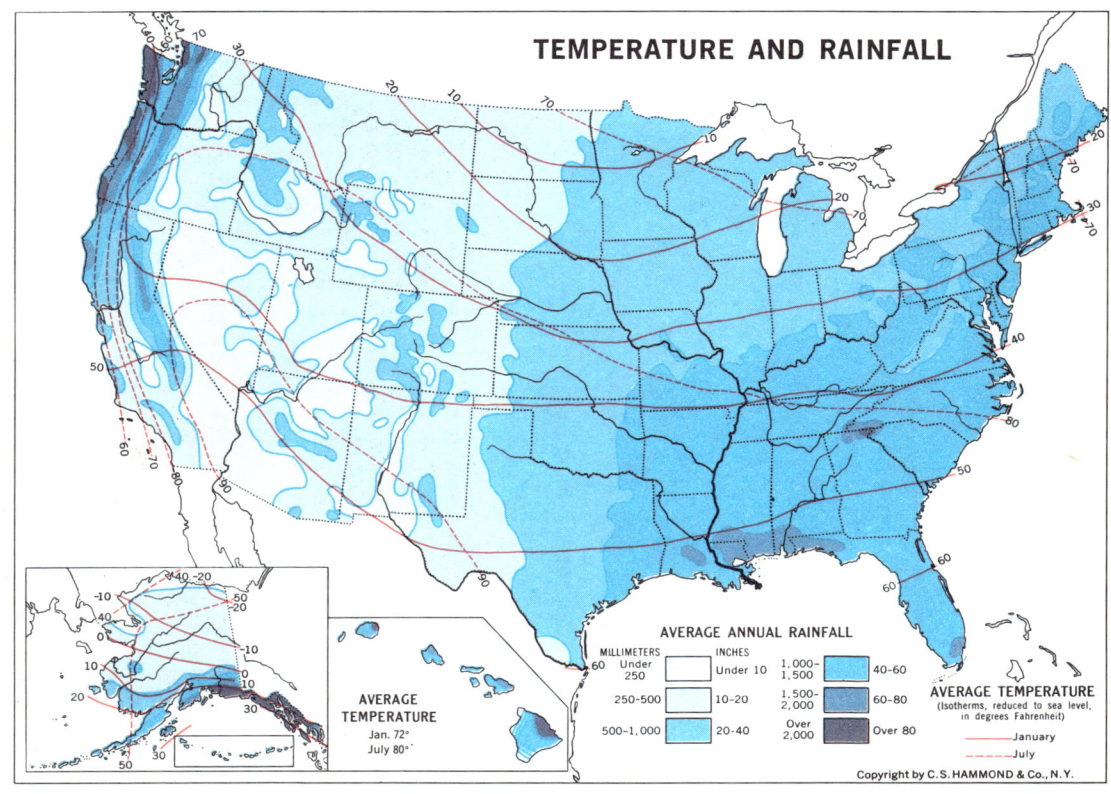

POPULATION DISTRIBUTION
• Cities with over 1,000,000 inhabitants (including suburbs)

POPULATION DENSITY

PER SQ. KM.	PER SQ. MI.
under .4	under 1	20-58	50-150
.4-2	1-5	58-386	150-1,000
2-10	5-25	over 386	over 1,000
10-20	25-50		

Copyright by C.S. HAMMOND & Co., N.Y.

TEMPERATURE AND RAINFALL

AVERAGE ANNUAL RAINFALL

MILLIMETERS	INCHES		
Under 250	Under 10	1,000-1,500	40-60
250-500	10-20	1,500-2,000	60-80
500-1,000	20-40	Over 2,000	Over 80

AVERAGE TEMPERATURE
(Isotherms, reduced to sea level, in degrees Fahrenheit)
— January
--- July

AVERAGE TEMPERATURE
Jan. 72°
July 80°

Copyright by C.S. HAMMOND & Co., N.Y.

Pittsburgh, Pa., 604,332 .... L 2
Pittsfield, Mass., 57,879 .... M 2
Platte (river), Nebr. .... G 2
Pomona, Calif., 67,157 .... C 4
Pontchartrain (lake), La. .... J 5
Pontiac, Mich., 82,233 .... K 2
Port Arthur, Tex., 66,676 .... H 5
Portland, Maine, 72,566 .... N 2
Portland, Oreg., 372,676 .... B 1
Portsmouth, Va., 114,773 .... L 3
Potomac (river) .... L 3
PROVIDENCE, R.I., 207,498 .... M 2
Pueblo, Colo., 91,181 .... F 3
Racine, Wis., 89,144 .... J 2
Rainier (mt.), Wash. .... B 1
RALEIGH, N.C., 93,931 .... L 3
Reading, Pa., 98,177 .... L 2
Red (river) .... H 4
Red River of the North (river) .... G 1
Reno, Nev., 51,470 .... C 3
Rhode Island (state), 920,000 .... M 2
Richmond, Calif., 71,854 .... B 3
RICHMOND, Va., 219,958 .... L 3
Riverside, Calif., 84,332 .... C 4
Roanoke, Va., 97,110 .... K 3
Rochester, N.Y., 318,611 .... K 4
Rock Island, 51,863 .... H 2
Rockford, Ill., 126,706 .... J 2
Rocky (mts.) .... E 3
Rio Grande (river) .... F 5
Rome, N.Y., 51,646 .... L 2
SACRAMENTO, Calif., 191,667 ...... B 3
Saginaw, Mich., 98,265 .... K 2
Saint Clair (lake), Mich. .... K 2
Saint Joseph, Mo., 79,673 .... H 3
Saint Louis, Mo., 750,026 .... H 3
Saint Petersburg, Fla., 181,298 ... K 5
SAINT PAUL, Minn., 313,411 .... H 1
Salem, Oreg., 49,142 .... B 1
SALT LAKE CITY, Utah, 189,454 .... D 2

Salton Sea (lake), Calif. .... C 4
San Angelo, Tex., 58,815 .... F 4
San Antonio, Tex., 587,718 .... G 5
San Bernardino, Calif., 91,922 .... C 4
San Diego, Calif., 573,224 .... C 4
San Francisco, Calif., 740,316 .... B 3
San Joaquin (river), Calif. .... C 3
San Jose, Calif., 204,196 .... B 3
Santa Ana, Calif., 100,350 .... C 4
Santa Barbara, Calif., 58,768 ..... C 4
SANTA FE, N. Mex., 33,394 .... E 3
Santa Monica, Calif., 83,249 ...... C 4
Savannah, Ga., 149,245 .... K 4
Schenectady, N.Y., 81,682 .... M 2
Scranton, Pa., 111,443 .... L 2
Seattle, Wash., 557,087 .... B 1
Shasta (mt.), Calif. .... B 2
Shreveport, La., 164,372 .... H 4
Sierra Nevada (mts.), Calif. ...... B 3
Sioux City, Iowa, 89,159 .... G 2
Sioux Falls, S. Dak., 65,466 ..... G 2
Snake (river) .... C 1
Somerville, Mass., 94,697 .... M 2
South Bend, Ind., 132,445 .... J 2
South Carolina (state), 2,542,000 .... K 4
South Dakota (state), 703,000 ..... F 2
Spokane, Wash., 181,608 .... C 1
SPRINGFIELD, Ill., 83,271 .... H 3
Springfield, Mass., 174,463 .... M 2
Springfield, Mo., 95,865 .... H 3
Springfield, Ohio, 82,723 .... K 3
Stockton, Calif., 86,321 .... B 3
Superior (lake) .... J 1
Syracuse, N.Y., 216,038 .... L 2
Tacoma, Wash., 147,979 .... B 1
Tahoe (lake) .... C 3
TALLAHASSEE, Fla., 48,174 .... K 4
Tampa, Fla., 274,970 .... K 5
Tennessee (state), 3,845,000 ...... J 3
Tennessee (river) .... J 3
Terre Haute, Ind., 72,500 .... J 3

Texas (state), 10,551,000 .... G 4
Toledo, Ohio, 318,003 .... K 2
TOPEKA, Kans., 119,484 .... G 3
TRENTON, N.J., 114,167 .... M 2
Troy, N.Y., 67,492 .... M 2
Tucson, Ariz., 212,892 .... D 4
Tulsa, Okla., 261,685 .... G 3
Tuscaloosa, Ala., 63,370 .... J 4
Tyler, Tex., 51,230 .... H 4
University City, Mo., 51,249 ...... H 3
Utah (state), 990,000 .... D 3
Utica, N.Y., 100,410 .... M 2
Vallejo, Calif., 60,877 .... B 3
Vermont (state), 397,000 .... M 2
Virginia (state), 4,457,000 .... L 3
Wabash (river) .... J 3
Waco, Tex., 97,808 .... G 4
Washington (state), 2,990,000 .... B 1
WASHINGTON, D.C., 763,956 .... L 3
Waterbury, Conn., 107,130 .... M 2
Waterloo, Iowa, 71,755 .... H 2
West Palm Beach, Fla., 56,208 ... K 5
West Virginia (state), 1,812,000 .. K 3
Wheeling, W. Va., 53,400 .... K 3
Whitney (mt.), Calif. .... C 3
Wichita, Kans., 254,698 .... G 3
Wichita Falls, Tex., 101,724 ..... G 4
Wilkes-Barre, Pa., 63,551 .... L 2
Wilmington, Del., 95,827 .... L 3
Winston-Salem, N.C., 111,135 ..... K 3
Wisconsin (state), 4,144,000 ..... H 2
Woods (lake), Minn. .... G 1
Worcester, Mass., 186,587 .... M 2
Wyoming (state), 340,000 .... E 2
Yellowstone Nat'l Park .... E 2
Yonkers, N.Y., 190,634 .... M 2
York, Pa., 54,504 .... L 3
Yosemite Nat'l Park, Calif. .... C 3
Youngstown, Ohio, 166,689 .... K 2
Yukon (river), Alaska .... C 5

*City and suburbs.

United States
(continued)

VEGETATION

Legend:
- Coniferous Forest
- Temperate Forest
- Temperate Grasslands
- Mediterranean
- Southern Pine
- Mangrove
- Steppe
- Thorn Scrub (Mesquite)
- Desert Vegetation
- Desert Waste
- Tropical Rain Forest
- Tundra and Alpine
- Unclassified Highlands

TOPOGRAPHY

0   200   400
MILES

Elevation scale:
5,000 m. / 16,404 ft.
2,000 m. / 6,562 ft.
1,000 m. / 3,281 ft.
500 m. / 1,640 ft.
200 m. / 656 ft.
100 m. / 328 ft.
Sea Level
Below

191

UNITED STATES HIGHWAYS

- Limited Access Highways
- Major Highways
- Other Important Roads
- U.S. Interstate Route Numbers
- Federal Route Numbers
- State and Other Route Numbers
- Trans-Canada Highway

SCALE OF MILES
0 100 200 300 400

NATIONAL PARKS
UNITED STATES

Acadia	Maine
Big Bend	Texas
Bryce Canyon	Utah
Canyonlands	Utah
Carlsbad Caverns	New Mexico
Crater Lake	Oregon
Everglades	Florida
Glacier	Montana
Grand Canyon	Arizona
Grand Teton	Wyoming
Great Smoky Mts.	N.C.-Tenn.
Haleakala	Hawaii
Hawaii Volcanoes	Hawaii
Hot Springs	Arkansas
Isle Royale	Michigan
Kings Canyon	California
Lassen Volcanic	California
Mammoth Cave	Kentucky
Mesa Verde	Colorado
Mount McKinley	Alaska
Mount Rainier	Washington
Olympic	Washington
Petrified Forest	Arizona
Platt	Oklahoma
Rocky Mountain	Colorado
Sequoia	California
Shenandoah	Virginia
Wind Cave	S. Dakota
Yellowstone	Wyo., Mont., Idaho
Yosemite	California
Zion	Utah

© C. S. HAMMOND & Co., Maplewood, N.J.

United States
(continued)

LAND USE

- PASTURE AND GRAZING LAND 42%
- URBAN AREAS 7%
- FOREST AND WOODLAND 22%
- DESERTS, SWAMPS AND OTHER LAND 12%
- CROPLAND 17%

CROPLAND (percent of total acreage)

- Corn 25%
- Wheat 16%
- Oats 8½%
- Soybeans 7%
- Sorghums 6%
- Hay 20%
- Barley 4½%
- Fruits and Nuts 1½%
- Cotton 4½%
- Vegetables 1%
- Other 6%

EMPLOYMENT

- MANUFACTURING 27%
- WHOLESALE AND RETAIL TRADE 19%
- GOVERNMENT 15%
- SERVICES 14%
- AGRICULTURE 8%
- TRANSPORTATION AND PUBLIC UTILITIES 6%
- CONSTRUCTION 5%
- FINANCE, INSURANCE, REAL ESTATE 5%
- MINING 1%

VALUE OF MINERAL PRODUCTION

- Metals 10%
- Nonmetals 22%
- Other Mineral Fuels 27%
- Petroleum 41%

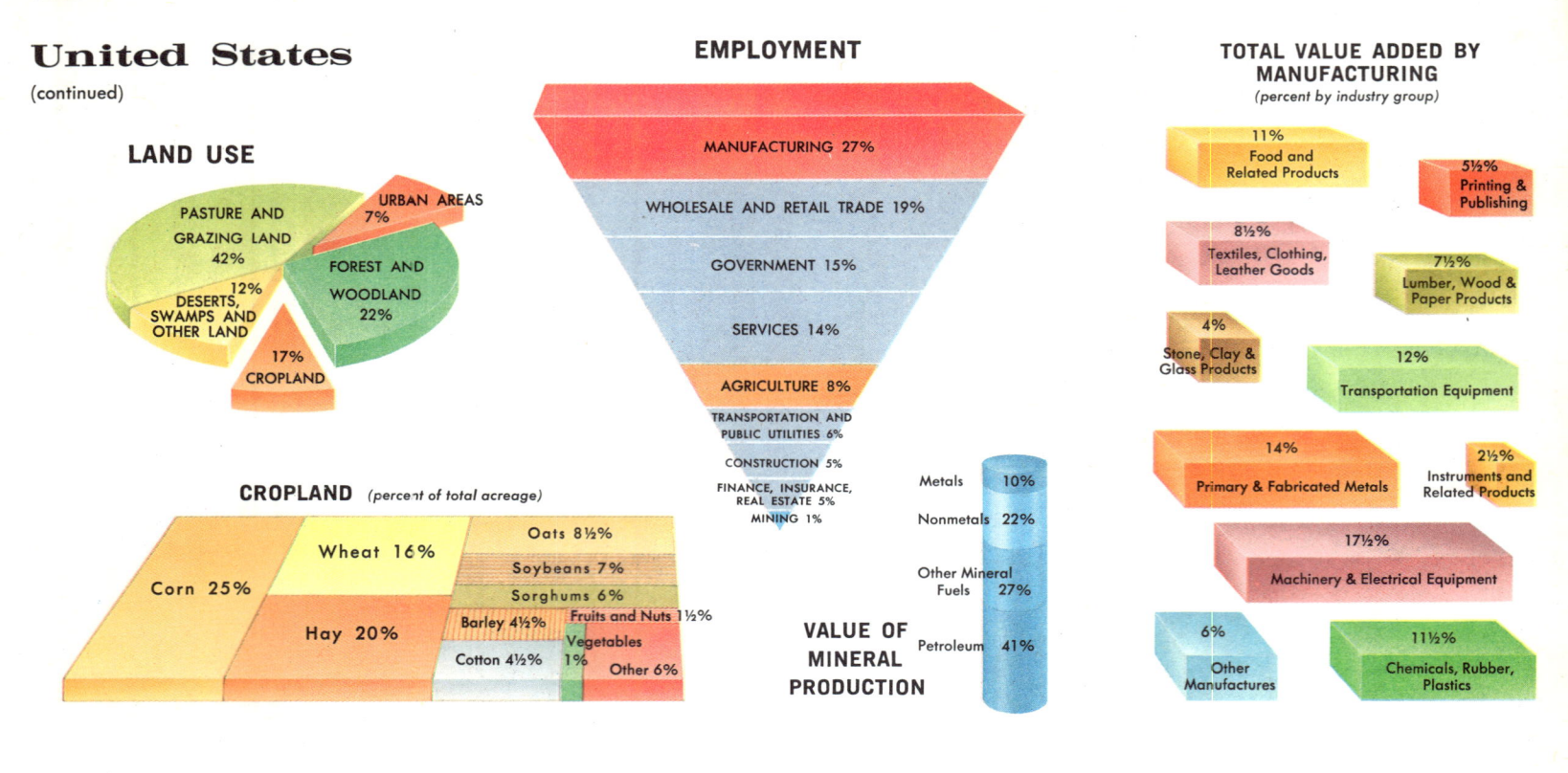

TOTAL VALUE ADDED BY MANUFACTURING
(percent by industry group)

- 11% Food and Related Products
- 5½% Printing & Publishing
- 8½% Textiles, Clothing, Leather Goods
- 7½% Lumber, Wood & Paper Products
- 4% Stone, Clay & Glass Products
- 12% Transportation Equipment
- 14% Primary & Fabricated Metals
- 2½% Instruments and Related Products
- 17½% Machinery & Electrical Equipment
- 6% Other Manufactures
- 11½% Chemicals, Rubber, Plastics

AGRICULTURE, INDUSTRY and RESOURCES

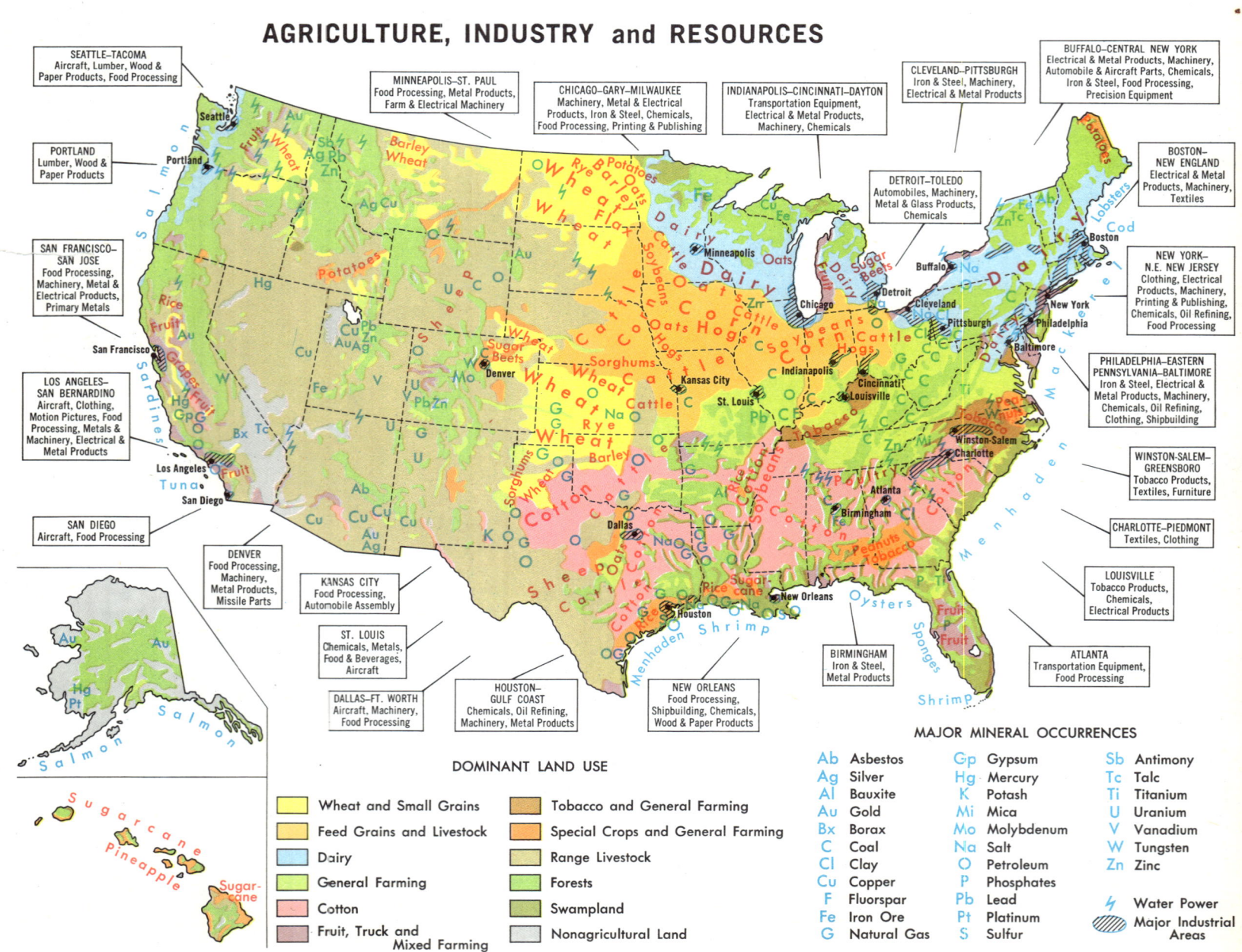

Industrial Areas:

- **SEATTLE–TACOMA**: Aircraft, Lumber, Wood & Paper Products, Food Processing
- **PORTLAND**: Lumber, Wood & Paper Products
- **SAN FRANCISCO–SAN JOSE**: Food Processing, Machinery, Metal & Electrical Products, Primary Metals
- **LOS ANGELES–SAN BERNARDINO**: Aircraft, Clothing, Motion Pictures, Food Processing, Metals & Machinery, Electrical & Metal Products
- **SAN DIEGO**: Aircraft, Food Processing
- **DENVER**: Food Processing, Machinery, Metal Products, Missile Parts
- **KANSAS CITY**: Food Processing, Automobile Assembly
- **ST. LOUIS**: Chemicals, Metals, Food & Beverages, Aircraft
- **DALLAS–FT. WORTH**: Aircraft, Machinery, Food Processing
- **HOUSTON–GULF COAST**: Chemicals, Oil Refining, Machinery, Metal Products
- **NEW ORLEANS**: Food Processing, Shipbuilding, Chemicals, Wood & Paper Products
- **MINNEAPOLIS–ST. PAUL**: Food Processing, Metal Products, Farm & Electrical Machinery
- **CHICAGO–GARY–MILWAUKEE**: Machinery, Metal & Electrical Products, Iron & Steel, Chemicals, Food Processing, Printing & Publishing
- **INDIANAPOLIS–CINCINNATI–DAYTON**: Transportation Equipment, Electrical & Metal Products, Machinery, Chemicals
- **DETROIT–TOLEDO**: Automobiles, Machinery, Metal & Glass Products, Chemicals
- **CLEVELAND–PITTSBURGH**: Iron & Steel, Machinery, Electrical & Metal Products
- **BIRMINGHAM**: Iron & Steel, Metal Products
- **ATLANTA**: Transportation Equipment, Food Processing
- **LOUISVILLE**: Tobacco Products, Chemicals, Electrical Products
- **CHARLOTTE–PIEDMONT**: Textiles, Clothing
- **WINSTON-SALEM–GREENSBORO**: Tobacco Products, Textiles, Furniture
- **BUFFALO–CENTRAL NEW YORK**: Electrical & Metal Products, Machinery, Automobile & Aircraft Parts, Chemicals, Iron & Steel, Food Processing, Precision Equipment
- **BOSTON–NEW ENGLAND**: Electrical & Metal Products, Machinery, Textiles
- **NEW YORK–N.E. NEW JERSEY**: Clothing, Electrical Products, Machinery, Printing & Publishing, Chemicals, Oil Refining, Food Processing
- **PHILADELPHIA–EASTERN PENNSYLVANIA–BALTIMORE**: Iron & Steel, Electrical & Metal Products, Machinery, Chemicals, Oil Refining, Clothing, Shipbuilding

DOMINANT LAND USE

- Wheat and Small Grains
- Feed Grains and Livestock
- Dairy
- General Farming
- Cotton
- Fruit, Truck and Mixed Farming
- Tobacco and General Farming
- Special Crops and General Farming
- Range Livestock
- Forests
- Swampland
- Nonagricultural Land

MAJOR MINERAL OCCURRENCES

- Ab Asbestos
- Ag Silver
- Al Bauxite
- Au Gold
- Bx Borax
- C Coal
- Cl Clay
- Cu Copper
- F Fluorspar
- Fe Iron Ore
- G Natural Gas
- Gp Gypsum
- Hg Mercury
- K Potash
- Mi Mica
- Mo Molybdenum
- Na Salt
- O Petroleum
- P Phosphates
- Pb Lead
- Pt Platinum
- S Sulfur
- Sb Antimony
- Tc Talc
- Ti Titanium
- U Uranium
- V Vanadium
- W Tungsten
- Zn Zinc
- ⚡ Water Power
- ▨ Major Industrial Areas